L'Opéra

L'Opéra

de 1597
à nos jours

DICTIONNAIRE
CHRONOLOGIQUE

Introduction de Rolf Liebermann

Ramsay

Ont collaboré à la rédaction de cet ouvrage :
Antonio Bertelé (ABe), Rossella Bertolazzi (RB),
Lorenzo Bianchi (LB), Antonio Bossi (AB),
Simonetta Colombus (SC), Renata Leydi (RL),
Riccardo Mezzanotte (RM), Giovanni Palmieri (GPa),
Fabio Parazzini (FP), Edgardo Pellegrini (EP),
Guido Peregalli (GP), Matilde Segre (MS),
Maria Simone Mongiardino (MSM).

Traduit de l'italien par Sophie Gherardi.

Édition mise à jour pour Le Livre de Poche
par Jean-Pierre Tardif

Publié sous le titre original :
L'Opera repertorio della lirica dal 1597.

Destiné à l'origine au divertissement des cours princières, l'opéra, à sa naissance, touchait cinquante personnes par représentation. Au XVIIIe siècle, les opéras de Mozart étaient composés pour un auditoire de deux cents spectateurs. Au siècle dernier, le public aristocratique s'est effacé devant la bourgeoisie qui a fait du théâtre lyrique un de ses domaines réservés. Nous nous trouvons aujourd'hui devant une explosion culturelle qui embrase le monde entier. Elle est partiellement fondée sur l'action des mass média — télévision, radio, publications spécialisées, disques, etc. — permettant ainsi à des millions de personnes d'accéder à une dimension de l'art qui leur était jusqu'ici peu familière. A l'heure actuelle les problèmes sont tels que je ne vois pas d'issue, à moins d'employer des moyens « extra-opéra ».

Lorsqu'en 1978, plusieurs millions de téléspectateurs ont vu *Le Couronnement de Poppée* de Monteverdi, un mouvement d'intérêt s'est créé. Mais la télévision ne suffit pas au plaisir de tous ceux qui aimeraient assister à la représentation d'un opéra, dans des conditions idéales, au théâtre et sans intermédiaire. Car si, comme dit Marshall Mac Luhan, « le médium est le message », ces téléspectateurs n'ont pas vu *Le Couronnement de Poppée* mais ont regardé la télévision « à propos » du *Couronnement de Poppée*.

Que faire ? Les salles de deux mille places ne répondent plus à la demande, mais construire des théâtres de quatre mille places, comme le Metropolitan de New York, c'est aller à la limite des capacités physiques des chanteurs. On doit amplifier les voix, l'ingénieur du son dirige la représentation. Sinon, c'est l'obligation de n'engager que des voix très puissantes et elles sont rares. Le problème est international. Comment sortir d'une telle situation ? Je vois deux chemins. D'abord, en finir avec l'accusation classique : cinquante millions de contribuables financent le plaisir de 500 000 d'entre eux. Un plaisir bien éphémère : le collectionneur achetant un tableau sait qu'il se valorise chaque année et consolide son patrimoine. Si la même somme sert à monter un opéra, il ne reste que le rêve à la fin de la représentation. La solution la plus simple serait que les 20 p. 100 du budget prévus à la recette (avec des places à 200 francs) et qui couvrent exactement les 20 p. 100 que coûte chaque soir le plateau (60 p. 100 allant, d'autre part, au personnel permanent) soient pris en charge par l'État. On pourrait alors baisser le prix des places à 30 francs. Il faudrait par ailleurs créer un abonnement « de gala » où des gens plus fortunés paieraient la totalité de leur place, c'est-à-dire 100 p. 100 du coût de la soirée (1 000 francs environ au lieu de 200). Ce serait leur conscience de spectateur privilégié. Si cette solution n'est pas adoptée, le moment viendra où les jeunes hommes politiques, ceux qui n'auront jamais pu aller à l'Opéra et ne sauront pas de quoi il s'agit, ne prendront plus comme un axiome obligatoire pour l'État de le subventionner. Ils donneront la priorité à des entreprises plus directement « utiles ».

Indépendamment de cette solution politique et sociologique, il existe une autre possibilité, artistique celle-là : le film. Non pas le film tel que l'a conçu Bergman avec *La Flûte enchantée*, représentation scénique à laquelle s'ajoutent des éléments cinématographiques, qui ne satisfait pas l'appétit du public. Le film tel que je le conçois n'est ni un film d'opéra, ni un opéra filmé. J'ai trouvé une appellation : « l'opéra cinématographique ». Tourner un film pour le cinéma avec un grand réalisateur et un grand chef d'orchestre comporte un danger : abaisser Mozart ou Verdi au rang de compositeurs de cinéma. Theodor Adorno a dit que cinq cents personnes voyant ensemble *Don Giovanni* trahissent Mozart parce que l'œuvre n'a pas été composée pour autant de spectateurs. Si on suit ses théories, un film mettant en images cet opéra pose un énorme problème. Le *Don Giovanni* que nous avons tourné, Joseph Losey et moi-même, mariait d'un côté la stylisation totale de l'opéra et de l'autre la réalité du cinéma. Mais je crois que ce film a satisfait des milliers de spectateurs qui ont assisté à la naissance d'une sorte de « huitième art ». On ne peut pas faire au théâtre ce qu'on fait au cinéma. Le film ne remplace pas les représentations scéniques, mais il les dépasse. C'est une manière de « rendre » idéalement l'opéra. Il serait également souhaitable d'essayer de produire des créations au cinéma. La télévision doit se contenter d'enregistrer en direct et de transmettre ainsi le témoignage d'une représentation théâtrale.

Le prix des places de cinéma étant accessible à tous, nous verrons bien si cet intérêt pour l'opéra est vrai. Car dans quelle mesure l'est-il pour la masse des gens ? En ôtant au grand public la peur de ne rien saisir à l'opéra, on arrivera peut-être à le séduire. Je suis sûr qu'il est plus facile de faire comprendre une sonate de Bartók à de jeunes enfants qu'une sonate de Schubert. Les réticences des adultes sont sociales avant d'être culturelles.

La culture est un droit du peuple et non un cadeau du gouvernement. Ce droit doit être respecté. La société ne peut diminuer le nombre d'heures de travail sans rien offrir à la place pour utiliser le temps ainsi gagné. Les raisons de cet engouement particulier pour l'opéra depuis quelques années sont difficilement analysables, mais les conséquences sont claires. Les compositeurs se tournent de nouveau vers l'opéra parce que c'est l'art le plus propice à s'adapter aux multimédias et qu'il est riche de possibilités (travail avec des comédiens, des chanteurs, des danseurs, des orchestres, etc.).

L'intérêt du public grandit tant pour les œuvres contemporaines réputées difficiles (je pense à *Lulu* de Berg) que pour les ouvrages de « consommation » comme peut l'être un grand Verdi. Ce phénomène tourne à une frénésie comparable au football. Mais, attention : cette passion est désormais coupée de la vie de la Cité. Le public moderne acclamant *Nabucco* de Verdi n'a pas les mêmes raisons d'être enthousiaste que les spectateurs de 1842, qui y voyaient la défense d'une cause politique. On applaudit de nos jours une mise en scène, un chef, un chanteur, on adule des stars ou on les détruit.

Ce n'est même pas l'artiste qui passionne, c'est le moment, la qualité vocale, un contre-ut. On en revient presque aux mœurs du passé où les initiés ne s'intéressaient qu'à quelques prouesses et allaient se promener dans le hall du théâtre le reste du temps. Grâce au disque ou à cause de lui, l'amateur d'opéra peut entendre partout les plus belles voix, les meilleurs chefs, dans des conditions techniques idéales. Sur scène, sans le secours de cette technique, il exige la perfection. Les critères de jugement sont complètement faussés : on cherche la reproduction d'une reproduction ; c'est monstrueux. Cet état de fait va d'autre part tuer les théâtres de province. Quand on peut entendre à tout moment Ruggero Raimondi dans *Don Giovanni*, le plaisir d'écouter un chanteur moins doué est bien mince.

Il s'agit d'insérer dans une société démocratique un genre créé par et pour une élite. Et si les médias sont au départ de cette évolution rapide, il est normal que, le « coup de foudre » passé, on assiste à une volonté d'en « savoir plus ». Les livres théoriques, subjectifs, anecdotiques sur l'opéra se multiplient : c'est bien. Il faut aussi des ouvrages de référence, qui viennent après coup, quand l'étendue du phénomène est indéniable. Cette encyclopédie ouvre la voie à une connaissance sérieuse de l'opéra.

ROLF LIEBERMANN

1597

DAPHNÉ
(La Dafne)

Fable dramatique en un prologue et six tableaux de Jacopo Peri (1561-1633). Texte d'Ottavio Rinuccini (1562-1621). Première représentation : Florence, palais de Jacopo Corsi, au cours du carnaval de 1597. Œuvre probablement composée entre 1594 et 1595.

L'INTRIGUE : Tirée des *Métamorphoses* d'Ovide, la fable est précédée d'un prologue pendant lequel le poète s'adresse au public. Le chœur introduit ensuite le dieu Apollon, rempli d'orgueil par sa victoire sur le Python. Il clame son mépris pour les douceurs de l'Amour, qui ne tarde pas à prendre sa revanche. En effet, voici qu'apparaît la nymphe Daphné, donnant la chasse à un cerf. Apollon, séduit par sa beauté, se lance à la poursuite de la jeune fille. L'Amour chante sa victoire, le chœur lui faisant écho. Un messager se présente alors et raconte comment Daphné, sur le point d'être rattrapée par Apollon, a adressé une prière aux dieux, qui l'ont sauvée en la transformant en laurier. Désormais, l'arbre sera consacré à Apollon et de ses feuilles seront couronnés les poètes et les rois. La fable s'achève par un hymne à l'Amour. Le chœur souhaite à chaque amant d'être un jour transformé par celui qu'il aime.

■ La musique composée pour cette courte œuvre lyrique a été presque entièrement perdue. Les quelques fragments qui nous en sont parvenus ne permettent pas de porter un jugement d'ordre esthétique. Toutefois, l'étude de ces bribes musicales et du texte montre clairement qu'avec *Dafne* s'amorce un tournant fondamental dans l'histoire de la musique et du théâtre. Les théories élaborées par un groupe d'hommes de lettres et de musiciens — connus sous le nom de Camerata fiorentina (Cercle de Florence) — qui se réunissaient dans le dernier quart du XVIe siècle, d'abord chez Giovanni Bardi, puis chez Jacopo Corsi, ont trouvé en *Dafne* leur première réalisation. S'opposant ouvertement à la polyphonie triomphante, les membres de la Camerata prônaient un idéal nouveau : la monodie. Ils pensaient ressusciter, grâce au récitatif musical, qu'ils appelaient le « parlar cantando », l'esprit de la tragédie grecque. Cette conviction que la tragédie grecque était entièrement chantée, jointe au désir d'exprimer l'action dramatique par la musique, ou plus précisément par une certaine intonation musicale de la parole, est à l'origine de l'opéra. Et *Dafne*, selon de nombreux musicologues, en est le premier exemple. Il semble que Giulio Caccini et Jacopo Corsi lui-même, le « metteur en scène » de l'opéra, aient participé à la composition musicale. *Dafne* se présentait, d'après les fragments retrouvés, comme une succession de strophes avec reprise régulière du même thème musical. Le texte de Rinuccini fut par la suite mis en musique par Marco da Gagliano (1608) et joué à la cour de Mantoue. Traduit en allemand par Martin Opitz, il fut, en 1627, le premier opéra composé outre-Rhin, œuvre du musicien Heinrich Schütz. RM

L'AMPHIPARNASSE ou LES DÉSESPÉRÉS SATISFAITS (L'Amphiparnaso o Li disperati contenti)

Commedia armonica *pour chœur à quatre et cinq voix d'Orazio Vecchi (1550-1605). Texte probablement dû au compositeur. Œuvre représentée à Venise en 1597.*

L'INTRIGUE : Il s'agit d'une succession d'actions sans lien entre elles mais de thèmes voisins, dans l'esprit de la *commedia dell'arte*. On voit au début le vieux Pantalon épris de la belle courtisane Hortense, qui le repousse. Le deuxième tableau, bien différent, nous montre l'amour de Lelio pour Nisa. Au troisième, Graziano demande la main de la fille de Pantalon. Le futur beau-père la lui accorde, non sans avoir longuement discuté dot et affaires. Tableau suivant : Lucio est rongé de jalousie devant les coquetteries d'Isabelle qui feint d'accepter les avances du capitaine Cardon. La plaisanterie risque de mal tourner lorsqu'un coup de théâtre vient tout arranger, et cela s'achève par un heureux mariage. Le dernier tableau est assez différent des précédents. Il nous montre des prêteurs sur gages juifs et illustre leur fonction dans l'économie du XVIe siècle.

■ *L'Amphiparnaso* est considéré comme un chef-d'œuvre de la polyphonie et certains y voient — à tort — l'un des premiers exemples de théâtre lyrique. Il se compose de chansons, ballets, madrigaux et dialogues. Les masques s'expriment en dialecte, les autres personnages dans un italien particulièrement recherché. Il semble acquis que l'œuvre a été composée trois ans avant sa représentation, c'est-à-dire en 1594, et peut-être exécutée sans mise en scène à Modène, salle Spelta, au cours de la même période. EP

LA FOLIE SÉNILE (La Pazzia senile)

Comédie musicale ou drame madrigalesque d'Adriano Banchieri (1568-1634). Texte en vers du compositeur. Première édition : Venise, 1598.

L'INTRIGUE : L'action se déroule à Rovigo, à une époque indéterminée. Le vieux marchand Pantalon est follement amoureux de

Laurette, qui le dédaigne. Sa fille Doralice aime Fulvio et en est aimée. Mais Pantalon ne voit pas d'un bon œil cette idylle. Il fait quérir par Burattino le vieux docteur Graziano, à qui il offre la main de sa fille. Les deux vieillards se préparent à mettre leur projet à exécution, mais ils doivent finalement s'avouer vaincus, et Doralice peut épouser Fulvio.

■ Cette comédie, proche par certains aspects du mélodrame classique, est en fait une composition hybride, entre l'opéra proprement dit et une simple suite de chansons et madrigaux. Elle a souvent été citée comme une forme primitive du mélodrame comique et, de fait, Banchieri fut l'un des premiers à mettre en musique des actions comiques. Le titre complet de l'œuvre est : *La folie sénile — Considérations gracieuses et plaisantes, à trois voix, d'Adriano Banchieri, Bolognais.* Le texte, en vers d'assez faible qualité, tombe souvent dans le trivial. Les dialogues, appelés « considérations », alternent avec des « intermèdes » joués par des personnages bouffons. L'opéra est précédé d'un prologue récité par l'*Humor Bizarro* et s'achève sur un *balletto di vallanelle* (danse pastorale). L'œuvre est peu adaptée à la représentation scénique, ne serait-ce que parce que des personnages uniques sont chantés à plusieurs voix, en style madrigalesque. Les personnages sont pour la plupart des « masques » de la *commedia dell'arte.* Le docteur Graziano annonce le futur « masque » typique de Bologne, le docteur Balanzone. La comédie était vraisemblablement jouée par des mimes, la partie chantée étant confiée à un chœur en coulisses. La première édition de 1598 fut suivie de plusieurs autres au début du XVIIe siècle. Une édition critique regroupant texte et musique a été publiée récemment. GP

EURYDICE (Euridice)

Fable dramatique en un prologue et six scènes de Jacopo Peri (1561-1633). Texte d'Ottavio Rinuccini (1562-1621). Première représentation : Florence, palais Pitti, 6 octobre 1600, à l'occasion du mariage de Marie de Médicis et d'Henri IV de France.

L'INTRIGUE : L'argument est tiré de l'*Orfeo* de Politien, mais s'en éloigne au finale pour permettre un dénouement heureux. Une allégorie de la Tragédie présente le sujet de l'opéra dans un prologue au cours duquel on salue les spectateurs royaux. Puis un chœur de bergers et de nymphes chante l'union d'Orphée et d'Eurydice ; Eurydice elle-même se joint au chœur et propose une danse en signe d'allégresse. Orphée fait part de son bonheur, prie les dieux de le lui conserver, et Arcètre et Tircis présentent leurs vœux aux époux. Daphné apparaît alors et annonce une triste nouvelle : la jeune épouse est morte, piquée par un serpent venimeux. Orphée et ses amis éclatent en pleurs. Dans la scène suivante, Arcètre décrit le désespoir d'Orphée qui, fou de douleur, a voulu se donner la mort. Mais Vénus est apparue, l'a consolé, et lui a conseillé de descendre aux Enfers pour demander à Pluton de lui rendre celle qu'il aime. Arrivé aux Enfers, Orphée apitoie par son chant Pluton et Proserpine, et Eurydice lui est rendue, sans conditions. Un chœur du royaume des ombres accompagne le retour des amants à la lumière du soleil. Sur la terre, les nymphes et les bergers attendent, anxieux. Mais Aminte apporte une heureuse nouvelle : Orphée revient. Les époux arrivent : danses et chœurs célèbrent le bonheur retrouvé.

■ La musique de la *Dafne* de Peri ayant été perdue, *Euridice* est le premier opéra qui nous soit intégralement parvenu, et qui nous permette de connaître l'idée que les intellectuels florentins de la fin du XVIe siècle se faisaient de cette nouvelle forme de spectacle. Sur un livret de Rinuccini, court (790 vers) mais non dénué de qualités littéraires et d'efficacité dramatique, Jacopo Peri a composé une ligne monodique rigoureuse. Rejetant les complications de la polyphonie « afin de bien faire comprendre les paroles », il s'est efforcé d'exprimer les sentiments et les émotions des personnages. La forme supposée du chant grec, auquel les lettrés et les musiciens de la Camerata fiorentina entendaient revenir par le « recitar cantando », n'a pas empêché Peri de se laisser aller parfois à quelques virtuosités vocales. Ainsi, la trame du récitatif se déchire en des moments d'intense poésie. La mélodie, bien qu'elle ne possède pas encore les caractéristiques de l'aria, a acquis une beauté inhabituelle, et la correspondance entre musique et paroles accentue l'impression de vérité. Selon Massimo Mila, on ne sait pas si l'on doit admirer le plus dans cet opéra « une candeur toute primitive, ou au contraire la marque d'une civilisation très raffinée ». Conformément à un usage durable, seule la partie vocale est complètement écrite ; la partition ne comporte aucune indication instrumentale si ce n'est la « basse continue ». On sait toutefois que lors de la première représentation, l'orchestre était composé d'un clavecin, d'un *chitarrone* (sorte de luth), d'une grande lyre et d'un luth, placés derrière la scène. Peri, surnommé le Zazzerino (le chevelu), à cause de ses cheveux roux, excellent joueur d'orgue et de clavecin et très bon chanteur, interprétait le rôle d'Orphée. RM

EURYDICE
(Euridice)

Fable dramatique en six scènes de Giulio Caccini (1550-1618), dit Romano. Livret d'Ottavio Rinuccini (1562-1621). Première représentation, Florence, salon d'Antoine de Médicis (Palais Pitti), 5 décembre 1602. Composé en 1600.

L'INTRIGUE : L'œuvre fut composée sur le livret d'Ottavio Rinuccini déjà mis en musique par Jacopo Peri (voir l'intrigue à la notice *Euridice* de Jacopo Peri, p. 11). Quelques airs de l'ouvrage de Caccini furent chantés au cours de la première représentation de l'*Euridice* de Peri, à Florence, en 1600. Caccini réussit ensuite à précéder Peri, sinon pour la représentation, au moins pour la publication de sa version, qui eut lieu en 1601. L'œuvre fut publiée sous le titre : *L'Euridice in musica in stile rappresentativo de Giulio Caccini, dit Romano.* La *Dafne* de Peri (1594) ayant été perdue, les deux versions d'*Euridice* sont en fait les plus anciens « parents » connus du théâtre lyrique. La veine mélodique de Caccini, qui appartenait lui aussi à la Camerata fiorentina, était plus facile que celle de Peri, et ses œuvres plus plaisantes. Peri était considéré comme plus habile techniquement et davantage capable d'utiliser la nouvelle technique musicale. MS

ORPHÉE
(L'Orfeo)

Fable en musique, en un prologue et trois actes de Claudio Monteverdi (1567-1643). Livret d'Alessandro Striggio (1573 env.-1630). Première représentation : Mantoue, palais ducal, dans les appartements de Madame de Ferrare, Margherita Gonzaga, veuve d'Alfonso II d'Este, 24 février 1607.

LES PERSONNAGES : La Musique, prologue (soprano) ; Orphée (ténor, créé par un castrat) ; Eurydice (soprano) ; Sylvie, messagère (soprano) ; l'Espérance (mezzo-soprano) ; Charon (basse) ; Proserpine (soprano); Pluton (basse); Apollon (ténor) ; Écho, nymphe (soprano) ; un berger (ténor). Nymphes, bergers, esprits infernaux, bacchantes, orgiastes.

L'INTRIGUE : Prologue. L'allégorie de la Musique s'adresse aux spectateurs, annonce l'argument et célèbre les effets merveilleux des sons sur les âmes.

Acte I, premier tableau. Près d'un petit temple au milieu des prés et des bois, un pâtre raconte le bonheur d'Orphée, qui a gagné l'amour d'Eurydice, et invite nymphes et bergers à partager l'allégresse du nouvel époux. Orphée chante sa joie, Eurydice lui répond. Tous rendent grâces aux dieux.

Deuxième tableau. Orphée, retourné sur les lieux de sa jeunesse, évoque l'histoire de son amour lorsque apparaît Sylvie, la messagère, porteuse d'une terrible nouvelle : Eurydice est morte, alors qu'elle cueillait des fleurs pour sa couronne nuptiale. Orphée, terrassé, reste sourd à la complainte des bergers. Soudain, il annonce sa décision : descendre au royaume des morts reprendre son Eurydice.

Acte II, premier tableau. Aux Enfers, Orphée, armé de sa seule cithare, arrive sur les bords du Styx, frontière entre le règne des morts et celui des vivants. L'Espérance, qui l'a accompagné jusque-là, doit l'abandonner à sa quête, ne pouvant pénétrer dans le domaine des ombres. Charon, le passeur des âmes, bien que charmé par le doux chant d'Orphée, refuse de le transporter chez les morts. Les dieux viennent alors au secours d'Orphée en endormant le gardien des Enfers.

Deuxième tableau. Proserpine, épouse du roi des ténèbres, supplie Pluton de rendre Eurydice au malheureux Orphée. Pluton accepte, à une condition ; Orphée devra ramener son épouse sur la terre sans jamais se retourner pour la regarder. Orphée, exultant, emmène la jeune femme.

Mais, craignant d'avoir été trompé par Pluton, il ne peut s'empêcher de se retourner. Eurydice disparaît alors pour toujours dans le royaume des morts, désormais inaccessible aux invocations de son amant.
Acte III. Dans les forêts de Thrace, Orphée pleure son épouse perdue, mais seul l'Écho lui répond. Apollon, père du héros, apparaît et lui offre l'immortalité. Tous deux s'élèvent dans les cieux, où Orphée soupirera éternellement en évoquant son Eurydice.

■ Après avoir assisté, à Florence, à la représentation de l'*Euridice* de Peri, le duc de Mantoue, Vincenzo Gonzaga, demanda à Monteverdi de mettre en musique la légende d'Orphée, le mythe antique déjà ressuscité par Politien un siècle plus tôt. Alessandro Striggio, fils du grand madrigaliste, écrivit un livret qui fournit au musicien un support solide, riche d'intenses situations dramatiques. Le « style récitatif » conçu par la Camerata fiorentina aurait peut-être disparu, ou serait resté une pure théorie, si l'art de Monteverdi n'était pas venu le libérer de ses aspects artificiels en lui conférant les qualités d'un véritable « style dramatique ».
Sur le livret de Striggio, Monteverdi a composé une musique qui, par sa force dramatique, par sa capacité à exprimer les passions humaines, par l'ampleur de son souffle, est si parfaite qu'elle constitue depuis le point de référence obligatoire de toute la production lyrique. Dans l'histoire du mélodrame, *L'Orfeo* est un repère capital. Les parties vocales sont très précisément écrites. La partie instrumentale, en revanche, suivant l'usage de l'époque, est limitée à la basse chiffrée et laisse une large place à l'improvisation. Les monodies récitatives alternent avec des ariosos (forme intermédiaire entre l'aria et le récitatif accompagné), des strophes et des chœurs à cinq voix, *a cappella* ou accompagnés. Les partitions orchestrales ne sont entièrement écrites que pour les ouvertures, les ritournelles et les variations de la scène entre Charon et Orphée. Les indications concernant les instruments ne sont données que de façon sommaire (par exemple : « Ce refrain est joué par un clavecin, deux *chitarroni* et deux petits violons à la française »). Contrairement à la Camerata fiorentina qui avait réduit au minimum l'accompagnement instrumental pour ne pas couvrir les paroles, Monteverdi utilise un orchestre remarquable par le nombre des instruments et la variété des timbres. La composition de l'orchestre est précisée en tête de la partition : deux clavecins, deux contrebasses de violes, dix violes, deux « petits violons à la française », deux *chitarroni* (sorte de luth), deux orgues à tuyaux de bois, trois basses de violes, quatre trombones, un orgue régale, deux cornets à bouquin, une petite flûte « à la vingt-deuxième » (qui devait correspondre à la tessiture de la flûte à bec soprano ou de notre piccolo), une trompette aiguë et trois trompettes avec sourdine.
On sait que lors de la première représentation, le rôle d'Orphée fut brillamment tenu par Giovanni Gualberto Magli, élève de Caccini. L'opéra connut un grand succès dès sa création et fut très vite joué dans toute l'Italie du

Nord. La partition fut éditée en 1609.
Les transcriptions modernes sont nombreuses : citons celles de G.-F. Malipiero (1925), de V. d'Indy (1904), de C. Orff (1923), d'O. Respighi (1935), de P. Hindemith (1954), de B. Maderna (1967). RM

ARIANE
(Arianna)

Tragedia in forma rappresentativa, *de Claudio Monteverdi (1567-1643). Texte littéraire d'Ottavio Rinuccini (1562-1621). Première représentation : Mantoue, théâtre de la Cour, 28 mai 1608, lors des festivités données pour le mariage du prince Francesco Gonzaga avec Marguerite de Savoie. Interprètes principaux : Virginia Ramponi Andreini (Ariane) ; Settimia Caccini (Vénus) ; Antonio Brandi, dit « Il Brandino » ; Sante Orlandi ; Francesco Rosi et son élève Sabina ; Mme Europa ; don Bassano Casola da Lodi ; Francesco Campagnolo, élève de Monteverdi.*

L'INTRIGUE : Le spectacle se déroule devant un décor fixe qui représente l'île de Naxos, « un abrupt rocher au milieu de l'onde ». Vénus annonce l'abandon d'Ariane par Thésée et demande à l'Amour de protéger la malheureuse. En effet, Thésée, sur les conseils de son confident, abandonne, pour s'en retourner à Athènes, Ariane éplorée sur une île déserte. Ariane chante alors le célèbre *Lamento*, et le chœur raconte comment Bacchus, ému par la jeune fille, est venu la consoler. Vénus célèbre leur union et Ariane est faite déesse : la joie dissipe le chagrin que lui a causé l'abandon de Thésée. Dans cette intrigue assez mince, statique et pauvre en événements, rigoureusement fidèle à l'unité de temps et de lieu, ce sont les chœurs qui commentent l'action, expriment sentiments, émotions, doutes et dilemmes. A la fin de l'opéra, un groupe de seize danseuses « soldats de Bacchus » célèbre l'allégresse générale par des « ballets en cabrioles ».

■ La préparation de l'opéra avait commencé en décembre 1607. Mais en mars de l'année suivante, la cantatrice Caterina Martinelli, dite « la Romanina », qui devait tenir le rôle principal, mourut de la variole. On dut lui trouver une remplaçante. L'actrice Virginia Ramponi Andreini, dite « la Florinda », fut choisie et sa prestation dépassa toutes les espérances. L'opéra connut un succès exceptionnel : 6 000 spectateurs (selon le chroniqueur officiel Follino), 4 000 d'après d'autres évaluations, vinrent s'émouvoir et applaudir dans le nouveau théâtre construit pour l'occasion et aujourd'hui démoli. La partition, dont il existait au moins trois copies, a été perdue, à l'exception d'un fragment de la scène VI, le *Lamento d'Arianna,* dialogue avec Dorilla et le chœur : c'est le très fameux *Lasciatemi morir (Laissez-moi mourir)* où Ariane évoque sa cruelle destinée, transcrit par Monteverdi dans le sixième livre des *Madrigaux*. Ce morceau, « sublime dans la touchante vérité de ses accents » (M. Mila), et que Monteverdi considérait comme « la partie essentielle » de son œuvre, est d'une puissance expressive peu commune. Pour ses contemporains, le *Lamento* devient l'expression musicale par excellence de la douleur et de la passion sans espoir. Il est très probable que le musicien traduisait là sa propre douleur après la récente disparition de celle qu'il aimait : pour la première fois dans l'histoire de la musique, un sentiment personnel et subjectif trouvait son exutoire dans l'invention musicale. Monteverdi écrivit deux versions de ce morceau : l'une, déjà citée, sous forme de madrigal et une, monodique, sur un texte religieux en latin, sous le titre *Pianto della Madronna sopra il Lamento di Arianna.* L'opéra fut repris à Venise pour l'inauguration du théâtre San Moisé, en 1640, quand Monteverdi reçut la charge de maître de musique de la République Sérénissime. SC

LA DANSE DES INGRATES (Il Ballo delle ingrate)

Musique de Claudio Monteverdi (1567-1643). Texte d'Ottavio Rinuccini (1562-1621). Première représentation : Mantoue, théâtre de la Comédie, 4 juin 1608, à l'occasion des festivités données pour le mariage du prince Francesco Gonzaga avec Marguerite de Savoie.

LES PERSONNAGES : Amour ; Vénus ; Pluton ; quatre ombres de l'enfer ; huit âmes ingrates qui dansent.

L'INTRIGUE : Le décor fixe représente l'entrée d'une sombre caverne où l'on distingue l'ouverture d'un gouffre d'où jaillissent des flammes. L'opéra s'ouvre sur Amour et Vénus. Ils demandent à Pluton de rappeler des Enfers les âmes des femmes ingrates, celles qui ont dédaigné l'amour au cours de leur vie, afin qu'elles servent d'exemple aux autres et les incitent à l'indulgence envers ceux qui les aiment. Les ingrates, tirées des ténèbres, exécutent une danse « de grande douleur exprimée par des gestes et accompagnée d'une grande quantité d'instruments qui jouent un air mélancolique et plaintif ». Suit le monologue de Pluton *Tornate al negro chiostro, anime sventurate (Retournez aux ténèbres, âmes misérables).* Tandis que les âmes disparaissent, l'une d'elles chante sa nostalgie pour la vie et l'amour perdus, *Ahi troppo, ahi troppo è duro (Ah ! C'est trop dur).*

■ L'action dramatique est simple. Son déroulement, les traits psychologiques et la peinture des caractères sont illustrés par les chœurs et les dialogues, mais surtout par un savant accompagnement musical, toujours très proche de l'action. La danse s'inspire des « ballets de cour » découverts par Monteverdi à l'occasion d'un séjour dans les Flandres en 1590. Lors de la première représentation, le ballet fut exécuté par deux fois plus de danseurs que prévu. Parmi eux figuraient le Duc en personne et l'époux princier ainsi que six chevaliers et huit dames de la meilleure société de Mantoue. Ils étaient accompagnés « d'un grand nombre de musiciens avec des instruments à cordes et à vent », alors que Monteverdi avait prévu « cinq violes, un clavecin et un *chitarrone* ». L'opéra fut également représenté à Vienne en 1628 et transcrit, sous une forme probablement remaniée, dans le livre VIII des *Madrigali guerreschi et amorosi (Madrigaux guerriers et amoureux)*, publié à Venise en 1638 sous le titre *Ballo delle ingrate in genere rappresentativo*. On raconte qu'à la fin de la première représentation, l'émotion était telle, qu'il fallut donner une scène joyeuse où nymphes et bergers chantaient des refrains gais et des madrigaux afin de dissiper la tristesse. SC

LE COMBAT DE TANCRÈDE ET DE CLORINDE
(Combattimento di Tancredi e Clorinda)

Madrigal in forma rappresentativa *de Claudio Monteverdi (1567-1643), d'après le chant XII de la* Jérusalem délivrée (Gerusalemme liberata) *de Torquato Tasso, dit le Tasse (1544-1595). Première représentation : Venise, maison du comte Girolamo Mocenigo di San Stae, pendant le carnaval de 1624.*

L'INTRIGUE : Le chant XII de la *Jérusalem délivrée* raconte la mort de Clorinde, héroïne musulmane. Tancrède, guerrier chrétien, rencontre Clorinde, revêtue d'une cuirasse. Sans reconnaître celle qu'il aime en secret, il la provoque en duel. Le combat a lieu : Clorinde, mortellement blessée, demande le baptême. Tancrède court puiser de l'eau dans un ruisseau voisin et, démasquant son adversaire inconnu, découvre Clorinde. La jeune fille, agonisante, est transfigurée par la « mort bienheureuse ». Un troisième personnage, le Narrateur, représentant le Tasse lui-même, intervient pour raconter et commenter l'action.

■ *Le Combat* figure dans le huitième livre (1638) des *Madrigaux guerriers et amoureux*. L'opéra, outre sa valeur poétique, revêt une certaine importance dans le développement de la technique de composition. La monodie y est utilisée pour exprimer l'action dramatique et Monteverdi introduit pour la première fois le « genre animé » *(concitato stile)*, théorie élaborée par Platon et dont n'existait aucun exemple musical. Dans sa préface au livre VIII des *Madrigaux*, Monteverdi explique le problème théorique auquel il s'est heurté, « ayant à mettre en chant ces deux passions contraires, la guerre et l'amour ». Toujours dans le but de restituer l'opposition dramatique entre sentiments guerrier et amoureux, il utilise le trémolo des archets. Le chant est sobre et dépouillé, la musique suit fidèlement les nuances psychologiques du texte, atteignant au génie dans l'expression de l'amour et de la mort, tout comme dans *Arianna* et *Orfeo*. La partie instrumentale prévoyait quatre violes, une contrebasse, un clavecin. SC

DAPHNÉ
(Dafne)

Tragi-comédie pastorale en un prologue et cinq actes de Heinrich Schütz (1585-1672). Livret de Martin Opitz (1597-1639). Pre-

mière représentation : Château de Torgau, 13 avril 1627.

■ Le texte est une adaptation de la *Dafne* d'Ottavio Rinuccini, mise en musique par Jacopo Peri (voir l'intrigue à la notice *Daphné*, p. 9). Composé et représenté à l'occasion du mariage de Georges de Hesse-Darmstadt, le livret dut être modifié, les époux pensant se reconnaître dans diverses allusions. Cette *Dafne* est la première tentative de transposition en Allemagne du mélodrame florentin. Le texte est dû à Opitz, le plus grand poète allemand de l'époque. Possédant une maîtrise parfaite des versifications italienne et française, il sut y adapter la langue allemande. La partition de Schütz, égarée, n'a jamais été retrouvée. RB

LES NOCES DE PÉLÉE ET THÉTIS
(Le nozze di Peleo e Teti)

Opéra en trois actes de Francesco Cavalli (de son vrai nom Pier Francesco Caletti-Bruni, 1602-1676). Livret d'Orazio Persiani. Première représentation : Venise, théâtre Tron di San Cassiano, carnaval 1639.

L'INTRIGUE : Jupiter veut marier la nymphe Thétis à Pélée, mais Junon la poursuit de sa jalousie et l'Enfer lance entre les époux la Discorde. L'Amour finit cependant par triompher.

■ C'est la première œuvre de Cavalli et le plus ancien opéra vénitien dont on ait conservé la musique. Les chœurs y occupent une place importante. MS

DIDON
(Didone)

Opéra en un prologue et trois actes de Francesco Cavalli (de son vrai nom Pier Francesco Caletti-Bruni, 1602-1676). Livret de Gian Francesco Busenello (1598-1659). Première représentation : Venise, théâtre Tron di San Cassiano, au cours du carnaval de 1641.

L'INTRIGUE : Le prologue raconte la chute de Troie, attribuée à une vengeance de Junon offensée par les propos de Pâris. L'action se déroule ensuite selon le récit classique, à l'exception du finale. En effet, lorsque Didon, abandonnée par Énée, décide de se donner la mort, elle est retenue par Jarba, le roi maure qu'elle avait toujours repoussé. Jarba réussit à la consoler et l'opéra s'achève sur un duo d'amour.

■ Il s'agit, chronologiquement, du deuxième ouvrage de Cavalli, après *Les noces de Pélée et Thétis*. Le compositeur s'y affirme définitivement comme auteur d'opéra. Il s'agit aussi du meilleur livret sur lequel Cavalli ait jamais eu à travailler : c'est, en fait, le drame le plus réussi de Busenello. On a souvent reproché à Cavalli de n'avoir pas donné une importance suffisante aux textes et de les avoir mis en musique sans discussion. Avec cette œuvre s'affirme l'un des genres de l'opéra vénitien : le *melodramma decorativo* (mélodrame décoratif). Cette forme d'opéra prendra dans les décennies suivantes une importance croissante. Elle est caractérisée par l'abondance des personnages, l'imbrication des intrigues, l'ampleur des chœurs, la richesse de la mise en scène, *Didone* fut jouée, dans une version abrégée, au cours du XVIe Mai musical de Florence, en 1952. MS

LE RETOUR D'ULYSSE
(Il ritorno di Ulisse in patria)

*Mélodrame en trois actes de Claudio Monteverdi (1567-1643). Livret de Giacomo Badoaro (1602-1654), tiré des derniers chants de l'*Odyssée. *Première représentation : Venise, théâtre Tron di San Cassiano, 1641.*

L'INTRIGUE : Une ouverture précède le prologue. Le premier acte comprend le lamento *Di misera regina*, aussi poignant que les lamenti plus célèbres d'*Orfeo* et d'*Arianna*. Pénélope (contralto) pleure sa solitude, la longue attente de son époux, l'espoir du retour qui s'affaiblit, les intrigues de ses prétendants toujours plus pressants. Mais Pénélope ne sait pas qu'Ulysse (ténor), aidé de Minerve (soprano), a débarqué à Ithaque et, déguisé en mendiant, s'est rendu auprès du berger Eumée (ténor), le seul qui lui soit resté fidèle. Le faux mendiant raconte à Eumée qu'Ulysse va revenir, et celui-ci porte la nouvelle à la reine. Les prétendants, alertés, demandent à Pénélope de faire son choix. La reine promet sa main et le trône d'Ulysse à celui qui saura tendre un arc. Les prétendants expriment leur joie par un madrigal *(Lieta soave gioia)*. Pendant ce temps, Ulysse apparaît à son fils Télémaque (ténor) — par un jeu, très prisé à l'époque, d'artifice et de machineries. Puis il se rend au palais et remporte l'épreuve de l'arc, alors que les prétendants ont échoué. Finalement, il les transperce de ses flèches. Au troisième acte apparaît Iro, personnage ridicule — autre concession au goût du moment — auquel Monteverdi a toutefois donné quelques accents pathétiques qui ne figuraient pas dans le livret. Le drame s'achemine alors vers un dénouement heureux : incrédulité de Pénélope et d'Euryclée (mezzo-soprano) ; conseil des dieux et pardon de Neptune à Ulysse ; certitude sur l'identité d'Ulysse. L'œuvre se termine par un duo célébrant la réunion des époux : *Sospirato mio sole/Rinnovata mia luce.*

■ La partition de l'opéra, manuscrite et anonyme, a été retrouvée en 1881, par A.W. Ambros à la National Bibliothek de Vienne. Elle présente des différences importantes avec le livret de Badoaro, d'où de nombreuses polémiques. Celles-ci ont cessé après une étude stylistique, et lorsqu'on a eu connaissance des nombreux changements que Monteverdi faisait subir aux textes. L'œuvre, la première qui nous soit parvenue après la parenthèse consacrée par Monteverdi au service de la cathédrale Saint-Marc de Venise, est marquée par le nouvel esprit qui gouverne l'art lyrique. L'ouverture des théâtres musicaux à un public payant est allée de pair avec une transformation du goût et de la pratique mélodramatique. Le livret est médiocre, mais l'art de Monteverdi parvient à donner vie aux sentiments et aux caractères des personnages, grâce à la richesse de son invention musicale. SC

LE COURONNEMENT DE POPPÉE (L'Incoronazione di Poppea)

Opéra en un prologue et trois actes de Claudio Monteverdi (1567-1643). Livret de Gian Francesco Busenello (1598-1659). Première représentation : Venise, théâtre de San Giovanni e Paolo, probablement le soir de la Saint-Étienne 1642 ; puis pendant toute la durée du carnaval de l'année suivante.

LES PERSONNAGES : Poppée (soprano) ; Néron (ténor créé par un castrat sopraniste) ; Octavie (soprano) ; Othon (baryton) ; Sénèque (basse) ; Drusilla (soprano) ; Arnalta (contralto) ; Lucain (ténor) ; la Fortune (soprano) ; la Vertu (soprano) ; l'Amour (soprano) ; affranchi (ténor) ; valet (ténor) ; demoiselle (soprano) ; deux soldats (ténor et baryton) ; Mercure (ténor) ; Pallas (soprano) ; Vénus (soprano). Consuls, tribuns, licteurs.

L'INTRIGUE : L'œuvre se présente comme une succession de scènes illustrant les passions qui agitent les personnages. Le prologue met en scène l'Amour, la Fortune et la Vertu. Déjà l'on entrevoit la victoire de l'Amour — Éros et pouvoir — qui soumet à sa loi les hommes et l'histoire.
Acte I. Sous les fenêtres de Poppée, Othon se désespère de l'infidélité de sa femme. Apercevant la garde de Néron, il comprend avec qui son épouse le trahit. Néron sort de chez Poppée, qui confie alors à Arnalta ses espoirs de parvenir un jour sur le trône. Arnalta lui conseille de se méfier d'Octavie, épouse de Néron, qui connaît l'infidélité de l'empereur. Dans son palais, Octavie gémit sur son sort d'épouse délaissée. Sénèque l'exhorte en vain à supporter dignement son destin. Néron annonce à Sénèque son intention de répudier Octavie pour épouser Poppée. Il promet à celle-ci de la faire impératrice. Poppée, voyant en Sénèque le dernier obstacle à ses ambitions, insinue que Néron se laisse manœuvrer par son maître. L'empereur, courroucé, décrète la mort de Sénèque.
Acte II. Sénèque, très digne, reçoit l'ordre de mettre fin à ses jours. Cette scène solennelle contraste avec celles qui suivent ; un intermède au cours duquel une courtisane enseigne à un valet l'art du baiser, et une scène où Néron et Lucain, indifférents à la mort de Sénèque, chantent les louanges de Poppée. Othon, dédaigné par son épouse, décide, poussé par Octavie, de la tuer. Drusilla, éprise d'Othon, l'incite à la prudence mais l'aide à s'introduire, habillé de ses vêtements, dans les appartements de Poppée. Celle-ci gît endormie, sous la garde d'Arnalta et de l'Amour, descendu du ciel pour la protéger. L'attentat échoue, mais Drusilla se livre à la place d'Othon.
Acte III. Drusilla est vouée à la mort lorsque Othon vient se dénoncer. Tous deux sont condamnés à l'exil. Néron répudie Octavie, qui sera bannie de Rome. La jeune femme chante sa douleur de devoir quitter sa patrie et ceux qu'elle aime, tandis que Néron et Poppée, sous les acclamations du peuple et du Sénat, entrent dans le palais. Ils expriment leur joie dans un admirable duo. L'opéra s'achève par le couronnement de Poppée auquel assis-

tent, du haut du ciel, Vénus, l'Amour et le chœur des amours. La scène — triomphe du baroque — est ainsi divisée en deux plans dans l'espace et la perspective.

■ Il existe deux versions musicales manuscrites du *Couronnement de Poppée*, qui présentent des différences notables. L'une est conservée à la bibliothèque San Marco à Venise, l'autre à la bibliothèque du conservatoire de San Pietro a Majella, à Naples. Le manuscrit napolitain semblerait plus ancien et plus proche de Monteverdi. Celui de Venise est une version simplifiée et raccourcie par Francesco Cavalli (1602-1676). Le livret existe lui aussi en plusieurs versions, deux manuscrites et une imprimée. Celle-ci, due à Busenello luimême, date de 1656. Il y manque certains passages, notamment le duo final. *L'Incoronazione* est le dernier opéra de Monteverdi, âgé de cinquante-cinq ans. Il exprime avec un douloureux réalisme, mais aussi avec indulgence, la crise de l'homme de la Renaissance qui a su mener la musique à ses plus hauts sommets. L'argument est inspiré de Tacite, qui a souvent servi, à l'âge baroque, de caution éthique et politique. Bien sûr, Tacite subit ici les exigences de la théâtralité (ajout d'éléments fantastiques et mythologiques), et l'interprétation caractéristique de l'époque : celle d'une culture libre et utilitariste, opposée au moralisme rigoureux des dernières décennies du XVIe siècle. Les personnages sont animés par deux mobiles : la passion politique et la passion amoureuse. Néron et Poppée triomphent, alors que Sénèque, le symbole moral, Octavie, la reine trahie, et Othon, l'amant traditionnel, sortent vaincus, comme relégués dans un rôle de fairevaloir. Ce livret est le premier à utiliser une trame historique, plaçant ainsi l'opéra au rang des archétypes. Mais l'argument historique est « perçu à travers un prisme qui en diffracte et isole les sens cachés, les implications idéologiques et éthiques, et enfin les traits psychologiques spécifiques, les forces, les exemples, que les personnages incarnent humainement » (G. Gallico). L'opéra, authentique chef-d'œuvre, témoigne de l'exceptionnelle richesse créative du compositeur, au moment où celui-ci semblait déjà se laisser bercer par le souvenir de sa gloire passée. L'œuvre fut reprise à Venise en 1646 et, en 1651, à Naples par la compagnie des Febi harmonici. Tombée dans l'oubli jusqu'à nos jours, elle fait désormais partie du répertoire international. SC

ÉGISTHE
(Egisto)

Opéra en trois actes de Francesco Cavalli (de son vrai nom Pier Francesco Caletti-Bruni, 1602-1676). Livret de Giovanni Faustini (1619-1651). Première représentation : Venise, théâtre Tron di San Cassiano, automne 1643.

■ Le point de départ de l'intrigue est le mythe classique des Atrides. C'est le septième opéra de Cavalli, mais le premier écrit uniquement pour solistes, suivant la nouvelle tendance de l'opéra vénitien, qui cherchait à éliminer les chœurs. L'idée très répandue selon laquelle la première représentation aurait eu lieu au Hoftheater de Vienne, à l'automne 1642, est dénuée de fondement. MS

XERXÈS
(Xerse)

Opéra en trois actes de Francesco Cavalli (de son vrai nom Pier Francesco Caletti-Bruni, 1602-1676). Livret de Niccolo Minato (?-1698). Première représentation : Florence, accademia degli Infuocati, 1647.

L'INTRIGUE : Il s'agit d'une fantaisie sur le thème du mariage entre deux personnages historiques : Xerxès, neveu du grand Cyrus et héritier de la couronne de Perse, et Amastre, fille d'Othman, un grand de Perse compagnon de Darius. Celui-ci, pour récompenser Othman, lui a fait don du royaume de Sufia. Mais les Maures attaquent la capitale pour le punir d'avoir refusé la main de sa fille à leur roi. Othman demande l'aide de Xerxès, qui accourt à la tête d'une armée. Victorieux, il s'éprend d'Amastre. Après de nombreuses péripéties, notamment la campagne de Xerxès en Europe avec la fameuse traversée de l'Hellespont sur un pont formé de bateaux, les deux amants finissent par se retrouver et se marier.

■ A l'occasion du mariage de Louis XIV avec l'infante Marie-Thérèse, on avait commandé à Francesco Cavalli l'*Hercule amoureux*. Mais à la suite d'un retard dans la construction du Théâtre des Machines et de la maladie du cardinal Mazarin, il dut se rabattre sur une version de *Xerse*. Le projet fut soutenu par A. Melani, qui avait déjà interprété *Xerse* en 1647, à Florence. L'opéra fut donc représenté au Louvre, salle des Cariatides, le 22 novembre 1660, au cours des festivités nuptiales. Il ne fut plus jamais joué depuis. Le même livret fut mis en musique, avec quelques modifications, par Bononcini, en 1694, et servit à nouveau pour le *Xerxès* d'Haendel (1738). MS

ORPHÉE
(Orfeo)

Opéra de Luigi Rossi (1598-1653). Livret de Francesco Buti. Première représentation : Paris, Palais-Royal, 2 mars 1647.

L'INTRIGUE : A la veille de son mariage avec Orphée, Eurydice rend visite à un devin, qui l'effraie par ses sombres prophéties. Aristée, fils de Bacchus, éperdument amoureux d'Eurydice, supplie Vénus de lui venir en aide en empêchant les noces. La déesse, qui déteste Orphée, fait mourir Eurydice. Junon apparaît et conseille au poète de descendre aux Enfers y chercher son aimée. Elle suscite la jalousie de Proserpine. Celle-ci, désireuse de soustraire Eurydice aux assiduités de Pluton, et l'Averne tout entier, ému par les plaintes d'Orphée, aident les amants à regagner la terre. Mais ils enfreignent la loi des Enfers et Eurydice doit retourner au royaume des morts. Aristée, désespéré par la mort de la jeune femme, poursuivi par le remords, perd la raison et se tue.

Poussés par Vénus, Bacchus et sa suite le vengent en mettant en pièces le malheureux Orphée. L'opéra s'achève par un hymne à l'amour et à la fidélité.

■ La représentation de cet *Orfeo* à la Cour fut demandée par le cardinal Mazarin. Il fit venir des chanteurs de Rome et de Florence, par l'intermédiaire de son secrétaire E. Benedetti. Rien ne put faire renoncer le puissant ministre, pas même la mort de l'épouse du compositeur qui, tout à la préparation de son opéra, ne put regagner Rome. En effet, la partition est animée d'une ferveur qui évite le côté statique de la référence littéraire. De plus, elle met en scène des personnages bouffons, créant ainsi une atmosphère vénitienne ou napolitaine peut-être plus adaptée à un public tapageur qu'à une aristocratie intellectuelle. RB

JASON
(Giasone)

Opéra en trois actes de Francesco Cavalli (de son vrai nom Pier Francesco Caletti-Bruni, 1602-1676). Livret de Giacinto Andrea Cicognini (1606-1660). Première représentation : Venise, théâtre Tron di San Cassiano, 5 janvier 1649.

L'intrigue : Elle s'inspire de la légende des Argonautes, en s'attachant en particulier aux amours de Jason et de Médée. Le texte est plutôt médiocre, mais assez représentatif du goût mélodramatique du XVIIe siècle. Les épisodes inutiles et dénués de sens sont nombreux, les traits d'esprit souvent vulgaires. Le finale est très gai et s'éloigne du dénouement traditionnel de la légende. Jason épouse Hypsipyle, reine de Lemnos, et calme ainsi la colère de Jupiter, tandis que Médée, reine de Colchide, revient à un ancien soupirant qu'elle avait abandonné et méprisé mais qui, depuis, l'a sauvée de la mort.

■ *Jason* fut l'opéra le plus connu et le plus joué de Francesco Cavalli. Il fut donné successivement, pendant plus de vingt ans, dans les principaux théâtres européens. Le livret fut publié au moins trois fois les deux premières années, puis en 1654, 1664 et 1666. En 1666, l'opéra fut remanié et A. Stradella lui ajouta un prologue et trois airs. Ainsi modifié, il fut présenté à Venise, au théâtre Tron di San Cassiano, puis à nouveau dans divers pays. *Jason* appartient à cette catégorie d'opéras vénitiens où le récitatif expressif est coupé d'airs, de duos et de brefs intermèdes musicaux. MS

HYPERMNESTRE
(Ipermestra)

Fête théâtrale en trois parties de Francesco Cavalli (de son vrai nom Pier Francesco Caletti-Bruni, 1602-1676). Livret de Giovanni Andrea Moniglia (1624-1700). Première représentation : Florence, Teatro degli Immobili, via della Pergola, 18 juin 1658.

■ Opéra fastueux, très richement mis en scène. Il fut commandé par le cardinal Jean de Médicis pour célébrer la naissance d'un fils de Philippe IV d'Espagne. Il connut un très grand succès.

HERCULE AMOUREUX (Ercole amante)

Opéra en cinq actes de Francesco Cavalli (de son vrai nom Pier Francesco Caletti-Bruni, 1602-1676). Livret de l'abbé Francesco Buti. Première représentation : Paris, théâtre des Tuileries, 7 février 1662. Le roi Louis XIV prit part au spectacle, revêtu de l'habit resplendissant du Soleil.

L'INTRIGUE : Un prologue allégorique fut ajouté pour la circonstance par Camille Lilius. Il rendait hommage aux quinze familles régnantes les plus importantes d'Occident, avec une place toute particulière accordée à la dynastie française. Les familles étaient présentées par Diane, placée dans le ciel sur une machine, et incarnées par quelques dames de la Cour, le roi et la reine. Diane ordonne à Hercule de poursuivre ses travaux, et lui promet la Beauté en mariage. L'action, qui se déroule au milieu d'un va-et-vient de machines, relate les amours d'Hercule et d'Iole, les intrigues de Junon et l'amour d'Hyllus, fils d'Hercule, pour la même Iole. Au finale, Hercule reçoit la Beauté comme épouse et on célèbre l'hymen d'Iole et d'Hyllus. Le quatrième acte se passe en haute mer. Le spectacle durait six heures.

■ Cavalli était venu à Paris à l'invitation du cardinal Mazarin, qui avait dû lui offrir une rétribution substantielle afin de le décider. Mazarin lui avait commandé un opéra pour les fêtes données à l'occasion du mariage de Louis XIV et de l'Infante Marie-Thérèse. L'œuvre aurait dû servir également pour l'inauguration du Théâtre des Machines, aux Tuileries : un théâtre conçu spécialement pour les opéras italiens par l'architecte Gaspare Vigarani. Mais un retard dans la construction du théâtre, et la maladie du cardinal Mazarin, firent différer la création de l'opéra. On donna pour les noces une représentation de *Xerxès*, que le compositeur avait déjà mis en scène à Florence en 1647. *Hercule amoureux* ne fut joué que deux années plus tard, alors que Mazarin était mort depuis un an. La partition n'eut pas le succès espéré, pas plus que le livret, qui n'était pas traduit en français et fut mal compris du public. Celui-ci apprécia en revanche beaucoup les ballets, ajoutés par Lully, et la mise en scène, confiée à Vigarani. Les raisons de cet échec doivent surtout être recherchées dans l'hostilité des compositeurs français à l'égard de l'opéra italien, et dans la haine encore vive envers le cardinal Mazarin. En mai de la même année, Cavalli, déçu, rentra à Venise et ne réussit plus jamais à faire jouer cet *Hercule amoureux* bien compliqué. MS

ACHILLE A SCYROS (Achille in Sciro)

Opéra en trois actes de Giovanni Legrenzi (1626-1690). Livret de I. Bentivoglio. Première représentation : Ferrare, théâtre du comte Bonacossi da Santo Stefano, 1663.

L'INTRIGUE : Thétis, mère d'Achille, confie son fils à Chiron, pensant ainsi l'arracher à son destin. Achille est élevé dans l'île de Scyros, sous l'identité d'une jeune fille, Pyrrha. Déidamie, fille du roi de Scyros, Lycomède, ignore qui est Achille, mais sait qu'un jeune homme se cache sous le déguisement. Une idylle se noue entre eux, mais Lycomède destine sa fille à Théagène. Ce dernier, surpris de la froideur que lui témoigne Déidamie, se tourne alors vers Pyrrha. Entre-temps, Ulysse débarque sur l'île sous prétexte de trouver des renforts pour la guerre de Troie; en réalité, il vient chercher Achille, sachant que lui seul pourra donner la victoire aux Grecs. Il emploie mille stratagèmes pour démasquer le jeune héros, lui présentant notamment une splendide armure qui fait vibrer son âme guerrière. Achille, sentant qu'il ne pourra pas longtemps échapper à son destin, tente de persuader Déidamie d'épouser Théagène. Il avoue à Néarque que le déguisement lui est devenu insupportable. Au milieu du banquet offert en prévision des noces de la princesse avec Théagène, une bagarre éclate entre les soldats, suscitée par Ulysse. Achille, n'y tenant plus, apparaît vêtu de son armure : il partira avec Ulysse. Déidamie obtient de son père la permission de suivre le jeune homme, et abandonne Théagène.

■ L'œuvre de Legrenzi clôt le chapitre de l'opéra vénitien de la fin du XVIIe siècle, dont elle constitue d'ailleurs la forme la plus achevée. Spectacle fastueux dont l'argument est à la fois historique et légendaire, l'opéra parvient malgré tout à rester en contact avec le quotidien : par sa veine humoristique, il supporte le difficile jeu de contrastes entre personnages héroïques et comiques.

MSM

LA POMME D'OR
(Il pomo d'oro)

Fête théâtrale en cinq actes et soixante-sept scènes de Marc'Antonio Cesti (frère Antonio d'Arezzo, de son vrai nom Pietro Cesti; Marc est une allusion à son titre de marquis; 1623-1669). Livret de Francesco Sbarra (1611-1668). Première représentation : Vienne, Hoftheater, peut-être le 13 novembre 1666.

L'INTRIGUE : L'action tourne autour du mythe de la pomme de discorde de Pâris. A la fin, Jupiter prend la pomme des mains de Vénus et la tend à l'impératrice.

■ Il s'agit d'un exemple typique de « fête théâtrale » composée pour un théâtre de cour et des invités. Elle fut écrite pour la cour de Vienne à l'occasion, dit-on, du mariage de l'empereur Léopold Ier et de l'Infante Marguerite-Thérèse d'Espagne, fille de Philippe IV. La date de la représentation n'est pas certaine. Le mariage fut célébré le 12 décembre 1666. On sait que l'opéra avait été répété, toujours à la cour de Vienne, pour l'anniversaire de l'impératrice. A ce moment, Cesti, après avoir été relevé de ses vœux, était devenu maître de chapelle à la cour d'Autriche. Il s'agit de l'opéra le plus fastueux et le plus élaboré que l'on ait jamais représenté. La seule mise en scène coûta près de 100 000 thalers royaux. Rien ne fut épargné pour la richesse des costumes, le nombre des figurants, la perfection et le nombre des machines, les danses et les combats. Tout y est riche et flamboyant. La musique est parfaitement adaptée à la scénographie baroque de L. Burnacini. A l'opéra furent ajoutés les ballets du Viennois Schmeltzer. Le texte est conventionnel, truffé d'allusions mythologiques, mais devient plus populaire pour les scènes comiques. Dans le prologue, un chœur à huit voix symbolise les possessions de l'empereur. *La Pomme d'or* n'a plus jamais été joué. Il en existe une édition critique récente à laquelle manque le cinquième acte, qui a été perdu. Un autre opéra de Cesti a été représenté au cours des mêmes fêtes de Vienne : *La Disgrâce d'amour*, avec un prologue composé par l'empereur Léopold lui-même. MS

SÉMIRAMIS
(Semiramide)

Opéra en trois actes de Marc'Antonio Cesti (frère Antonio d'Arezzo, de son vrai nom Pietro Cesti — Marc est une allusion à son titre de marquis — 1623-1669). Livret de Giovanni Andrea Moniglia (1624-1700). Première représentation : Vienne, Hoftheater, 9 juin 1667.

L'INTRIGUE : Sémiramis, reine de Babylone, terrible et très belle, a assassiné son époux, Ninus. Le prince Assur lui a apporté son aide.

■ Cesti, au service de la cour archiducale d'Innsbrück, avait composé cet opéra pour le mariage de l'archiduc Sigismond François. Mais celui-ci mourut subitement en 1665. Les musiciens d'Innsbrück vinrent alors à la cour impériale de Vienne, où il fut possible de mettre en scène *Semiramide*. L'opéra, remanié, fut également joué en Italie sous le titre *La Schiava fortunata, ossia Le risembianze di Semiramide e Nino*. MS

LES FÊTES DE L'AMOUR ET DE BACCHUS

Opéra pastoral en un prologue et trois actes de Jean-Baptiste Lully (1632-1687). Livret de Philippe Quinault (1635-1688), avec la collaboration de Molière et I. de Benserade. Première représentation : Paris, Académie royale de Musique, 15 novembre 1672.

■ Le ton solennel et la mise en scène mythologique ont été quelque peu sacrifiés au langage familier du public contemporain, peu au courant des usages de l'Olympe. Il s'agit du premier opéra pastoral de Lully, dans lequel se fait nettement sentir l'influence des « ballets de cour ». La critique, à la recherche des antécédents historiques de l'opéra de Lully, a souvent souligné cette parenté, peut-être avec une complaisance excessive. *Les Fêtes de l'Amour et de Bacchus* furent représentées six fois entre 1672 et 1678. MSM

CADMUS ET HERMIONE

Opéra en cinq actes et un prologue de Jean-Baptiste Lully (1632-1687). Livret de Philippe Quinault (1635-1688). Première représentation : Paris, Académie royale de Musique, 27 avril 1673.

L'INTRIGUE : Cadmus aime Hermione, fille du dieu Mars, déjà promise au terrible géant Dracon. Pour la conquérir, il affronte et tue le dragon du géant, mais doit ensuite se mesurer à Dracon. Heureusement, Pallas change ce dernier en statue, sauvant ainsi la vie à Cadmus. Toutefois, alors que le jeune homme s'apprête à épouser celle qu'il aime, Junon enlève Hermione. La constance des amoureux finira par être récompensée et ils se marieront, fêtés par toutes les divinités de l'Olympe.

■ L'opéra obtint un énorme succès. Le roi Louis XIV en personne, qui assistait à la première, sortit — rapporte la chronique — « extraordinairement satisfait de ce superbe spectacle ». MSM

ALCESTE ou LE TRIOMPHE D'ALCIDE

Opéra en un prologue et cinq actes de Jean-Baptiste Lully (1632-1687). Livret de Philippe Quinault (1635-1688). Première représentation : Paris, Palais-Royal, 19 janvier 1674.

L'INTRIGUE : Alceste a été demandée en mariage par Lycomède, mais elle aime Admète qu'elle s'apprête à épouser. Hercule est lui aussi amoureux de la jeune fille. Au cours d'une fête, Lycomède enlève Alceste et l'emmène sur l'île de Scyros, poursuivi par Hercule et Admète. Hercule parvient à délivrer Alceste mais Admète est gravement blessé dans un combat. Apollon consent à le sauver si quelqu'un accepte de mourir à sa place. Alceste se tue pour que celui qu'elle aime ait la vie sauve. Hercule avoue à Admète son amour pour Alceste et promet d'aller la chercher jusqu'aux Enfers, pourvu qu'elle soit à lui. Il descend dans l'Hadès, passe le Styx et arrive devant Pluton, au milieu d'une fête infernale, après avoir enchaîné Cerbère. Ayant retrouvé Alceste, il la prend par la main et la ramène à la lumière. Les retrouvailles entre Alceste et Admète sont si émouvantes qu'Hercule renonce généreusement à celle qu'il aime. Une action secondaire se déroule dans cet opéra : les aventures de la jeune Céphise et de ses amants, prétexte à l'introduction de petites « chansons » très prisées du public.

■ L'opéra fut très bien accueilli par le public et la critique. Selon Mme de Sévigné, « l'opéra est un prodige de beauté, il y a déjà des endroits qui ont mérité mes larmes ; je ne suis pas seule à ne pouvoir les retenir ». Louis XIV assista pour la première fois à *Alceste* au Palais-Royal, le 14 avril 1674. L'œuvre fut ensuite jouée à Versailles, à Fontainebleau, à Saint-Germain. La technique orchestrale déployée par Lully dans *Alceste* fut considérée par ses contemporains comme l'aspect le plus novateur de l'opéra. L'orchestre de Lully change de tons pour se mêler aux voix, évoque l'atmosphère générale de l'action et annonce le spectacle dans un préambule majestueux. MSM

CIRCÉ

Tragédie en musique de Marc-Antoine Charpentier (1636-1704). Texte de Thomas Corneille (1625-1709). Première représentation : Paris, 1675.

■ L'opéra est inspiré de la légende de la magicienne Circé, qui avait transformé en porcs les compagnons d'Ulysse. Un important appareil scénique fut utilisé lors de la première représentation de l'œuvre. MS

LA DIVISION DU MONDE (La divisione del monde)

Opéra de Giovanni Legrenzi (1626-1690). Livret de Giulio Cesare Corradi (XVIIe s.). Première représentation : Venise, théâtre de San Salvatore, 4 février 1675.

■ Une des œuvres majeures du maître génial du baroque vénitien. Comme dans tous les mélodrames de ce compositeur, et conformément à l'usage de l'époque, une très riche mise en scène et des machines extraordinaires, inventées par les décorateurs et les ingénieurs, contribuèrent au succès du spectacle. Voici, pour illustrer le goût du temps, les indications placées en exergue au drame : « Le rideau s'ouvre sur un coup de tonnerre. On découvre à l'avant-scène des nuages qui, après divers mouvements, viennent dessiner au centre un lion couronné. Ils se dissipent ensuite peu à peu pour laisser apparaître la scène, où Jupiter chevauche l'aigle au milieu des nuées. Assisté de Neptune, Pluton et de nombreuses divinités, il défend le Ciel contre les Titans, qui viennent d'être foudroyés sur les sommets de l'Olympe. » RM

GERMANICUS SUR LE RHIN (Germanico sul Reno)

Opéra de Giovanni Legrenzi (1626-1690). Livret de Giulio Cesare Corradi (XVIIe s.). Première représentation : Venise, théâtre de San Salvatore, 27 janvier 1676.

L'INTRIGUE : Les exploits de Germanicus, fils adoptif de Tibère. Appelé sur le Rhin pour mater une révolte, il lança une série d'expéditions victorieuses en Germanie, où il battit Arminius, effaçant la défaite de Varus.

IL TRESPOLO TUTORE

Opéra comique en trois actes d'Alessandro Stradella (1644-1682). Livret de G. C. Villifranchi. Première représentation : Rome, Teatro in Borgo, carnaval 1676.

■ Cet opéra, commandité par le prince Colonna, présente un personnage de tuteur ridicule. C'est une peinture vivante des mœurs de l'époque. RB

PSYCHÉ

Opéra en un prologue et cinq actes de Jean-Baptiste Lully (1632-1687). Livret de Thomas Corneille (1625-1709) et Bernard de Fontenelle (1657-1757). Première représentation : Paris, Académie royale de Musique, 19 avril 1678.

■ Tiré de la légende d'Éros et Psyché, l'opéra fut repris deux fois à Paris, le 8 juin 1703 et le 22 juin 1713. MSM

LA FORCE DE L'AMOUR PATERNEL (La forza di amor paterno)

Opéra en trois actes d'Alessandro Stradella (1644-1682). Livret de R. Brignole Sole. Première représentation : Gênes, Teatro Falcone, carnaval 1678.

L'INTRIGUE : Après la mort de sa première femme dont il a eu un fils, Antiochus, le roi Seleucus vieillissant décide de se remarier. Mais son fils aime la princesse Stratonice, sa promise. La passion du jeune homme est si forte qu'il en tombe malade et perd le sommeil. Le père comprend que son fils, qui ne lui en a jamais parlé, aime Stratonice. Il est prêt à renoncer à ses projets pour le voir heureux. Mais le jeune homme, déchiré, refuse, par respect filial, d'avouer ses sentiments à Seleucus lorsqu'il l'interroge. Stratonice, de plus en plus éprise d'Antiochus, parvient toutefois à maîtriser une attirance qu'elle juge impure, et choisit de respecter sa promesse. Mais, alors que l'on doit célébrer le mariage, la douleur d'Antiochus est si forte qu'il ne réussit plus à mentir. Le roi se sacrifie et lui accorde alors la main de celle qu'il aime.

■ Précurseur de Torelli et Corelli dans le développement du *concerto grosso,* important compositeur d'oratorios et de cantates, Alessandro Stradella a fortement innové dans le mélodrame. *La Force de l'amour paternel* (commande du marquis Rodolfo Brignole Sole qui en fut également le librettiste, jouée en avant-première dans sa demeure) réunit les caractéristiques des différentes écoles de l'opéra italien du XVIIe siècle. Cette œuvre tend à dépasser les conceptions mélodramatiques de l'époque, comme le découpage en « morceaux clos », en faveur d'une plus grande continuité lyrique donnée aux récitatifs ; ceux-ci deviennent, en fait, de vraies mélodies et se rapprochent des arias par leur force expressive et leur variété musicale. La coexistence du tragique et du comique contribue également à faire de ce musicien un novateur qui annonce les grandes réalisations lyriques du XVIIIe siècle. RB

ACIS ET GALATÉE

Opéra en deux actes de Marc-Antoine Charpentier (1636-1704). Première représentation : Paris, Comédie-Française, 1678.

L'INTRIGUE : Elle est tirée de la légende du cyclope Polyphème, amoureux de la jeune nymphe Galatée, qui lui préfère le berger Acis. MS

L'ENLÈVEMENT DES SABINES (Il ratto delle Sabine)

Opéra en trois actes de Pietro Simeone Agostini (?-1680). Livret de Francesco Bussani (env. 1640-après 1680). Première représentation : Venise, San Giovanni Crisostomo, carnaval 1680.

LINTRIGUE est tirée de l'épisode fameux des débuts de l'histoire de Rome. L'intérêt de l'œuvre réside dans l'utilisation des mouvements de foule sur la scène. La musique met en relief cet aspect du livret.

PROSERPINE

Opéra en un prologue et cinq actes de Jean-Baptiste Lully (1632-1687). Livret de Philippe Quinault (1635-1688). Première représentation : Saint-Germain-en-Laye, 3 février 1680.

L'INTRIGUE : Prologue. Le Poète célèbre les bienfaits de la paix. La scène représente l'antre de la Discorde : la Paix, l'Abondance, les Jeux et les Plaisirs y gisent enchaînés. Arrive la Victoire, suivie d'une foule de héros. Elle libère les prisonniers et enchaîne à leur place la Discorde et ses serviteurs. Commence alors le drame proprement dit. Pluton enlève Proserpine à sa mère, Cérès. Jupiter, entouré de toutes les divinités de l'Olympe, décide, pour satisfaire et Cérès et Pluton, que Proserpine vivra six mois par an au royaume des morts et six mois sur la terre.

■ Dans *Proserpine,* Lully a pour la première fois recours au récitatif accompagné. L'élément symphonique n'est plus limité aux « entrées » des danses et aux changements de décor, mais habilement mêlé aux péripéties de l'action. MSM

PHAÉTON

Opéra en un prologue et cinq actes de Jean-Baptiste Lully (1632-1687). Livret de Philippe Quinault (1635-1688). Première représentation : Versailles, théâtre de la Cour, 9 janvier 1683.

L'INTRIGUE : Inspirée des *Métamorphoses* d'Ovide. Phaéton, fils d'Apollon, pour prouver son ascendance divine mise en doute par Épaphus, parvient à convaincre son père de le laisser conduire, ne serait-ce qu'un jour, le char du Soleil. Incapable de maîtriser les chevaux emballés, Phaéton provoque incendies et catastrophes sur terre et dans le ciel avant d'être foudroyé par Jupiter.

■ Les effets spectaculaires autorisés par l'histoire de Phaéton contribuèrent au succès de l'œuvre : le temple d'Isis, le palais du Soleil, la course et la chute de Phaéton, les transformations de Protée en lion, en arbre, en monstre marin, en fontaine puis en flammes impressionnèrent fort le public. *Phaéton* fut surnommé « l'opéra du peuple ».
MSM

AMADIS DE GAULE

Opéra en un prologue et cinq actes de Jean-Baptiste Lully

(1632-1687). Livret de Philippe Quinault (1635-1688), inspiré de l'un des plus célèbres romans chevaleresques espagnols de Garcia Rodriguez de Montalvo. Première représentation : Paris, Académie royale de Musique, 18 janvier 1684.

L'INTRIGUE : Amadis, fils naturel de Périon et d'Élisène, est abandonné sur une barque au fil de l'eau, avec pour seuls signes de reconnaissance une épée et un anneau. Il est recueilli par Gandales qui l'élève comme son fils. Plus tard, il est conduit à la cour du roi Langrines où il rencontre Oriane, fille de Lisuarte, roi de Bretagne. Les jeunes gens s'éprennent l'un de l'autre et se jurent fidélité éternelle. Grâce à Oriane, Amadis est nommé chevalier : il accomplira tous ses exploits chevaleresques pour l'amour de sa dame. Pour avoir vaincu le géant Abiès, ennemi du roi Périon, il est accueilli par celui-ci avec tous les honneurs. Grâce à l'anneau qui ne l'a pas quitté, il est reconnu par ses parents. Mais ce n'est pas la fin de ses aventures. Retenu par enchantement au château d'Arcalaus, il sera libéré par Urgande, sa mystérieuse protectrice. Il affronte ensuite sans le savoir son propre frère Galaor, mais les deux chevaliers finissent par s'unir pour de nouveaux exploits. Ils auront notamment pour tâche de délivrer Lisuarte et sa fille Oriane, prisonniers dans un château enchanté. A nouveau placé sous un charme maléfique, Amadis sera à son tour délivré par Oriane, qui s'offre à lui. Le héros se rend au royaume de Sobranise, où l'accueille somptueusement la reine Briolanie, mais ses pensées vont à la seule Oriane. Il part à sa recherche. Au cours de son voyage, il surmonte mille obstacles pour délivrer de preux chevaliers retenus prisonniers. Mais une lettre d'Oriane lui parvient : pensant qu'il s'est épris de la reine Briolanie, elle affirme ne plus vouloir entendre parler de lui. Amadis, désespéré, se retire sur une montagne, se faisant appeler le « Beau ténébreux ». Toutefois, l'occasion lui est encore donnée de porter secours à Lisuarte et Oriane. Il devient, par ses exploits, le plus grand héros du monde, triomphant tour à tour en Allemagne, en Bohême, en Italie et en Grèce. Enfin, il arrache Oriane à l'empereur d'Occident qui la retenait captive et tous deux peuvent cette fois s'unir pour toujours.

■ Commandé par Louis XIV qui voulait que fût repris et mis en musique le célèbre roman chevaleresque espagnol publié en 1508, et né de la collaboration déjà fructueuse entre Philippe Quinault et Jean-Baptiste Lully, *Amadis de Gaule* connut un franc succès. La mort de la reine empêcha la première représentation d'avoir lieu à Versailles où l'opéra ne fut monté qu'un an plus tard. AB

ROLAND

Opéra en cinq actes et un prologue de Jean-Baptiste Lully (1632-1687). Livret de Philippe Quinault (1635-1688). Première représentation : Versailles, théâtre de la Cour, en présence du roi Louis XIV, 8 janvier 1685.

L'INTRIGUE : Au prologue, on assiste à l'échange de tendres propos entre Angélique, reine de Cathay, et Médor, ministre d'un roi africain. Dans le premier acte, Roland, neveu de Charlemagne et le plus célèbre des paladins, fait remettre à Angélique un merveilleux bracelet en gage de son amour. Au deuxième acte, la scène représente la fontaine enchantée de l'amour, au milieu d'une forêt : Roland doit y rencontrer Angélique, mais celle-ci se rend invisible à l'aide d'un anneau magique. Roland, déçu et abattu, exprime sa peine. Arrive Médor, qui désespère d'obtenir un jour la main de la reine ; au comble de la douleur, il fait mine de se tuer avec son épée ; fort heureusement, Angélique arrive à temps pour arrêter son bras. Elle pense ensuite à protéger celui qu'elle aime de la fureur de Roland, qui pourtant continue de se bercer d'illusions sur les sentiments d'Angélique à son égard. Le troisième acte est entièrement chanté par le chœur, qui exhorte Angélique et Médor à savourer les délices de la vie et de l'amour et prédit à Médor qu'il deviendra roi et fera le bonheur de ses sujets. Au quatrième acte, on assiste au désespoir de Roland qui ne trouve pas Angélique à l'endroit où elle devait l'attendre, mais des mots d'amour pour Médor gravés sur un arbre. Des bergers à qui il s'adresse pour avoir confirmation de ses doutes lui montrent le bracelet qu'Angélique leur a donné pour les remercier des attentions dont ils ont entouré ses amours. Roland reconnaît le bijou qu'il avait lui-même offert à la reine, et devient fou de fureur. Le cinquième acte nous montre Roland endormi ; il voit en songe des héros qui l'invitent à oublier les peines de l'amour pour ne penser qu'à la gloire qui l'attend lorsqu'il délivrera sa patrie. Roland se réveille et s'en va, décidé à suivre les conseils de ses glorieux prédécesseurs.

■ L'opéra, qui connut un immense succès, atteint parfois les plus hauts sommets de l'art. Citons : l'invocation de Roland à la nuit, le chœur des bergers, la scène de la folie de Roland. La scène est le plus souvent occupée par Angélique et Médor ; le rôle de Roland n'est en fait pas très long. Il y eut seize reprises de *Roland* entre 1685 et 1743.

MSM

ARIANE
(Arianna)

Opéra en trois actes de Bernardo Pasquini (1637-1710). Livret anonyme. Première représentation : théâtre du palais Colonna, carnaval 1685.

L'INTRIGUE est inspirée des aventures mythologiques d'Ariane et de Thésée.

ACIS ET GALATÉE

Opéra pastoral héroïque en un prologue et trois actes de Jean-Baptiste Lully (1632-1687). Livret de J. G. Campistron (1656-1723). Première représentation officielle : Paris, Académie royale de Musique, 17 septembre 1686. Toutefois, l'œuvre avait déjà été exécutée au château d'Anet le

6 septembre de la même année en présence du Dauphin.

L'INTRIGUE : Le cyclope Polyphème est épris de la belle Galatée, qui lui préfère le berger Acis. Jaloux, le géant tue Acis qui est aussitôt transformé en fleuve.

■ L'opéra obtint un succès considérable, confirmant la faveur dont jouissait Lully auprès du public. MSM

ARMIDE

Opéra en un prologue et cinq actes de Jean-Baptiste Lully (1632-1687). Livret de Philippe Quinault (1635-1688). Première représentation : Paris, Académie royale de Musique, 15 février 1686. Interprètes : Le Rochois, Moreau, Desmatins, Du Mesny, Dun, Frère.

L'INTRIGUE : Au cours du prologue, la Gloire et la Sagesse célèbrent les dons de Renaud et prédisent qu'en dépit de toutes les tentations, il saura suivre le chemin de l'honneur. Armide, qui a séduit tous les croisés, est atteinte dans son orgueil car seul Renaud reste insensible à ses charmes. Avec l'aide de son oncle Hidraot, roi de Damas, et d'une multitude de nymphes, de bergers et de bergères qui ne sont autres que des esprits infernaux, Armide parvient à enlever le héros et à le transporter sur une île enchantée. Hidraot réussit par magie à rendre Renaud amoureux d'Armide, mais celle-ci est déchirée entre l'amour et la haine : en effet, la magie seule, et non sa beauté, a eu prise sur le chevalier. L'amour l'emporte toutefois et Armide retient Renaud sur l'île. Là, le chevalier s'abandonne à une vie de plaisir et oublie ses devoirs de croisé. Entre-temps, deux amis de Renaud sont partis à sa recherche. Ils doivent affronter au cours de leur voyage les enchantements d'Armide, mais finissent par retrouver Renaud et lui font comprendre de quelles illusions il a été victime. Le héros, honteux de sa faiblesse, décide de partir avec eux sur-le-champ. Armide, désespérée, le supplie en vain de rester. La magicienne invoque alors les dieux de l'enfer et l'île enchantée s'abîme dans les flots.

■ C'est l'avant-dernier opéra de Lully. Le sommeil de Renaud donne à lui seul la mesure de la grandeur du compositeur. MSM

DIDON ET ÉNÉE
(Dido and Aeneas)

*Opéra en trois actes d'Henry Purcell (1659-1695). Livret de Nahum Tate, inspiré du livre IV de l'*Énéide. *Première représentation : Londres, pensionnat de Josias Priest, Chelsea, octobre ou décembre 1689. Interprètes : les élèves du pensionnat de jeunes filles J. Priest, à l'exception du rôle d'Énée et des chœurs, confiés à des professionnels de Westminster.*

LES PERSONNAGES : Didon, reine de Carthage (mezzo-soprano) ; Belinda (soprano) ; une femme (soprano) ; la Magicienne (mezzo-soprano) ; première sorcière (mezzo-soprano) ; deuxième sorcière (mezzo-soprano) ; un elfe (soprano) ; Énée, prince troyen (ténor ou baryton). Les courtisans, le peuple, des guerriers, des marins et des sorcières.

L'INTRIGUE :
Acte I. Le palais royal de Carthage. Belinda exhorte en vain sa sœur Didon à la sérénité. La reine est éprise de son hôte, valeureux comme son père Anchise et beau comme sa mère Vénus. Belinda affirme à Didon qu'Énée partage son sentiment ; le chœur encourage leur union. Énée entre, accompagné de sa suite, avoue son amour à Didon et la supplie de l'accueillir. Mais la reine l'incite à oublier ses sentiments et à poursuivre son voyage pour accomplir sa destinée. Belinda invoque alors l'Amour, qui réussit à réaliser cette union. L'acte s'achève par un chœur et une danse majestueux.
Acte II, première scène. L'antre des sorcières. Une magicienne appelle les sorcières et leur révèle son projet de séparer Didon et Énée et de provoquer la ruine de Carthage. Pour parvenir à ses fins, elle envoie à Énée un elfe déguisé en Mercure et porteur d'un faux message de Jupiter : Énée doit abandonner Didon et Carthage pour suivre son destin de conquérant. Deuxième scène. Un bosquet près de la ville. Tandis que Didon, Belinda et Énée sont à la chasse, la magicienne provoque une tempête pour les obliger à rentrer au palais. Belinda incite la compagnie à se hâter, et le chœur reprend ses exhortations. Alors qu'il s'apprête à partir, Énée est rejoint par l'elfe déguisé en Mercure qui lui ordonne de quitter la ville la nuit même. Le héros réalise quel terrible sacrifice est exigé de lui. La mort lui semble presque préférable. Il maudit les dieux de lui infliger des nuits de larmes sans même lui avoir accordé une nuit de bonheur.
Acte III. Le rivage. Les rudes et simples marins de la flotte d'Énée ont reçu l'ordre de se tenir prêts à partir. Heureux, ils se préparent à reprendre la mer. Après une danse, la magicienne et les sorcières se réjouissent déjà de l'infortune de Didon et s'apprêtent à détruire la flotte d'Énée. Le moment des adieux est arrivé. Didon, désespéré, confie sa douleur à Belinda. Énée, ébranlé par les reproches de Didon, hésite : il pense rester et obéir plutôt aux devoirs de l'Amour qu'aux ordres de Jupiter. Mais il finit par se faire violence tout en se reprochant sa faiblesse. Fièrement, la reine lui ordonne de partir. La chœur commente avec gravité les contradictions étranges des passions humaines, qui empêchent les âmes nobles d'accepter des compromis faciles. Seule avec Belinda, Didon, abandonnée, mourante, chante un chant funèbre : dans un ultime acte d'amour, elle demande que ses erreurs ne causent pas la souffrance d'Énée. L'œuvre s'achève dans une atmosphère calme et tragique ; le chœur demande à l'Amour de répandre des pétales de roses sur le cadavre de l'infortunée Didon.

■ *Didon et Énée* est le seul opéra, au sens italien du terme, écrit par Purcell. Il eut d'ailleurs un destin particulier. Purcell vivant, il n'y eut pas d'autre représentation que celle pour laquelle il avait été écrit. Il fut ensuite joué deux fois, en 1700 et 1704, au Little

Lincoln's Field Theatre, sous forme de « masques » (la musique ne tenant plus qu'un rôle subsidiaire et alternant avec les dialogues parlés). Puis, à part quelques représentations assez peu fidèles, il ne fut repris à la Royal Academy of Music de Londres que le 10 juillet 1878. Les circonstances de la composition de l'œuvre sont également singulières. Le livret fut réécrit par Tate d'après un texte antérieur, en tenant compte du fait qu'il était destiné à un pensionnat de jeunes filles. Les ressorts dramatiques sont assez modestes, l'opéra durant à peine plus d'une heure : il ne répond donc en rien aux lois du genre en vigueur au XVIIe siècle. *Dido and Aeneas,* écrit par Purcell à l'âge de trente ans, est certes un chef-d'œuvre, comme on l'a souvent écrit, mais pas exempt de défauts. Les limites étroites imposées à l'action auraient posé des problèmes même à des musiciens bien plus experts que Purcell en cette matière. Les scènes se succèdent souvent à un rythme précipité, sans les pauses que le genre autorise. Le personnage d'Énée est peu consistant et ses sentiments insuffisamment approfondis, sinon dans les récitatifs. Le caractère de Didon est en revanche bien dépeint. Deux airs sont particulièrement expressifs : l'un au premier acte, à l'entrée en scène, l'autre au troisième, Didon étant sur le point de mourir. A mi-chemin entre les « masques » anglais et les productions musicales italiennes, dont l'influence est indéniable — même si l'on ignore quelles œuvres étaient parvenues à Purcell —, *Didon et Énée* a ouvert la voie à de nouvelles possibilités. Sa qualité principale réside avant tout dans la maestria avec laquelle l'auteur satisfait aux exigences complexes de l'*opera seria* en s'accommodant des limites imposées par un sujet réduit, en durée comme en action, à l'équivalent d'un acte d'opéra. RB

LA PROPHÉTESSE ou L'HISTOIRE DE DIOCLÉTIEN (The Prophetess or the History of Dioclesian)

Opéra d'Henry Purcell (1659-1695). Livret de T. Betterton d'après les œuvres de Beaumont et Fletcher. Première représentation : Londres, Dorset Gardens Theatre, juin 1690.

L'INTRIGUE : La prophétesse Delfia prédit au soldat Dioclétien qu'il deviendra empereur de Rome après avoir châtié Aper, assassin du précédent empereur. Mais bien des obstacles se dressent devant lui. Dioclétien n'aime plus Drusilla, nièce de Delfia, lui préférant Aurélia, dont est également épris Maximilien, son neveu. Aurélia promet sa main à celui qui tuera Aper. Entre-temps éclate la guerre avec les Perses. Dioclétien remporte la victoire grâce à Delfia : celle-ci, après s'être rangée dans le camp des ennemis, a pardonné à Dioclétien l'abandon de sa nièce, et a volé à son secours. Le vainqueur se montre magnanime : il rend son royaume au roi des Perses et cède l'empire à Maximilien. L'ingrat essaie de le tuer, mais la fidèle Delfia déjoue le complot. Puis, pour égayer les esprits, la prophétesse organise une extraordinaire fête champêtre à laquelle prennent part dieux, déesses, nymphes, héros, faunes, grâces et plaisirs.

■ La musique tient une place importante dans l'œuvre, mais les rôles principaux ne sont pas chantés. C'est là une des caractéristiques de ces « masques » en vogue à l'époque de Purcell, sortes de semi-opéras dus sans doute au manque de bons chanteurs, surtout à Londres. L'œuvre doit beaucoup, par rapport à l'esprit conventionnel de l'époque, à la fraîcheur et à la nouveauté du style pastoral de Purcell. RB

LE ROI ARTHUR
(King Arthur or The British Worthy)

Opéra d'Henry Purcell (1659-1695). Livret de John Dryden (1631-1700). Première représentation : Londres, Dorset Gardens Theatre, mai ou juin 1691.

L'INTRIGUE : Arthur, roi des Bretons, et Oswald, roi saxon du Kent, veulent tous deux obtenir la main d'Emmeline, fille du duc de Cornouaille. Oswald enlève Emmelinc et tente, en vain, de s'en faire aimer. Entre-temps Arthur parvient à résister aux charmes de deux sirènes, et se libère des enchantements qui l'entravent. Le jour de la Saint-Georges, a lieu la bataille décisive entre les deux rivaux : le magicien Osmond et un esprit de la terre soutiennent Oswald, Merlin l'enchanteur et un esprit de l'air les Bretons d'Arthur. Le dernier acte nous montre le choc entre les deux armées. Arthur affronte Oswald en combat singulier et, après l'avoir désarmé, lui laisse la vie sauve. Emmeline épouse le vainqueur, proclamé « premier d'entre les héros chrétiens ». Merlin fait alors surgir de la mer les îles Britanniques. On chante les louanges de saint Georges et tout s'achève dans une danse générale.

■ C'est la seule œuvre lyrique de Purcell (à l'exception de *Didon et Énée*) dont le livret original nous soit parvenu. Selon l'usage courant en Angleterre à l'époque, le librettiste Dryden a en fait écrit, plus qu'un opéra, un drame avec musique de scène. La partition ne fut imprimée qu'après la mort du compositeur et n'a pas été entièrement conservée. Cependant, la musique — chœurs, danses et nombreux airs — joue un rôle assez important dans ce spectacle patriotique. Elle est souvent séduisante mais exige, de la part de l'auditeur, une certaine expérience du théâtre. RB

LA REINE DES FÉES
(The Fairy Queen)

Opéra d'Henry Purcell (1659-1695). Livret d'Elkanah Settle d'après Le Songe d'une nuit d'été *de William Shakespeare (1564-1616). Première représentation : Londres, Dorset Gardens Theatre, avril 1692.*

■ C'est l'opéra-théâtre le plus long d'Henry Purcell. Il consiste essentiellement en une succession d'airs chantés et de danses. *La Reine des fées* est une suite de « masques » qui a si peu à voir avec une trame de type théâtral

ou dramatique qu'il serait impossible d'y retrouver le *Songe* de Shakespeare si la magnifique partition n'en restituait la vigueur et l'esprit. Leur passion pour la mise en scène a souvent poussé les adaptateurs à adjoindre au texte original des personnages qui n'y figurent pas : dieux et déesses, esprits, nymphes, bergers, singes, danseurs chinois, les quatre saisons, etc. L'œuvre devient finalement une véritable revue, galerie de personnages bizarres au milieu desquels les épisodes de Shakespeare sont simplement intercalés.
On ne connaît pas avec certitude l'auteur du livret, qui est toutefois attribué à Elkanah Settle. L'opéra fut somptueusement monté au Dorset Gardens Theatre à grand renfort de costumes, de décors et d'effets de mise en scène. Il connut un grand succès, mais la partition fut égarée : retrouvée plus de cent ans après, et bien qu'il ne s'agisse pas d'une version entièrement autographe, elle peut être considérée comme l'original joué lors de la première. RB

MÉDÉE

Opéra en un prologue et cinq actes de Marc-Antoine Charpentier (1636-1704). Livret de Thomas Corneille (1625-1709). Première représentation : Paris, Académie royale de Musique, 4 décembre 1693. Interprètes : Marthe Le Rochois (Médée), Moreau (Créuse), Dun (Créon), Du Mesny (Jason).

L'INTRIGUE : Inspirée de la légende de la magicienne Médée qui s'enfuit avec Jason après l'avoir aidé à conquérir la Toison d'or. Abandonnée par le héros, elle se venge en tuant les deux enfants qu'elle lui avait donnés et en empoisonnant son épouse.
MS

LA TEMPÊTE
(The tempest or The enchanted island)

Opéra-masque d'Henry Purcell (1659-1695). Livret de Thomas Shadwell (1640-1692), d'après l'œuvre de Shakespeare. Première représentation : Londres, Drury Lane Theatre, 1695.

LA REINE DES INDIENS
(The Indian Queen)

Opéra-masque d'Henry Purcell (1659-1695). Livret de J. Dryden (1631-1700) et R. Howard. Première représentation : Londres, Drury Lane Theatre, 1695.

L'INTRIGUE : Le jeune général péruvien Montezuma capture, au cours d'une bataille, le prince mexicain Acacis. Le chef des Incas l'invite à choisir lui-même sa récompense. Montezuma lui demande alors la main de sa fille Horatia : audace si grande qu'il est obligé de fuir et de se réfugier chez l'ennemi mexicain. Plus tard, Horatia et son père sont capturés par les Mexicains. Entre-temps la reine des Mexicains, Zempoalla, tombe amoureuse de Montezuma. Elle consulte le mage Isméron qui ne sait comment l'aider dans sa passion. Au moment où le chef des Incas,

Horatia, et Montezuma doivent être immolés en sacrifice aux dieux, Acacis, amoureux d'Horatia, se tue. On découvre alors que Montezuma est le roi légitime du Mexique, le peuple l'acclame. Zempoalla met fin à ses jours et le chef des Incas peut enfin consentir au mariage de sa fille avec Montezuma.

■ La musique atteint ici un haut degré de perfection, bien qu'elle n'occupe pas une place aussi importante que dans d'autres œuvres de Purcell (par exemple *Le Roi Arthur* et *La Reine des fées*). Le compositeur fait preuve d'une maîtrise parfaite de toutes ses possibilités, comme dans *La Tempête*, écrit à la même époque. La musique de *La Reine des Indiens* obtint une telle popularité qu'elle fut immédiatement publiée, sans l'autorisation de Purcell et sans qu'il en fût même informé. Dans la préface, l'éditeur en appelait au compositeur pour justifier son acte. RB

L'EUROPE GALANTE

Opéra-ballet en un prologue et quatre actes d'André Campra (1660-1744). Livret d'A. Houdar de la Motte (1672-1731). Première représentation : Paris, Académie royale de Musique, 24 octobre 1697.

L'intrigue : Le fil conducteur est l'histoire du Français Sylvandre qui abandonne Doris pour Céphise. L'opéra, de caractère presque ethnographique, passe en revue les différentes attitudes, face à l'amour, des peuples français, espagnol, italien et turc. Les Français sont dépeints inconstants, indiscrets, vaniteux ; les Espagnols, fidèles et romantiques ; les Italiens sont jaloux, spirituels et violents ; chez les Turcs, enfin, on montre l'opposition entre la fierté des hommes et la sensualité des femmes.

■ L'opéra-ballet qui avait eu, d'après certains auteurs, un précédent avec *Les Saisons* de l'abbé Pic (musique de Lully et Colasse) atteignit la perfection avec André Campra et *L'Europe galante*. Genre à la mode dans la France du XVIIIe siècle, l'opéra-ballet se composait, en général, d'un prologue annonçant le thème du spectacle, et de quatre actes ou « entrées » racontant des actions différentes mais reliées par un fil conducteur commun. Tout au long du spectacle s'entremêlent parties chantées et dansées. *L'Europe galante* est l'un des quarante-trois opéras-ballets et tragédies lyriques d'André Campra, maître de chapelle à Notre-Dame, obligé de signer, du fait de sa condition de prêtre, sous le nom de son frère Joseph, contrebassiste. Après le succès de ses premières œuvres, il quitta Notre-Dame pour se consacrer entièrement à la musique. *L'Europe galante* se compose d'un prologue, les Forges de l'amour, et de quatre entrées : la France, l'Espagne, l'Italie et la Turquie. MS

LE CARNAVAL DE VENISE

Opéra-ballet en un prologue et trois actes d'André Campra (1660-1744). Livret de J.-F. Regnard (1655-1709). Première

représentation : Paris, Académie royale de Musique, 28 février 1699.

L'INTRIGUE : L'action se déroule à Venise au moment du carnaval. Isabelle et Léonore aiment Léandre, un chevalier français. Léandre, à qui l'on demande de choisir, avoue sa préférence pour Isabelle. Léonore s'entend alors avec Rodolphe, un noble vénitien amoureux d'Isabelle, afin de se venger. Ils tentent de faire tuer Léandre, mais le tueur à gages se trompe de cible. Le chevalier est sauf. L'œuvre s'achève par la représentation d'un opéra dans l'opéra : il s'agit d'un acte en italien intitulé *Orfeo all'inferno (Orphée aux Enfers).* MSM

ARMINIUS
(Arminio)

Opéra en trois actes d'Alessandro Scarlatti (1660-1725). Livret d'Antonio Salvi (première moitié du XVIIe siècle). Première représentation : Pratolino, Villa Médicis, septembre 1703.

L'INTRIGUE : Arminius, prince germain, est prisonnier du général romain Varus. Il réussit à s'enfuir avec son épouse Tusnelda, mais il est de nouveau capturé par le père de celle-ci, Ségeste, passé à l'ennemi. De son côté, Varus aime Tusnelda et espère en faire son épouse. Ségeste condamne Arminius à mort, et tente d'empêcher son fils Sigismond d'aimer Ramise, la sœur du prince vaincu. Ébranlé par les supplications de sa fille, et pour des raisons d'opportunité politique, Ségeste doute du bien-fondé de la condamnation qu'il a prononcée. Mais les Romains le rassurent et le menacent en même temps. Connaissant les sentiments du général, Arminius, avant d'être exécuté, confie Tusnelda à Varus. Mais la jeune femme préfère mourir avec son mari. Varus diffère alors l'exécution, craignant la haine de Tusnelda. Sigismond, envoyé par son père pour supprimer Arminius, le libère. Après la mort de Varus, le prince, vainqueur, revient au moment où Ségeste s'apprête à faire tuer Ramise et son propre fils Sigismond. Magnanime, Arminius lui laisse la vie et permet à sa sœur d'épouser Sigismond, unissant ainsi les deux familles.

■ Le livret de Salvi, légèrement modifié, fut également mis en musique par Haendel et Hasse. Ce n'est pas l'une des meilleures partitions d'Alessandro Scarlatti. On y décèle toutefois des accents lyriques et des particularités rythmiques que l'on retrouvera dans les œuvres postérieures, plus réussies, du compositeur. L'opéra, tiré de Tacite, est inspiré de la figure historique du prince barbare, qui remporta contre les légions romaines une bataille où périt leur chef. MSM

MITHRIDATE EUPATOR
(Il Mitridate Eupatore)

Tragédie en trois actes d'Alessandro Scarlatti (1660-1725). Livret de Girolamo Frigimelica Roberti. Première représentation : Venise, théâtre San Giovanni Crisostomo, carnaval 1707.

Les personnages : Laodice (soprano) ; Stratonice (mezzo-soprano) ; Issicratéa (mezzo-soprano) ; Eupator (ténor) ; Pharnace (baryton) ; Pélopidas (ténor) ; Nicomède (ténor). Ministres, prêtres, peuple, danseurs et danseuses.

L'intrigue : L'action se déroule en 150 avant J.-C., dans la ville de Sinope.
Acte I. Mithridate Évergète a été assassiné par sa femme Stratonice et son amant, son cousin Pharnace. Les enfants, Laodice et Mithridate Eupator, ont été éloignés. La première est l'épouse du berger Nicomède et le second a trouvé refuge en Égypte, auprès du roi Tholomée. Bien des années plus tard, l'Égypte s'apprête à conclure une alliance avec le Pont. Laodice, qui médite de venger son père, est rappelée à la Cour. Elle subit les railleries de Pharnace et a une entrevue orageuse avec sa mère. Eupator et son épouse Issicratéa arrivent, déguisés en ambassadeurs égyptiens. Stratonice leur demande des nouvelles de son fils, tandis que Pharnace réclame sa tête. Laodice, se faisant à son tour passer pour une servante, promet aux faux ambassadeurs son aide s'ils sauvent son frère et lui rendent son trône.
Acte II. Cour devant le temple. Sur les instigations de Pharnace et de son ministre Pélopidas, le peuple réclame à grands cris la tête de Mithridate. Stratonice, envahie d'une fureur démoniaque, vient elle-même exciter la foule. Eupator affirme s'incliner devant la volonté générale et promet de ramener la tête de l'héritier légitime du trône.
Acte III. Un endroit désert. Nicomède annonce à Laodice la décision de l'ambassadeur égyptien. La jeune femme lui dit de se tenir prêt à intervenir avec des hommes armés au moment opportun. Eupator revient avec l'urne censée contenir sa tête. Le frère et la sœur se reconnaissent alors avec joie. Pharnace, venu réclamer l'urne contenant la tête de son rival, tente de tuer le prétendu ambassadeur qui, plus rapide, le transperce de son épée. Issicratéa arrête Stratonice qui se jetait sur Eupator, et la tue. Les usurpateurs morts, Mithridate est couronné par sa sœur, sous les acclamations de la foule. Il sacre ensuite lui-même sa femme Issicratéa, qui a repris ses vêtements féminins. Mithridate Évergète est vengé et le Pont retrouve la paix.

■ *Il Mitridate Eupatore*, certainement l'une des œuvres maîtresses d'Alessandro Scarlatti, a été retrouvé et transcrit par Giuseppe Piccioli (1905-1961). L'original comportait cinq actes avec onze changements de décor. Piccioli a dû raccourcir la partition, à laquelle manquaient d'ailleurs certains passages. La transcription n'a rien enlevé au style de Scarlatti, présent dans tout le développement de l'action. Présenté à Venise en 1707, *Il Mitridate Eupatore* ne plut pas : ce fut une déception pour le compositeur qui, à près de cinquante ans, n'était pas affranchi des préoccupations matérielles, du fait de sa nombreuse famille. *Il trionfo della libertà*, toujours de Scarlatti, joué peu après, reçut un accueil enthousiaste du public alors qu'il n'avait pas la même valeur, à en juger par les fragments retrouvés. Il est probable que le musicien avait voulu donner, dans *Mitridate*, sa pleine mesure : une musique profonde et, par là, difficile à écouter et à comprendre. Compositeur apprécié, il ne fut en fait jamais aimé. Pour cette raison peut-être, une grande partie de son œuvre a été perdue. RB

RINALDO

Opéra en trois actes de Georg Friedrich Haendel (1685-1759). Livret de G. Rossi d'après une ébauche d'Adam Hill, inspiré de la Gerusalemme liberata *(1575) du Tasse (1544-1595). Première représentation : Londres, Queen's Theatre, 24 février 1711.*

L'INTRIGUE : Au temps des Croisades, le jeune et valeureux templier Renaud est amoureux d'Almirène, fille de Godefroy de Bouillon, chef de l'expédition chrétienne en Terre sainte. Mais la magicienne Armide use de sortilèges pour se faire aimer de Renaud. Jalouse de la candide Almirène, elle lui jette un sort pour la retenir captive dans un jardin enchanté. Argante, roi païen qui n'est autre que l'amant d'Armide, s'éprend alors de la jeune fille. Par bonheur, Renaud parvient à s'arracher à l'envoûtement de la magicienne et vole au secours d'Almirène. Armide et Argante sont capturés et le drame connaît un heureux dénouement : la magicienne et son soupirant se convertissent au christianisme.

■ Haendel fut amené à composer cet opéra lors de son premier séjour londonien. Le maître réussit à écrire toute la partition en quatorze jours seulement. L'œuvre fut jouée quinze soirs de suite au moment de sa création ce qui, en ces débuts de XVIIIe siècle, doit être considéré comme la preuve d'un immense succès. La mise en scène du Queen's Theatre fut particulièrement soignée, voire somptueuse : on alla jusqu'à utiliser, pour le jardin enchanté d'Armide, des oiseaux vivants.
LB

LE PÂTRE FIDÈLE (Il pastor fido)

Opéra en trois actes de Georg Friedrich Haendel (1685-1759). Livret de Giacomo Rossi, d'après le poème de Battista Guarini. Première représentation : Londres, Queen's Theatre, 22 novembre 1712.

L'INTRIGUE : En Arcadie, pays de bois et de fontaines. Mirtillo prend la nature à témoin de son amour pour la nymphe Amarilis. Celle-ci, promise par Diane à Silvio, n'aime que Mirtillo, mais affecte en sa présence une grande froideur. Le jeune homme, désespéré par son dédain, se confie à Eurilla — secrètement éprise de lui — qui lui promet d'intercéder en sa faveur auprès d'Amarilis. Apparaît ensuite Silvio qui invoque Diane : il jure de se consacrer à la déesse de la chasse et de ne jamais succomber aux pièges de l'Amour. Il repousse Dorinde, qui lui témoigne une ardente passion. On nous montre ensuite Eurilla, profitant du sommeil de Mirtillo pour passer à son bras une couronne de fleurs : elle suscite ainsi à la fois de vaines espérances chez le jeune homme et la jalousie d'Amarilis. Entre-temps, Silvio dédaigne une fois de plus la pauvre Dorinde : il finira toutefois par rendre les armes et lui jurer son amour. Mirtillo et Amarilis sont eux aussi enfin réunis. Tirrenio, grand prêtre de Diane, célèbre le double mariage après avoir sauvé la jeune nymphe d'un piège mortel tendu par Eurilla.

■ Il y eut au moins trois versions de cet opéra. Il fut repris, avec des modifications, en mai 1734 ; puis, en novembre de la même année, avec l'adjonction d'un ballet avec chants en guise de prologue. Le livret est sans aucun doute plus médiocre que l'œuvre de Guarini dont il est inspiré. Cependant, la musique de Haendel lui confère une certaine dignité, faisant d'*Il pastor fido* une œuvre lyrique d'importance non négligeable. LB

IPHIGÉNIE EN AULIDE
(Ifigenia in Aulide)

Drame en trois actes de Domenico Scarlatti (1685-1757). Livret de Carlo Sigismondo Capece, inspiré de la tragédie d'Euripide. Première représentation : Rome, Palazzo Zuccari, 11 janvier 1713.

L'INTRIGUE : L'action se passe en Grèce, avant le départ d'Agamemnon et de son armée pour la guerre de Troie. Le grand prêtre Calchas lui apprend qu'Artémis, irritée, exige le sacrifice de sa fille Iphigénie. Si cette vie humaine ne lui est pas offerte, la déesse ne permettra pas à la flotte grecque de partir. Agamemnon est déchiré entre l'amour paternel (la terrible exigence de la divinité l'horrifie) et son devoir de commandant suprême de l'armée, qui devrait l'inciter à faire taire ses sentiments les plus profonds. Iphigénie, confiante, se rend à ce qu'elle croit être ses noces avec Achille, ignorant le destin qui l'attend. Tout est prêt lorsque la vérité éclate : Achille et Clytemnestre, épouse d'Agamemnon et mère de la jeune fille, se révoltent. Mais les Grecs veulent partir et s'opposent à ce qu'Iphigénie échappe à son sort. Au moment où Calchas va immoler la victime, la divinité, apaisée, lui fait grâce.

■ Le drame, mis en musique par de nombreux compositeurs, a trouvé en Gluck son meilleur interprète. La partition de Domenico Scarlatti a été entièrement perdue. Seules les appréciations des contemporains ont été conservées. Si l'on en juge d'après *Tetide in Sciro*, autre travail théâtral qui, lui, nous est resté, il ne semble pas toutefois que l'apport du grand claveciniste à l'histoire du mélodrame ait été déterminant. RB

TIGRANE
(Il Tigrane ovvero L'egual impegno d'amore e di fede)

Opéra en trois actes d'Alessandro Scarlatti (1660-1725). Livret de Domenico Lalli (1679-1741). Première représentation : Naples, théâtre San Bartolomeo, 16 février 1715.

L'INTRIGUE : Tigrane, roi d'Arménie, et Mithridate, roi du Pont, sont depuis longtemps des ennemis jurés. Mais le souverain arménien tombe éperdument amoureux de la belle Cléopâtre, fille de Mithridate. Il se rend donc, sous un déguisement, à la cour de son adversaire à qui il propose ses services. Grâce à sa valeur guerrière, il devient commandant suprême de l'armée et ne tarde pas à conquérir de vastes territoires, dont la Bithynie et la Cappadoce. Pour compliquer un peu l'intrigue, intervient le personnage d'Oronte, également amoureux de Cléopâtre. Sa sœur Apamie, quant à elle, aime Tigrane, mais est aimée de Mithridate, qui est resté veuf. Toutefois, la fille du roi du Pont et le valeureux souverain arménien se sont juré mutuellement leur amour, qui finira par triompher en dépit des intrigues et des inimitiés.

■ L'argument de l'opéra est tiré d'un fait véridique, rapporté dans le livre XXXVIII des *Histoires philippiques* de Justin (IIe siècle après J.-C.). En réalité, Mithridate fut un ennemi implacable de Rome, qu'il combattit pendant près de quarante ans, avec des fortunes diverses. Il s'allia à Tigrane et lui donna pour épouse sa fille Cléopâtre. L'œuvre est l'une des plus réussies d'Alessandro Scarlatti. La rythmique est originale et souligne bien les moments dramatiques. Les mélodies, assez développées, sont d'une conception hardie en comparaison des œuvres antérieures du compositeur. RB

HAMLET (Amleto)

Drame en trois actes de Domenico Scarlatti (1685-1757). Livret d'Apostolo Zeno et Pietro Pariati. Première représentation : Rome, théâtre Capranica, carnaval 1715.

■ Le livret de l'opéra est probablement tiré des mêmes sources qui ont servi à Shakespeare pour écrire sa tragédie. Il ne nous reste qu'une aria de la musique qui se trouve à la bibliothèque du conservatoire de Bologne. Il est donc difficile de porter un jugement critique sur l'œuvre. Elle ne s'éloignait probablement pas des goûts conventionnels de l'époque. RB

AMADIS DE GAULE (Amadigi di Gaula)

Opéra en trois actes de Georg Friedrich Haendel (1685-1759). Livret de J. Heidegger. Première représentation : Londres, King's Theatre, 25 mai 1715.

■ L'opéra inspiré du fameux roman chevaleresque espagnol, est le premier que Haendel ait écrit pour la cour anglaise. LB

ANGÉLIQUE, VAINQUEUR D'ALCINE (Angelica, vincitrice di Alcina)

Opéra en trois actes de Johann Joseph Fux (1660-1741). Livret de Pietro Pariati (1665-1733). Première représentation : sur le bassin de la villa impériale « La favorite », Vienne, 1716.

■ Le livret, inspiré d'un épisode de l'*Orlando furioso* de l'Arioste, a été écrit par le poète impérial Pietro Pariati, le prédécesseur de Métastase dans cette charge à la cour de Vienne. Johann Joseph Fux en composa la musique lorsqu'il reçut la charge de compositeur de la Cour. Sa production théâtrale comprend dix-huit opéras, tous dans la tradition viennoise italianisante. RB

LE TRIOMPHE DE L'HONNEUR (Il trionfo dell'onore)

Opéra-comique en trois actes d'Alessandro Scarlatti (1660-1725). Livret de F.-A. Tullio. Première représentation : Naples, Teatro dei Fiorentini, 26 novembre 1718.

L'INTRIGUE : Riccardo, un garçon débauché, et son ami, le capitan Rodimarte Bombarda, se rendent chez l'oncle du jeune homme, le marchand Flaminio Castravacca. Leonora, amoureuse de Riccardo, a été déshonorée et abandonnée par lui. Elle pleure et s'évanouit. Cornelia, une vieille propriétaire promise à Flaminio, et sa servante Rosine la secourent. Rosine est assidûment courtisée par le vieux marchand. Leonora revient à elle dans la maison de Cornelia. Elle reconnaît Doralice qui aimait son frère Erminio et en était aimée. Mais aujourd'hui, elle aussi aime Riccardo. Celui-ci vient demander de l'argent à son vieil oncle, qui élude le problème. Entre-temps, son compagnon Rodimarte courtise Rosine. Survient Erminio qui apprend la trahison de celle qu'il aime. Arrive enfin Flaminio. Après de multiples rebondissements, Riccardo et Erminio font irruption, en se battant en duel, au milieu d'une querelle entre le marchand et Cornelia. Erminio blesse son rival. C'est une leçon qui remet le jeune brigand dans le droit chemin : il se repent et demande pardon. Tous se réconcilient et le bon sens triomphe. Riccardo épousera Leonora, et Flaminio, Cornelia. Doralice accorde sa main à Erminio, et Rosine à Rodimarte.

■ L'opéra est un petit chef-d'œuvre de drôlerie. Il a son Don Giovanni et son Leporello (Riccardo et le capitan fanfaron), mais s'achève plus joyeusement que l'opéra de Mozart. *Il trionfo dell'onore* est empreint à tout moment d'humour, et les personnages sont moins tourmentés et plus fins que dans l'œuvre du maître de Salzbourg. RB

THÉOPHANE (Teofane)

Opéra en trois actes d'Antonio Lotti (1666-1740). Livret de S.-B. Pallavicini (1672-1742). Première représentation : Dresde, Hoftheater, 1719.

■ L'œuvre est centrée sur le personnage de Théophane, moine et historien byzantin de la fin du VIIIe et du début du IXe siècle, défenseur du culte des images persécuté par les iconoclastes. Le livret est dû à Stefano Benedetto Pallavicini, poète de cour à Dresde. La musique fut composée par Antonio Lotti durant son séjour dans cette ville, à la tête d'une troupe d'opéra italienne, sur l'invitation du prince électeur Frédéric Auguste. Pendant son séjour dans la cité saxonne (1717-1719), le compositeur écrivit trois opéras, dont deux nous sont parvenus sous forme manuscrite. Fidèle aux canons de l'école vénitienne, mais sensible aux influences napolitaines d'Alessandro Scarlatti, Lotti fut un musicien cultivé et d'esprit conservateur. De retour à Venise, il abandonna son activité théâtrale pour se consacrer essentiellement à la musique sacrée.

RHADAMISTE
(Radamisto)

Opéra en trois actes de Georg Friedrich Haendel (1685-1769). Livret de Nicolò Haym (env. 1679-1729) d'après l'œuvre de Domenico Lalli (1679-1741). Première représentation : Londres, King's Theatre, 27 avril 1720.

L'INTRIGUE : Pharasmène, roi de Thrace, a marié son fils Rhadamiste à la princesse Zénobie, et sa fille Polyxène à Tiridate, roi d'Arménie. Ce dernier, tombé follement amoureux de Zénobie, déclare la guerre à Pharasmène pour la conquérir. Il s'empare de la capitale thrace et Rhadamiste et Zénobie sont contraints de fuir, par un souterrain, jusqu'aux rives du fleuve. La princesse, plutôt que de tomber vivante aux mains de l'ennemi, préfère se jeter à l'eau, suivie de son mari, qui veut mourir avec elle. Mais ils sont sauvés par les soldats de Tiridate. Tandis que Zénobie est amenée au roi arménien, Rhadamiste trouve une aide inespérée en Tigrane, l'un des chefs ennemis. Il parvient à s'introduire au palais vêtu en esclave et se fait reconnaître de son épouse. Il tente de tuer Tiridate mais il est découvert et les deux jeunes gens sont jetés en prison. Ils seront sauvés par une rébellion habilement suscitée par Tigrane dans le camp arménien. Tiridate, vaincu, se réfugie auprès de sa femme Polyxène, sœur de Rhadamiste. Celui-ci, magnanime, renonce à sa vengeance et l'opéra s'achève dans une atmosphère de paix retrouvée et d'allégresse générale.

■ *Radamisto* est l'opéra de Haendel qui souligne le mieux les qualités théâtrales du compositeur. Les péripéties et les coups de théâtre, habilement dosés par le librettiste Haym, donnent au musicien l'occasion d'introduire des airs très variés, allant du tragique au joyeux, du mélancolique au véhément, et qui tiennent le public constamment en haleine. LB

GRISELDA

Opéra en trois actes d'Alessandro Scarlatti (1660-1725). Livret d'Apostolo Zeno (1668-1750). Première représentation : Rome, théâtre Capranica, janvier 1721.

■ L'opéra, de bon niveau, s'inspire d'un conte traditionnel : Gualtiero, le noble, soumet Griselda, la paysanne, aux plus dures épreuves pour s'assurer de son amour.

JULES CÉSAR EN ÉGYPTE (Giulio Cesare in Egitto)

Drame en trois actes de Georg Friedrich Haendel (1685-1759). Livret de Nicolò Haym (env. 1679-1729), traduction anglaise inspirée d'un livret du même titre de G.F. Bussani. Première représentation : Londres, King's Theatre, 20 février 1724. Interprètes : F. Bernardi, A. Robinson, M. Durastanti, G. Berenstadt, F. Cuzzoni, G. M. Boschi.

LES PERSONNAGES : Jules César (basse) ; Cornélia (mezzo-soprano) ; Sextus Pompée (contralto) ; Ptolémée (basse) ; Cléopâtre (soprano) ; Achillas (baryton).

L'INTRIGUE :
Acte I. En Égypte, sur les bords du Nil. Définitivement vaincu à Pharsale, Pompée s'est réfugié auprès du roi d'Égypte, Ptolémée. Sa femme Cornélia et son fils Sextus Pompée implorent la clémence de César. Arrive Achillas, chef militaire égyptien, porteur de la tête de Pompée. César, indigné, ordonne que les honneurs soient rendus à la dépouille de son ennemi, lâchement assassiné. Il se montre bienveillant envers Cornélia et son fils. Achillas s'éprend de la veuve, tandis que Sextus Pompée jure de venger son père. Entre-temps, Cléopâtre demande l'aide de César pour conquérir le trône d'Égypte. Son frère Ptolémée promet quant à lui Cornélia à Achillas s'il assassine César. Au cours d'une fête, Sextus défie Ptolémée, mais il est arrêté et sa mère est emmenée, captive, dans le harem du roi d'Égypte.
Acte II. Terrasse du palais de Cléopâtre. César apprend qu'un complot se trame contre lui. Alors qu'il s'entretient avec Cléopâtre, les sbires de Ptolémée font irruption et César doit se jeter à la mer. Achillas apporte à Ptolémée la nouvelle de la mort de César, mais le roi lui refuse la main de Cornélia, dont il s'est épris à son tour.
Acte III. Une plaine au bord de la mer, près d'Alexandrie. Bataille entre les armées égyptiennes et romaines. Les Romains, privés de leur chef, sont mis en déroute. César, qui n'est pas mort, arrive sur les lieux de la défaite. Il surprend une conversation entre Sextus et Achillas. Ce dernier, blessé à mort, avoue que c'est lui qui a tué Pompée, poussé par le roi. Il confie au jeune homme un sceau d'or qui lui permettra de réunir cent hommes fidèles pour tuer Ptolémée. César se fait remettre le sceau et prend la tête de la révolte. Sous la tente de son frère, Cléopâtre se réjouit de revoir celui qu'elle aime. César remporte la bataille décisive et Sextus venge son père en tuant Ptolémée. Sous les acclamations du peuple et des guerriers, Cléopâtre est sacrée reine et les deux amants se jurent un amour éternel.

■ L'opéra, commencé à la fin de 1723, fut joué pour la première fois le 20 février 1724 et repris l'année suivante. L'intrigue en est si compliquée, si riche en rebondissements et coups de théâtre, qu'on prit l'habitude, en Angleterre, de laisser les lumières allumées pendant les représentations ou de distribuer des chandelles au public pour qu'il puisse suivre sur le livret. Haym, issu

d'une famille d'Allemands installés à Rome, fit beaucoup pour l'introduction de l'opéra italien en Angleterre.
Bien que modifié et simplifié par rapport au texte original de Bussani, l'opéra reste caractéristique du style mélodramatique prisé à l'époque, avec l'intrication entre amour et politique, jalousie et héroïsme, vengeance et appétit de gloire. La musique, conformément à l'inspiration délibérément italienne de Haendel, est divisée en récitatifs et arias qui, dans *Giulio Cesare*, alternent harmoniquement, renforçant l'impact dramatique. Les arias sont notamment d'une grande beauté et s'éloignent des conventions figées du moment pour donner à l'œuvre une unité scénique et stylistique remarquable. LB

SÉMIRAMIS, REINE D'ASSYRIE (Semiramide, regina d'Assiria)

Opéra en trois actes de Nicola Porpora (1686-1768). Livret de l'abbé F. Silvani. Première représentation : Naples, théâtre San Bartolomeo, printemps 1724.

TAMERLAN (Tamerlano)

Opéra en trois actes de Georg Friedrich Haendel (1685-1759). Livret d'A. Piovene (adaptation de Nicolò Haym). Première représentation : Londres, King's Theatre, 31 octobre 1724.

L'INTRIGUE : Tamerlan, empereur des Tartares, après avoir vaincu et capturé Bajazet, empereur des Turcs, s'éprend de sa fille Astéria. La jeune fille aime Andronicus, prince grec allié de Tamerlan, et en est aimée. Andronicus est déchiré entre son amour pour Astéria et sa fidélité à Tamerlan. Celui-ci lui fait part de ses projets : épouser Astéria et donner en mariage à Andronicus sa propre fiancée, Irène. Le prince, pour sauver la vie de celle qu'il aime, et de son père, les supplie d'accepter, mais en vain. Suit une série d'entretiens orageux entre les personnages du drame. Astéria, qui avait accepté d'épouser Tamerlan, avoue que c'était pour pouvoir l'assassiner. Tandis que la jeune fille et son père sont emprisonnés, le roi tartare apprend qu'Astéria aime Andronicus. Courroucé, il s'emploie à l'humilier, mais échappe à une deuxième tentative d'assassinat, grâce à Irène. Il promet enfin à celle-ci de l'épouser et pardonne généreusement à Astéria et Andronicus, qui peuvent ainsi s'unir.

■ L'opéra connut un grand succès et contribua à renforcer la renommée d'Haendel, ternie par la faveur dont jouissait son rival Bononcini. *Tamerlan* reflète certes l'influence de l'opéra italien, et de Scarlatti en particulier, mais l'approfondissement dramatique parvient à susciter une musique nouvelle, annonçant, à certains moments, le renouveau de Gluck. LB

ARIANE (Arianna)

Dramma per musica *de Benedetto Marcello (1686-1739). Li-*

vret de Vincenzo Cassani. Composé en 1727. Première exécution scénique : Venise, Teatro Verde, 11 juillet 1954.

L'INTRIGUE : L'action se déroule sur l'île de Naxos. Thésée profite du sommeil d'Ariane, fille de Minos, pour s'enfuir avec Phèdre, déchirée entre son amour pour le héros et sa tendresse pour sa sœur. Arrive Bacchus, avec son cortège de satyres, de bacchantes et de faunes. Leurs chants réveillent Ariane qui, se voyant abandonnée, éclate en lamentations et tente de se jeter à la mer. Bacchus, amoureux de la jeune fille, qui ne l'a pas reconnu, essaie de la consoler et exauce ses vœux en déchaînant une tempête qui rejette sur l'île le navire des fugitifs. Phèdre, jalouse, craint que Thésée ne revienne à ses amours pour Ariane. Bacchus, de son côté, pense que le héros n'aura pas la force de résister aux prières de la jeune fille. Thésée promet cependant au dieu de se montrer inflexible, et rassure Phèdre : en effet, les supplications d'Ariane restent vaines. Bacchus déclare alors sa flamme à Ariane, dont le chœur implore la pitié envers « le dieu qui prie ». La jeune fille, émue, se sent attirée par Bacchus, mais, méfiante, doute encore de son identité. Le dieu accomplit pour elle une série de prodiges et le drame s'achève sur une note joyeuse : Ariane accepte l'amour de Bacchus, tandis que Thésée et Phèdre partent heureux pour Athènes.

■ Cette œuvre de Benedetto Marcello, retrouvée et publiée en 1885 par le musicologue Chilesotti, a été définie par son auteur comme « une intrigue scénico-musicale ». Elle constitue l'unique tentative de Marcello dans le domaine du mélodrame lyrique et fut probablement représentée à Venise au *Casino dei Nobili Accademici* en 1727, année de sa composition. Le livret, de qualité poétique assez modeste, permet toutefois au compositeur des morceaux de maestria vocale et des passages d'une grande valeur expressive. Si certains éléments relèvent des schémas classiques du mélodrame vénitien, l'ouverture en trois mouvements et l'utilisation du chœur constituent en revanche des nouveautés intéressantes. AB

L'OPÉRA DES GUEUX
(The Beggar's Opera)

Opéra en trois actes. Musique arrangée et composée par John Christopher Pepusch (1667-1752). Texte de John Gay (1685-1732). Première représentation : Londres, Lincoln's Inn Fields, 29 janvier 1728.

L'INTRIGUE : Introduction. Le Mendiant, auteur supposé de la pièce, présente la comédie. Acteurs, voleurs, receleurs, avocats, femmes de petite vertu et prisonniers se battent et s'affrontent, chacun essayant de soutirer de l'argent aux autres. Le bandit Macheath a épousé Polly, fille du receleur Peachum. Celui-ci, lorsqu'il l'apprend, craint de voir son gendre, qui en sait un peu trop sur lui, se mêler de ses affaires. Il décide de le dénoncer et de le faire arrêter. Mais le brigand est assez populaire, surtout auprès des femmes. Lucy, la fille du geôlier, qui a été sa maîtresse, l'aide à s'enfuir en échange d'une promesse de mariage. Mais d'autres femmes, payées par Peachum, le dénoncent à nouveau, et il se retrouve en prison. Il lui faudra passer en jugement, au grand désespoir de toutes ses amies et admiratrices. Le Mendiant intervient alors et le fait libérer, parce que l'auteur le veut ainsi. Tout s'achève dans un grand ballet, tandis que le Mendiant déclare : « Rien n'est jamais trop absurde dans ce genre de drame. Si la comédie était restée telle que je l'avais imaginée tout d'abord, elle aurait comporté une excellente morale. Elle aurait montré que les pauvres sont aussi vicieux que les riches, mais qu'eux seuls paient pour leurs forfaits. »

■ *L'Opéra des gueux* inaugure la longue série des opéras-ballets, mais restera toujours le plus fameux de tous. C'est un spectacle composite en prose, vers et musique. A sa création, il reçut un accueil triomphal et tint l'affiche soixante-deux soirs de suite. Ce succès se confirma dans les pays de langue anglaise et, en 1866, l'œuvre connaissait toujours une grande popularité, avec Sim Reeves dans le rôle de Macheath. C'est une satire brillante du théâtre de l'époque, mais aussi des mœurs politiques : on reconnaissait par exemple, sous les traits de Peachum, le premier ministre Walpole et lord Townshend sous ceux du geôlier Lockit. Ces allusions ont évidemment perdu de leur saveur avec le temps. Gay a imaginé une comédie faite par des gueux pour des gueux, et qui aurait tant plu à un imprésario qu'il aurait décidé de la faire monter dans un théâtre. Les personnages, ennoblis par les décors et les costumes du mélodrame, restent au fond des voleurs, des prostituées et des criminels ; ils vivent des aventures grossières et parlent un langage désinvolte, voire vulgaire. Le 5 juin 1920 fut représentée à Hammersmith, au Lyric Theatre, une adaptation de *L'Opéra des gueux* par Frederick Austin. Elle fut jouée 1463 fois de suite, record absolu de longévité sur la scène pour un opéra. En 1944 (22 mai), une nouvelle adaptation de E. J. Dent (1876-1957) fut donnée à Birmingham sous un chapiteau de cirque, la ville ayant été très largement démolie par les bombardements. Signalons également l'adaptation cinématographique d'Arthur Bliss, avec Laurence Olivier (1953). Benjamin Britten a pour sa part composé une version qui s'éloigne tellement de l'œuvre originale qu'elle peut être considérée comme un nouvel opéra (Cambridge, Arts, 1948). Enfin, *L'Opéra de quat'sous*, de Bertold Brecht, est un dérivé très lointain du *Beggar's Opera*. Celui-ci, à l'origine, se composait de 69 *« tunes »* (chansons parodiques) tirées pour la plupart d'airs populaires : 28 anglais, 15 irlandais, 5 écossais, 3 français et les 18 autres d'auteurs divers. Pepusch ne fut pas associé au succès de l'œuvre. Son nom n'est même pas cité par les premières critiques, n'est pas mentionné dans la première édition de l'opéra et figure, dans la deuxième édition, comme auteur de l'ouverture. Il est donc assez difficile de mesurer sa contribution à l'opéra : peut-être s'est-il borné à écrire les parties de basses et à composer des variations, certes brillantes, sur des chansons populaires. MS

SÉMIRAMIS RECONNUE
(Semiramide riconosciuta)

Opéra en trois actes de Nicola Porpora (1686-1768). Livret de Pietro Metastasio (Métastase) (1698-1782). Première représentation : Venise, théâtre San Giovanni Crisostomo, 26 décembre 1729.

ARTAXERXÈS
(Artaserse)

Drame en trois actes de Johann Adolph Hasse (1699-1783). Livret de Métastase (1698-1782). Première représentation : Venise, théâtre San Giovanni Crisostomo, février 1730.

Les personnages : Artaxerxès, prince puis roi de Perse ; Mandane, sœur d'Artaxerxès ; Artaban, préfet de la garde royale ; Arbacès, fils d'Artaban ; Sémire, sœur d'Arbacès ; Mégabise, général perse.

L'intrigue :
Acte I. Arbacès, fils d'Artaban, a été exilé pour avoir osé aimer Mandane, la fille du roi. Le jeune homme revient en secret pour la voir. Entre-temps, Artaban a assassiné le roi Xerxès pour permettre à son propre fils de monter sur le trône. Pris de peur, il donne à Arbacès l'épée encore trempée de sang et l'aide à fuir. Lorsqu'on découvre le régicide, Artaban oriente les soupçons d'Artaxerxès, fils du roi, sur son frère Darius, et s'empresse de le faire mettre à mort. Mais Arbacès est rattrapé, porteur de l'arme accusatrice. Artaxerxès, amoureux de la sœur du jeune homme, Sémire, ne peut se résoudre à rendre lui-même le jugement.
Acte II. C'est Artaban qui est chargé de juger l'assassin présumé. Arbacès se proclame innocent mais, pour ne pas trahir son père, refuse de révéler ce qu'il sait. Mandane, bien qu'elle aime Arbacès, fait taire ses sentiments et demande justice. Sémire, au contraire, implore clémence pour son frère. Artaban essaie de faire évader Arbacès, qui refuse.
Acte III. Le père indigne condamne son fils, qu'il sait innocent, puis tente de fomenter une révolte pour le faire monter sur le trône. Mais Arbacès parvient à arrêter le soulèvement, restant fidèle à la couronne contre ses propres intérêts. Artaxerxès, ému, le fait libérer et lui offre à boire dans une coupe préparée pour lui-même : Artaban, qui avait versé du poison dans le breuvage, doit alors se découvrir. Il avoue être l'assassin de Xerxès. Arbacès sauve une fois de plus la vie d'Artaxerxès, assailli par Artaban, en menaçant de boire le poison. Puis il offre sa vie en échange de celle de son père. Finalement, Artaban n'est que banni. Artaxerxès épouse Sémire et accorde la main de Mandane à Arbacès.

■ Le drame de Métastase, d'un mécanisme parfait, riche en coups de théâtre, offre en outre une grande variété de situations. C'est sans doute ce qui lui valut la faveur inconditionnelle des musiciens de l'époque : en effet, cent sept partitions différentes ont été composées pour l'*Artaxerxès.* L'une des plus réussies fut celle de Hasse, « le cher Saxon », comme on le surnommait en Italie. Formé à l'école napolitaine, le musicien allemand fut notamment l'élève de Porpora et du grand Alessandro Scarlatti. Il a su, dans cet opéra, d'une part utiliser les qualités indéniables de l'intrigue en mettant en valeur les diverses péripéties par une savante alternance d'arias et de récitatifs (le plus souvent « secs »), d'autre part apprécier la musicalité du texte lui-même, auquel la partition adhère parfaitement. Il a ainsi réussi à surmonter le principal défaut du drame : le statisme des personnages. En ce sens, le véritable moteur de l'action est le personnage ambigu d'Artaban en qui s'opposent l'amour paternel et l'égoïsme, l'ambition effrénée et une réelle fragilité, plutôt que le noble et incorruptible Arbacès, héros finalement assez conventionnel du mélodrame métastasien. Même si, aujourd'hui, certains aspects de l'opéra le font apparaître lourd et parfois artificiel, on ne peut pas ne pas apprécier le mariage parfait, si rare dans l'histoire de l'art lyrique, du texte et de la partition. LB

ARMINIUS
(Arminio)

Opéra en trois actes de Johann Adolph Hasse (1699-1783). Livret de A. Salvi (avec modifications). Première représentation : Milan, théâtre ducal, 28 août 1730.

■ Le même livret avait déjà été mis en musique par Alessandro Scarlatti (se reporter à la notice « Arminius », p. 39). *Arminio* est l'une des meilleures œuvres de Hasse. Le compositeur avait eu l'occasion, pendant ses longs séjours dans diverses villes italiennes, d'approfondir sa maîtrise des meilleures techniques vocales et instrumentales du temps et de se rapprocher en particulier d'Alessandro Scarlatti, dont il fut l'élève et auquel il resta toujours fidèle. Il put ainsi affiner son propre style au contact de l'influence italienne. Dans cet opéra, l'action dramatique est traitée avec des accents nouveaux par rapport aux sentiments et aux contrastes psychologiques figés qui prévalaient alors. Le soin apporté aux nombreux récitatifs renforce la cohérence entre la partition et le tumulte des passions. Le compositeur réalise en outre un parfait équilibre, que l'on retrouvera rarement, même dans les œuvres de sa maturité, entre la musique et l'action scénique. Ces qualités parviennent à compenser certains défauts de l'opéra, notamment un éclectisme excessif, point faible d'*Arminio,* que Hasse ne saura presque jamais éviter et qui ruine l'homogénéité et la cohésion de la musique. LB

CATON D'UTIQUE
(Catone in Utica)

Drame en trois actes de Johann Adolph Hasse (1699-1783). Livret de Métastase (1698-1782). Première représentation : Turin, Teatro Regio, 26 décembre 1731.

L'INTRIGUE : Marcia, fille de Caton, aime César mais est aimée par Arbacès, prince de Numidie, allié de son père. Fulvius, partisan de César, est épris d'Émilie, veuve de Pompée et fille de Scipion. Marcia refuse la main d'Arbacès. Caton se rend à une entrevue avec César, qui assiège Utique : il repousse les propositions de paix de César qu'il considère comme un odieux dictateur. Marcia plaide la cause du général romain auprès de son père qui, lorsqu'il apprend son amour pour le tyran, la chasse. Entre-temps, Émilie tente de persuader Fulvius de tuer César, mais en vain. Elle se jette alors elle-même sur César, l'épée à la main : Fulvius parvient à le sauver. L'armée de César finit par vaincre la résistance d'Utique et Caton expire devant le général victorieux. César refuse toutefois le triomphe, car le prix de sa victoire lui est intolérable : il perd avec Caton un ennemi irréductible, mais aussi le dernier véritable citoyen de Rome, digne de l'antique vertu de la Ville.

■ Le texte est assez faible et hésite constamment entre le ton épique et sentimental. Chaque fois qu'il fut mis en musique, il fut cependant très apprécié pour l'exaltation de la liberté qu'il contient. La partition de Hasse est très proche de Métastase et de l'esprit du mélodrame. Elle donne une certaine dignité musicale à cet opéra grandiloquent et compliqué. LB

SALLUSTIA

Opéra en trois actes de Giovanni Battista Pergolesi (Pergolèse), (1710-1736). Livret de S. Morelli. Première représentation : Naples, théâtre San Bartolomeo, décembre 1731.

L'INTRIGUE : Sallustia, épouse d'Alexandre Sévère, est calomniée par sa belle-mère, la jalouse Julie. Celle-ci cherche à convaincre son fils de la répudier. Adrien, père de Sallustia, tente de tuer Julie. Il est condamné à être jeté aux fauves, mais parvient à tuer le léopard qui s'apprêtait à le dévorer. Julie lui pardonne et les époux se réunissent.

■ *Sallustia* est le premier opéra de Pergolèse. Il ne connut pas grand succès. MSM

LA NYMPHE FIDÈLE (La fida ninfa)

Opéra en trois actes d'Antonio Vivaldi (1675-1740). Livret de Scipione Maffei (1675-1755). Première représentation : Vérone, pour l'inauguration du Théâtre philharmonique, 6 janvier 1732. Interprètes : Giovanna Gasperini (Lycoris), Gerolama Madonia (Elpina), Francesco Venturini (Oralto), Giuseppe Valentini (Morasto), Stefano Pasi (Osmino), Ottavio Sinalco (Narète). Décors de Francesco Bibiena, ballets arrangés par Andrea Cattani.

LES PERSONNAGES : Oralto (basse), Morasto (soprano castrat), Narète (ténor), Lycoris (soprano), Elpina (contralto), Tircis (contralto castrat), Junon (contralto), Éole (basse).

L'INTRIGUE :
Acte I. Oralto de Naxos a enlevé deux jeunes filles, Lycoris et Elpina, ainsi que leur père, le berger Narète de Scyros. Lycoris était fiancée à Osmino, qui a été lui aussi enlevé par des soldats thraces. Oralto a un lieutenant, Morasto : nul ne sait qu'il s'agit en fait d'Osmino. Le jeune homme se désole lorsqu'il apprend que d'autres de ses compatriotes ont été réduits en esclavage. Auprès d'Oralto vit également le frère de Morasto, Tircis (que ses parents avaient prénommé Osmino, en mémoire de son frère disparu). Tircis s'éprend de Lycoris mais, pour attirer son attention et la rendre jalouse, il courtise plutôt sa sœur Elpina. Lycoris plaît aussi à Oralto, qui charge son bras droit Morasto de plaider sa cause auprès de la jeune fille. De son côté, le vieux Narète fait une étrange découverte : il trouve, gravés sur tous les arbres du voisinage, les noms entrelacés de Scyros, d'Osmino et de Lycoris.
Acte II. Lycoris croit reconnaître en Tircis celui auquel elle était destinée. Narète, pour sa part, essaie de négocier avec Oralto le paiement d'une forte rançon pour que ses filles et lui puissent retourner dans leur patrie. Oralto tergiverse puis, courroucé par le dédain de Lycoris, envisage de les vendre tous comme esclaves au sultan. Morasto se met lui aussi à courtiser Lycoris. Il a compris toute la vérité mais se garde de rien révéler à personne. Tircis affirme maintenant ouvertement ses sentiments pour Lycoris. Elpina, profondément blessée, lui reproche d'avoir abusé de sa bonne foi. Narète, qui a compris les intentions d'Oralto, conjure Morasto de les sauver, et le jeune homme s'y engage.
Acte III. Oralto, abandonnant toute retenue, menace Lycoris de la vendre comme esclave avec sa famille si elle ne lui cède pas. Lycoris fait mine de se suicider puis s'enfuit pour se cacher. Dans sa course, elle trébuche et son voile tombe dans la rivière. Narète retrouve le voile trempé et le montre à Oralto comme la preuve que sa fille vient de se noyer. Le tyran doit s'absenter de Naxos pour quelques jours et confie le commandement de l'île à Morasto. Celui-ci peut enfin révéler sa véritable identité : c'est lui le véritable Osmino, et non son frère Tircis. L'honnête Lycoris, fidèle à ses vœux, lui renouvelle ses promesses d'amour. Tous s'embarquent gaiement pour rentrer à Scyros, lorsque éclate une terrible tempête. Heureusement Junon, apitoyée par les malheurs et l'amour indestructible des deux jeunes gens si longtemps éprouvés par le sort, demande à Éole, dieu du vent, de souffler sur les vagues afin d'apaiser la mer.

■ La charge de mettre en musique *La fida ninfa* avait tout d'abord été confiée au compositeur bolognais Giuseppe Maria Orlandini, maître de chapelle du grand-duc de Florence (puis, à partir de 1732, de Santa Maria del Fiore). On ignore pour quelle raison ce fut finalement le « prêtre roux » vénitien qui reçut commande de l'opéra en 1729. Il acheva son travail l'année suivante, mais *La fida ninfa* ne fut pourtant pas représentée à temps. Les chroniques de l'époque en donnent l'explication : d'importantes concentrations de troupes allemandes se trouvaient alors aux frontières de la République Sérénissime et les officiers de ces armées avaient demandé l'autorisation de se rendre à Vérone pour assister à la première représentation de l'opéra. Mais les dirigeants vénitiens étaient peu soucieux de leur laisser constater la faiblesse des armées de la République sur la terre ferme à ce moment-là. L'opéra fut donc sacrifié au secret militaire... Vivaldi, obligé d'attendre, eut cependant la satisfaction d'inaugurer, avec *La fida ninfa,* le nouveau théâtre de Vérone. Maffei, l'auteur du livret, monta lui-même l'opéra et dépensa pour la mise en scène vingt mille ducats — somme réellement exceptionnelle pour l'époque. Il avait certainement eu présents à l'esprit, pour le livret, les exemples classiques d'*Aminta* et du *Pastor fido,* avec leur alternance d'arias et de *recitativo secco.* Vivaldi réussit admirablement l'adaptation de la musique aux sentiments et aux paroles. Chaque personnage principal se voyait confier dans chacun des genres (parlé, pathétique, virtuose, etc.) la partie qui le mettait le mieux en valeur. Dans cette œuvre, le « prêtre roux » voulut aller au-delà de toute limite, avec des parties vocales d'un très grand effet mais d'une extrême difficulté d'exécution. Pour cette raison, il tint à distribuer lui-même les rôles (hommes, femmes et castrats). La partition orchestrale est aussi d'un très haut niveau : l'ouverture du troisième acte, *La Tempête sur la mer,* et l'interlude sont encore joués aujourd'hui comme des morceaux séparés très représentatifs de l'art de Vivaldi. EP

DÉMÉTRIUS (Demetrio)

Drame en trois actes de Johann Adolph Hasse (1699-1783). Livret de Métastase (1698-1782). Première représentation : Venise, théâtre San Giovanni Crisostomo, janvier 1732.

L'INTRIGUE : Démétrius Sôter, roi de Syrie, chassé de son trône par l'usurpateur Alexandre Bala, est mort en exil en Crète. Avant de fuir, il avait confié son fils Démétrius au fidèle Phénicius, pour que celui-ci l'élève et le prépare à la vengeance. Ignorant ses origines, l'enfant grandit sous le nom d'Alceste. Jeune homme, il gagne par son courage l'estime d'Alexandre et l'amour de sa fille Cléonice. Phénicius répand la nouvelle que Démétrius est vivant. Les Crétois se révoltent et Alexandre est tué alors qu'il tente d'écraser le soulèvement. Alceste, parti lui aussi combattre les Crétois, disparaît. Cléonice, héritière du trône, doit se choisir un époux. Elle temporise, espérant le retour d'Alceste. Après un long silence, le jeune homme réapparaît alors que la reine, ayant perdu tout espoir de le revoir vivant, s'apprête à choisir un autre prétendant. Phénicius révèle alors l'identité d'Alceste qui, sous le nom de Démétrius, épouse Cléonice et monte sur le trône dont il avait été injustement écarté.

■ Le texte de Métastase fut utilisé par de nombreux compositeurs. Le premier fut Caldara, qui fit jouer son opéra à Vienne un an avant Hasse. Toutefois, la musique de ce dernier s'adapte mieux au drame, brillant et bien construit bien que sans profondeur psychologique. Hasse sut parfaitement utiliser l'intrigue, typiquement XVIIIe siècle, avec ses coups de théâtre et ses conflits entre amour et devoir. LB

AETIUS
(Ezio)

Opéra en trois actes de Georg Friedrich Haendel (1685-1759). Livret de Métastase (1698-1782). Première représentation : Londres, King's Theatre, 15 janvier 1732.

L'INTRIGUE : A Rome, on célèbre le triomphe d'Aetius, vainqueur d'Attila. L'empereur Valentinien III accueille le héros avec tous les honneurs. Maxime, faux ami d'Aetius, lui fait croire que sa fille Fulvia, sa fiancée, est convoitée par l'empereur. Le mauvais père voudrait en réalité qu'il en soit ainsi pour que la jeune fille puisse assassiner Valentinien. L'affaire se complique : Aetius refuse la main d'Honoria, sœur de l'empereur, et réclame celle de Fulvia. Le général, accusé d'un attentat préparé par Maxime et auquel Valentinien a échappé, est arrêté par son ami Varus. Aetius, prisonnier, a un entretien orageux avec l'empereur, qui scelle son sort. Honoria sera mariée à Attila et Fulvia à Valentinien lui-même, tandis qu'Aetius est condamné à mort. Mais Varus, chargé de l'exécuter, ne peut se résoudre à commettre pareille injustice. Entre-temps, les manigances de Maxime sont découvertes et l'empereur, qui croit Aetius déjà mort, est désespéré. Mais tout finit bien : Fulvia et Aetius se marient avec la bénédiction de Valentinien. Le général, magnanime, obtient la grâce du perfide Maxime, mais aussi celle du brave Varus, coupable d'avoir enfreint les ordres de l'empereur.

■ Il s'agit là d'un mélodrame typiquement métastasien : l'intrigue compliquée et l'abus de coups de théâtre le font apparaître aujourd'hui très artificiel. La musique de Haendel sauve cet embrouillamini de sentiments et de situations, et réussit à rendre avec délicatesse certains passages lyriques. LB

LE FRÈRE AMOUREUX
(Lo frate 'nnamurato)

Opéra en trois actes de Giovanni Battista Pergolèse (1710-1736). Livret de Gennaro Antonio Federico (?-1745). Première représentation : Naples, Teatro dei Fiorentini, 30 septembre 1732. Interprètes : G. d'Ambrosio, Giambattista Ciriaci, Girolamo Piano, Marianna Ferrante, Maria Negri, Teresa Passaglione.

LES PERSONNAGES : Marcaniello, vieux père de Lucrezia et de Don Pietro (basse) ; Lucrezia (contralto) ; Don Pietro (basse) ; Ascanio, jeune homme élevé par Marcaniello (ténor) ; Carlo, oncle de Nina et Nena (ténor) ; Nena (soprano) ; Nina (mezzo-soprano) ; Vannella, soubrette de Carlo (soprano) ; Cardella, servante de Marcaniello (soprano).

L'INTRIGUE :
Acte I. L'action se déroule à Ca-

podimonte en 1730. Carlo et le vieux Marcaniello ont arrangé le mariage de Don Pietro, fils de Marcaniello, avec Nena, nièce de Carlo. Vannella et Cardella pérorent au sujet de leurs maîtres. Survient Pietro, qui demande à Vannella d'aller chercher Nena et Lucrezia, sœur de Don Pietro et fiancée de Carlo. Mais les jeunes filles refusent de se montrer. Nina et Nena, au cours d'une promenade, rencontrent leur oncle qui leur reproche de ne pas le traiter avec tout le respect auquel il a droit. Il les avertit que leurs fiancés sont arrivés et que les noces sont imminentes. Les jeunes filles accueillent la nouvelle avec peu d'enthousiasme : le fiancé de Nena, quoique jeune, est sot et vaniteux. Quant à Nina, plus infortunée encore, elle est destinée à Marcaniello. En outre, elles éprouvent toutes deux une sympathie cachée pour Ascanio, un jeune homme élevé par Marcaniello. Lucrezia a elle aussi un faible pour Ascanio et proteste auprès de son père, qui veut la marier à Carlo. Quand Ascanio, chargé par Marcaniello de la convaincre d'épouser Carlo, vient s'acquitter de cette tâche, elle lui avoue candidement son amour. Ascanio est troublé : il ne veut pas trahir son bienfaiteur et s'interroge d'autre part sur ses sentiments envers Nina et Nena. Don Pietro va chercher Nena. Rencontrant Vannella, il s'amuse à la courtiser mais se fait réprimander par Marcaniello tandis que Nena en profite pour mettre en doute le sérieux de son futur mari. De son côté, Nina ignore ostensiblement Marcaniello et feint d'être sensible au charme de Don Pietro.

Acte II. Tous les projets de mariages vont donc à vau-l'eau. Don Pietro raconte à Ascanio que Nena, rendue jalouse par Vannella, est dans tous ses états. Certaines attitudes de Nina le font d'autre part penser qu'elle s'est éprise de lui. Arrive Nena, qui s'éloigne avec Ascanio : elle lui avoue son amour et l'interroge sur ses sentiments, craignant qu'il ne lui préfère sa sœur Nina. Ascanio est de plus en plus déconcerté. Les deux sœurs sont soulagées d'avoir ouvertement repoussé leurs prétendants, mais jalouses l'une de l'autre au sujet d'Ascanio, lequel, mis au pied du mur, a déclaré les aimer toutes les deux. Lucrezia, qui a tout entendu, est indignée. Furieuse, elle ferme bruyamment sa fenêtre. Carlo, qui passait, choqué par la grossièreté de sa future épouse, annonce à Marcaniello son intention de rompre ses fiançailles, si Lucrezia n'apprend pas les bonnes manières.

Acte III. Nena et Nina sont toujours amoureuses d'Ascanio. Lucrezia, désespérée, avoue à son père qu'elle aime aussi le jeune homme. Marcaniello commence par menacer de mort le fauteur de tant de troubles, puis finit par avoir pitié d'Ascanio. Pendant ce temps, Nena et Nina, de la fenêtre, se gaussent de leurs fiancés au point que Don Pietro, pour se débarrasser d'Ascanio, se jette sur lui avec son épée et le blesse légèrement au bras. Accouru à son secours, Carlo découvre sur son bras un signe semblable à celui que portait son petit neveu, enlevé à l'âge de quatre ans : Ascanio est donc le frère de Nina et Nena. Il est enfin libre d'épouser... Lucrezia.

■ C'est le deuxième opéra composé par Pergolèse, âgé seulement de vingt-deux ans. Cette œuvre, qui met en scène des personnages populaires mais non des types, issus plutôt de la comédie que de la farce, fut très favorablement accueillie. Elle contient effectivement des passages d'un naturel charmant, d'un grand brio et d'une délicieuse fraîcheur expressive. MSM

LA SERVANTE MAÎTRESSE (La serva padrona)

Intermezzo *en deux actes de Giovanni Battista Pergolèse (1710-1736). Livret de Gennaro Antonio Federico (? - env. 1745). Première représentation (comme intermède à l'opéra* Il prigioniero superbo, *du même Pergolèse) : Naples, théâtre San Bartolomeo, 28 août 1733. Interprètes : Gioacchino Corrado et Laura Monti.*

LES PERSONNAGES : Serpina (soprano) ; Uberto (basse) ; Vespone, serviteur d'Uberto (rôle mimé).

L'INTRIGUE : Uberto, vieux garçon, est las de la tyrannie domestique de sa servante Serpina. Il annonce son intention de prendre femme et charge son valet Vespone de lui trouver une épouse, même laide, pourvu qu'elle soit soumise. Serpina, qui sait bien que le vieux grognon a, au fond, un faible pour elle, est décidée à se faire épouser. D'accord avec Vespone, elle annonce à son tour son mariage avec un certain capitaine Tempête. Elle fait de ce galant imaginaire une description si terrible qu'Uberto, préoccupé de l'avenir de Serpina, demande à faire la connaissance du capitaine. Arrive alors Vespone, déguisé. Serpina prend à part son vieux maître et lui explique que son fiancé exige — avec d'horribles menaces — le paiement d'une dot exorbitante. Il ne renoncera à Serpina et à la dot que si Uberto épouse lui-même la servante. Uberto, soulagé, accepte avec joie. Serpina, qui n'attendait que cela, devient donc de servante maîtresse.

■ On a voulu faire remonter à *La serva padrona* les origines de l'opéra bouffe, forme qui se développera au cours de la seconde moitié du XVIIIe siècle et culminera avec Rossini. En effet, dans cet opéra, Pergolèse invente des dizaines de motifs spirituels, sarcastiques, typés et définit les caractères par des sonorités. *La serva padrona,* formée de parties récitées et de parties chantées (arias et duos), devint un véritable manifeste lorsqu'elle fut montée à Paris, en 1752, par la compagnie Bambini. Elle donna lieu à la fameuse « querelle des bouffons » qui mit aux prises les partisans de la musique française (représentée par Lully et Rameau) et ceux de la musique italienne. Parmi ces derniers figurait Jean-Jacques Rousseau, qui soutint la musique italienne dans des écrits comme la *Lettre sur la musique française* (1753) et en composant lui-même, sur le modèle de *La serva padrona,* un petit opéra intitulé *Le devin du village,* représenté à Fontainebleau en 1752. MSM

HIPPOLYTE ET ARICIE

Tragédie lyrique en un prologue et cinq actes de Jean-Philippe Rameau (1683-1764). Livret de Simon Joseph Pellegrin (1663?-1745). Première représentation : Paris, Opéra, 1er octobre 1733.

L'INTRIGUE : Au cours du prologue, Diane et l'Amour se disputent le cœur des habitants de la forêt, avec l'arbitrage de Jupiter. Hippolyte avoue son amour à Aricie que Phèdre, jalouse, veut vouer au culte de Diane. Les deux jeunes gens bravent la colère de Phèdre, femme de Thésée et secrètement amoureuse de son beau-fils Hippolyte. Thésée est descendu aux enfers mais a survécu grâce à la protection de son père, Neptune. Pourtant, tous le croient mort et Phèdre, pensant être veuve, avoue son amour à Hippolyte, qui la repousse. Thésée revient alors, acclamé par le peuple. Croyant son fils coupable, il demande à Neptune de le faire mourir. Au cours de jeux en l'honneur de Diane, un monstre hideux sort de la mer et se jette sur Hippolyte, qui lutte et disparaît avec lui au milieu de flammes et de fumées. Phèdre, désespérée, se tue. Mais Diane a secouru Hippolyte qui réapparaît, porté par les Zéphirs, et retrouve sa chère Aricie. Les deux amoureux se marient dans l'allégresse générale.

■ La représentation d'*Hippolyte et Aricie*, en 1733, marque les débuts de Rameau, déjà quinquagénaire, dans le domaine de l'art lyrique. L'opinion parisienne fut très partagée. La musique « savante » de Rameau avait, de fait, posé de sérieux problèmes aux chanteurs, au point que le compositeur aurait songé — selon certaines sources — à abandonner son opéra. L'œuvre fut pourtant jouée, grâce à l'acharnement de Pellegrin (le librettiste) et au soutien du financier Le Riche de la Pouplinière.

RB

L'OLYMPIADE (L'Olimpiade)

Opéra en trois actes d'Antonio Vivaldi (1678?-1741) d'après le mélodrame de Métastase (1698-1782). Première représentation : Venise, théâtre Sant'Angelo, carnaval 1734.

L'INTRIGUE : La belle Aristée, fille du roi de Sicyone, Clisthène, a été promise en récompense au vainqueur des Jeux Olympiques. Mais la princesse éprouve une passion, partagée, pour Mégaclès. Lycidas aspire à la précieuse récompense mais, se sachant incapable de remporter les épreuves, il demande à Mégaclès de concourir à sa place. Celui-ci, ignorant tout de l'enjeu puisqu'il vient d'arriver de Crète, accepte pour faire plaisir à son ami et se fait inscrire sous le nom de Lycidas. Lorsqu'il apprend quel est le prix, il se bat tout de même loyalement pour son ami et renonce à la jeune fille. Aristée est désespérée de voir Mégaclès lui-même la pousser à accepter Lycidas pour époux, ignorant que Mégaclès est en fait décidé à mettre fin à ses jours. Entre-temps, arrive de Crète Argène à qui Lycidas avait juré sa foi. Se voyant trahie, elle se venge en dénonçant à Clisthène la substitution d'athlète qui a eu lieu lors des jeux. Lycidas est condamné à l'exil. Dans un accès de fureur, il se rebelle et tente de tuer le roi. Il est arrêté et condamné à mort. Au moment de l'exécution, Argène s'offre en sacrifice à la place de Lycidas, revêtue de ses atours de fiançailles. Elle montre au roi un collier que Lycidas lui avait donné en gage de son amour. Clisthène reconnaît alors le bijou que portait son fils, jeté à la mer quand il était petit pour conjurer la prédiction d'un oracle selon laquelle il attenterait un jour à la vie de son père. L'opéra s'achève sur le double mariage de Mégaclès avec Aristée, et de Lycidas avec Argène.

■ Cet opéra est une réponse de Vivaldi aux métastasiens de Naples, avec qui il était en désaccord et qui recueillaient de nombreux succès à Venise au théâtre San Giovanni Crisostomo. Pour Vivaldi, les Napolitains, sous prétexte de satisfaire aux exigences des virtuoses et du public, trahissaient les pièces et les personnages de Métastase. Le « prêtre roux » s'en prenait en particulier à Antonio Caldara, dont la version de *L'Olimpiade* avait été représentée à Vienne le 28 mars 1733. En 1739, Vivaldi fit une nouvelle adaptation de *L'Olimpiade* pour le Teatro dell'Accademia dei Rozzi de Sienne, ajoutant à la partition des airs extraits d'une de ses œuvres antérieures, *Dorilla in Tempe* (1726). EP

LIVIETTA ET TRACOLLO

Intermezzo *de Giovanni Battista Pergolèse (1710-1736). Livret de Tommaso Mariani. L'œuvre, en deux parties, servait d'intermède au mélodrame de Pergolèse* Adriano in Siria. *Première représentation : Naples, théâtre San Bartolomeo, 25 octobre 1734.*

L'INTRIGUE : Tracollo, voleur et vagabond qui se fait appeler Baldracca, traîne dans le village, déguisé en femme enceinte, et commet toutes sortes de larcins, aidé de son fidèle compagnon Faccenda. Livietta, qui s'est juré de capturer les deux gredins, se déguise en homme et attend le moment propice en compagnie de son amie Fulvia, habillée en paysanne. Les deux jeunes filles font semblant de dormir lorsque arrive Tracollo. Apercevant une chaînette au cou de Fulvia, il essaie de la lui dérober, mais Livietta intervient. Suit un long échange de menaces et de supplications : Tracollo est prêt à tout pour échapper à l'arrestation. Il se déclare même amoureux de Livietta et disposé à l'épouser. Mais celle-ci ne s'en laisse pas conter. Dans le second intermède, Tracollo, travesti en astrologue, feint la folie, toujours pour émouvoir Livietta. La jeune fille fait à son tour semblant d'être morte. Finalement, touchée par la douleur de Tracollo, qu'elle croit sincère, elle se relève et lui accorde sa main, pourvu qu'il promette de s'amender.

■ Ces deux intermèdes ont, au même titre que *La serva padrona* de Pergolèse, une grande importance historique, en tant que point de départ de la tradition de l'opéra-comique italien des XVIIIe et XIXe siècles. Il y a dans cette œuvre de nombreux airs enlevés et joyeux, comme celui du travestissement de Livietta, au début. Le rôle de Tracollo comporte, lui aussi, de savoureux effets comiques. MSM

ADRIEN EN SYRIE
(Adriano in Siria)

Opéra en trois actes de Giovanni Battista Pergolèse (1710-1736). Livret de Métastase (1698-1782). Première représentation : Naples, théâtre San Bartolomeo, 25 octobre 1734.

■ Dans cet opéra, présenté au public à l'occasion de l'anniversaire de la reine d'Espagne, Pergolèse étend l'apport instrumental des intermèdes, tout en respectant encore schématiquement le modèle *recitativo secco-aria.* MSM

POLYPHÈME
(Polifemo)

Opéra en trois actes de Nicola Porpora (1686-1768). Livret de Paolo Antonio Rolli (1687-1765). Première représentation : Londres, théâtre Haymarket, 1er janvier 1735.

L'OLYMPIADE
(L'Olimpiade)

Opéra en trois actes de Giovanni Battista Pergolèse (1710-1736). Texte de Métastase (1698-1782). Première représentation : Rome, théâtre Tordinona, 8 janvier 1735.

■ Cet opéra a suscité des commentaires variés de la part des musiciens de l'époque, entre autres A. M. Grétry et Charles De Brosses. Après la mort de Pergolèse, il remporta à Venise un extraordinaire succès, dû en grande partie à l'interprétation de Faustina Bordoni-Hasse (1738). Le livret de Métastase fut utilisé par d'autres musiciens, parmi lesquels Caldara et Vivaldi (voir l'intrigue sous la notice *L'Olympiade* d'Antonio Vivaldi, p. 58). MSM

TAMERLAN
(Tamerlano)

Opéra en trois actes d'Antonio Vivaldi (1678 ?-1741). Probablement sur le livret d'Agostino Piovene. Première représentation : Vérone, Théâtre philharmonique, carnaval 1735.

L'INTRIGUE : Tamerlan passe pour être le nouveau Gengis Khan. Le personnage du grand conquérant turc est entouré de légendes : on raconte par exemple qu'il possédait un anneau qui changeait de couleur quand quelqu'un disait un mensonge. Tamerlan, qui n'est au début que le chef d'une bande de pillards, réussit, après une série de victoires dévastatrices, à faire prisonnier l'empereur Bajazet. Le prisonnier et sa femme sont longuement soumis à la torture, au point que Bajazet préfère se tuer en se fracassant la tête contre les barreaux de sa prison.

■ La partition de Vivaldi a été perdue, mais on sait que l'opéra comportait une ouverture symphonique et un chœur final. Ce dernier seul a été retrouvé. Vivaldi, lorsqu'il composa *Tamerlan*, venait d'être réengagé à la Pietà de Venise, avec un traitement annuel de cent ducats. Son contrat stipulait qu'il exercerait sa charge comme par le passé « sans idée d'en plus partir ». Le thème de cet opéra était très en vogue à l'époque. Un *Tamerlan* de Haendel avait été créé à Londres en 1724, un autre, de Porpora, à Dresde en 1730. Vivaldi aurait publié une deuxième édition, sous le titre de *Bajazet*. Le compositeur vénitien et ses collaborateurs ont utilisé, semble-t-il, l'histoire de Tamerlan écrite par l'ambassadeur castillan Ruiz Gonzalez de Clavijo (mort en 1412), et non les versions scéniques publiées anonymement par Christopher Marlowe entre 1578 et 1590. Il existait également deux *Tamerlan* italiens, l'un de Giacometti, l'autre d'un certain Sassone. EP

ACHILLE ET DÉIDAMIE

Opéra en un prologue et cinq actes d'André Campra (1660-1744). Livret d'Antoine Danchet (1671-1748). Première représentation : Paris, Académie royale de Musique, 24 février 1735.

■ Le compositeur comme le librettiste avaient atteint un âge respectable lorsqu'ils écrivirent cet opéra inspiré du mythe d'Achille. Le prologue est un hommage à Philippe Quinault et à Jean-Baptiste Lully, qui avaient les premiers écrit un opéra consacré au héros d'Homère. L'œuvre n'eut aucun succès. MS

DÉMOPHON
(Demofoonte)

Opéra en trois actes de Leonardo Leo (1694-1744). Livret de Métastase (1698-1782). Première représentation : Naples, théâtre San Bartolomeo, 25 décembre 1735.

L'INTRIGUE : Démophon, roi de Chersonèse de Thrace, doit chaque année sacrifier une jeune vierge de son peuple. Il demande à l'oracle d'Apollon quand prendra fin cette cruelle exigence. L'oracle répond : « Quand l'innocent usurpateur d'un trône se connaîtra lui-même. » La suite de l'opéra donnera la solution de l'énigme. Démophon a des filles, mais il les a fait élever en lieu sûr, afin qu'elles échappent au sacrifice. Son ministre Matusio, qui a lui aussi une fille, Dircéa, veut faire de même, mais le roi, refusant le tirage au sort, condamne la jeune fille. Il ignore toutefois que Dircéa est mariée secrètement à son propre fils, Timante, héritier du trône, à qui il destine Creusa. Celle-ci est en fait aimée du fils cadet du roi, Cherinto. Creusa, offensée du dédain de Timante, veut s'en aller et repousser Cherinto. Démophon découvre alors le mariage secret de Timante et Dircéa. Il les condamne à mort, puis les gracie. Mais Matusio apprend, par une lettre de sa défunte femme, que Dircéa n'est pas sa fille, mais celle du roi : elle est donc la sœur de Timante. Heureusement, celui-ci apprend d'un document laissé par sa mère qu'il n'est pas fils du roi, mais de Matusio. Il peut donc aimer Dircéa sans obstacle, mais la prophétie se réalise : il était usurpateur sans le savoir, et le sacrifice des vierges peut donc cesser. Démophon donne Creusa pour épouse à Cherinto, son unique héritier légitime.

■ Ce fut le plus grand succès de critique et auprès du public de tous les opéras de Leo. Le livret sera mis en musique par de nombreux autres musiciens. MSM

ACHILLE A SCYROS
(Achille a Sciro)

Opéra en trois actes d'Antonio Caldara (1670 ?-1736). Livret de Métastase (1698-1782). Première représentation : Vienne, Hoftheater, 13 février 1736.

L'INTRIGUE : La mère d'Achille, Thétis, voulant soustraire son fils au destin qui l'attend à la guerre de Troie, demande à Chiron de le cacher sur l'île de Scyros. L'enfant grandit, déguisé en fille, sous le nom de Pyrrha. Une grande amitié naît entre Pyrrha et Déidamie, fille du roi Lycomède. Mais Achille, fougueux et décidé, risque à tout moment de dévoiler son identité. Lycomède accorde la main de Déidamie à Théagène, mais celui-ci est en fait plus attiré par l'énergique Pyrrha, d'autant plus que Déidamie lui témoigne la plus grande froideur. A ce moment, Ulysse débarque à Scyros, chargé par les Grecs de demander à Lycomède son aide pour la guerre contre Troie. En réalité, le héros est à la recherche d'Achille, qui seul pourra donner la victoire aux Grecs. Ulysse tend à Achille toute une série d'embûches pour l'obliger à se découvrir, mais en vain. Achille avoue à Néarque que le rôle de Pyrrha lui est devenu insupportable, mais il essaie malgré tout de persuader Déidamie d'accepter Théagène pour époux. Achille se débat entre la honte, l'amour et l'ambition, sans trouver d'issue. Un grand banquet est donné pour fêter à la fois les fiançailles de Déidamie et le départ d'Ulysse, qui a obtenu de Lycomède l'aide réclamée. Dans un dernier effort pour démasquer Achille, Ulysse fomente une bagarre entre soldats. Achille, n'y tenant plus, prend les armes. Il partira donc avec Ulysse. Déidamie refuse alors d'épouser Théagène et Lycomède accorde sa main à Achille. Au finale, apparaissent la Gloire, l'Amour et le Temps, qui chantent la vertu des jeunes époux.
Le couple ainsi vanté était, en réalité, l'archiduchesse Marie-Thérèse et François, duc de Lorraine, l'opéra ayant été composé à l'occasion de leur mariage en 1736. MS

LES INDES GALANTES

Opéra-ballet en un prologue et trois entrées de Jean-Philippe Rameau (1683-1764). Texte de Louis Fuzelier (1672-1752). Première représentation : Paris, Opéra, 23 août 1735. (Première représentation avec quatre entrées : Paris, Opéra, 10 mars 1736).

L'INTRIGUE : Prologue. Les jeunes gens de quatre pays alliés (France, Espagne, Italie, Pologne), emmenés en guerre par Bellone, abandonnent Hébé et l'Amour. Les Amours, déçus d'être négli-

gés par l'Europe, émigrent dans des pays lointains.
Première entrée : « Le Turc généreux ». Osman, pacha d'une île turque de l'océan Indien, aime Émilie, jeune esclave provençale arrachée à son fiancé, Valère, officier de marine. A la suite d'une tempête, Valère est lui-même emmené en esclavage chez le pacha. Ce dernier, reconnaissant le jeune homme qui lui a un jour sauvé la vie, renonce à Émilie et libère les deux amants.
Deuxième entrée : « Les Incas du Pérou ». Un désert montagneux du Pérou, avec un volcan en toile de fond. Don Carlos, officier espagnol, éprouve un amour partagé pour Phani, une jeune princesse péruvienne. L'Inca Huascas, jaloux, provoque, au cours d'une fête, l'éruption du volcan. Mais c'est lui qui périt, tandis que Carlos, sain et sauf, libère celle qu'il aime.
Troisième entrée : « Les fleurs. Fête persane ». Le jour de la fête des fleurs, Tacmas, prince persan qui règne aux Indes, arrive, déguisé en marchand, dans le jardin de son favori, Ali. Il est en effet épris de Zaïre, esclave d'Ali, alors que sa propre esclave, Fatima, aime Ali. Fatima arrive, déguisée en Polonais. Tacmas, prenant l'étranger pour un ennemi, l'assaille. Tout finit par s'arranger : Tacmas et Ali échangent leurs esclaves, et ils assistent tous ensemble à la fête.
Quatrième entrée : « Les sauvages ». Un bois en Amérique, non loin des colonies françaises et espagnoles. Le chef des guerriers américains vaincus. Adario, s'apprête à conclure la paix avec les conquérants européens. Deux officiers, le Français Damon et l'Espagnol Don Alvar, se disputent la main de Zima. Mais la jeune fille dédaigne l'un et l'autre et choisit Adario. Damon apaise avec philosophie la colère de Don Alvar devant ce camouflet. On célèbre finalement la fête de la paix, avec la danse du grand calumet.

■ *Les Indes galantes* sont certainement l'un des chefs-d'œuvre de Rameau. Quant au livret, véritable tissu de banalités, il faut lui reconnaître l'avantage de présenter une grande variété de situations et d'éviter les effets trop appuyés : malgré le sous-titre de « ballet héroïque », l'opéra ne comporte ni mythologie ni surnaturel, à l'exception du prologue allégorique. C'est probablement la diversité des scènes et la fantaisie du prologue qui ont poussé Rameau à composer cet opéra. La musique suit avec une extraordinaire souplesse la variété des situations, parvenant finalement, dans cet opéra qui n'a rien de particulièrement profond et dramatique, à souligner les caractères des personnages avec leurs différences et leurs contrastes. L'œuvre reçut initialement un accueil mitigé. Le public se plaignait du texte et l'une des entrées, « les fleurs », dut être complètement remaniée au bout d'un mois. L'année suivante, l'opéra fut repris avec la quatrième entrée, « Les sauvages », apport des plus heureux. À partir de ce moment, *Les Indes galantes* connurent un succès affirmé. Leur influence fut sensible non seulement dans le public, mais aussi auprès des artistes de l'époque, puisque de nombreuses parodies et adaptations des grands airs commencèrent immédiatement à circuler dans toute l'Europe. RB

ARMINIUS
(Arminio)

Opéra en trois actes de Georg Friedrich Haendel (1685-1759). Livret de A. Salvi (avec modifications). Première représentation : Londres, Covent Garden, 12 janvier 1737.

■ Le livret avait déjà été mis en musique par Alessandro Scarlatti (voir l'intrigue sous la notice *Arminius* d'Alessandro Scarlatti, p. 39), et par de nombreux autres compositeurs. Cet *Arminius*, d'assez faible qualité, est l'un des sept opéras composés par Haendel pour le Covent Garden de Londres. LB

CATON D'UTIQUE
(Catone in Utica)

Opéra d'Antonio Vivaldi (1678 ?-1741), d'après le mélodrame de Métastase (1698-1782). Première représentation : Vérone, Théâtre philharmonique, printemps 1737, en présence de Charles-Albert, Grand Électeur de Bavière. Chef d'orchestre : Antonio Vivaldi.

■ Le *Catone* de Métastase avait déjà connu un grand succès avec la musique de Leonardo Vinci, neuf ans avant la version de Vivaldi. En 1731, une autre édition avait été composée par J. A. Hasse (voir l'intrigue sous la notice *Caton d'Utique* de Johann Adolph Hasse, p. 51). Tandis qu'il préparait son *Caton*, le prêtre vénitien avait bien d'autres préoccupations : il avait accepté de se rendre à Amsterdam, en 1738, pour le centenaire du théâtre, tâche très absorbante car il était chargé de diriger neuf symphonies de divers auteurs et un concerto grosso de sa composition. Ceci explique peut-être pourquoi Vivaldi n'a visiblement pas consacré tout le soin nécessaire à son *Caton d'Utique*, qui n'est pas compté parmi ses meilleures œuvres. EP

CASTOR ET POLLUX

Tragédie lyrique en un prologue et cinq actes de Jean-Philippe Rameau (1683-1764). Livret de Pierre-Joseph Bernard (1710-1775). Première représentation : Paris, Opéra, 24 octobre 1737.

LES PERSONNAGES : Minerve (soprano) ; Amour (ténor) ; Vénus (soprano) ; Mars (basse) ; Pollux (basse) ; grand prêtre (ténor) ; Jupiter (basse) ; Castor (ténor) ; Télaïre (soprano) ; Phoebé (soprano).

L'INTRIGUE : Au milieu de portiques écroulés, de statues mutilées, de pavillons en ruine, Minerve et l'Amour supplient Vénus d'enchaîner le dieu de la guerre. Vénus apparaît sur un nuage, Mars gisant à ses pieds, chargé de chaînes. Le monde devient plus beau et tous se réjouissent de la paix retrouvée.
Acte I. Un sépulcre destiné au roi de Sparte. Préparatifs pour les funérailles de Castor. Télaïre pleure la perte de son amant et Phoebé cherche à la consoler : Pollux est immortel et vengera la mort de Castor. Mais la malheureuse, demeurée seule, supplie son père, le Soleil, de la laisser suivre la destinée de Castor. Pollux apparaît, triomphant : il a

vengé la mort de son frère. Il avoue son amour à Télaïre, qui lui demande de descendre aux Enfers et de ramener Castor à la vie. Déchiré entre son amour fraternel et ses sentiments pour Télaïre, Pollux décide de tout faire pour ressusciter Castor.
Acte II. Vestibule du temple de Jupiter. Le grand prêtre annonce la venue du dieu. Pollux l'invoque pour qu'il rende la vie à son frère. Mais même le plus grand de tous les dieux ne peut violer les lois des Enfers. Castor ne pourra revivre que si Pollux prend sa place au royaume des ombres.
Acte III. L'entrée des Enfers. Phoebé essaie par tous les moyens d'empêcher Pollux de descendre aux Enfers. Elle apprend l'amour du héros pour Télaïre et, désespérée, demande aux démons de lui interdire l'entrée des séjours infernaux.
Acte IV. Les Champs Élysées. Au milieu des âmes bienheureuses, Pollux cherche celle de son frère. Ils se retrouvent et s'opposent dans un conflit généreux : Castor ne veut pas accepter le sacrifice de son frère. Pollux lui avoue alors qu'il aime Télaïre et que celle-ci attend anxieusement le retour de Castor. Ce dernier accepte alors de revenir à la vie, mais pour un seul jour.
Acte V. Dans les alentours de Sparte. Phoebé voit Mercure ramener Castor sur la terre. Dévorée d'envie devant l'amour qui l'unit à Télaïre, cause de sa douleur, elle demande vengeance à Jupiter. Les retrouvailles des deux amants sont dramatiques, car Castor annonce qu'il n'est revenu que pour un jour. Mais Jupiter apparaît : il a déjà libéré son fils Pollux des ténèbres et il délie Castor de sa promesse. Émerveillé par l'amour et la vertu des deux frères, il les invite à prendre place parmi les constellations immortelles.

■ C'est le troisième opéra de Rameau, à qui les portes du théâtre étaient grandes ouvertes après le succès d'*Hippolyte et Aricie* et des *Indes galantes. Castor et Pollux* fut également un grand succès. Il fut joué 254 fois de 1737 à 1785, nombre de représentations élevé pour l'époque. La célébrité de cet opéra est en partie due au librettiste : son style est gracieux bien qu'un peu pâle, l'intrigue est passionnante et dense. Brillante idée, par exemple, que d'avoir animé les deux frères du même amour pour Télaïre, ce qui signifie qu'en rendant la vie à Castor, Pollux renonce pour toujours à son amour. L'opéra fut entièrement remanié à sa reprise (1754), ce qui s'avéra bénéfique, la musique devenant plus forte et l'œuvre dans son ensemble gagnant en cohérence. La critique a vu dans *Castor et Pollux* le chef-d'œuvre dramatique de Rameau. RB

L'OLYMPIADE (L'Olimpiade)

Opéra en trois actes de Leonardo Leo (1694-1744). Livret de Métastase (1698-1782). Première représentation : Naples, théâtre San Carlo, 19 novembre 1737.

■ *L'Olimpiade,* présentée à Naples pour l'inauguration du théâtre San Carlo en même temps que *Demofoonte,* est l'une des œuvres les plus célèbres et importantes de Leonardo Leo. Le même sujet, toujours sur le livret de Métastase, avait déjà été mis en musique par Antonio Vivaldi (voir l'intrigue sous la notice *L'Olympiade* d'Antonio Vivaldi, p. 58), et par Pergolèse.

ALEXANDRE AUX INDES (Alessandro nelle Indie)

Opéra en trois actes de Baldassarre Galuppi, dit Il Buranello (1706-1785). Livret de Métastase (1698-1782). Première représentation : Mantoue, théâtre archiducal, carnaval 1738.

■ Ce drame de Métastase, écrit en 1727, fut très prisé des compositeurs, dont une cinquantaine l'utilisèrent. Il peut être considéré comme l'un des spectacles les plus largement diffusés au XVIIIe siècle. C'est la quinzième œuvre de Galuppi, qui en écrivit une centaine, et aussi son premier succès. Pour l'intrigue, se reporter p. 71, à l'œuvre de même titre composée par C.W. Gluck. MS

XERXÈS (Serse)

Opéra en deux actes de Georg Friedrich Haendel (1685-1759). Livret de Niccolo Minato (partiellement modifié). Première représentation : Londres, King's Theatre, 15 avril 1738. Interprètes : G. Maiorano, dit Caffarelli, L. Du Parc, dite La Francesina, Merighi, A. Montagnana.

LES PERSONNAGES : Xerxès, roi de Perse ; Arsamène, frère de Xerxès ; Romilda, fille d'Ariodate ; Amastre ; Atalante ; Elviro.

L'INTRIGUE :
Acte I. Xerxès est tombé éperdument amoureux de Romilda en l'entendant chanter, au point d'oublier sa fiancée Amastre. Mais Romilda est liée à Arsamène, frère du roi de Perse, et elle repousse les continuelles avances de Xerxès. Celui-ci décide de se débarrasser de son rival en l'envoyant en exil. Entre-temps, Amastre, apprenant la trahison de Xerxès, s'abandonne au désespoir et invoque la mort pour mettre un terme à son tourment. Pour compliquer l'affaire, Atalante, sœur de Romilda, qui aime aussi Arsamène, décide de favoriser le mariage de Xerxès avec sa sœur, pour pouvoir épouser le frère du roi. Elle intercepte une lettre d'Arsamène à Romilda, envoyée par l'intermédiaire de son serviteur, Elviro, et fait croire au roi qu'elle en est la destinataire, le priant donc de faire hâter son mariage avec Arsamène. Xerxès utilise à son tour la lettre pour persuader Romilda qu'Arsamène l'a trahie.
Acte II. La supercherie est découverte. Arsamène et Romilda se jurent une foi éternelle. Mais Xerxès ne s'avoue pas vaincu, et tente par tous les moyens de faire plier la jeune fille. Elle finit par proposer un compromis : elle épousera Xerxès s'il obtient le consentement de son père, Ariodate. Xerxès se rend près d'Ariodate, mais il présente sa requête de telle façon que le vieillard comprend qu'il demande la main de Romilda pour Arsamène. Quand le roi se rendra compte de la méprise, les

deux amants seront déjà mari et femme. Xerxès est bien obligé de s'incliner. Il revient à l'amour d'Amastre, qui lui a gardé sa foi. Atalante n'a plus qu'à se chercher un nouvel amour pour se consoler.

■ Même si *Serse* n'atteint pas la grandeur d'autres compositions de Haendel, on peut le considérer comme l'opéra le plus significatif et important de la troisième période du « grand Saxon », période de crise physique et artistique que le musicien parviendra à surmonter. La première représentation fut précédée d'une exécution sous forme d'oratorio, le 28 mars 1738. Le livret — écrit par Minato en 1734 pour F. Cavalli — fut repris pratiquement tel quel par Haendel. Le début du premier acte est particulièrement important et réussi sur le plan artistique : le *largo* de Xerxès *Ombra mai fu* est resté mondialement célèbre, même pendant le long oubli dont fut frappé l'opéra lui-même. Il fallut attendre 1924 pour voir *Xerxès* repris au Théâtre italien de Göttingen, grâce à Oscar Hugen. Outre l'air déjà cité, on apprécie aujourd'hui bien d'autres passages, et l'empreinte originale dont Haendel a su marquer l'ensemble de l'œuvre. L'argument aurait pu donner lieu à une œuvre de caractère épique ou à une évocation pompeuse de personnages de haut rang, comme on les prisait à l'époque. Haendel, au contraire, traite le sujet d'une manière assez libre, se laissant porter par la sentimentalité de l'histoire et ajoutant çà et là des pointes comiques, notamment avec le personnage du serviteur Elviro. LB

DARDANUS

Tragédie lyrique en un prologue et cinq actes de Jean-Philippe Rameau (1683-1764). Livret de Charles Antoine Le Cléro de la Bruère (1715-1754). Première représentation : Paris, Opéra, 19 novembre 1739.

L'INTRIGUE : Dans le prologue, l'Amour chasse la Jalousie, qui dérange et tourmente les Plaisirs. Mais, sans elle, ils ne tardent pas à s'endormir, et Vénus doit la rappeler pour les réveiller. Iphise, fille de Teucros, roi de Phrygie, est amoureuse de Dardanus, l'ennemi de sa patrie. Teucros destine sa fille au prince Anténor. Iphise, rongée d'angoisse, décide de consulter le mage Isménor. Mais Dardanus, qui aime aussi Iphise, a obtenu du mage une baguette magique, grâce à laquelle il reçoit, sous l'apparence d'Isménor, les confidences de la jeune fille. Apprenant qu'elle l'aime, fou de joie, il se révèle. Iphise s'enfuit, mais Jupiter fait surgir de la mer un monstre qui sème la terreur dans le pays, et Anténor part pour le combattre. Il est sauvé par Dardanus, que Vénus a libéré, et sans le reconnaître, lui donne son épée en gage de dévouement éternel. Un oracle de Neptune avait prédit que la main d'Iphise reviendrait au vainqueur du monstre. Dardanus est accueilli en héros par Teucros et son peuple, et Anténor, fidèle à sa promesse, renonce à son amour pour Iphise.

■ L'opéra fut remanié tant de fois qu'une deuxième édition dut être publiée en 1744, et qu'il n'atteignit sa forme définitive qu'en 1760. Nous donnons ici le résumé de la version d'origine. Dans l'édition définitive, la perte de mélodies délicieuses, supprimées en même temps que certains épisodes fantastiques ou miraculeux (comme celui du monstre) est compensée par l'intensité dramatique de la musique. RB

AETIUS
(Ezio)

Mélodrame en trois actes de Niccola Jommelli (1714-1774). Livret de Métastase (1698-1782). Première représentation : Bologne, théâtre Malvezzi, 29 avril 1741.

■ Pour l'intrigue, se reporter à la notice *Aetius* de Georg Friedrich Haendel, p. 55.

ARTAXERXÈS
(Artaserse)

Drame musical de Christoph Willibald Gluck (1714-1787). Livret de Métastase (1698-1782). Première représentation : Milan, théâtre ducal, 26 décembre 1741.

■ Gluck utilisa pour son premier opéra, composé à Milan, le livret de Métastase déjà mis en musique par J.A. Hasse (voir l'intrigue sous la notice *Artaxerxès* de J.A. Hasse, p. 50). Gluck était arrivé dans la capitale lombarbe quatre ans auparavant, à la suite du prince Melzi, pour se consacrer à des études musicales approfondies, sous la direction de G.B. Sammartini. Ces amitiés soigneusement cultivées permirent au compositeur de faire ses débuts dans le théâtre lyrique milanais. LB

SÉMIRAMIS RECONNUE
(Semiramide riconosciuta)

Mélodrame en trois actes de Niccola Jommelli (1714-1774). Livret de Métastase (1698-1782). Première représentation : Turin, Teatro Regio, 26 décembre 1741.

L'INTRIGUE : Sémiramis, reine de Babylone, assiste, vêtue en homme et se faisant passer pour son fils Nino, prince nonchalant et efféminé, à la présentation des prétendants à la main de Tamiris, fille du roi des Bactriens, un de ses vassaux. Tamiris doit choisir entre Scitalce, prince des Indes, Mirteo, prince d'Égypte et frère de Sémiramis (qui l'ignore), et Ircanus, prince des Scythes. Tamiris donne sa préférence à Scitalce. Sémiramis reconnaît alors son ancien amant Idrénus. Celui-ci, à la suite de calomnies de son confident Sibari, épris de Sémiramis, avait tenté de la tuer en la jetant dans le Nil, mais elle avait survécu. Sibari est présent lui aussi. Il reconnaît Sémiramis et ourdit de nouvelles machinations pour se débarrasser des prétendants et épouser la reine elle-même. Après toute une série de quiproquos, Sémiramis dévoile sa véritable identité au peuple. Elle justifie la supercherie et se fait acclamer en faisant valoir la supériorité de ses mérites sur ceux de son faible fils. Scitalce obtient le pardon et la main de Sémiramis, tandis que Tamiris épouse Mirteo. L'opéra s'achève sur l'apparition de Jupiter trônant au milieu des divinités de l'Olympe. Iris descend des cieux sur un char tiré par des paons et prononce l'envoi (la « licence ») en l'honneur de Ferdinand d'Espagne.

■ Ce mélodrame, dont l'intrigue est un tissu de quiproquos assez banal, tirait son principal intérêt du faste scénographique auquel il donnait lieu. Le texte de Métastase, déjà mis en musique et représenté à Rome en 1729 par Leonardo Vinci, fut utilisé par bien d'autres musiciens. N. Jommelli composa également une *Semiramide in bernesco*, jouée à Stuttgart en 1762. AB

DÉMÉTRIUS (ou CLÉONICE)
Demetrio (o Cleonice)

Opéra en trois actes de Christoph Willibald Gluck (1714-1787). Livret de P. Métastase (1698-1782). Première représentation : Venise, Teatro di San Manuel, 2 mai 1742.

■ Comme d'autres œuvres de Métastase, *Démétrius* connut plusieurs versions musicales de nombreux compositeurs tels que A. Caldara, J.A. Hasse, N. Jommelli, ou N. Piccinni. La poésie de Métastase, ici particulièrement brillante, s'unit à souhait à la structure théâtrale. Gluck s'y met habilement au service de l'harmonie poétique du texte. Pour l'intrigue, se reporter au même livret mis en musique par J.A. Hasse p. 54.

DÉMOPHON
(Demofoonte)

Opéra en trois actes de Christoph Willibald Gluck (1714-1787). Première représentation : Milan, théâtre ducal, 26 décembre 1742.

■ Comme beaucoup d'œuvres de Métastase, *Demofoonte* fut mis en musique non seulement par Gluck mais aussi par de nombreux compositeurs tels que A. Caldara, L. Leo (se rapporter à l'intrigue du livret p. 61), J.A. Hasse, N. Jommelli, N. Piccinni, et G. Paisiello. Troisième opéra de Gluck, composé encore dans le style italien, *Demofoonte* connut tout de suite un vif succès qui contribua à rendre célèbre le musicien allemand avant même sa réforme musicale.

DÉMOPHON
(Demofoonte)

Mélodrame en trois actes de Niccola Jommelli (1714-1774). Livret de P. Métastase (1698-1782). Première représentation : Padoue, Teatro Obizzi, juin 1743.

■ Cet opéra de Jommelli, qui n'est pas son meilleur, connut par la suite deux refontes : la deuxième version fut jouée à Stuttgart en 1764 et la troisième à Naples, au Teatro San Carlo, le 4 novembre 1770, avec peu de succès. Pour l'intrigue, se reporter à l'œuvre de L. Leo p. 61.

ANTIGONE
(Antigono)

Opéra en trois actes de Johann Adolph Hasse (1699-1783). Livret de P. Métastase (1698-1782). Première représentation : Château de Hubertsburg, 10 octobre 1743.

Les personnages : Antigone Gonatas, roi de Macédoine ; Bérénice, princesse d'Égypte ; Démétrius, fils d'Antigone ; Alexandre, roi d'Épire ; Ismène, fille d'Antigone ; Cléarque, commandant de l'armée d'Alexandre.

L'intrigue :
Acte I. Thessalonique, ville côtière de Macédoine. Bérénice promet sa main à Antigone, mais la jeune fille et Démétrius, fils d'Antigone, sont pris d'une passion inavouée l'un pour l'autre. Antigone, suspicieux, exile son fils. Entre-temps, Alexandre, amoureux éconduit de Bérénice, lance, pour se venger, l'Épire dans une guerre contre la Macédoine. Tandis que la bataille fait rage, Ismène confesse à la princesse égyptienne son amour pour Alexandre, le roi ennemi. Démétrius, désobéissant aux ordres de son père, accourt au palais royal pour annoncer la défaite macédonienne, et conduire Bérénice en lieu sûr. Antigone le chasse une nouvelle fois. Mais le vainqueur approche : Bérénice, emmenée prisonnière devant lui, refuse à nouveau son amour. Antigone et Ismène sont également capturés. Seul Démétrius parvient à s'échapper, grâce à Cléarque, son ami fidèle.
Acte II. Le jeune Démétrius se présente devant Alexandre et offre sa vie pour sauver celle de son père. Ses paroles sont si nobles que le vainqueur va jusqu'à lui promettre de renoncer à ses conquêtes, à condition qu'il convainque Bérénice de l'épouser. Démétrius, la mort dans l'âme, persuade Bérénice au nom de la piété filiale. Antigone, bouleversé, accable son fils de reproches, lorsque arrive la nouvelle que son armée, après s'être réorganisée, vient d'écraser les forces ennemies. Le roi de Macédoine reste cependant détenu en otage par Alexandre.
Acte III. Antigone, refusant de céder Bérénice à son rival, est enfermé dans une cellule qui ne peut être ouverte que par le détenteur de l'anneau d'Alexandre. Démétrius oblige ce dernier à lui remettre l'anneau, et fait ainsi libérer son père. Puis il s'en va avec l'intention de se donner la mort pour ne pas être rival de l'auteur de ses jours. Antigone, revenu au palais, accorde magnanimement la main d'Ismène à Alexandre. Enfin, touché par la vertu de Démétrius, miraculeusement arraché au suicide par Cléarque, il renonce à Bérénice. Les deux jeunes gens peuvent s'unir, et la paix revient dans le royaume.

■ *Antigone* est peut-être l'opéra où apparaît le mieux la communion spirituelle entre Hasse et Métastase. Le musicien allemand, élève de Porpora et Scarlatti, connaissait bien la musique italienne. Le « cher Saxon », comme l'appelaient affectueusement les Italiens à cause de son profond attachement à leur pays, savait adapter sa musique traditionnelle, privilégiant le *bel canto* plutôt que l'intensité dramatique, à la psychologie assez mince des personnages de Métastase. Ses récitatifs « secs », trop conventionnels parfois, ont le mérite de faire ressortir la musicalité du texte poétique. Les arias, toujours très plaisantes, ne manquent pas d'inspiration et sont traitées avec finesse et élégance. Aujourd'hui, on reprocherait sans doute au drame son extrême sophistication, à la musique le peu de place laissée à l'approfondissement des caractères par rapport aux rebondissements de l'intrigue. La désaffection que connut la musique de Hasse à partir du XIXe siècle témoigne bien du changement radical du goût, alors que sa poétique musicale avait si bien satisfait celui de ses contemporains. LB

CYRUS RECONNU
(Ciro riconosciuto)

Mélodrame en trois actes de Niccola Jommelli (1714-1774). Livret de P. Métastase (1698-1782). Première représentation : Ferrare, théâtre Bonaccossi, 1744.

L'INTRIGUE : Astyage, roi des mèdes, a exilé Cambyse, mari de sa fille Mandane, à la suite d'une vision prophétique qui lui a fait craindre la perte de son trône. Il a chargé son ministre Arpagus de tuer leur bébé Cyrus. Pris de pitié, Arpagus a confié l'enfant au berger Mithridate, qui l'a élevé comme son fils sous le nom d'Alceo. L'action se déroule quinze ans plus tard. La nouvelle que Cyrus a été retrouvé se répand, et un faux prétendant se présente, se faisant passer pour lui. Astyage, inquiet, fait avouer à Arpagus sa désobéissance, et, pour le punir, fait mettre à mort son fils. Le ministre, assoiffé de vengeance, incite les grands du royaume à la révolte et rappelle Cambyse de son exil. Astyage feint la tendresse, réclame son petit-fils, avec l'intention de le supprimer. Après un enchaînement de péripéties, l'imposteur est tué. Le vrai Cyrus est proclamé roi, et sauve Astyage de la fureur vengeresse de Cambyse.
AB

SOPHONISBE
(La Sofonisba o **Siface)**

Opéra en trois actes de C. W. Gluck (1714-1787). Livret de Francesco Silvani (1660-?), en partie tiré d'œuvres diverses de P. Métastase (1698-1782). Première représentation : Milan, théâtre ducal, 13 janvier 1744.

■ L'intrigue est inspirée du personnage de l'héroïne carthaginoise, épouse du roi Syphax, qui s'empoisonna pour ne pas être emmenée captive à Rome.
LB

ALEXANDRE AUX INDES
(Alessandro nelle Indie oppure **Poro)**

Opéra en trois actes de Christoph Willibald Gluck (1714-1787). Texte de Métastase (1698-1782). Première représentation : Turin, Teatro Regio, 26 décembre 1744.

L'INTRIGUE : L'opéra raconte l'histoire du roi des Indes Porus, plusieurs fois battu, puis fait prisonnier par Alexandre le Grand qui finit par le libérer et lui rendre son royaume. L'action s'ouvre sur la deuxième défaite de Porus. Cléofide, reine d'une autre partie des Indes et amante de Porus, parvient à gagner les faveurs d'Alexandre et à sauvegarder son trône. Grâce à la générosité d'Alexandre, Cléofide et Porus seront finalement réunis. Le roi macédonien s'adresse en ces termes à Porus en lui rendant la liberté : « ... Chi seppe / Serbar l'animo egregio in mezzo a tante / Ingiurie del destino, degno è del trono / E regni e sposa e libertà ti dono » (Celui qui sut garder sa noblesse d'âme au milieu de tant d'injures du destin est digne du trône. Je te donne des royaumes, une épouse et la liberté).

■ L'*Alessandro nelle Indie*, écrit par Métastase en 1727, fut mis en musique et représenté de nombreuses fois. Ce fut l'un des mélodrames les plus prisés du XVIIIe siècle. Une cinquantaine de partitions ont été composées sur ce livret, notamment par N. Porpora, J. A. Hasse, B. Galuppi, N. Jommelli, N. Piccinni, D. Cimarosa et L. Cherubini. L'opéra de Gluck, qui fait partie de ses premières œuvres, n'est pas une étape marquante de la carrière du musicien, mais contient cependant des éléments intéressants pour son évolution artistique : par exemple, le travail accompli sur le texte de Métastase pour éclairer les ressorts de l'action et caractériser le personnage de Porus. LB

HERCULE
(Hercules)

Drame musical en trois actes de Georg Friedrich Haendel (1685-1759). Livret de Thomas Broughton (1704-1774). Première représentation : Londres, King's Theatre, 5 janvier 1745.

L'INTRIGUE : Déjanire, sans nouvelles de son époux Hercule, et inquiétée par les étranges présages perçus par son fils Hyllus au cours d'un sacrifice, lui demande de partir à la recherche de son père. Mais voici qu'apparaît Lichas, qui annonce le retour du héros et des prisonniers d'Hécalie, parmi lesquels la princesse Iole. L'arrivée d'Hercule est gâchée par l'injuste jalousie de Déjanire envers la belle captive. Malgré les protestations d'Hercule et d'Iole, Déjanire décide d'avoir recours à la tunique de Nessus : le Centaure l'a assurée qu'en faisant porter ce vêtement à Hercule, elle retrouverait tout son amour. Tandis que le héros agonise, brûlé par le poison dont la tunique était imprégnée, Déjanire, folle de douleur, maudit Iole, cause innocente de tant de malheur. Mais le prêtre de Jupiter vient annoncer qu'Hercule a pris place dans l'Olympe et ordonne le mariage d'Iole et d'Hyllus. Le chœur se joint aux futurs époux pour célébrer la grandeur d'Hercule.

■ Le texte de Broughton s'inspire des *Trachiniennes* de Sophocle et du neuvième livre des *Métamorphoses* d'Ovide. Plutôt qu'un opéra, *Hercule* est un oratorio conçu pour être représenté sur scène et le seul de Haendel à s'inspirer de la mythologie. Cette belle partition qui n'a pas vieilli, riche en passages poignants, a été jouée à l'occasion du deuxième centenaire de la naissance du compositeur. LB

LA PRINCESSE DE NAVARRE

Comédie-ballet en trois actes de Jean-Philippe Rameau (1683-1764). Texte de François-Marie Arouet, dit Voltaire (1694-1778). Première représentation : Versailles, théâtre de la Grande Écurie, 23 février 1745.

L'INTRIGUE : Constance, princesse de Navarre, prisonnière du cruel roi de Castille, Don Pedro, parvient à s'enfuir. Elle se réfugie, sous une fausse identité, chez le baron Don Morillo, à la cour duquel elle rencontre le jeune Alamir, qu'elle prend en sympathie. Mais Alamir n'est autre que Gaston de Foix, l'ennemi héréditaire de la famille de Constance. Il tombe éperdument amoureux de la jeune fille, sans en rien laisser paraître, et refuse l'amour de Sanchette, fille du baron. Au cours d'une fête, Alamir apprend que des émissaires du roi réclament Constance. Il s'engage à la défendre, et elle lui avoue qui elle est. Don Pedro est vaincu par les Français, avec le soutien déterminant des armées du faux Alamir. Constance sent qu'elle aime Alamir, mais hésite : Sanchette l'aime aussi et la princesse le croit, en outre, de trop humble condition pour elle. Lorsque le héros vainqueur dévoile sa véritable identité, Constance peut l'épouser, oubliant la haine qui opposait les deux familles.

■ L'opéra fut représenté à l'occasion du mariage du dauphin Louis. La collaboration entre Rameau et Voltaire avait pour but de réunir, outre ces deux grands artistes, la comédie, l'opéra et la tragédie. L'opéra est principalement littéraire ; la musique presque complètement indépendante de l'action ressort surtout dans quelques intermèdes. RB

PLATÉE

Comédie-ballet en un prologue et trois actes de Jean-Philippe Rameau (1683-1764). Livret de J. Autreau (1656-1745) et A. J. Le Valois d'Orville. Première représentation : Versailles, 31 mars 1745.

L'INTRIGUE : Prologue. Naissance de la comédie. En Grèce, dans les vignes, Thespis, inspiré par satyres et bacchantes, et aidé par Thalie, Momus et l'Amour, propose de créer un spectacle qui corrigerait les hommes de leurs défauts en leur montrant les ridicules des dieux. Le sujet choisi est le stratagème un jour utilisé par Jupiter pour guérir Junon de sa jalousie.
La comédie. Dans un lieu champêtre, un étang entouré de roseaux. Pour confondre Junon, Jupiter feint, avec la complicité du roi Cythéron et de Mercure, d'être amoureux de Platée, une naïade de l'étang, vaniteuse et ridicule. Il lui apparaît donc et lui fait de tendres déclarations. Junon, furieuse, assiste, cachée, à la cour que Jupiter fait à Platée, lui proposant même de l'épouser. Une fête bouffonne est ensuite donnée, à laquelle prennent part

satyres, bacchantes et paysans : le cortège est ouvert par un char tiré par des grenouilles, sur lequel trône Platée, voilée. Jupiter s'apprête à lui jurer sa foi lorsque Junon se jette sur elle, folle de rage. Elle arrache le voile et... part d'un grand éclat de rire. Jupiter et Junon, réconciliés, retournent au ciel, tandis que Platée, ridiculisée, regagne son étang.

■ *Platée* reste unique en son genre parmi les opéras du XVIIIe siècle, tant par les paroles que par la musique. Le livret du génial Autreau fut remanié au point de transformer l'œuvre en un véritable « ballet bouffe ». Mais Rameau utilise malgré tout les ressources vocales et instrumentales de l'opéra. C'est pourquoi il est considéré comme le créateur du genre musical de la comédie-ballet en France. RB

DIDON ABANDONNÉE (Didone abbandonata)

Mélodrame en trois actes de Niccola Jommelli (1714-1774). Livret de Métastase (1698-1782). Première représentation : Rome, Teatro di Torre Argentina, 28 janvier 1747.

LES PERSONNAGES : Didon, reine de Carthage ; Énée ; Jarba, roi des Maures, sous le nom d'Arbacès ; Sélène, sœur de Didon ; Araspe, confident de Jarba ; Osmide, confidente de Didon.

L'INTRIGUE :
Acte I. Salle des audiences dans le palais de Carthage. Énée avoue à Sélène, secrètement éprise de lui, et à Osmide qu'il a décidé, malgré tout son amour et sa gratitude, d'abandonner Didon pour obéir à l'ombre de son père, mais il n'ose lui annoncer lui-même sa résolution. Arrive alors au palais Jarba, roi des Maures, qui se fait passer pour son ministre Arbacès. Il rappelle à la reine qu'elle avait repoussé les avances de Jarba sous prétexte de rester fidèle à son défunt époux, alors qu'elle s'apprête maintenant à épouser Énée. Il lui propose, de la part du roi, de conclure la paix en lui accordant sa main et la vie d'Énée. Comme Didon refuse dédaigneusement, Jarba médite une vengeance, avec l'aide d'Osmide, qui veut s'emparer du trône. Il ordonne donc à son ministre Araspe de tuer Énée par traîtrise, mais Araspe se dérobe, tout en assurant Jarba de sa fidélité. Le roi essaie alors de se débarrasser d'Énée lui-même, mais il est désarmé par Araspe. Ce dernier, surpris avec le poignard de son maître, est arrêté sur ordre de Didon. Énée, resté seul avec la reine, lui avoue qu'il a décidé de partir. Devant l'indignation de Didon, qui lui reproche son ingratitude, il faiblit et revient sur sa résolution.
Acte II. Les appartements royaux. Araspe, remis en liberté, déclare son amour à Sélène, qui lui répond qu'elle aime un autre homme. Énée, quant à lui, est accusé de déloyauté après avoir généreusement demandé à Didon la grâce de Jarba. Celui-ci, reconnu et arrêté, a d'ailleurs déjà été libéré par Osmide. Énée s'apprête à se battre en duel avec Araspe lorsque Sélène intervient pour les séparer. La reine fait appeler Énée et feint d'accepter la demande en mariage du roi des Maures : devant la réaction

du héros, elle avoue avoir menti et revient sur sa promesse. Jarba jure de se venger.
Acte III. Le port. Énée s'apprête à partir lorsqu'il est rejoint par Jarba et une troupe de Maures. Une bataille s'engage entre Troyens et Maures, tandis qu'Énée et Jarba se battent en duel. Jarba, désarmé, est épargné par Énée. Sélène accourt pour essayer de retenir le héros, lui avouant son amour. Mais plus rien ne compte désormais pour lui que la gloire. Il part. Entretemps la ville et le palais sont dévorés par l'incendie allumé par Jarba. Didon refuse encore une fois les propositions du Maure et, apprenant à la fois la trahison d'Osmide et l'amour de sa sœur pour Énée, se jette dans le brasier. Le drame s'achève sur l'apparition du dieu Neptune.

■ Jommelli écrivit trois partitions différentes sur ce texte de Métastase. La première édition se distingue par un récitatif accompagné d'une grande intensité dramatique dans la scène finale du suicide. La seconde édition fut représentée pour la première fois au Hoftheater de Vienne en décembre 1749. Métastase estime, dans une lettre, que l'exécution fut « pleine de grâce, de profondeur, de nouveauté, d'harmonie et, par-dessus tout, d'expression ». La troisième édition date de la période de Stuttgart, où Jommelli la fit jouer pour la première fois en février 1763. De celle-ci on a seulement conservé la partition pour clavecin, incomplète, qui permet pourtant d'observer l'influence de l'école musicale allemande dans la richesse du contrepoint et de l'harmonie. La rencontre de Jommelli avec Métastase fut capitale pour l'activité lyrique du compositeur, qui considérait le poète comme son véritable maître. AB

DÉMOPHON
(Demofoonte)

Mélodrame en trois actes de Johann Adolph Hasse (1699-1783). Livret de Métastase (1698-1782). Première représentation : Dresde, Hoftheater, 9 février 1748.

■ Voir l'intrigue sous la notice *Démophon* de L. Leo, p. 61. Le véritable centre de l'œuvre est le mécanisme dramatique lui-même : en effet, les condamnations et les pardons soudains, les coups de théâtre incessants, laissent assez peu de place à l'approfondissement des personnages. La sensibilité musicale de Hasse s'adapte d'ailleurs bien au texte, dont elle s'attache à souligner la théâtralité très dix-huitième siècle. LB

SÉMIRAMIS RECONNUE
(Semiramide riconosciuta)

Opéra en trois actes de Christoph Willibald Gluck (1714-1787). Livret de Métastase (1698-1782). Première représentation : Vienne, Burgtheater, 14 mai 1748.

■ Composé pour l'anniversaire de l'impératrice Marie-Thérèse, l'opéra échafaude autour de la reine légendaire, dont on sait très peu de choses, une histoire dramatique et compliquée. Voir l'intrigue sous la notice consacrée à la *Sémiramis reconnue* de N. Jommelli, p. 68. LB

ARTAXERXÈS (Artaserse)

Mélodrame en trois actes de Niccola Jommelli (1714-1774). Livret de Métastase (1698-1782). Première représentation : Rome, Teatro di Torre Argentina, 4 février 1749.

■ Ce livret de Métastase fut mis en musique par de nombreux compositeurs, parmi lesquels J. A. Hasse, Gluck et J. C. Bach (Voir l'intrigue sous la notice *Artaxerxès* de Johann Adolph Hasse, p. 50). AB

ACHILLE A SCYROS (Achille in Sciro)

Mélodrame en trois actes de Niccola Jommelli (1714-1774). Livret de Métastase (1698-1782). Première représentation : Vienne, Burgtheater, 30 août 1749.

■ L'influence viennoise est sensible dans ce mélodrame, auquel Jommelli ajoute des morceaux orchestraux et une ouverture. Des airs d'une grande pureté mélodique et de longues vocalises contrastent avec l'intensité dramatique du récitatif, utilisé au mieux de ses possibilités expressives. Voir l'intrigue sous la notice consacrée à l'opéra homonyme d'A. Caldara, p. 62. AB

ATTILIUS REGULUS (Attilio Regolo)

Drame en trois actes de Johann Adolph Hasse (1699-1783). Livret de Métastase (1698-1782). Première représentation : Dresde, Hoftheater, 12 janvier 1750.

Les personnages : Attilius Regulus ; Attilia, sa fille ; Publius, son fils ; Manlius, consul ; Barce, noble africaine, esclave de Publius ; Licinius, tribun de la plèbe, amant d'Attilia ; Amilcar, ambassadeur de Carthage, amant de Barce.

L'intrigue :
Acte I. Palais du consul Manlius. Tout Rome se morfond d'inquiétude pour Attilius Regulus, prisonnier des Carthaginois depuis cinq ans. Attilia vient se plaindre auprès du consul qu'on laisse son père si longtemps aux mains de l'ennemi ; elle est accompagnée de son amoureux Licinius. Comme elle se désespère de la réponse évasive du consul, Barce leur annonce l'arrivée de l'ambassadeur carthaginois Amilcar et d'Attilius Regulus en personne. Publius et sa sœur reprennent espoir. Dans le temple de Bellone, devant les Sénateurs, le héros, qui a été renvoyé à Rome contre la promesse solennelle de retourner en captivité si les propositions de paix de Carthage n'aboutissaient pas, conseille, à la stupeur générale, au Sénat de les rejeter.
Acte II. Palais à Rome. Attilius Regulus doit tenir tête à tout son entourage, qui s'oppose à son héroïque décision. Publius, puis Manlius et Licinius essaient de le dissuader de retourner à Carthage, mais en vain. Enfin, Atti-

lius doit affronter sa fille, dont l'amour et la douleur le troublent profondément. Il garde toutefois sa fermeté d'âme et tous finissent par admirer la vertu de ce véritable Romain, qui sait faire taire ses sentiments. Barce et Amilcar, pour leur part, ont du mal à croire à tant d'héroïsme et restent stupéfaits devant une fermeté qu'ils ne comprennent pas.

Acte III. Tandis qu'Attilius Regulus, prêt à partir, confie au consul Manlius ses deux enfants, Publius apporte la nouvelle que le peuple est en émoi et s'oppose au départ du héros. Même Amilcar lui propose la fuite, et le Sénat le délie de la promesse faite aux Carthaginois. Seuls Manlius et les deux enfants d'Attilius, fiers d'un tel citoyen et d'un tel père, tentent de calmer la foule qui veut empêcher Attilius Regulus d'accomplir son devoir. Mais le héros prend la parole : il rappelle au peuple rassemblé l'exemple de la Rome antique, où une mort glorieuse était préférable à une vie déshonorée. L'opéra s'achève sur un chœur qui célèbre la vertu d'Attilius, tandis que celui-ci monte sur le navire en partance pour Carthage.

■ *Attilio Regolo* fut écrit par Métastase, à Vienne, à la demande de l'impératrice Élisabeth, pour l'anniversaire de l'empereur Charles VI. Mais la mort subite de celui-ci empêcha la représentation. La première de l'opéra eut lieu exactement dix ans plus tard, en 1750, à Dresde, pour Auguste III, roi de Pologne. Bien que le caractère épique du drame puisse sembler assez éloigné de l'esprit métastasien, le poète réussit à camper avec force le personnage principal, opposant, dans les dialogues, sa fermeté aux arguments des autres personnages. Le trouble dans lequel le jette son entrevue avec sa fille est un beau moment poétique, sans maniérisme. Hasse suit d'une façon extraordinaire les péripéties du drame, avec quelques pages qui s'écoutent avec plaisir, soit par leur force, soit par le lyrisme sincère qui s'en dégage. Le compositeur se laisse rarement aller, dans *Attilio Regolo*, au conventionnel et à la creuse rhétorique. Bien que ce texte de Métastase ait été mis en musique par plusieurs autres auteurs, c'est en Hasse qu'il a trouvé son interprète le plus fidèle et le plus sensible. LB

AETIUS
(Ezio)

Drame musical en trois actes de Christoph Willibald Gluck (1714-1787). Livret de Métastase (1698-1782). Première représentation : Prague, à l'occasion du carnaval de 1750.

■ *Aetius* qui, comme bien d'autres drames de Métastase, a été mis en musique par de nombreux compositeurs, est un tissu complexe de passions avec, surtout au dernier acte, une succession rapide de coups de théâtre. C'est dire que l'opéra a un caractère assez artificiel. Gluck avait été invité à composer un opéra pour le nouveau théâtre de Prague par son directeur, l'Italien Locatelli. Il quitta donc Vienne pour la capitale de Bohême en 1750, accompagné de sa femme, une riche veuve du nom de Marianne Pergin. Gluck retoucha en partie le texte de Métastase pour mieux l'adapter à la scène et à la musique. Il élimina quelques passages, raccourcit quelques vers libres et entreprit une caractérisation des personnages, notamment ceux d'Aetius et de Valentinien. En décembre 1763, Gluck fit représenter à Vienne, au Burgtheater, une deuxième version de l'opéra répondant aux nouveaux canons du mélodrame qu'il avait élaborés depuis peu. Voir l'intrigue du livret sous la notice consacrée à *Aetius* de G.F. Haendel, p. 55. LB

HYPSIPYLE
(Issipile)

Opéra en trois actes de Christoph Willibald Gluck (1714-1787). Livret de Métastase (1698-1782). Première représentation : Prague, carnaval 1752.

■ Le texte de Métastase raconte l'histoire d'Hypsipyle, fille du roi de Lemnos, et fiancée de Jason. Il a été utilisé par de nombreux compositeurs. LB

LE DEVIN DU VILLAGE

Intermède musical en un acte de Jean-Jacques Rousseau (1712-1778), également auteur du livret. Première représentation : Fontainebleau, théâtre de la Cour, 18 octobre 1752.

L'INTRIGUE : Colette, abandonnée par Colin, pleure et se lamente. Mais il y a, dans le village, un devin, et elle décide d'aller le voir pour savoir si elle pourra regagner le cœur de son amoureux. Hésitante, elle tend quelques sous au devin et lui demande si elle peut garder espoir. Il lui répond que Colin l'a quittée pour une autre femme, mais qu'au fond, il l'aime toujours : il se fait fort de ramener l'infidèle aux pieds de Colette. Le devin conseille donc à la jeune fille de feindre l'indifférence à l'égard de Colin. Quand celui-ci veut revenir vers elle, le devin lui affirme qu'il est trop tard : Colette est tombée amoureuse d'un monsieur de la ville. Colin, au désespoir, demande au devin de l'aider par quelque sortilège, mais sa rencontre avec Colette semble lui laisser peu de chances. L'amour finira par triompher : agenouillé devant son amoureuse, le jeune homme jette au loin le luxueux chapeau que lui a offert l'autre femme et se coiffe de celui de Colette. Le devin et les paysans participent à l'allégresse des deux jeunes gens.

■ L'influence de l'opéra bouffe italien, et notamment de *La serva padrona* de Pergolèse, jouée à Paris au début de 1752, est très sensible dans *Le devin du village.* Le chef-d'œuvre de Pergolèse avait déchaîné la fameuse « querelle des bouffons » entre les partisans de l'opéra à la française (Lully, Rameau) et ceux de la musique italienne. Rousseau se rangea parmi ces derniers. Il écrivit, à l'appui de ses thèses, une *Lettre sur la musique française,* et ce petit opéra, *Le devin du village.* Il composa cet élégant et gracieux intermède musical sur des vers écrits chez son ami Moussard, dont il était l'hôte à

Passy. Il acheva l'opéra à Paris. L'orchestration ne lui prit que trois semaines. Il n'osa pas, cependant, faire jouer *Le devin du village* à l'Opéra, après l'échec de son opéra-ballet *Les muses galantes,* présenté en 1745 chez La Pouplinière. Il chargea donc l'académicien Duclos d'être son intermédiaire : l'opéra fut accepté, mais seulement pour la Cour de Fontainebleau. Il fut repris à l'Opéra le 1er mars 1753, avec un grand succès. *Le devin du village* marque pourtant la fin de l'activité musicale de Rousseau. RB

LE PHILOSOPHE DE CAMPAGNE
(Il filosofo di campagna)

Opéra en trois actes de Baldassare Galuppi, dit Il Buranello, (1706-1785). Livret de Carlo Goldoni (1707-1793). Première représentation : Venise, théâtre San Samuele, 26 octobre 1754. Interprètes : C. Baglioni (Lesbina) ; F. Baglioni (Nardo) ; G. Baglioni (Eugenia) ; V. Masi (Rinaldo) ; F. Carattioli (Don Tritemio).

LES PERSONNAGES : Eugenia (soprano) ; Lesbina (soprano) ; Rinaldo (ténor) ; Don Tritemio (basse) ; Nardo (baryton).

L'INTRIGUE : L'action se déroule en Italie, au XVIIe siècle. Eugenia est la charmante fille de Don Tritemio, un riche citadin retiré à la campagne. Don Tritemio a promis la main de sa fille à Nardo, paysan aisé considéré comme « philosophe » à cause du détachement dont il fait preuve à l'égard des passions du monde. Eugenia est amoureuse du jeune propriétaire terrien Rinaldo, mais son père préfère la sagesse de Nardo et refuse obstinément sa fille à Rinaldo. Eugenia confie son chagrin à Lesbina, sa femme de chambre, qui lui promet une aide pas tout à fait désintéressée. Quand Nardo arrive pour faire connaissance de sa future, Lesbina se fait passer pour Eugenia et gagne le cœur du prétendant. Peu après, Nardo apprend par Rinaldo qu'Eugenia est forcée par son père à l'épouser alors qu'elle aime Rinaldo. A cette révélation, Nardo renonce immédiatement au mariage et promet son soutien aux deux jeunes gens. Il découvre ensuite avec plaisir que la jeune fille qui lui avait tant plu est en fait Lesbina : il la demande en mariage et elle accepte avec joie. Don Tritemio entre dans une grande colère en voyant tous ses projets bouleversés. Puis il se fait une raison et lui-même reprend femme en épousant la sœur de Nardo, qui avait toujours rêvé d'avoir un mari citadin.

■ L'opéra, qui reçut un accueil triomphal dans toute l'Europe, fut l'œuvre la plus populaire de Galuppi. Il compte parmi les opéras-comiques les plus célèbres de l'époque, avec *La serva padrona* de Pergolèse (1733) et *La buona figliuola* de N. Piccinni (1760). On ne connaît pas avec certitude la date de la première représentation : celle que nous indiquons ici est la première qui corresponde à la date d'édition du livret. Certains estiment que la première eut lieu à Milan, au théâtre ducal, pendant l'été 1750, mais le premier livret édité à Milan date de 1755. Un autre témoignage parle de Bologne en 1754, mais là non plus on ne trouve pas trace du livret. Comme souvent à cette époque, *Le philosophe de campagne* fut maintes fois remanié et présenté sous d'autres titres, par exemple : *La serva astuta* (Rome, 1757), *Il tutore burlato* (Bruxelles, 1759), *The guardian trick'd* (Dublin, 1762), *Il filosofo ignorante di campagna* (Stockholm, 1780), *La campagna* (Bassano, 1763), *Il tutore e la pupilla.* Après la mort du compositeur, l'opéra tomba dans l'oubli. T. Wiel découvrit la partition par hasard au British Museum de Londres. Il la fit connaître à Wolf-Ferrari, directeur du lycée musical Benedetto Marcello de Venise, qui l'exhuma à l'occasion du deuxième centenaire de la naissance de Goldoni. Elle fut donc jouée au lycée musical de Venise, le 28 février 1907, avec un certain nombre de coupures et de variations. En 1927, la version abrégée *La serva astuta* fut représentée à Trévise. Signalons enfin l'édition intégrale réalisée sous la direction de Virgilio Mortari dans le jardin de Ca' Rezzonico à Venise, le 28 juillet 1938. MS

LE ROI PASTEUR
(Il re pastore)

Dramma per musica *en trois actes de Christoph Willibald Gluck (1714-1787). Texte de Métastase (1698-1782). Première représentation : Vienne, Burgtheater, 8 décembre 1756.*

■ Cette œuvre de Métastase connut diverses adaptations musicales, dont une par Wolfgang Amadeus Mozart en 1755 (voir l'intrigue sous la notice consacrée à l'opéra de Mozart, p. 104). L'opéra de Gluck ne tire pas parti de l'unité, de l'intensité et de la légèreté du texte de Métastase. LB

ZÉNOBIE
(Zenobia)

Opéra en trois actes de Nicola Piccinni (1728-1800). Livret de Métastase (1698-1782). Première représentation : Naples, théâtre San Carlo, 18 décembre 1756.

L'INTRIGUE : Les aventures de Zénobie, fille du roi d'Arménie, Mithridate, et épouse de Rhadamiste, injustement accusée d'infidélité. Zénobie incarne la fidélité conjugale surmontant toutes les embûches et toutes les passions adverses.

■ L'opéra fut composé par Nicola Piccinni après qu'il eut quitté sa Bari natale pour Naples (1753). Ses compositions furent très prisées dans la cité parthénopéenne, malgré la concurrence d'artistes locaux confirmés.
MSM

ALEXANDRE AUX INDES
(Alessandro nelle Indie)

Opéra en trois actes de Nicola Piccinni (1728-1800), tiré du drame de Métastase (1698-1782). Première représentation : Rome, théâtre Argentina, 21 janvier 1758.

■ L'opéra fut repris, dans une autre version, au théâtre de la Pergola, à Florence, le 26 décembre 1776, puis à Naples, au théâtre San Carlo, le 12 janvier 1792. Cette dernière version d'*Alessandro nelle Indie,* plus solidement construite, mieux développée, connut un immense succès. Voir l'intrigue sous la notice consacrée à *Alexandre aux Indes* de C. W. Gluck, p. 71. MSM

CECCHINA
(Cecchina ossia La buona figliuola)

Opéra en trois actes de Nicola Piccinni (1728-1800). Livret de Carlo Goldoni (1707-1793). Première représentation : Rome, Teatro delle Dame, 6 février 1760.

LES PERSONNAGES : Cecchina (soprano) ; la marquise Lucinda, amante du chevalier Armidoro (soprano) ; le chevalier Armidoro (soprano) ; Ninella, servante du marquis ; Lesbina, femme de chambre de la marquise ; Tagliaferro, cuirassier allemand ; le marquis della Conchiglia (ténor) ; Cola, Napolitain, amoureux de Ninella.

L'INTRIGUE : Cecchina est une pauvre fille, recueillie enfant par le marquis della Conchiglia et élevée dans sa maison, où elle rend quelques menus services. La jeune fille est amoureuse du marquis, qui l'aime aussi. Mais leur union est vue d'un mauvais œil par la marquise Lucinda, sœur du marquis, qui craint que les origines obscures de Cecchina ne soient un obstacle à son propre mariage avec le chevalier Armidoro. Elle fait tout pour empêcher l'idylle, utilisant la jalousie des deux servantes, Ninella et Lesbina, qui calomnient l'honnête Cecchina. L'arrivée du cuirassier Tagliaferro, chargé de retrouver la fille d'un baron allemand abandonnée, encore aux langes, après la mort de sa mère pendant la guerre, vient apporter le dénouement : Cecchina n'est autre que la jeune baronne Marianne. Il n'y a plus d'obstacle à son mariage avec le marquis, ni à celui de Lucinda et Armidoro.

■ La comédie (dont *Cecchina* est un bon exemple) est sans doute le genre théâtral où Piccinni se sent le plus à l'aise. Le compositeur humanise les types comiques traditionnels en introduisant des drames sentimentaux qui confèrent à l'opéra une dimension spirituelle. On raconte que Piccinni composa cet opéra en dix-huit jours seulement. L'œuvre connut immédiatement un succès retentissant, qui ne se démentit pas jusqu'à la fin du XVIIIe siècle. Il y eut à Rome une « mode à la Cecchina » et plusieurs établissements prirent le nom de l'opéra. MSM

L'IVROGNE CORRIGÉ ou LE MARIAGE DU DIABLE

Opéra-comique en deux actes de Christoph Willibald Gluck (1714-1787), d'après la fable de La Fontaine « L'ivrogne en enfer ». Première représentation : Vienne, Burgtheater, avril 1760.

L'INTRIGUE : Mathurin, un ivrogne, veut marier sa nièce Colette à Lucas, son compagnon de beuveries. Colette, elle, aime Cléon et les deux jeunes gens décident, avec la complicité de Mathurine, femme de Mathurin, de donner une leçon à l'ivrogne. Une nuit, comme Mathurin et Lucas, ivres morts, dorment profondément, ils les transportent dans la cave. Là, un décor infernal a été installé avec l'aide de comédiens amis de Cléon. Mathurin et Lucas, en se réveillant, entourés de spectres, de masques et de démons, se croient en enfer. Cléon, jouant le rôle de Pluton, s'apprête à juger l'âme de Mathurin. Devant les supplications de Mathurine, il promet d'être clément. Mais Mathurin devra demander pardon à sa femme pour sa vie de beuveries et les mauvais traitements qu'il lui a fait subir. Il lui faut aussi permettre à sa nièce d'épouser Cléon. Un notaire apparaît alors pour marier les deux jeunes gens. Ceci fait, la mascarade s'achève. Les amoureux sont enfin réunis et Mathurin, tout tremblant, promet de ne plus boire et d'abandonner ses mauvaises fréquentations.

■ *L'ivrogne corrigé* est, avec la *Cythère assiégée* composée un an auparavant, l'opéra-comique le plus intéressant et le plus amusant de Gluck. Bien qu'il s'agisse d'une œuvre mineure, on y trouve des passages pleins de malice et de raffinement. C'est l'occasion pour le compositeur de quitter ses habituels personnages historiques et mythologiques, pour faire une expérience mélodique et stylistique nouvelle. LB

L'AMANTE DI TUTTE

Opéra en trois actes de Baldassare Galuppi, dit Il Buranello (1706-1785). Livret d'Ageo Liteo, pseudonyme d'Antonio Galuppi, fils du compositeur. Première représentation : Venise, théâtre Giustinian di San Moisè, 17 novembre 1760.

L'INTRIGUE : Le vieux Don Orazio est jaloux de sa femme Lucinda. Il décide de se cacher chez le paysan Mingone, en prétendant être parti pour la ville. Entrent alors en scène le comte Eugenio, grand séducteur, le marquis Canoppio, pauvre mais fier, et Donna Clarice, une précieuse minaudante. Lucinda les a invités à dîner en profitant de l'absence de son mari. Au beau milieu du repas, Don Orazio survient à l'improviste et chasse les invités, qui ne peuvent s'en aller, car leur cocher reste introuvable. Lucinda, furieuse, menace de partir aussi. Pendant ce temps, Eugenio a fort à faire avec les dames de la compagnie, y compris la femme de chambre, qui veulent lui faire dire celle qu'il préfère. Orazio le surprend tour à tour avec sa femme, puis avec Clarice. Il menace de faire un malheur, mais tous implorent sa pitié, et il finit par pardonner. Le paysan Mingone, qui songeait à épouser la servante de Lucinda, Dorina, se ravise après avoir assisté à ces mésaventures conjugales.

■ *L'amante di tutte* eut grand succès, surtout en Italie. Il fut joué sous d'autres titres comme *La moglie bizzarra, Il vecchio geloso, Il matrimonio in villa.* MS

ARTAXERXÈS
(Artaserse)

Opéra en trois actes de Johann Christian Bach (1735-1782). Texte de Métastase (1698-1782). Première représentation : Turin, Teatro Regio, 26 décembre 1761.

■ Plusieurs compositeurs avaient déjà utilisé ce texte de Métastase, notamment J. A. Hasse (voir l'intrigue sous la notice *Artaxerxès* de Johann Adolph Hasse, p. 50) et C. W. Gluck. C'est la première œuvre lyrique de J. C. Bach, composée en Italie, après qu'il eut obtenu la charge d'organiste de la cathédrale de Milan, en 1760. Ayant reçu commande d'un opéra pour le théâtre royal de Turin, il se rendit à Parme et à Reggio d'Émilie pour chercher des chanteurs capables d'interpréter le drame écrit par Métastase en 1730. A la première, le soir de la Saint-Étienne, en présence du couple royal de Sardaigne, l'opéra obtint un succès honorable. Cela encouragea le compositeur à en écrire d'autres, d'abord en Italie, puis à Londres. Malgré la valeur du livret, riche en situations dramatiques et passionnelles, et considéré comme le chef-d'œuvre de Métastase, l'opéra de J. C. Bach manque de maturité et fut rarement joué. La musique des ballets est l'œuvre de Giuseppe Antonio Le Mercier. GP

ARMIDE
(Armida)

Opéra en un acte de Tommaso Traetta (1727-1779). Livret de Giacomo Durazzo (1717-1794) et de G. Migliavacca. Première représentation : Vienne, Burgtheater, 3 janvier 1761.

L'INTRIGUE : L'argument est tiré de la légende d'Armide, du Tasse, et plus directement de l'*Armide* de Philippe Quinault. La magicienne Armide est amoureuse de Renaud, le seul homme resté insensible à ses charmes. Renaud est près de succomber aux sortilèges d'Armide, qui le retient dans une île enchantée. Lorsque ses compagnons viennent l'exhorter à rester dans la voie de l'honneur et de la gloire, il se ressaisit et part avec eux. Armide, abandonnée, est engloutie dans la mer avec toute son île.

■ Cet opéra, l'un des plus réussis du compositeur, eut grand succès et marqua le début de la célébrité de Traetta. G. Durazzo y contribua en présentant le musicien à la cour de Vienne et dans les milieux cultivés, où il rencontra notamment Gluck, le grand novateur. On peut toutefois affirmer que, jusqu'en 1762 environ, ce fut Gluck qui adopta les théories musicales de Traetta. Il le surpassa en originalité avec son *Orphée et Eurydice,* bien que l'influence de l'*Armida* et de l'*Ifigenia* de Traetta ne soit pas absente de cet opéra. Une nouvelle version d'*Armida* fut représentée au théâtre San Salvatore, à Venise, pour l'Ascension 1767. GP

ARTAXERXÈS

Opéra en trois actes de Sir Thomas Augustine Arne (1710-1778).

Livret de Métastase (1698-1782). Première représentation : Londres, Covent Garden, 2 février 1762. Interprètes : Brent, Tanducci, Peretti, Beard, Mattocks, Thomas.

■ C'est le plus célèbre opéra d'Arne. Le compositeur présentait pour la première fois au public anglais un opéra à l'italienne, avec des récitatifs au lieu de parties déclamées. Le rôle de Mandane fut composé spécialement pour l'élève d'Arne, Charlotte Brent. Après la première à Covent Garden, le musicien remania et fit traduire en anglais *Artaxerxès* qui fut à nouveau joué quelques années plus tard au théâtre royal de Drury Lane, à Londres. La nouvelle version fut ensuite montée à Édimbourg et dans plusieurs villes d'Europe. Au XIXe siècle, la partition fut rééditée avec quelques retouches par J. Addison. Le livret de Métastase avait auparavant été mis en musique par Johann Christian Bach, J. A. Hasse, C. W. Gluck et bien d'autres. Voir l'intrigue p. 50. GP

SOPHONISBE
(Sofonisba)

Opéra en trois actes de Tommaso Traetta (1727-1779). Livret de M. Verazi. Première représentation : Mannheim, Hoftheater, 4 novembre 1762.

L'INTRIGUE : L'opéra s'inspire de l'histoire de la fameuse héroïne carthaginoise Sophonisbe, épouse de Massinissa. Plutôt que d'être emmenée en captivité à Rome par Scipion, vainqueur de Carthage, elle préféra se donner la mort.

■ Le livret est directement inspiré du drame d'Apostolo Zeno (1658-1750) *Scipion en Espagne*. La musique composée par Traetta est particulièrement réussie et inspirée. On y sent le refus de se conformer aux conventions du genre. Traetta introduit des épisodes tantôt d'une grande puissance dramatique, tantôt d'une douce mélancolie (qui ont, paraît-il, inspiré Mozart lui-même pour certains airs). La première eut lieu devant la cour de l'Électeur Palatin et reçut un accueil chaleureux. Même succès à Parme devant la cour ducale. En 1914, une édition complète de la partition parut en Allemagne. GP

ORPHÉE ET EURYDICE
(Orfeo ed Euridice)

Opéra en trois actes de Christoph Willibald Gluck (1714-1787). Livret de Ranieri de' Calzabigi (1714-1795). Première représentation : Vienne, Hoftheater, 5 octobre 1762. Interprètes : Gaetano Guadagni, Marianna Bianchi, Lucia Clavero. Une nouvelle version de la partition sur le livret traduit en français fut jouée à Paris le 2 août 1774.

LES PERSONNAGES : Orphée (castrat contralto dans la première version, ténor dans la version française); Eurydice (soprano); l'Amour (soprano) ; bergers, nymphes, furies, spectres, héros, héroïnes, suite d'Orphée.

L'INTRIGUE :
Acte I. Près de la tombe d'Eury-

dice, dans un bosquet, nymphes et bergers pleurent la jeune épouse d'Orphée. Celui-ci veut rester seul avec sa douleur et renvoie ses compagnons. Il chante sa peine et se déclare prêt à aller jusqu'en enfer pour retrouver celle qu'il aime. L'Amour, messager de Jupiter, lui apparaît alors. Le roi des dieux, apitoyé par la douleur d'Orphée, lui accorde la possibilité de se rendre au royaume des morts. S'il parvient, par son chant, à fléchir les divinités infernales, il pourra reprendre Eurydice, mais à une condition : en la ramenant vers le jour, il ne devra pas se retourner pour la regarder, ni lui révéler cette obligation. S'il manque à cet engagement, il perdra Eurydice pour toujours. Orphée, exultant, accepte le pacte, tout en sachant combien il sera difficile à respecter.
Acte II. Premier tableau. Dans les ténèbres de l'Averne, au-delà du fleuve Cocyte, les Furies et les Spectres dansent en une ronde infernale et cherchent à barrer le passage à l'audacieux mortel. Mais le chant d'Orphée est si doux, comme il leur raconte sa passion sans espoir, que peu à peu ils s'apaisent et disparaissent. Orphée peut poursuivre sa route.
Deuxième tableau. Le poète, arrivant aux Champs Élysées, contemple la lumineuse beauté de ces lieux verdoyants. Les âmes bienheureuses, les héros et les héroïnes y demeurent en paix. Mais Orphée ne peut apprécier cette douceur. Il n'a qu'une pensée, retrouver Eurydice. Et voici qu'enfin on la lui amène. Il la prend par la main, sans la regarder, et la conduit vers la lumière.
Acte III. Premier tableau. A travers un tortueux labyrinthe, Orphée, emmenant Eurydice, se hâte pour fuir l'Averne. Mais la jeune femme ressuscitée, après un moment de surprise, assaille de questions son époux, dont elle ne comprend pas l'étrange comportement. Comment est-il parvenu jusqu'en enfer ? Pourquoi ne la regarde-t-il pas ? Il ne l'aime donc plus ? Lorsque, désespérée, elle lui dit qu'elle préfère mourir que vivre sans son amour, Orphée n'y tient plus. Il se retourne et, aussitôt, Eurydice tombe morte à ses pieds. Accablé de douleur, appelant Eurydice, Orphée veut se donner la mort pour la rejoindre. Mais l'Amour intervient une fois encore : les dieux, émus, ont décidé de lui rendre son épouse.
Deuxième tableau. Devant le temple de l'Amour, Orphée et Eurydice, entourés de héros et d'héroïnes, de nymphes et de bergers, célèbrent la résurrection de la jeune femme et le triomphe de l'amour sur la mort.

■ La rencontre à Vienne, en 1761, entre Gluck et Ranieri de' Calzabigi, homme de lettres et aventurier italien nourri de culture classique, donna naissance à une « réforme » fondamentale pour l'histoire du mélodrame lyrique. Gluck estimait que l'opéra était en pleine décadence, étouffé sous les abus de virtuosité vocale et réduit à une série de mélodies sans grand rapport avec le texte : le livret italien de Calzabigi lui offrit la possibilité de poser les principes d'une nouvelle pureté expressive. Il fallait, selon les deux collaborateurs, replacer l'opéra dans son cadre dramatique naturel et le dépouiller des recherches inutiles dont le siècle galant l'avait surchargé. *Orfeo* présente donc une ligne de chant d'une grande sobriété, suivant au plus près l'action et les paroles. La division en récitatifs et arias disparaît, les deux se fondant dans une forme musicale et expressive unique. L'écriture orchestrale, qui élimine les banalités et les lieux communs passe-partout, s'adapte aux exigences de l'action et joue souvent un rôle indépendant, ne se limitant pas au simple accompagnement des voix. « C'est la première fois que l'*opera seria* du XVIIIe siècle montre une participation aussi intime du musicien aux sentiments exprimés dans le drame, une traduction musicale aussi forte des caractères, un sens aussi sobre et solennel de l'hellénisme dans l'interprétation de la mythologie antique » (Massimo Mila). Même si les arias et les duos d'*Orfeo* sont souvent inférieurs à ceux des compositeurs lyriques italiens de l'époque, en particulier Piccinni, à qui l'opposait une vieille polémique, Gluck a pour lui la concision et le sens dramatique, l'unité d'inspiration et le génial coloris orchestral. La première de Vienne fut suivie de plus de cent représentations, mais ce ne fut pas un succès incontesté : les conceptions de l'opéra étaient trop neuves, et il suscita les inévitables sentiments d'envie autour du compositeur et du librettiste. A la seconde représentation, Marie-Thérèse d'Autriche offrit à Calzabigi, qui avait le titre de conseiller de Sa Majesté Impériale, Royale et Apostolique, une bague ornée d'un gros diamant, et à Gluck, une bourse contenant cent ducats. Quelques années plus tard, le musicien fit représenter à Paris son *Iphigénie en Aulide*. L'opéra obtint un tel succès qu'il décida de remanier *Orfeo* en l'adaptant au texte français écrit par Pierre-Louis Moline et en y ajoutant quelques pages vocales et des danses. Le rôle d'Orphée, écrit à l'origine pour le castrat Guadagni, contralto, fut transposé dans le registre ténor. Aujourd'hui, on adopte une troisième solution : Orphée est chanté par une femme contralto, ce timbre semblant mieux adapté à la pureté mélodique élégiaque de l'opéra.

RM

ORION ou DIANE VENGÉE (Orione ovvero Diana vendicata)

Opéra en trois actes de Johann Christian Bach (1735-1782). Livret de G. G. Bottarelli. Première représentation : Londres, King's Theatre, 19 février 1763.

L'INTRIGUE : L'opéra raconte les exploits du géant mythologique Orion, armé d'une massue et tellement grand qu'il était assimilé par les Grecs à une constellation. Aurore (Eos) succombe à la fascination de tant de force et de beauté. Mais Artémis, déesse de la chasse, jalouse du talent de chasseur d'Orion, finit par le percer de ses flèches.

■ C'est l'un des opéras les plus connus du compositeur allemand, le premier qu'il écrivit à Londres, où il était l'hôte de la reine Sophie-Charlotte, sa protectrice depuis de longues années. Le livret fut écrit, bien dans le goût de l'époque, par le poète Bottarelli, d'après le mythe classique d'Orion. La première, en présence des souverains d'Angleterre, fut un triomphe. L'œuvre fut jouée très souvent par la suite. Il est à noter que c'est à cette occasion que des clarinettes furent introduites pour la première fois dans un orchestre anglais. Au XIXe siècle, cet opéra tomba dans l'oubli et ne figura plus dans les programmes habituels des théâtres lyriques. GP

ALEXANDRE AUX INDES
(Alessandro nelle Indie)

Dramma per musica *en trois actes d'Antonio Sacchini (1730-1786). Texte de Métastase (1698-1782). Première représentation : Venise, théâtre Vendramin di San Salvatore, printemps 1763.*

■ L'argument s'inspire de la générosité, devenue légendaire, que montra Alexandre à l'égard de Porus, roi des Indes. Le texte de Métastase, mis en musique de nombreuses fois, fut l'un des mélodrames les plus prisés au XVIIIe siècle. La mention mise en exergue à la partition *(musica tutta nuova)* servait justement à indiquer qu'il s'agissait d'une nouvelle version. Une deuxième édition de l'œuvre de Sacchini, comportant des modifications, fut jouée à Naples le 22 mai 1768. Voir l'intrigue sous la noticc *Alexandre aux Indes* dc C. W. Gluck, p. 71.

IPHIGÉNIE EN TAURIDE
(Ifigenia in Tauride)

Opéra en trois actes de Tommaso Traetta (1727-1779). Livret de M. Coltellini (1719-1777). Première représentation : Schönbrunn, Hoftheater, 4 octobre 1763.

L'INTRIGUE : L'argument s'inspire de l'*Iphigénie en Tauride* d'Euripide. Il raconte l'histoire de la fille d'Agamemnon et de Clytemnestre, vouée par son père au sacrifice pour obtenir la faveur des dieux dans la guerre de Troie. La jeune fille est remplacée par une biche au dernier moment par la déesse Artémis qui la transporte en Tauride. Là, elle devient sa prêtresse et doit procéder au sacrifice sanglant de tout étranger qui passe. Son frère Oreste arrive en Tauride après avoir tué leur mère et son amant Égisthe : lui aussi doit être sacrifié, mais Iphigénie le reconnaît et lui sauve la vie.

■ Des critiques autorisés ont récemment affirmé qu'*Iphigénie* précéda dans le temps l'*Orphée* de Gluck et fut représentée en 1761. On y trouve la première application des principes novateurs de Traetta, proches de ceux de Gluck, bien que la réforme gluckienne aille beaucoup plus loin que celle de Traetta. *Iphigénie* se caractérise par une exubérante richesse de thèmes musicaux ; l'aria y est partiellement affranchie des schémas traditionnels ; les parties déclamées abondent et l'orchestration est particulièrement soignée. L'utilisation de grands chœurs souligne la majesté tragique de l'œuvre. L'opéra fut représenté avec succès dans de nombreuses cours européennes. Une version sous forme d'oratorio fut jouée à Florence le 19 mars 1764, avec le titre curieux de *Sainte Iphigénie en Éthiopie.*

ÉGÉRIE
(Egeria)

Fête théâtrale en un acte de Johann Adolph Hasse (1699-1783). Livret de Métastase (1698-1782). Première représentation : Vienne, Burgtheater, 24 avril 1764.

L'INTRIGUE : Aux alentours des collines de Rome, à la source de la nymphe Égérie. Vénus, Mars et Apollon se rendent au bois sacré dédié à la nymphe afin d'obtenir ses lumières sur le choix d'un roi sage. Les dieux ne sont pas d'accord entre eux : Vénus voudrait un souverain pacifique, tandis que Mars désire un guerrier valeureux. Chacun expose ses raisons : Vénus hait la guerre et ses horreurs, Mars méprise les loisirs et les mollesses de la paix. Apollon intervient dans la querelle : si tous les hommes vivaient en paix, comment pourrait-il chanter l'héroïsme des preux ? Mars envisage avec ironie l'amollissement du peuple allemand si Vénus l'emportait et mettait sur le trône un roi trop débonnaire. Égérie, après avoir écouté tous les arguments, prononce son jugement. La solution, dit-elle, est de choisir un roi pacifique mais prêt à faire la guerre si c'est nécessaire. Et quel est celui qui réunit toutes ces qualités ? Joseph de Habsbourg en personne.

■ Il s'agit là d'un des plus mauvais textes de Métastase. Il est vrai qu'il n'avait d'autre ambition que d'égayer une fête de la cour avec un opéra ouvertement hagiographique. L'occasion choisie fut le couronnement de Joseph II, à qui l'opéra fait explicitement référence à plusieurs reprises. Bien que ce ne soit pas une de ses meilleures partitions, Hasse réussit toutefois à réaliser un équilibre heureux entre l'esprit allemand et celui de la musique italienne : *Egeria* nous offre des pages aimables soutenues par une solide structure musicale.
LB

SÉMIRAMIS RECONNUE
(Semiramide riconosciuta)

Mélodrame en trois actes d'Antonio Sacchini (1730-1786). Livret de Métastase (1698-1782). Première représentation : Rome, théâtre Argentina, 7 janvier 1764.

■ L'opéra évoque la légendaire reine de Babylone. Voir l'intrigue sous la notice consacrée à l'œuvre homonyme de N. Jommelli, p. 68. RB

TÉLÉMAQUE ou L'ÎLE DE CIRCÉ
(Telemacco ossia L'isola di Circe)

Opéra en deux actes de Christoph Willibald Gluck (1714-1787). Livret de Marco Coltellini (1719-1777). Première représentation : Vienne, Burgtheater, 30 janvier 1765.

L'INTRIGUE : Les exploits du valeureux Télémaque, qui parvient à arracher son père, Ulysse, aux charmes de la magicienne Circé. Il est aidé par une belle jeune fille aux origines mystérieuses, Astéria, et par le prince Ménon, fils du roi de Crète, Idoménée.

Circé, contrainte de libérer Ulysse, ourdit de nouvelles machinations. Elle invoque des esprits infernaux qui montrent, en songe, à Télémaque la mort de sa mère. Seule l'astuce d'Ulysse permet de déjouer les tours de la magicienne. Finalement, Télémaque et Ulysse, ainsi que Ménon et Astéria, qui se révèle être la sœur de celui-ci, réussissent à lever l'ancre. Circé, maudissant Ulysse, transforme, dans sa rage, son île en désert.

■ *Telemacco* est un opéra assez curieux : en effet, bien qu'il s'insère entre *Orfeo* et *Alceste,* il n'est guère caractéristique de la réforme de Gluck. Pourtant, il convient de le rattacher aux œuvres « réformistes », pour plusieurs raisons : le livret, tiré d'un vieux *dramma per musica* de Carlo Sigismondo Capece mis en musique et monté à Rome en 1718 par Alessandro Scarlatti, fut écrit par Marco Coltellini, qui partageait les conceptions théâtrales de Ranieri de' Calzabigi. De plus, l'œuvre est en deux actes, ce qui n'était traditionnellement admis que pour l'opéra bouffe. Gluck mit en pratique ses idées novatrices notamment dans l'utilisation des chœurs, les danses et les indications aux chanteurs. LB

LA CANTARINA

Intermezzo buffo *en deux actes de Franz Joseph Haydn (1732-1809). Livret de Carlo Goldoni (1707-1793). Première représentation : Château d'Esterhàz, carnaval 1767.*

L'INTRIGUE : Le valet du marquis vient annoncer à Madame Geltruda (la Cantarina) la visite de son maître. Elle est obligée de faire passer Lorino, son amant, pour son frère : elle l'aime mais a trop de sens pratique pour renoncer à de riches prétendants pour un jeune homme sans le sou. Le marquis vient faire sa cour à Geltruda, et lui montre une bague. Mais, doutant de ses sentiments, il ne la lui donne pas, sous prétexte de vouloir lui en offrir une plus belle. Il revient, déguisé en militaire allemand, et refait le même manège. Geltruda accepte et la cour et la bague mais, une fois encore, on lui en promet une autre de plus grande valeur : le prétendant est ainsi fixé sur la profondeur des sentiments de la Cantarina. Il répète le même numéro, travesti cette fois en Gascon. Entretemps, Lorino fait un gros héritage et Geltruda ne demande pas mieux, dans ces conditions, que de l'épouser. Il semble prêt à accepter, lorsque le marquis se présente, se faisant passer pour un astrologue, et se livre à la comédie de la bague : quelle n'est pas l'indignation de Lorino en voyant Geltruda accepter le bijou ! L'astrologue lit dans les lignes de la main de Geltruda sa duplicité et son avidité, et la tourne ouvertement en ridicule. Ayant donné cette leçon, le marquis pardonne à Geltruda, lui offre quand même la bague et promet d'être témoin à son mariage avec Lorino.

■ Cet opéra vient après un silence de quatre ans dans le domaine lyrique. Haydn choisit, pour son retour à l'opéra, un livret de Goldoni, s'inscrivant ainsi délibérément dans la tradition italienne de l'*opera buffa*. Ainsi, les grandes arias *da capo* (forme classique en trois parties, la dernière reprenant la première) disparaissent au profit de passages parodiques. LB

APOLLON ET HYACINTHE ou LA MÉTAMORPHOSE DE HYACINTHE (Apollo et Hyacinthus ou Hyacinthi metamorphosis)

Comédie de Wolfgang Amadeus Mozart (1756-1791). Texte latin de Rufinus Wild. Première représentation : Salzbourg, Université, 13 mai 1767.

■ Il ne s'agit pas exactement d'un opéra, mais d'une série de neuf intermèdes qui devaient être joués en même temps que l'opéra de Wild *Clementia Croesi*. L'œuvre fait partie des compositions lyriques de la jeunesse de Mozart : en effet, il avait à peine onze ans lorsqu'il l'écrivit. L'influence d'Ernest Eberlin est sensible dans cette musique et montre à quel point la tradition musicale baroque de Salzbourg a été importante pour la formation de Mozart au cours de cette première période. L'opéra fut repris à Londres, en 1955, au Fortune Theatre. RL

ALCESTE

Drame lyrique de Christoph Willibald Gluck (1714-1787). Livret de Ramieri de' Calzabigi (1714-1795), tiré de la tragédie d'Euripide. Première représentation : Vienne, Hoftheater, 26 décembre 1767. Interprètes : Antonia Bernasconi, Giuseppe Luigi Tebaldi, Domenico Poggi, au clavecin Antonio Salieri.

La version française (texte traduit et adapté par F. Leblanc du Roullet), comportant d'importantes modifications de la partition, fut jouée à Paris, à l'Académie royale de Musique, le 23 avril 1776. C'est la version la plus fréquemment représentée.

Les personnages : Admète, roi de Phères (ténor) ; Alceste, son épouse (soprano) ; Évandre (ténor) ; Ismène (soprano) ; le grand prêtre d'Apollon (basse) ; Eumèle (contralto) ; Aspasie (soprano) ; un héraut (basse) ; Apollon (basse) ; l'oracle (basse) ; Thanatos, dieu de la mort (basse) ; Hercule (basse).

L'intrigue :
Acte I, premier tableau. Phères, en Thessalie, quelques années avant la guerre de Troie. Devant le palais royal, le peuple invoque les dieux pour qu'ils permettent la guérison du roi Admète. Mais un héraut annonce, de la terrasse du palais, que le roi est à l'article de la mort. La reine Alceste descend avec ses enfants au milieu de la foule. Elle laisse éclater sa douleur, implorant la miséricorde des dieux, et s'apprête à offrir un sacrifice à Apollon. Deuxième tableau. Dans le temple d'Apollon, le grand prêtre invoque le dieu. Soudain, le temple est secoué comme par un tremblement de terre, des flammes s'élèvent sur l'autel et l'on entend la voix de l'oracle : il annonce que le roi est condamné,

sauf si quelqu'un se sacrifie pour lui. Restée seule, Alceste débat entre l'amour pour son époux et son devoir de mère. Finalement, elle décide d'offrir sa vie pour sauver Admète. Le grand prêtre se fait l'interprète de la volonté divine : le sacrifice est accepté et Alceste descendra dans l'Hadès le soir même.

Acte II. Une salle du palais royal. Évandre et une foule de citoyens se réjouissent de la santé retrouvée de leur roi. Mais celui-ci s'assombrit lorsqu'il apprend que sa guérison miraculeuse est due au sacrifice d'un inconnu généreux. Il ne sait pas encore qu'il s'agit de sa femme, mais il remarque vite que celle-ci est en proie à un profond tourment. Il la presse de questions, voulant savoir le nom de la personne à qui il doit la vie, et la reine finit par avouer la vérité. Admète, désespéré, s'écrie que, si les dieux le veulent ainsi, il suivra jusqu'au bout sa fidèle épouse. Alceste, qui se sait aimée, qui aime la vie, trouve cruel de mourir, mais refuse de se laisser fléchir : elle se soumettra à la volonté des dieux.

Acte III, premier tableau. Sur la place du palais, Hercule apprend la triste destinée d'Alceste et promet de lui venir en aide, dût-il l'arracher aux divinités de l'enfer.

Deuxième tableau. Alceste arrive au seuil de l'Averne et s'apprête à y pénétrer. Mais les esprits infernaux l'arrêtent, car l'oracle a dit qu'elle devrait attendre la nuit. Elle est rejointe par Admète, résolu à la suivre dans la mort pour ne pas être séparé d'elle. Mais, du fond des ténèbres, surgit Thanatos entouré d'esprits de l'enfer, qui proclame qu'un seul des deux pourra accéder à l'Hadès. Tandis qu'Alceste et Admète se disputent généreusement le droit au sacrifice, Hercule apparaît et s'attaque aux esprits, qu'il met en fuite, violant ainsi les lois du destin. Mais Apollon est convaincu que l'amour est le plus grand des biens, autant pour les dieux que pour les mortels. Donnant en exemple la parfaite union du couple royal, il accorde la vie à tous deux et invite le peuple de Phères à fêter solennellement cet événement merveilleux.

■ *Alceste* est le second fruit de la collaboration entre Gluck et Ranieri de' Calzabigi, et va encore plus loin dans la voie de la « réforme », inaugurée avec *Orfeo ed Euridice*. Dans la dédicace de l'opéra à Léopold II, grand-duc de Toscane, en exergue à la première édition, Gluck réaffirme les principes qui ont inspiré son travail (on pense que le texte a été écrit par Ranieri de' Calzabigi). Il veut rendre au mélodrame sa pureté primitive, celle qui inspirait les membres de la *Camerata fiorentina* (ou *Camerata de' Bardi*). Pour rendre sa vraisemblance à l'action dramatique, poursuit le compositeur, il faut impérativement que la musique suive au plus près le texte et soit, en quelque sorte, « au service de la poésie ». Cette conception va nettement à l'encontre des pratiques de l'opéra italien contemporain, qui privilégie la beauté musicale formelle au détriment du contenu littéraire, dont elle reste largement autonome. Gluck prône donc l'abolition, non seulement des fioritures et embellissements imposés par les chanteurs, mais aussi de presque toutes les conventions d'usage, répétitions et formules fixes. Les formes musicales fermées et distinctes tendent aussi à disparaître, fondues ensemble grâce à un *declamato espressivo* toujours accompagné par l'orchestre et par le clavecin. La préface d'*Alceste* fait ainsi figure de manifeste et influencera notablement l'évolution ultérieure du drame musical. Pour la version présentée à Paris, Gluck dut revoir largement la partition, changeant et déplaçant plusieurs scènes. Malgré cela, l'accueil du public ne fut guère satisfaisant. Gluck se hâta alors d'apporter de nouveaux changements : il remania le finale avec la collaboration du musicien F. J. Gossec, renforça la chorégraphie et rétablit le personnage d'Hercule, supprimé dans la première version française. RM

PHAÉTON
(Fetonte)

Mélodrame en trois actes de Niccola Jommelli (1714-1774). Livret de Mattia Verazi (XVIIIe *s.). Première représentation : Ludwigsburg, Hoftheater, 11 février 1768.*

L'INTRIGUE : Le livret est tiré du deuxième chant des *Métamorphoses* d'Ovide. Phaéton, fils du Soleil et de Climène, va voir son père pour lui demander confirmation de son ascendance divine, mise en doute par Épaphus, roi d'Égypte. Il parvient à le convaincre de le laisser conduire, pour un jour, son char enflammé. Mais le jeune Phaéton ne réussit pas à maîtriser les fougueux chevaux du char du Soleil et incendie le ciel et la terre. Jupiter punit l'audacieux en le frappant de son foudre et en le précipitant dans l'Éridan. La mère de Phaéton, Climène, personnage très important dans le livret de Verazi, se jette à la mer, tandis que Lybie, l'amante du jeune homme, meurt de douleur.

■ Cet opéra fut composé par Jommelli durant son séjour à Stuttgart, à l'occasion de l'anniversaire du duc Charles de Würtemberg. Il représente, par sa cohérence et sa complexité dramatique, l'aboutissement des aspirations artistiques nouvelles de Jommelli, qui recherchait désormais l'intensité expressive plutôt que la virtuosité de la partie chantée. L'influence de l'école française est sensible dans *Phaéton* : morceaux choraux et orchestraux plus nombreux, utilisation de procédés tels que la pantomime, pour lesquels le compositeur reçut l'aide des plus grands maîtres de Stuttgart. L'opéra — dont une première version avait été jouée à Stuttgart en 1753 sur un livret de Villati — est précédé d'une ouverture reliée à la première scène, d'une grande puissance d'expression, chantée par le chœur et un soliste. Jommelli s'éloignait tellement, avec *Phaéton*, de l'idéal lyrique de Métastase, que le poète lui adressa des critiques pour son traitement de la partie orchestrale et le peu d'importance laissée à la virtuosité vocale. D'autre part, Mozart commenta ainsi la musique de Jommelli, dans une lettre adressée de Naples à sa sœur : « Son style est beau, mais trop élaboré et démodé pour le théâtre. » AB

L'INGÉNU ou LE HURON

Opéra-comédie en deux actes d'André Grétry (1741-1813). Livret de J. F. Marmontel (1723-1799), tiré du conte de Voltaire L'Ingénu. *Première représentation : Paris, Comédie-Italienne, 20 août 1768.*

L'INTRIGUE : La place d'un village. Gilotin, fils de Le Bailli, rencontre mademoiselle de Saint-Yves et lui annonce sans ambages que leurs parents ont décidé de les marier. La jeune fille se rebiffe : elle ne l'aime pas et n'a certes pas l'intention de se soumettre à la volonté de son père. Tandis que Gilotin essaie de la convaincre, voici qu'arrive un Indien Huron. Récemment débarqué en France, il rentre à présent de la chasse. Il offre à mademoiselle de Saint-Yves le gibier qu'il a tué, et c'est le coup de foudre entre eux. Gilotin ne voit pas dans cet Indien un rival bien dangereux : il est pauvre et étranger, tandis que son propre père est un homme important. Mais voici que l'abbé Kernabon reconnaît dans le Huron le fils de son frère, mort avec sa femme pendant une expédition contre la tribu peau-rouge des Hurons (dont le nom signifie « hirsute »). Hercule de Kernabon — c'est le nouveau nom du Huron — doit donc apprendre les usages, apprentissage difficile pour un jeune sauvage. Son oncle Kernabon l'oblige à s'habiller comme tout le monde et à se conformer aux règles de la vie sociale. Le Huron, impatient d'épouser celle qu'il aime, n'accepte pas de se plier aux rites compliqués qui entourent le mariage. Ces manières déplaisent au père de la jeune fille qui, profitant de l'absence du Huron, parti défendre le village contre une attaque anglaise, enferme sa fille dans un couvent. Le désespoir du Huron est grand lorsqu'il l'apprend, mais heureusement son oncle intervient auprès de monsieur de Saint-Yves. La jeune fille est libérée de son couvent, grâce à un officier qui admire le courage et l'honnêteté du Huron, et son père finit par accorder sa main à l'ex-sauvage.

■ *Le Huron* est le premier succès de Grétry. La musique est dédiée au comte de Creutz, en témoignage de reconnaissance pour l'aide qu'il avait accordée au compositeur à son arrivée à Paris. Les débuts de Grétry dans le théâtre font suite à sa rencontre avec Voltaire, à Genève. Il avait demandé à l'homme de lettres un texte qu'il pourrait mettre en musique, mais celui-ci avait refusé, pensant peut-être que les livrets n'étaient pas son fort. Grétry se contenta alors d'un conte philosophique, dont Marmontel tira son livret. LB

L'APOTHICAIRE (Lo speziale)

Dramma giocoso *en trois actes de Franz Joseph Haydn (1732-1809). Texte de Carlo Goldoni (1707-1793). Première représentation : château d'Esterhàz, automne 1768.*

LES PERSONNAGES : Mengino ; Grilletta, aimée de Mengino ; Sempronio, apothicaire, tuteur de Grilletta ; Volpino, soupirant de Grilletta.

L'INTRIGUE :
Acte I. Mengino, amoureux de Grilletta, se fait engager par Sempronio, l'apothicaire du pays, tuteur de la jeune fille. N'ayant pas la moindre notion de chimie, le nouvel apprenti prépare les remèdes au petit bonheur. Entre-temps, Sempronio lit le journal et, parmi les nouvelles, en trouve une qui lui donne une idée : il s'agit d'un homme qui a épousé sa pupille et Sempronio songe alors à prendre Grilletta pour femme. Survient ensuite le riche et élégant Volpino, soupirant de Grilletta. Il réussit à éloigner Mengino sous un prétexte quelconque mais, lorsque le jeune homme revient, il trouve son rival dépité car Grilletta lui a ri au nez. Profitant de l'absence de Sempronio, celle-ci encourage Mengino à demander sa main à son tuteur. En rentrant, le barbon renvoie Mengino à ses potions et Grilletta à ses livres. Obligé de s'absenter à nouveau, il les retrouve en train de s'embrasser. Furieux, il les sépare cette fois pour de bon.
Acte II. Volpino propose à Sempronio de devenir apothicaire du Sultan, mais le tuteur refuse, quoique assez mollement. Il annonce au prétendant qu'il a décidé d'épouser lui-même sa pupille. Grilletta, de son côté, fait mine d'accepter la demande en mariage de Sempronio pour obliger le timide Mengino à prendre une décision. Mais voici qu'entrent en scène deux notaires que seul Sempronio ne reconnaît pas : il s'agit de Volpino et Mengino déguisés. Chacun des deux prépare avec grand soin un contrat de mariage par lequel Grilletta déclare épouser son tuteur de son plein gré et lui céder toute sa fortune.
Acte III. Toutefois, les faux notaires ont l'un et l'autre inscrit leur propre nom sur le contrat de mariage. Mais la supercherie est découverte. Volpino, écœuré, abandonne la partie, mais Mengino se déclare prêt à tout pour obtenir celle qu'il aime. On annonce soudain l'arrivée du Sultan en personne, qui s'avère être Volpino travesti. Grilletta a vite fait de reconnaître l'importun, qu'elle repousse une fois encore. Furieux, il se met à tout casser dans la pharmacie de Sempronio, qui ne sait comment arrêter le désastre. Mengino survient alors opportunément et offre son aide à l'apothicaire pourvu qu'il consente, sur-le-champ et par écrit, à son mariage avec Grilletta. Le pauvre homme ne peut que se résigner, et il s'exécute en toute hâte.

■ Avec cet opéra, Haydn fait preuve d'une plus grande maturité dans la composition lyrique. Les situations et les personnages sont bien campés par rapport à ceux, un peu conventionnels, de ses précédents ouvrages comiques. La partition est, elle aussi, plus élaborée. Elle mêle des éléments bouffes et sérieux d'une façon qui annonce le génie de Mozart. Haydn reconnut d'ailleurs modestement la supériorité de ce dernier dans le domaine de l'opéra, et leur amitié n'en souffrit jamais. Dans *L'Apothicaire*, Haydn réserve les duos aux passages comiques tandis que les trios sont d'inspiration plus sérieuse. Dans l'un et l'autre cas, cependant, il surpasse de beaucoup la tradition italienne, qu'il avait si bien su assimiler. Par exemple, les moments sérieux de l'opéra n'ont pas cette solennité formelle qui caractérisait si souvent les œuvres lyriques de l'époque : la musique est fluide et brillante, dans le meilleur style de Haydn, même dans les fantaisies orientales de la scène du Sultan, à l'acte III. Le compositeur donne plus de densité à son œuvre en ne mettant en scène qu'un petit nombre de personnages. Il se range ainsi parmi les « réformateurs », avec Gluck et Traetta, en préférant une ligne dramatique simple aux intrigues obscures et embrouillées des mélodrames classiques. LB

BASTIEN ET BASTIENNE
(Bastien und Bastienne)

Singspiel *en un acte de Wolfgang Amadeus Mozart (1756-1791). Livret de Friedrich Wilhelm Weiskern (1710-1768), tiré d'une parodie du* Devin du village *de Jean-Jacques Rousseau, écrite par Charles Simon Favart (1710-1792) sous le titre :* Les amours de Bastien et Bastienne. *Première représentation : Vienne, dans les jardins de la maison du docteur Mesmer, octobre 1768.*

L'INTRIGUE : Il n'y a que trois personnages : les deux amoureux et un vieux berger très sage, Colas. Bastienne, désolée de l'inconstance de son fiancé, vient voir Colas pour lui demander aide et consolation. Le berger lui conseille de feindre l'indifférence à l'égard de Bastien. Quand ce dernier, à son tour désespéré, vient consulter Colas, le vieux sage prétend utiliser la magie pour réconcilier les amoureux.

■ Lorsque Mozart composa ce petit opéra, il avait douze ans et revenait d'une tournée triomphale à Paris et à Londres. Il avait reçu de nombreuses commandes à Salzbourg et venait d'arriver à Vienne, où le docteur Mesmer lui demanda de composer un divertissement qui serait joué dans le jardin de sa maison, dans le quartier huppé de la Landstrasse. Ce fut la seule représentation pendant cent vingt-deux ans, car l'opéra ne fut ensuite repris qu'en 1894, à Londres, puis, en 1916, à New York. En 1976, il fut choisi pour l'inauguration de la saison lyrique du théâtre de La Fenice, à Venise. L'œuvre est un ensemble d'arias simples et gracieuses et de duos en forme de *lieder*, mais on sent déjà une grande aisance dans l'utilisation du petit orchestre (cordes, deux hautbois ou flûtes, et deux cors) et un indéniable sens théâtral. On a la surprise d'entendre, dans le prélude, quelques mesures qui annoncent le thème initial de la symphonie *Héroïque* de Beethoven. L'œuvre respecte strictement la forme du *singspiel* et c'est peut-être la seule, chez Mozart, où se fasse sentir l'influence de Gluck. RL

LA FINTA SEMPLICE

Opéra bouffe en trois actes de Wolfgang Amadeus Mozart (1756-1791). Livret de Carlo Goldoni (1707-1793), adapté par Marco Coltellini (1719-1777). Première représentation : Salz-

bourg, palais de l'Archevêché, 1er mai 1769.

Les personnages : Don Cassandro, riche propriétaire de la région de Crémone ; Don Polidoro, son frère ; Donna Giacinta, leur sœur, amoureuse de Fracasse, capitaine hongrois en garnison sur les terres de Don Cassandro ; Rosine, sœur de Fracasse ; Ninetta, femme de chambre de Donna Giacinta, amoureuse de Simon, sergent, valet de Fracasse.

L'intrigue : Donna Giacinta voudrait épouser Fracasse, et sa servante Ninetta, le valet Simon. Mais ces projets de mariage sont contrariés par les deux frères de Giacinta : l'un, Don Cassandro, est avare, misogyne et grognon ; l'autre, Don Polidoro, est à demi idiot. Les femmes décident d'avoir recours à un stratagème. Elles demandent à Rosine, venue leur rendre visite, de faire la conquête des deux vieux. La jeune fille, brillante et espiègle, y parvient sans peine et, après maintes péripéties, tout finit pour le mieux.

■ On a longtemps attribué le livret au seul Coltellini, considéré un moment comme le successeur de Métastase. Ce n'est qu'en 1794, un an après la mort de Goldoni, qu'on apprit que c'est lui qui en était l'auteur. Le livret avait déjà été utilisé par Salvatore Perillo et monté au théâtre San Moisè de Venise en 1764. Le texte n'est certainement pas du meilleur Goldoni : les personnages restent étroitement liés aux types de la *commedia dell'arte*, ils n'ont aucune épaisseur psychologique. La musique ne réussit pas davantage à approfondir les caractères. Mozart, âgé de treize ans, avait composé une série de morceaux aimables mais sans grande originalité pour ce premier opéra-comique. Certains airs, surtout ceux de Donna Giacinta, sont empreints de sentimentalité, ce qui permet de supposer que Mozart avait eu connaissance de la musique de Paisiello, le premier à avoir introduit le sentiment dans l'opéra bouffe. *La finta semplice* avait été composée pour Vienne, où elle ne fut pas jouée à cause d'une série de circonstances fâcheuses et non du fait des manigances de Gluck comme le soutenait Leopold Mozart. Elle fut l'occasion pour le jeune compositeur de se familiariser avec l'opéra-comique, un de ses genres de prédilection par la suite. RL

ARMIDE ABANDONNÉE (Armida abbandonata)

Mélodrame en trois actes de Niccola Jommelli (1714-1774). Livret de F. Saverio De Rogatis (1745-1827). Première représentation : Naples, théâtre San Carlo, 1770.

L'intrigue : L'argument suit assez fidèlement la légende d'Armide racontée par le Tasse dans *La Jérusalem délivrée*. Mais « pour donner le ton juste au drame », le librettiste a ajouté deux personnages : Erminia, prisonnière dans le château d'Armide, et Tancrède, qui l'a suivie et tente de la libérer. De Rogatis a également imaginé « afin d'exposer dans le même drame des spectacles aussi intéressants » que Renaud coupait tous les arbres de la forêt avant de fuir l'île enchantée.

■ Cet opéra date de la deuxième période napolitaine du compositeur, rentré de Stuttgart au faîte de la gloire, en 1769. L'œuvre obtint un succès flatteur, à la différence des autres opéras composés par Jommelli à la même époque, accueillis assez froidement. Burney et Mozart, âgé de quatorze ans, assistèrent au spectacle. Mozart porta un jugement plutôt favorable sur l'opéra qu'il trouva toutefois « trop prudent ». Une première version avait été exécutée à Rome en 1750. AB

MITHRIDATE, ROI DU PONT
(Mitridate, re del Ponto)

Mélodrame en trois actes de Wolfgang Amadeus Mozart (1756-1791). Livret de Vittorio Amedeo Cigna-Santi (1725-1785), d'après Mithridate *de Racine. Première représentation : Milan, théâtre ducal, 26 décembre 1770.*

L'INTRIGUE : Mithridate rentre dans son pays, vaincu et amer. Il se sent vieux déjà, mais brûle d'une passion juvénile pour Aspasie, dont sont également épris ses deux fils. L'un, Syphax, est un homme honnête et loyal, tandis que l'autre, Pharnace, est méchant et cruel. Le vieux roi n'hésite pas à se mesurer avec ses fils, ce qui donne lieu à des situations psychologiques complexes, malheureusement peu développées par le librettiste. L'action est, en revanche, simple et linéaire. Elle s'achève sur la mort au combat de Mithridate, réconcilié avec ses fils et consolé par le bonheur de Syphax et d'Aspasie, unis avec son consentement.

■ Il s'agit là du meilleur texte d'*opera seria* que Mozart ait eu l'occasion de mettre en musique. Ce n'est certes pas le talent du librettiste qui en fait la valeur, mais la tragédie de Racine dont il est tiré. Cigna-Santi reconnaît lui-même que « la tragédie du Français Racine a été en grande partie imitée ». Cette tragédie avait déjà inspiré les compositeurs Alessandro Scarlatti et Nicola Porpora, et le librettiste Apostolo Zeno. La noblesse, la sincérité et la grandeur des personnages de Racine se retrouvent dans toutes les adaptations. Malheureusement, Mozart, trop jeune (il avait à peine quatorze ans), ne sut pas tirer le meilleur parti de cette œuvre. L'opéra avait été commandé par le comte Firmian, gouverneur général de Lombardie, frappé par les dons exceptionnels du jeune prodige qui avait donné un concert chez lui au début de la même année. Hasse s'était montré enthousiasmé, lui aussi. La plus grande préoccupation de Mozart, lorsqu'il commença sa partition, fut de ne pas mécontenter les chanteurs : avant de connaître exactement la distribution il ne composa que les récitatifs, et les arias seulement dans un deuxième temps. Celles-ci sont un peu des exercices de style, mais il s'en dégage parfois une grande force dramatique, comme, par exemple, dans le premier air de Mithridate. Mozart rencontra un autre problème, celui de la différenciation de quatre voix du même registre, deux sopranos et deux sopranistes, qui tenaient les rôles principaux. L'opéra eut un succès honorable et le comte Firmian commanda à Mozart un nouvel opéra pour l'année suivante, *Ascanio in Alba.* RL

ASCAGNE À ALBE
(Ascanio in Alba)

Serenata teatrale *en deux actes de Wolfgang Amadeus Mozart (1756-1791). Livret de Giuseppe Parini (1729-1799). Première représentation : Milan, théâtre ducal, 17 octobre 1771.*

L'INTRIGUE : Un paysage, où surgira plus tard la ville d'Albe. Vénus descend parmi les hommes qui s'apprêtent à fonder une nouvelle ville. Pour fêter l'événement, la déesse voudrait marier son petit-fils Ascagne à la bergère Silvia, descendante d'Hercule. Mais elle veut que les jeunes gens s'aiment. Aussi prépare-t-elle Silvia à tomber amoureuse d'Ascagne en le lui montrant en songe. Celui-ci se présente ensuite à elle sans révéler sa véritable identité, et elle s'en éprend. Mais elle doit lui avouer que Vénus la destine à un inconnu : la déesse apparaît alors et lui apprend que celui qu'elle aime n'est autre que son petit-fils Ascagne. Tandis qu'on célèbre les noces, un prodige s'accomplit : les arbres se changent en piliers, les branches et les feuilles en voûtes et en toits. La ville d'Albe, à peine imaginée, apparaît soudain dans toute sa splendeur aux yeux des bergers médusés. Vénus descend parmi eux et exhorte les nouveaux époux à gouverner sagement la cité et le peuple qui leur sont confiés.

■ Cette fête théâtrale fut représentée à l'occasion du mariage de l'archiduc Ferdinand d'Autriche avec Marie-Richarde-Béatrice d'Este, et de son arrivée à Milan en qualité de gouverneur et capitaine-général de Lombardie. Il s'agit sans aucun doute d'une fable allégorique. On peut sans difficulté reconnaître en Vénus l'impératrice Marie-Thérèse, mère de Ferdinand, les deux époux princiers dans les personnages d'Ascagne et Silvia et Milan dans la mythique cité d'Albe. Mozart, âgé de quinze ans, fut invité par le comte Firmian à écrire cette œuvre qui n'est qu'un hommage courtisan entremêlé de vers métastasiens. L'atmosphère de cette Arcadie est parfaitement conventionnelle et on a peine à reconnaître dans une telle fadeur le poète d'*Il Giorno*. L'œuvre avait au départ été conçue comme un intermède à l'opéra de Hasse *Ruggero*, mais elle devint finalement le programme principal et le mélodrame fut renvoyé aux soirées suivantes.
RL

AETIUS
(Ezio)

Mélodrame en trois actes d'Antonio Sacchini (1730-1786). Livret de Métastase (1698-1782). Première représentation : Naples, théâtre San Carlo, 4 novembre 1771.

■ Il s'agit d'un drame obscur et tout à fait artificiel qui connaît un dénouement assez inattendu :

voir l'intrigue sous la notice consacrée à l'*Aetius* de Haendel, p. 55. RB

LE SONGE DE SCIPION
(Il sogno di Scipione)

Serenata drammatica *en un acte de Wolfgang Amadeus Mozart (1756-1791). Livret de Métastase (1698-1782). Première représentation : Salzbourg, 29 avril 1772.*

L'INTRIGUE : Scipion endormi, dans le palais de Massinissa. La déesse Constance et la déesse Fortune lui apparaissent en songe et le somment de choisir l'une d'entre elles et de lui dédier sa vie. Scipion comprend qu'il est au Paradis en entendant le chœur des bienheureux. Son père putatif, Scipion l'Africain, lui parle de l'immortalité de l'âme et de la récompense qui attend les justes dans l'au-delà. Son vrai père, Emilianus Paulus, lui montre la Terre, petite lumière parmi d'autres dans l'Univers, pour lui faire comprendre la vanité des passions terrestres. Scipion veut entrer, lui aussi, dans le monde des bienheureux, mais il doit d'abord sauver Rome. Finalement, il fait son choix entre les deux déesses : il décide de suivre la Constance. La Fortune déchaîne alors la foudre et le tonnerre. Scipion s'éveille.

■ Ce texte assez mineur de Métastase s'inspire du *Somnium Scipionis* de Cicéron. Il avait été écrit pour l'anniversaire de l'impératrice Élisabeth mais fut confié à Mozart à l'occasion de la nomination de l'archevêque Hieronymus Colloredo. Le compositeur en fit un opéra très orné, sans approfondissement psychologique, qui s'achève sur une apostrophe à l'archevêque en guise de morale. RL

ANTIGONE
(Antigona)

Opéra en un acte de Tommaso Traetta (1727-1779). Livret de Marco Coltellini (1719-1777). Première représentation : Saint-Pétersbourg, théâtre impérial, 11 novembre 1772.

L'INTRIGUE : Tirée directement de l'*Antigone* de Sophocle, elle raconte l'histoire de la fille d'Œdipe qui brave la volonté du tyran de Thèbes, Créon, pour donner une sépulture au corps de son frère Polynice. Le roi a ordonné que le cadavre soit abandonné hors les murs de la ville. Antigone passe outre et le fait ensevelir. Elle est emmurée vivante pour avoir violé la loi, mais elle est suivie dans la mort par Hémon, fils de Créon.

■ L'opéra, qui n'est pas le chef-d'œuvre de Traetta, obtint malgré tout un vif succès à la cour de Russie. Il a été repris récemment au cours du Mai musical de Florence, le 15 mai 1962, sous la direction de Nino Sanzogno. GP

LUCIUS SYLLA
(Lucio Silla)

Mélodrame en trois actes de Wolfgang Amadeus Mozart

(1756-1791). Livret de Giovanni de Gamerra (1743-1803). Première représentation : Milan, théâtre ducal, 26 décembre 1772. Interprètes : Anna De Amicis, Venenzio Rauzzini, Bassano Morgnone.

L'INTRIGUE : Dans la Rome antique. Le dictateur Sylla (ténor) est amoureux de Junie (soprano), fille de Marius et fiancée de Cecilius (sopraniste), exilé de Rome. Celui-ci revient en secret et donne un rendez-vous nocturne à Junie sur la tombe de Marius. Il fait partie d'une conjuration destinée à abattre Sylla, et à laquelle participe aussi Cinna, amant de Celia (soprano), sœur du dictateur. Le complot est découvert et Cecilius est condamné à mort. Junie en appelle au Sénat et au peuple, dénonçant ouvertement les injustices et les abus de pouvoir de Sylla. Celui-ci, changeant brusquement d'avis, décide de libérer Cecilius et les conjurés. Junie peut épouser Cecilius et Cinna, la sœur de Sylla.

■ L'auteur du livret faisait, avec *Lucio Silla,* ses débuts littéraires, après avoir été successivement prêtre puis militaire. Prudemment, il soumit son texte au jugement du grand Métastase, qui donna son approbation. En 1774, Anfossi composa un autre *Lucio Silla* pour un théâtre vénitien et en 1779, Gamerra lui-même remania son livret pour Michele Mortellari. Cet opéra est le dernier que Mozart composa pour des Italiens. A la première, le rôle principal fut confié au ténor Bassano Morgnone, chanteur assez inexpérimenté auquel Mozart préféra ne faire interpréter que deux arias très conventionnelles, tandis qu'il se concentrait sur les personnages de Junie et Cecilius, joués par des chanteurs de grand talent. L'un des plus beaux morceaux de l'opéra est la rencontre des amants près de la tombe de Marius. Le livret, d'un héroïsme maniéré, correspondait mal à la sensibilité mozartienne. Pourtant, il a été dit que, dans cet opéra, Mozart déploya une invention musicale suffisante pour douze symphonies. L'œuvre n'eut pas le succès escompté, si bien que Leopold Mozart expliqua que la première avait eu lieu sous une mauvaise étoile (lettre du 2 janvier 1773). Mozart, arrivé à Milan pour la préparation de *Lucio Silla,* en septembre 1772, y resta jusqu'en mars de l'année suivante dans l'espoir d'y trouver un emploi stable. RL

THAMOS, ROI D'ÉGYPTE (Thamos, König Aegypten)

Drame avec musique de scène de Wolfgang Amadeus Mozart (1756-1791). Texte de Tobias Philipp, baron von Gebler (1726-1786).

■ Mozart composa cette musique de scène avec deux chœurs et cinq pièces instrumentales, alors qu'il se trouvait à Vienne avec son père en 1773. Plus tard, il autorisa la compagnie itinérante de Böhm à reprendre ces morceaux, qu'il avait lui-même revus et adaptés, pour une comédie de Karl Martin Plümicke intitulée *Lanassa* et tirée de *La veuve de Malabar,* d'A. L. Lemierre. Sous cette forme, la musique de Mozart fut jouée dans de nombreuses villes d'Allemagne méridionale et occidentale. La partition originale, notamment celle du premier chœur, est un magnifique exemple d'orchestration complexe. On y trouve en outre le contraste entre ombre et lumière si caractéristique de *La Flûte enchantée.* RL

L'INFIDÉLITÉ DÉÇUE (L'infedeltà delusa)

Burletta per musica *en deux actes de Franz Joseph Haydn (1732-1809). Livret de Marco Coltellini (1719-1777). Première représentation : château d'Esterhàz, 26 juillet 1773.*

L'INTRIGUE : Chez des paysans, en Toscane. Le quintette initial nous présente tous les personnages : le vieux Filippo, père de Sandrine, veut marier sa fille au riche paysan Nencio ; la belle jeune fille, elle, aime Nanni ; la sœur de celui-ci, Vespina, est amoureuse de Nencio. Nanni, pensant que Sandrine lui préfère Nencio, envisage de se donner la mort. Mais Sandrine cherche désespérément à s'opposer à la volonté de son père. Vespina, pendant ce temps, manœuvre habilement : si Sandrine et Nanni se marient, le cœur de Nencio sera libre pour elle. Elle apparaît donc, sous divers déguisements, pour parvenir à ses fins : tantôt en mère de famille abandonnée par son mari, tantôt en homme, riche marchand ou notaire. Finalement, les mariages se feront selon ses plans et tout s'achèvera joyeusement.

■ Le livret burlesque est dû au célèbre Coltellini, qui suit les traces de Calzabigi, le réformateur de l'opéra. De fait, la pièce ne compte que cinq personnages. Coltellini travailla aussi pour Mozart, Gluck, Salieri, Hasse et Paisiello. La musique de Haydn, composée dans la paisible résidence des princes Esterházy, est délibérément satirique, annonçant les opéras bouffes qui connaîtront un tel développement par la suite.

CÉPHALE ET PROCRIS ou L'AMOUR CONJUGAL

Ballet lyrique en trois actes d'André Grétry (1741-1813). Livret de J. F. Marmontel (1723-1799). Première représentation : Cour de Versailles, 30 décembre 1773, puis Paris, Opéra, 2 mai 1775.

■ Avec ce « ballet héroïque », Grétry essaya de s'opposer à Gluck, qui régnait alors en maître à l'Opéra, mais l'œuvre reçut un accueil très froid de la part du public. LB

IPHIGÉNIE EN AULIDE

Tragédie lyrique en trois actes de Christoph Willibald Gluck (1714-1787). Livret de F. Leblanc du Roullet (1716-1786), d'après la tragédie de Racine (1674). Première représentation : Paris, Académie de Musique (Opéra), 19 avril 1774. Interprètes : Sophie Arnould, Rosalie Duphan, Rinalde Legros, Ubalde Arrivée. Direction : C. W. Gluck.

L'INTRIGUE :
Acte I. Camp des Grecs en Aulide. Calchas (basse) révèle à Agamemnon (basse) qu'Artémis (soprano), irritée, demande le sacrifice de sa fille Iphigénie (soprano) pour permettre aux Grecs de partir à l'assaut de Troie. L'Atride tente de sauver sa fille, qui est en route pour le camp où doivent être célébrées ses noces avec Achille (ténor), en la renvoyant à Mycènes sous quelque prétexte. Il envoie un messager à sa femme Clytemnestre (mezzo-soprano) en le chargeant de formuler de fausses accusations contre Achille pour faire rompre les fiançailles. Mais il est trop tard : Iphigénie et sa mère arrivent au camp et Achille parvient à se disculper.
Acte II. L'autel du sacrifice. Tout est prêt pour la cérémonie nuptiale lorsque Arcas (basse) annonce qu'Agamemnon a décidé d'immoler Iphigénie. Achille s'insurge contre cet ordre inhumain. Agamemnon faiblit et ordonne à Clytemnestre de ramener Iphigénie à Mycènes.
Acte III. Devant une tente du campement. Craignant la colère des dieux, l'armée s'agite et empêche le départ d'Iphigénie. La jeune fille se résigne stoïquement au sacrifice. Déjà, Calchas s'apprête à la mettre à mort lorsque Achille se précipite pour l'arrêter. Clytemnestre, elle aussi, est prête à tout pour sauver sa fille. Mais les soldats réclament la victime. Soudain, Artémis apparaît. Émue par l'héroïsme d'Iphigénie, et les larmes de sa mère, elle emmène avec elle la jeune fille et promet aux Grecs des vents favorables pour voguer vers Troie.

■ *Iphigénie en Aulide,* l'un des chefs-d'œuvre de Gluck, fut pour lui l'occasion de réaffirmer les principes de sa « réforme », mise en œuvre en 1762 pour *Orphée et Eurydice.* En 1773, une polémique avait opposé, dans les colonnes du *Mercure de France,* Gluck à Rousseau et aux partisans de l'opéra italien. Algarotti et Diderot avaient déjà pensé que la tragédie de Racine ferait un texte d'opéra idéal, mais c'est à Gluck que revient le mérite d'avoir réalisé l'adaptation : *Iphigénie en Aulide* demeure, en fait, l'un des rares exemples où drame et musique constituent ensemble une véritable entité. Bien que le livret manque parfois d'un réel sens théâtral, la puissance, la grandeur et la délicatesse de la musique témoignent du talent et de l'esprit novateur de Gluck. Ce n'est pas par hasard que la magnifique ouverture a tant impressionné Mozart, puis Wagner, qui en réalisèrent chacun une version destinée à être jouée en concert. Wagner fit même une révision de l'opéra entier. *Iphigénie en Aulide* eut un grand retentissement à Paris. La dauphine Marie-Antoinette, qui avait pris des leçons de chant avec Gluck, écrivait à sa sœur Marie-Christine-Josèphe, après la première : « ... un grand triomphe, ma chère Christine. J'en ai été transportée, et on ne parle plus que de cela. Tous les esprits sont en ébullition ; c'est à peine croyable, il y a des discussions, des querelles, comme s'il s'agissait d'une controverse religieuse. A la Cour... les gens prennent parti et discutent âprement et, en ville, la polémique est encore plus vive... ». LB

LA FAUSSE JARDINIÈRE (La finta giardiniera)

Opera buffa *en trois actes de Wolfgang Amadeus Mozart (1756-1791). Livret de Ranieri de' Calzabigi (1714-1795). Première représentation : Munich, Residenztheater, 13 janvier 1775.*

LES PERSONNAGES : Rôles sérieux : Arminda, dame milanaise, amante du comte Ramiro puis fiancée du jeune comte Belfiore ; le chevalier Ramiro, amant d'Arminda, ensuite abandonné.
Rôles bouffes : La marquise Violante, amante de Belfiore, sous le nom de Sandrine, jardinière ; le jeune comte Belfiore, amant de Violante, puis d'Arminda ; Serpetta, servante et amoureuse du maire ; Don Anchise, maire de Lagonero et amant de Sandrine ; Roberto, valet de Violante, qui se fait passer pour son cousin nommé Nardo, jardinier, amoureux de Serpetta.

L'INTRIGUE : Le maire de Lagonero (baryton), un vieux sot, héritier direct du personnage de Pantalon dans la *commedia dell'arte,* est épris de Sandrine, la jardinière (soprano). Celle-ci est en réalité la marquise Violante, qui, sous ce déguisement, cherche à retrouver son amant, le jeune comte Belfiore, lequel a pris la fuite après l'avoir blessée et laissée pour morte dans une crise de jalousie. Serpetta (soprano), une coquette effrontée, est bien décidée à se faire épouser par son maître et repousse les avances de Nardo (basse-baryton), valet de Violante, déguisé comme elle en jardinier. De son côté, Arminda, la nièce du maire, délaisse son amoureux Ramiro pour le jeune comte Belfiore (ténor), qui abandonne à son tour Sandrine-Violante. Le seul amant fidèle, donc malheureux, est l'infortuné Ramiro. Tout semble s'arranger lorsque Violante, au deuxième acte, révèle sa véritable identité pour sauver Belfiore, accusé de l'avoir tuée. Mais elle reprend immédiatement son rôle de jardinière et repousse son amant. L'acte II est une succession échevelée de quiproquos. Ce n'est qu'au troisième acte que les amoureux finissent tous par se réconcilier, Arminda avec Ramiro, Sandrine avec Belfiore et Serpetta avec Nardo.

■ Cet opéra fut composé en partie à Salzbourg, en partie à Munich, entre septembre 1774 et janvier 1775. La première représentation, dont Mozart donne le compte rendu dans une lettre à sa mère, eut un succès modéré. L'opéra fut ensuite oublié jusqu'en 1779, où la troupe itinérante de Böhm le reprit sous forme de *singspiel.* Le livret de *La finta giardiniera* avait été mis en musique peu de temps avant par Pasquale Anfossi, et Mozart utilisa largement cette partition comme modèle. Une caractéristique du livret est la division nouvelle entre rôles sérieux et rôles bouffes, mais cette innovation est sans comparaison avec la parfaite fusion des genres qu'on trouvera, par exemple, dans *Don Giovanni.* L'opéra se présente comme une série d'arias, parfois très belles, mais il n'y a pratiquement aucune conception d'ensemble, sans doute parce que les personnages sont assez mal définis. L'œuvre est cependant très agréable et témoigne une fois encore de l'imagination créatrice du maestro. RL

LE ROI PASTEUR
(Il re pastore)

Dramma per musica *en deux actes de Wolfgang Amadeus Mozart (1756-1791). Livret de Métastase (1698-1782). Première représentation : Salzbourg, cour archiépiscopale, 23 avril 1775.*

L'INTRIGUE : Alexandre le Grand a libéré la ville de Sidon du tyran qui l'opprimait et veut remettre sur le trône l'héritier légitime. Celui-ci vit en humble berger sous le nom d'Amintas, et il aime la nymphe Élisa. Alexandre et un noble de Sidon, Agénor, se rendent auprès d'Amintas pour voir s'il peut assumer son rôle de roi et l'en trouvent parfaitement digne. Agénor retrouve aussi celle qu'il aime, Tamiri, la fille du tyran déchu, qui se cache. Il promet d'intercéder en sa faveur auprès d'Alexandre. Le grand roi prend alors de sages décisions dans l'intérêt de l'État et des deux couples d'amoureux : pour réconcilier les factions, Agénor épousera Tamiri et ils régneront ensemble sur de nouvelles terres que leur donnera Alexandre ; Amintas sera le roi-berger et Élisa partagera son sort.

■ Le livret de Métastase, plein de sentimentalité, brosse un tableau idyllique de la vie aux champs et nous montre des personnages gracieux qui discutent longuement sur le bon gouvernement mais ne donnent ni vie ni dynamisme à l'action. Écrit en 1751, c'est l'une des dernières œuvres de Métastase, sûrement pas l'une des meilleures. Ce livret fut choisi pour fêter la visite à Salzbourg, en 1775, de l'archiduc Maximilien-François, dernier fils de l'impératrice Marie-Thérèse. Sur un texte aussi statique, Mozart décida de composer une partition largement instrumentale. La même année, il avait écrit ses cinq concertos pour violon, et plusieurs des arias principales d'*Il re pastore,* destinées à trois sopranos et deux ténors, ont la structure de petits concertos. Deux d'entre elles comportent des instruments solistes (flûte et violon) qui rivalisent avec la voix. Le style est beaucoup plus robuste et concis que celui des œuvres milanaises de Mozart, de *Mitridate* à *Lucio Silla,* et révèle une personnalité plus marquée. Le compositeur cherche aussi, à l'évidence, à se détacher du style orné cher au public salzbourgeois.

LE SOCRATE IMAGINAIRE
(Il Socrate immaginario)

Opéra bouffe de Giovanni Paisiello (1740-1816). Texte de F. Galiani et G. Lorenzi. Première représentation : Naples, Teatro Nuovo, automne 1775.

L'INTRIGUE : Don Tammaro est fou de philosophie classique et se prend pour un nouveau Socrate : il se comporte, jusque dans les moindres détails, comme le philosophe grec. Il affirme, comme lui, que tout ce qu'il sait, c'est qu'il ne sait rien, et accepte sans broncher les récriminations de sa femme, sous prétexte que le philosophe faisait de même. Il va jusqu'à la prier de lui verser un pot de chambre sur la tête. Tammaro a convaincu son barbier, maestro Antonio, de tenir le rôle de Platon. Il veut lui donner en mariage sa fille Emilia, qui aime Ippolito, et en est aimée, mais se refuse à braver la volonté paternelle. Tammaro a une nouvelle idée : avoir deux femmes pour faire plus d'enfants dans l'intérêt de la patrie. Il jette son dévolu sur Cilla, la fille du barbier, amante de Calandrino, le valet du nouveau Socrate. Toutes les tentatives pour faire échouer les plans insensés de Don Tammaro sont contrecarrées par Cilla et par Emilia, qui ne veut pas qu'on se moque de son père. Calandrino essaie par exemple de se faire passer pour le démon qui donnait des conseils à Socrate, selon l'historien Diogène Laërce, afin de convaincre Tammaro de donner sa fille à Ippolito. En désespoir de cause, le valet imagine de lui faire boire un somnifère en lui faisant croire qu'il s'agit de ciguë pour donner le temps à Emilia et Ippolito de fuir et à Cilla de se cacher. Don Tammaro, récalcitrant au début, accepte de boire le breuvage pour l'amour de la Grèce antique : celui-ci aura un effet surprenant puisqu'il lui rendra la raison et permettra un dénouement heureux.

■ L'opéra, partiellement écrit en dialecte napolitain, fut interdit à Naples pendant plusieurs années sous Ferdinand IV, le livret ayant été jugé « impertinent ». Il s'agissait en fait d'une satire du Napolitain D. Saverio Mattei et de ses amis qui poussaient jusqu'à la manie leur amour de l'âge classique. Paisiello ne perdit pas pour autant la faveur dont il jouissait auprès des Bourbons. AB

LA DUÈGNE (The Duenna)

Opéra en trois actes de Thomas Linley père (1733-1795). La musique fut en grande partie composée en collaboration avec son fils Thomas (1756-1778). Livret de R. Brinsley Sheridan. Première représentation : Londres, Covent Garden, 21 octobre 1775.

■ Ce fut l'un des opéras anglais les plus prisés au XVIIIe siècle. Lors de la première saison, il y eut soixante-quinze représentations, contre soixante-trois pour *The Beggar's Opera (L'opéra des gueux).* La version italienne est due à C. F. Bandini. En 1915, l'opéra fut monté à Calcutta, en langue bengali, et à Bombay en 1925, en marathi. Jusqu'aux environs de 1930, il fut très souvent mis au programme des théâtres lyriques anglais. MSM

POLLY

Opéra ballade en trois actes avec musique de John Christopher Pepusch (1685-1752). Livret de John Gay (1685-1732). Première représentation : Londres, Little Haymarket, 19 juin 1777.

■ Cet opéra était la suite de *The Beggar's Opera (L'opéra des gueux).* La préface du livret est datée du 15 mars 1729 et texte et musique furent publiés cette année-là. Mais, pour des raisons politiques, le spectacle ne reçut l'autorisation d'être monté que quarante-huit ans plus tard. C'est probablement le premier ministre Walpole, caricaturé dans le premier opéra, qui opposa son veto. En 1777, l'œuvre fut représentée, avec quelques modifications apportées au livret par G. Colman et certains airs nouveaux dus à Samuel Arnold. Elle n'eut pas grand succès et il n'y eut que quelques représentations. MS

LE MONDE DE LA LUNE (Il mondo della Luna)

Dramma giocoso *en trois actes de Franz Joseph Haydn (1732-1809). Livret de Polisseno Fegejo Pastor, adaptation d'une comédie de Carlo Goldoni (1707-1793). Première représentation : Château d'Esterhàz, 3 août 1777.*

LES PERSONNAGES : Ecclitico (ténor) ; Cecco, son valet (ténor) ; Bonafede (basse) ; Flaminia, fille de Bonafede (soprano) ; Clarice, son autre fille (soprano) ; Lisetta, servante de Bonafede (mezzo-soprano) ; Ernesto (soprano) ; quatre élèves d'Ecclitico ; quatre pages lunaires.

L'INTRIGUE :
Acte I. La terrasse de la maison d'Ecclitico. Ecclitico est amoureux de Clarice et son ami Ernesto de Flaminia. Mais le père des deux jeunes filles, Bonafede, s'oppose à ces idylles. Avec l'aide de son valet Cecco, qui aime Lisetta, courtisée par son patron, Ecclitico décide d'exploiter la crédulité de Bonafede en se faisant passer pour astrologue. A travers une lunette truquée, il lui montre les merveilles de la Lune et lorsqu'un prétendu Empereur de la Lune invite Ecclitico sur sa planète, le naïf supplie qu'on l'emmène. Il est endormi par un puissant somnifère. Lisetta et ses deux filles le croient mort, mais le faux astrologue les rassure et leur explique la duperie. L'acte s'achève sur un ballet allégorique figurant le monde de la Lune.
Acte II. Jardin de la maison d'Ecclitico transformé en décor lunaire. A son réveil, Bonafede se croit sur la Lune. L'Empereur en personne — Cecco déguisé — arrive en grande pompe. Lisetta, impressionnée, finit par croire, elle aussi, aux hallucinations de Bonafede. Finalement les deux sœurs entrent en scène, soigneusement endoctrinées par leurs amants. L'Empereur demande pour lui la main de Lisetta et pour ses amis celles de Flaminia et Clarice, que le crédule Bonafede lui accorde gaiement. On imagine sa rage lorsqu'on lui révèle que tout n'était qu'une plaisanterie. Tous les personnages l'entourent et lui demandent pardon.
Acte III. La maison d'Ecclitico. Toutes les tentatives des jeunes gens pour apaiser la colère de Bonafede restent vaines. Il mettra longtemps à accepter le fait accompli, mais finira par accorder un pardon général. Puisque sa servante et ses filles vont se marier, il leur donne une bonne dot et l'opéra s'achève dans l'allégresse.

■ *Il mondo della Luna* est un charmant divertissement. Haydn emprunte l'intrigue à Goldoni et parvient à camper une galerie de personnages bien typés. Par exemple, l'aria que chante Cecco en Empereur de la Lune, *Un avaro suda e pena,* est un air bouffe qui pastiche la solennité impériale. L'opéra est un chef-d'œuvre de minutie et Haydn y donne libre cours à sa verve parodique qui va bien au-delà du comique stéréotypé très en vogue à l'époque. Le choix de cette comédie enlevée de Goldoni est d'ailleurs significatif. En dehors des aspects bouffons et des situations cocasses, Haydn a bien su évoquer dans *Le monde de la Lune* l'atmosphère féerique suggérée à certains moments par le livret. Des arias ravissantes comme *Che mondo amabile* chantée par Bonafede, des inventions musicales comme les effets d'écho, et surtout le ballet du deuxième acte créent l'illusion d'un monde enchanté qui rend plus vraisemblable la crédulité du père naïf. Dans cet opéra, Haydn utilise toutes les connaissances qu'il a glanées ici ou là dans le domaine de l'art lyrique : le résultat est un mélange harmonieux d'influences de la toute-puissante école italienne, de celle, plus savante, de Mannheim, de références gluckiennes et de thèmes folkloriques. C'est sans doute ce dernier élément qui explique l'extraordinaire fraîcheur dans le comique d'un compositeur aussi cultivé et raffiné que Haydn. LB

ARMIDE

Drame héroïque en cinq actes de Christoph Willibald Gluck (1714-1787). Livret de Philippe Quinault (1635-1688) d'après Gerusalemme liberata *du Tasse. Première représentation : Paris, Académie royale de Musique, 23 septembre 1777. Interprètes : Rosalie Levasseur, Rinalde Legros, Gélin, Ubalde Arrivée.*

■ Écrite en 1777 — quinze ans après son manifeste contre l'opéra italien — *Armide* est un peu un geste de provocation de la part de Gluck. Il entendait montrer que lui aussi pouvait se mesurer à l'*Armide* de Philippe Quinault, qui servit de base au chef-d'œuvre de Jean-Baptiste Lully (1632-1687). La première eut lieu durant le quatrième séjour de Gluck à Paris (mai 1777-février 1778). Elle suscita une vive polémique rendue encore plus acerbe par la présence à Paris de Nicola Piccinni, appelé en renfort par les partisans de l'opéra italien. L'opéra, bien que caractéristique des idées gluckiennes, n'a pas l'unité d'*Orphée et Eurydice*. Les pages tragiques sont très réussies, les solos et les chœurs le sont moins ; mais les arias d'Armide sont parmi les plus belles de toute l'œuvre de Gluck (voir l'intrigue sous la notice consacrée à l'*Armide* de Lully, p. 33).

EUROPE RECONNUE
(Europa riconosciuta)

Dramma per musica *en deux actes d'Antonio Salieri (1750-1825). Livret de M. Verazi. Première représentation : Milan, théâtre de la Scala, 3 août 1778.*

L'intrigue : Europe, fille d'Agénor, roi de Tyr, est promise au jeune prince Isseus. Astérius, roi de Crète, la fait enlever et tous les efforts de ses frères pour la libérer restent vains. Agénor, sans nouvelles de sa fille, choisit pour lui succéder sa nièce Sémélé, qui prend l'engagement de ne se marier que lorsque l'enlèvement d'Europe sera vengé par la mise à mort du premier étranger de passage. A la mort d'Agénor, Astérius part à la conquête de Tyr, mais sa flotte est détruite par une tempête. Sa femme, son fils et lui sont les seuls survivants. Ils sont faits prisonniers par Égisthe, qui espère ainsi obtenir la main de Sémélé, et conduits à Tyr devant le Sénat. On reconnaît alors Europe, devenue l'épouse d'Astérius. Le drame se dénoue par l'abdication d'Europe en échange de la grâce d'Astérius, tandis qu'Isseus épouse Sémélé et monte sur le trône après avoir tué le méchant Égisthe.

■ L'opéra, composé en 1778, comme Salieri se trouvait pour un an en Italie avec la permission de l'empereur Joseph II, fut représenté pour l'inauguration de la Scala de Milan. *Europa riconosciuta* obtint un grand succès et fut joué de nombreuses fois. En réalité, à l'exception d'un air très émouvant chanté par Astérius au deuxième acte, la valeur de l'opéra ne justifiait certainement pas un tel retentissement.

RB

IPHIGÉNIE EN TAURIDE

Tragédie lyrique en quatre actes et cinq tableaux de Christoph Willibald Gluck (1714-1787). Livret de Nicolas-François Guillard (1752-1814) d'après la tragédie d'Euripide. Première représentation : Paris, Opéra, 18 mai 1779. Interprètes : Rosalie Levasseur, Ubalde Arrivée, Rinalde Legros.

L'INTRIGUE :
Acte I. Bois sacré au bord d'une rivière. Iphigénie (soprano), devenue prêtresse d'Artémis, est contrainte par le roi Thoas (basse) à sacrifier à la déesse tous les étrangers qui abordent en Tauride. Elle supplie Artémis de la laisser quitter ce pays barbare. Sa mère Clytemnestre lui est apparue en songe et lui a demandé de venger son assassinat en tuant son frère Oreste (basse). Celui-ci vient d'être capturé avec son ami Pylade (ténor), et Thoas ordonne les préparatifs du sacrifice.
Acte II. Le temple d'Artémis. Oreste est au désespoir de causer la mort de son ami après avoir commis tant de crimes. Pylade le console, mais on vient les séparer. Resté seul, Oreste est en proie aux persécutions des Furies et le spectre de sa mère lui apparaît, le plongeant dans l'épouvante. Iphigénie croit être la cause de la terreur de l'étranger. Découvrant qu'il vient de Mycènes, elle l'interroge et apprend le sort d'Agamemnon et de Clytemnestre.
Acte III. Chambre d'Iphigénie. La prêtresse essaie de sauver Oreste en promettant la vie sauve à l'un des deux prisonniers. Mais Oreste conjure Pylade de le laisser mourir car sa vie est un enfer, traqué qu'il est par le remords et les Furies. Pylade jure que s'il ne parvient pas à sauver son ami, il préfère mourir avec lui.
Acte IV. Le temple d'Artémis. Devant l'autel, Iphigénie prie Artémis de lui donner la force d'accomplir le sacrifice. Oreste lui dit de l'immoler sans trembler. Mais, au dernier moment, ils découvrent qu'ils sont frère et sœur. Thoas entre dans une

grande colère en apprenant la fuite de Pylade et les liens de sang entre Iphigénie et Oreste. Celle-ci est résolue à défendre son frère contre les soldats que Thoas envoie pour s'emparer de lui. Soudain, Pylade apparaît à la tête de guerriers grecs qui se lancent à l'assaut des Scythes et les dispersent. Thoas est tué et Artémis (soprano) ordonne à son peuple d'abandonner ses rites barbares. Elle permet enfin à Iphigénie de retourner à Mycènes avec Oreste.

■ Cet avant-dernier opéra de Gluck — avant *Écho et Narcisse*, joué le 24 septembre de la même année — fut accueilli avec enthousiasme par le public parisien. *Iphigénie en Tauride* marque ainsi le triomphe de l'opéra « réformé » et la défaite du grand rival de Gluck, Nicola Piccinni. Le jeune librettiste et poète parisien Guillard, plein d'admiration pour *Iphigénie en Aulide*, écrivit un livret en s'inspirant de la tragédie d'Euripide. Son travail enchanta Gluck à tel point qu'il composa le premier acte d'un seul trait. Il sut parfaitement adapter sa musique à la dimension humaine des personnages mythologiques. Cet opéra sans ballets réalise l'idéal de pureté formelle auquel Gluck aspirait depuis si longtemps. Il est comme la synthèse et l'aboutissement des thèses du compositeur, qui apparaît ici non seulement comme le novateur enfin reconnu, mais comme le musicien classique au plein sens du terme, celui chez qui la pensée et la forme sont inséparablement unies. *Iphigénie en Tauride*, à la fois testament et programme, couronne et illustre ce qui, depuis 1762, avait été l'idéal esthétique de Gluck : une approche de la musique et du beau dont les règles soient la simplicité, la vérité et le naturel. LB

L'ÎLE INHABITÉE (L'isola disabitata)

« Action théâtrale » de Franz Joseph Haydn (1732-1809). Livret de Métastase (1698-1782). Première représentation : château d'Esterhàz, 6 décembre 1779.

■ *L'isola disabitata* se distingue nettement de l'opéra bouffe traditionnel, dont Haydn fut l'un des maîtres, pour se rapprocher de l'*opera seria* d'inspiration gluckienne.

ZAÏDE

Comédie en deux actes de Wolfgang Amadeus Mozart (1756-1791). Livret de J. Andreas Schachtner d'après le singspiel *« Das Serail » ou « Die unvermittelte Zusammenkunft in der Sclaverei zwischen Vater, Tochter und Sohn », joué à Bolzano en 1779 sur une musique de Joseph von Friebert.*
La partition est incomplète et l'œuvre n'a jamais été représentée.

L'INTRIGUE : L'action se passe en Turquie. Le jeune noble Gomatz a été fait prisonnier par le sultan Soliman. Mais la favorite Zaïde, émue par sa beauté et sa noblesse, décide de l'aider à s'enfuir. Grâce à la complicité du serviteur Allazim, ils s'évadent ensemble mais sont ensuite repris, ramenés au palais et condamnés à mort. Pour sauver leurs vies, Allazim se met à raconter longuement comment il a un jour sauvé la vie du Sultan : on découvre alors que Zaïde et Gomatz sont en réalité les enfants de ce dernier et tout s'achève pour le mieux.

■ L'histoire de ce manuscrit de Mozart est assez curieuse : il fut retrouvé dans ses papiers, après sa mort, par sa femme Constance, qui se débattait dans de grosses difficultés financières. Celle-ci, pensant en tirer quelque profit, publia une annonce dans l'*Allgemeine Musikalische Zeitung* demandant à toute personne « ayant eu connaissance du titre du *singspiel* ou de l'endroit où il aurait éventuellement été publié d'en informer les éditeurs du journal ». On ignore si quelqu'un répondit à l'annonce ; toujours est-il qu'en 1838, J. Anton André, qui révéla l'ensemble des manuscrits de Mozart, publia cet opéra sous le titre de *Zaïde*. Mozart l'avait, semble-t-il, composé pour la compagnie itinérante de Böhm avec le secret espoir de le faire jouer à Vienne. Il aurait pu ainsi fuir Salzbourg, mais malheureusement l'impératrice mourut à ce moment et tous ses espoirs s'évanouirent. Son père, Leopold Mozart, lui écrivait, le 11 décembre 1780 : « Quant au travail de Schachtner, on ne peut rien faire pour le moment puisque les théâtres sont fermés et qu'il est impossible d'obtenir quoi que ce soit de l'empereur... Il vaut mieux abandonner le projet, étant donné que la musique n'est pas encore terminée... » En fait, il n'y manquait que l'ouverture et le chœur final. Le sujet avait plu à Mozart pour plusieurs raisons : l'action se passant en Turquie permettait des fantaisies musicales sur des tonalités orientales, le dénouement et ses effusions sentimentales ouvraient le registre de l'émotion. Le seul rôle bouffe est celui d'Osmin, le gardien des esclaves. On peut à bon droit considérer *Zaïde* comme un moment de préparation à l'un des grands opéras de Mozart, *L'Enlèvement au sérail*. RL

ANDROMAQUE

Tragédie lyrique en trois actes d'André Grétry (1741-1813). Livret de L.G. Pitra d'après la tragédie de Racine (1667). Première représentation : Paris, Opéra, 6 juin 1780.

■ Cet opéra, composé en trente jours, est d'une assez grande fadeur, malgré les efforts de Grétry pour se rapprocher du drame musical gluckien. Il y eut malgré tout vingt-cinq représentations dont la série fut interrompue par l'incendie du théâtre de l'Opéra. LB

IDOMÉNÉE, ROI DE CRÈTE (Idomeneo, re di Creta)

Drame en trois actes de Wolfgang Amadeus Mozart (1756-1791). Livret de Giambattista Varesco (seconde moitié du XVIIIe siècle). Première représentation : Munich, Residenztheater, 29 janvier 1781. Interprètes : Antonio Raaff, Dorotea Wendling, Lesel Wendling, Giovanni Vallesi.

L'INTRIGUE : En Crète, à l'époque de la guerre de Troie. Idoménée (ténor), roi de l'île, est absent depuis longtemps, participant avec les autres princes grecs au siège de la ville de Priam. Son fils Idamante (ténor, créé par un castrat) règne à sa place et il a la garde des prisonniers troyens capturés par son père. Parmi eux se trouve Ilia (soprano), fille de Priam, qu'un tendre sentiment inavoué unit à Idamante. On apprend le retour imminent d'Idoménée. Sur le chemin du retour, il essuie une violente tempête et son navire fait naufrage. Pour apaiser Neptune, Idoménée a promis de lui sacrifier le premier être vivant qu'il rencontrera en débarquant en Crète. Quelle n'est pas son horreur en voyant accourir vers lui son propre fils ! Idoménée préfère s'enfuir. Idamante, stupéfait, ne comprend pas l'étrange comportement de son père. Après maintes tentatives pour éloigner son fils de l'île, menacée par un monstre marin envoyé par Neptune pour rappeler au roi sa promesse, Idoménée doit se résigner au sacrifice. Ilia et Idamante s'avouent leur amour, et, lorsque le jeune prince s'approche de l'autel où il doit être immolé, Ilia se précipite et offre sa vie en échange de celle d'Idamante. Neptune fait alors preuve de miséricorde : une voix ordonne à Idoménée d'abdiquer en faveur de son fils. La joie éclate tandis qu'Idoménée prend congé de son peuple et s'éloigne en silence.

■ Le sujet de cet opéra avait déjà inspiré d'autres auteurs. Varesco utilisa lui-même un livret de Danchet mis en musique par André Campra en 1712. Après Mozart, *Idomeneo* connut encore les faveurs de compositeurs illustres : Gazzaniga en 1790, Paër en 1794, Farinelli en 1796, Fedrici en 1806. Le succès obtenu par son œuvre à Munich décida Mozart à quitter Salzbourg, dont il détestait l'atmosphère provinciale et confinée, pour un milieu plus ouvert et international comme celui de Vienne, où il ne tarda pas à s'installer. RL

LA SERVANTE MAÎTRESSE (La serva padrona)

Intermède en deux parties de Giovanni Paisiello (1740-1816), sur des textes de Gennaro Antonio Federico (?-1745). Première représentation : Tsarskoïé Sélo, 17 août 1781.

■ Paisiello composa cet opéra durant son séjour à Saint-Pétersbourg, à la cour de Catherine II, où il exerça la charge de maître de chapelle entre 1776 et 1784. Il utilisa le même livret que Pergolèse en 1733 (voir l'intrigue sous la notice consacrée à *La servante maîtresse* de Pergolèse, p. 57). AB

IPHIGÉNIE EN TAURIDE (Ifigenia in Tauride)

Opéra en quatre actes de Nicola Piccinni (1728-1800). Livret d'A. Du Congé Dubreuil. Première représentation : Paris, Académie royale de Musique, 1781.

L'INTRIGUE : Deux jeunes Grecs abordent en Tauride, pays du

cruel Thoas, où Iphigénie est prêtresse du temple de Diane. Faits prisonniers, ils doivent être immolés sur l'autel de la déesse lorsque Iphigénie reconnaît en l'un d'eux son frère Oreste, poursuivi par le remords après le meurtre de sa mère. Elle lui propose de fuir mais il préfère voir sauver son ami Pylade. Iphigénie doit se résigner à accomplir le sacrifice lorsque Pylade revient à la tête d'hommes en armes, tue Thoas et inflige une défaite aux Scythes. Iphigénie et son frère retournent à Mycènes où Oreste régnera, tourmenté par un éternel remords.

■ L'opéra fut donné deux ans après le grandiose succès de l'*Iphigénie en Tauride* de Gluck, et se voulait une machine de guerre dans la lutte théorique qui opposait gluckistes et piccinnistes. Mais l'opéra de Gluck éclipsa sans peine celui de Piccinni. MSM

GIANNINA ET BERNARDONE (Giannina e Bernardone)

Opéra en deux actes de Domenico Cimarosa (1749-1801). Livret de Filippo Livigni. Première représentation : Venise, théâtre San Samuele, novembre 1781. Interprètes : Francesca Buccarelli, Benedetto Bianchi, Vincenzo del Moro, Teresa Gherardi, Rosa Garbesi, G. Petrinelli, F. Bussani.

LES PERSONNAGES : Giannina, villageoise espiègle, femme de Bernardone (soprano) ; Bernardone, fermier rustre et jaloux (basse bouffe) ; le capitaine Francone (ténor) ; Donna Aurora, amante du capitaine et nièce de Don Orlando (mezzo-soprano) ; Don Orlando, citoyen napolitain et officier hongrois (baryton) ; Lauretta, femme de Masino (soprano) ; Masino, frère de Giannina (ténor).

L'INTRIGUE : Gaète, au XVIIIe siècle. Une place. Bernardone est terriblement jaloux de sa femme Giannina et la tourmente sans cesse. Soupçonnant le capitaine Francone, il achète une serrure pour enfermer sa femme à la maison. Arrivent alors un officier hongrois, Orlando, et sa nièce Aurora, à la recherche de Francone, qui a disparu après avoir promis à la jeune fille de l'épouser. Orlando rencontre Giannina et lui fait un brin de cour. Elle lui raconte ses malheurs conjugaux si bien que, rencontrant le mari, il le menace de son épée pour qu'il cesse de tracasser sa femme. Bernardone, rentrant chez lui, trouve la porte ouverte et sa femme absente : elle est allée demander conseil à son frère. Mais lorsqu'elle revient, elle s'aperçoit que son mari l'a enfermée dehors. Elle simule le plus profond désespoir, menace de se tuer et jette une lourde pierre dans le puits. Entendant cela, Bernardone se précipite hors de la maison en appelant à l'aide. Giannina en profite pour rentrer en catimini. Dans le remue-ménage, Francone se trouve nez à nez avec Aurora à qui il jure qu'il a toujours voulu l'épouser. À ce moment, Giannina sort de la maison avec une bougie, demandant ce qui se passe. Tout le monde s'en prend à Bernardone, l'accusant d'être ivre. Le lendemain, Orlando, qui cherche toujours Francone pour le provoquer en duel, le découvre chez Giannina. Aurora arrive à temps pour expliquer qu'ils vont se marier. On célèbre donc les noces. Giannina et Bernardone, invités, commencent à nouveau à se disputer. La compagnie les oblige à se réconcilier. Giannina assure Bernardone de son amour et lui, à son tour, promet de n'être plus jaloux. Chants et danses reprennent de plus belle.

■ *Giannina e Bernardone* eut grand succès, en Italie et à l'étranger. Bien que la psychologie des personnages ne soit pas très fouillée, Cimarosa exprime avec beaucoup de talent leurs états d'âme. Le thème de la jalousie, opposée à la patience de Giannina, est parfaitement rendu par la musique. MS

L'ENLÈVEMENT AU SÉRAIL (Die Entführung aus dem Serail)

Singspiel *en trois actes de Wolfgang Amadeus Mozart (1756-1791). Livret de Gottlieb Stephanie Jr., d'après* Belmont und Konstanze *de Christoph Friedrich Bretzner. Première représentation : Vienne, Burgtheater, 16 juillet 1782. Interprètes : Caterina Cavalieri, Theresa Teyber, Valentino Adamberger.*

LES PERSONNAGES : Constance, aimée par Belmont (soprano) ; Blonde, aimée par Pedrillo (soprano) ; Belmont, jeune gentilhomme espagnol (ténor) ; Pedrillo, son valet et jardinier du pacha (ténor) ; Osmin, gardien du sérail (basse) ; Selim Pacha (récitant) ; chef de la garde, nègre muet, suite du pacha, janissaires, gardes, esclaves.

L'INTRIGUE :
Acte I. Une place en bord de mer. Au fond, le palais de Selim. Belmont, un jeune noble espagnol, débarque d'un petit bateau. Il est à la recherche de sa bien-aimée Constance, enlevée par des pirates et vendue comme esclave au pacha avec Pedrillo, valet de Belmont, et sa fiancée Blonde. Belmont s'adresse à Osmin, gardien du palais, qui, en entendant le nom de Pedrillo, tourne brusquement les talons. En effet, ce dernier, entré dans les bonnes grâces du pacha, est devenu son jardinier, au grand dépit d'Osmin. Belmont retrouve Pedrillo et tous deux mettent sur pied un plan d'évasion. A cet instant, un navire accoste et en descendent le pacha et Constance, revenant d'une promenade. Le pacha a une fois de plus essayé de gagner le cœur de sa belle esclave, mais en vain. Ne voulant pas recourir à la force, il lui donne encore un jour pour se décider. On présente Belmont à Selim comme un architecte de jardins et il est engagé sur-le-champ, malgré les manœuvres d'Osmin pour lui barrer l'entrée du palais.
Acte II. Jardin du palais. Selim a fait don à Osmin de la belle Blonde, servante anglaise de Constance, mais la jeune fille se montre envers lui d'une grande froideur, lui faisant des discours sur les droits de la femme européenne et les vertus de la tasse de thé. Blonde tente ensuite de consoler Constance, qui voit tristement passer les heures car elle est plus que jamais résolue à mourir plutôt que d'être infidèle à Bel-

mont. Le pacha est impressionné par sa force de caractère. Pedrillo parvient à informer Blonde de l'arrivée de Belmont et du plan d'évasion qu'ils ont imaginé. Il faut tout d'abord se débarrasser d'Osmin. Bien que sa religion le lui interdise, il accepte sans trop se faire prier un verre de vin, dans lequel a été versé un somnifère. Une fois Osmin endormi, Belmont s'introduit dans le jardin et ce sont d'émouvantes retrouvailles entre les amoureux. Blonde et Constance sont toutefois obligées de faire la preuve de leur fidélité : la première soufflette Pedrillo pour toute réponse, tandis que les larmes de la seconde disent assez son innocence.

Acte III. La place devant le palais. Tout est prêt pour la fuite. Une barque doit emmener les quatre jeunes gens en haute mer où les attend un vaisseau. Pedrillo a dressé une échelle contre le mur du palais et, comme convenu, chante une sérénade pour avertir Constance et Blonde, qui tardent à arriver. Elles se montrent enfin mais perdent encore du temps à des effusions, puis avec des problèmes de manteau oublié, de voile égaré, etc. Si bien qu'Osmin, réveillé et averti de l'évasion par un serviteur muet qui a tout vu, finit par arriver en ruminant déjà sa vengeance. Une salle du palais. On conduit les fugitifs devant le pacha tiré de son lit par le remue-ménage. Selim reproche amèrement à Constance son ingratitude. Sa colère est à son comble lorsqu'il apprend en outre que Belmont est le fils de son plus mortel ennemi, qui l'a autrefois contraint à quitter son pays et lui a pris sa bien-aimée. Le sort des quatre jeunes gens paraît scellé : ils se préparent à mourir. Mais — coup de théâtre — Selim change d'avis. Il est trop magnanime pour se venger de ceux qui l'ont fait souffrir. Les deux couples sont libérés et renvoyés dans leur patrie, malgré les vociférations d'Osmin. Un vaudeville termine la comédie.

■ Le *Singspiel* était un spectacle typiquement allemand tirant son origine de l'*opera buffa* italienne et de l'opéra-comique français, importés à Vienne au milieu du XVIIIe siècle. Progressivement, la musique acquit une plus grande importance, une division s'effectua en rôles sérieux et rôles bouffes, et on exigea des chanteurs une plus grande maîtrise vocale. *L'Enlèvement au sérail* est une étape très significative dans le développement de ce genre musical, comme le notait Goethe à l'époque où il écrivait des textes pour les musiciens mineurs de Weimar : « La parution de l'*Entführung* éclipsa toute autre chose. » Bien que le public viennois fût particulièrement exigeant, l'opéra de Mozart obtint un grand succès : une vingtaine de représentations avec des recettes exceptionnelles, et des centaines de reprises dans toutes les villes d'Allemagne du vivant du compositeur. Certains thèmes de *L'Enlèvement au sérail* avaient été esquissés dans un opéra inédit composé trois ans auparavant et connu sous le titre de *Zaïde*, « turquerie » d'intrigue très similaire. Le livret de Gottlieb Stephanie s'inspirait largement d'un drame de Christoph Friedrich Bretzner, qui protesta dans la *Leipzigen Zeitung* : « Un dénommé Mozart a osé profaner mon drame *Belmont und Konstanze* en l'utilisant comme texte d'opéra. J'élève ici une protestation solennelle contre cette violation de mes droits et me réserve la possibilité de prendre toutes les mesures pour les sauvegarder. » Contrairement à son habitude, Mozart consacra un temps assez long — près d'une année — à la composition de cette œuvre, en partie parce que la première représentation avait été repoussée plusieurs fois pour diverses raisons. Il sut trouver le ton juste pour ce conte, fondant les éléments comiques, tragiques et merveilleux dans une admirable synthèse. Les personnages sont magistralement typés, surtout Osmin, gredin vulgaire et irascible, grotesque dans ses galanteries et son ébriété et vraiment dangereux au fond. Les timbales, le triangle, les trompettes, les petites flûtes et les cymbales, sont employés pour créer une atmosphère exotique et orientalisante, à la mode depuis les *Lettres persanes* de Montesquieu (1721).

RL

QUAND DEUX PERSONNES SE DISPUTENT C'EST LA TROISIÈME QUI EN PROFITE
(Fra i due litiganti, il terzo gode)

Dramma giocoso *en deux actes de Giuseppe Sarti (1729-1802). Texte de Carlo Goldoni (1707-1793). Première représentation : Milan, théâtre de la Scala, 14 septembre 1782.*

L'INTRIGUE : Le comte et la comtesse se disputent pour savoir qui donner pour époux à la servante Dorine : Titta, le valet, ou Mingone, le jardinier ? Masotto, le fermier, amoureux lui aussi de Dorine, lui propose de l'épouser, mais il fait sa demande alors même que le comte s'apprête, par un mariage surprise, à imposer son choix. La comtesse déjoue son stratagème en se substituant à la servante. Les choses se compliquent, car personne ne veut céder. Dorine, qui ne veut épouser aucun des deux prétendants, s'enfuit. Après des recherches fébriles, on la retrouve. Tandis que les soupirants et leurs protecteurs se querellent, Masotto emmène Dorine. Mignone reste bouche bée, et Titta décide d'épouser Livietta, une autre servante. Le comte et la comtesse, réconciliés, donnent leur consentement au double mariage.

■ C'est l'un des opéras les plus célèbres de la riche production de Sarti. Il fut de nombreuses fois repris, adapté, remanié et présenté sous divers titres comme *I due litiganti, I pretendenti delusi, Le nozze di Dorina, I rivali delusi*. Le texte plein d'esprit de Goldoni contribua largement à ce succès. L'opéra fut joué à l'étranger. A Vienne, l'empereur Joseph II accorda au compositeur la recette d'une des représentations, s'estimant satisfait des bénéfices déjà réalisés.

RB

LE BARBIER DE SÉVILLE
(Il barbiere di Siviglia ossia **La precauzione inutile)**

Dramma giocoso *en deux actes*

de Giovanni Paisiello (1740-1816). Livret de G. Petrosellini d'après la comédie de Pierre Augustin Caron de Beaumarchais (1732-1799). Première représentation : Saint-Pétersbourg, septembre 1782.

LES PERSONNAGES : Rosine, orpheline et pupille de Bartolo, amante de Lindor (soprano) ; le comte Almaviva, grand d'Espagne, amant de Rosine sous le nom de Lindor (ténor) ; Don Bartolo, médecin, tuteur de Rosine, amoureux d'elle et jaloux (basse bouffe) ; Figaro, barbier de Séville (baryton) ; Don Basile, maître de chant de Rosine, ami et confident de Bartolo (basse).

L'INTRIGUE :
Acte I. Une place de Séville. Lecomte Almaviva, se faisant passer pour un étudiant du nom de Lindor, épie la maison du docteur Bartolo, espérant apercevoir sa pupille Rosine. Quand apparaît le barbier Figaro, il lui avoue son amour pour la jeune fille et son désespoir de ne pas pouvoir lui parler, car elle est étroitement surveillée par son tuteur. A cet instant Rosine se montre à la fenêtre et laisse tomber un billet demandant au soupirant de chanter pour lui dire qui il est. Le comte improvise alors une sérénade et déclare sa flamme, lorsque la fenêtre est brusquement refermée par un serviteur. Figaro, barbier de Bartolo, confie au prétendu Lindor que le barbon a l'intention d'épouser le jour même sa pupille. Celle-ci fait parvenir par son intermédiaire une lettre à Lindor mais Bartolo, mis au courant par Don Basile, le maître de musique de Rosine, la presse de questions pour lui faire avouer qu'elle a écrit une lettre. Seule l'arrivée d'Almaviva, déguisé en soldat ivre, tire la jeune fille de cet embarras. Bartolo a les plus grandes peines à se débarrasser de l'encombrant soudard, qui réussit à glisser un billet doux à Rosine avant de s'en aller.
Acte II. Almaviva-Lindor s'introduit une nouvelle fois chez Bartolo en se faisant passer pour le remplaçant de Don Basile, venu donner sa leçon de chant à Rosine. Figaro, pendant ce temps, détourne l'attention du tuteur jaloux et subtilise la clef de la terrasse. Les choses semblent se gâter lorsque arrive à l'improviste Basile, censé être au fond de son lit, malade. On le fait taire au plus vite en lui glissant une bourse de pièces d'or, mais Bartolo finit par s'apercevoir de la supercherie et chasse Lindor. Il charge Basile d'aller quérir un notaire pour célébrer son mariage avec sa pupille, tandis que lui-même va chercher la police pour arrêter Lindor. Mais, à son retour, il trouvera Rosine déjà mariée à celui qui se révèle être le comte Almaviva, entré par la terrasse pendant son absence.

■ Cet opéra fut écrit par Paisiello à Saint-Pétersbourg, où il exerça la charge de maître de chapelle entre 1776 et 1783. Il connut un très grand succès dans tous les théâtres européens, ce qui explique peut-être que la première version du *Barbier* de Rossini, datant de 1816, ait été boudée par le public. Toutefois, Paisiello utilisa un livret qui n'avait ni la verve ni la spontanéité de la comédie de Beaumarchais, ce qui porta tort à son opéra, qui tomba dans l'oubli après son succès initial. ABe

LE CORSAIRE

Opéra en trois actes de Nicolas Dalayrac (1753-1809). Livret d'A. E. X. de Lachabeaussière. Première représentation : Paris, Théâtre italien, 17 mars 1783.

■ C'est le second opéra de Dalayrac et son succès décida le musicien à se consacrer dès lors à ce type de composition. MS

L'OIE DU CAIRE (L'oca del Cairo)

Dramma giocoso *en deux actes de Wolfgang Amadeus Mozart (1756-1791). Livret de Giambattista Varesco. (2e moitié du XVIIIe s.). L'opéra, composé en 1783, est inachevé.*

LES PERSONNAGES : Don Pippo, marquis de Ripasecca, amoureux de Lavina et se croyant veuf de Donna Pantea ; Donna Pantea, sa femme, sous le nom de Sandra (soprano) ; Celidora, leur fille, fiancée au comte Lionetto di Casavuota et amante de Biondello (soprano) ; Biondello, riche gentilhomme de Ripasecca (ténor) ; Calandrino, neveu de Pantea, ami de Biondello et amant de Lavina (ténor) ; Lavina, amie de Celidora (soprano) ; Chichibbio, majordome de Don Pippo, amant d'Auretta ; Auretta, servante de Donna Pantea.

L'INTRIGUE : Don Pippo a fait un pari avec Biondello. Il a enfermé sa fille Celidora et son amie Lavina dans une tour : si Biondello parvient à s'introduire dans la tour, il obtiendra la main de Celidora. Biondello essaie de bâtir un pont, mais échoue. Son ami Calandrino, habile ingénieur, amoureux de Lavina, imagine de construire une oie géante dans laquelle ils se dissimuleront tous deux et qui sera offerte aux prisonnières. De cette idée naît toute une série de situations comiques souvent assez forcées qui se résolvent par le bonheur d'au moins quatre couples d'amoureux plus ou moins bien assortis.

■ Les critiques se sont parfois demandé, devant certains livrets mis en musique par Mozart, s'il se rendait bien compte de la niaiserie des situations et de la pâleur des personnages. C'était notamment le cas de *L'oca del Cairo.* Sa correspondance avec Varesco nous prouve qu'il discuta beaucoup du livret, sans en voir, semble-t-il, toute l'absurdité. Il y travailla même avec enthousiasme, achevant le premier acte en très peu de temps. Il estimait, peut-être abusivement, que « plus un opéra italien est comique, meilleur il est » (lettre du 6 décembre 1783 à Leopold Mozart). Il surmonta donc aisément les doutes qui purent lui venir à l'esprit, puisqu'il définissait, dans une autre lettre, *L'oca del Cairo* comme « une histoire idiote ». Cependant, à un certain moment, on ne trouve plus mention de l'œuvre dans sa correspondance : soit que Varesco ait abandonné le livret, soit que Mozart se soit désintéressé de ce travail, d'autant plus qu'on venait de lui fournir un nouveau livret *Lo sposo deluso.* Il nous reste cependant quelques pages magnifiques, notamment le finale du premier acte, scène bouffe exemplaire, et l'ébauche de deux duos, de quelques arias et d'un quatuor. RL

L'ÉPOUX DÉÇU ou LES RIVALITÉS DE TROIS FEMMES POUR UN SEUL AMANT

(Lo sposo deluso ossia
Le rivalità di tre donne per un solo amante)

Opéra bouffe en deux actes de Wolfgang Amadeus Mozart (1756-1791). Livret attribué à Lorenzo Da Ponte (1749-1838). L'opéra, commencé en 1783, est inachevé et n'a jamais été joué.

Les personnages : Sempronio, homme sot mais riche, fiancé d'Emilia (basse) ; Emilia, jeune noble romaine capricieuse, fiancée à Sempronio mais amoureuse d'Annibale (soprano) ; Annibale, valeureux officier toscan, amant d'Emilia (basse) ; Laurina, nièce de Sempronio, amoureuse d'Annibale (soprano) ; Fernando, misogyne, ami de Sempronio (basse) ; Geronzio, tuteur d'Emilia, amoureux de Metilde ; Metilde, cantatrice et danseuse virtuose, amoureuse d'Annibale et fausse amie de Laurina (soprano).

L'intrigue : Emilia croit Annibale mort et décide, à contrecœur, d'épouser le vieux Sempronio. Mais Annibale réapparaît à Livourne, où il est courtisé par Laurina et Metilde. Il finira pourtant par épouser sa bien-aimée Emilia, tandis que Laurina se marie au misogyne et grognon Fernando, et Metilde au vieux Geronzio.

■ Mozart se mit à travailler sur ce livret en 1783, abandonnant *L'Oca del Cairo,* dont il n'était sans doute pas très satisfait. De nombreux critiques attribuent le texte à Da Ponte, bien que celui-ci n'en fasse pas mention dans ses mémoires, peut-être parce qu'il n'en était pas très fier. Le début de l'opéra était assez prometteur, Mozart ayant donné vie aux personnages et préfiguré des arias ultérieures. En écrivant *Lo sposo deluso,* il devait avoir en tête les noms de certains chanteurs, car il nota, à côté de la liste des personnages, les noms des interprètes qu'il envisageait pour chaque rôle : Benucci, le futur créateur de Figaro, Nancy Storace, inoubliable Suzanne, Mandini, qui sera le comte Almaviva, la Cavalieri, la Teyber, Bussani, Pugnetti. Mozart, obligé de travailler sans relâche, se rapproche ainsi de ce qui sera sa grande période de maturité. RL

DIDON
(Didone)

Opéra en trois actes de Nicola Piccinni (1728-1800). Livret de Jean-François Marmontel (1723-1799). Première représentation : Fontainebleau, 1783.

L'intrigue : Elle s'inspire du quatrième livre de l'*Énéide* qui raconte l'amour malheureux de la reine Didon pour le héros troyen

Énée, ancêtre des fondateurs de Rome, recueilli à Carthage. Didon finira tragiquement, s'immolant sur un bûcher après le départ d'Énée, obligé de la quitter pour accomplir son destin. MSM

RENAUD

*Tragédie lyrique en trois actes d'Antonio Maria Sacchini (1730-1786). Livret de Jean-Joseph Lebout d'après l'*Armida *de Giovanni di Gamerra. Première représentation : Paris, Opéra, 25 février 1783.*

■ La tragédie s'inspire du poème du Tasse. *Renaud* est la version définitive d'une œuvre représentée à Milan en 1772 sous le titre d'*Armida* et à Londres, en 1780, sous le titre de *Rinaldo.* RB

ARMIDA

Drame héroïque en trois actes de Franz Joseph Haydn (1732-1809). Livret de J. Durandi d'après Gerusalemme liberata *du Tasse (1544-1595). Première représentation : Château d'Esterhàz, 26 février 1784.*

L'intrigue : La magicienne Armide parvient, grâce à sa beauté et par ses enchantements, à conquérir le cœur de tous les hommes. Ainsi, lors d'une croisade en Terre sainte, aucun chevalier ne peut résister à l'envoûtement d'Armide, à l'exception du valeureux Renaud, ce dont la magicienne conçoit un vif dépit. Avec l'aide du diable, elle réussit à attirer Renaud sur une île enchantée où il se trouve à sa merci. Mais elle s'est éprise du jeune homme et voudrait désormais être aimée de lui. Entre-temps les compagnons de Renaud, partis à sa recherche, le retrouvent. Le drame culmine dans la confrontation entre le héros chrétien, décidé à repartir à la conquête du Saint Sépulcre, et Armide éplorée, qui a renoncé, par amour pour lui, à son pouvoir magique.

■ Cet épisode fameux du Tasse inspira de nombreux opéras aux XVIIe et XVIIIe siècles. Le livret de Durandi se réfère directement à la plus célèbre des adaptations, celle de Philippe Quinault. Haydn se montra sensible à l'argument, soulignant non seulement l'opposition entre amour et devoir, mais aussi et surtout la différence entre l'amour obtenu par artifice et l'amour spontané. Le romantisme de ce dilemme fait certainement toute la nouveauté de la partition de Haydn. Avec *Armida,* Haydn s'essayait pour la première fois à *l'opera seria* réformée selon les thèses de Gluck et Traetta. LB

LES DANAÏDES

Tragédie lyrique en cinq actes d'Antonio Salieri (1750-1825). Texte de F. L. G. Leblanc du Roullet (1716-1786) et de L. T. de Tschudy (1734-1784), en partie traduit du livret italien Ipermestra *de Ranieri de' Calzabigi (1714-1795). Première représentation : Paris, Opéra, 26 avril 1784.*

L'intrigue : Danaus, poursuivi et persécuté par son frère Egyptus, demande à ses cinquante filles, qui doivent épouser les cinquante fils d'Egyptus, de le venger. Le soir des noces, obéissant au désir de leur père, elles tuent leurs époux. Une seule d'entre elles, Hypermnestre, refuse de se soumettre à la volonté paternelle et épargne Lynceus, son mari. Tandis que ses sœurs recherchent furieusement le fugitif sur le mont Thyrsos, il revient au palais à la tête d'hommes en armes. Danaus cherche Hypermnestre pour se venger, mais il est rejoint par Pélage, qui le tue. Tandis que Lynceus et son épouse trouvent refuge à Memphis, sur la terre d'Isis, la foudre s'abat sur le palais de Danaus. La terre s'ouvre et laisse apparaître le Tartare, rouge de sang, dont émerge le rocher où est enchaîné Danaus, entouré d'éclairs et les viscères fouaillées par un vautour. Les Danaïdes, chargées de chaînes, sont tourmentées par des démons, des serpents et des Furies, sous une pluie de feu.

■ Cet opéra, le chef-d'œuvre de Salieri, préfigure le théâtre romantique par la force de l'expression dramatique. Il fut monté à Paris grâce à l'appui enthousiaste de Gluck. Ainsi, lors de la première, dédiée à la reine de France, Salieri fut présenté comme simple collaborateur de Gluck. Ce n'est qu'après le grand succès obtenu par son œuvre qu'il révéla en être le seul auteur. RB

L'OLYMPIADE
(Olimpiade)

Opéra en trois actes de Domenico Cimarosa (1749-1801). Livret de Métastase (1698-1782). Première représentation : Vicence, pour l'inauguration du théâtre Eretenio, 10 juillet 1784.

■ Dans cet opéra, Cimarosa utilise pour la première fois le finale d'ensemble, propre à l'opéra bouffe, pour rendre la chute plus efficace. Voir l'intrigue sous la notice consacrée à l'opéra homonyme d'Antonio Vivaldi, p. 58). MS

LE ROI THÉODORE A VENISE
(Il re Teodoro in Venezia)

Opéra en deux actes de Giovanni Paisiello (1740-1816). Livret de Giovanni Battista Casti (1724-1803). Première représentation : Vienne, Burgtheater, 23 août 1784).

L'INTRIGUE : Le majordome du roi Théodore, voulant aider son maître à renflouer ses finances, lui arrange un mariage avec la fille d'un riche aubergiste. Le père est flatté d'avoir pour gendre un si haut personnage, mais la jeune fille a déjà un amoureux qui, décidé à la garder, réussit à faire enfermer dans les prisons de Venise son royal rival.

■ Paisiello composa *Il re Teodoro in Venezia* à la demande de l'empereur Joseph II. L'abbé Casti s'inspira, pour le livret, d'un épisode du *Candide* de Voltaire. Même si l'histoire est de pure fantaisie, le personnage principal a une origine historique : il s'agit du baron Theodor von Neuhoff qui, en 1736, réussit à se faire proclamer roi de Corse. Le talent avec lequel Casti sut donner vie à ses personnages impressionna beaucoup Mozart, présent à la première, et influença de façon déterminante ses compositions théâtrales ultérieures. *Il re Teodoro in Venezia* connut un immense succès et fut repris à Dresde, en 1791, sous le titre *Gli Avventurieri,* avec un livret remanié par Caterino Mazzola.

RICHARD CŒUR DE LION

Opéra-comique en trois actes d'André Grétry (1741-1813). Livret de Michel Jean Sedaine (1719-1797). Première représentation : Paris, Comédie-Italienne, 21 octobre 1784.

L'INTRIGUE : Richard, rentrant des Croisades, est emprisonné au château de Linz. Son fidèle Blondel, parti à sa recherche, arrive à Linz, se faisant passer pour un musicien aveugle, et se doute immédiatement que le mystérieux prisonnier qui s'y trouve n'est autre que son roi. Marguerite, comtesse de Flandre et d'Artois, éprise de Richard, se trouve elle aussi au château. Blondel identifie le prisonnier en jouant sur son violon un air composé par Richard pour Marguerite, qu'il l'entend reprendre du fond de son cachot. Il élabore alors un plan pour libérer Richard. Au cours d'une fête, il s'empare du gouverneur de la forteresse et le retient jusqu'à l'arrivée des soldats de Marguerite, qui encerclent le château. Richard et Marguerite sont enfin réunis, dans la joie générale.

■ *Richard Cœur de Lion* est sans doute l'œuvre la plus intéressante de Grétry et porte l'opéra-comique de la fin du XVIIIe siècle à son plus haut niveau de perfection. La musique est d'une variété et d'une expression remarquables, fraîche et légère dans les chœurs de paysans, sentimentale voire préromantique dans les airs de Richard et Marguerite, toujours d'une grande richesse instrumentale et mélodique. L'aria *Une fièvre brûlante* impressionna Beethoven lui-même qui composa sur elle une série de variations. L'autre aria célèbre *Ô Richard, ô mon roi, l'univers t'abandonne,* résonne comme un avertissement prophétique, cinq ans avant la tourmente de 1789. L'opéra, qui contribua à la renommée de son auteur, déjà estimé par Voltaire et les encyclopédistes, fut représenté, dans une version en quatre actes, le 21 décembre 1784, toujours à la Comédie-Italienne. LB

ADONIS ET VÉNUS
(Adone e Venere)

Dramma per musica *de Gaetano Pugnani (1731-1798). Livret de G. Boltri. Première représentation : Naples, théâtre San Carlo, novembre 1784.*

■ L'œuvre s'inspire de l'amour mythique de la déesse Vénus pour le beau mortel Adonis.

LA GROTTE DE TROPHONIUS
(La grotta di Trofonio)

Opéra-comique en deux actes d'Antonio Salieri (1750-1825).

Livret de Giambattista Casti (1724-1803). Première représentation : Vienne, Burgtheater, 12 octobre 1785.

L'INTRIGUE : L'action se déroule en Béotie, en partie dans la maison de campagne d'Ariston, en partie dans le bois tout proche où se trouve la grotte de Trophonius. Ariston, père de deux jumelles, consent à leur mariage avec les hommes de leur choix : Ophélie épousera Artémidor, de caractère méditatif comme elle ; Doris, plus gaie, doit s'unir au joyeux Plistène. Mais les deux soupirants se rendent à la grotte où Trophonius invoque les esprits, et en ressortent changés du tout au tout. Artémidor devient insouciant, tandis que Plistène est désormais sérieux et réfléchi, au point que leurs fiancées, ne les reconnaissant plus, les repoussent. Désespérés, ils retournent chez Trophonius pour qu'il leur rende leur caractère propre. Mais voilà que les deux jumelles qui se sont aventurées jusqu'à la grotte, sont à leur tour transformées par Trophonius : les couples se retrouvent une nouvelle fois mal assortis. Tout finit par s'arranger car le magicien cède aux prières d'Artémidor et rend aux jeunes filles leur personnalité première. Le double mariage est enfin célébré, dans l'allégresse générale.

■ Cet opéra d'intrigue et d'atmosphère si typiques de l'Arcadie mythique fut l'un des plus grands succès de Salieri à Vienne. L'influence de Gluck est très sensible. D'un point de vue purement musical, l'ouverture est particulièrement intéressante, rappelant par sa complexité et sa profondeur le Mozart des dernières années. RB

ŒDIPE A COLONE

Dramma per musica *en trois actes d'Antonio Sacchini (1730-1786). Livret de Nicolas-François Guillard (1752-1814). Première représentation : Versailles, 4 janvier 1786.*

L'INTRIGUE : Polynice, fils d'Œdipe, demande l'aide de Thésée, roi de Colone et d'Athènes, pour reconquérir le trône de Thèbes, usurpé par Créon. Thésée, qui lui est tout acquis, lui offre en mariage sa fille Héryphile. Tous deux se rendent au temple pour invoquer la protection divine, mais l'autel s'enflamme. Les dieux expriment ainsi leur colère contre Polynice, qui avait approuvé le bannissement d'Œdipe. Celui-ci, descendu du mont Cythéron, arrive au même moment à Colone, soutenu par sa fille Antigone, et rappelle sa déplorable histoire. Le peuple, qui l'a reconnu, veut le chasser une nouvelle fois, mais Thésée vient à son aide, reconnaissant qu'Œdipe n'est qu'une malheureuse victime du destin. Antigone retrouve Polynice et intercède en sa faveur auprès de leur père. Celui-ci se laisse convaincre du repentir sincère de Polynice et lui accorde son pardon. Il peut désormais épouser Héryphile avec la bénédiction de son père.

■ Sacchini composa cet opéra à Paris, où il s'était rendu en 1783 à l'invitation de la reine Marie-Antoinette. La première eut lieu à Versailles en présence des souverains, mais Sacchini ne put faire jouer son œuvre sur les scènes parisiennes de son vivant, pour des motifs politiques, mais aussi pour des questions de rancœurs personnelles. Quand *Œdipe à Colone* fut finalement repris à l'Opéra, l'année suivante, Sacchini venait de mourir. Il s'agit sans doute du meilleur opéra du compositeur, empreint à la fois de douceur et de puissance dramatique. Le *duo d'Œdipe et Antigone* compte certainement parmi les plus belles pages lyriques du XVIIIe siècle. RB

LE DIRECTEUR DE THÉÂTRE
(Der Schauspieldirektor)

Comédie avec musique en un acte de Wolfgang Amadeus Mozart (1756-1791). Livret de Gottlieb Stephanie Jr. Première représentation : Schönbrunn, 7 février 1786. Interprètes : Aloysia Lange, Caterina Cavalieri, Valentino Adamberger.

L'INTRIGUE : Un imprésario, après avoir essuyé de graves revers lors d'une saison théâtrale, est chargé de monter une nouvelle troupe à Salzbourg. Il convoque donc des chanteurs et des acteurs, qui se produisent devant lui. Une querelle éclate entre Madame Herz et Madame Silberklang, deux sopranos, à propos de leur cachet. Le ténor, Monsieur Vogelsang, intervient pour chercher à apaiser les cris. Le vaudeville final réconcilie tout le monde.

■ Mozart composa pour cette comédie une ouverture, deux arias, un trio et un vaudeville (chanson entonnée en chœur). Divers auteurs avaient utilisé le même argument, de Métastase (comme intermède à *L'impresario delle Canarie*) à Goldoni *(L'impresario delle Smirne),* sans oublier Bertati et surtout Calzabigi dans la *Critica teatrale.* Le texte de Stephanie, trivial et parfois même carrément vulgaire, n'est pas des meilleurs et ne pouvait être source de grande inspiration pour le compositeur. Mozart composa pourtant deux arias très plaisantes pour les sopranos et réussit assez bien le vaudeville final. Le meilleur morceau reste cependant l'ouverture, du plus pur style bouffe. L'œuvre fut représentée à l'occasion des festivités organisées à Schönbrunn en l'honneur du gouverneur général des Pays-Bas, le duc Albert de Saxe-Teschen et de sa femme l'archiduchesse Christine. La Cour et les hôtes assistèrent à la première et l'œuvre fut jouée pour le public les 18 et 25 février. Pour la même occasion, Salieri avait reçu commande d'un travail beaucoup plus intéressant et stimulant, sur le livret de Giambattista Casti *D'abord la musique, ensuite les paroles.* RL

D'ABORD LA MUSIQUE, ENSUITE LES PAROLES
(Prima la musica e poi le parole)

Melodramma giocoso *en un acte d'Antonio Salieri (1750-1825). Livret de Giambattista Casti (1724-1803). Première représentation : Schönbrunn, 7 février 1786.*

L'INTRIGUE : L'opéra s'ouvre sur le différend qui oppose un poète de cour et un maître de chapelle à propos d'un drame lyrique qui leur a été commandé par le comte, leur protecteur, pour une fête. Le maître de chapelle a retrouvé, parmi de vieux manuscrits, une partition toute prête, fort belle au demeurant. Il ne reste plus au poète qu'à écrire un texte qui s'y adapte. Le choix des interprètes est un autre problème. Un prince, protecteur du poète, prétend faire débuter à l'occasion de la fête une fille « douée dans le genre bouffe », alors que le comte insiste auprès du maître de chapelle pour qu'il emploie une virtuose de renom. L'affaire se dénoue heureusement : le poète trouve l'inspiration et l'opéra est habilement remanié pour satisfaire les deux cantatrices, l'une obtenant un rôle comique, l'autre un rôle tragique.

■ Salieri écrivit cet opéra sur ordre de l'empereur Joseph II, qui en commanda simultanément un autre à Mozart. Les deux œuvres furent représentées à l'orangerie du château de Schönbrunn. L'opéra de Salieri, qui tourne en dérision le mélodrame classique, n'obtint pas par la suite un grand succès : la musique en est agréable, mais pas toujours à la hauteur du livret, voire tout à fait insignifiante par moments. RB

LES NOCES DE FIGARO
(Le nozze di Figaro)

Commedia per musica *en quatre actes de Wolfgang Amadeus Mozart (1756-1791). Livret de Lorenzo Da Ponte (1749-1838) d'après* La folle journée ou Le mariage de Figaro *de Pierre Augustin Caron de Beaumarchais (1732-1799). Première représentation : Vienne, Burgtheater, 1er mai 1786. Interprètes : Stefano Mandini, Francesco Benucci, Michael O'Kelly, Dorotea Bussani, Luisa Laschi, Nancy Storace, Maria Mandrini, Marianna Gottlieb.*

LES PERSONNAGES : Le comte Almaviva, grand d'Espagne (basse ou baryton) ; la comtesse Rosine, sa femme (soprano) ; Figaro, valet du comte (basse ou baryton) ; Suzanne, femme de chambre de la comtesse (soprano) ; Barberine, fille d'Antonio (mezzo-soprano) ; Chérubin, page (soprano ou mezzo) ; Bartolo, médecin (basse bouffe) ; Marcelline, gouvernante (soprano) ; Don Basile, maître de chapelle (ténor) ; Antonio, jardinier (basse) ; Don Curzio, juge (ténor) ; paysans et serviteurs.

L'INTRIGUE : L'action se déroule dans le château du comte Almaviva.
Acte I. Une chambre du château. Figaro et Suzanne préparent leurs noces prochaines, mais un détail les rend perplexes et éveille leurs soupçons : la chambre que leur a réservée le comte est voisine de la sienne, si bien que la jolie servante sera vraiment à portée de la main de son maître. Figaro se montre toutefois assez insouciant. Mais de nouveaux obstacles surgissent pour contrarier les noces : Marcelline, ancienne gouvernante de Bartolo, se présente munie d'une promesse de mariage signée par Figaro un jour où il avait un besoin urgent d'emprunter de

l'argent. Arrive ensuite Chérubin, un page qui fait la cour à toutes les femmes mais est amoureux de la comtesse : il cherche Suzanne pour que celle-ci intercède pour lui auprès du comte, furieux de l'avoir surpris en tendre conversation avec Barberine. Au même moment, le comte vient justement voir Suzanne, qu'il poursuit de ses assiduités, et Chérubin n'a que le temps de se cacher derrière un fauteuil. Comme le comte essaie d'obtenir un rendez-vous de Suzanne, voici qu'arrive à son tour Don Basile. Le comte doit se cacher, et Suzanne a toutes les peines du monde à éviter qu'il ne tombe sur Chérubin. Mais Basile se met à raconter complaisamment la passion du page pour la comtesse et le comte, fou de rage, se montre. Gesticulant dans sa colère, il soulève une robe de sa femme qui se trouvait sur le fauteuil, et découvre Chérubin, qui s'était réfugié là. La confusion est à son comble lorsque Figaro arrive pour demander la permission de faire hâter les noces. Le comte se ressaisit mais décide que Chérubin partira à Séville pour être soldat.

Acte II. Chambre de la comtesse. Figaro et Suzanne persuadent la comtesse, qui se désole de n'être plus aimée de son mari, d'organiser une petite comédie destinée à le ramener dans le droit chemin. On fera donc parvenir au comte, par l'intermédiaire de Basile, un billet prouvant les tendres relations entre la comtesse et son page. De son côté, Suzanne fera mine d'accepter un rendez-vous nocturne, mais c'est Chérubin, déguisé en femme, qui s'y rendra à sa place. On commence à travestir le page, lorsque le comte survient à l'improviste. La comtesse, affolée, cache Suzanne derrière un rideau et enferme Chérubin dans la penderie. Le bruit d'un tabouret renversé par Chérubin éveille les soupçons du comte, qui exige de savoir qui est caché là. Devant le trouble de la comtesse, il décide d'aller chercher des outils pour ouvrir la penderie, et oblige sa femme à l'accompagner. Suzanne en profite pour prendre la place de Chérubin, qui s'enfuit par la fenêtre. Lorsque la penderie s'ouvre, devant la comtesse défaillante, c'est Suzanne qui apparaît : le comte n'a plus qu'à demander pardon à sa femme de l'avoir soupçonnée injustement. Mais, à ce moment, le jardinier Antonio vient se plaindre que quelqu'un a écrasé ses plates-bandes en sautant par la fenêtre. Figaro essaie maladroitement de faire croire que c'est lui le coupable, mais le comte sent bien qu'on se moque de lui. Pour ajouter à la confusion, Marcelline et Bartolo viennent demander au comte justice contre Figaro.

Acte III. Une salle du château où doivent être célébrées les noces. La comtesse n'a pas renoncé à son idée de faire accorder un rendez-vous au comte par Suzanne et de s'y rendre à sa place. Mais le comte, de plus en plus soupçonneux, est mis en alerte par une phrase chuchotée de Suzanne à Figaro. Il décide, pour se venger, d'obliger Figaro à épouser Marcelline. Seul un coup de théâtre tire Figaro de ce mauvais pas, des détails sur le mystère de sa naissance font reconnaître en lui l'enfant illégitime de Marcelline et de Bartolo ; Marcelline étant sa mère, tout danger semble écarté. Figaro peut épouser

Suzanne, et Marcelline après tant d'années, Don Bartolo. Chérubin revient ensuite sur scène, alors qu'on le croyait loin : il n'a pu se résoudre à quitter la comtesse. Déguisé en fille il vient, parmi les autres jeunes paysannes, lui offrir une gerbe de fleurs. Le jardinier, qui n'a pas oublié ses fleurs piétinées, le démasque. Le comte, exaspéré de sa désobéissance, lui ordonne d'épouser Barberine. La cérémonie nuptiale commence, tandis que Suzanne, conformément au plan de la comtesse, glisse au comte un billet lui donnant rendez-vous le soir même.

Acte IV. Dans les jardins du château. Figaro, mis au courant du rendez-vous accordé par sa jeune épouse au comte, convoque toute une compagnie, dont Bartolo et Basile, pour avoir des témoins de l'infidélité de sa femme. A l'endroit du rendez-vous, on voit successivement arriver Suzanne et la comtesse, qui ont échangé leurs costumes, puis Barberine et Chérubin, puis Marcelline, et enfin le comte. Il s'ensuit une série de quiproquos rendue plus inextricable encore par Suzanne et la comtesse, qui ont décidé de donner une sévère leçon à leurs maris. Ceux-ci, abasourdis et quelque peu ridicules, sont finalement obligés de demander pardon à leurs épouses de leur jalousie sans fondement, et tout s'achève par une réconciliation générale.

■ C'est avec *Les Noces de Figaro* que commença la fructueuse collaboration entre Mozart et l'abbé Da Ponte. L'idée d'adapter la comédie de Beaumarchais, célèbre dans toute l'Europe, et qui faisait l'objet d'innombrables polémiques, revient, semble-t-il, à Mozart. D'autres librettistes l'avaient déjà utilisée, et le Burgtheater de Vienne avait monté au moins trois opéras traitant du même problème, celui des rapports entre les classes sociales. Mais aucune de ces œuvres ne peut se comparer aux *Nozze* de Mozart. Da Ponte dut toutefois supprimer, par prudence, l'aspect politique de la comédie de Beaumarchais, pour en retenir essentiellement la trame comique. Il restait ainsi plus proche de l'esprit de l'opéra italien sans se priver toutefois de souligner telle ou telle situation, ou de lancer quelques répliques mordantes sur l'arrogance des nobles, qui rappellent le texte d'origine. De son côté, Mozart retrouva dans les personnages de Beaumarchais ses expériences et ses humiliations et sut exprimer à travers eux son âme tourmentée et ses désillusions. Cette confession douloureuse, ironique et amère parut trop difficile à la partie la moins éclairée du public viennois, qui aurait sans doute préféré une musique plus gaie, comme celle d'un Cimarosa. Cependant, le succès de la première représentation fut grandiose, au point que l'empereur Joseph II dut interdire, par ordonnance, la reprise des morceaux d'ensemble. Les thèmes fondamentaux des *Nozze* sont l'amour et le droit, tandis que les personnages principaux incarnent les forces antagonistes de cette époque de troubles sociaux : l'aristocrate qui s'accroche au passé, et l'astucieux représentant du tiers état en pleine ascension. Du point de vue psychologique, les caractères esquissés par Da Ponte sont parfaitement approfondis par la musique de Mozart, surtout le personnage de la comtesse. L'opéra fut traduit en allemand mais perdit, sous cette forme, beaucoup de son humour. RL

L'IMPRESARIO IN ANGUSTIE

Opéra en un acte de Domenico Cimarosa (1749-1801). Livret de G. M. Diodati. Première représentation : Naples, Teatro Nuovo, automne 1786.

LES PERSONNAGES : Fiordispina, prima donna ; Gelindo, maître de musique ; Perizzonio, poète de théâtre ; Merlina, deuxième rôle féminin ; Crisobolo ; Dorinda.

L'INTRIGUE : Il n'y a pas d'intrigue à proprement parler ; il s'agit plutôt de courtes scènes ironiques sur les habitudes théâtrales de l'époque, sur les petites vanités et les disputes entre grands premiers rôles et imprésarios.

■ L'opéra fut repris au théâtre Valle de Rome le 31 juillet 1787 dans une nouvelle version. Présent à ce spectacle, Goethe fut très favorablement impressionné, comme en témoigne une note sur son journal de voyage. Quelques jours plus tard, il invita les interprètes pour entendre à nouveau les plus beaux airs de l'opéra. *L'impresario in angustie* n'est pourtant pas l'une des meilleures œuvres de Cimarosa : il souffre d'une certaine hâte dans la composition et tous les thèmes n'en sont pas originaux. Mais il faut noter que Cimarosa a composé la même année trois autres opéras (*Le trame deluse, Il credulo* et *La baronessa stramba).* Toutefois *L'impresario in angustie,* qui précède de peu le chef-d'œuvre de Cimarosa, *Il matrimonio segreto,* l'annonce par certains morceaux d'ensemble très réussis, par la grâce des mélodies et la verve de l'ensemble. MS

TARARE

Opéra en un prologue et cinq actes d'Antonio Salieri (1750-1825). Livret de Pierre Augustin Caron de Beaumarchais (1732-1799). Première représentation : Paris, Opéra, 8 juin 1787.

L'INTRIGUE : Atar, roi perfide et cruel, avoue à son confident Calpigi sa haine envers Tarare, capitaine valeureux très aimé de ses compagnons d'armes. Le roi, après que Tarare a échappé à un guet-apens, fait enlever son épouse Aspasie. Le courageux soldat devra surmonter bien des épreuves pour sauver sa vie et celle de sa femme. A la fin, le peuple, las des injustices du tyran, se soulève. Le roi se suicide et Tarare est contraint par le peuple enthousiaste à monter sur le trône, triomphe de la modestie et de la vertu.

■ Salieri lui-même a défini *Tarare* comme un opéra « dans le style tragi-comique ». L'histoire douloureuse du héros contraste avec la cour vaine et ridicule. Déjà, le livret de Beaumarchais révélait son intention d'opposer « la vertu des pauvres » et « l'influence de l'opinion publique » au despotisme corrompu des puissants. Cet opéra peut être considéré comme le plus réussi de Salieri. Il connut immédiatement un grand succès, si bien que l'année suivante, l'empereur Joseph II demanda à l'auteur d'en faire une adaptation pour la société de l'Opéra italien de Vienne. Cette version, traduite par Da Ponte, donna naissance à un nouvel opéra : *Axur, re d'Ormus*, joué pour la première fois au Burgtheater de Vienne le 8 janvier 1788, avec le même succès. RB

DON JUAN
(Don Giovanni ossia Il dissoluto punito)

Dramma giocoso *en deux actes de Wolfgang Amadeus Mozart (1756-1791). Livret de Lorenzo Da Ponte (1749-1838). Première représentation : Prague, Ständetheater, 29 octobre 1787. Interprètes : Luigi Bassi, Theresa Saporiti, Caterina Bondini, Caterina Micelli, Antonio Baglioni, Giuseppe Lolli, Felice Ponsani.*

Les personnages : Don Giovanni, gentilhomme débauché (baryton) ; Donna Anna, fiancée de Don Ottavio (soprano) ; le Commandeur, père de Donna Anna (basse) ; Don Ottavio (ténor) ; Donna Elvira, dame de Burgos abandonnée par Don Giovanni (soprano) ; Zerlina (soprano) ; paysanne, fiancée de Masetto (baryton) ; Leporello, valet de Don Giovanni (basse bouffe). Paysans, paysannes, serviteurs, musiciens.

L'intrigue :
Acte I, premier tableau. Dans une ville espagnole. Devant la maison du Commandeur, Leporello attend son maître. Don Giovanni, masqué, s'est introduit dans la maison pour séduire Donna Anna. Découvert, il surgit sur la scène, poursuivi par le Commandeur. Dans un bref duel, Don Giovanni tue le Commandeur, puis s'enfuit.
Deuxième tableau. A l'aube, Don Giovanni se prépare à de nouvelles aventures amoureuses lorsque arrive Donna Elvira, qu'il a autrefois séduite et abandonnée. Il préfère éviter cette rencontre gênante et laisse à Leporello le soin de révéler à la jeune fille la vraie nature de son caractère, cynique et débauché. La longue liste des amours de Don Giovanni laisse Donna Elvira déconcertée.
Troisième tableau. Près d'une auberge, Don Giovanni rencontre une noce villageoise. Il est attiré par la beauté de la fiancée, une jeune paysanne nommée Zerlina, et charge Leporello d'inviter la compagnie à une fête chez lui. Zerlina, flattée des attentions du gentilhomme, est prête à lui céder quand Donna Elvira intervient pour la mettre en garde. Don Ottavio et Donna Anna arrivent ensuite, à la recherche de l'assassin du Commandeur. Ignorant la vérité, ils demandent à Don Giovanni de les aider à se venger. De son côté, Donna Elvira révèle ce que Leporello vient de lui apprendre. Don Giovanni, impassible, s'en tire en promettant aux premiers son appui, tandis qu'il accuse Donna Elvira de folie. Il continue à courtiser Zerlina, mais Donna Anna reconnaît soudain la voix de l'individu masqué qui a tué son père, et demande vengeance.

Quatrième tableau. Un jardin dans le palais de Don Giovanni. Zerlina est troublée : elle aime sincèrement Masetto, mais l'attrait de Don Giovanni est irrésistible. Des masques apparaissent dans le jardin. Ce sont Anna, Elvira et Ottavio, venus pour se venger. Don Giovanni, sans les reconnaître, les invite à la fête.
Cinquième tableau. Dans la salle du bal, le maître de maison chante un hymne à la liberté. On commence à danser ; Don Giovanni réussit à entraîner Zerlina, qui appelle à l'aide. Les masques se découvrent, accusent ouvertement Don Giovanni de tous ses crimes, et lui promettent le châtiment du Ciel.
Acte II, premier tableau. Devant la maison de Donna Elvira. Leporello est las de la vie que lui fait mener son maître. Mais quelque monnaie sonnante et trébuchante le persuade non seulement de rester à son service, mais encore d'endosser ses vêtements pour courtiser à sa place Donna Elvira, tandis que Don Giovanni, déguisé en Leporello, s'occupera de la femme de chambre. Ce déguisement donne lieu à deux scènes symétriques. Dans la première, Don Giovanni, se faisant passer pour Leporello, réussit à la fois à échapper à la vengeance de Masetto, et à donner au malheureux paysan une volée de coups de bâton. Dans l'autre scène (deuxième tableau), Leporello, pris pour Don Giovanni, manque perdre la vie ; il échappe de justesse à la colère de Masetto, Zerlina, Donna Anna, Ottavio et Donna Elvira, tous bien décidés à se venger.
Troisième tableau. Un cimetière avec la statue du Commandeur. Don Giovanni, de retour d'une nouvelle aventure galante, escalade le mur d'enceinte pour échapper à ses poursuivants. De bonne humeur, il raconte en riant à Leporello ce qui s'est passé. Mais une voix caverneuse résonne dans l'obscurité. Don Giovanni cherche en vain qui a parlé, et finit par se rendre compte que c'est la statue du Commandeur, enterré là. Leporello, tremblant, est contraint par son maître à inviter de sa part le Commandeur à dîner. La statue répond : « Oui. » Une brève scène d'amour entre Donna Anna et Don Ottavio (quatrième tableau) interrompt un moment l'atmosphère dramatique, avant la conclusion du drame.
Cinquième tableau. Dans une salle du palais, Don Giovanni est à table. Le repas est servi, des musiciens jouent pour lui. Donna Elvira tente une dernière fois d'amener Don Giovanni au repentir, mais il se moque d'elle et elle s'enfuit. On frappe à la porte : c'est la statue du Commandeur, qui a accepté l'invitation. La comédie tourne au drame. Don Giovanni, sans hésiter, accède à la demande du Commandeur : il est prêt à lui rendre sa visite, et, en gage de sa bonne foi, lui tend la main. La statue s'en empare, et le froid de la mort saisit le gentilhomme, qui refuse encore de se repentir. Ce « non » obstiné sur les lèvres, Don Giovanni est englouti par les flammes de l'enfer. Tous les personnages reviennent sur scène, et leurs voix se mêlent pour donner la morale de l'histoire.

■ Le 1er janvier 1787, Mozart arrivait à Prague avec sa femme pour assister au triomphe des

Nozze di Figaro. Il en repartit un mois plus tard avec un contrat et une avance de cent ducats pour un nouvel opéra. Le compositeur s'en remit à Da Ponte pour le choix du sujet. Celui-ci pensa à l'histoire de Don Juan, qui avait inspiré peu de temps auparavant trois opéras dont un, sur un livret de Bertati, avait obtenu un certain succès. Des analogies existent probablement entre les deux livrets, mais elles ne vont pas au-delà des grandes lignes et de quelques épisodes. Dans un premier temps, l'opéra devait être joué en l'honneur de la sœur de Joseph II, de passage à Prague à la mi-octobre 1787. Mais, devant le caractère quelque peu audacieux de certaines scènes, les auteurs furent pris de scrupules, et *Don Giovanni* ne fut représenté que le 29 octobre. Mozart et Da Ponte étaient à Prague depuis le début du mois pour mettre au point l'opéra et composer les derniers morceaux, ceux de Masetto et du Commandeur, confiés à la basse Giuseppe Lolli, dont Mozart ne connaissait pas la tessiture. L'ouverture, si l'on se réfère au manuscrit, fut écrite d'un jet, selon toute vraisemblance la nuit qui précéda la première. Le public, parmi lequel se trouvait Giacomo Casanova, fit à l'opéra un accueil aussi chaleureux qu'aux *Nozze di Figaro*. Et ce succès ne s'est pas démenti avec le temps : lors du centenaire de *Don Giovanni*, en 1887, l'œuvre fut jouée cinq cent trente-deux fois à Prague, quatre cent quatre-vingt-onze à Berlin, quatre cent soixante-douze à Vienne. Le mythe de Don Juan, comme celui de Faust, appartient à l'histoire universelle de la littérature et des légendes populaires. Don Juan est l'incarnation du libertin, qui hait le monde, l'ordre social, les lois divines qui pèsent sur lui, qui méprise les femmes tout en éprouvant un irrésistible besoin de les conquérir. Tous ces traits psychologiques ont été définis en littérature dans l'œuvre espagnole du XVIIe siècle de Tirso de Molina : *El burlador de Sevilla.* L'élément surnaturel stimula le génie créateur de Mozart, dont la musique transcende le style de l'*opera buffa-giocosa* proprement dit pour atteindre les sommets de la tragédie. Jamais sa musique n'avait été aussi vraie, aussi réaliste, aussi sombre ; jamais il n'avait exprimé aussi brutalement le contraste entre les douces effusions de l'amour et l'horreur de la mort. Le véritable héros de l'opéra est Don Giovanni, dont la puissance ne sera brisée que par la force surhumaine de l'esprit. Leporello réunit en lui tous les traits des personnages comiques et fait à son maître un parfait contrepoint. Les personnages les plus humains sont les femmes, tandis que le Commandeur incarne les forces supérieures. C'est de la rencontre entre ces éléments en apparence si divers que naît la complexité de l'opéra, considéré à juste titre comme un des sommets de l'art lyrique. RL

IPHIGÉNIE EN AULIDE (Ifigenia in Aulide)

Opéra en trois actes de Luigi Cherubini (1760-1842). Livret de Ferdinando Moretti (?-1807). Première représentation : Turin, Teatro Regio, 12 janvier 1788.

L'INTRIGUE : Elle s'inspire des tragédies d'Euripide et de Racine ainsi que du récit d'Homère, mais, à la fin, contrairement à ces modèles, Iphigénie se donne la mort, désespérée par le sort qui la persécute.

■ *Ifigenia in Aulide* est le dernier opéra composé par Cherubini en Italie. Il fut joué pour la première fois à Turin, durant le bref séjour qu'y fit le musicien, de décembre 1787 à janvier 1788. Le compositeur se chargea en personne de la mise en scène.

AMPHITRYON

Opéra en trois actes d'André Modeste Grétry (1741-1813). Livret de Michel Jean Sedaine (1719-1797), d'après la comédie de Molière (1668). Première représentation : Versailles, 15 mars 1788. Première représentation publique : Paris, Opéra, 15 juillet 1788.

L'INTRIGUE : Jupiter est amoureux d'Alcmène, épouse d'Amphitryon, roi de Thèbes. Il descend sur la terre en prenant l'apparence d'Amphitryon, lequel est parti faire la guerre. Il est accompagné de Mercure sous les traits de Sosie, valet d'Amphitryon. Alcmène accueille le faux Amphitryon comme son époux et Bromie, sa servante, fait de même pour Sosie. Au retour du vrai Amphitryon et de son valet, naît une série de quiproquos sur l'identité des personnages, à commencer par la rencontre entre Sosie et Mercure, le faux Sosie. Ce jeu de doubles trouve sa conclusion lorsque les dieux annoncent qu'Alcmène donnera naissance à deux jumeaux dont l'un sera fils d'Amphitryon, et l'autre fils de Jupiter.

■ Cette comédie du double et de l'ambiguïté se réfère directement à Molière et, à travers lui, à l'original de Plaute. C'est peut-être justement du fait de cette ascendance littéraire que l'opéra n'obtint pas le succès escompté. La comparaison avec l'*Amphitryon* de Molière ne pouvait qu'être défavorable au livret de Sedaine et l'œuvre fut accueillie froidement, tant à la Cour qu'à l'Opéra. La musique en est des plus conventionnelles et Grétry, homme de son temps, ne paraît pas très à l'aise dans l'atmosphère de la Grèce antique. Grétry resta toujours très discret sur son *Amphitryon* dont il mentionne à peine le titre dans ses mémoires, sans en donner une analyse plus complète, peut-être à cause de son insuccès. LB

DÉMOPHON

Opéra en trois actes de Luigi Cherubini (1760-1842). Livret de Jean-François Marmontel (1723-1799) d'après Métastase (1698-1782). Première représentation : Paris, Opéra, 1er décembre 1788.

■ *Démophon* est le premier opéra français mis en musique par Cherubini, peu de temps après son installation définitive à Paris. Pour l'écrire, il renonça au style italien de ses œuvres précédentes, créées en Italie et à Londres. Il s'efforça aussi de mettre toutes ses capacités harmoniques au service de l'expression dramatique. Mais le public d'alors n'était pas encore préparé à cette transformation de l'opéra, que d'autres réalisèrent avec plus de succès peu après. *Démophon* ne reçut donc pas l'accueil qu'il aurait mérité et ne fut joué que huit soirées. Il ne fut plus jamais repris, sinon, en extraits, pour un concert à Coblence en 1926. Voir l'intrigue sous la notice consacrée au *Démophon* de Leonardo Leo, p. 61. MS

LA MEUNIÈRE ou L'AMOUR CONTRARIÉ
(La molinara ossia
L'amore contrastato)

Dramma giocoso *en deux actes de Giovanni Paisiello (1740-1816), sur un texte de G. Palomba. Première représentation : Naples, Teatro dei Fiorentini, été 1788.*

L'INTRIGUE : Dans les environs de Naples, chez la baronne Eugenia (soprano), le notaire Pistofolo (bouffe) prépare l'acte de mariage entre la baronne et son cousin Caloandro (ténor). Mais le mariage échoue : Eugenia s'éloigne avec son chevalier servant, Don Luigi (ténor), tandis que Caloandro et le notaire tombent amoureux de la riche et belle meunière Rachelina (soprano). Le notaire, resté seul avec elle la demande en mariage. Elle se montre indécise, mais lui laisse entendre qu'elle n'est pas mal disposée à son égard. Un peu plus tard, se présente chez le notaire le vieux gouverneur Rospolone (basse), qui le charge de transmettre de sa part à Rachelina une demande en mariage. Il est suivi par Caloandro, qui formule la même requête. Le notaire, pour se débarrasser de ses deux rivaux, leur raconte que Rachelina trouve l'un fou et l'autre sot. Mais, craignant des représailles, il préfère se réfugier ensuite chez Eugenia. Caloandro et Rospolone arrivent en effet, menaçants. Après la fuite du notaire, se succèdent quelques scènes mouvementées au moulin de Rachelina, le notaire se déguisant en meunier et Caloandro en jardinier pour échapper aux recherches de la baronne et du gouverneur. Entretemps, la meunière semble décidée à épouser le notaire, car celui-ci est prêt à se faire meunier pour elle — peut-être aussi pour le revenu du moulin — contrairement à Caloandro. Celui-ci, lorsqu'il entend la décision de Rachelina, devient subitement fou et, se prenant pour Roland, se jette sur le notaire, qu'il croit être Médor, pour le tuer. Le gouverneur se fait passer pour médecin afin de soigner Caloandro, et en profite pour se venger en disant à Rachelina que le notaire est également fou. La meunière, entre un vrai fou et un fou présumé, prend finalement la sage décision de rester fille.

■ Parmi beaucoup d'airs mélodieux, pleins de grâce et de simplicité, il faut retenir *Nel cor più non mi sento*, qui servit de base à des variations pour piano célèbres de Ludwig van Beethoven.

NINA
(Nina ossia
La pazza per amore)

Opera semiseria *en deux actes de Giovanni Paisiello (1740-1816), sur un texte de B. J. Mersollier de Vivetières* (Nine ou La folle par amour), *traduit par G. Carpani (1752-1825), avec des modifications de G. B. Lorenzi. Première représentation : Caserta, Jardins San Leucio, 25 juin 1789.*

LES PERSONNAGES : Nina, amante de Lindor (soprano) ; Lindor (ténor) ; le comte, père de Nina (basse) ; Suzanne, gouvernante de Nina (soprano) ; Giorgio, père nourricier du comte (basse comique) ; un berger (ténor) ; gardes-chasse, serviteurs (rôles muets) ; chœur des villageois.

L'INTRIGUE :
Acte I. Suzanne, la gouvernante de Nina, raconte à Giorgio, le vieux père nourricier du comte, et aux paysans venus écouter les nouvelles, l'histoire de la jeune fille. Son père l'avait promise à Lindor, puis avait changé d'avis et avait préféré choisir un gendre plus riche et plus noble. Lindor, surpris auprès de Nina par le nouveau fiancé, avait été tué en duel par ce dernier. Nina, qui l'aimait, était devenue folle de douleur et semblait maintenant attendre toujours le retour de son bien-aimé, tandis que le seul nom de son père la jetait dans une grande agitation. Celui-ci est maintenant rongé de remords, et demande à Giorgio des nouvelles de sa fille. Le vieil homme le console en l'assurant qu'elle finira par guérir et lui rendre son affection. Le comte assiste ensuite à une scène douloureuse : comme il s'approche de Nina, celle-ci, sans le reconnaître, s'éloigne brusquement pour aller attendre Lindor à la grille. Suzanne, avec beaucoup de patience, parvient à la convaincre de descendre au village avec un berger qui joue de la musette.
Acte II. Tandis que le comte remercie Suzanne des soins qu'elle prodigue à Nina, Giorgio arrive, porteur d'une grande nouvelle : Lindor a survécu à ses blessures et vient d'être arrêté par des gardes-chasse alors qu'il escaladait le mur de la propriété. Lindor, qui craignait la colère du comte, se voit au contraire accueillir comme un fils. On lui raconte le triste état dans lequel se trouve Nina depuis le jour où, laissé pour mort, il a été sauvé par un ami. La rencontre des deux jeunes gens est entourée de précautions, pour éviter à Nina un choc trop brutal. La jeune fille ne le reconnaît pas tout d'abord, mais semble très troublée. Puis, peu à peu, à travers l'évocation de souvenirs, elle retrouve sa raison et comprend que son bien-aimé est vivant devant elle. Quand elle apprend que son père ne s'oppose plus à leur amour, sa joie est parfaite. Les deux amoureux, le comte, la gouvernante et les paysans se réjouissent ensemble de l'heureuse issue de l'histoire.

■ L'opéra, inspiré de la « comédie larmoyante » française, eut un grand retentissement lors de sa création et apporta une nouvelle gloire à son compositeur. Paisiello utilise, dans l'accompagnement, des rythmes syncopés, pour souligner l'intensité dramatique d'une situation. Le remarquable succès de l'opéra dura pendant toute la première partie du XIXe siècle, dans l'Europe entière. L'air de Nina *Il mio ben quando verrà* connut une immense célébrité. ABe

CLÉOPÂTRE (Cleopatra)

Opéra en deux actes de Domenico Cimarosa (1749-1801). Livret de Ferdinando Moretti. Première représentation : Saint-Pétersbourg, théâtre de l'Ermitage, 8 octobre 1789.

■ Inspiré de l'histoire de la reine d'Égypte, *Cleopatra* est un des rares *opera seria* écrits par Cimarosa. Il l'a composé pendant les trois années qu'il a passées à la cour de Catherine II de Russie, pour laquelle il a également écrit *La vergine del sole.* MS

COSI FAN TUTTE ou L'ÉCOLE DES AMANTS

Dramma giocoso *en deux actes de Wolfgang Amadeus Mozart (1756-1791). Livret de Lorenzo Da Ponte (1749-1838). Première représentation : Vienne, Hofburgtheater, 26 janvier 1790. Interprètes : Francesco Benucci, Dorotea Bussani, Francesco Bussani, Adriana Ferraresi-Del Bene, Luisa Villeneuve, Vincenzo Calvesi.*

Les personnages : Fiordiligi et Dorabella, une dame de Ferrare et sa sœur (soprano et mezzo-soprano) ; Despina, leur camériste (soprano) ; Guglielmo, officier, fiancé de Fiordiligi (baryton) ; Ferrando, officier, fiancé de Dorabella (ténor) ; Don Alfonso, vieux philosophe (basse). Des soldats, des serviteurs, des marins, les invités aux noces, le peuple.

L'intrigue :
Acte I, premier tableau. L'action se déroule à Naples vers 1790. Assis à une table de cabaret, deux officiers, Ferrando et Guglielmo, vantent la fidélité de leurs fiancées, Dorabella et Fiordiligi, au vieux Don Alfonso. Cynique, celui-ci les contredit et se déclare prêt à parier que si l'occasion s'en présentait, les deux jeunes filles oublieraient toute promesse pour voler vers de nouvelles amours. Les deux officiers, confiants, acceptent, et, selon les conditions énoncées par Don Alfonso, se mettent pour vingt-quatre heures à ses ordres.
Deuxième tableau. Un jardin avec vue sur la mer. Dorabella et Fiordiligi épanchent leur amour en contemplant les portraits de leurs fiancés. Alfonso arrive et leur annonce que les deux jeunes gens doivent partir, appelés à l'improviste par un ordre royal. Il s'agit en fait d'un faux départ, que le vieux philosophe veut utiliser pour mettre à l'épreuve la fidélité des jeunes filles. Ferrando et Guglielmo viennent prendre congé de leurs fiancées. Aux adieux poignants se mêlent les répliques cyniques de Don Alfonso.
Troisième tableau. Un petit salon dans la maison de Dorabella et Fiordiligi. Despina, leur femme de chambre, tente de les consoler. Sa morale est semblable à celle de Don Alfonso, et ses arguments identiques : pourquoi se lamenter sur ce départ ? Elles devraient au contraire chercher à profiter joyeusement de cette séparation, sûres que, loin d'elles, leurs fiancés ne leur resteront pas fidèles. Pour cette raison, lorsque Don Alfonso lui demandera un

peu plus tard de l'aider dans ses intrigues — avec la promesse d'une récompense — Despina sera toute disposée à introduire dans la maison deux nouveaux prétendants : ceux-ci ne sont autres que Ferrando et Guglielmo, déguisés en Albanais. Indignées des déclarations d'amour des deux étrangers, Dorabella et Fiordiligi, méprisantes, sortent du salon tandis que les deux jeunes officiers, sûrs de la fidélité de leurs fiancées, s'abandonnent à leur joie. Mais le pari exige toutefois qu'ils exécutent jusqu'au lendemain matin ce que Don Alfonso combinera avec l'aide de Despina.

Quatrième tableau. Un jardin. Dorabella et Fiordiligi, inconsolables, se lamentent sur le départ de leurs fiancés. Les deux Albanais entrent, haletants, poursuivis par Don Alfonso, qui tente en vain de les retenir. Sous les yeux des jeunes filles, ils portent à leurs lèvres un flacon de poison et tombent à terre. Despina court chercher un médecin. Les deux sœurs, seules avec leurs prétendants, qui se sont donné la mort par amour, sont prises d'un fugace sentiment de tendresse. Despina revient, déguisée en médecin. Elle touche les deux empoisonnés qui, miraculeusement guéris, renouvellent leurs déclarations d'amour.

Acte II, premier tableau. Une chambre dans la maison de Fiordiligi et Dorabella. Les deux sœurs ne sont plus si sûres de leur amour pour leurs fiancés. Encouragées par Despina, elles acceptent de recevoir les nouveaux prétendants, le soir même, dans le jardin.

Deuxième tableau. Un jardin au bord de la mer. Les deux Albanais arrivent sur une barque fastueusement décorée. Les couples, inversés par rapport aux précédents, se forment avec la complicité de Don Alfonso et de Despina. Fiordiligi et Ferrando s'éloignent dans les allées du jardin. Dorabella n'est pas insensible aux déclarations de Guglielmo et accepte d'échanger des cadeaux avec lui. De son côté, Fiordiligi résiste aux avances de Ferrando. Lorsque les deux officiers se racontent ensuite ce qui est arrivé, Guglielmo est heureux que Fiordiligi n'ait pas cédé à son ami, tandis que Ferrando se désespère de la trahison de Dorabella.

Troisième tableau. Une grande chambre dans la maison des deux sœurs. Dorabella raconte à Despina ce qui s'est passé dans le jardin lorsque Fiordiligi arrive. Pour chasser le léger trouble qui s'est emparé d'elle, celle-ci a décidé de rejoindre son fiancé. Elle se déguise en militaire et s'apprête à quitter la maison, quand Ferrando entre. La volonté de la jeune fille n'est pas assez forte, et les deux jeunes gens sont bientôt dans les bras l'un de l'autre. C'est au tour de Guglielmo de se désespérer, tandis que Don Alfonso triomphe. Il ne reste plus désormais qu'à préparer les noces.

Quatrième tableau. Une salle, avec une table dressée. Le banquet nuptial est prêt, la farce arrive à son épilogue. Devant un faux notaire, qui n'est autre que Despina, les deux couples se marient. Mais la cérémonie est brusquement interrompue par un long roulement de tambour qui annonce le retour des soldats. Les deux Albanais se cachent dans un débarras, dont ils ressortent vêtus de leurs uniformes d'officiers. Don Alfonso leur remet alors le contrat de mariage, et les fiancées tentent en vain de justifier leur conduite. Guglielmo et Ferrando se précipitent dans le débarras, l'épée dégainée, pour se venger... mais en sortent bientôt à moitié vêtus en Albanais. La supercherie est découverte. Don Alfonso parvient à rétablir la paix, et les couples se réconcilient.

■ C'est probablement à la suite du succès obtenu par une reprise, à Vienne, en 1789, des *Noces de Figaro*, que Mozart fut chargé par Joseph II d'écrire un nouvel opéra en collaboration avec le librettiste Da Ponte. Le sujet, choisi, semble-t-il, par l'empereur lui-même, s'inspirait d'un événement réel survenu au cours de cette période à Trieste et qui faisait l'objet de multiples commérages dans les salons viennois. La partition fut écrite très rapidement, presque entièrement au cours du mois de décembre 1789. On en trouve la trace dans les nombreuses abréviations qu'elle contient, contrairement aux habitudes du maître. Mozart présenta l'opéra le 31 décembre, dans sa maison de la Judenplatz, à quelques amis, parmi lesquels le fidèle Puchberg, qui lui était si souvent venu en aide financièrement, et Joseph Haydn. La première représentation avec orchestre eut lieu le 21 janvier. Les Viennois lui réservèrent un accueil chaleureux, et l'opéra fut joué cinq fois au cours du mois de janvier avant la mort de Joseph II. L'action de *Cosi fan tutte* est très simple et, par rapport aux traditions de l'opéra bouffe, dépourvue d'épisodes inutiles. Toute l'action est construite avec une évidente symétrie structurale, adaptée avant tout au genre stylisé de la comédie de masques. Au centre, le personnage de Don Alfonso, cynique et rationnel : il connaît le monde et les faiblesses humaines, dispose les couples en des figures toujours nouvelles et divertissantes, comme s'il s'agissait de marionnettes ; c'est l'anticonformiste qui nie, détruit toute illusion, et préfère toujours se présenter dans des scènes d'ensemble où il apparaît comme le meneur de jeu. La musique de Mozart joue consciemment avec les personnages, sans les prendre au sérieux : jeu ambigu de sentiments futiles et sincères que mêlent l'impulsivité des personnages et où apparaissent à plusieurs reprises les plus élémentaires instincts humains. Ainsi, à travers la musique, derrière le masque de circonstance, apparaît l'homme. Points culminants d'un intéressant retournement psychologique, les duos des couples inversés sonnent à la fin de l'opéra comme un retour à la réalité et une invitation à ne pas se faire d'illusions : la nature humaine est ce qu'elle est, fragile, instable, sans défense.

Cet aspect froid et intellectuel de l'œuvre de Mozart fut précisément celui que rejeta le XIXe siècle. On raconte même que Beethoven jugeait sévèrement ce travail mozartien, n'en retenant que le sujet excessivement frivole. Le livret de *Cosi fan tutte* fut à plusieurs reprises modifié, ou complètement transformé, du fait des tendances moralisatrices du siècle dernier. Il dut attendre les premières années du XXe siècle pour triompher à nouveau sur les scènes du monde entier. RL

GUILLAUME TELL

Drame lyrique en trois actes d'André Grétry (1741-1813). Livret de Michel Jean Sedaine (1719-1797), d'après l'œuvre d'Antoine Lamierre. Première représentation : Paris, Comédie-Italienne, 9 avril 1791.

L'INTRIGUE : Dans le village d'Altdorf — en Suisse, dans le canton d'Uri —, le gouverneur autrichien Gessler a fait ériger un monument coiffé de son chapeau, et veut obliger tous les passants à s'incliner devant lui en signe de soumission. Mais Guillaume Tell, un homme simple et tranquille, passe avec son fils, et hésite. Gessler l'accuse d'insubordination et, pour le punir, lui ordonne d'atteindre avec une flèche une pomme placée sur la tête du garçon. Guillaume Tell, grand tireur à l'arbalète, exécute l'ordre et touche le fruit. Il déclare ensuite que, s'il avait tué son fils, il se serait vengé sur Gessler, ce qui lui vaut d'être emprisonné. Transporté sur le lac des Quatre-Cantons, il parvient toutefois à s'enfuir à la faveur d'une tempête. Il revient se venger de Gessler, et le tue. Ce sera le signal de la révolte contre l'oppresseur.

■ L'opéra reçut en 1791 un accueil triomphal, dû en grande partie à un enchaînement d'éléments patriotiques bien adaptés à la France de la Révolution. La partition n'est toutefois pas dépourvue de qualités musicales, qu'il s'agisse d'évoquer la nature alpestre ou d'utiliser des airs populaires suisses. L'auteur a raconté lui-même, dans ses *Mémoires*, comment il avait profité d'un séjour à Lyon pour se faire chanter, par des officiers suisses, les airs les plus connus de leur pays. *Guillaume Tell,* inscrit au répertoire pendant toute la période révolutionnaire, fut ensuite interdit par la censure impériale. Il ne fut à nouveau joué à l'Opéra-Comique qu'en 1828, avec un livret et une musique très mutilés. LB

LODOÏSKA

Opéra en trois actes de Luigi Cherubini (1760-1842). Livret de C. F. Filette-Loreaux, tiré d'un roman de Louvet de Couvray (1760-1797), Vie et amours du chevalier de Faublas. *Première représentation : Paris, théâtre Feydeau, 18 juillet 1791.*

L'INTRIGUE : L'action se déroule en Pologne en 1600. Le jeune comte Floresky (ténor), accompagné de son écuyer Varbel (basse), recherche désespérément sa fiancée Lodoïska (soprano), princesse d'Altanno, que lui refuse son père. Il la retrouve, prisonnière dans le château du cruel Durlisky (baryton), qui en est amoureux. Floresky manque de perdre la vie dans un combat avec Durlisky, mais est providentiellement sauvé par l'incendie du château, allumé par le chef tartare Titzikan (ténor).

■ Deuxième opéra écrit à Paris par Cherubini, *Lodoïska* obtint un triomphe et fut joué plus de deux cents fois consécutives. Il s'agit du plus grand succès théâtral français de la Révolution. Ce succès consola le compositeur de l'échec de son premier opéra parisien, *Démophon.* Quinze jours après la présentation de l'œuvre de Cherubini au théâtre Feydeau, une autre adaptation du même livret, mis en musique par Rodolphe Kreutzer, fut donnée à la Comédie-Italienne. Mais la musique de Cherubini était toutefois utilisée au troisième acte de cette version. *Lodoïska* préfigure l'opéra romantique, même dans le choix du sujet. MS

LA CLÉMENCE DE TITUS
(La clemenza di Tito)

Opera seria *en deux actes de Wolfgang Amadeus Mozart (1756-1791). Livret de Caterino Mazzolà, tiré du drame de Métastase (1698-1782). Première représentation : Prague, Ständetheater, 6 septembre 1791. Interprètes : Bedini, Marchetti, Stadler.*

L'INTRIGUE : Titus est un personnage pathétique qui s'obstine à pardonner à tous ceux qui conspirent contre lui. Deux couples qui s'aiment vivent auprès de l'empereur : Sestus, ami très cher de Titus, et Vitellia, fille du défunt empereur Vitellius ; Annius, ami de Sestus, et Servilia, sœur de Sestus. Titus aime une femme, Bérénice, mais a renoncé à elle pour ne pas provoquer la jalousie de Vitellia, qui veut devenir impératrice. Titus souhaite ensuite épouser Servilia, mais elle lui a à peine avoué son amour pour Annius qu'il lui permet aussitôt d'épouser celui qu'elle aime. Alors que l'empereur est désormais prêt à épouser Vitellia, la conjuration que celle-ci a mise sur pied ne peut plus être arrêtée. Titus, que l'on croit mort dans un premier temps, revient toutefois sur scène pour pardonner à tous et assister aux mariages des deux couples.

■ Mozart n'avait pas composé d'*opera seria* depuis dix ans lorsque l'imprésario Guardasoni lui commanda un opéra pour le couronnement de Léopold II, roi de Bohême. Il disposa de très peu de temps pour composer l'ouvrage : à peine quatre semaines. Le livret lui fut d'autre part imposé : il s'agissait de *La clemenza di Tito*, écrit par Métastase en 1734, et transformé pour l'occasion... « en véritable opéra par M. Mazzolà, poète de S. A. S. l'Électeur de Saxe », comme Mozart l'a écrit lui-même. Il n'était en effet plus possible, en 1791, de mettre en musique un livret de Métastase sans l'adapter afin d'introduire des scènes d'ensemble : en l'occurrence trois duos, deux trios, le quintette final du premier acte et le sextuor final du second. Les caractères des personnages étaient toutefois peu affirmés dans le livret, et Mozart eut des difficultés à leur donner une expression musicale. Le peu de temps qui lui était imparti le contraignit d'autre part à écrire une orchestration simple et linéaire et à confier à Süssmayer la composition des récitatifs. Il ne s'agit pas d'une des œuvres les plus réussies de Mozart qui ne parvint jamais à manifester dans ce genre tout son génie, comme il le fit dans l'opéra bouffe. La première représentation n'eut qu'un succès modéré, qui alla pourtant grandissant à la suite. *La clémence de Titus* fut même la première œuvre de Mozart à être jouée intégralement outre-Manche, à Londres, contrairement aux autres opéras du maître, qui subirent en Angleterre de nombreuses mutilations. RL

LA FLÛTE ENCHANTÉE (Die Zauberflöte)

Singspiel *en deux actes de Wolfgang Amadeus Mozart (1756-1791). Livret de Johann Emanuel Schikaneder (1751-1812). Première représentation : Vienne, Theater auf der Wieden, 30 septembre 1791. Interprètes : Johann Emanuel Schikaneder, Josepha Hofer, Nannina Gottlieb, Benedict Schak, Franz Xaver Gerl.*

Les personnages : Sarastro, grand prêtre d'Isis et chef des initiés (basse) ; Tamino, prince égyptien, fiancé de Pamina (ténor) ; Pamina, fille de la Reine de la nuit (soprano) ; la Reine de la nuit, ennemie de Sarastro (soprano) ; Papageno, oiseleur, compagnon de Tamino (baryton) ; Papagena, d'abord déguisée en vieille femme (soprano) ; Monostatos, Maure, chef des esclaves de Sarastro (ténor) ; trois Dames de la nuit (deux sopranos et une contralto) ; trois petits garçons (deux sopranos et un contralto) ; un prêtre (ténor) ; l'Orateur (basse) ; un autre prêtre (ténor) ; deux hommes armés (ténor et basse).

L'intrigue : L'action se déroule dans une Égypte imaginaire.
Acte I. Un paysage montagneux, au fond, un temple. Tamino, habillé en chasseur, entre en scène poursuivi par un serpent monstrueux. Terrassé par l'émotion, il tombe évanoui. Les portes du temple s'ouvrent pour laisser sortir les Dames de la nuit qui tuent le serpent. Elles s'émerveillent de la beauté du jeune homme et vont raconter leur aventure à la Reine de la nuit. Tamino retrouve ses esprits, trouve le monstre mort et pense devoir la vie à un étrange geno, un oiseleur vagabond vêtu de plumes et jouant du pipeau. Papageno laisse croire à Tamino qu'il est son sauveur, mais est aussitôt puni de son mensonge par les Dames de la nuit qui lui ferment la bouche avec un cadenas d'or. Les Dames montrent alors à Tamino le portrait de la fille de la Reine de la nuit : la beauté de la jeune fille le séduit. Mais elle a été enlevée par le mage Sarastro ; Tamino, déjà conquis, propose de la délivrer. Les Dames lui offrent une flûte d'or dotée de pouvoirs magiques, libèrent Papageno de son cadenas et lui ordonnent de suivre Tamino jusqu'au palais de Sarastro ; elles lui offrent également un instrument magique, un carillon. Une salle du palais de Sarastro. Pamina a tenté de s'enfuir pour échapper à Monostatos, mais celui-ci l'a rattrapée et l'a ramenée de force au palais. Monostatos aperçoit Papageno, a peur et s'enfuit. Papageno peut ainsi s'approcher d'elle et lui révéler qu'il a été envoyé par sa mère, en compagnie d'un jeune prince, pour la libérer. Pamina et Papageno s'enfuient. Un bois, Tamino entre, guidé par trois garçons. Il aperçoit le temple d'Isis. Deux portes sont fermées : celle de la Raison et celle de la Nature. La porte de la Sagesse s'ouvre, et un prêtre explique au prince que Sarastro n'est pas un tyran cruel et qu'il avait de bonnes raisons de soustraire Pamina à l'influence de sa mère.

Il le rassure également sur le sort de la jeune fille. Tamino et Papageno, accompagné de Pamina, se cherchent longtemps dans le bois, en se servant de leurs instruments pour se reconnaître. Le carillon se révèle très utile pour mettre en fuite Monostatos et ses hommes qui tentent de capturer Papageno et Pamina. Sarastro apparaît : Pamina lui demande pardon d'avoir essayé de s'enfuir et lui explique les raisons de cette tentative. Sarastro se déclare prêt à la donner en mariage à un chevalier digne d'elle, mais refuse de la laisser retourner chez sa mère. Tamino est traîné sur la scène par Monostatos. Les deux jeunes gens, qui ne se sont encore jamais vus, se jettent dans les bras l'un de l'autre, tandis que Monostatos, qui a demandé une récompense, est puni.
Acte II. Un bois avec des monuments. Sarastro demande à ses prêtres de prendre soin de Tamino qui souhaite subir les épreuves qui lui permettront de faire partie du groupe des initiés et d'épouser Pamina. L'entrée du temple. Tamino, serein, et Papageno, terrorisé, se préparent. Première épreuve : le silence. Les deux jeunes gens sont amenés auprès de la Reine de la nuit et de ses trois Dames, qui tentent, en vain, de les faire renoncer à leur entreprise. Pendant ce temps, dans un bosquet, Monostatos s'approche de Pamina, endormie, et tente de l'embrasser. La Reine de la nuit surgit pour protéger sa fille, qui se jette dans ses bras, désespérée d'avoir été abandonnée par Tamino. La Reine de la nuit confie à Pamina un poignard pour tuer Sarastro, mais Monostatos, qui a entendu leur conversation, prend l'arme des mains de la jeune fille et menace de tout révéler. Sarastro arrive, chasse Monostatos, et confie à Pamina que seul l'amour, et non la vengeance, peut mener au bonheur. Dans l'entrée du temple, Tamino et Papageno subissent la suite de leurs épreuves. Une horrible vieille apparaît. Elle affirme être Papagena, et se met à parler avec Papageno avant de disparaître dans un fracas épouvantable. Du ciel descend alors une table servie, et les deux initiés peuvent se restaurer. Appelée par la flûte de Tamino, Pamina arrive, mais son bien-aimé ne peut lui parler. Bouleversée, elle tente de se donner la mort ; les trois garçons la sauvent en la rassurant sur les sentiments de celui qu'elle aime. Tamino doit désormais subir d'autres épreuves. Dans un jardin, Papageno se désespère ; il a aperçu un instant, sous les traits de la vieille, la Papagena qui lui est promise, mais elle a disparu aussitôt. Le son du carillon la fait toutefois réapparaître. Dans un paysage de rochers escarpés, la Reine de la nuit, Monostatos et les trois Dames cherchent à s'approcher du temple pour tuer Sarastro. Mais la terre s'ouvre et les engloutit. Dans le temple du Soleil, Sarastro, sur son trône, entouré des prêtres, célèbre avec Tamino et Pamina la victoire du Soleil sur les ténèbres.

■ En cette année 1790, les nouvelles peu rassurantes qui arrivaient de France créaient dans la capitale autrichienne, où Léopold II venait de succéder à son frère Joseph II, une atmosphère lourde et tendue. La franc-maçonnerie, à laquelle Mozart avait adhéré avec enthousiasme, attiré par l'esprit de fraternité qu'elle professait, faisait l'objet d'une surveillance toute particulière. Le compositeur vivait une période difficile : sa santé commençait à décliner, sa situation financière était chaque jour plus précaire, et son ami et collaborateur Da Ponte avait été évincé du théâtre de la cour. A ce moment particulièrement délicat — sur le plan matériel aussi bien que psychologique — arriva à Mozart une offre de Schikaneder, imprésario d'un petit théâtre de la banlieue de Vienne, le Freihaus Theater, pour la composition de la musique d'un *singspiel*. Schikaneder était un personnage bizarre : en tant qu'impresario, il aimait le théâtre spectaculaire, avec des scénarios et des machineries compliquées ; en tant qu'acteur, il était considéré comme un excellent interprète de Shakespeare. Il menait en outre une vie libre et peu conventionnelle. Pour toutes ces raisons, Mozart éprouvait pour lui beaucoup de sympathie. Schikaneder était également l'auteur du livret proposé à Mozart, tiré du conte *Lulu oder die Zauberflöte*, publié dans le célèbre recueil de contes orientaux, *Dschinnistan*, de Wieland. Mais le texte, né de la réunion plus ou moins heureuse de contes de fées alors en vogue (que l'on pense au renouveau donné à ce genre par Gozzi en Italie, à la même époque), fut profondément transformé par l'introduction de rites et d'idéaux d'inspiration maçonnique, qui en enrichirent la signification profonde. Le *singspiel*, ou « opérette allemande », était un genre assez récent, dont l'origine remontait à une vingtaine d'années et se rattachait à l'opéra-comique français, favorablement accueilli à Vienne jusqu'en 1752. Il s'agissait d'un mélange d'éléments divers, allant de la romance française à l'aria italienne et au *lied* allemand. Mozart réussit par sa musique à donner une unité à l'ensemble, et, comme dans un testament, laissa au monde cet appel aux idéaux de l'humanité. Le succès de l'opéra alla croissant, et cela remplit de joie le compositeur qui écrivit : « Mais ce qui me rend le plus heureux est l'approbation silencieuse » (7-8 octobre 1791). La première année, *La Flûte enchantée* fut jouée plus de cent fois, mais le compositeur était mort un peu plus d'un mois après la première représentation. Même un rival de Mozart, Salieri, vit de suite dans *La Flûte enchantée* un opéra digne d'être joué dans les grandes occasions. Goethe déclara que seule cette musique aurait pu accompagner son *Faust*. RL

LE MARIAGE SECRET
(Il matrimonio segreto)

Opéra en deux actes de Domenico Cimarosa (1749-1801). Livret de Giovanni Bertati (1735-1815), tiré de la comédie The Clandestine Marriage (Le mariage secret) *de George Colman et David Garrick (1766), et de la comédie* Sophie ou le mariage caché *de M. J. Laboras de Meziers-Riccoboni (1768). Première représentation : Vienne, Burgtheater, 7 février 1792. Interprètes : Dorotea Bussani, Francesco Benucci, P. Mandini, A. Morichielli-Bosello, Francesco Bussani.*

LES PERSONNAGES : Geronimo, un

riche marchand (basse comique) ; Elisetta, sa fille aînée, fiancée au comte Robinson (mezzo-soprano) ; Carolina, sa fille cadette, mariée en secret à Paolino (soprano) ; Fidalma, sœur de Geronimo, veuve (contralto) ; le comte Robinson (basse) ; Paolino, commis de Geronimo (ténor).

L'INTRIGUE :
Acte I. Une pièce de la maison de Geronimo, à Bologne. Paolino, un commis de Geronimo, et Carolina, une de ses filles, se sont épousés secrètement et attendent le moment opportun pour révéler leur mariage. Le père de Carolina, un riche marchand, ne sera vraisemblablement pas très satisfait du choix de la jeune fille. Il espérait pour ses filles des unions plus nobles. Paolino, dans l'espoir de s'attirer les bonnes grâces de Geronimo, s'arrange pour que le comte Robinson, noble mais ruiné, demande la main d'Elisetta. Geronimo exulte. Le peu d'intérêt de Carolina pour cet événement est pris par sa sœur pour de la jalousie et provoque une vive prise de bec entre les deux sœurs. Mais Geronimo promet à Carolina de lui trouver un bon parti. Arrive le comte Robinson, qui montre une prédilection particulière pour Carolina. Paolino et Carolina décident alors de révéler leur mariage, et pensent demander l'aide du comte pour le faire. Toutefois, lorsque Paolino tente de lui parler, le comte lui révèle qu'il veut épouser Carolina, et non Elisetta. Le comte avoue ses sentiments à Carolina, mais Elisetta les surprend et accuse le comte de trahison et sa sœur de coquetterie.

Acte II. Même décor qu'au premier acte. Le vieux Geronimo, qui est sourd, ne suit pas très bien tous les événements. Le comte Robinson réussit à lui expliquer qu'il veut épouser Carolina, et obtient son consentement en renonçant à la moitié de la dot. le comte annonce la nouvelle à Paolino, qui pense à demander l'aide de Fidalma, la sœur, veuve, de Geronimo. Mais lorsqu'il va lui en parler, Fidalma lui révèle son intention de l'épouser, lui ! Paolino s'évanouit. Une seule solution reste aux jeunes époux : la fuite. Carolina veut cependant tenter encore une fois d'obtenir l'aide du comte. A ce moment arrivent le comte et Elisetta : le premier énumère tous ses défauts pour dissuader la jeune fille de l'épouser, mais celle-ci ne veut rien savoir et réussit à persuader Geronimo d'enfermer pour quelque temps Carolina dans un couvent. Elle pense avoir ainsi gagné la partie. Paolino et Carolina se préparent à partir. Elisetta a entendu parler dans la chambre de sa sœur. Elle croit qu'il s'agit du comte. Dans un accès de jalousie, elle appelle tout le monde pour surprendre les coupables. Mais, tandis que le comte apparaît à l'autre bout de la pièce, Paolino et Carolina sortent de la chambre et s'agenouillent devant Geronimo en lui avouant la vérité. Après la surprise et les lamentations, ils obtiennent le pardon et la bénédiction de Geronimo et de toute la compagnie, tandis que le comte se résigne à épouser Elisetta.

■ *Le mariage secret* est l'opéra le plus réussi et le plus représentatif de Cimarosa, parfait modèle de l'opéra-comique italien du XVIIIe siècle. Après avoir passé trois ans à la cour de Russie, de 1789 à 1791, Cimarosa s'arrêta trois mois à Varsovie sur le chemin du retour, et un peu plus longtemps à Vienne, où Léopold II lui attribua un appartement et une rente annuelle. C'est là que Cimarosa composa *Le mariage secret*, représenté le jour où Léopold II signait le traité d'alliance avec la Prusse contre le gouvernement révolutionnaire français. Le succès fut éclatant. L'empereur, qui assistait au spectacle, invita à dîner le compositeur et tous les exécutants à la fin de la représentation. Après le repas, le souverain voulut retourner au théâtre avec la troupe au complet, pour reprendre l'œuvre de bout en bout : un fait sans précédent dans les chroniques théâtrales. En 1793, *Le mariage secret* fut joué à Naples avec quelques modifications et l'adjonction de nouveaux morceaux. L'enthousiasme fut tel qu'il fut donné cent dix soirées consécutives. L'opéra devint vite célèbre dans toute l'Europe, et son succès est encore grand aujourd'hui. Habituellement, on supprime la dernière scène dans laquelle le comte Robinson reprend sa parole et abandonne Elisetta. MS

PAUL ET VIRGINIE

Opéra en trois actes et six tableaux de Jean-François Lesueur (1760-1837). Livret d'Alphonse du Congé Dubreuil, d'après le roman de Bernardin de Saint-Pierre (1737-1814). Première représentation : Paris, Opéra-Comique (Salle Favart), 13 janvier 1794.

L'INTRIGUE : Deux jeunes gens, Paul et Virginie, s'aiment et vivent loin de la civilisation, dans une petite île de l'océan Indien, l'île de France. Un jour pourtant, Virginie doit quitter l'endroit où elle vit heureuse aux côtés de Paul, appelée en France par une riche tante qui veut faire son éducation. En peu de temps, la jeune fille est gagnée par la mélancolie, son caractère change, au point qu'elle décide de s'enfuir pour retrouver son paradis perdu. Elle s'embarque, mais périt dans une tempête, alors que le bateau approche des côtes de l'île. Paul assiste, impuissant, à la mort de celle qu'il aime.

■ L'opéra n'obtint pas un grand succès lors de la première représentation. La scène de la tempête fut toutefois très appréciée et influença la mise en scène de nombreux opéras. MSM

LES RUSES DES FEMMES
(Le astuzie femminili)

Melodramma giocoso *en quatre actes de Domenico Cimarosa (1749-1801). Livret de Giuseppe Palomba. Première représentation : Naples, Teatro dei Fiorentini, 26 août 1794. Interprètes : Carlo Casaccia, L. Martinelli, Antonio Benelli, Giovana Codecasa, Marianna Muraglia, Luisa Negli.*

LES PERSONNAGES : Giampaolo, un riche Napolitain (basse comique) ; Bellina (soprano) ; le docteur Romualdo, tuteur de Bellina (baryton) ; Filandro (ténor) ; Ersilia, confidente de Bellina (soprano) ; Leonora, gouvernante (mezzo-soprano).

L'INTRIGUE : L'action se déroule à Rome.
Acte I. Dans la maison de Bellina. Romualdo, le tuteur, annonce à Bellina que son père a mis comme condition à la jouissance de son patrimoine qu'elle épouse un certain Giampaolo, vieux et riche Napolitain. Mais Bellina est amoureuse de son cousin Filandro. Giampaolo, bien que la jeune fille l'accueille avec ironie, en est enchanté. Bellina décide alors, avec la complicité de sa gouvernante Leonora et de son amie Ersilia, de tout faire pour éviter ce mariage avec Giampaolo. Pour compliquer l'affaire, Leonora confie à Giampaolo que Romualdo et Filandro souhaitent épouser Bellina. Giampaolo se prépare à la bataille : il annonce à Filandro que Bellina est promise à Romualdo, et à Romualdo qu'elle est amoureuse de Filandro.
Acte II. Dans le jardin de la maison de Leonora. Bellina et Filandro décident de jouer un tour à Giampaolo. Mais celui-ci les surprend, tendrement enlacés sur un banc. Furieux, il attrappe un fusil. Bellina lui demande pardon, et Giampaolo lui déclare qu'il est prêt à l'épouser immédiatement. Il entre dans la maison de Leonora, le fusil à la main. La gouvernante feint de le prendre pour un malfaiteur, et se met à hurler à la fenêtre. Des gens accourent, la confusion est à son comble, et le mariage est reporté.
Acte III. La maison de Bellina. Leonora annonce que Bellina s'est enfuie. Entre un officier hongrois, qui parle une langue étrange (c'est Filandro travesti). Il cherche sa fiancée, qui s'est sauvée pour partir à la recherche d'un certain Filandro, dont elle est amoureuse. L'officier a réussi à arrêter Filandro, mais n'a pas retrouvé sa fiancée. Bellina arrive alors, déguisée elle aussi en Hongroise, et parlant la même langue bizarre. Elle est à la recherche de son fiancé, qui a fui pour courir après une certaine Bellina. Elle a réussi à faire arrêter cette Bellina, mais elle cherche toujours son fiancé. On fait se rencontrer les deux étrangers, qui promettent en échange de renvoyer Bellina à la maison.
Acte IV. Une véranda, avec vue sur Rome. Giampaolo et Romualdo échangent des propos désabusés sur les mariages entre jeunes et vieux. Les pauvres vieux perdent la tête et se font rouler. A ce moment arrivent les deux Hongrois. Ils se sont mariés. On les félicite. Mais Bellina ? Elle et Filandro se font reconnaître. Giampaolo et Romualdo se mettent en colère, mais, bientôt calmés, ils pardonnent et se joignent à l'allégresse générale.

■ Écrit pour la cour de Vienne en 1792, cet opéra est plein de fraîcheur. Sur une intrigue plus que banale, Cimarosa a su écrire de ravissantes mélodies. A la différence d'autres compositeurs de son temps, qui se contentaient de faire de ces personnages conventionnels de pures caricatures, il a pris soin d'observer leurs sentiments pour mettre en musique leurs joies et leurs douleurs. MS

ALZIRA

Opera lirica *de Nicola Antonio Zingarelli (1752-1837). Livret de G. Rossi, tiré de* Alzire ou les Américains *de Voltaire (1694-1778). Première représentation : Florence, théâtre de la Pergola, 1er septembre 1794.*

■ Zingarelli, nommé maître de chapelle à Loreto la même année, se soucia peu de l'échec de cet opéra. Le seul air qui en soit encore parfois exécuté est *Nel silenzio i mesti passi.* EP

JULIETTE ET ROMÉO
(Giulietta e Romeo)

Opera lirica *de Nicola Antonio Zingarelli (1752-1837). Livret de G. M. Foppa (1760-1845). Première représentation : Milan, théâtre de la Scala, carnaval de 1796. Interprètes : Adamo Bianchi, Giuseppa Grassini, Girolamo Crescentini, Angelo Monassi, Carolina Dianand, Gaetano De Paoli. Chef d'orchestre : Luigi De Baillou.*

L'INTRIGUE : L'opéra suit fidèlement le dixième chapitre du tome II des *Storie di Verona (Histoires de Vérone)* de Girolamo Della Corte, sans rien emprunter aux adaptations postérieures, y compris celle de Shakespeare.

■ C'est l'œuvre la plus importante du prolifique compositeur napolitain, assez estimé de ses contemporains. La première représentation fut dédiée à l'archiduc Ferdinand d'Autriche et à l'archiduchesse Marie Béatrice Richarde. EP

TÉLÉMAQUE DANS L'ÎLE DE CALYPSO

Opéra en trois actes de Jean-François Lesueur (1760-1837). Livret de A. F. Dercy, tiré du roman de Fénelon Les aventures de Télémaque. *Première représentation : Paris, Opéra-Comique (Salle Favart), 11 mai 1796.*

■ L'opéra raconte le séjour de Télémaque, dont les aventures occupent les quatre premiers livres de l'*Odyssée*, dans l'île de Calypso. Cette période heureuse de la vie de Télémaque est brusquement interrompue lorsque le jeune homme, aimé de Calypso, mais amoureux de la nymphe Eucaris, est obligé de fuir l'île. Les références à la mythologie grecque et à un pseudo-classicisme équivoque sont constantes. D'après l'auteur lui-même, l'ouverture a été écrite en « tonalité hypodorique et rythme spondaïque ». MSM

LES HORACES ET LES CURIACES
(Gli Orazi ei Curiazi)

Opéra en trois actes de Domenico Cimarosa (1749-1801). Livret d'Antonio Simeone Sografi (1759-1818). Première représentation : Venise, Teatro La Fenice, 26 décembre 1796. Interprètes : Giuseppe Grassini, Carolina Manaresi, Girolamo Crescentini, Odoardo Caprotti, Antonio Mangini.

LES PERSONNAGES : Publius Horatius, père des Horaces (ténor) ;

Marcus Horatius, son fils (ténor) ; Horatia, sœur de Marcus Horatius (soprano) ; deux Horaces, fils de Publius Horatius (rôles muets) ; Curiatius, époux d'Horatia (baryton) ; deux Curiaces (rôles muets) ; Sabine, sœur de Curiatius, épouse de Marcus Horatius ; le grand augure (basse) ; Licinius, ami des Horaces (ténor) ; le prêtre de Junon (basse) ; les sénateurs romains, les Albains, les augures, le peuple.

L'INTRIGUE : L'action se déroule à Rome.
Acte I, première scène. L'entrée du temple de Janus. Albe est en guerre contre Rome. Sabine, sœur des Curiaces, a épousé à Rome Marcus Horatius. Romaine, elle doit donc oublier sa première patrie, Albe, ses frères et ses parents. Elle ne peut toutefois s'empêcher d'avoir peur pour eux pendant les batailles qui se succèdent. Son beau-père, Publius Horatius, lui annonce qu'une trêve est intervenue entre les deux villes, au cours de laquelle sera célébré un nouveau mariage entre les deux familles : Horatia épousera Curiace. Sabine, soulagée par cette nouvelle, s'éloigne pour commencer les préparatifs de la cérémonie.
Deuxième scène. Devant la maison des Horaces. Au cours du mariage, les deux jeunes gens expriment le vœu de n'être plus jamais séparés par des raisons politiques. Licinius annonce alors que les rois de Rome et d'Albe ont décidé que l'issue de la guerre se jouera dans un combat entre trois représentants de chaque camp. Le sort a décidé que trois Horaces affronteront trois Curiaces, au grand désespoir de Sabine et d'Horatia.
Acte II, première scène. Au Champ de Mars. Le combat va avoir lieu lorsque arrivent Sabine et Horatia, accompagnées du grand augure, des prêtres et du peuple. Ils estiment que les dieux ne sont peut-être pas favorables à une lutte entre familles parentes. Il convient d'abord de consulter l'oracle. Les Horaces et les Curiaces acceptent à contrecœur tandis que Sabine et Horatia reprennent espoir.
Deuxième scène. Une grotte sous l'Aventin. Le fond s'ouvre, et le temple d'Apollon apparaît. L'oracle annonce que le combat entre Horaces et Curiaces doit continuer.
Acte III, première scène. Devant le Cirque Maxime. Horatia a été chassée du Cirque par Curiace, mais les cris de la foule qui lui parviennent lui font comprendre que deux Horaces sont morts. Elle s'éloigne avec ses amies.
Deuxième scène. Sur une grande place de Rome. Marcus Horatius, monté sur un char, reçoit un accueil triomphal. A ses pieds gisent les corps des trois Curiaces. Horatia, bouleversée à la vue du corps de son mari, lance des imprécations contre son frère, qui s'indigne de son peu de patriotisme et la menace de mort. Mais la jeune femme, exaspérée, invoque la malédiction des dieux sur Rome. Horace s'empare alors d'un couteau et la tue.

■ L'opéra fut un véritable échec lors de sa création. Mais celui-ci se transforma peu à peu en triomphe pendant plus de quarante soirs consécutifs. MS

LES CANTATRICES DE VILLAGE
(Le cantatrice villane)

Opera giocoso *en deux actes de Valentino Fioravanti (1764-1837). Livret de Giovanni Palomba. La date de la première représentation est incertaine : entre 1796 et 1801.*

Les personnages : Rosa, une paysanne que l'on croit veuve (soprano) ; Carlino, mari de Rosa, un jeune militaire plein d'esprit (ténor) ; Don Bucefalo, un maître de chapelle peureux et ignorant (basse) ; Agata, une aubergiste de village (soprano) ; Don Marco, gros homme riche et ridicule qui se prétend amateur de musique (basse) ; Giannetta, une paysanne (mezzo-soprano) ; Giansimone, le garçon de l'auberge.

L'intrigue :
Acte I. A Frascati, l'aubergiste Agata et les paysannes Giannetta et Rosa ont décidé de devenir chanteuses. Don Bucefalo, un maître de chapelle stupide et ignorant, les encourage et leur propose de leur donner des leçons de chant. Des rivalités naissent aussitôt entre les futures cantatrices. En outre, Agata et Giannetta sont jalouses car le maître semble préférer Rosa. Don Bucefalo demande à un hobereau du lieu, Don Marco, son élève, de lui prêter un clavecin qu'il veut installer dans la maison de Rosa. Don Marco accepte. Il est lui aussi amoureux de la jeune femme. Rosa est veuve de Carlino, un jeune militaire disparu en Espagne. Mais à ce moment, Carlino revient. Il porte de grandes moustaches, et personne ne le reconnaît. En écoutant les cancans du pays, il se doute que sa femme trahit sa mémoire avec beaucoup de légèreté. Il suspecte Don Marco et Don Bucefalo, décide de se venger, et pour être mieux à même de le faire, exige d'être logé chez Rosa, soi-disant sur l'ordre de son capitaine. Rosa commence par refuser, puis tente de le dissuader, mais finit par accepter lorsque Carlino menace de tout casser.
Acte II. Don Marco, pour obtenir les faveurs de Rosa, décide de devenir imprésario d'un opéra dans lequel il chantera avec elle. De Rome arrive un groupe de musiciens qui se préparent à donner une grande répétition dans la maison de Rosa. Cela déchaîne la jalousie des autres femmes, qui médisent plus que jamais sur le compte de leur amie. Rosa et Don Marco chantent, et se trompent dans les paroles et la musique. A ce moment surgissent Carlino et quelques paysans, le fusil à la main. Dans la confusion, Giannetta réussit à s'enfuir et va chercher la police. Carlino se fait alors reconnaître et demande qu'on l'excuse : seuls l'amour et la jalousie l'ont fait agir ainsi. Don Marco renvoie les policiers, et tout s'achève dans l'allégresse générale.

■ On ne connaît pas avec certitude la date de la première représentation de cet opéra. Selon certains musicologues, il fut joué à Reggio d'Émilie en 1796, selon d'autres à Turin en 1795, selon d'autres encore à Naples en 1798, etc. Le livret est daté de 1798. Une version réduite à un seul acte (d'après une adaptation de G. M. Foppa) fut donnée à Venise, au théâtre San Moisè, le

28 décembre 1801. Des soixante-quinze opéras écrits par Fioravanti, tous très populaires en leur temps et joués immédiatement dans toute l'Europe, seul *Les cantatrices de village* est encore inscrit au répertoire actuel.
MS

MÉDÉE

Opéra en trois actes de Luigi Cherubini (1760-1842). Livret de François Benoît Hoffmann d'après la tragédie de Corneille (1635), elle-même inspirée de la mythologie grecque. Première représentation : Paris, théâtre Feydeau, 13 mars 1797. Interprète : Madame J. A. Scio.

LES PERSONNAGES : Créon, roi de Corinthe (basse) ; Glauce (Dircé), sa fille (soprano) ; Jason, chef des Argonautes (ténor); Médée, épouse de Jason (soprano) ; Néris, servante de Médée (mezzo-soprano) ; un capitaine de la garde royale (baryton) ; une première servante (soprano), une deuxième servante (contralto). Deux enfants de Médée et Jason, les servantes de Glauce, les Argonautes, les prêtres, les guerriers, le peuple de Corinthe.

L'INTRIGUE : L'action se déroule à Corinthe.
Acte I. L'entrée du palais de Créon. Nous sommes à la veille des noces de Glauce, fille de Créon, avec Jason, le héros qui conquit la Toison d'or en Colchide. Jason n'avait toutefois réussi dans son entreprise que grâce à l'aide de Médée, la magicienne qui, pour lui, avait trahi son père, le peuple de Colchos, et tué son frère. Médée avait ensuite suivi Jason à Corinthe, où elle lui avait donné deux fils. Or Jason l'abandonne maintenant pour épouser Glauce. Celle-ci craint la vengeance de Médée. Jason et Créon tentent en vain de la tranquilliser. Une mystérieuse femme voilée se présente au seuil du palais : c'est Médée, qui profère des menaces. Créon la chasse. La magicienne tente sans succès de retrouver les faveurs de Jason : celui-ci la repousse, et Médée, bouleversée, le maudit et le menace d'une terrible vengeance.
Acte II. Dans une aile du palais, près du temple de Junon. Médée est désespérée. Néris, sa servante, tente de l'emmener loin du palais, mais Créon arrive et lui ordonne de quitter immédiatement la ville. Médée, qui commence à songer à tuer ses fils pour se venger, demande qu'on lui permette de passer un dernier jour avec ses enfants. Créon accepte. Médée semble plus calme. Elle ordonne à Néris de porter à Glauce, en cadeau de noces, un manteau et un diadème magiques que lui avait donnés Apollon.
Acte III. Entre le palais de Créon et un temple. Néris sort du palais, accompagnée des enfants, qui embrassent leur mère. Médée est encore déchirée entre l'amour maternel et le désir de punir Jason. Elle jette le poignard et embrasse ses enfants. Un cri de douleur parvient du palais. Glauce est morte, tuée par les cadeaux envoyés par Médée. Jason pleure la mort de celle qu'il aime, tandis que le peuple réclame la tête de la magicienne. Médée se réfugie avec Néris et ses fils dans le temple, mais en

ressort peu après, précédée de Néris qui hurle d'horreur. La magicienne est entourée des Euménides, les Furies, et brandit le poignard ensanglanté avec lequel elle vient de tuer ses enfants. Jason meurt, et Médée lui promet que son esprit l'attendra encore aux Enfers. Le temple prend feu, et Médée disparaît dans les flammes.

■ Généralement considéré comme l'opéra le plus réussi de Cherubini, *Médée* est également l'œuvre la plus complexe et la plus profonde du compositeur. Elle n'obtint pas un grand succès lors de sa création à Paris, et ne fut plus mise en scène dans la capitale française. Au cours du même mois de mars 1797, on présenta deux parodies de *Médée* dans deux autres théâtres parisiens : *La Sorcière,* de C. A. Sewrin, et *Bébée et Jargon* de P. Villiers et P. A. Capelle. Avec *Médée*, Cherubini ouvrait la voie à la tragédie lyrique du XIXe siècle. L'atmosphère tragique dans laquelle baigne l'opéra est magistralement rendue. Conformément à l'habitude du théâtre Feydeau et de l'Opéra-Comique, Cherubini n'a pas pu mettre en musique les récitatifs, que l'on laissait sous forme de dialogues parlés. Ces récitatifs seront toutefois orchestrés par Franz Lachner pour une représentation donnée à Francfort-sur-le-Main le 1er mars 1855, et feront ensuite partie intégrante de l'opéra. L'œuvre fut bien accueillie dans les pays de langue allemande, après la première représentation dans cette langue, à Berlin, en 1800. *Médée* fut très appréciée par Brahms, Beethoven, Weber, Schumann, Wagner. En Italie, patrie du compositeur, l'œuvre ne fut jouée qu'en 1909 à la Scala de Milan. Sa reprise, en 1952, lors du Mai musical florentin, avec l'extraordinaire interprétation de Maria Callas, a donné une nouvelle vie à l'opéra. MS

L'HÔTELLERIE PORTUGAISE

Opéra en un acte de Luigi Cherubini (1760-1842). Livret d'Étienne Aignan (1773-1824). Première représentation : Paris, théâtre Feydeau, 25 juillet 1798.

LES PERSONNAGES : Rodrigo, un vieil aubergiste portugais (basse) ; Roselbo, un vieux gentilhomme espagnol (baryton) ; Don Carlos, jeune cavalier espagnol (ténor) ; Pedrillo, son écuyer (baryton) ; Inigo, serviteur de Rodrigo (baryton) ; Donna Gabriella, pupille de Roselbo (soprano) ; Inès, sa femme de chambre (soprano).

L'INTRIGUE : L'action se déroule au Portugal vers 1640. Le décor représente la cour d'une auberge, près de la frontière espagnole. Deux jeunes femmes arrivent, l'air bizarre. Il s'agit de Gabriella et d'Inès, sa femme de chambre. Gabriella s'est enfuie de chez elle pour échapper à Roselbo, son odieux tuteur, qui voudrait la contraindre à l'épouser. Elle tente de gagner Lisbonne, où se trouve Don Carlos, son bien-aimé. L'aubergiste Rodrigo, très méfiant et toujours prêt à voir des intrigues là où il n'y en a pas, cherche aussitôt à découvrir qui elles sont. Il lit par hasard sur le journal que la femme du gouverneur s'est enfuie de Lisbonne avec une amie, à la suite de l'expulsion des Espagnols, et tente de rejoindre la frontière. Rodrigo fait aussitôt le rapprochement entre les deux fugitives et ses clientes et décide de les aider. Arrivent alors Don Carlos et son écuyer Pedrillo, à la recherche de Gabriella. Rodrigo les prend pour des agents secrets sur les traces de la femme du gouverneur et les renvoie en leur affirmant que les jeunes femmes sont reparties vers la frontière. Mais voici que se présente Roselbo, le tuteur, qui cherche sa pupille en fuite. Rodrigo se trompe une nouvelle fois complètement et, pensant pouvoir se fier à Roselbo, lui révèle que l'auberge abrite deux dames très importantes qui ont besoin d'aide. Roselbo fait semblant d'accepter de les prendre sous sa protection. Triomphant, l'aubergiste appelle les deux dames, mais comprend aussitôt, à leur réaction, qu'il a commis une gaffe. Toutefois, alors qu'on ne les attend plus, Don Carlos et Pedrillo reviennent. Ils tiennent à la main un décret qui annule le testament du père de Gabriella, à l'origine de la tutelle de Roselbo. Le tuteur se retire et les jeunes gens s'embrassent.

■ L'opéra fut un échec lors de la première représentation. Le public estima notamment que le sujet était mauvais. MS

LES DEUX JOURNÉES ou LE PORTEUR D'EAU

Opéra en trois actes de Luigi Cherubini (1760-1842). Livret de Jean Nicolas Bouilly (1763-1842). Première représentation : Paris, théâtre Feydeau, 16 janvier 1800. Interprètes : J. A. Scio, P. Gaveux, Juliet.

Les personnages : Daniel Micheli (baryton) ; Antoine, fils de Micheli (ténor) ; Marcelline, fille de Micheli (soprano) ; Angélique, fiancée d'Antoine ; le comte Armand (ténor) ; Constance, son épouse (mezzo-soprano) ; un capitaine de la garde ; les gardes.

L'intrigue : L'action se déroule à Paris vers 1640, à l'époque du cardinal Mazarin. Un vendeur d'eau savoyard, Daniel Micheli, cache dans sa maison le comte Armand et son épouse Constance, tombés en disgrâce et recherchés par la police. « Une bonne action n'est jamais perdue », chante le vieux Daniel, qui a reconnu en Armand celui qui autrefois, à Berne, l'a empêché de mourir de faim. Arrivent les enfants de Micheli, Antoine et Marcelline, qui viennent d'obtenir les papiers qui leur permettront de se rendre dans le village où Antoine doit épouser Angélique, la fille d'un fermier. Ils cherchent tous ensemble à mettre au point un plan pour faire sortir de la ville le comte et sa femme. Mais voici qu'entre un capitaine de la garde qui veut fouiller la maison. Micheli met le comte au lit et le fait passer pour son vieux père malade. Le jour suivant, Constance réussit à sortir de Paris en se servant du passeport de Marcelline. Micheli la suit avec sa charrette et ses tonneaux de porteur d'eau, parmi lesquels le comte est caché. Le vendeur d'eau réussit à éloigner les gardes en affirmant avoir aperçu le banni un peu plus loin. Puis il ouvre un tonneau. Le comte sort de sa cachette et s'éloigne rapidement. Dans le village de sa fiancée, Antoine Micheli aide le comte Armand à se cacher dans un tronc creux tandis que Constance se rend chez Angélique. Mais des soldats s'installent juste au pied de l'arbre où est caché Armand. Constance qui s'approchait pour porter à manger à son mari, est arrêtée et s'évanouit. Quand elle revient à elle, en apercevant son mari qui était sorti de l'arbre pour lui venir en aide, elle l'appelle par son nom, ce qui le fait reconnaître et arrêter. Tout finit bien pourtant : Micheli arrive, porteur d'un décret royal qui innocente Armand.

■ *Les deux journées, Médée* et *Lodoïska* sont les trois œuvres de Cherubini qui obtinrent le plus grand succès. Avec *Les deux journées,* Cherubini parvint à s'imposer dans toute l'Europe. Ce succès consolait le compositeur de ses échecs précédents. *Les deux journées* furent jouées deux cents fois consécutives. Traduit, l'opéra fut joué également dans les pays de langue allemande. Il fut ensuite presque complètement oublié. Le livret est compliqué et d'assez mauvaise qualité, mais la musique du maître florentin est de sa meilleure veine. Elle enthousiasma Weber et Beethoven. MS

LE CALIFE DE BAGDAD

Opéra-comique en un acte de François Adrien Boieldieu (1775-1834). Livret de C. Godard d'Aucour de Saint-Juste. Première représentation : Paris, Opéra-Comique (Salle Favart), 16 septembre 1800.

L'INTRIGUE : Le calife de Bagdad veut être sûr de n'être aimé que pour lui-même. Déguisé, il courtise la belle Zétulbé. Mais, ainsi travesti, beaucoup de gens le prennent pour un brigand recherché dans toute la région. La terreur de Lémaïde, mère de Zétulbé, lui est toutefois utile. Malgré les apparences qui le dénoncent et toutes les preuves qui s'accumulent, la jeune fille lui conserve son amour.

■ Le sujet est tiré de contes arabes. D'où un monde oriental perçu à travers le filtre de la mentalité européenne. Une intrigue bien tournée et une musique fraîche et facile ont assuré à l'opéra une grande popularité. Il s'agit en fait d'un des plus grands succès de Boieldieu, immérité selon les contemporains. On raconte que Cherubini, après une représentation du *Calife de Bagdad,* avait demandé à l'auteur s'il « n'avait pas honte d'un succès aussi immérité ». Au cours des huit années qu'il passa à la cour de Saint-Pétersbourg, Boieldieu travailla au perfectionnement de sa technique, s'étant rendu compte qu'elle était assez faible. MS

GENEVIÈVE D'ÉCOSSE (Ginevra di Scozia)

*Opéra de Giovanni Simone Mayr (1763-1845). Livret de Gaetano Rossi (1774-1855), tiré de l'*Orlando furioso *de l'Arioste (1474-*

1533). Première représentation : Trieste, Teatro Nuovo, 21 avril 1801.

L'INTRIGUE : Geneviève, fille du roi d'Écosse, aime Ariodante, un valeureux chevalier italien. Le duc d'Albanie, Polinesso, jaloux du jeune homme, répand le bruit qu'il est secrètement l'amant de la princesse et, d'accord avec Dalinda (la femme de chambre de celle-ci), réussit à faire croire à Ariodante que Geneviève le trahit. Dalinda, qui a revêtu les vêtements de sa maîtresse, apparaît à un balcon, en conversation avec Polinesso. Ariodante, désespéré, se jette dans le fleuve. Selon la loi écossaise, un duel entre deux chevaliers devra décider de l'innocence ou de la culpabilité de Geneviève. Le chevalier Renaud bat Polinesso en duel et le déclare coupable de calomnie et de trahison. L'innocence de Geneviève est reconnue, et Ariodante, qui a échappé à la mort, l'épouse et succède à Polinesso dans la charge de grand connétable du royaume.

■ L'opéra s'impose par son intensité dramatique, qui s'exprime dans certaines scènes romantiques, et confirme la modernité de ce mélodrame. GPa

SCHERZ, LIST UND RACHE

Singspiel *en quatre actes de Ernst Theodor Amadeus Hoffmann (1776-1822). Livret de Wolfgang Goethe (1749-1832). Première représentation : Poznan, 1801.*

L'INTRIGUE : Scapine et Scapin, deux époux qui s'aiment, veulent extorquer de l'argent à un docteur, homme riche et avare, en lui tendant un piège. Scapin, pauvre et boiteux, se présente chez le docteur et demande à être embauché à son service. Le docteur accepte, et est alors séduit par la jeune et belle Scapine. Mais tout à coup, la jeune femme prétend être empoisonnée, et accuse le vieil homme d'avoir voulu la tuer. Le docteur a d'autant plus peur que Scapine semble vraiment morte. La seule solution qui s'offre à lui est de se débarrasser au plus vite de ce cadavre encombrant. Il demande à Scapin de cacher le corps de la jeune femme et lui offre cinquante sequins en échange. Scapin porte son épouse dans le jardin. Là, elle commence à se lamenter, preuve qu'elle n'est pas encore morte. En entendant les gémissements, le docteur, terrorisé à la pensée d'éventuelles révélations sur son empoisonnement, lui offre cinquante sequins pour qu'elle se taise. La pièce se termine sur une victoire complète des deux jeunes gens sans scrupules aux dépens du vieil avare.

■ Le texte de cet opéra fut écrit par Goethe en 1790, à la demande du musicien Kayser. Au cours d'un voyage en Italie, celui-ci avait été très attiré par le théâtre bouffe italien. Le grand Goethe fut séduit par ce travail et écrivit le livret en se référant aux types classiques de la *commedia dell'arte* italienne (on reconnaît dans le personnage du docteur le masque bolognais du docteur Balanzone), et en créant une intrigue riche en épisodes cocasses. Bien que Kayser en ait écrit la partition en 1790, l'opéra ne fut toutefois jamais joué. Hoffmann s'est fondé sur le même texte — qu'il avait eu en main au moment où, encore jeune, il était fonctionnaire à Poznan — pour composer un *singspiel* (et non plus un opéra bouffe), un de ses premiers travaux musicaux. Ni le texte de Goethe (que l'auteur lui-même a critiqué par la suite), riche d'effets comiques mais manquant de cohérence, ni la musique qu'Hoffmann a voulu lui adapter, travail de jeunesse peu original, ne présentent un grand intérêt, et ce *singspiel* est rarement mis en scène de nos jours. GP

ANACRÉON ou L'AMOUR FUGITIF

Opéra en deux actes de Luigi Cherubini (1760-1842). Livret de R. Mendouze. Première représentation : Paris, Opéra, 4 octobre 1803.

L'INTRIGUE : L'action se déroule à Théos, en Ionie. Des préparatifs sont en cours pour fêter le vieux poète Anacréon. Celui-ci, en assistant aux préparatifs, médite tristement sur sa vieillesse physique tout en estimant qu'il est encore jeune d'esprit. Corinne, une jeune chanteuse, aime Anacréon et est aimée de lui. En la voyant, Anacréon, serein, chante en l'honneur de l'Amour et de Bacchus, en s'accompagnant d'une lyre. Un violent orage éclate. Dans le vacarme, on entend la voix d'un jeune garçon qui demande à entrer. Anacréon l'accueille affectueusement. L'enfant lui raconte une histoire d'intrigues familiales qui l'ont obligé à s'enfuir. Mais en réalité, il s'agit de l'Amour « in incognito ». Pendant la fête, l'Amour insuffle une grande ardeur à tout le monde. Mais voici qu'arrive un message de l'île de Cythère : Vénus demande qu'on lui rende son fils. Elle est prête à exaucer tous les désirs de celui qui le lui rendra. Tandis que dans la maison d'Anacréon on discute encore pour savoir s'il est juste de le renvoyer, Vénus en personne apparaît sur son char. Pour récompenser Anacréon de son accueil, l'Amour lui accorde sa faveur pour les jours qui lui restent à vivre.

■ Cet opéra marque le retour du compositeur au théâtre dans une période difficile. Mais ce travail ne fut pas un grand succès. On affirma alors que le caractère allemand de la musique était trop affirmé. *Anacréon* ne fut plus joué après la première ; on en donna toutefois quelques extraits en concert, à Vienne, en 1805. MS

LÉONORA (Leonora ossia l'amore conjugale)

Opéra en deux actes de Ferdinando Paër (1771-1839). Livret de Giacomo Cinti. Première représentation : Dresde, 3 octobre 1804.

■ *Léonora* de Paër fut créé quelques mois avant la sortie sur scène du *Fidelio* de Beethoven, qui traite du même sujet. On retrouve d'ailleurs des affinités entre les œuvres de Paër et le style de Beethoven, comme chez beaucoup de musiciens de l'époque. Une autre *Léonore* avait été jouée en 1798, avec un livret de Jean Nicolas Bouilly et une musique de Pierre Gaveaux.

FIDELIO ou L'AMOUR CONJUGAL (Fidelio oder Die eheliche Liebe)

Drame lyrique en deux actes de Ludwig van Beethoven (1770-1827). Livret de J. F. von Sonnleithner et G. F. Treitschke. Première représentation : Vienne, Theater an der Wien, 20 novembre 1805. Interprètes : A. Mildner; L. Müller; F. Demmer; S. Meyer; Caché; Rothe; Weinkopf. Chef d'orchestre : Ludwig van Beethoven.

Les personnages : Don Fernando, ministre (basse) ; Don Pizarro, gouverneur de la prison (basse) ; Florestan, prisonnier (ténor) ; Léonore, son épouse sous le nom de Fidelio (soprano) ; Rocco, chef des geôliers (basse) ; Marcellina, sa fille (soprano) ; Jaquino, portier de la prison (ténor) ; premier prisonnier (ténor) ; second prisonnier (basse) ; prisonniers, officiers, gardes, gens du peuple.

L'intrigue : L'action est située dans une forteresse espagnole, près de Séville, au XVIIe siècle.
Acte I. Dans la cour de la prison. Marcellina, amoureuse de Fidelio, un jeune geôlier que son père, Rocco, vient d'engager, néglige son fiancé Jaquino, qui est dévoré de jalousie. Fidelio demande à Rocco la permission de l'aider pour les tâches les plus pénibles, dans les souterrains où est détenu un prisonnier important. Sous les traits de Fidelio se cache en réalité Léonore, dont le mari, Florestan, a disparu deux années plus tôt. On le croit mort, mais Léonore pense qu'il est entre les mains du cruel Pizarro, le gouverneur de la prison, son ennemi personnel. Il y a de bonnes chances pour que le prisonnier dont s'occupe Rocco soit son mari ; pour le délivrer, elle s'est donc déguisée en homme et fait engager comme aide-geôlier. Mais le même jour, on apprend à Pizarro que le ministre Fernando, qui soupçonne quelque irrégularité, a décidé d'effectuer une inspection dans la prison de Séville. Sans perdre de temps, le gouverneur décide de faire disparaître Florestan, grand ami du ministre, et fait croire à Rocco que, par ordre du roi, le prisonnier doit être immédiatement exécuté. On doit également creuser la fosse où l'on ensevelira le cadavre. Le geôlier ne peut refuser ; mais Léonore-Fidelio a tout entendu et est plus que jamais décidée à sauver son mari.
Acte II, première scène. Un souterrain, dans la prison. Florestan médite tristement sur sa destinée. Dans son délire, il croit entendre son épouse qui l'appelle pour le conduire à la lumière. Rocco et Fidelio, descendus dans le souterrain, commencent à creuser la fosse ; ce bruit insolite réveille le prisonnier. Son épouse le reconnaît, mais Don Pizarro surgit, armé d'un poignard. Il va tuer Florestan, lorsque Léonore s'interpose et pointe un pistolet sur le gouverneur. A ce moment sonnent les trompettes qui

annoncent l'arrivée du ministre. Don Pizarro, furieux, doit quitter le souterrain pour aller à sa rencontre. Léonore et Florestan, désormais réunis, s'embrassent. Deuxième scène. La cour de la forteresse. Des gens du peuple acclament le ministre qui annonce que les prisonniers politiques vont être libérés par ordre du roi. Léonore, Florestan et Rocco sortent des souterrains. Rocco demande justice pour ce couple malheureux. Ce n'est qu'à ce moment que le ministre reconnaît Florestan, l'ami qu'il croyait mort. Il lui promet que Pizarro sera puni. Léonore, heureuse, délivre son mari de ses chaînes, pendant que l'on chante la liberté et l'amour.

■ Beethoven avait d'abord été chargé de mettre en musique un drame héroïco-fantastique, intitulé *Fuoco di Vesta,* sur un livret du directeur du Theater an der Wien, Schikaneder. Il y travaillait déjà, lorsqu'il apprit que celui-ci avait été remplacé. Le compositeur dut donc interrompre son travail et choisir un autre drame. Il accepta alors le sujet proposé par le musicien et homme de lettres Sonnleithner, *Léonore, ou l'amour conjugal,* « pièce à sauvetage » alors très à la mode et déjà mise en musique par Gaveaux, Paër, Mayr. Le livret, tiré de la *Léonore* de Bouilly, est une tragédie bourgeoise à dénouement heureux, genre très apprécié en France. Le librettiste donna une version originale et personnelle de la pièce, en y introduisant des modifications substancielles. Le compositeur travailla à la musique de 1803 à 1805, mais la première représentation fut un véritable échec. Celui-ci était dû en grande partie à la mauvaise qualité des chanteurs, et à la présence de nombreux officiers français qui ne connaissaient pas l'allemand. L'œuvre fut reprise sous le titre *Leonore,* au Theater an der Wien, le 29 mars 1806. L'opéra fut alors ramené de trois à deux actes, mais ce ne fut qu'un demi-succès, et le musicien, amer, fit rapidement interrompre les représentations. Il fut enfin repris le 23 mai 1814, au Kärntnerthor Theater de Vienne, avec un livret adapté par Treitschke (qui en modifia l'intrigue) et une partition revue par Beethoven lui-même. La raison de tant de difficultés résidait dans le fait que le grand compositeur s'attaquait pour la première fois au mélodrame. A ce sujet, aussi bien Berlioz que Wagner estimèrent que les meilleures intuitions musicales se trouvaient dans les parties purement symphoniques. Ce jugement est confirmé par la troisième (et définitive) édition de l'œuvre, dans laquelle les exigences de l'intrigue furent largement sacrifiées pour mieux faire ressortir la signification profonde du drame, c'est-à-dire, en fait, la conception éthique du compositeur qui voit dans l'héroïsme de Léonore l'aspiration aux plus hauts idéaux de l'humanité. En ce sens, on a souvent souligné le manque de cohérence mélodramatique de *Fidelio,* même si l'œuvre est riche de passages sublimes et de géniales intuitions musicales. Cela explique le peu de succès de l'ouvrage au XIXe siècle. *Fidelio* n'en a pas moins été représenté jusqu'à aujourd'hui (presque toujours dans la troisième version) dans tous les pays du monde. GP

LODOÏSKA

Mélodrame en trois actes de Giovanni Simone Mayr (1763-1845). Livret de F. Gonella d'après un poème anonyme. Première représentation : Milan, théâtre de la Scala, 1805.

L'INTRIGUE : L'action se déroule en Pologne, au Moyen Age. Dans le château d'Ospropoli, aux confins de la Tartarie, Lodoïska est prisonnière de Boleslaw, qui l'a fait enlever et veut l'épouser contre son gré. Mais la jeune fille aime le chevalier Lovinski. Entre-temps, les Tartares se font menaçants et Boleslaw doit partir à la guerre contre Gengis Khan. De son côté, Lovinski, parti à la recherche de sa bien-aimée, rencontre les armées tartares. Il affronte Gengis Khan en combat singulier et, vainqueur, lui fait grâce, s'attirant ainsi sa reconnaissance et son amitié. Narsemo, ami de Lovinski, lui apprend où se trouve Lodoïska et qui la retient prisonnière. Peu après, le chevalier rencontre Boleslaw. Sans se faire connaître, il gagne sa confiance et s'offre à l'aider à convaincre Lodoïska que Lovinski est mort. Ils arrivent au château et Boleslaw s'apprête à épouser sa prisonnière. Mais le père de Lodoïska, Sigeski, ayant appris le danger que courait sa fille, intervient à temps, avec l'aide de Lovinski et de ses amis, au nombre desquels se trouve Gengis Khan. La jeune fille est libérée et Boleslaw reçoit un juste châtiment.

■ *Lodoïska* est, avec *Ginevra di Scozia,* l'opéra le plus célèbre du maître de Donizetti. Ce récit de chevalerie donne lieu à une musique épique, pleine d'harmonies et de mélodies héroïques et triomphales. Les accents lyriques sont au contraire présents dans les duos d'amour, soulignant l'intensité des émotions et le conflit des passions. Dans le finale triomphal, la musique atteint des sommets dramatiques pour le dénouement de toutes les tensions épiques et amoureuses contenues dans le drame. L'opéra, remanié plusieurs fois, avait été joué dans une première version au théâtre La Fenice de Venise, en 1796. GPa

LA VESTALE

Tragédie lyrique en trois actes de Gaspare Spontini (1774-1851). Livret de Victor-Joseph Étienne de Jouy (1764-1846). Première représentation : Paris, Opéra, 16 décembre 1807. Interprètes : E. Lainez, F. Lays, H. E. Dérivis, A. Banchu, M. T. Maillard.

LES PERSONNAGES : Licinius (ténor) ; Julie (soprano) ; Cinna (ténor) ; la grande vestale (soprano) ; un consul (basse) ; le *pontifex maximus* (basse).

L'INTRIGUE :
Acte I. A Rome, sur le Forum, près du temple de Vesta. On prépare le triomphe de Licinius, jeune général qui s'est couvert de gloire pendant sa campagne en Gaule. Mais Licinius confie à son ami Cinna son chagrin : Julie, sa bien-aimée, pour obéir à son père mourant, est devenue vestale, se vouant pour toujours à la chasteté. Julie est, elle aussi, bouleversée par le retour du héros, mais la grande vestale, in-

flexible, la désigne pour poser la couronne de laurier sur la tête de Licinius. Pendant la cérémonie, Licinius lui avoue sa flamme.
Acte II. Dans le temple de Vesta. Julie est seule, chargée de surveiller le feu sacré qui ne doit jamais s'éteindre. Elle prie la déesse de lui donner la force de résister à sa passion, mais lorsque Licinius arrive, elle lui ouvre la porte du temple et ils chantent ensemble un vibrant duo. Tout à leur amour, ils oublient le feu sacré, qui s'éteint. Cinna vient les avertir de l'arrivée des prêtres et des vestales. Licinius doit s'enfuir. Julie, effondrée, refuse d'avouer au *pontifex maximus* le nom de son bien-aimé, pour lui épargner le châtiment des sacrilèges auquel elle-même est vouée : être enterré vivant.
Acte III. Le tombeau où doit être ensevelie la vestale coupable. Licinius, fou de douleur, se dénonce au *pontifex maximus,* tandis que Julie tente encore de le sauver en affirmant ne pas le connaître. Soudain, la foudre s'abat sur l'autel où a été déposé le voile de Julie. La volonté de Vesta s'exprime ainsi clairement : le feu sacré brûle de nouveau, ce qui signifie que la déesse a pardonné à la jeune fille. Julie, miraculeusement sauvée et enfin libérée de ses vœux, peut épouser Licinius. Dans un jardin de roses, devant le temple de Vénus Érycine, les jeunes époux sont accueillis par le chœur joyeux des vestales.

■ Cet opéra, caractéristique de l'esprit néo-classique du Premier Empire, est le plus inspiré de Spontini. Il cherche à retrouver la mesure et l'équilibre propres à l'art classique, conformément à l'idéal esthétique de la période. Bien que les personnages, un peu figés, semblent résignés, incapables de rébellion, ballottés par les événements, le drame ne manque pas de qualités. La partition est audacieuse, le langage musical bien équilibré et la combinaison des sons fait souvent appel aux conceptions nouvelles qui animent la production symphonique de Beethoven. L'opéra tente d'une certaine manière d'effectuer la synthèse entre le génie mélodique italien et l'inspiration symphonique allemande.
RB

JOSEPH EN ÉGYPTE

Opéra en trois actes d'Étienne Nicolas Méhul (1763-1817). Livret d'A. Duval (1767-1842). Première représentation : Paris, Opéra-Comique, 17 février 1807.

L'INTRIGUE : Memphis, à l'époque de la famine racontée par la Bible. Joseph (ténor), gouverneur d'Égypte, a sauvé le pays de la disette, grâce au blé amassé pendant les sept années de « vaches grasses ». Il voudrait faire venir près de lui son père Jacob (basse) et ses frères pour qu'ils ne souffrent pas de la faim. Ils arrivent justement en Égypte et, sans savoir qui il est, lui demandent l'hospitalité. Joseph les accueille, mais ne se fait pas reconnaître. Son frère Siméon, qui l'a vendu comme esclave et fait passer pour mort auprès de sa famille, est rongé de remords. Incapable de supporter plus longtemps le poids de son crime, il avoue tout à son père, qui le maudit. Joseph supplie alors le vieillard de pardonner, et révèle son identité. Jacob accorde son pardon dans une atmosphère d'intense émotion et l'opéra s'achève sur des hymnes de louange à Dieu.

■ *Joseph en Égypte* est l'opéra le plus célèbre de Méhul. Son style lyrique et mélodique est un peu affaibli par une douceur qui ne correspond pas toujours au sujet traité. Toutefois, outre une remarquable richesse d'harmonie et de contrepoint, il contient des pages d'une grande simplicité mais très inspirées. GPa

FERNANDO CORTEZ ou LA CONQUÊTE DU MEXIQUE

Tragédie lyrique en trois actes de Gaspare Spontini (1774-1851). Livret de V.-J. Étienne de Jouy (1764-1846) et J. A. Esmérard, d'après l'œuvre d'A. Piron. Première représentation : Paris, Opéra, 28 novembre 1809. Interprètes : A. C. Banchu, E. Lainez, F. Lays, Laforêt, P. Dérivis, J. H. Bertin.

Les personnages : Amazily (soprano) ; Fernando Cortez (ténor) ; Montezuma (basse) ; Telasco (baryton) ; Alvaro (ténor) ; le grand prêtre (basse) ; Moralez (baryton). Soldats, prêtres.

L'intrigue :
Acte I. Une ville du Mexique. Dans le temple du dieu du Mal, le grand prêtre s'apprête à accomplir un sacrifice en immolant des prisonniers espagnols, parmi lesquels se trouve Alvaro, le frère de Cortez. Sur les conseils de Telasco, prince mexicain dont la sœur, Amazily, est aux mains des Espagnols, le roi Montezuma décide d'interrompre le sacrifice. A ce moment, Amazily, qui avait rejoint les Espagnols de son plein gré par amour pour Cortez et qui s'est convertie au christianisme, vient apporter aux Indiens des propositions de paix. Les troupes de Cortez avancent, mais les augures trouvent les auspices défavorables. Amazily retourne chez les envahisseurs pour demander une trêve.
Acte II. Le camp espagnol. Les soldats sont démoralisés et les encouragements de Cortez restent sans effet. Moralez, son ami et confident, lui avoue ses craintes qu'Amazily ne soit tout simplement une espionne. Mais Cortez a confiance en elle et l'accueille tendrement à son retour au camp. Elle explique ce qui s'est passé et raconte que les prêtres mexicains sont prêts à accomplir des sacrifices humains. Cortez jure de libérer Alvaro. Telasco se présente en ambassadeur chez les Espagnols, chargé de présents, et propose d'échanger la vie d'Alvaro contre la sauvegarde de son pays. Cortez persuade ses hommes de ne pas accepter ces propositions et fait incendier sa flotte pour que personne ne puisse quitter le Mexique. Telasco est gardé en otage.
Acte III. Mausolée des rois mexicains. Les Espagnols approchent. Cortez fait généreusement libérer Telasco, mais celui-ci dont la haine de l'envahisseur est inexpiable, s'empare d'Alvaro et des autres prisonniers espagnols, demandant en échange sa sœur Amazily. Cortez finit par accepter de la laisser partir et elle apporte à son peuple une nou-

velle offre de paix. Les Mexicains sont prêts à mourir, avec leurs prisonniers, dans la ville assiégée, mais Montezuma est enfin convaincu de la loyauté de Cortez : il lui accorde la main d'Amazily et conclut alliance avec les Espagnols.

■ Cet opéra connut une étrange mésaventure à sa création. Il avait été commandé à Spontini par l'empereur Napoléon Ier, qui avait lui-même choisi le sujet, comme une célébration allégorique de ses gloires militaires. L'empereur venait de déclarer la guerre à l'Espagne. Mais le public, enthousiasmé par la musique de Spontini, sembla interpréter l'opéra d'une façon bien différente des buts assignés par la propagande. C'est ainsi que *Cortez* fut précipitamment retiré de l'affiche alors qu'il connaissait une faveur exceptionnelle auprès du public. Il ne fut repris qu'en 1817, avec des modifications imposées par la vraisemblance, afin de mieux adapter l'histoire au dénouement heureux que rien dans l'action ne laissait prévoir. Spontini ne fut cependant jamais satisfait de son finale, dont il écrivit quatre versions différentes, si bien qu'on ne sait plus aujourd'hui laquelle doit être considérée comme définitive. La contradiction entre sa conception de l'opéra, qui exigeait une fin optimiste, et la réalité historique était vraiment trop flagrante, car Montezuma mourut assassiné et son peuple fut exterminé sans pitié. Jugé inférieur à *La vestale* pour l'intensité dramatique et la richesse expressive, *Cortez* est cependant un opéra ambitieux, très beau dans certains passages. Parmi les reprises récentes, il faut signaler celle de décembre 1951, au San Carlo de Naples, avec Renata Tebaldi. RB

PYGMALION
(Pimmalione)

Opéra en un acte de Luigi Cherubini (1760-1842). Livret de S. Vestris, inspiré en partie d'une version italienne, due à Sografi, du Pygmalion *de Rousseau. Première représentation : Paris, théâtre des Tuileries, 30 novembre 1809.*

L'intrigue : C'est la légende de Pygmalion, le sculpteur de Chypre amoureux de sa statue et qui parvient, avec l'aide de Vénus, à lui donner la vie.

■ Cherubini traversait une grave crise de dépression, due à ses difficultés financières et à sa disgrâce auprès de Napoléon, lorsque deux chanteurs lyriques italiens très appréciés par l'empereur, Crescentini et G. M. Grassini, le persuadèrent de composer un opéra en un acte qui serait joué anonymement au théâtre privé des Tuileries. Ils espéraient ainsi lui faire regagner les faveurs de l'empereur. L'opéra, en italien, ne déplut pas, mais le compositeur n'en retira aucun bénéfice concret. Il fut monté deux fois, en 1809 et en 1812. MS

SYLVANA

Drame lyrique en trois actes de Carl Maria von Weber (1786-1826). Livret de F. K. Hiemer, d'après le livret de Das stumme

Waldmädchen, *de Goulfinger et von Steinberg. Première représentation : Francfort-sur-le-Main, 16 septembre 1810.*

Les personnages : Rodolphe (ténor) ; Krips (basse) ; Albert (baryton) ; Elena (soprano) ; Zina (mezzo-soprano) ; le duc (basse) ; Melchior et Sylvana (récitants).

L'intrigue : Une chasse dans la forêt de Bacony, en Hongrie. Sylvana, la fille des bois muette aimée de Melchior, se promène dans la forêt, cueillant des fleurs et dansant. Effrayée par les chasseurs, elle se réfugie auprès d'Albert. Celui-ci, épris d'elle, en profite pour lui faire boire un somnifère et la transporte dans son château. Albert doit épouser Elena, mais celle-ci est liée par un tendre sentiment à Rodolphe, le fils du duc. Sylvana, elle aussi, est amoureuse de Rodolphe. Melchior, qui a suivi Sylvana jusqu'au château pour la ramener dans la forêt, ne peut plus repartir, car une foule d'invités arrive pour le mariage imminent d'Albert et Elena. Melchior tente de persuader Sylvana que Rodolphe est amoureux d'Elena, et non d'elle. Comme elle refuse de le croire, il lui donne un poignard pour qu'elle le tue s'il a menti. Sylvana assiste, cachée, à la cérémonie, et voit Rodolphe faire irruption et provoquer Albert en duel. Folle de jalousie, elle se jette sur Elena pour la poignarder, mais elle est arrêtée par Melchior, qui l'entraîne. Après de nombreux rebondissements (on apprend que Rodolphe n'est pas le fils du duc, mais un bâtard), l'histoire s'achève tragiquement. Sylvana, qui a perdu l'espoir de conquérir Rodolphe, se jette dans un ravin et Melchior devient fou de douleur.

■ *Sylvana,* écrit dans une période mouvementée de la vie de Weber — qui venait d'être expulsé du royaume de Wurtemberg pour une escroquerie dont il n'était probablement pas responsable, mais aussi à cause de sa liaison avec la cantatrice Margaret Lang —, est un brillant exemple de la « seconde période » du compositeur. La première eut lieu devant une salle presque vide, car les gens avaient préféré aller assister à l'ascension en ballon de Mme Blanchard. La reprise, à Berlin, fut au contraire un grand succès. EP

LE CONTRAT DE MARIAGE (La cambiale di matrimonio)

Farsa comica *en un acte de Gioacchino Rossini (1792-1868). Livret de Gaetano Rossi (1774-1855). Première représentation : Venise, théâtre San Moisè, 3 novembre 1810. Interprètes : R. Morandi, N. De Grecis, L. Raffanelli, T. Ricci.*

Les personnages : Tobia Mill (basse comique) ; Fanny (soprano) ; Edoardo Milfort (ténor) ; Slook (basse comique) ; Norton (basse) ; Clarina (soprano) ; domestiques et commis.

L'intrigue : Une pièce dans la maison du vieux marchand Tobia Mill. Il est enchanté car le riche commerçant américain Slook vient de lui proposer une bonne affaire : une forte somme s'il réussit à lui trouver une femme jeune et belle. Tobia pense à sa fille Fanny. Celle-ci est immédiatement mise au courant par Norton, le caissier de son père, et par Clarina, la servante. Comme elle aime en secret le bel Edoardo Milfort, elle est au désespoir, mais ses deux confidents lui promettent de l'aider. Lorsque l'Américain se présente, il se rend bien compte de la froideur de Fanny à son égard, mais elle lui plaît malgré tout. La jeune fille, furieuse, jure de lui arracher les yeux s'il s'obstine à vouloir l'épouser. Edoardo arrive à ce moment, décidé à défendre sa bien-aimée. Slook, ému, comprend à quel point les deux jeunes gens s'aiment. Il donne donc à Edoardo son contrat de mariage et fait de lui son héritier. Puis il explique à Tobia que sa fille lui plaît beaucoup, mais qu'il ne compte pas l'épouser. Le vieux, furieux, lui rétorque que le contrat est signé, qu'il n'est plus temps de revenir en arrière, mais l'Américain se montre inflexible, si bien que Tobia finit par le provoquer en duel. Slook est obligé d'accepter, et tous deux se préparent au combat. Toutefois, avant de croiser le fer, l'Américain révèle à Tobia la passion qui lie Fanny à Edoardo. Le père, surtout sensible au fait que le jeune homme est le légataire universel du riche Américain, finit par consentir au mariage. Le généreux bienfaiteur repart alors pour son pays, laissant derrière lui une famille heureuse.

■ *Le contrat de mariage* fut composé par Rossini à l'âge de dix-huit ans. Ce ne fut pas à proprement parler un succès, mais l'œuvre fut accueillie favorablement. On apprend par la presse de l'époque que le spectacle fut joué une douzaine de fois, résultat enviable pour un débutant. L'argument, tiré d'une comédie en cinq actes de Camillo Federici, avait déjà servi pour un livret mis en musique par Coccia deux ans auparavant. Aucune des deux adaptations ne rend justice à la comédie d'origine, mais celle de Gaetano Rossi a au moins le mérite de relever un peu la banalité du sujet en introduisant des épisodes comiques. Rossini sut mettre en valeur cet élément bouffe, mais il manquait de maturité et d'expérience pour créer une œuvre vraiment neuve : *Le contrat de mariage* suit en fait les schémas de l'école italienne de l'époque. Il ne faut cependant pas oublier que Rossini était encore lycéen lorsqu'il composa l'ouverture. Curieusement, ce coup d'essai s'achève par les mêmes accords et le même rythme que la dernière ouverture écrite par Rossini, celle de *Guillaume Tell.* Le trio *Quell' amabile visino* semble plus être l'œuvre d'un musicien expérimenté que d'un débutant. Un des thèmes de l'aria *Vorrei spiegarvi il giubilo* sera intégralement repris pour une aria du *Barbier de Séville, Dunque io son la fortunata.* Le sextuor final, *Vi prego un momento,* est également remarquable. Le style rossinien s'ébauche déjà dans cette œuvre, où transparaît la prédisposition du compositeur pour l'opéra bouffe. RB

ABU HASSAN

Singspiel *en un acte de Carl Maria von Weber (1786-1826). Livret de Franz Karl Hiemer d'après un conte des* Mille et une nuits. *Première représentation : Munich, Hoftheater, 4 juin 1811.*

L'INTRIGUE : Abu Hassan (ténor) et sa femme Fatima (soprano), traqués par leurs créanciers, doivent coûte que coûte trouver de l'argent. Abu Hassan se rend donc chez le calife (baryton), lui expliquant que sa femme vient de mourir et qu'il a besoin d'argent pour les funérailles. Fatima, pendant ce temps, adresse la même requête à la femme du calife. Après une série de rebondissements cocasses, l'escroquerie est découverte. Mais le calife pardonne à Abu Hassan et à Fatima, et tout finit joyeusement.

■ Ce *singspiel* orientalisant (marchant sur les traces de Mozart) fut un véritable triomphe. Il fut écrit en collaboration avec l'abbé Wogler. Au cours de son séjour à Munich, Weber fit la connaissance du clarinettiste Bärman, avec qui il devait beaucoup travailler par la suite. EP

L'HEUREUX STRATAGÈME
(L'inganno felice)

Farsa per musica *en un acte de Gioacchino Rossini (1792-1868). Livret de Giuseppe Maria Foppa (1760-1845). Première représentation : Venise, théâtre San Moisè, 8 janvier 1812.*

L'INTRIGUE : Une vallée avec l'entrée d'une mine et la maison du chef des mineurs, Tarabotto. Celui-ci a recueilli, dix ans auparavant, une jeune fille pauvre, Nisa, qu'il fait passer pour sa nièce. Il s'agit en réalité d'Isabella, la femme du duc propriétaire de la mine, que tout le monde croit morte à la suite des machinations d'Ormondo et de Batone. Le duc s'est remarié, mais il a perdu sa seconde femme. Il arrive chez Tarabotto, en compagnie d'Ormondo et Batone, qui manquent reconnaître en Nisa leur ancienne maîtresse. Tarabotto s'arrange pour que le duc rencontre Nisa. L'un et l'autre sont profondément troublés. Le mineur surprend ensuite un conciliabule entre Ormondo et Batone, qui projettent d'enlever Nisa, dont la ressemblance avec la duchesse les inquiète. Batone, habilement interrogé par Tarabotto, est près de se repentir et de tout avouer. Le mineur avertit le duc du complot qui se trame contre sa nièce. Ormondo, démasqué, tente de mettre fin à ses jours, mais Isabella, enfin reconnue par son époux, l'arrête et lui pardonne. L'opéra s'achève dans l'allégresse générale.

■ L'opéra, bien que défini comme une farce, contient seulement quelques épisodes bouffes, d'ailleurs secondaires. Cela permit à Rossini d'exprimer son génie des personnages en alternant moments comiques et dramatiques. Le style propre de Rossini s'affirme déjà dans cette œuvre de jeunesse, qui eut un grand succès et fut l'opéra de Rossini le plus joué avant *Tancredi.* RB

CYRUS À BABYLONE
(Ciro in Babilonia)

Drame en deux actes de Gioacchino Rossini (1792-1868). Livret

de Francesco Aventi. Première représentation : Ferrare, théâtre municipal, 14 mars 1812.

L'INTRIGUE : Balthazar, roi de Babylone, s'éprend d'Amira, femme du roi de Perse Cyrus, qu'il a vaincu. Amira est prisonnière avec son fils, et Balthazar lui fait les plus flatteuses propositions, mais se heurte à un refus obstiné. Pendant ce temps, Cyrus, déguisé en ambassadeur, tente de libérer Amira. Découvert, il est arrêté et emprisonné. Balthazar est cette fois décidé à avoir Amira, même contre son gré, et ordonne que l'on prépare la cérémonie nuptiale. Mais soudain éclate un terrible orage : au milieu des éclairs, une main mystérieuse apparaît et trace sur le mur, en lettres de feu, d'étranges et menaçantes inscriptions. Le roi de Babylone est bouleversé. Il convoque les mages et le prophète Daniel. Celuici interprète le prodige comme un signe de la colère divine. Les mages, au contraire, conseillent au roi de sacrifier aux dieux trois éminents prisonniers perses. Déjà Cyrus, Amira et leur fils doivent être conduits au supplice, lorsque arrive la nouvelle de la victoire des armées perses sur les troupes babyloniennes. Cyrus est libéré et monte sur le trône de Balthazar. Le peuple rend hommage au nouveau roi.

■ *Cyrus à Babylone* peut être considéré comme une étape sur la voie qui devait conduire Rossini aux chefs-d'œuvre de sa maturité. Lui-même y voyait un échec et, de fait, le livret est assez mauvais, plein de banalités et de lieux communs. La musique, au contraire, ne manque pas d'originalité, ce qui explique le relatif succès obtenu par l'opéra. RB

L'ÉCHELLE DE SOIE
(La scala di seta)

Farsa comica *en un acte de Gioacchino Rossini (1792-1868). Livret de Giuseppe Maria Foppa (1760-1845). Première représentation : Venise, théâtre San Moisè, 9 mai 1812.*

L'INTRIGUE : L'action se déroule dans les appartements de Julie, mariée secrètement à Dorvil. Le tuteur de la jeune femme, Dormont, veut lui faire épouser Blansac, qu'aime Lucille, cousine de Julie. Dorvil rejoint chaque nuit son épouse en montant dans sa chambre par une échelle de soie. Au sortir d'un de ces rendez-vous nocturnes, Dorvil rencontre Dormont et Blansac qui l'invitent à monter avec eux chez Julie. Là, il assiste aux avances de Blansac à son épouse, qui fait mine de ne pas les repousser. A la suite d'un quiproquo, le serviteur Germano annonce au soupirant que Julie l'attendra la nuit même dans ses appartements. Lucille, prévenue, se dissimule pour surprendre son amoureux, tandis que Germano s'apprête à épier la scène. Mais c'est Dorvil qui s'introduit le premier chez Julie par l'échelle de soie, suivi de peu par un Blansac plein d'espoir. Arrive enfin, toujours par l'échelle de soie, le tuteur qui surprend Lucille, Germano et le soupirant. Seul remède à l'évident déshonneur de Julie : le mariage. Mais Dorvil, qui s'était dissimulé à l'arrivée de son rival, sort de sa cachette et dévoile la vérité. Dormont pardonne aux jeunes époux et donne son consentement à l'union de Lucille et Blansac.

■ Le livret s'inspire d'une farce française du même titre, déjà mise en musique par P. Gaveaux. Foppa, auteur renommé, a réalisé sur ce thème un texte monotone et insignifiant, seulement relevé par le burlesque du finale. L'imitation manifeste du *Mariage secret* de Cimarosa ne lui a, de toute évidence, pas réussi. Lors de la première, à Venise, l'opéra fut diversement accueilli, mais resta à l'affiche plus d'un mois, signe d'un indéniable succès. Il ne s'agit pas, toutefois, d'une des meilleures œuvres de Rossini. RB

LA PIERRE DE TOUCHE
(La pietra di paragone)

Mélodrame comique en deux actes de Gioacchino Rossini (1792-1868). Livret de Luigi Romanelli (1751-1839). Première représentation : Milan, théâtre de la Scala, 26 novembre 1812.

L'INTRIGUE : Le riche comte Asdrubal (basse) invite dans sa maison de campagne quelques amis au nombre desquels la marquise Clarisse (contralto), jeune veuve dont il est amoureux. Mais deux autres dames, Aspasie et Fulvie, tentent de leur côté de le séduire pour s'en faire épouser. Asdrubal imagine alors une mise à l'épreuve : déguisé en marchand turc, il vient réclamer le paiement d'une grosse créance qu'il dit détenir sur le comte. Son valet, complice, affirme que jamais la dette ne pourra être remboursée. Le Turc menaçant de faire saisir tous les biens d'Asdrubal, les chers amis s'esquivent les uns après les autres. Seuls se montrent fidèles le meilleur ami d'Asdrubal, Giocondo (ténor), et Clarisse. Le comte révèle alors la supercherie et accorde son pardon à tous. Entre-temps Clarisse décide de le mettre à l'épreuve à son tour. Déguisée en militaire, elle se présente comme Lucindo, son frère jumeau. Le faux Lucindo vient, dit-il, arracher sa sœur à ce milieu où elle ne connaît que des malheurs. Le comte lui demande la main de Clarisse, qui dévoile alors sa véritable identité. Aspasie et Fulvie, déçues, n'ont plus qu'à se trouver deux nouveaux soupirants parmi la compagnie.

■ *La pierre de touche* souleva un tel enthousiasme lors de sa création qu'elle fut représentée cinquante-quatre fois de suite. C'est, il est vrai, l'une des plus élégantes partitions de Rossini. RB

MONSIEUR BRUSCHINO
(Il signor Bruschino)

Farce en un acte de Gioacchino Rossini (1792-1868). Livret de Giuseppe Maria Foppa (1760-1845). Première représentation : Venise, théâtre San Moisè, fin janvier 1813.

L'INTRIGUE : Florville, à la mort de son père, peut enfin épouser Sophie. Mais le tuteur de la jeune fille, ennemi juré du père de Florville, l'a promise à un certain Bruschino, que nul ne connaît. Florville ne s'avoue pas vaincu. Il soudoie Filiberto, patron de l'auberge où loge le prétendant, qui lui procure une lettre dans laquelle Bruschino exprime à son père son repentir pour sa conduite passée. Grâce à cette lettre, Florville se fait passer pour Bruschino auprès de Gaudenzio, le tuteur de Sophie, et parvient à gagner son estime. Arrive sur ces entrefaites le père du promis, qui ne reconnaît pas son fils en Florville. Chacun croit cependant qu'il affecte cette attitude parce qu'il n'est pas convaincu du repentir sincère de son fils. Mais lorsque le véritable Bruschino entre en scène, son père, souhaitant rompre l'engagement qui le lie à Gaudenzio, fait mine de reconnaître Florville et le marie à Sophie. Le tuteur, une fois sa fureur passée lorsqu'il comprend le stratagème, ne peut que se résigner.

■ *Il signor Bruschino ossia Il figlio per azzardo*, connu également sous le titre *I due Bruschini*, est une œuvre de jeunesse de Rossini. Le compositeur n'a pourtant pas cherché à flatter les goûts conventionnels du public à l'époque. Sur un livret des plus insipides, il a écrit une musique audacieuse qui fit scandale. L'ouverture est ainsi restée célèbre parce que les violons doivent, à un moment, frapper sur les pupitres avec leurs archets. RB

TANCRÈDE
(Tancredi)

Mélodrame héroïque en deux actes de Gioacchino Rossini (1792-1868). Livret de Gaetano Rossi (1774-1855) d'après la tragédie de Voltaire. Première représentation : Venise, Teatro La Fenice, 6 février 1813. Interprètes : A. Malanotte, E. Manfredini, P. Todran, L. Bianchi, T. Marchesi.

LES PERSONNAGES : Argirio (ténor) ; Aménaïde (soprano) ; Tancrède (contralto) ; Orbazzano (basse) ; Isaure (mezzo-soprano) ; Ruggero (ténor).

L'INTRIGUE : Syracuse au IXe siècle.
Acte I. Argirio, seigneur de Syracuse, a promis sa fille Aménaïde au chef d'une faction adverse, Orbazzano, pour réconcilier tous les partis face à l'ennemi commun. En effet, les Sarrasins assiègent la ville. Mais Aménaïde avoue à sa confidente Isaure son amour pour Tancrède, fils de l'ancien roi déchu de Syracuse. Elle envoie un message au jeune homme. Dans le parc du palais, Aménaïde prévient Tancrède qu'il est soupçonné d'être allié aux Sarrasins et l'exhorte à fuir. Elle ne lui révèle pas les projets de mariage conçus par son père. Quand Tancrède les apprend, il reproche amèrement à la jeune fille sa trahison. Aménaïde refuse alors fièrement la main d'Orbazzano. Mais ce dernier est en possession de la lettre envoyée par Aménaïde à Tancrède. La missive ayant été interceptée à proximité du camp des Sarrasins, on accuse la jeune fille de l'avoir adressée à Solamir, leur chef. Elle est injustement emprisonnée pour trahison.
Acte II. Dans la prison où Aménaïde gît enchaînée, Argirio se lamente : il va devoir condamner sa fille. Tancrède, méconnaissable

sous un déguisement, provoque Orbazzano en duel : s'il vainc, ce sera la preuve de l'innocence d'Aménaïde, que lui-même croit pourtant coupable. Orbazzano est tué, et Isaure révèle à Aménaïde la véritable identité de son sauveur. Celui-ci, malgré les supplications de la jeune fille, court défendre la ville assaillie par les Sarrasins. Persuadé d'avoir été trahi par celle qu'il aime, il se bat comme un lion et libère Syracuse de ses assiégeants. On découvre alors que la lettre d'Aménaïde était destinée à Tancrède et non au chef ennemi. Tandis que le peuple en liesse fête la victoire, les deux jeunes gens sont unis, avec la bénédiction d'Argirio.

■ Alors que le héros de Voltaire, persuadé de la culpabilité d'Aménaïde, cherchait le trépas dans la bataille, tout se finit ici joyeusement, comme l'exige le goût de l'époque. Une version de l'opéra, présentée à Ferrare la même année, et qui s'achevait par la mort du héros fut boudée par le public. On revint donc au livret original.

Tancrède n'obtint pas un succès immédiat. La première vénitienne fut interrompue au milieu du deuxième acte, l'une des interprètes ayant été victime d'un malaise. Mais lorsque l'œuvre fut reprise à Venise, elle connut un tel succès que l'on chantait partout sur les canaux et dans les rues l'air *Mirivedrai, ti rivedrò (Tu me reverras, je te reverrai).* L'usage modéré du *recitativo secco*, la richesse en thèmes originaux et la fraîcheur de l'inspiration expliquent l'accueil favorable réservé à *Tancrède.* Cette première œuvre dramatique importante de Rossini marque le début d'une renommée qui ne se démentira pas. RB

L'ITALIENNE A ALGER (L'Italiana in Algeri)

Drame burlesque en deux actes de Gioacchino Rossini (1792-1868). Livret d'Angelo Anelli (1761-1820). Première représentation : Venise, théâtre San Benedetto, 22 mai 1813. Interprètes : M. Marcolini, S. Gentili, F. Galli, P. Rosich.

LES PERSONNAGES : Mustafa, bey d'Alger (basse) ; Elvire (soprano) ; Zulma (mezzo-soprano) ; Haly (basse) ; Lindor (ténor) ; Isabelle (contralto) ; Taddeo (basse bouffe) ; femmes, esclaves, marins, eunuques, corsaires.

L'INTRIGUE :
Acte I. Alger. Un salon dans le palais de Mustafa. Mustafa, lassé de son épouse Elvire, veut la marier à Lindor, jeune esclave italien. Mais Lindor aime une femme de son pays, Isabelle. Des corsaires du bey capturent un vaisseau italien à bord duquel se trouvent Isabelle et un de ses soupirants, Taddeo. La jeune fille se fait passer pour la nièce de Taddeo. Une salle du palais. Isabelle, que l'on destine au harem du bey, réussit à faire libérer Taddeo par Mustafa, fasciné par sa beauté. Arrivent Elvire et Lindor, qu'Isabelle reconnaît sur-le-champ. La rusée parvient à obtenir que le bey garde son épouse et lui donne pour esclave le beau Lindor.
Acte II. Haly, Elvire et Zulma, sa confidente, sont abasourdis de voir le tyrannique Mustafa devenu tout docile. Isabelle prépare

son évasion avec Lindor. Entretemps, le bey fait de Taddeo son lieutenant. Appartement d'Isabelle. La jeune fille s'habille à la turque. Mustafa imagine avec Taddeo un stratagème pour rester seul avec Isabelle : lorsqu'il éternuera, tous devront sortir. Mais l'astucieuse Isabelle déjoue ces plans et toute la compagnie reste dans sa chambre malgré les éternuements désespérés du bey. Tout est prêt pour la fuite d'Isabelle et de Lindor ainsi que des autres esclaves italiens. On enivre les eunuques et les gardes. De son côté, Mustafa, ravi, s'apprête à recevoir d'Isabelle le titre de « pappataci » (nom d'un insecte qui véhicule diverses fièvres). Cette distinction honorifique, lui explique-t-on, récompense les vertus cardinales : manger, boire, dormir et se taire. Taddeo s'affaire pour la cérémonie, croyant qu'Isabelle veut s'enfuir avec lui. Les esclaves italiens, dans une mascarade générale, revêtent le bey du costume de « pappataci ». Grande scène burlesque où Mustafa, enchanté, est tourné en ridicule par Isabelle et Lindor. Enfin apparaît le vaisseau qui doit emporter les fugitifs. Taddeo comprend qu'il a été joué et essaie d'avertir Mustafa. Mais le bey, en bon « pappataci », mange, boit, dort et se tait. Quand il revient à la réalité, une fois le bateau parti, toutes ses imprécations ne servent plus à rien. Le benêt n'a plus qu'à retomber dans les bras de son épouse, prête à lui pardonner.

■ Rossini définissait modestement *L'Italienne à Alger* comme son « passe-temps ». Il s'agit pourtant d'un de ses chefs-d'œuvre. Dès la première représentation, l'opéra fut un triomphe : le public vénitien bissa pratiquement tous les airs et Rossini fut littéralement ovationné. Le compositeur, persuadé qu'il était de n'être pas compris, fut si stupéfait qu'il s'exclama : « Maintenant je suis tranquille. Les Vénitiens sont encore plus fous que moi. » L'intrigue de l'opéra s'inspire probablement d'un épisode réel. Le livret, commandé par la Scala de Milan à Angelo Anelli, était destiné à l'origine au compositeur napolitain Luigi Mosca, qui fit jouer son œuvre à Milan cinq ans avant *L'Italienne à Alger* de Rossini. Celui-ci reprit le livret avec des modifications de détail, et le mit en musique au cours de l'été 1813 en une vingtaine de jours seulement. La partition reste très actuelle et la farce garde une vitalité sans précédent. Les personnages sont caractérisés avant tout par le rythme que la musique impose à l'action. Ils sont dépeints de manière caricaturale, mais avec une profondeur et une finesse psychologiques qui les élèvent au rang de types dans l'opéra-comique. RB

LE TURC EN ITALIE (Il Turco in Italia)

Opéra bouffe en deux actes de Gioacchino Rossini (1792-1868). Livret de Felice Romani (1788-1865). Première représentation : Milan, théâtre de la Scala, 14 août 1814.

L'INTRIGUE : Dans un campement de bohémiens, le poète Prosdocimo cherche l'inspiration pour son prochain drame. Il rencontre Geronio, riche propriétaire, et la bohémienne Zaïda, follement éprise d'un prince turc. Lisant les lignes de la main de Geronio, Zaïda lui apprend que sa femme le trompe. En effet, en rentrant chez lui, il surprend sa femme Fiorilla en compagnie de Selim, qui n'est autre que le prince turc aimé de Zaïda. Ravi d'avoir trouvé l'argument de sa pièce, Prosdocimo décide de le compliquer un peu. Il persuade Zaïda de se trouver à un rendez-vous avec Selim à la place de Fiorilla. Celle-ci survient au cours de la rencontre, suivie de peu par Geronio. Dispute générale. Au cours d'un bal masqué, Selim doit s'enfuir avec Fiorilla. Mais l'inévitable poète prévient le mari trompé et Zaïda, qui se mêlent à la fête, déguisés respectivement en prince turc et en Fiorilla. Après une cascade de quiproquos, Selim et Fiorilla se retrouvent sur la plage avec Zaïda et Narcisse, chevalier servant de Fiorilla et amoureux délaissé de la bohémienne. L'amour renaît alors entre Zaïda et le prince turc et Fiorilla rentre chez son mari. Le poète, satisfait, peut mettre un point final à sa pièce.

■ *Le Turc en Italie* ne fut pas un grand succès, du moins au début. Suivant de peu le triomphe de *L'Italienne à Alger*, il fut injustement considéré comme une simple imitation. En outre, bien peu apprécièrent l'idée, pourtant novatrice et géniale, presque pirandellienne, de l'action à double niveau : d'une part les rebondissements comiques et d'autre part le personnage du poète, à la fois mêlé à l'histoire et distancié, qui tire les ficelles de l'action. La musique de Rossini ne fait que renforcer l'aspect fascinant de l'œuvre. RB

LE BARBIER DE SÉVILLE (Il barbiere di Siviglia)

Opéra en deux actes de Gioacchino Rossini (1792-1868). Livret de Cesare Sterbini (1784-1831) d'après la comédie de Beaumarchais. Première représentation : Rome, Teatro Argentina, 20 février 1816 (sous le titre Almaviva ossia L'inutile precauzione). *Interprètes : L. Zamboni, G. Giorgi-Righetti, M. Garcia, B. Botticelli, Z. Vitarelli.*

Les personnages : Le comte Almaviva (ténor) ; Don Bartolo (basse bouffe) ; Rosine (contralto ou soprano) ; Figaro (baryton) ; Don Basile (basse) ; Fiorello (ténor) ; Ambrogio (basse) ; Berta (soprano) ; un officier (basse) ; un alcade ou magistrat, un notaire, sbires, soldats, musiciens.

L'intrigue :
Acte I, premier tableau. A l'aube, sur une place de Séville. Le comte Almaviva est amoureux de Rosine, pupille de Don Bartolo. Avec son valet Fiorello et des musiciens, il donne une sérénade sous les fenêtres de la jeune fille, mais sans succès *(Ecco ridente in cielo)*. D'une rue voisine, on entend approcher quelqu'un qui chante joyeusement, et voici qu'apparaît Figaro, barbier et factotum de la ville, heureux et content de lui. C'est une vieille connaissance du comte et il promet à celui-ci de l'aider, car il a ses entrées chez Bartolo. Ce dernier sort justement de chez lui et, dissimulés, ils l'entendent dire

qu'il a l'intention d'épouser sa pupille le plus tôt possible. Sur les conseils de Figaro, le comte entonne alors une nouvelle sérénade, se présentant comme un certain Lindor, pour ne pas séduire Rosine grâce à son blason. Cette fois, la jeune fille répond, mais elle doit promptement refermer la fenêtre, car on la surveille. Le comte, ravi, décide de s'introduire chez Don Bartolo sous le déguisement d'un militaire ivre et muni d'un faux billet d'hébergement.
Deuxième tableau. Une chambre dans la maison de Don Bartolo. Rosine brûle d'envie de faire parvenir un billet à Lindor *(Una voce poco fa)*, et demande à son tour l'aide de Figaro. Mais leur conversation est interrompue par le retour du tuteur. C'est alors qu'entre en scène Don Basile, maître de musique de la jeune fille, hypocrite et obséquieux, qui annonce que le comte Almaviva se trouve à Séville. On sait que ce haut personnage a aperçu Rosine et s'en est épris. Basile conseille à Bartolo d'éliminer ce possible rival en utilisant la calomnie. Tous deux sortent ensuite, et Rosine peut charger Figaro d'un billet pour Lindor. Bartolo, suspectant quelque chose, interroge longuement Rosine, en rentrant, pour lui faire avouer qu'elle a écrit un billet. Soudain, le comte Almaviva, déguisé en soldat et jouant l'homme ivre, fait irruption. Il réussit à se faire reconnaître de Rosine à l'insu du tuteur. Celui-ci, en alerte, oblige cependant sa pupille à lui remettre la lettre qu'il l'a vue escamoter. L'habile Rosine lui donne à la place la liste du blanchissage. Furieux, il épanche sa colère sur Lindor, alertant par ses cris un officier et des gendarmes, qui arrêtent le soi-disant soldat. Le comte produit alors un document à la vue duquel l'officier se met au garde-à-vous et le libère. Tout le monde est abasourdi.
Acte II, premier tableau. Bureau dans la maison de Bartolo. Ce dernier nourrit de grands soupçons sur l'identité du faux militaire, mais voilà que le comte apparaît à nouveau, déguisé cette fois en maître de musique. Il prétend être l'élève de Don Basile, venu donner sa leçon de chant à Rosine à la place de son maître malade. Comme Bartolo reste très méfiant, le comte essaie de l'amadouer en lui remettant le billet que lui a écrit Rosine, billet adressé, explique-t-il, au comte Almaviva. Pour briser net cette idylle, il conseille au tuteur de faire croire à Rosine que le comte a remis son billet à une autre femme, pour se moquer d'elle. Don Bartolo, enchanté de cette idée, appelle sa pupille. La leçon de chant commence et le barbon s'assoupit, tandis que les amoureux se chantent leurs tendres sentiments. Figaro survient au bon moment pour raser Bartolo et parvient à subtiliser la clef du balcon. Mais voici qu'arrive à l'improviste Don Basile, censé être malade. On frôle la catastrophe, mais une bourse bien remplie persuade Basile d'entrer dans le jeu, et il se retire sans rien dire à Bartolo. Finalement, ce dernier se rend tout de même compte de la supercherie. Lindor s'enfuit, et le tuteur se poste à la porte pour surveiller sa maison. Berta, la domestique, fait des commentaires sur les choses étranges qui se déroulent.
Deuxième tableau. Le barbon en-

voie Basile quérir un notaire pour célébrer le jour même son mariage avec Rosine. Il montre à la jeune fille le billet qu'elle avait écrit à Lindor et la persuade que celui-ci n'est qu'un entremetteur au service du comte Almaviva. Rosine tombe dans le piège et, dépitée, révèle le projet de fuite nocturne. Don Bartolo va chercher la police. Dehors, un orage éclate, tandis que Figaro et Lindor s'introduisent dans la maison. Ils ont vite fait d'apaiser la colère de Rosine en lui révélant que Lindor n'est autre que le comte Almaviva. Les deux amoureux s'apprêtent à fuir, mais l'échelle a été enlevée. Basile entre, accompagné du notaire Figaro, sans se démonter, lui présente le comte et Rosine comme les futurs époux. Le maître de musique se laisse une fois de plus acheter, d'autant qu'on le menace d'un pistolet : il accepte d'être témoin. Lorsque Bartolo revient en compagnie des gardes, les jeunes gens sont mariés. Le comte dévoile sa véritable identité et Bartolo, la première colère passée, se résigne car on lui laisse la dot de Rosine en guise de consolation. L'opéra s'achève dans la joie générale.

■ C'est Rossini lui-même qui chargea Cesare Sterbini d'écrire le texte de l'opéra, après que le fameux librettiste Jacopo Ferretti eut échoué à en faire un bon livret d'*opera buffa* pour le théâtre Argentina. Malgré les précautions prises par le compositeur, qui avait même changé le titre de l'œuvre, il fut l'objet de vives attaques de l'entourage de Paisiello, qui avait composé un *Barbier de Séville* trente ans auparavant. C'est sans doute l'une des raisons de l'échec retentissant de la première romaine. Les mille six cents pages du *Barbier* furent écrites, aux dires de Rossini lui-même, en onze jours ; il est en tout cas certain qu'il n'y consacra pas plus de vingt jours. Comment l'un des plus grands chefs-d'œuvre de l'opéra a pu être créé en si peu de temps, cela reste un mystère. Le parfait équilibre et la concision de l'œuvre laissent pantois. Il n'y a aucun temps mort, l'orchestre soutenant de bout en bout les chanteurs. Comment ne pas apprécier la finesse mais aussi l'atmosphère burlesque, la cascade de trouvailles qui font qu'on se surprend à rire à ce comique vieux de plus de cent cinquante ans, tant est fraîche et pure cette extraordinaire partition ? Rossini emprunta pour l'écrire des passages de ses œuvres précédentes, mais la fusion est si parfaite qu'on ne décèle aucune rupture de style. Suivant avec bonheur les traces de Mozart, Rossini approfondit la psychologie des personnages de Beaumarchais déjà mis en scène par le maître de Salzbourg. Il est vrai que la Révolution française avait eu lieu entre-temps. On ne compte plus les airs connus, aussi bien des amateurs d'opéra que des gens qui n'ont jamais vu le *Barbier*. Les premières paroles de certains airs sont passées dans le langage courant comme expressions proverbiales ou humoristiques. Les airs les plus célèbres sont *La calunnia (La calomnie)*, de Don Basile, au premier acte ; *All'idea di quel metallo* (Figaro et le comte, acte I) ; *Una voce poco fa* (Rosine, acte I) ; *A un dottor della mia sorte* (Don Bartolo, acte I) ; *Il vecchietto cerca moglie* (Berta, acte II) ; *Ah !*

qual colpo inaspettato (Rosine, le comte, Figaro, acte II). Mais le plus fameux de tous est la cavatine que chante Figaro à son entrée en scène au premier acte, *Largo al factotum*, qui donne, avec l'ouverture, le ton de l'opéra. Rappelons enfin que le rôle de Rosine, écrit à l'origine pour contralto, a depuis été confié en général à un soprano léger. RB

ONDINE
(Undine)

Opéra en trois actes de Ernst Theodor Amadeus Hoffmann (1776-1822). Livret de Friedrich Heinrich Karl de La Motte-Fouqué (1777-1843). Première représentation : Berlin, Schauspielhaus, 3 août 1816.

L'INTRIGUE : Ondine, étrange jeune fille née dans un palais de cristal au fond de la mer, est recueillie par un couple de pêcheurs qui l'élèvent en souvenir d'une de leurs filles, disparue dans les eaux. Devenue adulte, Ondine s'éprend du beau chevalier Uldibrand et l'épouse ; mais dans le château du mari réside la perfide Bertholda (la fille disparue des pêcheurs, enlevée par un oncle d'Ondine, demi-dieu marin), dont Uldibrand tombe follement amoureux. Désespérée, Ondine est entraînée au fond de la mer par les esprits de l'eau qui veillent sur elle ; ces esprits décrètent que le chevalier traître doit mourir. Aussi, lorsque Ondine réapparaît à l'improviste, belle et éplorée, le jour des noces d'Uldibrand avec Bertholda, le chevalier, repenti, s'apprête à l'embrasser, mais, au contact du corps de la jeune femme aimée, il devient de glace et meurt. Autour de sa tombe naît un cours d'eau alimenté pour l'éternité par les larmes d'Ondine.

■ *Ondine* est l'œuvre la plus célèbre du compositeur allemand. La première représentation connut un grand succès à Berlin ; quatorze répliques lui succédèrent jusqu'au 27 juillet 1817, date à laquelle le théâtre fut détruit par un incendie. Depuis lors, l'œuvre (mis à part une représentation à Prague en 1821 qui n'obtint aucun succès) ne fut plus mise en scène. Le 30 juin 1922, environ un siècle plus tard, à Aix-la-Chapelle, l'opéra fut repris sous une nouvelle forme ; la modification du livret était due à H. von Woltzogen. *Ondine* fut ensuite mise en scène au théâtre et est actuellement donnée en Allemagne de temps à autre. L'œuvre a une importance certaine car elle reflète le climat intellectuel particulier à la Restauration allemande qui portait à se réfugier dans un monde enchanté, peuplé de divinités de la nature et de héros chevaleresques, monde que la musique de Hoffmann sut fidèlement évoquer. GP

FAUST

Opéra en deux actes de Ludwig Spohr (1784-1859). Livret de J. K. Bernard. Première représentation : Prague, 1er septembre 1816.

L'INTRIGUE : La jeune Rosine est amoureuse de Faust. Cunégonde, aimée de Ugo, languit en prison, coupable d'avoir refusé les avances de Faust. La jeune prisonnière est libérée par Ugo ; Faust, décidé à ne pas la perdre, demande à Méphistophélès de l'aider en lui donnant le pouvoir d'être aimé de Cunégonde et de repousser Rosine. Il boit le philtre magique et se présente à Cunégonde au moment de la célébration de ses noces avec Ugo. La jeune femme, sous l'effet d'une force mystérieuse, fait à Faust d'amoureuses avances qui contredisent son précédent refus. Ugo, ignorant le pouvoir diabolique qui pousse son épouse à une telle attitude, se croit trahi ; au comble de la colère, il se jette sur Faust et le frappe mortellement. Pendant que Rosine, dont l'amour pour Faust est resté inchangé, se noie, désespérée, Méphistophélès, satisfait de son œuvre, se prépare à entraîner Faust au plus profond de l'enfer.

■ Dirigée, lors de la première, par Carl Maria von Weber, l'œuvre connut, pendant plusieurs décennies, un grand succès dans l'Europe entière. Mais aujourd'hui, elle n'est plus reprise. Bien qu'elle prenne place parmi les plus belle pages de musique du compositeur et qu'elle atteigne, par moments, de vibrants accents romantiques, elle présente des déséquilibres excessifs. C'est la première tentative de mise en musique de l'histoire du légendaire docteur Faust. RB

OTHELLO ou
LE MORE DE VENISE
(Otello ossia
Il Moro di Venezia)

Opéra en trois actes de Gioacchino Rossini (1792-1868). Livret de F. Berio di Salsa, d'après la tragédie de Shakespeare. Première représentation : Naples, Teatro del Fondo, 4 décembre 1816.

L'INTRIGUE : Venise, au XVIe siècle. Othello, vainqueur des Turcs, est acclamé par le peuple et par le doge. Mais Rodrigue, avec l'aide de Jago, complote contre lui. Il craint que Desdémone, sa future épouse, n'aime le condottiere africain. La jeune femme confie sa passion pour Othello à Emilia, sa servante. Rodrigue et le père de Desdémone, Elmiro, accélèrent les préparatifs de noces. Mais Othello fait irruption pendant la cérémonie et Desdémone ne peut cacher son amour pour lui. Le père en colère enferme sa fille. Plus tard, Jago réussit à faire croire au More que la jeune femme le trahit avec Rodrigue. Othello provoque ce dernier en duel, ce qui le fait condamner à l'exil. Revenu en cachette à Venise, il réussit à rejoindre Desdémone, mais, tourmenté par la jalousie, il la tue. Jago, accablé de remords, se suicide, après avoir avoué ses intrigues. Quand le doge et Elmiro, qui ignorent tout de la tragédie, annoncent à Othello la révocation de son exil, le More, atterré de douleur et de désespoir, avoue son crime et se tue.

■ L'œuvre de Berio di Salsa rend méconnaissable la tragédie originale de Shakespeare, tant elle en appauvrit le côté dramatique. Isabella Colbran fut la protagoniste féminine de la première représentation. Le rôle fut ensuite repris par la Malibran dans une de ses plus célèbres interprétations. RB

CENDRILLON (La Cenerentola)

Mélodrame bouffe en deux actes de Gioacchino Rossini (1792-1868). Livret de Jacopo Ferretti (1784-1852). Première représentation : Rome, Teatro Valle, 25 janvier 1817. Interprètes : G. Giorgi-Righetti, T. Mariani, C. Rossi, G. De Begnis, G. Guglielmi, Z. Vitarelli.

Les personnages : Don Ramiro (ténor) ; Dandini (basse) ; Don Magnifico (bouffe) ; Angelina, dite Cendrillon (contralto) ; Tisbe (mezzo-soprano) ; Clorinda (soprano) ; Alidoro (basse). Chœur de courtisans du prince et de dames de la cour.

L'intrigue :
Acte I. Angelina, dite Cendrillon, habite dans le palais du baron Don Magnifico, son beau-père, avec les deux filles de celui-ci, Clorinda et Tisbe. La jeune fille est traitée comme une servante et humiliée en toute occasion. Elle a bon cœur : elle aide un mendiant (qui est en réalité le vieil Alidoro, maître du prince Don Ramiro), alors que ses deux sœurs le chassent du palais. Entre-temps, un groupe de chevaliers annoncent que le prince Don Ramiro va donner une réception afin de choisir son épouse parmi les invitées. Le prince lui-même, sous les vêtements de son serviteur Dandini (qui, à son tour, est déguisé en prince et l'accompagne), se rend chez les jeunes filles pour les conduire au palais. Il admire la gentille Cendrillon et en tombe aussitôt amoureux. Mais la jeune fille reste à la maison, à cause de la jalousie de ses sœurs.
Au palais, alors que la fête bat son plein, une belle inconnue fait son apparition. C'est Cendrillon, qui porte une robe merveilleuse que le prince lui a fait livrer en cachette. Chacun l'admire et remarque sa ressemblance avec la belle-fille de Don Magnifico.
Acte II. Cendrillon refuse les avances du faux serviteur, Dandini, et lui déclare qu'elle est amoureuse de son serviteur, qui est en réalité le vrai prince. Don Ramiro exulte en lui-même. Entre-temps, le vrai Dandini a révélé à Don Magnifico qu'il n'est pas le prince. Le baron, déçu, rentre chez lui avec Clorinda et Tisbe. Cendrillon les y a précédés ; elle a ôté sa robe de bal et vaque à ses occupations ménagères. Don Ramiro arrive, se fait reconnaître et demande la jeune fille en mariage. Dans la salle du trône, Cendrillon et le prince reçoivent les hommages des dignitaires de la cour ; parmi eux, le beau-père et les sœurs de la jeune femme s'inclinent à ses pieds. Elle montre une fois encore sa noblesse d'âme en leur pardonnant toutes les offenses subies et en les embrassant tendrement. Elle vivra heureuse aux côtés de son époux le prince.

■ Tiré du conte de Perrault, le livret de *Cendrillon* ne reproduit pas les intrigues extravagantes de l'original, car Ferretti considéra que le public n'eût pas supporté « sur scène ce qui amuse dans une petite histoire au coin du feu ». Les vers furent écrits en vingt-deux jours, la musique en vingt-quatre. Cette œuvre donc, comme plusieurs autres du compositeur de Pesaro, a été mise en musique en grande hâte. L'insuccès de la première, devant le public romain, fut attribué à la mauvaise interprétation des chanteurs. Mais Rossini, qui avait déjà connu la même froideur lors de la première représentation du *Barbier de Séville*, ne désespéra pas. L'œuvre fut bien accueillie dès le lendemain soir. Aujourd'hui encore, *Cendrillon* compte de nombreuses reprises, ce qui prouve l'extraordinaire vitalité de la partition. La création de personnages complètement nouveaux, pleins de fraîcheur et de naïveté, tel celui de Cendrillon, rend l'œuvre, déjà riche en qualités expressives, encore plus appréciable. Cependant, bien que composée un an après le *Barbier de Séville*, elle n'atteint pas la perfection du chef-d'œuvre rossinien. La différence de niveau entre le premier et le deuxième acte, de moindre valeur musicale, nuit à l'équilibre du mélodrame. RB

LA PIE VOLEUSE
(La gazza ladra)

Opéra en deux actes de Gioacchino Rossini (1792-1868). Livret de G. Gherardini (1778-1861). Première représentation : Milan, théâtre de la Scala, 31 mai 1817.

Les personnages : Giannetto (ténor) ; Fabrice, père de Giannetto (basse) ; Lucie, mère de Giannetto (mezzo-soprano) ; Ninetta, servante de Fabrice et de Lucie, amoureuse de Giannetto (soprano) ; Fernand, père de Ninetta (basse) ; le maire, soupirant de Ninetta (basse) ; Isaac, riche marchand (ténor).

L'intrigue : Chez un riche fermier des environs de Paris, tout le monde attend Giannetto qui revient du service militaire : ses parents, Fabrice et Lucie, et surtout la servante Ninetta, en raison des sentiments qu'elle éprouve pour son jeune maître. La servante est maltraitée par Lucie qui la croit à tort responsable de la disparition d'une bague. Enfin, Giannetto arrive. Cependant Ninetta aide son père Fernand, recherché par les autorités comme déserteur, à s'enfuir. Elle se joue du maire qui, venu pour arrêter Fernand, en profite pour lui faire une cour éhontée. Avant de s'en aller, le père de Ninetta, à court de moyens, lui confie une bague pour qu'elle la vende et lui fasse parvenir l'argent en le cachant au creux d'un châtaignier. Elle la vend à Isaac, un riche marchand. Lucie, qui constate la disparition d'une cuillère, volée en réalité par une pie, accuse la servante. Quand elle apprend que celle-ci a vendu une bague, elle la fait emprisonner par le maire, car tous les soupçons se portent sur elle. Le maire essaie de profiter de la situation mais est à nouveau repoussé. Il va donc être très sévère : les juges condamnent à mort la pauvre fille. Son père Fernand, accouru pour la sauver, est arrêté à son tour. Mais on découvre enfin que la coupable de tous les vols est une pie. Ninetta est délivrée et Giannetto va l'épouser. La grâce du roi pour le père vient compléter l'allégresse générale.

■ Le sujet du livret de Gherardini, tiré d'une pièce française de d'Aubigny et Caigniez, intitulée *La pie voleuse*, s'inspire d'un fait divers. *La pie voleuse* obtint un

succès mitigé à Milan, mais fut particulièrement appréciée lors des représentations parisiennes.
RB

L'APOTHÉOSE D'HERCULE (Apoteosi di Ercole)

Opéra en deux actes de Saverio Mercadante (1795-1870). Livret de G. Schmidt. Première représentation : Naples, Teatro San Carlo, 19 août 1819. Interprètes : Isabella Colbran, Giovanni David, De Bernardis (l'aîné), Nozzari, Pesaroni, Benedetti.

LES PERSONNAGES : Hercule, Déjanire, Iole, Hyllus, Philoctète, Euryclée, guerriers, femmes, prêtres, le peuple, prisonniers, gardes, Jupiter, cortège céleste.

L'INTRIGUE : Hercule revient victorieux de la guerre et ramène, parmi les prisonniers, Iole, dont il est amoureux. Son fils, Hyllus, aime lui aussi Iole : Déjanire, femme d'Hercule, espérant ainsi ramener son mari à elle, demande l'accord pour le mariage des deux jeunes gens. Hercule, irrité, les fait emprisonner tous trois. Son ami Philoctète intercède pour eux, et Déjanire, délivrée, pour remercier son mari et reconquérir son amour, lui offre une tunique, cadeau trompeur de Nessus. Le vêtement est empoisonné et le héros meurt dans d'atroces souffrances. Jupiter veut son apothéose et l'entoure du céleste cortège.

■ C'est la première œuvre du jeune compositeur. Elle fut représentée le jour de l'anniversaire du prince héritier François de Bourbon et le public, rompant avec la tradition qui voulait que, en présence de la famille royale, on n'exprimât ni son approbation ni son désaccord, applaudit chaleureusement. L'œuvre ne se détache pas des modèles du XVIIIe siècle, mais doit sa valeur à une bonne instrumentation.
SC

LA DONNA DEL LAGO

Opera seria *en deux actes de Gioacchino Rossini (1792-1868). Livret de Andrea Leone Tottola (?-1831), d'après le poème de Walter Scott. Première représentation : Naples, Teatro San Carlo, 24 septembre 1819.*

L'INTRIGUE : L'action se déroule au temps où les habitants de la montagne du Sterling s'opposaient à Jacques V d'Écosse qui voulait envahir leurs terres. Hélène, la fille du chef des rebelles, Douglas d'Angus, en traversant le lac, confie aux ondes ses soucis. Elle aime Malcolm, mais son père l'a promise à Rodrigue. Le roi Jacques, qui a entendu vanter la beauté de la jeune femme, se déguise en chevalier, et, sous le nom de Hubert de Snowdon, lui demande l'hospitalité, et en tombe amoureux. Apprenant la passion qui la lie à Malcolm, le roi repart ; en prenant congé, il offre une bague à Hélène, grâce à laquelle celle-ci pourra obtenir ce qu'elle désire de Jacques V d'Écosse. Peu de temps après, Douglas est fait prisonnier. La jeune femme se rend à la cour avec son précieux cadeau. Elle y reconnaît avec surprise le chevalier Hubert et, en lui montrant la bague, demande la libération de son père. Le roi, fidèle à sa promesse, rend à Douglas sa liberté et comble Hélène en la mariant à Malcolm.

■ Rossini composa la partition avec sa rapidité habituelle. La musique n'est pas seulement spontanée et originale, elle fait également preuve d'une écriture complexe : ses motifs, extrêmement nouveaux, annoncent les thèmes et les cadences de l'opéra lyrique romantique. RB

OLYMPIE
(Olimpia)

Tragédie lyrique de Gaspare Spontini (1774-1851). Livret de M. Dieulafoy et C. Brifaut, d'après la tragédie de Voltaire. Première représentation : Paris, Opéra, 22 décembre 1819.

L'INTRIGUE : Le temple de Diane à Éphèse. Antigone, roi d'Asie Mineure, et Cassandre, roi de Macédoine, successeurs d'Alexandre le Grand, célèbrent la paix, après de nombreux combats. Cassandre causa, sans le savoir, la mort d'Alexandre ; maintenant, il aime sa fille Olympie, esclave d'Antigone sous le nom d'Aménéide. Il la demande en mariage. La prêtresse Sarzana, qui est en réalité Statyre, veuve d'Alexandre, devra célébrer les noces. Elle est horrifiée en reconnaissant l'assassin présumé de son mari. Dans le bois consacré à Diane, la prêtresse révèle l'identité d'Aménéide. La mère et la fille écoutent les justifications de Cassandre qui raconte comment il les sauva le jour de la mort d'Alexandre. Il n'est pas cru par Statyre. Le peuple acclame la reine ; alors c'est Antigone qui demande Olympie en mariage, pendant que ses hommes se lancent à la poursuite de Cassandre. Olympie est partagée entre son amour pour Cassandre et le respect des lois. Finalement Antigone, mortellement blessé, avoue avoir tué lui-même Alexandre. Lavé de tout soupçon, Cassandre peut enfin épouser Olympie. Statyre confie sa fille au jeune homme : elle-même retrouve le trône d'Alexandre, sous les acclamations des guerriers.

■ L'édition originale d'*Olympie* se terminait avec la mort de la jeune héroïne, le suicide de sa mère et l'apparition d'Alexandre qui les accueillait parmi les immortels. L'élément dramatique est sévèrement réduit dans la version de Spontini. Cependant, l'œuvre, particulièrement aimée et soignée par son auteur, est celle qui reflète le mieux son tempérament musical. RB

LES DEUX JUMEAUX
(Die Zwillingsbrüder)

Singspiel *en un acte de Franz Schubert (1797-1828). Livret de Georg von Hofmann. Première représentation : Vienne, Kärntnertortheater, 14 juin 1820.*

L'INTRIGUE : L'histoire, vraiment conventionnelle, commence avec la promesse faite par un maire de village de donner sa fille en mariage à son voisin, Franz Spiess. Mais celui-ci doit partir pour la guerre avec son frère Friedrich, et les noces sont renvoyées. Dix-huit ans s'écoulent ; les deux frères reviennent au village, mais la jeune fille s'est entre-temps mariée. Ils sont tous deux marqués par la guerre, devenus de vraies épaves. Mais l'un est resté doux, alors que l'autre est aigri et irascible. Aucun n'est au courant du retour de son frère, d'où une série de quiproquos. Friedrich, le bon frère, se voit confier le noble rôle qui lui convient (l'air qu'il chante pour saluer la terre de ses parents enfin retrouvée est très beau) ; Franz, le frère aigri, est le personnage moteur du petit drame : ce sont ses rappels insistants et continus de l'ancienne promesse qui soutiennent l'action. L'œuvre se conclut par un beau chœur final, qui s'accorde parfaitement au décor simple et familier dans lequel évoluent les personnages.

■ Contrairement au livret, plutôt modeste, la partition présente de très beaux morceaux. On retrouvera dans certaines symphonies de Schubert les accents musicaux de l'ouverture. L'air le plus apprécié aujourd'hui, mais dédaigné par les critiques de l'époque, est : *Der Vater mag wohl immer Kind mich nennen (Mon père veut que je sois toujours un enfant).* RB

PRECIOSA

Comédie en musique, en quatre actes, de Carl Maria von Weber (1786-1826). Livret de P. A. Wolff, tiré de la nouvelle La Gitanilla *de Miguel Cervantes de Saavedra (1547-1616). Première représentation : Dresde, Cosel's Garten, 15 juillet 1820.*

L'INTRIGUE : Il s'agit d'un opéra de style espagnol : la petite gitane Preciosa est amoureuse d'un chevalier qui, pour se rapprocher d'elle, se joint à la caravane des bohémiens. C'est ensuite la grande révélation : Preciosa est noble. La différence sociale ayant disparu, le chevalier peut l'épouser sans problème.

■ Quand il compose *Preciosa*, Weber entre dans une période tranquille de sa vie, après les années mouvementées de sa jeunesse. Il se marie avec Caroline Brandt, il est chef d'orchestre royal, et il élève des animaux domestiques. Il présente lui-même l'œuvre, en 1821, à Berlin où il connaîtra un vrai triomphe. Mais, à vrai dire, l'ouverture mise à part, *Preciosa* n'est pas considérée comme une grande réussite. EP

LA HARPE ENCHANTÉE (Die Zauberharfe)

Comédie musicale en trois actes de Franz Schubert (1797-1828). Livret de Georg E. von Hofmann. Première représentation : Vienne, Theater auf der Wieden, 19 août 1820.

■ L'œuvre n'obtint aucun succès et l'auteur la détruisit, ne conservant que l'ouverture *Rosamunde*.

LALLA ROOKH ou NURMAHAL (Nurmahal oder Das Rosenfest von Caschmir)

Festspiel *en deux parties de Gaspare Spontini (1774-1851). Livret de Carl Alexander Herklots, d'après le quatrième épisode des* Nouvelles exotiques *en vers de Thomas Moore. Première représentation : Berlin, Palais royal, 27 janvier 1821.*

■ Conçue, à l'origine, comme un spectacle dramatique avec des musiques de scène, l'œuvre fut ensuite transformée en opéra et mise en scène en 1822 sous le titre de *Nurmahal.*

LE MAÎTRE DE CHAPELLE

Opéra-comique en un acte de Ferdinando Paër (1771-1839), sur un texte de Sophie Gay. Première représentation : Paris, théâtre Feydeau, 29 mars 1821.

Les personnages : Barnabé, maître de chapelle (basse comique) ; Benedetto, son neveu (ténor) ; Gertrude, cuisinière de Barnabé (soprano).

L'intrigue : La scène se déroule en 1797 dans la maison du maître de chapelle d'un petit village des environs de Milan. Dans l'appartement modestement meublé, Gertrude, cuisinière française, lance des imprécations contre son maître Barnabé tout en préparant le dîner. Elle n'accepte pas que celui-ci, non content d'avoir invité son neveu si antipathique, lui demande de mijoter un repas plus soigné que d'habitude ; il prétend même la faire chanter dans son opéra *Cléopâtre.* Au cours de la deuxième scène, Barnabé, Benedetto et Gertrude entendent des trompettes et des coups de canon résonner non loin de la maison. Barnabé et Benedetto pâlissent ; la cuisinière annonce qu'il s'agit d'une attaque des Français, venus pour occuper le petit village, et incite son maître à montrer son courage. Barnabé déclare que, dans ce cas, la meilleure chose à faire est de se réfugier dans la cave ; Benedetto veut le suivre ; Gertrude avoue alors les avoir trompés. Soulagé, Benedetto se met à se vanter de la force et du courage dont il aurait certainement fait preuve. Barnabé, au contraire, se réjouit de ce qu'il ne se soit rien passé et demande à la cuisinière où en est le repas ; il envoie Benedetto chercher une bouteille de vin chez le curé et profite de l'absence de ce dernier et de Gertrude pour répéter quelques morceaux de son opéra ; il imite le basson et la flûte, esquisse quelques pas de danse et se voit déjà devenir rapidement célèbre et réclamé de toute part. Il prie Gertrude de venir pour chanter *Cléopâtre* avec lui. La cuisinière française affirme ne pas connaître l'italien et, pour le contrarier, le prononce très mal. Le maître insiste et quand Gertrude réussit enfin à bien chanter en prononçant l'italien correctement, Barnabé, heureux, l'embrasse et ils chantent tous deux le duo d'amour final.

■ Paër, en dépit de son caractère difficile, de sa vie déréglée et de la concurrence de ses contemporains, tel Rossini, réussit à s'imposer même à l'étranger comme l'un des représentants les plus valables de l'*opera semiseria. Le maître de chapelle,* qui lui apporta un succès notable, peut être considéré comme une œuvre autobiographique : Paër, en effet, fut très longtemps maître de chapelle aux cours de Parme, de Vienne et de Paris. ABe

LE FRANC-TIREUR (Der Freischütz)

Opéra romantique en trois actes de Carl Maria von Weber (1786-1826). Livret de Friedrich Kind (1768-1843) d'après Le Livre des esprits *de J. A. Apels et F. Laun. Première représentation : Berlin, Schauspielhaus, 18 juin 1821. Interprètes : K. Seidler-Wranitzkly (Agathe), T. Eunike (Annina), H. Blume (Gaspard), Stümer (Max).*

Les personnages : Max (ténor) ; Kuno (basse) ; Kilian (baryton) ; Gaspard (basse) ; Samiel (récitant) ; Agathe (soprano) ; Ottokar (ténor) ; un ermite (basse) ; Annina (soprano).

L'intrigue : L'action se déroule en Bohême, en 1650.

Acte I. Le jeune garde-chasse Max était le meilleur tireur du village mais, au cours d'une compétition de tir à l'arc, il a été battu par Kilian, qui le raille. Kuno, le garde forestier en chef du prince Ottokar, intervient à temps pour empêcher une bagarre entre les deux jeunes gens ; il promet à Max que, s'il gagne le tournoi qui se déroulera en présence du prince, il lui donnera sa place et lui accordera la main de sa fille Agathe. Mais Max n'est pas aussi sûr de lui qu'autrefois. Gaspard lui révèle alors un moyen de gagner avec certitude : il suffit pour cela de s'adonner à certaines pratiques magiques. Pendant que Max réfléchit, le chasseur noir, c'est-à-dire Samiel le démon, apparaît sur scène et disparaît aussitôt. Gaspard tend un fusil à Max et l'invite à atteindre un aigle dans le lointain. Le jeune garde-chasse l'abat et Gaspard lui annonce que le coup était enchanté. Si Max veut d'autres balles magiques, il devra se rendre à minuit dans la Vallée du Loup. Max accepte sous le regard de l'invisible Samiel.

Acte II. Agathe est bouleversée par de terribles présages et son amie Annina essaie de la calmer. La jeune fille prie pour conjurer le malheur. Max vient lui montrer l'aigle qu'il a tué et lui dire qu'il doit se rendre dans la Vallée du Loup récupérer un cerf qu'il a abattu. Le ciel s'obscurcit tandis que le jeune homme se dirige vers le sombre lieu du rendez-vous. Gaspard et Samiel sont déjà là. Le premier avait vendu son âme au diable et lui propose maintenant un échange : la rupture du pacte contre l'âme de Max. Samiel offre encore plus : s'il obtient l'âme du chasseur, Gaspard sera le chasseur noir pendant trois ans. Quand Max arrive, un peu plus hésitant et craintif qu'auparavant, Gaspard se met à fondre le métal qui servira à fabriquer les balles magiques. Pendant qu'il prononce les incantations, une violente tempête se lève et l'on entend un cor de chasse infernal.

Acte III. Les balles magiques sont au nombre de sept : six atteindront la cible, la septième sera dirigée par Samiel. Au début du tournoi, Max fait preuve d'une grande habileté. Pendant ce temps, Agathe rêve qu'elle est une colombe et que Max veut la tuer. Ses amies la tranquillisent :

Max va gagner, elle l'épousera et tout se passera bien. Elles l'aident même à mettre sa robe de mariée. Accompagnée par un ermite, la jeune fille arrive sur le lieu du tournoi au moment où doit se disputer la dernière manche devant le prince Ottokar. Le prince veut que Max atteigne une colombe qui vole entre les arbres avec sa dernière balle. Gaspard est caché dans les branches. Agathe, se souvenant de son rêve, essaie d'empêcher le coup, mais le chasseur doit obéir au prince et il tire. Gaspard, blessé, tombe. En mourant, il lance des imprécations contre Samiel qui l'a trompé. Le pacte entre Max et le démon est ainsi découvert et Agathe s'évanouit. Le prince voudrait exiler le jeune chasseur, mais l'ermite intervient en sa faveur : si Max démontre pendant un an qu'il sait être honnête et pieux, il pourra être pardonné et épouser Agathe. Le prince y consent et du chœur s'élève une louange au ciel.

■ Kind, le librettiste de Weber, fut le chef de file d'un « cercle romantique », le *Liederkreis*. Il conçut donc une histoire à mi-chemin entre le nationalisme de Klein et le romantisme de Klopstock. Weber réussit à saisir surtout le naturalisme de ce dernier qui rend particulièrement expressive la très célèbre ouverture. Construit comme un *singspiel*, c'est-à-dire comme un ensemble chanté et récité, le *Freischütz* trouve son origine dans d'anciens récits anonymes français, réécrits par Apels et Laun. Le premier titre du livret fut *Le coup d'essai*, puis devint *La fiancée du chasseur*. Beethoven, déjà sourd à l'époque, eut l'occasion de consulter la partition. Il eut l'impression d'une « diablerie » et ce, pas seulement à cause du sujet. Il se demanda longuement quel pourrait être l'effet musical de ces notes, de ces ensembles instrumentaux qui lui semblaient si éloignés de sa conception de l'œuvre lyrique. La première ne reçut pas un accueil très favorable. Le compositeur eut affaire aux défenseurs de l'opéra italien, rassemblés autour de l'école de Spontini, qui sentaient qu'un coup mortel venait d'être porté à leur longue hégémonie. Lors de sa deuxième sortie, en octobre, au Kärntnertortheater de Vienne, ce fut un triomphe. La présence de toute la tradition germanique — l'héroïsme des personnages, la nature sauvage, le surnaturel — fait du *Freischütz* un archétype de l'opéra romantique allemand. Les remaniements furent nombreux mais pas tous heureux. Berlioz, par exemple, mit en musique les parties récitées ; le résultat fut très critiqué. Une dernière remarque s'impose : dans cette œuvre apparaît de façon embryonnaire une caractéristique fondamentale de la musique de Wagner, le thème conducteur qui relie les diverses étapes de l'intrigue.

EP

ZELMIRA

Opera seria *en deux actes de Gioacchino Rossini (1792-1868). Livret de Andrea Leone Tottola (?-1831), d'après la tragédie de P. L. Buyrette de Belloy. Première représentation : Naples, Teatro San Carlo, 16 février 1822.*

L'INTRIGUE : Polydor, roi de l'île de Lesbos, est aimé par son peuple, ainsi que par sa fille Zelmira et son mari Hyllus, valeureux prince troyen. Mais Hyllus doit s'éloigner et Azorre, seigneur de Mytilène, à qui Polydor avait refusé la main de sa fille, profite de son absence pour envahir Lesbos. Il se met à la recherche du vieux roi pour le tuer. Zelmira réussit à cacher son père dans le tombeau des rois. Puis, afin de détourner tous les soupçons, elle se rend chez l'envahisseur et feint de désirer avec férocité la mort de Polydor, qui l'a refusée à Azorre. Celui-ci tombe dans le piège : il fait incendier le temple de Cérès, croyant que le vieux roi y est caché. Entre-temps, Antinore, qui convoite le trône de Mytilène, fait assassiner Azorre et conquiert à son tour Lesbos. C'est alors que le valeureux Hyllus revient, réussit à chasser le nouvel usurpateur et à remettre le vieux et sage Polydor sur son trône.

■ La tragédie de Belloy péchait déjà par sa monotonie ; la traduction de Tottola et les variations apportées rendent le livret franchement mauvais. Cependant, la musique de Rossini sembla faire oublier le texte médiocre et l'opéra connut un certain succès. Des critiques de l'époque accueillirent même *Zelmira* comme le chef-d'œuvre du compositeur. En réalité, la fadeur du livret influença forcément la créativité de Rossini et de ce fait, la partition est souvent redondante. Par ailleurs, l'œuvre est d'exécution difficile, tant en ce qui concerne la partie instrumentale que la partie vocale.
RB

SÉMIRAMIS
(Semiramide)

Mélodrame tragique en deux actes de Gioacchino Rossini (1792-1868). Livret de Gaetano Rossi (1774-1855), d'après Sémiramis *de Voltaire. Première représentation : Venise, théâtre La Fenice, 3 février 1823. Interprètes : I. Colbran, R. Mariani, F. Galli, L. Mariani, Sinclair.*

LES PERSONNAGES : Sémiramis (soprano) ; Arsace (contralto) ; Assur (basse) ; Idreno (ténor) ; Azema (soprano) ; Oroe (basse) ; Mitrane (ténor) ; l'ombre de Ninus (basse). Satrapes, mages, dames de la cour, gardes, esclaves et le peuple.

L'INTRIGUE : L'action se déroule à Babylone.
Acte I. Le temple de Bêl. Oroe, chef des mages, fait ouvrir les portes du temple. Les satrapes y pénètrent avec leur chef, le prince Assur, les Babyloniens et les Indiens, avec leur roi Idreno. La reine Sémiramis, suivie de la princesse Azema et du commandant Mitrane, doit choisir le successeur au trône, après l'assassinat de son époux, le roi Ninus. Mais un éclair éteint le feu de l'autel, semant la terreur et l'empêchant de parler. Le dieu veut que le régicide soit puni. Assur convoite le trône et Azema ; Arsace, commandant de l'armée, lui confie son amour pour la jeune fille, à sa grande colère. Entre-temps, Azema révèle sa passion pour Arsace, et Idreno ne peut cacher à son tour qu'il aime la jeune princesse.
Les jardins suspendus de Babylone. Le commandant Mitrane rapporte à Sémiramis la réponse

de l'oracle de Memphis qui prédit la paix et de nouvelles noces ; comme elle aime Arsace, il lui est facile d'interpréter la prophétie. La reine destine Azema à Idreno et annonce, devant le mausolée de Ninus, son mariage avec Arsace, qui donc deviendra roi. Mais la foudre interrompt à nouveau la cérémonie. La tombe de Ninus s'ouvre et son ombre terrible apparaît : Arsace deviendra roi après avoir accompli un sacrifice sur la tombe même.
Acte II. Entrée du palais royal. Assur, complice de Sémiramis lors de l'assassinat de son mari, évoque avec elle les circonstances du crime. Intérieur du sépulcre de Ninus. Oroe révèle à Arsace les noms des assassins du roi ; il dévoile au jeune homme horrifié sa véritable identité : Arsace n'est autre que le fils de Ninus, que l'on croyait mort. Salle du royaume. Azema est désespérée de ne pouvoir épouser l'homme qu'elle aime. Arsace arrive et confond Sémiramis, qui doit avouer son horrible crime. Le jeune homme ne peut se venger sur elle, maintenant qu'il sait qu'elle est sa mère. Assur, Arsace et Sémiramis se retrouvent sans le savoir à l'intérieur du sépulcre de Ninus. Le fils, dans l'obscurité de la tombe, tue involontairement sa mère, la prenant pour Assur. Quand il s'en rend compte, il veut se suicider, mais le peuple l'acclame comme roi. Les dieux calmés, il gouvernera sagement son pays, et Assur expiera son crime.

■ Cette œuvre, la dernière que Rossini écrivit pour les scènes italiennes, fut composée en cinq semaines. L'accueil de la première à Venise ne fut guère enthousiaste. Elle déplut au public surtout à cause du premier acte, qui fut jugé long et ennuyeux. Mais les critiques reconnurent tout de suite la valeur de l'œuvre. A Naples et à Vienne elle reçut un accueil triomphal et inspira même une nouvelle de Mery. Ce fait est assez insolite, car habituellement, c'est l'art lyrique qui s'inspire de la littérature et non le contraire. On sent dans le livret l'influence de Voltaire, qui réussit à peindre le personnage de la reine de Babylone avec toute la force que l'histoire et la légende lui confèrent. La partition est en même temps vive et majestueuse : les mélodies, en particulier, sont remarquables par leur beauté et leur originalité. Les chœurs du premier acte sont, quant à eux, admirables. Parmi les œuvres de Rossini antérieures à 1823, *Sémiramis* est certainement l'*opera seria* la plus amplement conçue et la plus riche en développements musicaux. On peut toutefois formuler une critique : Rossini cède parfois trop au goût de son époque en utilisant à l'excès les *abbellimenti* qui brisent l'équilibre harmonieux du chant. RB

JESSONDA

Opéra en trois actes de Ludwig Spohr (1784-1859). Livret de E. H. Gehe, d'après la tragédie La veuve de Malabar *de Lemierre. Première représentation : Cassel, 28 juillet 1823.*

L'INTRIGUE : La ville de Goa, en Inde. Le vieux Rajah, que Jessonda a épousé contre sa volonté, vient de mourir : la veuve, selon la loi du pays, doit être brûlée vive sur le bûcher de son défunt mari. Nadori, le jeune bramine venu lui annoncer son tragique destin, rencontre la sœur de Jessonda, Amazili. Il en tombe amoureux et lui promet de sauver la malheureuse. Jessonda, elle, espère être délivrée par le général portugais Tristano d'Acunha, son ancien fiancé, ignorant qu'une trêve a été signée entre Goa et ses assiégeants et qu'il n'est donc plus possible à Tristano de la libérer. Mais le pacte est rompu à cause de deux espions qui ont mis le feu aux navires portugais, et le général attaque la ville, juste à temps pour sauver Jessonda du bûcher. Nadori, le jeune bramine, emmène celle-ci en grand secret au temple, où elle épouse Tristano, pendant que lui-même reçoit la main d'Amazili.

■ *Jessonda,* le plus grand succès de Spohr, fut plusieurs fois repris en Allemagne, même au XXe siècle. Les chœurs des prêtres indiens et des soldats sont particulièrement réussis et le duo *Schönes Mädchen* est considéré comme l'une des plus belles pages du compositeur. Dans cette œuvre, l'auteur adopte une forme romantique : il renonce pour la première fois à l'alternance des arias et des récitatifs propre au mélodrame classique, au profit d'une continuité de l'action et de la musique. *Jessonda* a justement mérité une place honorable dans l'histoire de l'opéra allemand.

RB

EURYANTHE

Opéra romantique en trois actes du Carl Maria von Weber (1786-1826). Livret de Helmina von Chézy, tiré du roman médiéval Histoire de Gérard de Nevers et de la belle et vertueuse Euryanthe de Savoie. *Première représentation : Vienne, Kärntnertortheater, 25 octobre 1823. Interprètes : Henriette Sontag, T. Grünbaum Müller, A. Haizinger, A. T. Forti.*

LES PERSONNAGES : Euryanthe (soprano) ; Adolar (ténor) ; Églantine (mezzo-soprano) ; le roi Louis VI (basse) ; Rodolphe (ténor) ; Berthe (soprano) ; Lisiarte (baryton).

L'INTRIGUE : Dans les châteaux de Premery et de Nevers, vers 1110. Acte I. Louis VI organise une grande fête au cours de laquelle le comte Adolar vante les mérites de son épouse Euryanthe de Savoie. L'envieux comte Lisiarte met en doute l'existence d'une femme réellement vertueuse. Adolar le provoque en duel, mais Lisiarte évite le combat en lançant un autre genre de défi : s'il n'arrive pas à séduire Euryanthe, il perdra tous ses biens. Le roi essaie de le raisonner, mais Adolar lui-même insiste pour tenir le pari : s'il perd, c'est lui qui renoncera à tout. Entre-temps, Euryanthe attend le retour de son mari et se confie à Églantine, fille d'un rebelle, hôte de la maison. La jeune fille aime Adolar en secret et apprend de la bouche d'Euryanthe un douloureux secret de famille : la sœur du comte, Emma, s'est suicidée. Acte II. Lisiarte désespère de mener à bien son projet. Il va abandonner la partie, mais décide de tuer Adolar. Églantine lui apporte alors une aide inespérée : elle lui révèle le secret de famille d'Adolar et lui remet une bague que celui-ci avait offerte à Euryanthe. La bague semblera être un gage d'amour et la connaissance du secret prouvera l'existence de liens étroits entre Lisiarte et la châtelaine. Quand Adolar revient, la joie qu'il éprouve en retrouvant sa femme est de courte durée ; Lisiarte lui présente des preuves accablantes et le maître de maison finit par le croire.

Acte III. Adolar a abandonné Euryanthe dans la forêt. La noble dame, désespérée, rencontre le roi qui chasse et lui révèle la perfidie d'Églantine. Le roi la croit et lui promet justice. Entre-temps, Lisiarte se marie avec sa complice. Au passage du cortège nuptial, cette dernière laisse échapper certains mots qui permettent à Adolar, caché parmi le public, de comprendre sa vilenie. Il se fait reconnaître et provoque Lisiarte en duel. Louis VI arrive alors et annonce qu'Euryanthe est morte de douleur. Églantine avoue tout : Lisiarte, démasqué, la tue et est arrêté. L'histoire se conclut heureusement : Euryanthe, en réalité, n'est pas morte, mais simplement évanouie. Elle apparaît et embrasse tendrement Adolar.

■ L'histoire s'inspire de Boccace *(Gérard de Nevers)* et de Shakespeare *(Cymbeline).* Weber dut y apporter de nombreuses modifications pour éviter que l'on dénonce son caractère licencieux. Selon Hugo Wolf, *Euryanthe* est « un manuel pratique pour compositeurs lyriques ». L'opéra, commandé à Weber par l'intendant du Kärntnertortheater de Vienne après le triomphe du *Freischütz* obtint un franc succès. *Euryanthe* est en effet un grand opéra héroïque et romantique, qui fut apprécié par Beethoven mais sévèrement critiqué par Schubert, qui le trouvait antimusical. En réalité, la seule faiblesse d'*Euryanthe* réside dans le livret, lourd et compliqué. EP

LES CONSPIRATRICES ou LA GUERRE DOMESTIQUE
(Die Verschworenen oder Der häusliche Krieg)

Singspiel *en un acte de Franz Schubert (1797-1828). Livret de Ignaz Franz Castelli (1781-1862), d'après les comédies* L'assemblée des femmes *et* Lysistrata *d'Aristophane. Première représentation : Vienne, Musikvereinssaal, 1er mars 1861 (version instrumentale) ; Francfort-sur-le-Main, 29 août 1861 (version théâtrale).*

L'INTRIGUE : L'ordonnance du major Leopold Gschwandtner, Bastien, rencontre sa fiancée Linda. Il apporte aussi une lettre à Barbara, la femme du major, annonçant le retour des troupes pour une brève permission. Les femmes, lasses de leur solitude, n'acceptent plus de voir si peu leurs maris. Pour les éloigner des mirages de la gloire militaire, elles décident de mener une grève tout à fait singulière : elles se montreront froides et indifférentes envers eux. Quelle n'est pas leur surprise de s'apercevoir que les hommes ont décidé de la même attitude à leur égard ! Barbara découvre la cause de ce comportement : au cours d'une bataille particulièrement difficile, les hommes ont fait vœu de renoncer aux femmes pour toujours s'ils en réchappaient. Celles-ci doivent les ramener à la raison par la force : la guerre éclate entre femmes et hommes ; une guerre éclair dont les femmes sortent victorieuses. L'armistice est bientôt signé : les hommes doivent céder sur tous les fronts, renonçant même à partir pour d'autres guerres.

■ Le livret, écrit par Castelli, un ami de Beethoven et de Weber, fut publié en 1823 en même temps que d'autres œuvres, dans l'intention d'offrir aux musiciens autrichiens de bons textes, alors que ceux-ci se plaignaient de leur absence. Il plut beaucoup à Schubert qui en écrivit la partition très rapidement. L'œuvre, malgré sa brièveté, prend place parmi les meilleurs travaux du compositeur, grâce à son équilibre et à son homogénéité. RB

LE PRÉCEPTEUR EMBARRASSÉ (L'ajo nell'imbarazzo)

Opéra bouffe en deux actes de Gaetano Donizetti (1797-1848). Livret de Jacopo Ferretti, tiré d'une comédie de Giovanni Giraud (1807), déjà mise en musique par Pilotti en 1811. Première représentation : Rome, Teatro Valle, 4 février 1824.

L'INTRIGUE : Il s'agit d'une satire de la sévère éducation et de la chasteté monacale imposées aux enfants dans les familles les plus cléricales. Le marquis Giulio exige que ses fils, Enrico et Pipetto, soient élevés dans la plus complète ignorance jusqu'à leur vingt-cinquième année. Mais Enrico s'est marié en secret avec Gilda, qui lui a donné un fils. Exaspéré par la vie qu'il mène, le jeune homme demande de l'aide à son vieux précepteur, Don Gregorio, et lui présente sa femme. A l'arrivée du marquis, Gilda est prisonnière dans la chambre de Don Gregorio. Elle est inquiète car elle doit allaiter son fils ; Don Gregorio ne peut faire autrement que d'aller le chercher, en le cachant sous son manteau. Averti par une vieille domestique, Leonarda, le marquis découvre la présence de Gilda et pense qu'elle est la maîtresse du précepteur. Au cours d'une scène tumultueuse, dans laquelle sont impliqués tous les personnages de l'histoire, la vérité se fait jour. Le marquis comprend son erreur et confie son plus jeune fils, Pipetto, à son frère pour que celui-ci lui apprenne à « connaître le monde ».

■ L'œuvre, représentée quelquefois sous le titre de *Don Gregorio,* marqua pour Donizetti le début d'une époque plus heureuse que la précédente, au cours de laquelle le musicien n'avait pas obtenu les faveurs du public. Une nouvelle version fut présentée au Teatro Nuovo de Naples le 26 avril 1826. *Le précepteur embarrassé* est le premier opéra bouffe connu du compositeur de Bergame, et les portes de plusieurs théâtres italiens et étrangers s'ouvrirent à lui dès sa parution. MS

DON SANCHE ou LE CHÂTEAU D'AMOUR

Opéra comique en un acte de Franz Liszt (1811-1886). Livret

de E. G. M. Théaulon de Lambert et de Rancé. Première représentation : Paris, Opéra, 17 octobre 1825.

■ La partition, d'abord égarée, a été retrouvée en 1900 par J. Chantavoine. Il s'agit du seul opéra écrit par Liszt, alors qu'il n'avait que quatorze ans, et il est justement considéré comme assez mauvais. MSM

JULIETTE ET ROMÉO
(Giulietta e Romeo)

Opéra de Nicola Vaccai (1790-1848). Livret de Felice Romani (1788-1865). Première représentation : Milan, Teatro Cannobiana, 31 octobre 1825. Interprètes : Giovanni Battista Verger, Giuseppina Demeri, Adele Cesari, Raffaele Benedetti, Luigi Biondini.

■ La fameuse tragédie des amants de Vérone en une enième édition pour la scène. La dernière partie, particulièrement valable, fut insérée selon la volonté de Maria Malibran, dans *I Capuleti e i Montecchi* de Bellini, dont la cantatrice fut une des principales interprètes. EP

LA DAME BLANCHE

Opéra en trois actes de François Adrien Boieldieu (1775-1834). Livret d'Augustin Eugène Scribe (1791-1861), d'après les romans de Walter Scott Guy Mannering *et* The Monastery. *Première représentation : Paris, Opéra-Comique (Salle Feydeau), 10 décembre 1825. Interprètes : Rigaud, Boulanger, Ferreol, Henry Deshaynes.*

L'INTRIGUE :
Acte I. Nous sommes en Écosse, en 1759. Dickson, propriétaire terrien du comté d'Avenel, accueille dans sa maison Georges (ténor), un jeune officier de cavalerie au service du roi d'Angleterre, qui demande l'hospitalité. Celui-ci est à la recherche d'une jeune fille qui l'a soigné alors qu'il était blessé et dont il est tombé amoureux. Il raconte qu'il ne sait rien de sa propre famille : il a simplement quelques souvenirs d'un enfant de domestiques ; il se rappelle une compagne de jeu et une femme qui lui chantait des chansons. Dickson, de son côté, raconte au jeune homme l'histoire du château des comtes d'Avenel. Le dernier comte, qui appartenait au clan des Stuart, a été chassé après la bataille de Culloden et s'est réfugié en France, où il est mort. Gaveston (basse) l'intendant du comte à qui étaient confiées toutes les affaires du château, a assez bien embrouillé les intérêts de son maître pour se constituer une importante fortune personnelle ; la propriété, elle, va être mise en vente sous la pression des créanciers. La vente aux enchères doit avoir lieu le lendemain et l'intendant infidèle espère bien pouvoir acheter le château. Mais tous les propriétaires du village se sont mis d'accord pour acheter le manoir et le garder à son propriétaire. Dickson est chargé de l'opération. Le château a, bien entendu, une légende : le fantôme de la dame blanche. Justement, la dame blanche convoque Dickson pour minuit : le brave homme

est terrorisé et Georges se propose pour le remplacer.
Acte II. Un grand salon gothique au château d'Avenel. Anna (soprano), jeune orpheline élevée par le comte et maintenant sous la tutelle de Gaveston, est arrivée au château depuis quelques jours. Anna est la jeune fille que Georges cherche. Elle a l'intention de sauver le château en utilisant le trésor des comtes, dont la comtesse lui a révélé la cachette avant de mourir. C'est elle qui, sous l'apparence de la dame blanche, prie Georges de se battre à la vente du lendemain en son nom. Georges exécute son désir et le château lui est adjugé.
Acte III. Anna et Marguerite, la vieille gouvernante, réussissent à déjouer toutes les manœuvres de Gaveston. Elles découvrent, que Georges n'est autre que Julien, fils du comte disparu. Tout s'éclaire alors et l'histoire se termine pour le mieux.

■ En France, à l'époque, les poèmes de Byron et les romans de Walter Scott étaient très populaires. Le théâtre s'adapta aussi aux goûts du public. C'est ainsi qu'entrèrent en scène les paysages écossais, les châteaux en ruine, les ombres mystérieuses et les visions romantiques. *La dame blanche,* le chef-d'œuvre de Boieldieu, marque un tournant dans l'histoire de l'opéra-comique français, dont il inaugure la grande vogue du XIXe siècle. Boieldieu le composa au retour de son séjour en Russie, qui avait duré huit ans. Le musicien s'était rendu compte, avec ses premières œuvres, de sa faible préparation technique, et avait essayé d'y remédier. La musique de *La dame blanche* est légère, facile, gracieuse, limpide ; elle connut un énorme succès et une popularité remarquable. Le compositeur s'est montré particulièrement inspiré et *La dame blanche* est riche en mélodies. Cette œuvre fut, pendant des décennies, le cheval de bataille des plus grands théâtres français (pendant la seule année 1826, elle fut jouée cent cinquante fois) et, le 6 décembre 1962, eut lieu à Paris la millième représentation.
MS

ADELSON ET SALVINI (Adelson e Salvini)

Opera semiseria *de Vincenzo Bellini (1801-1835). Livret de A. L. Tottola. Première représentation : Naples, théâtre du conservatoire de San Sebastiano, 12 décembre 1825.*

■ *Adelson e Salvini,* première œuvre de Bellini, fut définie par son auteur, à la fin du manuscrit, « drame, alias brouillon », et cette phrase confirme l'impression de désordre qui s'en dégage. L'action raconte les aventures de lord Adelson et du peintre Salvini, qui courtisent la belle comtesse Fanny, avec la ville de Naples pour décor. L'opéra connut lors de sa première représentation un succès honorable, grâce auquel l'auteur fut chargé d'écrire *Bianca e Fernando.* GP

OBÉRON (Oberon, or The Elf King's Oath)

Opéra romantique en un prologue et trois actes de Carl Maria

von Weber (1786-1826). Livret de James Robinson Planché (1796-1880), d'après Le Songe d'une nuit d'été *de William Shakespeare (1564-1616) et le poème* Oberon *de Christoph Martin Wieland (1733-1813). Première représentation : Londres, Covent Garden, 12 avril 1826. Interprètes : Ch. Bland, H. Cawse, Smith, M. A. Paton, L. E. Vestris, J. Braham.*

LES PERSONNAGES : Oberon (ténor) ; Titania (soprano) ; Puck (contralto) ; Rezia (soprano) ; Sherasmin (baryton) ; Fatima (mezzo-soprano) ; Huon de Bordeaux (ténor) ; Almanzor (basse) ; Roshana (contralto).

L'INTRIGUE :
Acte I. Obéron, le roi des elfes, ne pourra se réconcilier avec Titania, son épouse qu'il aime tendrement, que s'il réussit à trouver un couple vraiment fidèle. Il a beaucoup cherché, mais en vain. Le petit génie Puck raconte alors à son maître l'histoire de Huon de Bordeaux : celui-ci a tué le fils de Charlemagne, mais l'empereur, sachant qu'il n'a pas agi en traître, mais au cours d'un duel régulier, lui a accordé sa grâce ; il lui a par contre imposé de se rendre à la cour de Haroun al-Rachid, de tuer le calife et d'enlever sa fille. Obéron pense qu'un homme possédant de telles qualités de courage et de loyauté doit être digne d'éprouver un vrai et grand amour ; il fait donc en sorte que Huon rêve de Rezia, la fille du calife. La jeune fille voit, elle aussi, Huon dans un rêve magique, et, au réveil, se sent envahie d'une passion ardente pour le chevalier étranger qu'elle ne connaît pas encore.
Acte II. Huon mène à bien l'entreprise ; il est sauvé par son valet Sherasmin qui, grâce à un cor magique, fait accourir Obéron au moment où les gardes sont sur le point d'avoir le dessus. Le roi des elfes emmène le chevalier, Rezia, la servante Fatima et le valet jusqu'au port d'Ascalon, où la compagnie s'embarque. Mais voilà que, causée par Puck, une violente tempête se déchaîne. Les naufragés sont faits prisonniers par des pirates. Seul, Huon, blessé, a réussi à s'enfuir. Recueilli par les elfes et les lutins, il est confié aux fées pour qu'elles le soignent.
Acte III. Tous les personnages se retrouvent comme par enchantement. Le chevalier de Bordeaux est réveillé par les fées, ses protectrices, dans le jardin d'Almanzor de Tunis, un émir qui garde Fatima et Sherasmin en esclavage et la très belle Rezia enfermée dans son harem. C'est justement dans le harem que Huon, à la recherche de Rezia, rencontre Roshana, femme d'Almanzor. Frappée par l'audace et la grâce de l'étranger, la jeune femme s'en éprend. Mais Huon la repousse car seule Rezia règne dans son cœur. A ce moment, survient l'émir qui condamne Huon au bûcher, comme profanateur du harem. Rezia intervient pour le sauver et Almanzor, furieux, la condamne aussi. Obéron doit à nouveau intervenir : l'épreuve difficile, à laquelle il avait soumis le chevalier et la jeune fille afin de vérifier leur fidélité, s'est révélée positive. Les deux jeunes gens s'aiment d'une passion certaine et l'elfe pourra donc s'unir à nouveau avec sa Titania adorée. La récompense pour Huon et Rezia est la reconnaissance

que leur voue Charlemagne.

■ Bien qu'elle n'égale pas le *Freischütz* en intensité dramatique, cette œuvre, la dernière du compositeur allemand, contient certaines de ses plus belles pages de musique. Par contre, le livret est médiocre. Au cours de cette phase initiale du romantisme, les hommes de lettres et les compositeurs se référaient obligatoirement aux thèmes fantastiques et fabuleux ; le poème de Wieland lui-même s'inspire d'un poème médiéval, *Huon de Bordeaux.* De Shakespeare sont tirés le personnage de Puck et l'idée du rêve employé comme élément vivifiant du récit. Commandé directement par la direction du Covent Garden, *Oberon* est un *singspiel,* c'est-à-dire une composition dans laquelle alternent les parties chantées et les parties récitées. Weber commença à y travailler en janvier 1825, mais dut suspendre la composition à cause de l'aggravation de sa maladie qui le contraignit à se retirer à Elm pour une cure. Une fois sa santé recouvrée, bien qu'imparfaitement, le musicien reprit la partition et y travailla à Paris et à Londres, où il avait un engagement pour douze concerts. En mars 1826, les répétitions commencèrent ; une série de contretemps dus aux querelles que l'auteur eut à soutenir contre certains interprètes qui n'avaient pas compris l'esprit de l'œuvre, rendit nécessaires plusieurs remaniements ; l'opéra, au fur et à mesure que les répétitions avançaient, prit une physionomie assez différente de la version originale. Il suffit de donner comme exemple les vicissitudes de l'ouverture : celle-ci est la partie la plus connue d'*Oberon,* une perle de la musique de Weber souvent exécutée séparément ; l'auteur dut la remanier plusieurs fois, si bien que la rédaction définitive ne fut prête que quelques jours avant la première. Le public accueillit *Oberon* avec enthousiasme, mais il n'en fut pas de même pour les critiques ; ils se montrèrent, au contraire, bien trop sévères. D'une part, ils ne toléraient pas les naïvetés, voire les banalités, du texte. D'autre part, ils tentaient d'établir une injuste comparaison avec le *Freischütz,* chef-d'œuvre dont le succès avait amené le Covent Garden à commander à Weber son *Oberon.* Mais peut-on exiger d'un artiste des chefs-d'œuvre toujours plus beaux ? Les critiques anglais, en tout cas, crurent que Weber ne s'était pas autant appliqué pour Londres que pour Berlin ; le compositeur en fut attristé. Il pensait même se remettre au *singspiel,* quand la mort le surprit. Par la suite, la critique a réhabilité *Oberon* qui pourtant, l'ouverture mise à part, a été peu représenté. EP

ALADIN
(Aladdin)

Opéra fantastique en trois actes de Henry Rowley Bishop (1786-1855). Livret de George Soane. Première représentation : Londres, Drury Lane, 29 avril 1826.

L'INTRIGUE : Elle est inspirée du conte oriental d'Aladin et de la lampe merveilleuse.

■ L'œuvre fut commandée par Elliston, directeur du Drury Lane, pour concurrencer l'*Oberon* de Weber, qui était donné au Covent Garden, l'autre grand théâtre de Londres. Mais, alors que l'œuvre de Weber connut un grand succès, *Aladin* fut un fiasco complet et dut être retiré après quelques représentations. MS

BIANCA ET FERNANDO
(Bianca e Fernando)

Mélodrame en deux actes de Vincenzo Bellini (1801-1835). Livret de Domenico Gilardoni. Première représentation : Naples, théâtre San Carlo, 30 mai 1826.

■ Cette œuvre de Bellini dont le titre du livret écrit par Gilardoni était, à l'origine, *Carlo d'Agrigento,* relate les aventures d'un frère et d'une sœur, Bianca et Fernando, qui finissent par se retrouver après une suite de conjurations et de vengeances. A l'occasion de la première représentation, où l'œuvre devait être exécutée sous le titre de *Bianca e Fernando,* la censure des Bourbons, pour éviter les allusions possibles au nom du roi Ferdinand, le fit changer en *Bianca e Gernando.* L'accueil fut bon, à tel point que le fameux imprésario Barbaja conclut avec Bellini un contrat pour la Scala. Le jugement de Donizetti fut très chaleureux ; après avoir assisté à la répétition générale, il écrivit : « Elle est belle, belle, belle, surtout pour un auteur qui écrit pour la première fois. » Par la suite l'œuvre fut modifiée, aussi bien le texte (avec la contribution de Felice Romani) que la musique par Bellini lui-même, et fut présentée dans sa nouvelle forme à Gênes, à l'occasion de l'inauguration du théâtre Carlo Felice le 7 avril 1928. Ce mélodrame ne fit jamais partie du grand répertoire de Bellini et, à part les quelques reprises qui eurent lieu en Italie au cours du XIXe siècle, fut représenté uniquement à Barcelone, en 1830. GP

LE SIÈGE DE CORINTHE

Tragédie lyrique de Gioacchino Rossini (1792-1868). Livret de G. Luigi Balochi (1776-1822) et A. Soumet, d'après la tragédie Anna Erizo *de C. Della Valle. Première représentation : Paris, Opéra, 9 octobre 1826. Interprètes : L.-Cinthie Damoreau, Fremont, L. et A. Nourrit, P. Dérivis, Prévost.*

LES PERSONNAGES : Mahomet II (basse) ; Cléomène (ténor) ; Néocle (ténor) ; Omar (basse) ; Pamira (soprano) ; Ismène (mezzo-soprano) ; Iero (basse profonde) ; Adraste (ténor) ; Turcs et Grecs.

L'INTRIGUE :
Acte I. Corinthe, palais du sénat. Le conseil de guerre, présidé par le gouverneur de la ville, décide de résister jusqu'au bout aux envahisseurs musulmans. Le jeune officier Néocle demande à Cléomène sa fille Pamira en mariage, mais la jeune fille déclare être amoureuse d'un guerrier ennemi, Almansor. Place de Corinthe. Conduits par Mahomet II, les musulmans mettent les Grecs en déroute. Cléomène est amené prisonnier devant le vainqueur par Omar, son confident. Quand

Pamira arrive, elle reconnaît en Mahomet son Almansor. Par amour pour elle, le sultan offre la paix à Corinthe. Mais Cléomène maudit sa fille, à cause de son amour pour Mahomet.
Acte II. Pamira et Ismène, sa confidente, se trouvent dans le pavillon de Mahomet II, après la victoire des Turcs. La jeune fille, sur le point d'épouser Mahomet, est partagée entre son amour et son devoir. Mais Corinthe s'est révoltée contre l'envahisseur et Néocle, prisonnier, vient l'annoncer ; du pavillon, on voit la forteresse et les guerriers ; quand la jeune femme entend la voix de son père qui l'appelle du haut de la tour, elle décide définitivement de retourner avec les siens. Mahomet, en colère, ordonne de raser la ville.
Acte III. Entre les tombes de Corinthe errent Néocle et Pamira, qui ont réussi à s'enfuir. La bataille est perdue pour les Grecs et il ne reste plus qu'à se donner la mort. Cléomène pardonne à sa fille, grâce à l'intercession de Néocle. La jeune fille s'est repentie de sa passion coupable et a juré une fidélité éternelle à l'officier grec. Pendant ce temps, les musulmans sont à leur recherche. Mahomet fait irruption avec ses guerriers et essaie de s'emparer de Pamira. Mais la jeune femme, plutôt que de se donner à l'ennemi, se tue d'un coup de poignard. L'opéra s'achève alors que l'incendie qui va détruire la ville de Corinthe rougeoie dans le lointain.

■ *Le siège de Corinthe* est une refonte du *Mahomet II*, que Rossini composa en 1820, directement d'après le texte de C. Della Valle. L'œuvre est riche d'airs remarquables, parmi lesquels on peut rappeler : *Dal soggiorno degli estinti* et *Giusto ciel' ! In tal periglio*, chantés par Pamira au cours du deuxième et du troisième acte. Le finale du drame est à souligner, non seulement pour sa valeur musicale, mais aussi parce qu'il constitua une innovation, les auteurs d'opéra du XIXe siècle s'en inspirèrent plusieurs fois. Il présente en effet un style symphonique caractéristique, que Rossini adoptera aussi pour *Moïse* et *Guillaume Tell.* Aux sentiments un peu schématiques des œuvres précédentes sont ici préférées des passions plus réelles et plus humaines qui sacrifient un peu le sacro-saint bel canto. Les thèmes choisis (amour de la patrie, passion maudite, sacrifice personnel au dénouement de la tragédie) sont caractéristiques du romantisme naissant. Une autre grande innovation est introduite par la conception du finale des actes, dans lequel interviennent plusieurs voix solistes et le chœur sur un fond instrumental très riche. Cette technique eut également beaucoup d'imitateurs, à tel point que son utilisation devient pratiquement constante dans toutes les œuvres romantiques. La tragédie de Rossini connut un vif succès, aussi bien lors de sa première représentation au théâtre San Carlo de Naples, le 3 décembre 1820, que dans sa version définitive. RB

MOÏSE ET PHARAON ou LE PASSAGE DE LA MER ROUGE

Mélodrame sacré en quatre actes de Gioacchino Rossini (1792-

1868). Livret de G.-L. Balochi et V.-J. Étienne de Jouy (1764-1846). Première représentation : Paris, Opéra, 26 mars 1827. Interprètes : Levasseur, H. B. Dabadie, A. Nourrit, Mori, L.-Cinthie Damoreau, Dupont.

LES PERSONNAGES : Moïse (basse) ; Éliézer (ténor) ; Pharaon (basse) ; Aménophis (ténor) ; Aufié (ténor) ; Osiris (basse) ; Maria (mezzo-soprano) ; Anaïde (soprano) ; Sinaïde (soprano) ; une voix (basse). Des Juifs, des Madianites, des Égyptiens, des prêtres, des gardes, des danseurs.

L'INTRIGUE :
Acte I. En Égypte, camp des Madianites. Le peuple juif, esclave de Pharaon, prie pour sa libération. Pendant que Moïse redonne du courage à la foule, son frère, Éliézer, et sa sœur Maria avec sa fille Anaïs entrent en scène. Éliézer annonce que le roi d'Égypte a décidé de rendre aux Juifs leur liberté. Maria raconte comment Aménophis, le fils de Pharaon, s'est épris d'Anaïs ; la jeune fille semble partagée entre son amour et son devoir qui la pousse à suivre son peuple. Une voix mystérieuse prédit à Moïse que le peuple juif retrouvera bientôt la Terre promise. Aménophis, cependant, menace de retenir les Juifs en Égypte, plutôt que de laisser partir Anaïs. La jeune fille aime, elle aussi, Aménophis, mais reste fidèle aux Hébreux. Alors que le peuple se réjouit déjà de sa libération, Aménophis annonce le nouvel ordre de Pharaon : le départ est suspendu. Moïse se dresse alors contre le roi d'Égypte et montre la puissance de son Dieu : le soleil s'obscurcit à la grande terreur des Égyptiens.
Acte II : Le royaume de Pharaon. Désespéré par la terrible obscurité, le roi convoque Moïse et Éliézer et renouvelle sa promesse de libérer leur peuple. Le soleil se remet à briller. Pharaon, resté seul avec son fils, lui propose d'épouser la fille du roi d'Assyrie et ne comprend pas les raisons de son trouble. Aménophis confie son chagrin à sa mère, qui l'incite à la résignation ; ils se rendent alors au temple d'Isis.
Acte III. Portique du temple d'Isis. Les Égyptiens chantent les louanges de la déesse. Moïse vient demander la libération promise. Mais Osiris, le grand prêtre, veut imposer au peuple juif, avant son départ, de rendre hommage à Isis. Moïse refuse. Entre-temps, un officier égyptien annonce les terribles effets de la colère divine sur l'Égypte : les eaux du Nil sont devenues rouges et dégagent des vapeurs mortelles. Les Égyptiens veulent se jeter sur les Juifs, mais Moïse, d'un geste, éteint la flamme qui brûlait sur l'autel d'Isis : Pharaon ordonne que les Juifs enchaînés soient éloignés de Memphis.
Acte IV. Dans le désert, les Juifs en fuite ont atteint les rives de la mer Rouge. Aménophis, qui avait enlevé Anaïs, la ramène aux siens afin de lui donner une preuve suprême de son amour ; il essaie encore de la convaincre de rester, mais la jeune fille décide finalement de suivre le sort de son peuple. Sur les rives de la mer Rouge, les Juifs sont sur le point d'être rejoints par les soldats égyptiens. Moïse exhorte son peuple à garder l'espoir. Il entonne une prière solennelle et les eaux se retirent par miracle ;

ils passent ; Aménophis et ses troupes les poursuivent mais, dans un fracas assourdissant, les ondes se referment sur eux. Sur la mer calmée, le soleil brille à nouveau.

■ Sous le titre de *Moïse en Égypte*, l'œuvre avait été représentée, avec le livret de A. L. Tottola, le 5 mars 1818 au théâtre San Carlo de Naples, et avait obtenu un vif succès. La partie musicale, de même que le texte, connut par la suite de nombreux remaniements, jusqu'à la version définitive en français. Le style de la composition rossinienne est souvent majestueux et présente par moments des accents sublimes. La grâce et l'envergure de la musique font ressortir la variété des personnages et des situations.

RB

AGNÈS DE HOHENSTAUFEN
(Agnes von Hohenstaufen)

Opéra en trois actes de Gaspare Spontini (1774-1851). Livret de Ernst Raupach. Première représentation : Berlin, 28 mai 1827 (seulement le premier acte). Première représentation intégrale : Berlin, Palais Royal, 12 juin 1829.

■ Il s'agit de la dernière œuvre de Gaspare Spontini, écrite pendant son séjour à Berlin où il était Intendant des théâtres. L'œuvre fut définie par ses auteurs comme un drame historico-romantique. C'est également à Berlin que Spontini avait composé *Lalla Rookh, Nurmahal* et *Alcidor.*

RB

LE PIRATE
(Il pirata)

Opéra en deux actes de Vincenzo Bellini (1801-1835). Livret de Felice Romani (1788-1865). Première représentation : Milan, théâtre de la Scala, 27 octobre 1827. Interprètes : Giovanni Battista Rubini, Antonio Tamburini, Henriette Meric-Lalande.

LES PERSONNAGES : Ernesto, duc de Caldora (baryton) ; Imogène, sa femme (soprano) ; Gualtiero, comte de Montaldo (ténor) ; Itulbo, pirate (ténor) ; Goffredo, ancien précepteur de Gualtiero (basse) ; Adèle, demoiselle de la cour (soprano) ; un jeune fils d'Ernesto et d'Imogène. Des pêcheurs et leurs femmes, des pirates, des chevaliers, des dames et demoiselles de la cour.

L'INTRIGUE : L'action se déroule au XIIIe siècle, dans le château sicilien de Caldora et ses environs. Le livret est précédé d'une note historique de l'auteur, Felice Romani, qui constitue une sorte de prologue : Imogène, fille d'un partisan de Manfred de Souabe et amoureuse de Gualtiero, autre partisan de Manfred qui partage son amour, est forcée, après la victoire des Angevins, d'épouser Ernesto, duc de Caldora, pour sauver la vie de son père. Gualtiero, lui, est vaincu au cours d'une bataille par les troupes d'Ernesto, et est obligé de se réfugier avec les siens dans un château qu'il ne sait pas être celui de son ennemi et d'Imogène.
Acte I, première scène. Une tempête le long des côtes siciliennes près du château de Caldora. Quelques pirates, Gualtiero à leur tête, échappés aux fureurs de

la mer, trouvent refuge auprès des pêcheurs de Caldora et sont recueillis par Imogène. Deuxième scène. Dès que Gualtiero reconnaît la maîtresse du château, il lui rappelle que c'est pour elle qu'il s'est fait pirate et a durement combattu les Angevins ; il espérait qu'elle l'aurait attendu jusqu'à la victoire de leur parti. Imogène, désespérée, lui explique qu'elle a dû céder aux violences et aux chantages d'Ernesto et a été forcée de l'épouser. Gualtiero veut alors défier le duc. Celui-ci, vainqueur des pirates, arrive triomphant du château et reproche à sa femme de ne pas se réjouir autant que lui de cette victoire.

Acte II. A l'intérieur du château. Ernesto, qui se doute de quelque chose, surprend Gualtiero dans les appartements de sa femme et le provoque en duel. Ernesto est tué au cours du combat. Rendus furieux par la mort de leur maître, les chevaliers de Caldora réunis condamnent à mort Gualtiero, qui monte à l'échafaud tandis qu'Imogène devient folle de douleur.

■ L'œuvre est tirée du drame *Bertram* de T. C. Maturin, mais le titre fut sans doute choisi d'après le roman *The Pirate* de Walter Scott. L'opéra avait été commandé à Bellini par le célèbre imprésario Barbaja à la suite du succès à Naples de *Bianca et Gernando* (ou *Bianca et Fernando*). C'est la première des nombreuses et heureuses réalisations de Vincenzo Bellini en collaboration avec Felice Romani. A Milan, en 1827, étaient en vogue des chanteurs extraordinairement doués comme la Meric-Lalande et Rubini, pour lequel fut justement créé le rôle difficile de Gualtiero. La première représentation à la Scala, dernier spectacle de la saison d'automne, fut un triomphe ; pendant la même année, l'opéra figura quinze fois à l'affiche de la Scala. L'année suivante, il fit le tour des théâtres européens et mondiaux, où il est encore repris de nos jours.

Le texte a été traduit en français et en allemand. *Il pirata* est l'œuvre la plus longue de Bellini et présente certaines caractéristiques qui ne se retrouvent pas dans la plupart des travaux ultérieurs du compositeur sicilien : une intensité dramatique de type donizettien accordant plus d'importance aux textes déclamés qu'aux airs proprement dits (bien que les passages essentiellement lyriques ne manquent pas), certaines romances d'Imogène, et toute la scène finale de la folie annoncent clairement l'air célèbre de la *Norma, Casta diva* ; l'orchestration en est d'ailleurs très voisine. L'opéra est précédé d'un long prélude qui introduit la tempête sur laquelle s'ouvre le premier acte. GP

LES CONVENANCES ET LES INCONVENANCES THÉÂTRALES
(Le convenienze e le inconvenienze teatrali)

Opéra en un acte de Gaetano Donizetti (1797-1848). Livret du compositeur, tiré de la célèbre farce de Semeone, A. Sografi (1794). Première représentation : Naples, Teatro Nuovo, 21 novembre 1827.

L'INTRIGUE : Il s'agit d'une savoureuse satire de l'ambiance et des coutumes théâtrales de la fin du XVIIIe siècle. Le mythe de la diva est particulièrement visé. Une prima donna capricieuse, Daria Garbinati de Procoli, tyrannise ses camarades, les imprésarios, les librettistes, les compositeurs et les décorateurs.

■ Une petite œuvre très divertissante, qui a reçu un accueil favorable même lors d'une série de récentes reprises. MS

LA MUETTE DE PORTICI

Mélodrame en deux actes et cinq parties de Daniel François Esprit Auber (1782-1871). Livret d'Eugène Scribe (1791-1861) et Germain Delavigne (1790-1868). Première représentation : Paris, Opéra, 29 février 1828. Principaux interprètes : L.-Cinthie Damoreau, A. Nourrit, H. Bernard Dabadie, L. Noblet.

LES PERSONNAGES : Alphonse, fils du duc d'Arcos ; Elvire, sa fiancée ; Masaniello, pêcheur ; Fenella, sa sœur, la muette ; Pierre, un pêcheur ; Lorenzo, confident d'Alphonse ; Selva, valet du duc. Des dames de la cour, des chevaliers, des soldats, des couples de pêcheurs, le peuple, des danseurs.

L'INTRIGUE : L'action se déroule à Portici et dans ses environs en 1440.
Acte I. Première partie. Les jardins du palais d'Arcos en fête pour les noces d'Alphonse, fils du duc, avec Elvire. Alphonse se lamente auprès de Lorenzo : il a dû abandonner Fenella, une jeune fille muette qu'il avait séduite, pour épouser Elvire. Cependant arrive Fenella, qui s'est enfuie de la prison où l'avait enfermée le duc d'Arcos pour l'éloigner de son fils, et, par gestes, demande grâce à Elvire qui lui promet sa protection. La cérémonie nuptiale terminée, Fenella se présente aux deux époux, et reconnaît son ancien amant. Elvire, jalouse, répudie son mari.
Deuxième partie. Un site pittoresque près de Portici. C'est le matin. Pendant que les pêcheurs préparent leurs filets, Masaniello exprime son inquiétude car il n'a pas retrouvé sa sœur, disparue il y a un mois. Mais Fenella apparaît soudain et se jette dans les bras de son frère. La muette explique comme elle peut ce qui lui est arrivé mais ne révèle pas le nom du duc. Masaniello jure, avec les autres pêcheurs, de venger Fenella.
Troisième partie. Un appartement dans le palais d'Arcos. Alphonse obtient le pardon de sa femme, mais Elvire n'oublie pas la promesse qu'elle a faite de protéger Fenella et envoie Selva la chercher. La place du marché à Portici. Selva trouve Fenella et l'oblige à le suivre, repoussant Masaniello qui veut la défendre. Le jeune pêcheur comprend alors qui est le séducteur de sa sœur et est bien décidé à se venger.
Acte II. Quatrième partie. Dans la cabane de Masaniello. Portici est en effervescence ; Alphonse et Elvire ont été contraints de fuir, mais Masaniello, qui a fomenté la révolte, regrette le sang versé, et quand deux inconnus lui demandent l'hospitalité, il la leur accorde volontiers ; quand il reconnaît en eux Alphonse et Elvi-

re, il leur offre même une barque pour s'éloigner de Portici. Cinquième partie. Les insurgés ont occupé le palais, mais les troupes du duc, qui se sont réorganisées, reviennent à l'attaque. Le duc remporte la victoire, et Masaniello est tué par ses camarades en tentant de sauver la vie d'Elvire. Fenella, déchirée par la mort de son frère, se jette de la terrasse du palais, tandis que le Vésuve entre en éruption.

■ C'est peut-être l'œuvre la plus célèbre d'Auber et l'un des plus grands succès de l'Opéra de Paris, où elle fut représentée cinq cents fois entre 1828 et 1880. Elle fut également très favorablement accueillie à l'étranger, surtout en Allemagne, où l'on compte au moins six traductions du texte. Rappelons un fait d'importance historique : c'est la représentation de *La muette de Portici* à Bruxelles, le 25 août 1830, qui déclencha l'insurrection populaire qui amena l'indépendance de la Belgique vis-à-vis de la Hollande. Le livret fut aussi traduit en anglais, danois, polonais, croate, italien, suédois, norvégien, slovène. L'opéra sortit à Londres en 1829 sous le titre de *Masaniello* ; à la représentation du carnaval de Trieste de 1832 (pour laquelle le texte musical fut légèrement modifié par Calla et Donizetti), il fut appelé *Le pêcheur de Brindisi (Il pescatore di Brindisi)*. Avec *Fra Diavolo*, l'œuvre fait encore aujourd'hui partie du répertoire connu du compositeur, et est encore représentée. C'est un cas extrêmement rare d'opéra dans lequel le rôle principal, muet, est tenu par un mime ou une danseuse. Parmi les très nombreuses productions d'Auber, *La muette* est l'une des rares *opere serie* et la seule à qui la critique ait reconnu une grande valeur dramatique. Dans cette œuvre, selon les dires de Wagner, on trouve pour la première fois une étude soignée de l'instrumentation, une définition nette des masses chorales qui prennent finalement part à l'action, et d'autre part des mélodies passionnées et la recherche de grands effets dramatiques. Malgré les dénégations d'Auber, on a tenté d'expliquer la différence entre *La muette* et ses autres œuvres par le fait qu'ici les plus jolies mélodies sont inspirées de la chanson napolitaine ; il faut également tenir compte de la tension particulière du musicien, qui travaillait pour la première fois de sa vie pour l'Opéra de Paris, et du climat de révolution latente qui régnait en France pendant les années précédant la révolution de 1830, mais aucune de ces explications ne semble être pleinement satisfaisante. Il est indéniable, néanmoins, que dans *La muette* Auber assimile complètement la thématique du mélodrame romantique, créant ainsi un modèle de « grand opéra » qui fit fortune par la suite.

GP

LE VAMPIRE
(Der Vampyr)

Opéra en deux actes de Heinrich August Marschner (1795-1861). Livret de W. A. Wohlbrück. Première représentation : Leipzig, 29 mars 1828.

L'INTRIGUE : Lord Ruthven, le vampire, rappelé à la vie par le jeune Anbry, demande au démon auquel il est soumis de lui accorder encore un bref délai d'existence. Sa requête sera satisfaite, s'il procure au diable trois jeunes filles fiancées. Deux d'entre elles, Fanthe et Emmy, sont des proies faciles pour le vampire ; Malvina au contraire, voulant rester fidèle à son amant Edgar, ne cède pas aux avances de Ruthven à qui Davenant, son père, voudrait la donner en mariage. Edgar, qui n'est autre qu'Anbry, lié à Ruthven par un pacte mystérieux, supplie en vain le père de la jeune fille d'ajourner le mariage ; pour la sauver, il est contraint, au péril de sa vie, de révéler la véritable nature du vampire. Alors que les noces vont être célébrées, la période de vie que le diable avait accordée à Ruthven prend fin et celui-ci, foudroyé, est précipité dans l'enfer.

■ L'œuvre fut composée à Leipzig, où l'auteur séjournait après avoir quitté Dresde, ville dans laquelle il avait obtenu sa nomination de Musikdirektor de l'opéra allemand et italien ; elle connut aussitôt un grand succès, y compris à l'étranger (à Londres eurent lieu soixante reprises consécutives) ; elle fut également appréciée par Wagner qui y ajouta en 1833 un air de sa composition. Le sujet est tiré de *The Vampire* de J. W. Polidori (attribué à Byron) et d'un drame de C. Nodier, P. F. A. Carmanche et A. de Joffray, représenté à Paris en 1820. AB

LE COMTE ORY

Mélodrame bouffe en deux actes de Gioacchino Rossini (1792-1868). Livret de Eugène Scribe (1791-1861) et C. G. Delestre-Poirson. Première représentation : Paris, Opéra, 20 août 1828. Interprètes : L.-Cinthie Damoreau, Mori, Jawurek, A. Nourrit, Levasseur, H. B. Dabadie.

Les personnages : Le comte Ory (ténor) ; le précepteur du comte (basse) ; Isoliero (mezzo-soprano) ; Robert (basse) ; un chevalier (ténor) ; la comtesse Adèle de Formoutiers (soprano) ; Ragonde (contralto) ; Alice (soprano) ; chevaliers, vilains et vassaux, dames de la cour, paysannes, gardes, pages.

L'intrigue : Devant le château des comtes de Formoutiers, vers l'année 1200. Les hommes sont partis en Terre sainte combattre les infidèles. Le jeune comte Ory en profite et, avec l'aide de son ami Robert, se fait passer pour un ermite afin de courtiser la jolie comtesse Adèle. Alice, une jeune paysanne, et Ragonde, la gardienne du château, se rendent chez le faux ermite pour le consulter, le prenant pour un sage devin. Isoliero, le page du comte, arrive à son tour ; il ne reconnaît pas son maître et lui confie son amour pour la jeune comtesse. Aussi, quand Adèle vient chez l'ermite, ce dernier lui fait part des sentiments de son page, mais l'invite à s'en tenir éloignée. La jeune comtesse est troublée, car elle aime secrètement Isoliero. Ory est invité au château et tout pour lui semble aller pour le mieux, lorsque son précepteur le démasque. Les dames se retirent dans le château.
Acte I. Appartement à l'intérieur du château. Les femmes, encore indignées du stratagème d'Ory,

entendent soudain des appels au secours : ce sont de pauvres pèlerines qui se disent menacées par le comte. On les fait immédiatement monter. Mais, une fois seules, elles s'avèrent être Ory et ses hommes, déguisés ; cependant Isoliero arrive, découvre la supercherie et décide, avec l'aide de la jeune comtesse, de jouer un mauvais tour à son entreprenant rival. La jeune fille, profitant de l'obscurité de la chambre, se cache derrière Isoliero qui est assis dans un fauteuil ; trompé par sa voix, le comte Ory courtise le page qu'il prend pour Adèle. Les trompettes annoncent le retour du frère d'Adèle, comte de Formoutiers, et du père d'Ory ; celui-ci est contraint de fuir avec ses comparses. Le page leur indique une issue dérobée. Adèle va à la rencontre de son frère et les dames vont accueillir leurs maris. La jeune fille décide enfin d'accorder sa main au fidèle Isoliero qui a su déjouer les roueries du comte Ory.

■ Tiré d'une comédie d'Eugène Scribe racontant, à la manière d'une vieille ballade populaire, comment Ory séduisit la mère supérieure et les religieuses d'un couvent, le livret fut enrichi par rapport à l'œuvre originale, jugée trop courte. Scribe fut si peu satisfait de son travail qu'il ne fit pas figurer son nom sur l'affiche de la première représentation. En réalité, le texte ne manque pas de qualités stylistiques, même s'il tend parfois à la monotonie. La musique de cet opéra provient en partie du *Voyage à Reims* (1825), en particulier certains airs et l'ouverture. Le reste fut écrit spécialement pour *Le comte Ory*. La pureté mélodique de la partition attira l'attention des critiques et du public. L'humour de cet opéra se différencie de celui du *Barbier de Séville* : il est ici plus contenu et aristocratique ; mais le comique, malgré sa moindre verve, est bien celui des chefs-d'œuvre de Rossini. *Le comte Ory* reçut un accueil triomphal en France et servit de modèle à beaucoup de compositeurs. En revanche, en Italie il ne connut pas le succès mérité, à cause, notamment, de la mauvaise traduction qui obligea l'auteur à couper inopportunément la partie musicale. Rossini s'occupa alors personnellement d'une nouvelle traduction et du remaniement de la partition. Mais cette tentative échoua également et lui fit conclure : « S'il plaît en France, laissons-le donc aux Français ; l'Italie a d'autres goûts... » RB

LA FIANCÉE

Opéra-comique en trois actes de Esprit Auber (1782-1871). Livret de Eugène Scribe (1791-1861). Première représentation : Paris, Opéra-Comique (Salle Feydeau), 10 janvier 1829.

■ L'œuvre connut un succès honorable surtout en France, mais aussi à l'étranger où elle fut souvent représentée pendant la première moitié du XIXe siècle. La dernière représentation date de 1858 à Paris. GP

L'ÉTRANGÈRE (La Straniera)

Mélodrame en deux actes de Vincenzo Bellini (1801-1835). Livret de Felice Romani (1788-1865).

Première représentation : Milan, théâtre de la Scala, 14 février 1829. Interprètes : Henriette Meric-Lalande, Carolina Ungher, Domenico Reina, Antonio Tamburini.

LES PERSONNAGES : Alaïde, puis Agnès, reine de France, sous le nom d'Étrangère (soprano) ; le seigneur de Montolin (basse) ; Isoletta, sa fille (mezzo-soprano) ; Arthur, comte de Ravenstel (ténor) ; Léopold, frère d'Alaïde, sous le nom de baron de Valdebourg (baryton) ; le prieur des Hospitaliers (basse) ; Osbourg, confident d'Arthur. Dames de la cour et chevaliers, gondoliers, pêcheurs, Hospitaliers, chasseurs, gardes, vassaux de Montolin.

L'INTRIGUE : L'action se déroule en Bretagne dans le château de Montolin et ses environs, au XIVe siècle. Le livret est précédé d'un avertissement de Felice Romani qui rapporte les faits précédant l'action.
Acte I, première scène. Dans le château de Montolin en fête pour les noces d'Isoletta et d'Arthur. Arthur de Ravenstel abandonne sa future épouse pour l'amour d'une mystérieuse femme voilée, Alaïde, l'Étrangère, qui vit dans une chaumière près du château.
Deuxième scène. Intérieur de la maisonnette de l'Étrangère. Arthur lui avoue son amour, mais elle le supplie de ne plus jamais revenir, afin de leur éviter à tous deux de graves ennuis.
Troisième scène. Une forêt aux alentours de Montolin ; dans le lointain, la chaumière d'Alaïde. Arthur rencontre le baron de Valdebourg qui lui demande de revenir à Isoletta, dont il fait le désespoir. Arthur voudrait que le baron voie d'abord l'Étrangère ; s'il la trouve indigne de lui, il promet de la quitter pour toujours. Le baron, après avoir rencontré Alaïde, prie Arthur de ne plus jamais la revoir : il a reconnu en elle une de ses amies d'enfance et il connaît son secret, qui l'empêchera toujours de se donner à Arthur.
Quatrième scène. Dans les environs de la chaumière, un lieu qui surplombe un lac. Arthur, rendu jaloux par les médisances d'Osbourg qui prétend avoir eu vent d'un projet de fuite de l'Étrangère avec Valdebourg, provoque celui-ci en duel. Valdebourg, blessé, tombe dans le lac. L'Étrangère, arrivée trop tard, révèle à Arthur qu'elle est la propre sœur du baron. Arthur se jette alors dans le lac à la recherche du blessé. Pendant ce temps, Alaïde a été trouvée par des habitants du lieu, seule, avec l'épée ensanglantée d'Arthur ; elle est accusée de meurtre.
Acte II, première scène. La grande salle du tribunal des Hospitaliers. Au cours du procès. Arthur et le baron, sains et saufs par miracle, arrivent pour innocenter la jeune femme. Mais celle-ci ne peut être délivrée si elle ne se dévoile pas. Le baron montre alors le visage d'Alaïde au seul prieur et celui-ci, visiblement bouleversé, ordonne sa libération immédiate.
Deuxième scène. Non loin de la chaumière d'Alaïde. Arthur, qui s'est rendu chez l'Étrangère, assure à Valdebourg qu'il a décité de l'oublier et de revenir à Isoletta qui l'attend désormais sans espoir. Il promet d'épouser Isoletta, mais demande une faveur : qu'Alaïde soit présente au mariage.

Troisième scène. Dans les appartements d'Isoletta au château de Montolin. Arthur jure à Isoletta un amour éternel. Les préparatifs de la noce commencent.
Quatrième scène. Devant le temple des Hospitaliers. Au moment du « oui », Arthur ne résiste pas ; apercevant Alaïde dans un coin, il abandonne l'autel et la supplie de le suivre hors de l'église ; c'est le désarroi général, et le prieur révèle qu'Alaïde est en réalité la reine Agnès, jadis éloignée de la cour, mais rappelée maintenant au trône. Arthur comprend l'impossibilité de son amour et se suicide tandis que l'Étrangère tombe évanouie sur son corps.

■ L'opéra est tiré du roman de d'Arlincourt, *L'Étrangère*. Bellini le composa vraisemblablement à Moltrasio, sur le lac de Côme, où il était l'hôte de sa maîtresse Giuditta Turina Cantu. Il lui avait été demandé par l'imprésario Barbaja, déjà commanditaire d'*Il pirata*, également pour la Scala. Le déroulement de l'action correspond au climat romantique, mystérieux et légendaire si cher aux parterres de l'époque ; Felice Romani sut s'y adapter, bien que cela fût assez contraire à son inspiration littéraire. On retrouve dans cette œuvre l'inspiration lyrique et non dramatique propre aux compositions de Bellini ; l'ensemble n'est cependant pas pleinement réussi, en partie à cause du livret médiocre. *L'Étrangère* connut un remarquable succès en Italie et à l'étranger et, au cours du XIXe siècle, fut très souvent représenté dans le monde entier. Le livret a été traduit en allemand, danois, hongrois et suédois. GP

LA ZAÏRA

Drame tragique en quatre actes de Vincenzo Bellini (1801-1835). Livret de Felice Romani (1788-1865). Première représentation : Parme, Théâtre ducal, 16 mai 1829.

■ Cet opéra de genre oriental, tiré de la tragédie de Voltaire, fut présenté à l'occasion de l'inauguration du théâtre ducal de Parme. La première fut un échec retentissant ; mais Bellini eut sa revanche l'année suivante, lors de la création de *I Capuleti e i Montecchi*, œuvre dans laquelle il introduisit de nombreux éléments provenant de *La Zaïra*.

ÉLISABETH AU CHATEAU DE KENILWORTH (Elisabetta al castello di Kenilworth)

Mélodrame en trois actes de Gaetano Donizetti (1797-1848). Livret de Andrea Leone Tottola, tiré d'une œuvre de Walter Scott. Il est connu aussi sous le titre Le château de Kenilworth. *Première représentation : Naples, théâtre San Carlo, 6 juillet 1829.* MS

GUILLAUME TELL

Opéra en quatre actes de Gioacchino Rossini (1792-1868). Livret de V.-J. Étienne de Jouy (1764-1846) et Hippolyte L. F. Bis (1789-1853), d'après le drame de F. Schiller. Traduction italienne de C. Bassi (1800-1860). Première représentation : Paris, Opéra, 3 août 1829. Interprètes :

L.-Cinthie Damoreau, L. Nourrit, R. Levasseur, H. B. Dabadie, Z.L. Dabadie, Mori, Prévost.

Les personnages : Guillaume Tell (baryton) ; Arnold (ténor) ; Walter Farst (basse) ; Melchthal (basse) ; Jemmy (mezzo-soprano) ; Hedwige (contralto) ; un pêcheur (ténor) ; Leuthold (basse) ; Gessler (basse) ; Mathilde (soprano) ; Rodolphe (ténor) ; officiers et soldats, pages et demoiselles de la cour, bergers, pêcheurs, chasseurs, danseurs.

L'intrigue :
Acte I. Un village dans les Alpes ; près de la maison de Guillaume Tell. Le héros pensif songe à la domination étrangère qui opprime la Suisse. Un pêcheur chante dans sa barque ; Hedwige, la femme de Guillaume, et son fils Jemmy sont au travail. Les bergers vont fêter deux futurs époux. Le sage et respecté Melchthal réprimande son fils Arnold, qui avoue n'être pas encore marié car il est amoureux de la princesse Mathilde, qui lui doit la vie, mais qui est liée au cruel Gessler, gouverneur du pays. Les cors annoncent l'arrivée de Gessler et de Mathilde. Guillaume exhorte Arnold à ne pas saluer l'oppresseur ; il cache ensuite le berger Leuthold, poursuivi par les soldats du tyran. Ceux-ci font irruption dans le village, et ne trouvant pas l'homme qu'ils recherchent, mettent le feu au hameau et prennent Melchthal en otage.
Acte II. Une vallée dans les montagnes, non loin du lac des Quatre-Cantons. Les montagnards rentrent chez eux au coucher du soleil. Mathilde et Arnold se retrouvent et s'avouent leur amour : la jeune femme lui conseille de faire partie de la suite de Gessler pour acquérir gloire et prestige et pouvoir ainsi l'épouser. Mais Guillaume apprend au jeune homme l'assassinat de son père. Ses hésitations surmontées, Arnold se jure de combattre aux côtés des patriotes.
Acte III. Un lieu solitaire et champêtre. Arnold fait part de sa résolution à Mathilde qui lui jure une fidélité éternelle. Place d'Altdorf, près du château de Gessler. Le tyran ordonne aux citoyens de s'incliner devant le trophée qu'il a fait ériger (avec son chapeau au sommet). Guillaume et Jemmy sont reconnus parmi la foule et conduits devant Gessler. Le héros accusé par Rodolphe d'avoir favorisé la fuite de Leuthold, est soumis à une terrible épreuve : il devra prouver son habileté en transperçant d'une flèche une pomme placée sur la tête de son fils. Guillaume hésite, mais Jemmy l'encourage, il tend enfin son arc et tire : la flèche va atteindre la cible, au milieu de l'enthousiasme populaire. Mais le héros laisse tomber une deuxième flèche qu'il avait cachée sur son sein : il explique fièrement au tyran qu'elle lui était destinée s'il avait manqué la pomme. Gessler fait arrêter le père et le fils, mais Jemmy est sauvé par Mathilde qui se le fait confier.
Acte IV. La maison d'Arnold. Les conjurés se préparent. Sur les rives du lac des Quatre-Cantons, Mathilde vient consoler Hedwige en lui amenant son petit garçon. Jemmy donne alors le signal de la révolte en mettant le feu à sa propre maison. Leuthold vient apporter la nouvelle que Gessler

et Guillaume sont sur un bateau qui se dirige vers le château du Kusmac. Le ciel s'obscurcit, une tempête se déclare au-dessus du lac. Tell prend le gouvernail et éloigne la barque de la rive : le tyran qui avait réussi à se sauver est abattu d'une flèche que lui décoche le héros. Les conjurés arrivent, Arnold à leur tête : la forteresse d'Altdorf est tombée. La Suisse est libérée et le soleil resplendit à nouveau dans le ciel serein.

■ L'opéra s'inspire de la tragédie de Schiller. Le livret, écrit par de Jouy, poète titulaire de l'Opéra de Paris, dut être revu par Hippolyte Bis. Le résultat fut toutefois insipide et banal. Rossini le mit en musique en 1828. Cette tâche lui prit cinq mois, temps exceptionnellement long au regard de son habituelle rapidité. Quand l'opéra fut joué, l'année suivante, il reçut un accueil désastreux : tout ce qu'on attendait de Rossini et de son répertoire de morceaux de bravoure était absent de cette œuvre. C'est justement ce qui fait la grandeur de *Guillaume Tell* : le paysage et l'ambiance sont merveilleusement rendus par la partition et l'œuvre est déjà pleinement romantique ; elle préfigure les développements ultérieurs de l'art lyrique. Certains musiciens de l'époque, comme Bellini, Donizetti et même Berlioz, habituellement très hostiles à Rossini, sentirent aussitôt la grandeur et la nouveauté de cet opéra ; les crescendos, les cabalettes, les éternels finales en cadence parfaite, en sont absents. Le syle est très nouveau, pathétique et, par moments, idyllique. Une autre nouveauté est l'insertion de chants populaires suisses ; cette voie sera ensuite suivie par de nombreux auteurs du XIXe et du XXe siècle. Parmi les pages les plus significatives, outre la célèbre ouverture : l'air d'Arnold et Guillaume *Arrête... quels regards* (premier acte), la romance de Mathilde *Forêt opaque, déserte bruyère* (deuxième acte), l'air de Guillaume *Reste immobile et penche-toi vers la terre* (troisième acte) et le magnifique chœur final *Tout change, le ciel s'éclaircit* (quatrième acte). Rossini écrivit *Guillaume Tell* à trente-sept ans : il ouvrait ainsi la voie au nouvel art lyrique romantique ; tout comme il avait dit, avec *Le Barbier de Séville*, son dernier mot sur l'opéra-comique. Verdi en Italie et le grand-opéra en France profiteront de cet héritage. Quant à Rossini, après *Guillaume Tell*, il décida volontairement de ne plus composer pour l'opéra. RB

FRA DIAVOLO ou L'HÔTELLERIE DE TERRACINE

Opéra-comique en trois actes de Esprit Auber (1782-1871). Livret d'Eugène Scribe (1791-1861) et Germain Delavigne (1790-1868). Première représentation : Paris, Opéra-Comique, 28 janvier 1830. Interprètes principaux : Chollet, Féréol, Prévost, Boulanger.

LES PERSONNAGES : Fra Diavolo, sous le nom de marquis de San Marco (ténor) ; lord Rocburg (baryton) ; lady Pamela (mezzo-soprano) ; Lorenzo, carabinier en chef (ténor) ; Matteo, aubergiste (basse) ; Zerlina, sa fille (soprano) ; Giacomo (basse) et Beppo (ténor), camarades de Fra Diavolo déguisés en mendiants ; Francesco, fiancé de Zerlina ; un villageois ; chœur de soldats et de villageois.

L'INTRIGUE : L'action se déroule dans un village de l'Italie centrale, au XVIIIe siècle.
Acte I. L'auberge du village, dont Matteo est le patron. Lorenzo et Zerlina s'aiment, mais le père de la jeune fille veut la marier à Francesco, plus riche. Lord Rocburg et lady Pamela arrivent au village après avoir été dépouillés de leurs bijoux par des brigands et offrent deux mille écus à qui les retrouvera ; Lorenzo se met immédiatement en quête. Pendant ce temps, Fra Diavolo (sous le nom de marquis de San Marco) se met d'accord avec Beppo et Giacomo, deux faux mendiants, pour dérober à milord et à milady le reste de leur fortune. Lorenzo, ayant récupéré l'écrin, peut enfin épouser Zerlina grâce à la récompense.
Acte II. Dans une chambre de l'auberge. Les Anglais dorment, Fra Diavolo se cache avec ses complices dans la chambre de Zerlina pendant que celle-ci se prépare en chantant pour les noces du lendemain ; quand elle est endormie, Fra Diavolo (alors que les deux bandits restent cachés) sort de la chambre à l'arrivée de Lorenzo et des carabiniers et se fait passer pour l'amant de Zerlina.
Acte III. Paysage montagneux près de l'auberge. Fra Diavolo, qui passe aux yeux de tous pour le marquis de San Marco, peut regagner impunément la montagne ; il organise une autre expédition aux dépens des Anglais et laisse dans ce but des ordres écrits à Beppo et Giacomo. Entre-temps, Zerlina se rend compte de la froideur soudaine de Lorenzo, qu'elle ne s'explique pas car elle ignore les événements de la veille au soir, et accepte finalement le conseil de son père d'épouser Francesco. Mais Beppo et Giacomo sont surpris par Zerlina alors que, complètement soûls, ils chantent la chanson d'amour qu'ils l'ont entendue fredonner quand ils étaient cachés dans sa chambre. Lorenzo, soupçonneux, les fouille, et trouve sur eux le message de Fra Diavolo. Contraints de tout avouer, ils se prêtent à un piège tendu à Fra Diavolo, permettant ainsi la capture du brigand. Fra Diavolo est mortellement blessé. Lorenzo peut finalement épouser Zerlina. Il existe un autre finale, dans lequel Fra Diavolo réussit à s'échapper.

■ Le texte est inspiré de l'histoire du légendaire bandit Michele Pezza, dit Fra Diavolo ; mais dans le livret le personnage perd tout caractère politique, adoptant plutôt des attitudes de brigand chevaleresque. Selon la tradition de l'opéra-comique, l'œuvre comprenait des parties chantées et de longues parties récitées ; c'est sous cette forme qu'elle fut représentée les premières fois. En un second temps, Auber transforma les parties en prose en récitatifs chantés. Bien que Fra Diavolo soit la plus célèbre de ses œuvres comiques et ait peut-être même éclipsé, aux yeux du grand public, *La muette de Portici*, elle ne diffère guère des autres ouvrages d'Auber. La musique y est brillante et plaisante, mais pas particulièrement profonde, selon le goût de l'époque. L'influence de Rossini, pour lequel Auber éprouvait une admiration sans bornes, est ici indéniable. Le livret, écrit sous la direction d'Eugène Scribe (très lié à Auber, avec qui il entretint une collaboration étroite pendant près de quarante ans), a été traduit dans la plupart des langues européennes après le grand succès parisien. *Fra Diavolo* jouissait dans le public d'une grande faveur, qui ne déclina lentement qu'au cours du XXe siècle. Certains thèmes, telle la très célèbre *Romance favorite*, sont encore de nos jours appréciés du public. Bien qu'elle fasse partie du répertoire lyrique connu, l'œuvre est aujourd'hui peu représentée, et presque exclusivement en France. GP

LES CAPULET ET LES MONTAIGU (I Capuleti e i Montecchi)

Tragédie lyrique en deux actes de Vincenzo Bellini (1801-1835). Livret de Felice Romani (1788-1865), tiré du drame de Shakespeare Romeo and Juliet. *Première représentation : Venise, Teatro La Fenice, 11 mars 1830. Interprètes principaux : Giulia Grisi, Rosalbina Carradori Allan, Lorenzo Bonfigli. Direction : Vincenzo Bellini.*

LES PERSONNAGES : Capellio, chef des Capulet (basse) ; Juliette, sa fille (soprano) ; Roméo, chef des Montaigu (mezzo-soprano) ; Thibault, partisan des Capulet (ténor) ; frère Laurent, confesseur des Capulet et ami de Roméo (basse) ; les Capulet, les Montaigu, demoiselles de compagnie, soldats, écuyers.

L'INTRIGUE : L'action se déroule à Vérone au XIIIe siècle.
Acte I, première scène. Intérieur de la demeure de Capellio. Capellio demande à ses hommes d'être prêts à affronter les Montaigu dont il craint une attaque. Il éprouve une haine sans bornes à l'égard de Roméo, leur chef, qui a tué son fils. Il promet à Thibault, un de ses hommes les plus sûrs, sa fille Juliette en mariage. Entre-temps Roméo, qui aime Juliette et en est aimé, sans se faire reconnaître, se présente à Capellio comme ambassadeur des Montaigu pour demander une trêve entre les deux partis, scellée par les noces de Juliette et de Roméo. Mais Capellio refuse fièrement et annonce que Juliette sera bientôt l'épouse de Thibault. Roméo, désespéré, essaie de voir Juliette.
Deuxième scène. Dans les appartements de Juliette. La jeune fille, en proie au désespoir, se prépare malgré tout pour son mariage avec Thibault lorsque, introduit furtivement par frère Laurent, entre Roméo ; les deux jeunes gens se jurent un amour éternel. Roméo, condamné à l'exil, voudrait fuir avec elle, mais Juliette refuse le déshonneur.
Troisième scène. Dans la demeure des Capulet, les invités au mariage de Juliette et Thibault commencent à arriver. Roméo, déguisé, se joint à eux dans l'intention d'empêcher les noces. En effet la fête est brutalement interrompue par le bruit des armes. Roméo essaie d'entraîner Juliette, mais en est empêché par

Capellio, Thibault et Laurent. Démasqué, il ne peut s'enfuir que grâce à l'intervention des siens.
Acte II, première scène. Dans les appartements de Juliette. La jeune fille, pour éviter d'avoir à épouser Thibault, suit le conseil de frère Laurent : elle boira un somnifère puissant et tombera comme morte. Elle sera ainsi transportée dans la tombe des Capulet et Roméo qui aura été mis au courant du stratagème sera présent lors de son réveil. Deuxième scène. Devant la demeure des Capulet. Roméo, inquiet de n'avoir reçu aucun message de Laurent que Capellio, méfiant, ne laisse pas sortir de la maison, vient le chercher mais est découvert par Thibault. Ils vont se battre en duel, frémissants de jalousie ; c'est alors que de l'intérieur de l'habitation parviennent des musiques funèbres et des chœurs pleurant la mort de Juliette. Bouleversés, tous deux baissent leur arme.
Troisième scène. Près de la tombe de Juliette. Roméo réussit à pénétrer dans le sépulcre ; contemplant, désespéré, la jeune fille qu'il croit morte, il s'empoisonne. Peu après, Juliette se réveille, voit près d'elle Roméo agonisant et tombe, morte de douleur, sur le corps de son amant. C'est ainsi que les trouve Capellio, accompagné des Montaigu, horrifiés du sort des deux jeunes gens morts à cause de la rivalité entre les deux familles.

■ Bellini écrivit cet opéra dans l'espoir de racheter l'échec de *La Zaïra* à Parme ; et pour que sa revanche soit complète, il réutilisa plusieurs morceaux de *La Zaïra* dans sa nouvelle œuvre. La réussite fut parfaite : *I Capuleti e i Montecchi* obtinrent en effet un grand succès ; mais l'anxiété du compositeur fut telle que sa santé s'en trouva altérée. Il est intéressant de remarquer qu'à cause du peu de temps dont il disposait, Bellini dut utiliser le livret écrit par Felice Romani pour le *Juliette et Roméo* du compositeur Vaccaj ; c'est ce qui explique que, pendant une longue période (depuis une représentation à Bologne en 1832, jusqu'en décembre 1895, quand fut reprise la version originale), on ait pris l'habitude de substituer à la partie finale de *I Capuleti e i Montecchi* celle composée par Vaccaj. La beauté pathétique du drame inspira Bellini qui atteignit une véritable apogée lyrique dans le duo final et la romance de Juliette *Oh ! Quante volte !* Après la première triomphale de Venise, l'opéra fut représenté dans la plupart des théâtres italiens avec de grands interprètes, telles la Malibran et la Ronzi. Il connut de nombreux succès à l'étranger, et fut traduit en allemand, hongrois, russe, tchèque, danois, polonais et français. GP

ANNE BOLEYN
(Anna Bolena)

Opéra en deux actes de Gaetano Donizetti (1797-1848). Livret de Felice Romani (1788-1865). Première représentation : Milan, Teatro Carcano, 26 décembre 1830. Interprètes : G. Pasta, E. Orlandi, G. B. Rubini, F. Galli.

LES PERSONNAGES : Henry VIII (basse) ; Anne Boleyn (soprano) ;

Jeanne Seymour (mezzo-soprano) ; lord Richard Percy (ténor) ; lord Rochefort (basse) ; Smeton, page et musicien de la reine (contralto) ; sir Harvey, officier du roi (ténor). Des dames de la cour, des chasseurs, des soldats, des courtisans, des officiers.

L'intrigue : Henry VIII, roi d'Angleterre, a jeté son dévolu sur une dame de la cour qui est aussi la meilleure amie de la reine, Jeanne Seymour. Pour pouvoir satisfaire son désir, le roi doit trouver un moyen d'accuser la reine, Anne Boleyn, de trahison. A cette fin il fait rappeler d'exil lord Percy dont il avait séparé Anne pour l'épouser. Celle-ci refuse de revoir son ancien amant, mais finit par céder à ses supplications. Comme Anne repousse son amour, lord Percy menace de se tuer avec son épée mais est retenu par un page, Smeton, qui avait assisté à l'entretien sans être vu. Henry VIII a trouvé le prétexte recherché : il fait irruption dans l'appartement de sa femme et fait arrêter les deux présumés coupables ainsi que Smeton qui clame l'innocence de la reine. Jeanne est bouleversée d'avoir causé le malheur d'Anne. Elle supplie le roi d'être clément, mais en vain. Anne est jugée et condamnée à mort avec lord Percy et Smeton.

■ La présentation au théâtre Carcano de Milan fut un triomphe, grâce à des interprètes exceptionnels. Ce mélodrame confirma la place de Donizetti parmi les plus grands compositeurs de son temps. Avec *Anna Bolena,* il put donner la mesure de son talent lyrique et dramatique. Ce fut la première œuvre de Donizetti qui circula en Europe : elle fut représentée à Paris où elle reçut un bon accueil, malgré la concurrence de *La somnambule (La sonnambula)* de Bellini. Après avoir été à l'affiche de nombreuses années, elle disparut ensuite des répertoires. Elle fut reprise à la Scala de Milan en 1957, dans la mise en scène de Luchino Visconti et l'interprétation de Maria Callas. MS

LA SOMNAMBULE
(La sonnambula)

Mélodrame en deux actes de Vincenzo Bellini (1801-1835). Livret de Felice Romani (1788-1865). Première représentation : Milan, Teatro Carcano, 6 mars 1831. Interprètes : Giuditta Pasta, Giovan Battista Rubini, Luciano Mariani, Elisa Taccani, Lorenzo Biondi.

Les personnages : Le comte Rodolphe (basse) ; Thérèse, meunière (mezzo-soprano) ; Amina, sa fille adoptive (soprano) ; Elvino (ténor) ; Lisa, aubergiste (soprano) ; Alessio (basse) ; un notaire (ténor) ; des paysans.

L'intrigue : La scène se déroule dans un village de Suisse à une époque indéterminée.
Acte I, première scène. La place du village : d'un côté, l'auberge de Lisa, de l'autre, le moulin de Thérèse. Des collines au loin. On entend les chœurs des paysans venus fêter les noces du riche propriétaire Elvino avec Amina, orpheline adoptée par Thérèse. Seule Lisa n'est pas satisfaite, car elle aime Elvino ; elle ne prête aucune attention à la dévotion

d'Alessio à son égard. En attendant son époux, qui a été précédé par le notaire, Amina répond au joyeux accueil du village, heureuse et reconnaissante. Elvino arrive enfin et offre l'alliance à son épouse. Ils chantent ensuite un vibrant duo d'amour, interrompu par l'arrivée d'un carrosse : il s'agit du comte Rodolphe, fils du défunt seigneur du village ; ayant été absent pendant de nombreuses années, il n'est reconnu par personne ; il s'établit à l'auberge de Lisa, non sans avoir d'abord complimenté galamment la jeune mariée, qui doit ensuite subir les reproches d'Elvino, jaloux.

Deuxième scène. Une chambre à l'auberge. Le comte Rodolphe fait la cour à Lisa, qui semble ravie lorsque Amina fait son apparition, vêtue de blanc et endormie. Elle appelle longuement son époux et évoque avec extase la cérémonie nuptiale ; puis elle s'allonge sur le divan. Tandis que Rodolphe, déconcerté, se demande s'il doit ou non réveiller la jeune fille, entrent des paysans, venus saluer le comte, qu'ils ont reconnu. Tout le monde peut ainsi voir Amina endormie dans la chambre de Rodolphe. Quand elle se réveille, la jeune fille essaie désespérément de se justifier, mais en vain. Elvino, fou de jalousie, la répudie.

Acte II, première scène. Une petite vallée ombragée entre le village et le château. Un groupe de paysans se rend chez le comte afin qu'il défende la pauvre Amina. Pendant ce temps la jeune fille, accompagnée de Thérèse, rencontre Elvino qui erre sans but, déchiré par la douleur et encore amoureux d'elle. Il lui reproche à nouveau sa trahison, qui l'a rendu le plus misérable des mortels.

Deuxième scène. Près du moulin de Thérèse. Lisa, profitant de la disgrâce d'Amina, est sur le point d'épouser Elvino qui a accepté ce mariage malgré l'intervention du comte en faveur d'Amina. Le village s'apprête pour ces nouvelles noces mais, quand Lisa et Elvino passent devant la maison de Thérèse, celle-ci accuse Lisa d'avoir commis le même crime qu'Amina et déclare avoir trouvé un voile de l'hôtesse dans la chambre de Rodolphe. Elvino, se sentant trahi pour la seconde fois, refuse d'épouser Lisa. Entre-temps, Amina apparaît sur le toit, visiblement endormie, confirmant ainsi les déclarations du comte. Personne n'ose ouvrir la bouche jusqu'à ce que la jeune fille, hors de danger, descende dans la rue, chantant d'une manière déchirante son amour pour Elvino. Ce dernier, repentant, l'embrasse et la réveille. Le village est à nouveau en fête et les noces peuvent enfin avoir lieu.

■ *La somnambule* est le premier des trois grands opéras de Bellini. Le duc Litta de Milan avait commandé au musicien un opéra pour le théâtre Carcano. Initialement il devait s'agir d'une adaptation d'*Hernani* de Victor Hugo ; mais quand il apprit que Donizetti allait présenter *Anne Boleyn* au cours de la même saison, Bellini préféra ne pas se trouver en concurrence avec un musicien aussi important sur le même type de drame historique. Il choisit donc un sujet pastoral et idyllique. Romani se chargea immédiatement de fournir un livret, tiré du ballet-pantomime *La somnambule* ou *L'arrivée d'un nouveau seigneur* d'Eugène Scribe, auquel Bellini et Romani apportèrent de nombreuses modifications. Une grande partie de l'œuvre fut composée à Moltrasio, où Bellini était l'hôte de Giuditta Turina. A la première représentation, un ballet, *La fureur d'amour,* fut donné avec l'opéra et la partition de *La somnambule* fut dédiée au musicien Francesco Pollini. Le succès fut immense et de nombreuses reprises de l'opéra suivirent dans divers théâtres, italiens et étrangers (parmi lesquels ceux de Paris, Londres et New York). La représentation londonienne de 1833 au Drury Lane est restée célèbre : la Malibran dut chanter en anglais et Bellini lui-même, réclamé sur scène, fut applaudi jusqu'au délire. Par la suite, l'œuvre connut une période de déclin pendant les premières décennies du XXe siècle, car elle fut jugée archaïque et dépassée. De nos jours elle a reconquis une grande célébrité et est représentée partout dans le monde. Dans cet opéra, le musicien sicilien épanche toute son ardeur lyrique et mélodique en écrivant les très célèbres airs jugés « les plus longs et les plus doux qu'un esprit humain pouvait inventer » ; citons à ce propos la cavatine d'Elvino, *Prendi, l'anel ti dono,* et la romance d'Amina, *Ah, non credea mirarti,* chefs-d'œuvre du genre. *La somnambule* se déroule entièrement dans un ton pastoral d'une grande douceur, sans épisodes tragiques, avec une admirable cohérence musicale. Les accompagnements orchestraux sont très simples et, même s'ils sont parfois jugés trop pauvres, ils sont cependant parfaitement adaptés au type de composition. GP

ZAMPA ou LA FIANCÉE DE MARBRE

Mélodrame en trois actes de Louis Joseph Ferdinand Hérold (1791-1833). Livret de A. H. J. Mélesville (1787-1865). Première représentation : Paris, Opéra-Comique, 3 mai 1831.

L'INTRIGUE :
Acte I. Une pièce avec une statue en marbre. Nous sommes à Milazzo où une fête se prépare pour les noces prochaines d'Alphonse (ténor) et de Camille (soprano). La joie et la quiétude de ce jour sont troublées par l'arrivée de Zampa (ténor) et de ses corsaires. Zampa, un pirate cynique et arrogant, appartenant à une famille noble, est depuis longtemps amoureux de Camille. Pour la posséder, il n'hésite pas à fournir à la jeune fille les preuves de la capture de son père. Si Camille refuse de l'épouser, il se vengera atrocement en le tuant. Mais, au beau milieu des libations et des clameurs de la fête, Zampa a une désagréable surprise : la statue au fond de la pièce ressemble de façon inquiétante à une jeune fille, Alice de Manfredi, morte de douleur après avoir été séduite puis abandonnée par le corsaire. Mais Zampa, bien que bouleversé par les traits de la statue, se montre arrogant et enfile même à son doigt une bague ; il déclare en riant qu'il la considère comme sa femme jusqu'au lendemain.
Acte II. Campagne proche de la

maison de Camille. Un chœur de femmes entonne un chant idyllique autour d'un autel. Zampa déclare à nouveau son amour à Camille. Quand il s'éloigne celle-ci peut rencontrer Alphonse. Le jeune homme est pâle et cache quelque chose qu'il confesse bientôt : Zampa n'est autre que son frère et lui qui avait médité de le tuer pour pouvoir reprendre Camille, n'en a maintenant plus le courage. Les noces malheureuses de Camille avec Zampa seront donc célébrées comme le veut le corsaire.
Acte III. La chambre de Camille. Un batelier qui s'éloigne chante une triste chanson d'adieu à son village. Camille aussi a dû dire adieu à Alphonse. Mais le jeune homme s'introduit à l'improviste dans son appartement et tous deux réussissent à s'enfuir. Zampa, lancé à leur poursuite, voit soudain se dresser, dans l'obscurité, la statue d'Alice qui le saisit par le bras et l'entraîne dans l'abîme.

■ Malgré le jugement négatif émis par Hector Berlioz, *Zampa* remporta à Paris un succès immense. Parmi les œuvres de Hérold, celle-ci, brillante et mouvementée, est certainement la plus célèbre. L'histoire rappelle celle du *Don Giovanni* de Mozart, mais la comparaison s'arrête là : la différence de qualité est trop évidente entre le livret de Lorenzo Da Ponte et celui, assez plat, de Mélesville. Malgré tout, le caractère romantique et fantaisiste du protagoniste, ainsi qu'une réelle inspiration mélodique, ont rendu cette œuvre particulièrement chère au public, non seulement en France mais aussi en Allemagne. LB

ROBERT LE DIABLE

Opéra en cinq actes de Giacomo Meyerbeer (1791-1864). Livret d'Eugène Scribe (1791-1861) et Germain Delavigne (1790-1868). Première représentation : Paris, Opéra, 21 novembre 1831. Interprètes : A. Nourrit, N. P. Levasseur, J. Dorus-Gras, L.-Cinthie Damoreau, la danseuse Taglioni.

LES PERSONNAGES : Robert, duc de Normandie (ténor) ; Rambald, paysan (ténor) ; Bertrand, ami de Robert (basse) ; Isabelle (soprano) ; Alice, femme de Rambald (soprano).

L'INTRIGUE : L'action se déroule à Palerme, au XIIIe siècle. Robert, duc de Normandie, apprend du ménestrier Rambald l'histoire de sa naissance, attribuée aux amours d'une femme avec le diable. Indigné, il est sur le point de tuer Rambald lorsqu'il reconnaît en lui le mari d'Alice, sa sœur de lait, et lui pardonne. Alice, sans lui fournir d'autres explications, le met en garde contre Bertrand. La jeune Isabelle invite Robert à combattre dans un tournoi en son honneur ; pour Robert, amoureux d'Isabelle, c'est une grande joie. Mais un chevalier provoque Robert en duel ; il fixe le lieu du rendez-vous dans une forêt touffue, où Robert s'égare. Le chevalier, resté à la cour, combat en l'honneur d'Isabelle. Robert est consterné ; Bertrand qui est en réalité le diable, son père, essaie de conquérir son âme en lui suggérant de se rendre dans un cimetière pour y trouver un rameau magique qui lui donnera tous les pouvoirs. A minuit, au cours d'un sabbat diabolique, Robert commet le sacrilège de violer une tombe pour arracher le rameau magique. Le lendemain, il peut grâce à celui-ci s'introduire dans la maison d'Isabelle en plongeant tout le monde dans un profond sommeil ; mais Isabelle, avant que la magie n'agisse sur elle, a la force de lui reprocher sa déloyauté. Frappé par les paroles d'Isabelle, Robert brise le rameau, chacun se réveille et il est arrêté. Mais Bertrand l'aide à s'enfuir et est sur le point de lui arracher la promesse de fidélité quand Alice arrive et lui annonce le pardon d'Isabelle. Bertrand essaie de l'effrayer en lui révélant qui il est mais, à cet instant, le délai imparti par les puissances infernales pour conquérir son âme prend fin. Robert, enfin libéré du maléfice, peut retrouver Isabelle, tandis que Bertrand retourne dans les profondeurs de l'enfer.

■ *Robert le Diable* marque une étape importante dans la vie de Meyerbeer : c'est la première œuvre de sa période française et avec elle commence la féconde collaboration avec Scribe, qui lui fournira des livrets romanesques propres à inspirer sa musique éclectique mais expressive. Le goût du moment pour le faste et l'emphase, qui se manifeste dans le grand opéra, trouve en Meyerbeer l'interprète le plus prestigieux. Les qualités et les défauts du grand opéra sont aussi ceux de Meyerbeer : un théâtre spectaculaire, soutenu par une habileté technique exceptionnelle, mais qui dégénère parfois en théâtralité ; une recherche d'agréments mélodiques, avec un rôle prépondérant des chœurs et de l'orchestre. L'opéra eut un succès immense et confirma Meyerbeer comme l'un des meilleurs compositeurs lyriques de son temps : certaines pages, comme *Sœurs qui reposez,* au troisième acte quand Bertrand invoque les esprits infernaux, ou le duo *O toi que j'adore,* au quatrième acte, chanté par Isabelle et Robert, révèlent une musique authentique et une intuition dramatique remarquable. En 1968, l'opéra fut repris en Italie à l'occasion du Mai musical florentin. SC

NORMA

Tragédie lyrique en deux actes de Vincenzo Bellini (1801-1835). Livret de Felice Romani (1788-1865) tiré du drame L'infanticide *de L. A. Soumet. Première représentation : Milan, théâtre de la Scala, 26 décembre 1831. Interprètes : Giuditta Pasta, Giulia Grisi, Domenico Donzelli, Carlo Villa, dit il Negrini.*

LES PERSONNAGES : Oroveste, chef des druides (basse) ; Norma, druidesse, sa fille, prêtresse d'Irmansoul (soprano) ; Pollion, proconsul romain des Gaules (ténor) ; Adalgise, druidesse (soprano) ; Flavius, Romain (ténor) ; Clothilde, servante de Norma (mezzo-soprano) ; deux enfants, fils de Norma et de Pollion. Des bardes, des druides, des prêtresses, des guerriers et des soldats gaulois.

L'INTRIGUE : L'action se déroule en Gaule au temps de la domination romaine.
Acte I, première scène. La forêt sacrée des druides ; au milieu, le

chêne d'Irmansoul au pied duquel se trouve la pierre druidale qui sert d'autel. Il fait nuit. Oroveste invite les Gaulois à la prière pendant que le chœur des guerriers puis Oroveste lui-même expriment leur haine envers les Romains. Les Gaulois s'étant éloignés, Pollion, proconsul romain, révèle à son ami Flavius qu'il n'aime plus Norma, avec qui il a eu deux fils ; il s'est épris d'une autre prêtresse, Adalgise. Il lui confie en outre avoir fait un rêve prémonitoire de la vengeance de Norma. Le chœur des Gaulois chante la prière au bronze sacré. Norma invoque le dieu et annonce qu'Irmansoul n'est pas encore disposé à la guerre contre les Romains (elle se sert de ses pouvoirs d'unique interprète de la volonté divine pour éloigner autant que possible une guerre qui rendrait impossible son amour pour Pollion). La prière terminée, Adalgise, se croyant seule, laisse échapper le secret de son amour pour Pollion. Le Romain qui l'a entendue, sûr d'être aimé à son tour, la persuade de fuir à Rome avec lui même si, pour la jeune femme, cela signifie trahir sa patrie et son vœu de chasteté.

Deuxième scène. Intérieur de la demeure de Norma. Avant de s'enfuir, Adalgise avoue à Norma avoir été séduite ; Norma n'a pas le courage de la condamner. Mais quand, en présence de Pollion, elle comprend qu'il est l'homme aimé par Adalgise, sa colère explose en une malédiction désespérée et elle invoque les foudres d'Irmansoul contre les Romains.

Acte II, première scène. Une chambre à coucher de la maison de Norma. Sur le lit sont couchés les deux fils de Norma et de Pollion. Il fait nuit. La prêtresse, au comble du désespoir, invoque la mort ; avant de mourir, elle veut blesser Pollion dans ce qu'il a de plus cher, ses enfants. Mais le courage lui manque. Elle prie alors Clothilde d'appeler Adalgise et, pensant que celle-ci va devenir la nouvelle épouse de Pollion, elle lui recommande ses enfants. Mais la jeune femme est bouleversée par l'ingratitude de Pollion et ne veut pas prendre la place de Norma dans le cœur du Romain ; elle imagine une autre généreuse solution : elle-même, Adalgise, suppliera Pollion de revenir à Norma. La prêtresse, émue par l'abnégation d'Adalgise, l'embrasse et lui jure son amitié éternelle.

Deuxième scène. Un lieu solitaire près du bois des druides. Le chœur des guerriers invoque la guerre et l'insurrection. Oroveste recommande d'attendre en paix la réponse d'Irmansoul même s'il couve en lui-même une grande rancune contre Rome.

Troisième scène. Le temple d'Irmansoul. Norma attend avec espoir le résultat de la mission d'Adalgise. Mais Clothilde lui annonce bientôt que tout est perdu : Adalgise est revenue affligée tandis que Pollion médite de l'enlever dans le temple même. Alors, folle de rage, la prêtresse appelle la population à se réunir et s'écrie que le dieu désire la guerre, le carnage, l'extermination du peuple romain ; le chœur lui répond avec une impétueuse fougue guerrière. A cet instant, Clothilde annonce qu'un Romain a pénétré dans le temple pour enlever une prêtresse ; il est traîné devant le peuple : c'est Pollion. Norma demande à rester seule avec lui et, pour la dernière fois, le conjure de lui redevenir fidèle en le menaçant de révéler le péché d'Adalgise. Sa prière reste vaine et la jeune femme, désespérée, en présence de son père et du peuple, annonce qu'une prêtresse a trahi les vœux sacrés. Cependant, alors que Pollion attend avec terreur que soit prononcé le nom d'Adalgise, Norma se dénonce elle-même et révèle ses liens avec le Romain. Elle demande à son père pitié pour ses enfants, heureuse de mourir aux côtés de l'homme aimé. Ce n'est qu'alors que le Romain comprend la générosité de Norma et la force de son amour, et il lui demande pardon. Tous deux condamnés, ils marchent au supplice pendant que le rideau tombe.

■ La musique de *Norma* a été écrite en grande partie à Blevio, sur le lac de Côme, où Vincenzo Bellini était l'hôte de Giuditta Pasta (future interprète du rôle principal à la première représentation). Il paraît que la chanteuse ainsi que le fidèle librettiste Romani encourageaient le compositeur à son travail. Il peut sembler étonnant que l'œuvre, attendue par le public milanais comme l'événement le plus important de la saison, n'ait eu aucun succès lors de la première représentation, le soir du 26 décembre (Santo Stefano pour les Italiens) ; l'insuccès fut tel que Pacini vit Bellini « verser quelques larmes » et que le compositeur lui-même écrivit à son ami et biographe Florino des mots de découragement profond. On peut retenir comme cause principale de ce fiasco l'introduction de certaines innovations par rapport aux canons de l'opéra italien ; la plus importante fut sans doute la suppression du *finale primo,* c'est-à-dire la grande scène chorale à la fin du premier acte, remplacé par un trio splendide, mais simple. Mais, dès la deuxième reprise, *Norma* obtint un succès extraordinaire et fut acclamée partout en Italie. Mais ce fut à l'étranger qu'elle connut le plus grand retentissement et plus précisément à Londres où, interprétée par la Malibran et dirigée par Bellini, elle devint l'objet d'un engouement allant jusqu'au délire comme « on n'en avait connu depuis fort longtemps » au Covent Garden. Par la suite, une autre représentation fameuse fut celle de la Scala en 1859 (interprétée par les sœurs Marchisio) où, à l'hymne *Guerra ! Guerra !,* le public bondit sur ses pieds en chantant pendant que les officiers autrichiens frappaient le sol de leurs sabres. Le livret a été traduit dans la plupart des langues et l'œuvre a fait le tour du monde. La *Norma* est généralelent considérée comme le chef-d'œuvre de Bellini et l'une des étapes principales de l'histoire de l'opéra. C'est aussi l'apothéose du chant dans toute sa pureté et son expression, tour à tour lyrique et tragique ; on peut citer ici l'air très célèbre *Casta diva* pour son lyrisme et le trio final pour sa beauté tragique. Il faut toutefois tenir compte du fait que, Bellini n'ayant jamais été un véritable dramaturge, *Norma* présente une solennité statique bien particulière qui, unie à la pureté et à la linéarité absolues du chant, peut évoquer, comme certains critiques le soutiennent, la tragédie grecque. Mais, si dans *Norma* l'élément vocal a toujours été admiré, certaines réserves ont été émises au sujet de l'orchestration jugée pauvre (certains voulurent confier à Bizet la partition de l'œuvre pour qu'il la modifie, mais il soutint que ce n'était pas possible). Il est important de connaître l'opinion que Wagner émit sur l'œuvre : « Dans *Norma,* où le poème atteint la grandeur tragique des anciens Grecs, les formes strictes de l'opéra italien, que Bellini anoblit et élève à la fois, donnent du relief au caractère solennel et grandiose de l'ensemble ; toutes les passions qui sont ainsi singulièrement transfigurées par son chant profitent d'un fond majestueux sur lequel elles n'errent pas incertaines mais se dessinent en un tableau grand et clair qui fait penser involontairement à Gluck et à Spontini. » Et plus loin : « J'admire en *Norma* l'inspiration mélodique, unie avec la plus profonde réalité à la passion la plus intime ; une grande partition qui parle au cœur, le travail d'un génie. » GP

L'ÉLIXIR D'AMOUR
(L'elisir d'amore)

Opéra en deux actes de Gaetano Donizetti (1797-1848). Livret de Felice Romani (1788-1865), qui reprend celui préparé par E. Scribe pour D. F. E. Auber en 1831, Le Philtre. *Première représentation : Milan, Teatro Canobiana, 12 mai 1832. Interprètes : Sabina Heinefetter (Adina), Giuseppe Frezzolini (Dulcamara), Henry Bernard Dabadie (Belcore), G. B. Genero (Nemorino).*

Les personnages : Adina, riche et capricieuse fermière (soprano) ; Nemorino, cultivateur un peu simplet, amoureux d'Adina (ténor) ; Belcore, sergent de la garnison du village (baryton) ; le docteur Dulcamara, médecin ambulant (basse comique) ; Gianetta, petite paysanne (soprano). Chœurs, paysans et paysannes, soldats et fanfare du régiment, un notaire, deux valets, un More.

L'intrigue : L'action se déroule dans un village basque.
Acte I. Dans la ferme d'Adina. Sous les arbres se reposent des jeunes filles et des moissonneurs. Adina leur lit l'histoire de Tristan qui, amoureux d'Iseult qui le repousse, réussit à s'en faire aimer en ayant recours à un philtre d'amour. Nemorino, jeune et timide, amoureux d'Adina, soupire. La jeune fille n'accorde aucune importance à ses attentions ; elle est inconstante et capricieuse et semble préférer la cour du présomptueux Belcore, sergent de la garnison. Entretemps, sur la place du village, s'installe le docteur Dulcamara, un charlatan, qui, pour la modique somme d'un sequin, offre un remède miracle, une petite bouteille pleine d'une liqueur qui, à l'entendre, guérit tous les maux, rend aux vieillards leur vigueur et procure l'amour aux jeunes gens. Nemorino, qui se rappelle l'histoire racontée par Adina, reprend espoir. Le docteur lui garantit que le fabuleux élixir fera tomber Adina à ses pieds en moins de vingt-quatre heures (c'est bien sûr le temps qu'il faudra au docteur pour quitter le village). Nemorino, ingénu, est tellement sûr de l'efficacité de la

liqueur qu'il change complètement d'attitude envers la jeune fille. Il rit et plaisante en présence d'Adina sans plus lui prêter une attention excessive, pratiquement comme si elle lui était devenue indifférente. Adina, mortifiée, accepte pour se venger la cour de Belcore et sa proposition de mariage. Elle décide même de l'épouser sur-le-champ puisque la garnison doit quitter le village le lendemain matin. Tout le monde est invité à la noce : les amis, les paysans et le docteur Dulcamara. Retombé dans le plus profond désespoir, Nemorino supplie la jeune fille d'attendre au moins vingt-quatre heures (le temps que l'élixir fasse son effet), mais Adina est intraitable. Acte II. A la ferme, les noces et le banquet qui suivra se préparent en toute hâte. Nemorino recourt à Dulcamara pour lui demander comment se faire aimer tout de suite : c'est simple, une autre bouteille de liqueur suffit (le docteur pense décamper aussitôt après). Mais Nemorino n'a plus d'argent pour se la procurer. Il accepte alors la proposition que lui fait Belcore et s'engage sur l'heure pour recevoir la prime d'enrôlement de vingt écus. Avec ceux-ci il achète la deuxième bouteille de philtre magique. Entre-temps la nouvelle d'un riche héritage que l'oncle de Nemorino lui aurait laissé en mourant court dans le village. Il n'est encore au courant de rien et se voit brusquement entouré et courtisé par les jeunes filles du village. Il pense aussitôt que l'élixir a commencé à faire de l'effet. Mais, à ce moment-là, la jalousie d'Adina explose : elle se rend compte qu'elle aime vraiment Nemorino, abstraction faite de l'héritage. Elle découvre également l'histoire de l'élixir et le sacrifice accompli par Nemorino lors de son engagement. Tous les éléments sont réunis pour que l'histoire se termine bien. Nemorino qui maintenant est riche peut aussi racheter son engagement dans la garnison et retrouver sa liberté. Le succès du docteur Dulcamara qui fait des affaires d'or depuis que la nouvelle de l'efficacité du philtre s'est répandue, vient compléter le tableau.

■ L'opéra fut commandé par le Teatro della Cannobiana de Milan pour remédier au fait qu'un compositeur n'avait pas livré son travail dans les délais prévus. Quatorze jours furent accordés à Donizetti, le librettiste en mit sept pour préparer le texte. L'opéra obtint un succès triomphal et garda l'affiche pendant trente soirées consécutives. *L'elisir d'amore* est un vrai joyau de l'opéra-comique du XIXe siècle et, avec *Don Pasquale* et *Le Barbier de Séville,* peut être considéré comme l'un des chefs-d'œuvre du genre. L'opéra n'est jamais sorti des répertoires et continue, surtout en Italie, à être représenté régulièrement. La partition foisonne de motifs plaisants, de mélodies gracieuses, où transparaît la veine bouffe toute personnelle de Donizetti : le rire se transforme en sourire et le sourire se voile de mélancolie, comme dans la célèbre romance *Una furtiva lacrima (Une larme furtive).* Il existe une version dialectale de l'œuvre « tradot e ridot an dialet piemonteis da Anaclet como d'Alba », présentée au Teatro Rossini de Turin à l'automne 1852. MS

LE FOU DANS L'ÎLE DE SAINT-DOMINGUE (Il furioso nell'isola di San Domingo)

Opéra en deux actes de Gaetano Donizetti (1797-1848). Livret de Jacopo Ferretti, tiré d'un épisode du Don Quichotte *de Cervantes. Première représentation : Rome, Teatro Valle, 2 janvier 1833.*

L'INTRIGUE : Elle est constituée par l'histoire de Cardenio, un fou qui erre dans l'île de Saint-Domingue. En loques, échevelé, pâle et halluciné, il terrorise les habitants du lieu. La cause de sa folie est la trahison de sa femme, qu'il avait laissée seule pour aller chercher fortune au loin. Le frère de Cardenio, venu le chercher, débarque dans l'île. Sa femme arrive ensuite, naufragée, également à la recherche de son mari. Elle s'est repentie et veut se faire pardonner. Avec l'aide des insulaires qui ont pitié de lui, même s'ils le craignent, Cardenio retrouve son équilibre et pardonne à sa femme.

■ L'opéra eut beaucoup de succès en Italie et même à l'étranger. En six ans il fut représenté dans soixante-dix théâtres différents. *Le fou dans l'île de Saint-Domingue* a été écrit par Donizetti au cours d'une période particulièrement malheureuse à cause de sa santé chancelante et de ses difficultés financières. L'auteur du livret ne s'inspira de l'épisode de Cervantes (Ire partie, chapitre XXVII) qu'indirectement, puisqu'en fait il se servit d'une comédie en cinq actes d'auteur inconnu, intitulée aussi *Le fou dans l'île de Saint-Domingue,* tirée elle-même de *Don Quichotte.* MS

BÉATRICE DE TENDE (Beatrice di Tenda)

Tragédie lyrique en deux actes de Vincenzo Bellini (1801-1835). Livret de Felice Romani (1788-1865). Première représentation : Venise, Teatro La Fenice, 16 mars 1833. Interprètes principaux : Giuditta Pasta, Anna Del Serra, Alberico Currioni.

LES PERSONNAGES : Filippo Maria Visconti, duc de Milan (baryton) ; Béatrice, comtesse de Tende, sa femme (soprano) ; Agnès del Majno (mezzo-soprano) ; Orombello, comte de Vintimille, cousin de Béatrice et son confident (ténor) ; Anichino (ténor) ; Rizzardo del Majno (basse) ; des courtisans, des juges, des officiers, des écuyers, des dames et des demoiselles de la cour, des soldats.

L'INTRIGUE : L'action se déroule dans le château de Binasco, en 1418.
Acte I, première scène. L'intérieur du château de Binasco. Filippo Maria Visconti manifeste son amour pour Agnès del Majno, demoiselle de cour de sa femme, Béatrice de Tende ; Béatrice est la veuve de Facino Cane que Filippo Maria a épousée sans amour en secondes noces pour en retirer un bénéfice matériel appréciable. Mais le duc s'est bien vite lassé d'elle et, d'accord avec Rizzardo, le frère d'Agnès, il essaie de s'en débarrasser. Entre-temps, Orombello, révèle à Agnès del Majno son amour se-

cret pour Béatrice ; Agnès, amoureuse d'Orombello, est bouleversée. Folle de jalousie, elle décide de se venger. La jeune fille, en possession de papiers compromettants qu'Orombello avait écrits à Béatrice, les livre au duc.
Deuxième scène. Dans le jardin du château, Orombello avoue à Béatrice la passion ardente qu'il éprouve pour elle ; la duchesse refuse fermement l'amour du comte mais leur entretien est surpris par Filippo, qu'Agnès a prévenu. Les découvrant ensemble et possédant déjà les papiers compromettants de Béatrice volés par Agnès, il les fait arrêter sous l'accusation d'adultère.
Acte II, première scène. Une galerie dans le château de Binasco. Béatrice, conduite devant les juges, affirme son innocence. Mais Orombello, atrocement torturé, n'a pas résisté à la douleur et a accusé la duchesse et lui-même d'une faute qu'ils n'ont pas commise. Agnès, qui regrette maintenant le mal commis, demande à Filippo pitié pour les innocents et a presque réussi à obtenir la grâce. Mais, à l'improviste, la nouvelle arrive que des soldats fidèles à Béatrice assiègent le château afin d'empêcher l'exécution des condamnés ; Filippo alors n'hésite plus et signe la condamnation à mort de sa femme et de son amant présumé.
Deuxième scène. Vestibule conduisant au lieu de l'exécution. Béatrice, tout en avançant courageusement vers l'échafaud, a la force de pardonner à Agnès, qui lui avoue sa faute et ses remords. On entend les paroles de pardon d'Orombello, lui aussi condamné à mort.
Pendant qu'Agnès tombe évanouie, la duchesse, fière et courageuse, monte à l'échafaud accompagnée de la triste complainte du chœur.

■ *Béatrice de Tende* fut écrit après une longue période de repos du compositeur qui, à la suite du succès de *Norma* en 1831, resta pratiquement inactif jusqu'à la fin de 1832, moment où il entreprit justement ce nouveau travail. En fait, il existe pour l'année 1832 le projet d'un *Oreste* mais celui-ci ne vit jamais le jour. *Béatrice de Tende* fut écrit hâtivement, ce qui eut pour conséquence un fiasco complet à la première représentation de La Fenice. Bellini écrivit plus tard que chaque fois qu'il avait dû composer un opéra avec une contrainte de temps, le résultat était toujours décevant (ce qui ne l'empêcha pas d'écrire à propos de *Béatrice de Tende* que « l'œuvre n'était en rien inférieure à ses sœurs »). L'argument de l'opéra, l'histoire de l'héroïne injustement accusée et condamnée à mort pour adultère par son mari, thème qui rappelle celui d'*Anne Boleyn* de Donizetti, constitue un fait historique (comme le dit Felice Romani dans l'introduction à cet opéra) que l'on retrouve dans les chroniques de Bigli, de Redusio, de Ripamonti. La même histoire avait déjà servi de sujet à une tragédie de Tibaldi Flores (1825) et à une action chorégraphique de Monticini (1832). L'accueil déplorable de l'œuvre à Venise provoqua de graves dissensions entre le musicien et Romani, qui amenèrent la rupture d'une collaboration dont étaient nées toutes les meilleures œuvres de Bellini. En effet le compositeur et le librettiste se rejetèrent la responsabilité de l'insuccès et leur dispute bouleversa également les rapports entre le musicien et sa maîtresse, Giuditta Turina. Toutefois, l'opéra obtint par la suite les faveurs du public et fut rejoué à plusieurs reprises en Italie comme à l'étranger ; le livret fut traduit en allemand et en hongrois. L'œuvre est aujourd'hui rarement représentée. GP

PARISINA

Opéra en trois actes de Gaetano Donizetti (1797-1848). Livret de Felice Romani (1788-1865), tiré du poème de George Byron (1816). Première représentation : Florence, Teatro della Pergola, 17 mars 1833. Interprètes : Coselli, Duprez et Ungher.

L'INTRIGUE : Elle est inspirée d'une tragédie familiale qui, terminée dans le sang, avait désolé le duché de Ferrare aux temps de Nicolò III (1425). Azzo (c'est le nom de Nicolò dans le texte littéraire), seigneur de Ferrare, a fait mourir Mathilde, sa première femme, qu'il soupçonnait d'infidélité. Il a ensuite épousé la jeune et belle Parisina mais ne tarde pas à avoir la preuve de ne pas posséder son cœur. Elle éprouve envers un camarade d'enfance, Ugo, de tendres sentiments qu'elle essaie toutefois de cacher. Ugo s'est fait remarquer, pour son comportement au combat, par Ernesto, le général du prince de Ferrare, il gagne un tournoi et reçoit la couronne des mains de Parisina. La pauvre femme laisse échapper dans son sommeil le nom du jeune homme aimé. Les deux amants présumés sont arrêtés par ordre d'Azzo et condamnés à mort. Ernesto révèle alors au seigneur de Ferrare qu'Ugo est son fils et qu'il lui a été confié par Mathilde au moment de sa mort. La révélation d'un tel secret renforce la haine d'Azzo qui révoque cependant la sentence de mort et ordonne à Ernesto d'emmener Ugo loin de Ferrare. Un dernier témoignage de tendresse qu'Azzo surprend entre les deux jeunes gens le rend plus furieux que jamais. Pendant que Parisina prie, il lui annonce que vengeance est faite et lui montre le cadavre d'Ugo. Parisina se précipite sur son corps.

■ Accueillie par des réactions défavorables, *Parisina* fut rarement représentée après la première de Florence. MS

HANS HEILING

Grand opéra romantique en un prologue et trois actes de Heinrich August Marschner (1795-1861). Livret de Eduard Devrient. Première représentation : Berlin, 24 mai 1833.

L'INTRIGUE : Le sujet du livret est tiré d'une légende. Hans, fils de la Reine des Esprits et d'un mortel, par amour d'une jeune fille, Anne, abandonne son essence surnaturelle et prend forme humaine ; mais la jeune fille, ayant appris son identité, le quitte pour suivre Konrad. Hans Heiling disparaît alors pour toujours, se promettant de ne plus jamais revenir dans le monde des hommes.

■ Le succès de l'œuvre, qui obtint les faveurs du public dans tous les théâtres allemands et également à Copenhague, valut à son auteur le titre de docteur *honoris causa* de l'université de Leipzig. L'opéra fut dirigé à Vienne et à Magdebourg par Richard Wagner et exerça une certaine influence sur la production de jeunesse de ce musicien. AB

TORQUATO TASSO

Opéra en trois actes de Gaetano Donizetti (1797-1848). Livret de Jacopo Ferretti. Première représentation : Rome, Teatro Valle, 9 septembre 1833.

L'INTRIGUE : Elle raconte les amours de Torquato Tasso (le Tasse) et d'Éléonore, sœur d'Alphonse, duc de Ferrare. Les deux amants sont trahis par des intrigues de cour menées par le courtisan Gérard et le secrétaire du duc. Torquato, pour sa peine, devra passer de longues années en prison. Quand il retrouve sa liberté, Éléonore est morte depuis longtemps.

■ L'opéra fut également joué sous le titre de *Sordello, le trouvère (Sordello, il trovatore)* à Naples en 1835 et fut représenté jusqu'en 1881. Dans le livret, l'auteur a essayé, autant que possible, de faire dire à Torquato Tasso des vers tirés de ses propres poésies. MS

LUCRÈCE BORGIA
(Lucrezia Borgia)

Opéra en un prologue et deux actes de Gaetano Donizetti (1797-1848). Livret de Felice Romani (1788-1865) tiré de la tragédie de Victor Hugo (1833). Première représentation : Milan, théâtre de la Scala, 26 décembre 1833. Interprètes : Henriette Lalande (Lucrèce Borgia), F. Pedrazzi (Gennaro), L. Mariani (Don Alfonso), Marietta Brambilla (Maffio Orsini).

LES PERSONNAGES : Don Alfonso, duc de Ferrare (basse) ; Lucrèce Borgia (soprano) ; Gennaro (ténor) ; Maffio Orsini (contralto) ; Jeppo Liverotto (ténor) ; Don Apostolo Gazella (basse) ; Ascanio Petrucci (basse) ; Oloferno Vitellozzo (ténor) ; Gubetta (basse) ; Rustghello (ténor) ; Astolfo (basse) ; la princesse Negroni. Des chevaliers, des écuyers, des dames de la cour, des tueurs à gages, des pages, des masques, des portiers, des hallebardiers, des échansons, des gondoliers.

L'INTRIGUE : L'action se déroule au début du XVIe siècle.
Prologue. Une fête a lieu dans un palais patricien de Venise. Un groupe de jeunes gens commente la soirée. Le nom de la duchesse de Ferrare, Lucrèce Borgia, est prononcé par hasard. Maffio Orsini raconte alors qu'après la bataille de Rimini où il a été sauvé par Gennaro, il a rencontré un camarade qui lui a prédit qu'il mourrait avec ses amis de la main de Lucrèce Borgia. Parmi les jeunes gens se trouve Gennaro, qui ignore l'identité de sa mère : il ne conserve d'elle qu'une seule lettre dans laquelle elle le prie de ne jamais la chercher. Gennaro s'assoupit dans un fauteuil. A ce moment entre Lucrèce Borgia en personne, mais masquée. En voyant le jeune

homme elle se penche et l'embrasse. C'est sa mère. Les autres jeunes gens arrivent ; ils la reconnaissent et lui rappellent ses nombreux forfaits. Gennaro est lui aussi indigné.

Acte I. Une place de Ferrare. Gennaro est arrivé avec ses amis et une délégation vénitienne à Ferrare. Le duc Alfonso est jaloux des nombreuses attentions que la duchesse accorde au jeune homme. Le groupe de jeunes gens a été invité à une fête chez la princesse Negroni, mais Gennaro ne veut pas y participer. Ses camarades se moquent de lui et prétendent qu'il est fasciné par Lucrèce. Pour convaincre ses amis qu'ils se trompent, il efface avec son poignard le B de la porte du palais de façon qu'il ne reste plus que « orgia » (orgie). Les gardes d'Alfonso l'arrêtent sur ordre du duc. Lucrèce a demandé à être vengée afin de réparer l'affront subi ; toutefois, quand elle se rend compte que le coupable est Gennaro, elle se radoucit et minimise l'incident. Mais Alfonso se montre inflexible. Il l'oblige à boire un poison, mais Lucrèce le sauve en lui procurant un antidote, puis le fait fuir par une porte dérobée.

Acte II. Depuis la cour de sa maison, des gardes surveillent Gennaro. A la dernière minute Gennaro décide de participer à la fête de la princesse Negroni, et s'éloigne avec ses amis. Les gardes voudraient le suivre mais leur chef leur fait signe de ne pas bouger : le jeune homme est tombé dans un piège. Chez la princesse, tout le monde est à table en joyeuse compagnie. Les dames s'éloignent et un serviteur offre à boire. On entend un chœur funèbre et les lumières s'éteignent. Les portes sont bloquées. Lucrèce, suivie d'une escorte armée, entre en grand mystère : elle annonce que le vin était empoisonné et qu'elle s'est ainsi vengée des injures qu'elle avait subies à Venise. Puis elle s'aperçoit de la présence de Gennaro et en est bouleversée. Elle fait sortir les autres invités et offre un antidote à son fils. Mais Gennaro refuse : il mourra avec les autres. Lucrèce, désespérée, crie qu'il est aussi un Borgia, car c'est son fils ! Trop tard : Gennaro meurt entre les bras de sa mère.

■ L'opéra fut d'abord accueilli avec froideur, malgré des interprètes de premier plan. Quand *Lucrèce Borgia* fut représenté au Théâtre-Italien, à Paris, le 27 octobre 1840, Victor Hugo revendiqua ses droits d'auteur devant un tribunal et gagna le procès. Pour pouvoir continuer à représenter l'opéra il fallut changer le lieu, les costumes, les scènes et l'époque. Lucrèce devint *La rinnegata (Celle que l'on renie)* et l'action fut située dans une ville de Turquie. Plus tard, on put arriver à un accord avec l'auteur du drame, et *Lucrèce Borgia* revint sur scène sous son nom. Pour la première représentation, afin de satisfaire H. Lalande, Donizetti dut écrire une cavatine finale qu'il tenta de faire supprimer des éditions suivantes. Les modifications apportées à la première version furent ensuite très nombreuses, surtout pour des raisons de censure politique. Le titre de l'œuvre changea plusieurs fois. En plus de *La rinnegata*, l'opéra s'est appelé : *Alfonso, duca di Ferrara, Estorgia da Romano, Nizza de Granada, Giovanna I di*

Napoli, Elisa da Fosco, Zoraide la rinnegata. La censure s'explique surtout par le fait que la famille des Borgia avait donné des papes à l'Église. Lors de la première représentation, la disposition de l'orchestre fut modifiée par Donizetti. Cette innovation devait vite passer dans les habitudes (avec peu de variantes) : les instruments à cordes, qui étaient placés parmi les autres instruments, furent regroupés au centre de l'orchestre, autour du compositeur qui, assisté du premier violon, dirigeait le spectacle. MS

MARIE STUART (Maria Stuarda)

Opéra en trois parties de Gaetano Donizetti (1797-1848). Livret de Giuseppe Bardari.
En raison de la censure, la première représentation fut mise en scène sous le titre Buondelmonte, *avec un livret remanié par P. Salatino et le compositeur. Cette version de l'opéra fut présentée à Naples, au Teatro San Carlo, le 18 octobre 1834.*
Sous le titre original, mais après d'importantes modifications, l'opéra fut ensuite présenté à Milan, au théâtre de la Scala, le 30 décembre 1835, dans l'interprétation de la Malibran.

L'INTRIGUE : Elle narre la fin de Marie Stuart. L'action se déroule en partie au palais de Westminster, et en partie dans le château de Fotheringay, en 1587. Robert, comte de Leicester, dernier amour de la reine d'Écosse, profitant de la bienveillance de la reine Élisabeth, organise une rencontre entre les deux rivales. Marie Stuart, qui devrait s'humilier et demander pardon pour avoir la vie sauve, ne parvient pas à se soumettre. Elle se dresse dans toute sa fierté, et humilie Élisabeth. Elle perd ainsi tout espoir de salut. Élisabeth, irritée, signe la sentence. Marie Stuart se dirige vers l'échafaud, soutenue par Robert de Leicester. MS

LES PURITAINS (I Puritani)

Mélodrame en trois parties de Vincenzo Bellini (1801-1835). Livret du comte Carlo Pepoli (1796-1881). Première représentation : Paris, Théâtre-Italien, 25 janvier 1835. Interprètes : Giovanni Battista Rubini, Antonio Tamburini, Louis Lablache, Giula Grisi.

LES PERSONNAGES : Le gouverneur lord Walter Valton, puritain (basse) ; sir George Valton, son frère, puritain (basse) ; lord Arthur Talbot, chevalier (ténor) ; sir Richard Forth, puritain (baryton) ; sir Bruno Roberton, puritain (ténor) ; lady Elvire Valton, fille de Walter (soprano) ; Henriette, reine d'Angleterre, sous le nom de dame de Villa Forte (soprano). Les soldats de Cromwell, les hérauts et les écuyers de Valton et Talbot, des puritains, des châtelains et châtelaines, des demoiselles de la cour, des pages, des serviteurs.

L'INTRIGUE : Les deux premières parties se déroulent dans une forteresse près de Plymouth (Angleterre) ; la troisième dans la campagne autour de la forteresse. L'action se situe au XVIIe siècle, à

l'époque des luttes entre les partisans de Cromwell (les puritains) et ceux des Stuart.
Première partie, première scène. Un terre-plein spacieux dans la forteresse des puritains, à l'aube. C'est la relève de la garde. Le soleil se lève et les puritains se recueillent pour la prière, puis fêtent les noces d'Elvire en lui apportant des fleurs. Pendant ce temps, sir Richard Forth fait part de son dépit à sir Bruno Roberton : Elvire, la fille du gouverneur lord Valton, dont il est amoureux, lui a été refusée pour être donnée en mariage à lord Arthur Talbot, un chevalier partisan des Stuart.
Deuxième scène. Les appartements d'Elvire. Sir George Valton annonce à sa nièce qu'aucun obstacle ne s'oppose à ses noces avec Arthur. On entend alors les cors du cortège de l'époux devant le château, et les demoiselles de la cour, ainsi que les pages, entrent préparer la fête pour le mariage. Troisième scène. Une salle d'armes où les chevaliers et les dames apportent les présents nuptiaux. Après les vœux du chœur à l'épouse, l'époux entre à son tour et déclare son amour à Elvire. Pendant que tous se dirigent vers le lieu de la cérémonie, lord Valton donne à Arthur un laissez-passer pour sortir de la forteresse occupée, et lui confie sa fille. Entre-temps le gouverneur devra participer à un procès contre une dame inconnue, accusée d'être l'espionne des Stuart. Arthur, resté seul avec l'inconnue, découvre qu'il s'agit d'Henriette, la reine, veuve de Charles Ier, et n'hésite pas à la faire fuir, en profitant de son laissez-passer et en lui mettant le voile nuptial d'Elvire afin de la faire passer pour son épouse. Au moment de s'échapper ils rencontrent Richard qui, fou d'amour et de jalousie, veut empêcher la sortie d'Arthur avec celle qu'il croit être Elvire. Mais dès qu'Henriette se fait reconnaître, il s'efface (conscient de trahir sa propre cause en laissant s'échapper une prisonnière) dans l'espoir de regagner le cœur d'Elvire après la trahison et la fugue d'Arthur le jour de ses noces. Elvire perd la raison lorsqu'elle apprend que son époux s'est enfui avec une autre femme, et les puritains se préparent à poursuivre les fugitifs.
Deuxième partie. Dans une salle de la forteresse, George raconte aux châtelains et aux châtelaines la folie d'Elvire. Voici qu'Elvire entre en scène, chante sa douleur dans son délire et évoque avec des gestes et des paroles émouvantes le jour de ses noces avec Arthur. Sir George Valton, qui devine le rôle tenu par Richard dans la fuite des deux jeunes gens, le persuade de ne pas condamner à mort le fugitif, pour le bien d'Elvire, et tous deux décident de combattre et mourir loyalement pour la cause puritaine.
Troisième partie, première scène. Dans un petit bois près de la maison d'Elvire. Un ouragan. Arthur, recherché par les puritains, se cache dans le petit bois et entend la voix lointaine d'Elvire qui chante une chanson d'amour qu'il lui a apprise. Ému, il laisse passer une troupe de poursuivants, et reprend le chant sous les fenêtres de la jeune fille, qui sort et l'embrasse. Arthur lui explique les raisons de sa longue absence et lui déclare à nouveau son amour. Mais, aux gestes et

aux hurlements d'Elvire, il comprend qu'elle est devenue folle tandis que les puritains accourent et condamnent le jeune homme à mort. Mais Elvire, en entendant le mot « mort », retrouve subitement la raison alors que parvient la nouvelle de la victoire de Cromwell, et du pardon accordé par le nouveau dictateur à tous les partisans des Stuart. Arthur peut donc obtenir à nouveau la main d'Elvire et la terreur fait place à la fête.

■ *I Puritani* est la dernière œuvre de Bellini et certainement celle à laquelle il consacra le plus de temps et la plus grande attention. Il l'écrivit en effet pour Paris où le public connaissait les dernières expériences musicales européennes et où il devait se maintenir à la hauteur de Rossini, considéré depuis des années comme le plus grand musicien italien. A ces difficultés s'ajoutait celle du livret qui, loin de valoir ceux de Romani, présentait diverses complications d'adaptation scénique et musicale et demanda une participation importante du compositeur à sa rédaction. Pepoli s'était en effet employé à écrire un livret en prenant pour base la pièce de F. Ancelot *Têtes Rondes et Cavaliers* (tirée à son tour du roman de W. Scott, *Les Puritains d'Écosse*), mais jouissait de peu d'expérience en la matière ; à tel point que Bellini, mécontent, lui rappelait que « le drame en musique doit faire pleurer, trembler, mourir en chantant ». Toutefois à la première représentation le succès fut remarquable et, lors de la scène de la folie, « tout le théâtre se mit à pleurer » tandis qu'au moment de *Suoni la tromba e intrepido*, il y eut une explosion de fanatisme patriotique et « toutes les femmes déployaient leur mouchoir, tous les hommes agitaient en l'air leur chapeau ». Le compositeur ne put cependant jouir du succès de son œuvre car il mourut, épuisé de travail, à Puteaux le 24 septembre 1835. *I Puritani* se voit aujourd'hui représenté dans le monde entier, mais rarement, étant donné les difficultés d'exécution du rôle du ténor principalement (qui semble avoir été fait exprès pour la voix extraordinaire du ténor Rubini). Cette œuvre, considérée comme l'une des plus réussies du compositeur sicilien, contient de nombreuses pages d'inégalable effusion lyrique, telle la superbe et déchirante scène de la folie, et une grande variété de thèmes musicaux. C'est peut-être l'œuvre la plus mûre du musicien, celle où il montre qu'il a assimilé les conseils d'autres écoles musicales étrangères avec la suppression presque totale des parties récitées et une étude méticuleuse de l'orchestration. Elle représente donc une nouveauté absolue par rapport à l'opéra italien traditionnel, aux dépens toutefois, comme on le soutient généralement, de la cohérence de l'ensemble qui est jugée ici, au contraire de *Norma*, insuffisante. GP

LA JUIVE

Opéra en cinq actes de Jacques Fromental Élie Halévy (1799-1862). Livret d'Eugène Scribe (1791-1861). Première représentation : Paris, Opéra, 23 février 1835. Interprètes : Marie Corné-

lie Falcon, Dorus-Gras, Adolphe Nourrit, Levasseur.

Les personnages : Le juif Éléazar (ténor) ; le cardinal Gian Francesco de Brogni, président du concile (basse) ; le prince Léopold (ténor) ; la princesse Eudoxie, nièce de l'empereur (soprano) ; Rachel (mezzo-soprano) ; Ruggero, grand prévôt de la ville de Constance (baryton) ; Albert, officier (baryton) ; le peuple de Constance, le cortège de l'empereur, chevaliers et dames de la cour, princes, ducs, prélats, magistrats, des israélites, etc.

L'intrigue :
Acte I. Une place de la ville de Constance au xve siècle. Le prince Léopold se dirige vers la boutique de l'orfèvre juif Éléazar mais rencontre en chemin un officier, Albert, et s'éloigne avec lui. Entre-temps, le grand prévôt Ruggero fait lire un édit impérial qui annonce des réjouissances publiques pour la victoire du prince Léopold contre les partisans de l'ancien Huss. Ruggero ordonne ensuite d'arrêter Éléazar surpris en train de travailler en un jour si solennel et insiste pour qu'il soit condamné à mort avec sa fille Rachel ; mais le cardinal Brogni, chef suprême du concile, qui se souvient d'avoir connu Éléazar avant même de devenir prêtre, quand sa femme et sa fille moururent dans de tragiques circonstances, ordonne que le père et la fille soient libérés. Entre-temps, Rachel accueille dans sa boutique le prince Léopold qu'elle croit être un peintre juif et l'invite au repas pascal. Quand Éléazar et Rachel sortent du magasin ils sont agressés par le peuple et Léopold les défend pour que les gardes, intervenus pour calmer la rixe, ne les arrêtent pas.
Acte II. La maison d'Éléazar. La Pâque est célébrée en présence de Léopold. La princesse Eudoxie, nièce de l'empereur et fiancée de Léopold, vient pour acheter une chaîne d'or sur laquelle elle veut faire graver les initiales de son futur époux. Pendant ce temps, Léopold révèle à Rachel qu'il est chrétien et qu'il a menti par amour et s'apprête à fuir avec la jeune fille. Mais Éléazar les surprend et Léopold, désespéré, avoue ne pas pouvoir épouser Rachel.
Acte III. La fête dans les jardins de l'empereur. On célèbre la victoire de Léopold. Éléazar arrive avec la chaîne et Eudoxie l'offre à Léopold en l'appelant son époux. Rachel se précipite pour arracher la chaîne du cou du prince et déclare que Léopold a eu une relation avec elle. Léopold ne se défend pas et, ainsi que Rachel et Éléazar, va être condamné au bûcher pour avoir eu une relation avec une Infidèle.
Acte IV. Antichambre de la salle du concile. Eudoxie supplie Rachel de déclarer l'innocence de Léopold afin de le sauver et Rachel accepte. Le cardinal envoie chercher Éléazar et lui dit que, s'il renie sa foi, il pourra sauver sa fille. Éléazar refuse et lui révèle que, pendant l'incendie qui avait détruit la maison du cardinal à Rome, un juif avait emmené sa fille en lieu sûr, mais il ne dit rien de plus malgré les prières du cardinal.
Acte V. Ruggero lit la sentence de mort à Rachel et à Éléazar ; Léopold, condamné à l'exil, est innocenté par Rachel. La jeune fille que l'on invite à se convertir

pour avoir la vie sauve refuse dédaigneusement et Éléazar, supplié par le cardinal de lui révéler où se trouve sa fille, indique Rachel, déjà sur l'échafaud.

■ Cet opéra, le premier d'une série ayant pour thème des conflits religieux historiques, est considéré comme le chef-d'œuvre de Halévy. Le musicien français, élève de Cherubini, en imite les grandes œuvres tragiques basées sur des thèmes grandioses. On remarque aussi dans la partition des échos de Gluck ; cependant *La juive* est soumise aux exigences de son époque : c'est un spectacle mouvementé et de teintes vives. Parmi les meilleures pages se trouvent la prière d'Éléazar au deuxième acte et le dramatique duo entre Eudoxie et Rachel au quatrième acte. Halévy écrivit certains morceaux spécialement pour des interprètes prestigieux ; en créant le personnage d'Éléazar, il pensait aux capacités vocales du ténor Adolphe Nourrit et, pour celui de Rachel, à la voix exceptionnelle de la soprano Marie Cornélie Falcon. Pour *La juive* qui conquit le public parisien dès la troisième représentation, l'Opéra de Paris réalisa une mise en scène sans précédent. La scène du supplice donnait lieu à un montage grandiose ; on faisait venir pour chaque représentation vingt chevaux du célèbre cirque Franconi.

MARINO FALIERO

Opéra en trois actes de Gaetano Donizetti (1797-1848). Livret de Emanuele Bidera, tiré d'un drame de George Byron, Marino Faliero, doge of Venice. *Première représentation : Paris, Théâtre-Italien, 12 mars 1835.*

L'INTRIGUE : Elle est fondée sur l'histoire du doge vénitien Marino Faliero, dont la femme a été publiquement injuriée par Michele Steno. La punition infligée à Steno par le Conseil des Quarante ne semble pas assez sévère au doge. Faliero, outragé, décide de renverser le gouvernement. Mais la conjuration est mise au jour et Marino Faliero est condamné à mort.

■ En 1834 Donizetti avait été invité à composer un opéra pour le Théâtre-Italien de Paris. Sa première apparition sur les scènes françaises ne fut pas très heureuse car ce mélodrame dut rivaliser avec le succès que Bellini connaissait pendant la même période avec *Les puritains.* Écrit entre *Lucrèce Borgia* et *Belisario, Marino Faliero* n'est pas l'un des meilleurs opéras de Donizetti.

LUCIE DE LAMMERMOOR (Lucia di Lammermoor)

Opéra en deux parties de Gaetano Donizetti (1797-1848). Livret de Salvatore Cammarano (1801-1852), tiré d'un roman de Walter Scott, The bride of Lammermoor *(1819). Première représentation : Naples, Théâtre San Carlo, 26 septembre 1835. Interprètes : Fanny Tacchinardi-Persiani (Lucie) ; Gilbert Duprez (Edgar) ; Domenico Cosselli (lord Ashton) ; Gioacchini (lord Arthur) ; Porto-Ottolini (Raymond).*

Les personnages : Lord Henri Ashton (baryton) ; Lucie, sa sœur (soprano) ; sir Edgar de Ravenswood (ténor) ; lord Arthur Bucklaw (ténor) ; Raymond Bidebent, précepteur et confident de Lucie (basse) ; Alisa, demoiselle de compagnie de Lucie (mezzo-soprano) ; Norman, chef des soldats d'Ashton, les habitants de Lammermoor, des pages, des écuyers, les domestiques d'Ashton.

L'intrigue : L'action se déroule en Écosse à la fin du XVIe siècle.
Première partie : « Le départ ». Acte unique. Dans le jardin du château de Ravenswood qui, après avoir appartenu à la famille du même nom, est devenu injustement la propriété des Ashton. Lord Ashton est préoccupé parce que les luttes politiques l'ont affaibli et qu'il aurait besoin d'alliances solides. Il serait nécessaire que Lucie, sa sœur, se décide à épouser lord Arthur mais elle s'y refuse, d'autant plus que sa mère vient de mourir. Norman, chef des soldats d'Henri, soupçonne Lucie d'avoir un amour secret, un homme qu'elle rencontre chaque jour dans le parc du château. Il s'agit peut-être de l'inconnu qui lui a sauvé la vie en abattant au moment opportun un taureau furieux. Plus tard les soupçons se précisent et semblent même se porter sur Edgar de Ravenswood. La colère d'Henri est terrible. Dans le parc, la nuit, près d'une fontaine. Lucie, accompagnée d'Alisa, attend Edgar. Alisa, inquiète, la conjure de mettre un terme à ce lien qui ne lui apportera que douleur. Mais Lucie n'a pas le courage de revenir en arrière. Edgar arrive et annonce son départ pour la France mais, avant de quitter l'Écosse, il voudrait se réconcilier avec la famille de Lucie en demandant sa main comme gage de paix. Lucie qui connaît les sentiments de son frère essaie de le dissuader et le prie au moins de repousser cette initiative. Les deux jeunes gens, avant de se quitter, échangent un anneau comme gage d'une promesse de mariage.
Deuxième partie : « Le contrat nuptial ». Acte I. Pour contraindre Lucie à se plier à sa volonté, Henri lui montre une fausse lettre qu'Edgar aurait envoyée à une autre femme. Il essaie ainsi de démontrer que celui qui prétend l'aimer n'est pas digne d'elle. Lucie ne met pas en doute les dires de son frère. Elle se rend donc à l'évidence et, malgré sa douleur, accepte d'épouser lord Arthur Bucklaw. On prépare la cérémonie. Comme prévu, Arthur promet son aide à Henri, au nom de leur nouveau lien de famille. Lucie entre, très pâle, et signe le contrat de mariage. Au même instant, Edgar fait irruption et reproche à Lucie son infidélité. Il maudit la race des Ashton et se jette sur Arthur et Henri, l'arme à la main, mais il est arrêté.
Acte II. Henri arrive à cheval à Wolferag, demeure des Ravenswood. Sous un terrible orage, il demande à Edgar des explications sur les insultes qu'il a proférées à l'égard de sa sœur. Edgar relève le défi : ils se battront en duel à l'aube, près des tombeaux des Ravenswood. Pendant ce temps, les festivités se poursuivent au château, tandis que les nouveaux époux se sont déjà retirés. Raymond s'écrie tout à

coup que le malheur s'est abattu sur la demeure : Lucie, devenue folle, vient de tuer Arthur d'un coup d'épée. Lucie apparaît et, dans son délire, croit vivre son mariage avec Edgar. Henri, voyant que sa sœur a perdu la raison, abandonne toute idée de châtiment et la recommande à Alisa et Raymond pour qu'ils prennent soin d'elle. Edgar, ignorant ce qui s'est passé, se rend sur le lieu du duel, résolu à se laisser tuer puisque la vie pour lui n'a plus de sens. Apprenant les tragiques événements, il veut se précipiter dans le château pour retrouver Lucie, mais Raymond l'arrête : il est trop tard, Lucie est morte. Alors, sans hésitation, Edgard se poignarde et meurt.

■ L'opéra suit fidèlement le roman de Walter Scott, dont seuls certains noms ont été changés. Walter Scott lui-même s'était inspiré d'événements survenus en 1689, au moment des luttes entre les partisans de Guillaume III d'Orange et ceux de l'ex-roi Jacques II. Dans le livret, l'époque est antérieure (fin du XVIe siècle). La partition fut écrite en trente-six jours. Cet ouvrage majeur ouvre la troisième période de la création de Donizetti, celle de la maturité. La première représentation fut un immense succès, auprès du public comme de la critique. L'opéra est toujours représenté avec succès aujourd'hui. *Lucia di Lammermoor*, chef-d'œuvre de Donizetti, est aussi l'un des plus beaux opéras romantiques pré-verdiens. La scène de la folie est l'un des morceaux les plus célèbres de l'art lyrique *(Ardon gli incensi)* et exige une virtuosité exceptionnelle de soprano. MS

BÉLISAIRE (Belisario)

Opéra en trois actes de Gaetano Donizetti (1797-1848). Livret de Salvatore Cammarano (1801-1852). Première représentation : Venise, Teatro La Fenice, 4 février 1836.

L'INTRIGUE : L'opéra est divisé en trois parties intitulées « Le triomphe » ; « L'exil », « La mort ». Il raconte l'histoire du général Bélisaire, tombé en disgrâce à la cour de l'empereur Justinien. Bélisaire rentre à Byzance pour le triomphe après sa campagne d'Italie. Le Sénat lui rend hommage, mais sa femme Antonine le maudit car elle croit — à tort — qu'il a essayé de tuer ses propres enfants. Profitant de la fureur d'Antonine, les ennemis de Bélisaire la persuadent d'accuser son mari de trahison auprès de l'empereur. Le général est condamné à avoir les yeux crevés, et à l'exil. Aveugle et proscrit, Bélisaire n'a plus que sa fille pour soutien. Dans la troisième partie du drame, Alamir, chef barbare, conduit ses troupes sous les murs de Byzance pour venger l'outrage fait à Bélisaire. Ce dernier reconnaît en Alamir son fils qu'il croyait mort, mais il est tué au combat, sous les yeux d'Antonine. Celle-ci a découvert la fausseté des accusations portées contre Bélisaire et a tout révélé à l'empereur, mais trop tard. Elle expire à son tour, rongée par le remords.

■ Avec *Belisario*, Donizetti faisait sa rentrée à Venise après dix-sept années d'absence. L'opéra reçut un accueil chaleureux, mais ne compte pas parmi les œuvres les plus célèbres du compositeur. MS

LES HUGUENOTS

Opéra en cinq actes de Giacomo Meyerbeer, de son vrai nom Jakob Liebmann Meyer Beer (1791-1864). Livret d'Eugène Scribe (1791-1864) et d'Émile Deschamps (1791-1871). Première représentation : Paris, Académie royale de Musique, 29 février 1836. Interprètes : Jules Dorus-Gras, Marie Cornélie Falcon, Prospero Derivis, Serda, Dupont.

Les personnages : Marguerite de Valois, fiancée d'Henri de Navarre (soprano) ; le comte de Saint-Bris, gouverneur du Louvre (basse) ; Valentine, sa fille (soprano) ; le comte de Nevers (baryton) ; Cossé (ténor) ; Thoré (ténor) ; Thavannes (ténor) ; Méru (basse) ; de Retz (basse) ; Raoul de Nangis, gentilhomme protestant (ténor) ; Marcel, valet de Raoul (basse) ; Urbain, page de la reine Marguerite (soprano) ; Maurevert, confident du comte de Saint-Bris (basse) ; Bois-Rosé, soldat huguenot (ténor) ; un valet du comte de Nevers (ténor) ; une dame, un archer, trois moines, gentilshommes et dames de la cour catholiques et protestants, soldats, étudiants, gitans, femmes du peuple, jongleurs, dames d'honneur, pages, jeunes filles, paysans, citadins, magistrats, etc.

L'intrigue : L'action se déroule en France, au mois d'août 1572.

Acte I. Pour satisfaire le roi, qui souhaite la fin des hostilités entre catholiques et protestants, le comte de Nevers invite dans son château de Touraine quelques gentilshommes catholiques et Raoul de Nangis, noble huguenot. Raoul, invité à parler de sa vie sentimentale, raconte son amour romantique pour une jeune fille inconnue qu'il a un jour défendue dans la rue contre des voyous. Un serviteur annonce la visite d'une dame qui désire voir le comte, et Raoul reconnaît sa belle inconnue : c'est Valentine de Saint-Bris, fiancée du comte de Nevers, envoyée par la reine demander au comte de la libérer de son engagement envers lui. Raoul reçoit à son tour un message d'une femme qui, sans révéler son identité, lui fixe un mystérieux rendez-vous.

Acte II. Le château de Chenonceaux. Marguerite de Valois veut marier Valentine de Saint-Bris à Raoul de Nangis pour contribuer à la réconciliation entre catholiques et huguenots et sceller la paix entre les partis. Valentine, qui se souvient du courage de Raoul, accepte avec joie, mais craint que son père n'accorde pas son consentement. Raoul arrive au rendez-vous fixé, les yeux bandés : il se trouve alors devant la reine. Elle lui propose de l'introduire à la cour pourvu qu'il épouse Mademoiselle de Saint-Bris. On fait ensuite entrer le comte de Saint-Bris et le comte de Nevers. Marguerite de Valois exige d'eux qu'ils mettent fin à leurs divisions et oublient le passé. Saint-Bris présente sa fille à Raoul, mais celui-ci, croyant qu'elle a été la maîtresse de Nevers, refuse de l'épouser.

Acte III. A Paris, un parc où doit arriver le cortège nuptial de Valentine et Nevers. Marcel, valet de Raoul, fait parvenir à Monsieur de Saint-Bris un billet par lequel son maître lance un défi au père de Valentine. Celle-ci, qui a eu vent d'un complot contre Raoul, en avertit Marcel. Mais Raoul arive au même moment pour le duel. Soudain, une rixe, provoquée par les hommes de Saint-Bris, éclate entre catholiques et huguenots. L'arrivée de Marguerite, qui reproche aux adversaires d'avoir trahi leur promesse, met fin à l'affrontement. Marcel révèle l'existence d'un complot contre Raoul.
Acte IV. L'hôtel de Nevers, à Paris. Raoul veut revoir une dernière fois Valentine, mais il doit se cacher à l'arrivée de Saint-Bris et Nevers. Ceux-ci discutent du meilleur moyen de mettre fin aux luttes religieuses. Saint-Bris pense qu'il faut exterminer les hérétiques, tandis que Nevers, approuvé par Valentine, estime que le combat doit rester loyal. Accusé de trahison, il est bientôt arrêté, et Saint-Bris prépare un plan pour prendre les protestants par surprise et les massacrer. Ses hommes, portant une écharpe blanche en signe de reconnaissance, entreront en action lorsque les cloches sonneront. Entendant le signal fatidique, Raoul, qui a surpris le projet de Saint-Bris, s'arrache aux bras de Valentine pour voler au secours de ses coreligionnaires.
Acte V. Le cloître d'un temple protestant. Marcel gît à terre, blessé, Raoul est à son côté, décidé à mourir avec lui s'il le faut. Valentine arrive, porteuse d'un message de Marguerite de Valois : elle est prête à pardonner à Raoul s'il abjure sa foi. Nevers est mort, et il pourra épouser Valentine. La fermeté d'âme de Raoul est mise à rude épreuve, mais la loyauté l'emporte. Valentine, pleine d'admiration, accepte d'embrasser la foi de son bien-aimé et meurt à ses côtés, sous les coups des hommes de son père.

■ Le sujet de l'opéra s'inspire du massacre de la Saint-Barthélemy, le 24 août 1572, où furent exterminés les huguenots parisiens. Cette œuvre, l'une des plus belles de Meyerbeer, eut un immense succès : elle fut jouée au Metropolitan de New York et inaugura le nouveau Covent Garden de Londres, en 1858. Elle bénéficia d'interprètes exceptionnels comme l'Américaine Lilian Nordica, l'Australienne Nellie Melba, l'Italienne Sofia Scalchi, les frères polonais De Reszke et d'autres chanteurs célèbres, tous à la hauteur de la grande difficulté de la partition. L'opéra a les qualités et aussi les défauts des meilleures productions de Meyerbeer, créateur et principal représentant du grand opéra : des pages authentiquement poétiques et d'une grande intuition dramatique côtoient des passages d'un romantisme superficiel, d'un faste scénographique complaisant, où l'action se développe de façon mécanique, sans véritable souffle dramatique. SC

LA DÉFENSE D'AIMER (Das Liebesverbot oder Die Novize von Palermo)

Opéra en deux actes de Richard Wagner (1813-1883). Livret du

compositeur, d'après Mesure pour mesure *de William Shakespeare. Première représentation : Magdebourg, Stadttheater, 29 mars 1836.*

L'INTRIGUE : Le récit est fondé sur le thème classique d'un gouverneur malhonnête qui profite de l'absence du duc pour condamner à mort injustement un de ses rivaux. La sœur du condamné, une jeune novice, implore sa grâce et il promet de la lui accorder si elle se donne à lui. La jeune fille accepte mais invente un stratagème : une ancienne maîtresse du gouverneur se rendra à sa place au rendez-vous. Leur plan réussit, mais le magistrat, trahissant ses engagements, ordonne l'exécution du condamné. Heureusement, le duc revient au bon moment pour déjouer la vilenie, et le condamné est gracié. Le mauvais gouverneur, pardonné malgré tout, est contraint d'épouser la femme qu'il avait abandonnée.

■ Cet opéra ne connut qu'une seule représentation, tumultueuse, et sombra dans un échec retentissant. Après une telle déconfiture, plusieurs chanteurs quittèrent la ville pour s'installer à Königsberg, en même temps que Wagner. Parmi eux se trouvait la soprano Minna Planer, future épouse du compositeur. *La défense d'aimer* s'éloigne assez nettement de la comédie de Sakespeare. Des thèmes comme le contraste ténèbres-lumière, ou la liberté de l'amour, déjà présents dans cet opéra, prendront une grande ampleur dans les œuvres ultérieures de Wagner. Du point de vue stylistique, l'influence de plusieurs musiciens, de Gluck à Bellini en passant par Auber, est très sensible dans *La défense d'aimer* où apparaît déjà cependant l'utilisation typiquement wagnérienne du leitmotiv.

RM

LES BRIGANDS
(I briganti)

Melodramma serio con musica *de Saverio Mercadante (1785-1870). Livret de J. Crescini. Première représentation : Paris, Théâtre-Italien, 23 avril 1836. Première représentation en Italie : Milan, théâtre de la Scala, 6 novembre 1837. Interprètes : Sebastiano Ronconi, G. Storti, M. Brambilla, A. Vegetti, T. Trina-Sacchi, Giovanni Angioletti.*

LES PERSONNAGES : Maximilien, comte de Moor, prince de Bohême ; Hermann et Conrad, ses fils ; Amélie d'Edelreich, nièce de Maximilien ; Thérèse, confidente d'Amélie ; Bertrand, un ermite ; Roller, ami d'Hermann.

L'INTRIGUE : Le château de Moor, en Bohême, au XVIIe siècle.
Première partie. A la fin du deuil suivant la mort du prince Maximilien, son fils Conrad s'apprête à lui succéder et à épouser sa cousine Amélie. Mais celle-ci est amoureuse d'Hermann, le frère de Conrad, que tout le monde croit mort, mais qui est en fait le chef d'une bande de brigands. Amélie et Hermann se rencontrent un jour près d'un cloître où la jeune fille est allée prier. Conrad les surprend et provoque son frère en duel.
Deuxième partie. Hermann, à la tête de ses brigands, donne

l'assaut au château et libère le vieux Maximilien, enfermé dans une tour et donné pour mort par Conrad. Les deux frères s'affrontent en combat singulier, et Hermann est contraint de tuer Conrad. Puis, au lieu de rester auprès de son père et d'épouser Amélie, il repart avec ses brigands pour jouer les redresseurs de torts.

■ Malgré les meilleures intentions, l'opéra est des plus conventionnels. Ni les personnages, sans grand caractère, ni les péripéties de l'action ne sont du niveau d'un véritable drame. Cependant, l'œuvre fut favorablement accueillie lors de sa création, notamment pour sa bonne orchestration et le talent des interprètes. SC

LA SONNETTE DU PHARMACIEN ou LA SONNETTE DE NUIT (Il Campanello dello speziale o Il campanello di notte)

Opéra bouffe en un acte de Gaetano Donizetti (1797-1848). Livret du compositeur, d'après un vaudeville français, La sonnette de nuit, *de L.L. Brunswick, M. B. Troin, V. Lhérie. Première représentation : Naples, Teatro Nuovo, 1er juin 1836. Interprètes : Amelia Schutz Oldosi, Domenico Ronconi, R. Casaccia.*

Les personnages : Don Annibale Pistacchio, pharmacien (basse) ; Serafina, sa femme (soprano) ; Mme Rosa, mère de Serafina (mezzo-soprano) ; Enrico, neveu de Mme Rosa (basse) ; Spiridon, valet de Don Annibale (ténor).

L'intrigue : L'action se déroule à Naples. On festoie chez Don Annibale, pharmacien d'âge mûr, qui épouse la jeune et belle Serafina. Enrico, cousin et ex-prétendant de la mariée, rumine sa vengeance. Don Annibale doit partir le lendemain à l'aube pour Rome, où un notaire doit lui remettre l'héritage d'une vieille tante. Si l'héritier ne se présente pas à la date prévue, il perdra tous ses droits, et Don Annibale a donc hâte de voir partir les invités. Mais comme il s'apprête, la fête finie, à rejoindre sa jeune épouse, la sonnette de nuit retentit. Le malheureux pharmacien ne peut faire autrement qu'aller ouvrir (la loi napolitaine obligeait à répondre aux urgences). C'est Enrico qui, bien décidé à gâcher la nuit de noces de Don Annibale, se fait passer pour un chevalier français, souffrant d'indigestion après un repas trop copieux. La porte à peine refermée, nouveau coup de sonnette. Cette fois, c'est un chanteur (toujours Enrico) qui fait une extinction de voix et demande un remède. Il en profite pour raconter sa vie à Don Annibale, qui a le plus grand mal à le mettre dehors. Finalement, un autre malade arrive avec une ordonnance si compliquée que la préparation demande au pharmacien un temps infini. Si bien que lorsque sonnent cinq heures, heure à laquelle il doit partir, Don Annibale n'a même pas pu se mettre au lit.

■ Cet opéra, connu aussi sous le titre *Il campanello,* fut composé en une semaine (pour sauver de la faillite un directeur de théâtre), dans l'une des plus noires périodes de la vie de Donizetti. Il venait en effet de perdre successivement son père, sa mère, une de ses filles et sa femme. L'opéra, qui fut un succès en Italie comme à l'étranger, est encore joué de nos jours. MS

LE POSTILLON DE LONGJUMEAU

Opéra bouffe en trois actes d'Adolphe Charles Adam (1803-1856). Livret d'A. de Leuven et L. L. Brunswick. Première représentation : Paris, Opéra-Comique (Salle des nouveautés), 13 octobre 1836.

L'INTRIGUE : Le postillon de Longjumeau, Chappelou, a une belle voix de ténor. Le soir de ses noces, il est entendu par le directeur de l'Opéra, qui lui propose de l'engager pourvu qu'il vienne avec lui à Paris sur-le-champ. Chappelou abandonne donc sa jeune femme pour aller faire carrière à Paris, où il fait rapidement fureur sous le nom de Saint-Phar. Il s'éprend de la riche Mme de Latour, qui n'est autre que Madeleine, sa femme, qui a fait un fabuleux héritage. Il l'épouse devant ce qu'il croit être un faux prêtre, mais qui en est un vrai : on crie déjà à la bigamie lorsque Madeleine se fait reconnaître, et tout s'arrange pour le mieux.

■ Selon l'usage de l'époque, parties chantées et parties parlées alternent dans cet opéra burlesque, considéré comme le chef-d'œuvre d'Adam. Bien qu'assez vulgaire par moments, il assura la renommée internationale de son auteur, déjà célèbre en France avec *Le chalet*, œuvre complètement oubliée aujourd'hui. Avec la chute du Second Empire, le mélodrame bouffe à la française connut un rapide déclin, si bien que *Le postillon de Longjumeau* fut très rarement monté au XXe siècle, et seulement en France. GP

LA VIE POUR LE TSAR (Jizn za Tsarya)

Mélodrame en cinq actes de Mikhaïl I. Glinka (1804-1857). Livret du baron G. F. Rozen. Première représentation : Saint-Pétersbourg, Théâtre impérial, 9 décembre 1836. Interprètes : O. A. Petrov, A. M. Stepanova, D. M. Leonova, A. J. Vorobëva. Chef d'orchestre : C. Cavos.

LES PERSONNAGES : Ivan Susanin (Soussanine), paysan du village de Domnino (basse) ; Antonida, sa fille (soprano) ; Bogdan Sobinin (Sobinine), fiancé d'Antonida (ténor) ; Vania, orphelin recueilli par Soussanine (contralto) ; le chef d'un bataillon polonais (basse).

L'INTRIGUE :
Acte I. L'action se déroule en 1613, lors de la lutte pour l'indépendance de la Russie contre les Polonais. Au village de Domnino, Antonida accueille son fiancé Bogdan Sobinine, qui revient de la guerre contre l'envahisseur polonais. Il annonce la défaite de l'ennemi. Dans l'allégresse générale, Ivan Soussanine, père d'Antonida, reste soucieux : les Russes sont affaiblis par les luttes dynastiques et ils n'ont plus de tsar. Il décide de s'opposer au mariage de sa fille tant que la

patrie sera dans l'incertitude et le danger. Mais Sobinine annonce qu'un nouveau Tsar vient d'être élu : leur seigneur Mikhaïl Romanov. Les noces peuvent donc avoir lieu.
Acte II. Le camp polonais. La nouvelle de la défaite polonaise et de l'élection du Tsar arrive au milieu d'une fête. Les officiers polonais décident de contre-attaquer et de s'emparer du jeune Romanov, retiré dans un monastère.
Acte III. La maison de Soussanine. On prépare le mariage d'Antonida. Vania, fils adoptif de Soussanine, se désole d'être trop jeune pour aller se battre contre les Polonais, et pense avec tristesse au prochain départ de sa sœur. Soudain, des soldats polonais font irruption et obligent Soussanine à les conduire au refuge du nouveau Tsar. Il feint d'accepter, mais envoie Vania prévenir le Tsar, tandis que lui-même entraîne les Polonais sur une fausse piste. Il embrasse sa fille et lui demande de ne pas attendre son retour pour célébrer le mariage.
Acte IV. Le monastère où est réfugié le Tsar. Vania prévient Romanov du danger qui le guette. Pendant ce temps, les Polonais, égarés par Soussanine, font halte dans une forêt. Soussanine sait qu'il ne pourra plus les tromper longtemps, et se prépare à mourir. A l'aube, sûr que Vania a eu le temps de prévenir le Tsar, il annonce aux Polonais qu'il les a fourvoyés, et meurt sous leurs coups.
Acte V. Au Kremlin. Tandis que le peuple en liesse acclame le nouveau Tsar et célèbre la libération de la Russie, le souverain salue la mémoire de l'héroïque Soussanine et félicite Antonida, Bogdan et Vania, éplorés, de leur loyauté et de leur patriotisme.

■ « Je ne pouvais devenir un compositeur italien et, songeant avec nostalgie à ma patrie, je commençai à penser peu à peu que je pourrais composer comme un Russe. » Ces paroles des *Mémoires* de Glinka résument son évolution, de la musique cosmopolite d'inspiration italienne à la nouvelle musique russe. *La vie pour le Tsar,* composé deux ans après le retour de Glinka d'un long voyage en Allemagne, en Suisse et en Italie (de 1830 à 1834), est une étape intermédiaire dans le cheminement artistique du musicien : encore imprégné des traditions étrangères, notamment italienne et allemande, l'opéra est cependant un manifeste de la culture russe, Glinka rejoignant les thèses de Pouchkine et de Gogol sur la renaissance d'un style artistique national. La première fut accueillie triomphalement par le public de Saint-Pétersbourg, en présence du Tsar qui donnait lui-même le signal des applaudissements. *La vie pour le Tsar* est un moment essentiel de l'histoire de la culture russe ; il marque en fait la naissance de l'opéra national. LB

PIA DE' TOLOMEI

Opéra en deux actes de Gaetano Donizetti (1797-1848). Livret de Salvatore Cammarano (1801-1852), d'après le poème de Bartolomeo Sestini (1822). Première représentation : Venise, Teatro Apollo, 18 février 1837.

L'INTRIGUE : Il s'agit d'une adaptation assez libre de l'histoire d'un personnage de Dante. Pia est confinée dans la Maremme, en Toscane, par son mari, Nello, qui ne lui donne aucune explication. En réalité, il croit à l'infidélité de sa femme, dénoncée par son ami Ghino, secrètement amoureux de Pia. Lorsque Ghino, mourant, avoue avoir menti par jalousie, Nello se précipite à la forteresse où est enfermée sa femme, mais trop tard : Pia se meurt.

■ Cet opéra reçut un accueil peu enthousiaste et fut rarement repris. MS

LE SERMENT
(Il giuramento)

Opéra en trois actes de Saverio Mercadante (1795-1870). Livret de Gaetano Rossi (1820-1886). Première représentation : Milan, théâtre de la Scala, 10 mars 1837. Interprètes : Schoberlechner, Tadolini, Donzelli, Castellan, Balzar.

L'INTRIGUE : Elaisa (soprano) et Bianca (mezzo-soprano) se disputent l'amour de Viscardo (ténor). Mais Bianca est mariée à Manfredo (baryton) qui, pour la punir de son infidélité, la condamne à boire un poison mortel. Elaisa, qui a une dette de reconnaissance envers Bianca, la sauve en substituant un narcotique au poison. Viscardo, trouvant Bianca inanimée, croit que c'est Elaisa qui l'a tuée, et, fou de douleur, la blesse mortellement au moment où Bianca, sortant de son sommeil, l'appelle.

■ *Il giuramento* est considéré comme le chef-d'œuvre de Mercadante et c'est le seul opéra dont on se souvienne encore parmi tous ceux qu'il composa. Malgré une succession de situations dramatiques, l'opéra est assez peu convaincant, du fait du caractère conventionnel des personnages. Il contient cependant des moments de grand lyrisme, comme l'air d'Elaisa *Ma negli estremi istanti,* à la fin du troisième acte. Il fut joué un très grand nombre de fois et repris à Rome, au Teatro Valle, en 1839, et à Bologne, au Théâtre communal, en 1840, sous le titre *Amore e dovere.* Le livret est tiré du roman de Victor Hugo (1802-1885) *Angelo, tyran de Padoue,* mais les lieux et les noms ont été changés : l'action se déroule à Syracuse, au XIVe siècle, et non plus à Padoue au XVIe siècle.

ROBERT DEVEREUX, COMTE D'ESSEX
(Roberto Devereux, conte di Essex)

Opéra en trois actes de Gaetano Donizetti (1797-1848). Livret de Salvatore Cammarano (1801-1852), tiré de la tragédie Élisabeth d'Angleterre *de F. Ancelot. Première représentation : Naples, théâtre San Carlo, 2 octobre 1837.*

L'INTRIGUE : L'action se déroule à Londres à la fin du XVIe siècle. Robert Devereux, comte d'Essex, est accusé de trahison par ses ennemis. Mais la reine Élisabeth, dont il a été l'amant, l'aime encore, et refuse de ratifier la condamnation que lui ont infligée les Lords. Curieusement, Robert se montre toutefois très froid à l'égard de la reine, et celle-ci le soupçonne d'aimer une autre femme. Ses doutes sont confirmés lorsque l'on trouve sur Devereux une écharpe de soie brodée, évident gage d'amour. L'écharpe lui a été donnée par Sara, duchesse de Nottingham. Il ne s'agit pourtant pas d'un amour coupable, comme le croit le mari, qui a reconnu l'écharpe. Jeunes gens, Robert et Sara s'étaient aimés. Puis Robert était parti, et Sara attendait son retour. Mais à la mort de son père, la reine l'avait mariée au duc de Nottingham, malgré ses protestations. Sara n'avait en fait donné l'écharpe à Robert que pour le protéger dans le danger. Élisabeth finit par ratifier la condamnation, sûre qu'Essex lui fera parvenir, pour obtenir sa grâce, un anneau dont elle lui a fait cadeau. Le condamné confie en effet l'anneau à Sara pour qu'elle le donne à Élisabeth. Mais Nottingham, jaloux, empêche sa femme de porter l'anneau à temps, et il est trop tard lorsque la souveraine le reçoit. Élisabeth, désespérée et indignée, tient le duc et sa femme pour responsables de la mort de Robert, qu'elle voulait sauver, malgré les apparences. Les coupables seront eux-mêmes condamnés pour leur forfait.

■ L'opéra obtint un grand succès et fut régulièrement joué jusqu'en 1882. Bien qu'il s'agisse d'une œuvre mineure de Donizetti, elle ne manque pas d'intérêt, et a été récemment reprise en Angleterre et aux États-Unis. Il en existe un enregistrement intégral depuis 1970. MS

LE DOMINO NOIR

Opéra-comique en trois actes d'Esprit Auber (1782-1871). Livret d'Eugène Scribe (1791-1861). Première représentation : Paris, Opéra-Comique, 2 décembre 1837.

■ *Le domino noir,* l'un des opéras les plus réussis d'Auber, mit le public parisien en délire et fut joué un millier de fois jusqu'en 1882. Il est encore repris aujourd'hui, en France et à l'étranger. Signe évident du succès de l'œuvre, le livret a été traduit dans pratiquement toutes les langues européennes. GP

TSAR ET CHARPENTIER (Zar und Zimmermann)

Opéra en trois actes de Gustav Albert Lortzing (1801-1851). Livret du compositeur, d'après la pièce d'A. H. J. Mélesville, J. T. Merle et E. C. de Boirie (1818). Première représentation : Leipzig, Stadttheater, 22 décembre 1837.

■ C'est peut-être l'opéra le plus célèbre de Lortzing, qui obtint toujours un immense succès en Allemagne. Le musicien considéra Mozart comme son modèle, même si son inspiration est en fait authentiquement populaire et pleine d'humour. Lortzing était avant tout homme de théâtre. Acteur lui-même, il avait un sens aigu de l'action dramatique. Il utilisa surtout, pour ses livrets, les pièces qu'il avait eu l'occasion d'expérimenter en tant qu'acteur. MSM

BENVENUTO CELLINI

Opéra en deux actes d'Hector Berlioz (1803-1869). Livret de Léon de Wailly et Auguste Barbier (1822-1901). Première représentation : Paris, Opéra, 10 septembre 1838.

L'INTRIGUE : A Rome, en 1532, pendant le Carnaval, Benvenuto Cellini (ténor) est amoureux de Teresa (soprano), fille du trésorier papal Balducci (baryton). Il projette d'enlever la jeune fille la nuit du carnaval, déguisé en moine. Fieramosca, fiancé officiel de Teresa, ayant eu vent de l'entreprise, essaie d'empêcher la fuite des amoureux, mais son compagnon est tué. Benvenuto Cellini, accusé de meurtre, parvient à s'échapper. Le pape lui a commandé une statue de Persée et il rentre à son atelier, mais Fieramosca et Balducci l'y attendent pour le faire arrêter et supplicier. L'envoyé du pape, le cardinal Salviati, survient alors pour voir où en est la statue de Persée. Il promet la vie sauve et la main de Teresa à Cellini s'il réussit à achever la statue pour le lendemain. L'artiste, dans un prodigieux effort, fond toutes ses autres œuvres pour avoir assez de métal et accomplit le prodige : la statue de Persée est achevée à temps.

■ L'opéra, composé entre 1834 et 1837, fut un échec retentissant lors des premières représentations. Il ne fut repris, avec plus de bonheur, qu'en 1852 à Weimar et en 1853 à Londres, puis quelquefois après la mort du compositeur, mais il ne fut jamais inscrit au répertoire permanent. Cet échec est en partie dû à l'inconsistance du livret. « *Benvenuto Cellini,* a écrit F. d'Amico, est directement issu d'une double source romantique : Hoffmann, dont le *Salvator Rosa* fournit à Berlioz plus d'une situation, et l'Italie de la Renaissance, cadre pittoresque et exotique. Mais, et c'est là toute sa nouveauté, l'opéra crée une atmosphère qui n'est pas une simple toile de fond. » L'œuvre est précédée d'une ouverture d'inspiration très méditerranéenne et contient l'un des morceaux les plus célèbres de tout le répertoire de Berlioz, *Le Carnaval romain,* un *allegro vivace* qui est exécuté en général séparément.

IL BRAVO
(Le tueur à gages)

Mélodrame en trois actes de Saverio Mercadante (1795-1870). Livret de Gaetano Rossi (1820-1886) et M. M. Marcello. Première représentation : Milan, théâtre de la Scala, 9 mars 1839. Interprètes : Balzar, Benciolini, Castellan, Donzelli, Polonini, Quattrini, Marconi, Schoberlechner, Tadolini, Villa.

LES PERSONNAGES : Foscari, un patricien (basse) ; Cappello, un patricien (ténor) ; Pisani, un praticien exilé (ténor) ; il Bravo (ténor) ; Marco, le gondolier de Teodora (basse) ; Luigi, serviteur de Foscari (basse) ; un messager (ténor) ; Teodora (soprano) ; Violetta (soprano) ; Maffeo.

L'INTRIGUE : Foscari est épris de Violetta et fait tuer Maffeo, son tuteur. Pisani, revenu incognito d'exil à Venise pour enlever Violetta, sa bien-aimée, demande asile au Bravo. Teodora, mère de Violetta, qui se repent d'avoir abandonné sa fille en bas âge la fait enlever par le Bravo. La rencontre entre les deux femmes est émouvante : Teodora, pour rester seule avec sa fille, chasse les hôtes qu'elle avait invités à une fête. Le Bravo révèle son secret : c'est lui le père de Violetta, et il est obligé d'être le tueur à gages de la République Sérénissime pour sauver la vie de son père, enfermé dans les Plombs. Mais il doit maintenant tuer Teodora, qui a offensé les nobles vénitiens en les chassant de sa fête. Teodora, que le Bravo lui-même a mise au courant de sa terrible mission, se saisit du poignard et se donne la mort au moment où arrive un messager qui annonce au Bravo que son vieux père est mort et qu'il est désormais délivré de son terrible serment. Pendant ce temps, Violetta a retrouvé Pisani et s'est enfuie avec lui.

■ Le livret est tiré du roman de James Fenimore Cooper (1789-1851), avec quelques modifications, et du drame *La Vénitienne* de A. Bourgeois. SC

OBERTO, COMTE DE SAN BONIFACIO
(Oberto, conte di San Bonifacio)

Drame en deux actes de Giuseppe Verdi (1813-1901). Livret de Temistocle Solera (1815-1878). Première représentation : Milan, théâtre de la Scala, 17 novembre 1839. Interprètes : A. Ranieri Masini, M. Shaw, L. Salvi, I. Marini. Chef d'orchestre : E. Cavallini.

Les personnages : Oberto (basse), Leonora (soprano), Riccardo (ténor), Cunizia (mezzo-soprano).

L'intrigue : Bassano, 1228. Le jeune comte Riccardo doit épouser Cunizia, la sœur d'Ezzelino da Romano. Mais, abusant de la confiance de son ami Oberto, comte de San Bonifacio, il séduit sa fille Leonora. Oberto pousse Leonora à tout révéler à Cunizia pour démasquer le séducteur. Bouleversée par ce que lui apprend Leonora, Cunizia décide de renoncer à Riccardo pour l'obliger à réparer sa faute en épousant celle qu'il a séduite. Mais Oberto ne se satisfait pas de cette solution. Il provoque Riccardo en duel et le tue. Leonora se retire dans un couvent.

■ C'est le premier opéra de Verdi, sans doute une version remaniée du *Duca di Rochester* (1836), qu'il n'avait pas réussi à faire jouer. Le travail avait été commandé par Bartolomeo Merelli. Il obtint un certain succès et fut donné quatorze fois, ce qui valut au jeune compositeur de recevoir commande de trois autres opéras. L'éditeur Giulio Ricordi acheta le livret et la partition pour les publier. Il paya mille livres autrichiennes à Merelli et autant à Verdi, ce qui était un bon prix pour l'époque. Il avait décelé chez le jeune compositeur une inspiration très différente du modèle donizettien : ce sens dramatique si caractéristique du Verdi de la maturité. EP

LA FILLE DU RÉGIMENT

Opéra en deux actes de Gaetano Donizetti (1797-1848). Livret de

Jules H. Vernoy de Saint-Georges et Jean F. Bayard. Première représentation : Paris, Opéra-Comique (Salle Favart), 11 février 1840. Interprètes : M. J. Boulanger, Henry Blanchard, Marié, Bourgeois, Riquier, Léon, Palianti. Chef d'orchestre : Gaetano Donizetti.

LES PERSONNAGES : La marquise de Birkenfeld (soprano) ; Sulpice, sergent (basse) ; Tonio, jeune paysan suisse (ténor) ; Marie, vivandière (soprano) ; Ortensio, intendant de la marquise (basse) ; un paysan (ténor) ; un notaire (ténor). Chœur des soldats français, des villageois suisses, les domestiques de la marquise.

L'INTRIGUE : L'action se déroule en Suisse.
Acte I. Près d'un village, après une bataille. La marquise de Birkenfeld fait une halte avant de regagner son château. Arrivent alors Sulpice, sergent des troupes savoyardes, et Marie, la vivandière, appelée « la fille du régiment » parce qu'elle a été recueillie et élevée par les soldats. Le jeune Suisse Tonio, amoureux de Marie, essaie de s'enrôler pour être auprès d'elle, mais il est arrêté comme espion. Marie raconte alors comment il lui a sauvé la vie un jour qu'elle était tombée dans une crevasse. Elle l'aime, mais Sulpice ne veut pas entendre parler d'un mariage avec un étranger. La marquise demande au sergent une escorte, car les routes ne sont pas sûres. Apprenant qu'elle est châtelaine de Birkenfeld, Sulpice lui raconte que, bien des années auparavant, un jeune officier nommé Robert de Birkenfeld était mort parmi les soldats et leur avait confié sa petite Marie. La marquise reconnaît alors en Marie la fille d'un de ses frères qui s'était marié secrètement. Elle est horrifiée quand elle se rend compte que la jeune fille, élevée parmi les soldats, parle comme un soudard. Marie, de son côté, est heureuse d'avoir retrouvé sa famille mais se désespère d'avoir à quitter le régiment, d'autant plus que Tonio vient de s'engager pour elle. Elle part cependant avec sa tante, à la consternation générale.
Acte II. Un salon au château de Birkenfeld. Marie, élégamment vêtue, reçoit Sulpice qui hésite à la reconnaître. Mais la jeune fille est triste, malgré le confort et le luxe de sa nouvelle vie : elle est en effet obligée d'apprendre les belles manières, c'est-à-dire une quantité de choses ennuyeuses. Elle déclare à la marquise qu'elle préfère les fanfares et les marches militaires aux romances mièvres qu'on veut lui faire chanter. Les soldats du régiment arrivent à leur tour au château pour voir Marie. Tonio, devenu officier, est parmi eux. Tandis qu'on sert à boire à toute la compagnie, Marie et Tonio se retrouvent et se jurent à nouveau de s'aimer toujours. Mais la marquise met le holà : Marie doit épouser le duc de Krakentorp à l'égard duquel des engagements ont déjà été pris. Tonio doit promettre de ne plus chercher à revoir Marie. La marquise révèle à Sulpice qu'elle n'est pas la tante de la jeune fille, mais sa mère, et le prie de la convaincre d'accepter un mariage digne de sa condition. Marie se résigne alors par piété filiale et, la mort dans l'âme, se déclare prête à signer le contrat de mariage sur-le-champ. Mais la marquise, émue du dé-

sespoir des amoureux, renonce à ses projets et accepte qu'ils se marient.

■ Il s'agit là du premier opéra français de Donizetti, et d'un de ses plus grands succès. *La fille du régiment* a été donné six cents fois à l'Opéra-Comique de Paris, de sa création à 1875. Aujourd'hui encore, l'opéra figure souvent au programme des saisons lyriques. C'est un « mélodrame léger », très proche dans son esprit des autres opéras dits comiques de Donizetti. Il fut présenté pour la première fois au public italien à la Scala de Milan, le 3 octobre 1840. MS

ROI POUR UN JOUR ou LE FAUX STANISLAS (Un giorno di regno ossia Il finto Stanislao)

Melodramma giocoso *en deux actes de Giuseppe Verdi (1813-1901). Livret de Felice Romani (1788-1865), d'après une pièce de Pineux-Duval. Première représentation : Milan, théâtre de la Scala, 5 septembre 1840. Interprètes : Luigia Abbadia (Giulietta), Raffaele Ferlotti (le chevalier Belfiore), Antonietta Marini (la marquise del Poggio), Rovere (La Rocca), Salvi (Edoardo), Scalese (le baron).*

Les personnages : Le chevalier Belfiore (baryton) ; le baron de Kelbar (basse comique) ; la marquise del Poggio (soprano) ; Giulietta (mezzo-soprano) ; Edoardo (ténor) ; La Rocca (basse comique) ; le compte d'Ivrea (ténor) ; Delmonte (basse).

L'intrigue : Stanislas, roi de Pologne, doit se cacher de ses ennemis. Il demande au chevalier Belfiore de prendre sa place. Ce dernier s'acquitte consciencieusement de sa tâche, allant jusqu'à jouer le rôle du roi auprès de son ex-maîtresse, la marquise del Poggio, qui, heureusement, ne le reconnaît pas. Il lui faut ensuite se débattre dans toute une série d'intrigues amoureuses entre les gens de la cour et les hôtes du palais. Finalement, la nouvelle que le roi est hors de danger libère le chevalier Belfiore, qui est nommé maréchal. Il peut maintenant épouser la marquise.

■ Verdi n'était pas dans une disposition d'esprit favorable pour écrire une œuvre comique : en deux ans, il venait de perdre deux de ses enfants et sa femme. C'est peut-être la raison de l'insuccès de cet opéra, effectivement peu réussi. Le livret de Romani, collaborateur de Bellini et Donizetti, baignant dans une atmosphère d'Arcadie tout à fait désuète, est sans doute pour beaucoup dans l'échec d'*Un giorno di regno,* que les retouches successives apportées par Temistocle Solera ne parvinrent pas à améliorer. EP

SAPHO (Saffo)

Mélodrame tragique en trois actes de Giovanni Pacini (1796-1867). Livret de Salvatore Cammarano (1801-1852). Première représentation : Naples, théâtre San Carlo, 29 novembre 1840.

L'intrigue : Nous sommes en Grèce, à l'époque de la quarante-sixième Olympiade, Phaon (ténor) croit que Sapho (soprano) le trahit et décide, pour se venger, d'épouser Climène (mezzo-soprano), fille du prêtre d'Apollon, Alcandre (baryton). Quand Sapho apprend que Phaon s'est uni à une autre, en proie au désespoir, elle saccage l'autel d'Apollon devant lequel elle était venue prier. Elle se repent immédiatement de son acte sacrilège et se rend, avec Alcandre, auprès des aruspices pour les supplier de lever l'anathème qui pèse sur elle. Pour expier, elle veut se jeter du haut de la roche sacrée, et l'oracle y consent. Mais on apprend alors que Sapho est la fille d'Alcandre, que l'on croyait morte en mer. Le prêtre prie en vain les aruspices de lever la décision qui lui enlève sa fille à peine retrouvée. Phaon, désespéré de n'avoir pas compris l'amour de Sapho, veut se donner la mort. Le peuple assiste tristement à la préparation du sacrifice. Les aruspices escortent Sapho jusqu'au sommet de la roche sacrée, tandis qu'on empêche à grand-peine Phaon de la suivre dans la mort.

■ Bien que *Saffo* ait été composé en vingt-huit jours seulement, c'est l'opéra le plus réussi de Pacini, musicien à l'inspiration facile quoiqu'un peu superficielle parfois. Pacini avait commencé à composer en suivant les traces de Rossini, dont il se sépara justement avec *Saffo.*

LA FAVORITE

Opéra en quatre actes de Gaetano Donizetti (1797-1848). Livret d'Alphonse Royer, Gustave Vaëz et Eugène Scribe, d'après la pièce de Baculard d'Arnaud (1718-1805) Le comte de Comminges *(1790). Première représentation : Paris, Opéra, 2 décembre 1840. Interprètes : Rosine Stoltz (Léonore), Gilbert L. Duprez (Fernand), P. Barroilhet (Alphonse XI), N. P. Lavasseur (Balthazar). Chef d'orchestre : F. A. Haberneck.*

LES PERSONNAGES : Alphonse XI, roi de Castille (baryton) ; Léonore de Guzman (mezzo-soprano) ; Fernand (ténor) ; Balthazar, supérieur du couvent de Saint-Jacques (basse) ; Don Gaspard, officier du roi (ténor) ; Inès, confidente de Léonore (soprano) ; la cour, pages, gardes, montagnards, soldats, frères de Saint-Jacques et pèlerins.

L'INTRIGUE : L'action se déroule en Castille, en 1340.
Acte I. Au monastère de Saint-Jacques-de-Compostelle, le novice Fernand est troublé par une femme qu'il rencontre à la sortie de l'église. Il confesse son émoi au supérieur du couvent, le père Balthazar, et décide, malgré ses conseils, d'abandonner la vie monastique.
Deuxième scène. Un jardin au bord du rivage de l'île de Leon. Fernand, les yeux bandés, descend d'une embarcation. Inès lui enlève son bandeau et il la supplie de lui dire enfin qui est celle qui semble l'aimer et qu'il adore, mais qui s'entoure de tant de mystère. Inès refuse de lui révéler le nom de la dame. Il s'agit en réalité de Léonore de Guzman, maîtresse du roi de Castille qui, pour elle, a répudié la reine. Fernand insiste à nouveau auprès de Léonore pour savoir qui elle est,

et lui demande de l'épouser. Elle répond que c'est impossible et le prie de ne plus chercher à la revoir. En guise d'adieu, elle lui remet une lettre qui lui permettra d'entreprendre une brillante carrière dans l'armée. A ce moment, Inès arrive en courant pour annoncer la visite inopinée du roi. Fernand comprend alors que Léonore est une dame de haut rang, et décide de se couvrir de gloire et d'honneurs pour être digne d'elle.

Acte II. Le palais et les jardins de l'Alcazar. Une fête doit avoir lieu pour célébrer la victoire contre les Infidèles. Fernand s'est particulièrement distingué au cours de la bataille, et a même sauvé la vie du roi. Il doit être publiquement félicité et récompensé. Léonore demande au roi de lui rendre sa liberté, car il ne pourra jamais l'épouser. Elle ne supporte plus la position pénible et humiliante de favorite. Mais le roi refuse tout net. Pendant la fête, il intercepte un billet adressé à Léonore et essaie de lui faire dire qui en est l'auteur. C'est Fernand. A ce moment, le père Balthazar arrive avec plusieurs moines, porteur d'un message du pape. Il condamne sévèrement la conduite du roi envers son épouse et sa liaison avec une aventurière. Il annonce ensuite à Alphonse son excommunication. Léonore s'enfuit, désespérée.

Acte III. Fernand, ignorant ce qui s'est passé, arrive, rayonnant de bonheur. Son courage lui a fait mériter la confiance du roi. Celui-ci le remercie et lui demande de formuler un souhait pour sa récompense. Fernand veut la main de Léonore. La jeune femme, qui rentre à cet instant, entend, stupéfaite, le roi donner son consentement. Il exprime même le désir que le mariage soit célébré immédiatement, espérant ainsi normaliser sa situation vis-à-vis de l'Église. Mais Léonore aime trop Fernand pour abuser de sa confiance. Elle charge Inès de lui révéler la vérité, mais celle-ci est arrêtée sur ordre du roi, tandis qu'on prépare hâtivement le mariage. Le roi confère à Fernand des titres et des décorations. Les gens de la cour, pensant que le jeune homme épouse Léonore par complaisance, pour tirer le roi d'embarras en apaisant la colère du pape, font des commentaires peu flatteurs. Léonore, voyant la sérénité de Fernand, croit qu'il a généreusement accepté la situation. Après la cérémonie, certains chevaliers se permettent des insinuations infamantes et refusent de serrer la main à Fernand. Celui-ci, ne comprenant pas, s'apprête à réagir, mais Balthazar lui explique la situation de Léonore. Indigné, se croyant victime d'un complot tramé entre celle-ci et le roi, il brise son épée, arrache ses décorations et s'en va, suivi de Balthazar.

Acte IV. Devant l'église de Saint-Jacques-de-Compostelle. Balthazar et Fernand, qui a repris l'habit monocal, prient avec d'autres moines. Un pèlerin, épuisé, vient s'effondrer à leurs pieds : c'est Léonore, venue en pénitence. Fernand est encore tenté de la repousser, mais, apprenant la vérité, il lui propose de fuir avec elle dans un lieu où nul ne les reconnaîtra. Mais il est trop tard : Léonore, à bout de forces, expire, après avoir reçu l'ultime consolation de se savoir pardonnée.

■ Cet opéra devait être monté au

théâtre de la Renaissance, en trois actes, sous le titre de *L'ange de Nisida.* Mais la fermeture du théâtre obligea Donizetti à transférer la création à l'Opéra. Il écrivit à cette occasion un quatrième acte, avec la collaboration de Scribe, et changea le titre original en *La favorite.* En dépit du livret, franchement mauvais, *La favorite* est, avec *Lucia di Lammermoor,* l'œuvre tragique la plus accomplie de Donizetti. Les trois premiers actes sont indiscutablement plus faibles que le dernier, où le compositeur s'est montré particulièrement inspiré. Le succès de l'opéra fut considérable et n'a pas diminué. En 1904, il avait déjà donné lieu à six cent cinquante représentations, rien qu'à l'Opéra de Paris. MS

LES DIAMANTS DE LA COURONNE

Opéra-comique en trois actes de Daniel-François-Esprit Auber (1782-1871). Livret d'Eugène Scribe (1791-1861) et de Jules H. Vernoy de Saint-Georges. Première représentation : Paris, Opéra-Comique (Salle Favart), 6 mars 1841.

■ Une des œuvres comiques les plus réussies du musicien. Elle eut un grand succès et fut jouée dans le monde entier pendant tout le XIXe siècle. Aujourd'hui, cet opéra ne fait plus partie du répertoire. GP

LE COMTE DE CARMAGNOLA

Opéra en deux actes d'Ambroise Thomas (1811-1896). Livret d'Eugène Scribe (1791-1861). Première représentation : Paris, Opéra, 19 avril 1841. Interprètes : P. Derivis et Dorus-Gras.

■ Le sujet est tiré du même événement historique que la tragédie d'Alessandro Manzoni : à Venise, au XVIe siècle, le sénat de la République accusa de trahison le commandant des troupes vénitiennes, alors en guerre contre Milan, et celui-ci fut injustement condamné à mort. Mais Scribe a donné de l'histoire une version toute personnelle, compliquée d'intrigues amoureuses sans grand intérêt. Le compositeur a toutefois réussi à écrire une musique agréable et brillante, soucieux de réussir ses débuts à l'Opéra de Paris. Ce fut un échec. *Le comte de Carmagnola* ne fut joué que huit fois et quasiment plus jamais représenté par la suite. GP

NABUCCO

Opéra en quatre actes de Giuseppe Verdi (1813-1901). Livret de Temistocle Solera (1815-1878). Première représentation : Milan, théâtre de la Scala, 9 mars 1842. Interprètes : Giuseppina Strepponi (Abigaille), Bellinzaghi (Fenena), Miraglia (Ismaël), Giorgio Ronconi (Nabuchodonosor), Prospero Derivis (Zacharie).

LES PERSONNAGES : Nabuchodonosor (baryton), Ismaël (ténor), Zacharie (basse), Abigaille (soprano), Fenena (soprano), Abdallo (ténor), Anna (soprano).

L'INTRIGUE : L'action se déroule à Babylone et à Jérusalem.

Acte I. Les Hébreux ont été vaincus par les armées du roi de Babylone, Nabuchodonosor. Le grand prêtre Zacharie tente de leur redonner courage en leur révélant qu'il a réussi à faire prisonnière la fille du roi ennemi, Fenena. Mais Ismaël, neveu du roi de Jérusalem, tombe amoureux de la jeune fille. Alors qu'il cherche à la délivrer, arrivent l'esclave Abigaille et Nabuchodonosor. Zacharie voudrait tuer Fenena, mais l'intervention d'Ismaël l'en empêche. Les Hébreux le maudissent et l'accusent de trahison.
Acte II. En l'absence de Nabucco, règne Fenena. Abigaille complote pour la tuer et s'emparer du pouvoir. Le grand prêtre Zacharie convertit Fenena. Abigaille est sur le point de parvenir à ses fins, en profitant d'une fausse nouvelle qui annonce la mort de Nabuchodonosor. Mais le roi revient à l'improviste et, au grand scandale des Hébreux, se proclame dieu.
Acte III. Abigaille a finalement réussi à détrôner Nabucco, et règne en tyran féroce. Elle décide de sacrifier les prisonniers hébreux. Fenena, qui s'est convertie à la religion de l'ennemi, mourra également. En attendant leur martyre, les Hébreux chantent l'hymme *Va' pensiero.*
Acte IV. Le roi, pour reconquérir son royaume, s'allie aux Assyriens et entre en guerre contre Babylone. Il arrive à temps pour sauver sa fille. Abigaille se tue mais, avant de mourir, demande pardon à Fenena et supplie Nabucco de permettre à sa fille d'épouser Ismaël.

■ Le troisième opéra de Verdi s'est d'abord appelé *Nabuchodonosor.* Le titre fut abrégé pour une représentation donnée à Corfou en 1844. L'œuvre était de première importance pour le compositeur. Las des querelles de personnes, et déçu de l'échec d'*Un giorno di regno,* Verdi avait décidé de ne plus jamais écrire pour la scène lorsque l'imprésario Merelli lui soumit le livret de Nabuchodonosor. Verdi le parcourut à peine. Mais lorsqu'il lut le *Va' pensiero,* il pensa à la situation de l'Italie occupée et l'idée lui vint d'écrire un opéra patriotique. Il ne fait pas de doute que le succès de l'opéra fut dû en grande partie à des raisons politiques. Cinquante-sept représentations en furent données en quatre mois. Ce fut aussi pour Verdi l'occasion de sa première rencontre avec Giuseppina Strepponi, qui devait abandonner le chant quelques années plus tard. Verdi la retrouva à Paris, professeur d'art lyrique, et l'épousa, dix-sept ans après *Nabucco.* Ses rapports avec Merelli devinrent en revanche impossibles. Non seulement l'imprésario l'exploitait et l'obligeait à travailler jour et nuit mais, comme Ricordi l'a rapporté, il le volait et répandait partout le bruit que Verdi était un espion autrichien. EP

LINDA DE CHAMONIX
(Linda di Chamounix)

Opéra en trois actes de Gaetano Donizetti (1797-1848). Livret de Gaetano Rossi. Première représentation : Vienne, Kärntnertortheater, 19 mai 1842. Interprètes : Eugenia Tadolini (Linda), Marietta Brambilla (Pierrot), Na-

poleone Moriani (Charles de Sirval), Felice Varesi (Antonio), Prospero Derivis (le préfet), Agostino Rovere (le marquis de Boisfleury). Chef d'orchestre : Gaetano Donizetti.

LES PERSONNAGES : Le marquis de Boisfleury (basse) ; le vicomte de Sirval (ténor) ; le préfet (basse) ; Antoine, un fermier, père de Linda (baryton) ; Pierrot, un jeune orphelin savoyard (contralto) ; l'intendant du château (ténor) ; Madeleine, mère de Linda (soprano) ; Linda (soprano). Des Savoyards et des jeunes gens.

L'INTRIGUE : L'action se déroule en Haute-Savoie, puis à Paris, vers 1670.
Acte I. Deux métayers, Antoine et Madeleine, craignent d'être chassés de leur modeste ferme. Ils vont trouver le marquis de Boisfleury, frère de leur propriétaire. Celui-ci leur promet son aide, et leur propose d'élever leur fille, Linda, dans son château. Antoine et Madeleine, très reconnaissants, refusent néanmoins cette offre peu honnête : en fait, le marquis est amoureux de la jeune fille. Linda, qui revient de la messe, chante en compagnie de Pierrot, un jeune orphelin, et d'autres jeunes gens. Elle est saluée par Charles, un peintre étranger qui lui fait peur. Il s'agit en réalité du vicomte de Sirval, neveu du marquis, qui n'ose pas avouer son nom à Linda. Le préfet avertit Antoine et Madeleine du risque que court leur fille en restant auprès du marquis. Il leur suggère de l'éloigner pour quelque temps ; elle peut aller à Paris, chez un de ses frères. Linda s'en va, accompagnée de Pierrot et d'autres jeunes Savoyards, qui vont à Paris chercher du travail.
Acte II. Le salon de l'appartement où vit Linda, à Paris. Après la mort du frère du préfet, Linda a été recueillie par Charles, qui voudrait l'épouser et cherche à obtenir la permission de sa mère. Linda entend un jeune homme chanter dans la rue, et reconnaît la voix de Pierrot. Elle l'appelle, et Pierrot la rejoint ; ils ne se sont pas vus depuis leur arrivée à Paris. Pendant ce temps, le vicomte s'apprête à céder à sa mère, qui veut lui faire épouser une riche héritière. Un vieux mendiant se présente à la porte de Linda. C'est son père, mais il ne la reconnaît pas ; et, lorsqu'elle veut l'embrasser, il la repousse avec mépris, la traitant de femme entretenue. A ce moment, Pierrot annonce à Linda que le vicomte va épouser une jeune noble. C'en est trop pour la jeune fille qui perd la raison.
Acte III. La place de Chamonix. Les jeunes Savoyards rentrent au pays. Le vicomte arrive, à la recherche de Linda. Il ne s'est pas marié, mais n'a pu retrouver Linda à Paris. Sa mère l'a enfin autorisé à épouser la jeune Savoyarde. Il rencontre les parents de Linda, et les rassure sur le comportement de leur fille. Celle-ci arrive avec Pierrot. Elle est fatiguée par le voyage, et n'a toujours pas retrouvé la raison. Elle ne reconnaît personne. Lentement, le vicomte réussit toutefois à lui faire retrouver ses esprits, grâce à une chanson qu'il était seul à chanter. Tout finit bien, dans l'émotion et les embrassades.

■ *Linda de Chamonix* est le premier opéra composé par Donizetti pour la cour de Vienne. Le succès qu'il obtint fut tel que l'empereur nomma Donizetti compositeur de la cour et maître de chapelle impérial, charges qui avaient été celles de Mozart. Marie-Caroline, qui assistait au spectacle, offrit au compositeur une écharpe sur laquelle elle avait personnellement brodé au fil d'or : « L'impératrice d'Autriche à Donizetti, le soir du 19 mai 1842, pour l'opéra *Linda.* » *Linda de Chamonix* ne fut pourtant traduit en allemand que plus tard et joué dans cette langue à Vienne en 1849. MS

RIENZI, LE DERNIER DES TRIBUNS
(Rienzi, der letzte der Tribunen)

Opéra tragique en cinq actes de Richard Wagner (1813-1883). Livret du compositeur, d'après le roman d'Edward George Bulwer-Lytton (1803-1873), tiré d'une chronique italienne anonyme du XIVe siècle. Première représentation : Dresde, Hofoper, 20 octobre 1842. Interprètes : Schröder-Devrient, Wüst, Tichatschek, Dettmer, Wäschter.

L'INTRIGUE : Dans la Rome du XIVe siècle, déchirée par les luttes entre familles rivales. Des partisans des Orsini essaient d'enlever Irène (soprano), sœur de Rienzi (ténor), pendant l'absence de ce dernier. Adriano Colonna, amoureux d'Irène, fait échouer la tentative avec l'aide de ses amis et de la foule. Au retour de Rienzi, la révolte éclate et Adriano, bien que noble, se range aux côtés de la plèbe. Rienzi devient maître de la ville et un complot contre lui est déjoué. Mais les nobles ne sont pas prêts à renoncer à leur pouvoir séculaire. Ils fomentent la rébellion dans le peuple, tandis que le pape prononce l'excommunication de Rienzi. Celui-ci se trouve vite isolé, et Adriano tente en vain de le sauver de l'émeute. La foule envahit son palais et y met le feu. Rienzi et les deux amoureux périssent ensemble.

■ Wagner composa *Rienzi* avec l'espoir de le faire jouer à Paris mais, malgré le soutien de l'influent Meyerbeer, l'œuvre fut refusée. Cet effort juvénile est encore tout empreint des effets grandioses chers aux tenants du grand opéra : romances, marches, parades, ballets, le tout culminant dans un finale spectaculaire : le Capitole en flammes. Accueilli très favorablement à Dresde, *Rienzi* eut peu de succès par la suite et fut rarement repris au XXe siècle. Bien qu'encore éloigné du style et de la force dramatique des œuvres ultérieures de Wagner, cet opéra contient des pages de grande valeur, outre l'ouverture bien connue. RM

RUSSLAN ET LUDMILLA
(Ruslan i Lyudmila)

Opéra fantastique en cinq actes de Mikhaïl Ivanovitch Glinka (1804-1857). Livret de Mikhaïl Glinka et Valeryan Shirkov, d'après le poème d'Alexandre Pouchkine (1799-1837). Première représentation : Saint-Pétersbourg. Théâtre impérial, 9 décembre 1842. Interprètes : O. A. Petrov, A. M. Stepanova. Chef d'orchestre : C. Albrecht.

LES PERSONNAGES : Svetosar, grand-duc de Kiev (basse) ; Ludmilla, sa fille (soprano) ; Russlan, guerrier, fiancé de Ludmilla (baryton) ; Ratmir, prince tartare (contralto) ; un barde (ténor) ; Farlav (basse) ; Gorislava, fiancée de Ratmir (soprano) ; Finn, magicien finnois (ténor) ; Naina, sorcière (soprano) ; Tchernomor, nain malfaisant (ténor).

L'INTRIGUE : L'action se déroule au IXe siècle, dans la Russie païenne.
Acte I. Le château du grand-duc de Kiev. La fille du grand-duc Svetosar, Ludmilla, s'apprête à épouser Russlan, mais le guerrier Farlav et le prince tartare Ratmir, qui convoitent tous deux la jeune fille, projettent de tuer Russlan. Ludmilla est toute triste à l'idée de quitter son père, qui fait de son mieux pour la consoler. Soudain, la scène s'obscurcit et Ludmilla disparaît, enlevée par un esprit. Svetosar promet la main de sa fille à celui qui la ramènera saine et sauve ; Russlan, Farlav et Ratmir partent à sa recherche.
Acte II. La demeure du magicien Finn. Russlan arrive à la grotte du magicien, qui lui révèle que Ludmilla a été enlevée par le nain Tchernomor. Il lui raconte aussi la triste histoire de son amour pour Naina qui, après l'avoir conquis par ses enchantements, est devenue une méchante sorcière. Pendant ce temps, Farlav rencontre Naina qui lui propose de l'aider à retrouver Ludmilla. Russlan, poursuivant son chemin, arrive devant une énorme tête entourée de cadavres, tués par son souffle redoutable. Russlan transperce la tête de sa lance et trouve dessous une épée. C'est la seule arme qui pourra tuer le nain Tchernomor.
Acte III. Le château de Naina. Gorislava, la fiancée de Ratmir, est tombée aux mains de la sorcière. Le prince tartare arrive dans ce lieu, mais ignore que sa fiancée s'y trouve. Russlan, ensorcelé par la danse des odalisques de Naina, est conduit à son tour au château. Mais le magicien Finn rompt le charme. Ratmir et Gorislava se retrouvent avec joie.
Acte IV. Le château de Tchernomor. Ludmilla, prisonnière, pleure. Pour l'égayer, le nain Tchernomor organise une fête orientale. Russlan fait irruption et défie le nain, tandis que Ludmilla, ensorcelée par son ravisseur, tombe dans un profond sommeil. Russlan maîtrise son adversaire et lui coupe la barbe, où réside son pouvoir. Il emporte ensuite sa bien-aimée endormie. Acte V. Sur la route de Kiev, Farlav et Naina enlèvent une nouvelle fois Ludmilla, toujours inconsciente. Farlav ramène la jeune fille à Kiev, prétendant l'avoir délivrée lui-même. Mais rien ne semble pouvoir la réveiller, jusqu'à l'arrivée de Russlan, qui la tire de son sommeil. Une grande fête célèbre les retrouvailles des amoureux.

■ Le talent de grand musicien national de Glinka se confirme dans *Russlan et Ludmilla*. La rédaction du livret et la composition occupèrent Glinka très longtemps — Pouchkine lui-même aurait dû réviser le texte de l'opéra si la mort ne l'en avait empêché — mais le résultat fut remarquable. De nombreuses expériences musicales sont présentes dans cet opéra, de Mozart à Bellini et Donizetti, bien que l'influence occidentale soit nettement moins sensible encore que dans *Une vie pour le Tsar*. Les thèmes folkloriques sont particulièrement évidents dans le livret qui mêle les éléments fantastiques et les influences orientales dans une trame typiquement russe. La musique, elle aussi, fait un large usage des thèmes populaires empruntés aux patrimoines russe, géorgien, turc, arabe et finnois. L'introduction des sonorités orientales fait de Glinka un précurseur : après lui, Moussorgski, Borodine et Rimsky-Korsakov utiliseront très souvent ces tonalités qui deviendront l'une des caractéristiques mélodiques de la musique nationale russe. Lorsqu'il apporta cet élément stylistique dans la musique d'opéra, Glinka fut jugé très audacieux, voire, pour certains, irritant. Cependant, *Russlan et Ludmilla* fut un succès : il fut joué cinquante-six fois entre 1842 et 1846. LB

LE VAISSEAU FANTÔME (Der fliegende Holländer)

Opéra en trois actes de Richard Wagner (1813-1883). Livret du compositeur d'après les Mémoires de Herr von Schnabelewopski *de Henrich Heine (1797-1856). Première représentation : Dresde, Hofoper, 2 janvier 1843. Interprètes : Wilhelmine Schröder-Devrient, Michael Wächter, Risse, Rienhold. Chef d'orchestre : Richard Wagner.*

Les personnages : Daland, navigateur norvégien (basse) ; Senta, sa fille (soprano) ; Erik, chasseur (ténor) ; Mary, nourrice de Senta (mezzo-soprano) ; le pilote de Daland (ténor) ; le Hollandais (baryton basse) ; marins du navire norvégien, équipage du Hollandais, femmes.

L'intrigue : L'action se déroule sur les côtes de Norvège, à une époque indéterminée.
Acte I. Pour échapper à une violente tempête, le navire de Daland a trouvé refuge dans une anse. Le capitaine laisse ses marins épuisés se reposer. Même le timonier de garde s'endort. Alors, un vaisseau mystérieux aux voiles couleur de sang s'approche et jette l'ancre. Un personnage spectral, drapé dans un grand manteau, en descend. C'est le Hollandais, navigateur maudit condamné à voguer sans répit mais qui, une fois tous les sept ans, peut mettre pied à terre pour chercher l'amour pur qui lui donnera le repos éternel. Il invoque le néant auquel il aspire : « Anéantissement éternel, prends-moi ! » Daland, de son navire, observe le mystérieux personnage et l'interroge. Impressionné par son évidente richesse, il l'invite chez lui, où l'attend sa fille Senta, une « fidèle enfant ». Le Hollandais, espérant trouver enfin l'amour rédempteur, la demande en mariage et Daland accepte. Les deux navires partent ensemble, on entend le chant des marins.
Acte II. Une pièce de la maison de Daland. Les femmes filent la laine joyeusement, sous les yeux vigilants de Mary, la vieille nourrice. Senta contemple, songeuse, un grand portrait du Hollandais volant et évoque sa misérable histoire : un jour, exaspéré par les vents contraires et les tempê-

tes, le navigateur maudit le Ciel. Satan l'entendit et il fut voué à voguer éternellement, jusqu'à ce que l'amour d'une femme le sauve. Senta, exaltée, se sent prête à tout sacrifier pour donner le repos au malheureux errant. Erik, son fiancé, arrive à ce moment, profondément troublé : il a rêvé qu'un inconnu venu de la mer lui enlevait Senta. Après son départ, Daland arrive avec son hôte. Senta reconnaît immédiatement le navigateur maudit et tous deux s'éprennent l'un de l'autre dès le premier instant. Laissés seuls, ils s'étreignent passionnément.

Acte III. Les deux navires mouillent côte à côte, non loin de chez Daland. Les marins norvégiens festoient et chantent pour célébrer leur retour au pays, tandis que l'équipage de spectres du vaisseau fantôme garde le silence. Erik essaie de reconquérir le cœur de Senta, lui rappelant sa promesse. Le Hollandais les aperçoit et, se croyant trahi, révèle à tous qui il est. Puis il s'apprête à lever l'ancre, désespéré. Senta le supplie de rester, crie son innocence, mais en vain. Comme le vaisseau fantôme s'éloigne, elle donne une ultime preuve de son amour en se jetant à la mer du haut des rochers. Le Hollandais est enfin libéré de la malédiction et le vaisseau peuplé de fantômes disparaît. Le tableau final montre les amants réunis dans l'au-delà, sauvés pour l'éternité par l'amour.

■ Pendant l'été 1839, le voilier qui conduisait Wagner de Königsberg en Angleterre fut pris dans une violente tempête et jeté sur les côtes scandinaves ; la lueur des éclairs et le grondement de la mer en furie inspirèrent à l'artiste la vision du marin damné errant sur son navire fantastique en quête du salut. La légende du Hollandais volant, puisée chez Heine, existait déjà depuis le XVe siècle dans les traditions des peuples marins du Nord, peut-être par une transposition du mythe du Juif errant, lui-même dérivé de l'*Odyssée.* Ces trois légendes ont un fond commun, l'aspiration de l'Homme au repos éternel. Nul doute que la dramatique expérience de la tempête, mêlée au souvenir de la légende nordique, ait été à l'origine du très romantique *Fliegende Holländer.* Wagner écrivit le livret à Paris en 1841 et composa la musique en six semaines, au printemps 1842, à Meudon, où il était allé chercher le calme. Les grands thèmes wagnériens sont déjà présents dans l'opéra : la malédiction, la rédemption et le désir de mort comme unique certitude, motifs qui parcourent toute l'œuvre de l'artiste, de *Tristan* à *Der Ring des Nibelungen* et à *Parsifal.* On voit aussi apparaître pour la première fois le leitmotiv, qui définit un personnage, une idée ou un sentiment ; les formes closes subsistent avec les arias, les duos et les ballades, mais on sent déjà l'exigence d'unité qui évoluera vers une fusion complète dans les opéras ultérieurs de Wagner.

RM

DON PASQUALE

Opéra bouffe en trois actes de Gaetano Donizetti (1797-1848). Livret signé par Michele Accursi, mais dont l'auteur est en fait Giacomo Ruffini (1807-1881), d'après le livret d'Angelo Anelli pour Ser Marcantonio *de Stefano Pavesi. Première représentation : Paris, Théâtre-Italien, 3 janvier 1843. Interprètes : Giulia Grisi (Norina), Mario Tamburini (Ernesto), Antonio Tamburini (dottor Malatesta), Luigi Lablache (Don Pasquale).*

Les personnages : Don Pasquale, vieux garçon (basse bouffe) ; le docteur Malatesta, son ami (baryton) ; Ernesto, neveu de Don Pasquale (ténor) ; Norina, une jeune veuve (soprano) ; un notaire (basse). Des serviteurs, un majordome, une modiste, un coiffeur (rôles muets).

L'intrigue : A Rome, chez Don Pasquale.
Acte I. Vieux garçon fortuné, le maître de maison est très en colère parce que son neveu et héritier Ernesto refuse le mariage avantageux que son oncle a prévu pour lui. Le jeune homme est amoureux d'une jolie veuve nommée Norina qui n'a qu'un défaut, impardonnable aux yeux de Don Pasquale : elle n'a pas de fortune. Don Pasquale refuse de la voir et même d'en entendre parler et menace de déshériter son neveu. Le docteur Malatesta, ami d'Ernesto et de Norina, mais également de Don Pasquale, promet aux deux jeunes gens de les aider à arracher son consentement au vieil oncle. Il imagine un plan machiavélique. Se rendant chez Don Pasquale, il feint de s'indigner comme lui de l'insoumission d'Ernesto. Il suggère ensuite finement au vieux garçon de punir son neveu en prenant femme lui-même : justement, sa propre sœur Sofronia lui paraît avoir toutes les qualités souhaitables pour adoucir les vieux jours de Don Pasquale. Ce dernier, tout réjoui, demande à Malatesta de lui présenter sa jeune sœur. Norina entre alors en scène et joue à la perfection le rôle de la timide et charmante Sofronia. Le but du stratagème est de séduire Don Pasquale pour lui faire contracter un faux mariage avec la prétendue Sofronia, qui le fera ensuite tourner en bourrique.
Acte II. Comme prévu, le vieillard, enchanté par la douceur de Norina-Sofronia, souhaite l'épouser au plus vite. Un complice de Malatesta, déguisé en notaire, arrive pour établir le contrat de mariage. A ce moment, Ernesto, qui a appris que son oncle se mariait, vient prendre congé de lui, car il a décidé de partir. Il est stupéfié et indigné en reconnaissant Norina, mais le docteur le met rapidement au courant de leur stratagème. Une fois le contrat signé, Norina entreprend de jouer son nouveau rôle. Elle devient soudain effrontée, capricieuse et légère. Elle commence par décider de refaire toute la maison, puis fait venir bijoutiers, coiffeurs et couturiers qui font pleuvoir sur le malheureux mari une avalanche de factures à payer.
Acte III. La soi-disant épouse de Don Pasquale est insatiable. Après les bijoux et les toilettes, elle exige des divertissements. Elle s'apprête à partir seule au théâtre et quand Don Pasquale tente de la retenir, elle le gifle. En sortant, elle laisse exprès tomber un billet d'Ernesto lui donnant rendez-vous le soir même dans le jardin. Don Pasquale, poussé à bout, fait venir le docteur Malatesta et le somme de le tirer du mauvais pas où il l'a mis. On

convoque Sofronia et Malatesta lui annonce que le lendemain, Norina, épouse d'Ernesto, doit arriver dans sa maison. Sofronia déclare qu'elle ne supportera pas cet affront et qu'elle préfère s'en aller. Mais elle veut assister au mariage d'Ernesto pour être sûre qu'on ne se moque pas d'elle. Don Pasquale, pour la voir partir, consent au mariage d'Ernesto avec Norina : il n'en faut pas plus pour faire cesser la comédie. Don Pasquale entre dans une grande colère quand il apprend qu'on s'est joué de lui, mais son soulagement d'être débarrassé de sa mégère est tel, qu'il finit par donner son consentement pour de bon.

■ Quand Donizetti composa *Don Pasquale*, il était au sommet de sa carrière. Le Théâtre-Italien de Paris lui avait demandé un opéra bouffe, et il pensa à réutiliser un livret d'Angelo Anelli, écrit une dizaine d'années auparavant pour un opéra tombé dans l'oubli depuis, *Ser Marcantonio*, de Stefano Pavesi. Ruffini, exilé à Paris pour son appartenance au mouvement de Mazzini, accepta de remanier le livret, mais ses rapports avec Donizetti se dégradèrent à tel point qu'il refusa à la fin de signer son ouvrage. Celui-ci parut sous les initiales de M. A., Michele Accursi, autre exilé mazziniste, ami de Donizetti et son représentant à Paris pour ses affaires avec les théâtres. *Don Pasquale* fut composé en onze jours, au mois de novembre 1842. En revanche, l'orchestration et l'adaptation aux exigences des divers interprètes prirent plus longtemps. Le succès de l'opéra fut grandiose et *Don Pasquale* fut repris immédiatement sur les scènes du monde entier. L'accueil de la critique fut également très favorable. *Don Pasquale* fut le dernier grand succès de Donizetti et reste aujourd'hui le plus populaire des soixante-six opéras qu'on lui doit. *Don Pasquale* et *L'élixir d'amour* sont non seulement les chefs-d'œuvre comiques de Donizetti, mais constituent, avec *Le Barbier de Séville*, les joyaux de l'opéra-comique du XIXe siècle.

MS

LES LOMBARDS A LA PREMIÈRE CROISADE (I Lombardi alla prima crociata)

Drame lyrique en quatre actes de Giuseppe Verdi (1813-1901). Livret de Temistocle Solera (1815-1878), d'après le poème de Tommaso Grossi (1790-1853). Première représentation : Milan, théâtre de la Scala, 11 février 1843. Interprètes : E. Frazzolini (Giselda), C. Guasco (Oronte), P. Dérivis (Pagano, l'ermite), G. Severi (Arvino), T. Ruggeri (Viclinda). Direction : G. Panizza.

LES PERSONNAGES : Arvino (ténor) ; Pagano (basse) ; Viclinda (soprano) ; Giselda (soprano) ; Pirro (basse) ; le prieur de Milan (ténor) ; Acciano (basse) ; Oronte (ténor) ; Sofia (soprano).

L'INTRIGUE : A la fin du XIe siècle.

Acte I : *La vengeance.* Pagano, jaloux de son frère Arvino, a essayé de le tuer le jour de son mariage avec Viclinda. Condamné à l'exil, il revient bien des années plus tard à Milan, vêtu en pénitent, et se réconcilie avec son

frère. En réalité, il ourdit de nouvelles manigances contre lui, avec l'aide de Pirro. Ils engagent des hommes de main pour assassiner Arvino. Celui-ci pressent une obscure menace et se tient sur ses gardes. La nuit de l'attentat, Pagano frappe à l'aveuglette et découvre qu'il vient de tuer son propre père. Fou de douleur, il tente de se donner la mort, mais il est arrêté.
Acte II : *L'homme de la caverne.* A Antioche. Le tyran Acciano prie Allah de déchaîner ses foudres sur les croisés. Son fils, Oronte, est amoureux d'une prisonnière chrétienne, Giselda, la fille d'Arvino et Viclinda. Il veut se convertir au christianisme, comme l'a déjà fait, en secret, sa mère, Sofia. Pendant ce temps, Pirro arrive, non loin de la ville, à la caverne où Pagano s'est retiré en ermite pour expier ses crimes. Celui-ci se déclare prêt à accompagner les croisés jusqu'à la ville infidèle. Apprenant qu'il s'agit de soldats lombards, il prend les armes pour se battre à leurs côtés. Dans le harem, Sofia annonce à Giselda qu'Oronte et Acciano ont été tués. La jeune fille maudit le dieu injuste qui permet aux hommes de faire la guerre. Son père Arvino, qui est entré dans le palais, entend les imprécations de sa fille et veut la tuer pour ses paroles sacrilèges contre la guerre sainte. L'ermite, que nul n'a encore reconnu, la sauve en la traitant de folle.
Acte III : *La conversion.* Oronte n'est pas mort ; blessé et habillé en croisé, il retrouve Giselda dans la vallée de Josaphath. Les amoureux doivent fuir ensemble car Arvino a appris l'amour de sa fille et est à sa recherche. Il a aussi découvert que son frère est réfugié en Terre sainte et tente de le retrouver pour le châtier. Oronte et Giselda trouvent refuge dans la caverne de l'ermite. Le jeune homme, mortellement blessé, reçoit le baptême avant d'expirer dans les bras de sa bien-aimée.
Acte IV : *Le Saint Sépulcre.* Giselda a une vision : Oronte lui prédit que les croisés trouveront de l'eau dans le désert, où ils sont en train de mourir de soif. Miraculeusement, la source de Siloé se met à jaillir. Les combats reprennent et l'ermite est mortellement blessé. Porté dans la tente d'Arvino, il lui révèle n'être autre que son frère Pagano. Le chef des croisés lui pardonne puis, le prenant dans ses bras, lui montre, de la hauteur, la bannière chrétienne flottant sur Jérusalem libérée.

■ Le goût romantique pour l'époque médiévale et ses ballades permit à Verdi de composer son premier grand opéra populaire. *I Lombardi* fut remanié deux fois, pour être monté à Paris à la fin de 1847 (sous le titre de *Jérusalem*), et à Constantinople, en 1851. Ces modifications ne furent pas très heureuses mais permirent au musicien d'entrer en contact avec un public plus mûr et d'affronter les problèmes du grand opéra, expérience des plus profitables pour son évolution future. EP

MARIE DE ROHAN ou LE COMTE DE CHALAIS (Maria di Rohan o Il conte di Chalais)

Opéra en trois parties de Gaetano Donizetti (1797-1848). Livret de

Salvatore Cammarano (1801-1852), d'après une pièce de Lockroy, Un duel sous le cardinal de Richelieu. *Première représentation : Vienne, Kärntnertortheater, 5 juin 1843. Interprètes : E. Tadolini (Marie) ; C. Guasco (Richard de Chalais) ; G. Ronconi (Henri de Chevreuse). Direction : Gaetano Donizetti.*

L'INTRIGUE : L'opéra est divisé en trois parties intitulées : *Triste conséquence des duels, Pas l'amour, mais la reconnaissance, Une vengeance aveugle.* L'action se déroule à Paris, vers 1630. Henri de Chevreuse, qui a tué en duel un neveu du cardinal de Richelieu, est emprisonné. Marie de Rohan, une dame de la reine, demande à Richard de Chalais d'intercéder en sa faveur auprès du roi. Marie fait passer Henri pour un de ses parents, alors qu'il est en réalité son mari : ils se sont mariés secrètement parce que le cardinal était opposé à leur union. Richard, épris de Marie, lui promet son aide. Peu après, on annonce que le roi a accordé sa grâce à Henri de Chevreuse et Marie ne peut dissimuler sa joie. Armand de Gonde se permet des insinuations malveillantes et Richard le provoque en duel. Henri, sortant de prison, lui propose d'être son second. Le bruit court que Richelieu aurait été destitué, et Henri pense pouvoir révéler son mariage avec Marie. Avant le duel, Richard, craignant d'être tué, écrit une lettre d'amour à Marie. Celle-ci arrive à l'improviste, et il cache vivement la lettre dans un tiroir. Marie lui annonce que Richelieu est à nouveau au pouvoir et qu'il pourrait chercher à se venger de lui à cause de son intervention en faveur de Chevreuse. Henri vient justement chercher son ami pour le duel, et Marie se cache dans une pièce voisine. Mais Richard ne peut se résoudre à la quitter, et s'attarde auprès d'elle. Peu après, on vient annoncer qu'Henri a pris la place de Richard pour le duel et a été blessé. Richard accourt au chevet de son ami. Il apprend que, pendant son absence, les hommes de Richelieu sont en train de perquisitionner chez lui. Pensant à la lettre d'amour enfermée dans le tiroir, il rentre précipitamment, mais la lettre a disparu. On la remet, de la part du cardinal, à Henri. Celui-ci, fou de rage, n'écoute pas les protestations d'innocence de Marie et de Richard. Il exige un duel et les deux hommes sortent pour se battre. Henri rentre un peu plus tard et annonce que Richard s'est suicidé pour échapper aux gardes de Richelieu.

■ Cette œuvre eut un grand succès, mais finit par disparaître complètement des répertoires, jusqu'à sa reprise, en 1957, à Bergame. MS

LA BOHÉMIENNE (The Bohemian Girl)

Opéra en trois actes de Michael William Balfe (1808-1870). Livret d'Alfred Bunn. Première représentation : Londres, Drury Lane Theatre, 27 novembre 1843.

L'INTRIGUE : L'histoire se passe en Allemagne. Elle raconte les aventures du noble polonais Thaddeus et de sa bien-aimée Arlina. Celle-ci, fille du comte

Arnheim, a été enlevée par des bohémiens alors qu'elle était enfant, et a grandi parmi eux. Elle est accusée d'avoir volé un bijou, mais elle est soudain reconnue par son père, gouverneur de Presbourg. Tout à son bonheur d'avoir retrouvé sa fille, il accorde sa main à Thaddeus, bien que celui-ci soit proscrit de son pays pour raisons politiques.

■ Le livret est tiré de *La gipsy*, un ballet-pantomime de J. H. Vernoy de Saint-Georges datant de 1839, et inspiré du roman de Cervantès *La gitanilla*. *La bohémienne* est l'œuvre la plus connue de Balfe et l'opéra anglais qui obtint le plus grand succès dans la première moitié du XIXe siècle. C'est aussi le seul à avoir eu un certain retentissement en Europe. Les arias en sont restées très fameuses en Angleterre, et il figure toujours au répertoire du Drury Lane et du Covent Garden. Le livret fut traduit en italien *(La gitanella)*, allemand, français, suédois, croate et russe. Balfe composa la musique en Angleterre, où il se rendait fréquemment, bien qu'il résidât à Paris. La première fut un triomphe. En 1869, une version française en cinq actes fut jouée à Paris au Théâtre-Lyrique (sous le titre de *La bohémienne*). A cette occasion, le compositeur reçut de l'empereur Napoléon III la Légion d'honneur.

GP

MÉDÉE
(Medea)

Mélodrame tragique en trois parties de Giovanni Pacini (1796-1867). Livret de B. Castiglia. Première représentation : Palerme, Teatro Carolino, 28 novembre 1843.

L'INTRIGUE : A Corinthe. Médée, qui a tout sacrifié pour Jason, craint qu'il ne l'abandonne pour épouser Glauca, fille du roi Créon. Désespérée, elle profère de terribles menaces. Jason obtient des juges et des prêtres la rupture de son mariage avec Médée, accusée de sacrilège, et son bannissement. Médée semble se résigner, et, dans une ultime entrevue avec Jason, le supplie de lui laisser au moins emmener les enfants qu'elle a eus de lui. Mais Créon lui donne l'ordre de partir sur-le-champ. La malheureuse les conjure de lui permettre de revoir une dernière fois ses enfants. Tandis que le peuple festoie, Médée entre dans le temple avec ses enfants. Elle en ressort en brandissant un poignard ensanglanté : elle vient de tuer Glauca et ses propres enfants. Devant la foule frappée d'horreur, elle se donne la mort.

■ *Medea* appartient à la période post-rossinienne de Pacini, lorsqu'il commença à apporter une contribution originale à l'art lyrique italien, avec notamment une plus grande sensibilité mélodique. On peut cependant lui reprocher le choix de ses livrets, en général adaptés servilement au goût du jour. ABe

HERNANI
(Ernani)

Drame lyrique en quatre actes de Giuseppe Verdi (1813-1901). Li-

vret de Francesco Maria Piave (1810-1876) d'après la pièce Hernani ou L'honneur castillan *de Victor Hugo (1802-1885). Première représentation : Venise, théâtre La Fenice, 9 mars 1844. Interprètes : Giovanna Loewe, Carlo Guasco, Antonio Superchi, Antonio Selva.*

Les personnages : Hernani (ténor) ; Don Carlos (baryton) ; Don Ruy Gomez de Silva (basse) ; Elvire (soprano) ; Jeanne (soprano) ; Don Ricardo (ténor) ; Iago (basse).

L'intrigue : L'action se déroule en Espagne et à Aix-la-Chapelle, en 1519.
Acte I. Hernani prépare une révolte contre le roi d'Espagne Don Carlos, qui l'a proscrit. Il est amoureux d'Elvire et veut l'enlever au vieux comte Don Ruy Gomez de Silva, qu'elle doit épouser. Il se présente au château de Don Ruy sous un déguisement. Le roi aime lui aussi Elvire. Il arrive dans les appartements de la jeune fille et y découvre Hernani. Don Ruy survient à son tour et, furieux, provoque les intrus. Le roi se fait reconnaître et le comte demande le châtiment d'Hernani. Don Carlos sauve celui-ci en le faisant passer pour son messager.
Acte II. Le complot contre Don Carlos a échoué. Hernani se réfugie au château des de Silva, le jour où doit être célébré le mariage du comte avec Elvire. Tenu par les lois sacro-saintes de l'hospitalité, Don Ruy oublie sa vengeance et lui offre sa protection. Le roi se présente en personne chez Don Ruy et exige qu'il lui livre Hernani. Devant le refus du comte, il enlève Elvire. Silva, ayant rempli son devoir, provoque Hernani en duel. Le jeune homme refuse de se battre avec son sauveur, à qui il reconnaît le droit de vie ou de mort sur sa personne. Il promet au vieil homme d'être à sa merci quand il se sera vengé du roi. Don Ruy n'aura qu'à sonner du cor et Hernani se donnera la mort.
Acte III. Aix-la-Chapelle. Dans le tombeau de Charlemagne. Les conspirateurs sont réunis pour décider qui assassinera le roi et qui prendra la succession du Saint-Empire. Silva et Hernani se disputent le droit de perpétrer l'attentat. Mais Hernani ne veut laisser à personne le soin de sa vengeance, même quand Silva lui propose de le libérer de sa promesse. Entre-temps, des coups de canon annoncent que Don Carlos vient d'être élu empereur. Les conjurés sont découverts. Le roi, magnanime, cède aux supplications d'Elvire et leur accorde la vie sauve, en échange de leur loyauté. Il pousse la générosité jusqu'à accorder la main d'Elvire à Hernani, car il comprend qu'elle n'aimera jamais que lui.
Acte IV. Le banquet de noces d'Hernani et Elvire. Don Ruy, masqué, se mêle aux invités. Au plus fort de la fête, il se rend dans le jardin et fait retentir trois fois le son du cor. Hernani, en vrai Castillan, tient sa promesse : il se tue et Elvire tombe, inanimée, sur le corps de son bien-aimé.

■ Le drame de Victor Hugo, écrit en 1830, était déjà très célèbre et passait pour l'archétype du théâtre romantique français, lorsque Verdi décida d'en faire un opéra. Conscient de la difficulté d'une telle tâche, il suivit de très près la réalisation du livret. C'est lui qui suggéra à Piave les principales modifications apportées à la pièce de Hugo. Ce dernier fut cependant très critique du résultat. Pour renforcer le romantisme de l'action, Verdi opposa soprano, ténor et baryton, et fit intervenir le chœur dramatique, particulièrement émouvant dans *Si ridesti il leon di Castiglia,* qui devint l'un des chants du *Risorgimento.*

LES DEUX FOSCARI (I due Foscari)

Tragédie lyrique en trois actes de Giuseppe Verdi (1813-1901). Livret de Francesco Maria Piave (1810-1876), d'après la tragédie de George Gordon Byron (1788-1824). Première représentation : Rome, Teatro Argentina, 3 novembre 1844.

LES PERSONNAGES : Francesco Foscari (baryton) ; Jacopo Foscari (ténor) ; Jacopo Loredano (basse) ; Lucrezia (soprano).

L'INTRIGUE : Venise, au XVe siècle. Francesco Foscari est doge depuis plus de trente ans (1423-1457). Son fils Jacopo a été exilé à cause de sa vie déréglée, mais il revient clandestinement à Venise. L'ennemi juré des Foscari, Jacopo Loredano, apprend le retour du jeune homme et le dénonce au Conseil des Dix, en l'accusant de trahison envers la République Sérénissime. Le doge, lié par son devoir, le condamne à nouveau à l'exil. Jacopo meurt et son père abdique puis s'éteint, brisé.

■ Verdi lui-même s'était rendu compte que cet opéra n'était pas une réussite. En 1848, il écrivait à Piave que cela ressemblait plus à un enterrement qu'à une tragédie, tant c'était monotone. Pourtant, quand on lui avait proposé de mettre en musique le drame de Byron, il avait dit : « C'est un sujet tout à fait estimable, qui s'adapte très bien, qui est plein de passion et se prête parfaitement à la musique. » Le compositeur tira finalement profit de cette expérience, puisque l'étude des conflits entre la raison d'État et les sentiments familiaux lui resservit pour *Simon Boccanegra.* EP

ALESSANDRO STRADELLA

Opéra en trois actes de Friedrich von Flotow (1812-1883). Livret de Wilhelm Riese Friedrich d'après une « comédie mêlée de chant » des Français P.A.A. Pittaud de Forges et P. Duport. Première représentation : Hambourg, Stadttheater, 30 décembre 1844.

LES PERSONNAGES : Alessandro Stradella, chanteur (ténor) ; Bassi, riche Vénitien (basse profonde) ; Leonor, sa pupille (soprano) ; Malvolio et Barbarino, bandits (ténor, basse). Soldats, masques, patriciens, citoyens romains, serviteurs.

L'INTRIGUE : L'action se déroule vers la fin du XVIIe siècle, d'abord à Venise, puis dans un village près de Rome (actes II et III).
Acte I. Alessandro Stradella est épris de Leonora, pupille du ri-

che Vénitien Bassi. Mais ce dernier veut marier la jeune fille à un beau parti. Alessandro arrive en gondole sous les fenêtres du palais Bassi, et persuade Leonora de fuir avec lui. L'opération réussit grâce à une compagnie de masques amis du chanteur-compositeur, qui s'interposent entre les fugitifs et les serviteurs de Bassi lancés à leur poursuite.
Acte II. On prépare le mariage d'Alessandro et de Leonora. Comme le cortège part pour l'église, arrivent deux individus à la mine patibulaire, Barbarino et Malvolio. Ils ont été engagés par Bassi pour enlever Leonora et tuer Stradella. Les noces commencent, et les deux tueurs se joignent aux convives.
Acte III. Barbarino et Malvolio, conquis par le charme et le talent du musicien, n'ont plus envie de le tuer. Survient alors Bassi, qui multiplie les gages jusqu'à ce que les bandits acceptent de faire le travail. Mais Stradella se met à chanter une romance racontant l'histoire d'un coupable repenti, et les tueurs en sont tellement émus qu'ils se jettent à genoux et demandent pardon.

■ L'œuvre avait déjà été jouée en 1837, à Paris (4 février, Palais-Royal) sous la forme d'une « comédie mêlée de chant » dont les airs avaient été composés par Flotow. Elle fut transformée en opéra en 1844, avec un livret remanié. L'histoire est inspirée librement de la vie du célèbre compositeur et chanteur du XVIIe siècle, Alessandro Stradella. L'opéra connut un grand succès en Allemagne et est, avec *Martha*, l'une des deux œuvres de Flotow qui soit restée au répertoire. MS

JEANNE D'ARC
(Giovanna d'Arco)

Drame lyrique en trois actes de Giuseppe Verdi (1813-1901). Livret de Temistocle Solera (1815-1878), d'après la pièce de Friedrich Schiller (1759-1805), Die Jungfrau von Orleans. *Première représentation : Milan, théâtre de la Scala, 15 février 1845.*

LES PERSONNAGES : Charles VII (ténor) ; Jeanne d'Arc (soprano) ; Jacques (baryton) ; Delil (ténor) ; Talbot (basse).

L'INTRIGUE : Les Anglais s'apprêtent à lancer sur le territoire français une offensive que rien ne semble pouvoir arrêter. Le roi de France, Charles VII, va déposer son épée devant une image miraculeuse de la Vierge. Jeanne est agenouillée, priant pour le salut de son pays. Elle supplie le roi de ne pas abandonner la lutte et propose de prendre les armes. Jacques, le père de Jeanne, essaie de l'en dissuader, croyant que sa fille agit par amour du roi, alors que ce sont des voix célestes qui lui ont enjoint de partir défendre la France. Les Français remportent des batailles, mais leur joie est de courte durée. Jacques profère de terribles accusations contre sa fille, qui ne se défend pas. Elle est donc mise au bûcher, mais parvient au dernier moment à clamer son innocence. Libérée, elle retourne au combat. Elle sauve son pays et son roi, mais elle est tuée.

■ Verdi composa *Giovanna d'Arco* au pire moment de sa vie. Cela se sent non seulement dans la musique, mais aussi dans les indications qu'il donna à Solera pour le livret, parfaitement invraisemblable et embrouillé. La critique parla « d'une mauvaise copie du finale d'*Aïda* ». Verdi avait toutefois d'autres préoccupations, car il venait d'être informé par Ricordi, son éditeur, des malversations de l'imprésario Merelli à ses dépens. Il rompit alors avec la Scala et, pendant de longues années, ses œuvres ne furent plus jouées dans le temple de l'art lyrique. EP

ONDINE
(Undine)

Opéra romantique en quatre actes de Gustav Alvert Lortzing (1801-1851). Livret de l'auteur, d'après un conte de F. de la Motte Fouqué. Première représentation : Magdebourg, 21 avril 1845.

LES PERSONNAGES : Berthalda, fille du duc Henri (mezzo-soprano) ; le chevalier Hugo von Ringstetten (ténor) ; Kühleborn, prince des Ondes (baryton) ; Tobie, un vieux pêcheur (basse) ; Martha, sa femme (contralto) ; Ondine, leur fille adoptive (soprano) ; le Père Heilmann, religieux du couvent de Maria-Gruss (basse) ; Veit, écuyer d'Hugo (ténor) ; Hans, cantinier (basse). Pêcheurs, hérauts, pages, chasseurs et écuyers, fantômes et esprits des eaux.

L'INTRIGUE : En 1452, dans un village de pêcheurs et au château du duc Henri. Le chevalier Hugo von Ringstetten s'apprête à épouser Ondine, que l'on croit être la fille de deux vieux pêcheurs, Martha et Tobie. Elle est en réalité une nymphe, qu'un prince des eaux a substitué à leur véritable fille. Ondine rayonne de bonheur. Remarquant la finesse d'une écharpe que porte Hugo, elle lui demande d'où il la tient : c'est un cadeau de Berthalda, une noble dame. Comme Ondine paraît troublée, Hugo la rassure tendrement. Les habitants du village se rassemblent pour la fête. Le prince des eaux, Kühleborn, qui a réussi à gagner la confiance de Veit, écuyer d'Hugo, se mêle aux invités. Il exprime des doutes sur la fidélité d'Hugo, qui retournera tôt ou tard vers Berthalda. En réalité, il veut reprendre Ondine et lui annoncer qu'elle devra regagner le royaume des ondes quand Hugo ne l'aimera plus. Les époux se mettent en route pour le château de Berthalda, où ils doivent vivre. Ondine révèle sa vraie nature à Hugo : elle n'a d'âme que par son amour, et redeviendra nymphe des eaux s'il cesse un jour de l'aimer. Kühleborn les a suivis à la cour de Berthalda, où il se fait passer pour ambassadeur du roi de Naples. Berthalda, qui aime Hugo, dépitée par son mariage, déclare qu'elle s'est fiancée au roi de Naples. Au cours d'une fête, elle demande à Kühleborn de chanter : il raconte alors l'histoire de deux vieux pêcheurs qui ont perdu leur fille dans les flots et qui la croient morte, alors qu'elle a été recueillie par un noble seigneur. Il introduit Martha et Tobie, et affirme à Berthalda qu'il s'agit de ses parents. Furieuse, elle le fait arrêter, puis fait ouvrir le coffre de son père où elle est sûre de trouver les preuves de sa noble naissance. Mais elle s'évanouit, car les papiers confirment point par point les paroles de Kühleborn : elle doit à présent quitter le château. Sur les rives d'un lac, Berthalda parvient à convaincre Hugo qu'Ondine l'a ensorcelé, et à reconquérir son amour. Ondine les surprend, mais c'est en vain qu'elle rappelle à Hugo ses promesses. Il ne veut plus d'une femme sans âme. Soudain, le prince des eaux apparaît au milieu des flots menaçants : il a réussi à prouver que les créatures qui ont une âme sont plus cruelles que celles qui en sont privées. Il emmène Ondine au fond du lac, dans son royaume, sachant bien pourtant qu'elle n'oubliera jamais son passage sur terre. Quelque temps plus tard, Hugo est inquiet car Ondine lui est apparue en songe et lui a promis de revenir à minuit. Il fait boucher toutes les fontaines, toutes les sources des alentours du palais pour qu'Ondine ne puisse sortir de l'eau. Mais Veit, désolé de la trahison de son maître envers Ondine, enlève toutes les pierres des fontaines. Quand sonne minuit, Ondine revient et tend les bras à Hugo. Irrésistiblement attiré, il l'étreint et tous deux disparaissent dans les flots. Au milieu des ondes, on aperçoit Kühleborn qui accueille les amants enfin réunis.

■ *Undine* est un opéra romantique d'une grande inspiration mélodique, très brillamment orchestré. Bien que plus élaboré que l'*Undine* de Hoffmann, il n'en a pas la richesse imaginative.

MSM

ALZIRA

Tragédie lyrique en deux actes de Giuseppe Verdi (1813-1901). Livret de Salvatore Cammarano (1801-1852), d'après Alzire ou les Américains, *de Voltaire (1694-1778). Première représentation : Naples, théâtre San Carlo, 12 août 1845. Interprètes : Arati (Alvaro) ; Coletti (Guzman) ; Ceci (Ovando) ; Fraschini (Zamora) ; Benedetti (Ataliba) ; Tadolini (Alzira) ; Salvetti (Zuma) ; Rossi (Otumbo).*

L'INTRIGUE : Zamora commande des troupes péruviennes qui combattent l'envahisseur espagnol. Il est fiancé à Alzira. Après une bataille, on annonce la mort de Zamora. Alzira, prisonnière, est contrainte de se convertir et d'épouser le gouverneur espagnol, Guzman. Mais Zamora, qui n'était pas mort, revient et défie le tyran. Blessé à mort, Guzman se repent de ses méfaits et, pour se racheter, nomme Zamora gouverneur. Ce dernier se convertit au christianisme. Le sage Alvaro, père de Guzman, réunit alors l'ex-chef rebelle et Alzira.

■ *Alzira* est considéré comme le seul véritable échec de la première période de Verdi. Le compositeur, dans sa vieillesse, avoua lui-même que c'était « très mauvais ». De fait, l'opéra n'a jamais été repris. Il est vrai que Verdi le composa à contrecœur : la musique aurait dû être pour l'hiver 1844-1845, mais la mauvaise santé du compositeur retarda son travail. Les premières notes ne furent écrites qu'au printemps suivant. Un nouveau retard fut pris car l'une des interprètes, la Tadolini, devait accoucher et l'on craignait qu'elle ne perde sa voix. Tout alla bien pour elle, mais pas pour *Alzira*.

EP

TANNHÄUSER (Tannhäuser und der Sängerkrieg auf dem Wartburg)

Opéra romantique en trois actes de Richard Wagner (1813-1883). Livret de l'auteur. Première représentation : Dresde, Hofoper, 19 octobre 1845. Interprètes : Anton Mitterwurzer, Dettemer, Joseph Alois Tichatschek, Wilhelmine Schröder-Devrient, Johanna Wagner. Direction : Richard Wagner.

LES PERSONNAGES : Hermann, landgrave de Thuringe (basse) ; Tannhäuser (ténor) ; Wolfram von Eschenbach (baryton) ; Walter von der Vogelweide (ténor) ; Biterolf (basse) ; Heinrich der Schreiber (ténor) ; Reinmar von Zweter (basse) ; Élisabeth, nièce du landgrave (soprano) ; Vénus (soprano) ; un jeune pâtre (soprano) ; quatre pages (soprano et contraltos). Nobles, chevaliers, pèlerins, sirènes, nymphes, bacchantes.

L'INTRIGUE : L'action se déroule en Thuringe, au début du XIIIe siècle.
Acte I. Dans son royaume du Venusberg, Vénus, entourée de sa cour de nymphes, de baccantes et de faunes, tient en son pouvoir le chevalier et poète Tannhäuser. Las des plaisirs, le jeune homme désire cependant retourner dans le monde, malgré les menaces et les supplications de la déesse. Devant les refus réitérés de Vénus, le chevalier finit par invoquer le nom de la Vierge Marie, et le royaume païen du Venusberg disparaît. Tannhäuser se trouve dans une vallée fleurie. Un berger chante le retour du printemps. Passe un groupe de pèlerins, en route vers Rome. Des sons de trompe annoncent l'arrivée du landgrave et des chevaliers-chanteurs, anciens compagnons de Tannhäuser. Ceux-ci le reconnaissent, et l'invitent à venir avec eux au château. Mais il faut que Wolfram von Eschenbach rappelle à son ami que la nièce du landgrave, la douce Élisabeth, l'aime toujours, pour qu'il accepte de les suivre.
Acte II. La salle des chanteurs du château de la Wartburg. Élisabeth, émue et heureuse, accueille le poète. On annonce un concours de chant. La jeune fille ne doute pas de la victoire de Tannhäuser qui obtiendra sa main en récompense. Le landgrave propose le thème du concours : la « nature de l'amour ». Wolfram, premier inscrit, chante l'amour spirituel. Tannhäuser fait avec fougue l'éloge de la passion sensuelle et révèle qu'il a vécu à la cour de Vénus, dont il chante les louanges. Scandalisés, les chevaliers le menacent de leurs épées et Élisabeth, quoique blessée dans son amour, doit s'interposer en invoquant le pardon chrétien. Le landgrave ordonne alors à Tannhäuser d'entreprendre un voyage d'expiation vers Rome.
Acte III. Dans la vallée de la Wartburg. Wolfram et Élisabeth ont attendu en vain le retour du poète. Élisabeth, proche de la mort, invoque le pardon de la Vierge pour son bien-aimé. Resté seul, Wolfram exécute un chant plein de tristesse pour que les étoiles illuminent le chemin de la jeune fille vers le Ciel. Tannhäuser apparaît enfin. Désespéré, il confie à Wolfram que le pape lui a refusé son pardon. Amer et dé-

sabusé, il se résigne à la damnation éternelle et invoque Vénus. La déesse apparaît, plus séduisante que jamais. Mais Wolfram révèle à Tannhäuser qu'Élisabeth a prié pour lui, et à l'évocation de son nom, la vision s'évanouit. Un cortège funèbre apparaît, portant le cercueil d'Élisabeth. Repenti, le poète étreint le corps de sa bien-aimée et meurt doucement. Tandis que le soleil se lève sur la vallée en deuil, le bâton de pèlerin de Tannhäuser refleurit. C'est le signe indiqué par le pape, qui lui avait dit qu'il ne serait sauvé que lorsque son bâton desséché refleurirait. Un chœur de jeunes pèlerins chante le miracle du salut : « Criez dans tous les pays du monde qu'il a trouvé grâce devant Dieu ».

■ Le sujet de *Tannhäuser* est à la fois historique et légendaire. Le personnage de Tannhäuser a réellement existé. Né vers 1205, c'était l'un des poètes-chevaliers allemands du Moyen Age. Malgré son repentir pour sa vie de débauche, le pape Urbain IV lui aurait, dit-on, refusé le pardon. Wagner s'est d'autre part servi de la légende du concours poétique de la Wartburg ; les plus célèbres poètes-chevaliers du début du XIIIe siècle y auraient participé : Walter von der Vogelweide, Wolfram von Eschenbach, Biterolf et beaucoup d'autres. Enfin, le personnage d'Élisabeth est peut-être inspiré d'une princesse célèbre, Élisabeth de Hongrie, dont les aventures sont rapportées dans le poème allemand *Le miracle des roses*. Les poètes romantiques avaient fait un large usage de tous ces sujets. Wagner les a réunis dans une œuvre nouvelle où s'affirme le thème de la rédemption et apparaît celui du conflit entre sens et esprit. Vénus n'est pas seulement la déesse du péché, mais aussi le symbole de la beauté éternelle, tandis qu'Élisabeth représente l'amour pur et spirituel qui conduit à la rédemption par le sacrifice et la mort. *Tannhäuser* est un opéra d'une extraordinaire richesse musicale. Accueilli sans enthousiasme à Dresde, il fut ensuite modifié pour être représenté à l'Opéra de Paris ; le compositeur ajouta la « bacchanale » du début du premier acte, afin de permettre l'exécution d'un ballet, indispensable à l'époque. Cette adjonction insolite est peut-être à l'origine de l'échec de l'opéra lors de ses débuts parisiens, le 13 mars 1861. Toutefois, le succès ne tarda pas et *Tannhäuser* est aujourd'hui considéré comme l'œuvre de jeunesse la plus importante du compositeur. L'ouverture, qui annonce les thèmes développés au cours du drame, est particulièrement célèbre. RM

ATTILA

Drame lyrique en trois actes de Giuseppe Verdi (1813-1901). Livret de Temistocle Solera (1815-1878). Première représentation : Venise, théâtre La Fenice, 17 mars 1846.

LES PERSONNAGES : Attila (basse) ; Ezio (baryton) ; Odabella (soprano), Foresto (ténor), Uldino (ténor) ; Leone (basse).

L'INTRIGUE : Le général romain Aetius (Ezio) conclut un pacte avec Attila : il lui laissera la vie sauve si, en échange, le chef des Huns renonce à conquérir l'Italie. Odabella, avec la complicité de son fiancé Foresto, séduit le barbare puis le tue dans son sommeil.

■ Lorsqu'il écrivit *Attila*, Verdi avait déjà un grand renom de musicien patriotique dû à *I Lombardi, Nabucco* et *Ernani*. Mais il n'avait pas pour autant renoncer à innover, et il consacra beaucoup de temps au personnage d'Attila. La pièce de Werner dont s'inspire le livret lui fut envoyée par le comte Mocenigo, en même temps que des commentaires personnels à propos des écrits de Madame de Staël sur l'Allemagne, que Verdi étudia avec passion. Le compositeur exigea des miracles du librettiste Solera, lui demandant d'utiliser le « rythme héroïque » (versification italienne en sept pieds avec accentuation de la syllabe antépénultième). Le résultat, inégal, donna lieu à des commentaires assez sévères. Les critiques rappelèrent à cette occasion la boutade de Rossini : « Verdi compose avec un casque sur la tête. » Des musicologues français estimèrent, quant à eux, qu'*Attila* « ressemblait plus à la fanfare des bersagliers qu'à un drame lyrique ». EP

LA DAMNATION DE FAUST

Légende dramatique en quatre actes et dix tableaux d'Hector Berlioz (1803-1869). Livret du compositeur et de G. Almire Gandonnière, d'après le Faust *de Goethe traduit en français par Gérard de Nerval. Première représentation en concert : Paris, Opéra-Comique (Salle Favart), 6 décembre 1846. Interprètes : G. Roger, H. Léon, Duflot-Maillard. Direction : Hector Berlioz. Version scénique revue et adaptée par Raoul Gunsbourg présentée au casino de Monte-Carlo en février 1893. Direction : Raoul Gunsbourg.*

Les personnages : Marguerite (soprano) ; Faust (ténor) ; Méphistophélès (baryton) ; Brander (basse). Chœurs des étudiants, soldats, damnés, démons, princes des ténèbres, anges, séraphins.

L'intrigue :
Acte I. En Hongrie. Une véranda ouvrant sur des champs fleuris avec, d'un côté, une forteresse en haut d'une colline. A l'aube, le vieux philosophe Faust assiste au réveil du village. Il entend le chant des paysans, la marche des soldats partant pour la guerre (c'est la fameuse marche Rakoczy). Cette vie qui s'anime lui fait ressentir plus douloureusement encore l'aridité de la vieillesse. Acte II, première scène. Le bureau de Faust, dans sa maison en Allemagne. Ayant cherché en vain la formule du bonheur, Faust, las de sa solitude, décide de s'empoisonner. Comme il s'apprête à mourir, les cloches de Pâques se mettent à sonner et, soudain, Méphistophélès apparaît devant lui. Il lui offre de lui rendre la jeunesse et ses plaisirs. Deuxième scène. Incrédule, Faust met Méphistophélès à l'épreuve. Celui-ci le transporte à Leipzig, dans la taverne d'Auer-

bach, au milieu d'une joyeuse compagnie de soldats et d'étudiants. Mais le vieux philosophe ne tarde pas à s'ennuyer de nouveau.
Troisième scène. Faust, rajeuni par magie, est emporté, dans son sommeil, sur les rives de l'Elbe. Là, Marguerite lui apparaît en songe, et il en tombe amoureux.
Acte III. La scène est divisée en deux : d'un côté, la chambre de Marguerite, de l'autre une rue. Avec l'aide de Méphistophélès, Faust s'introduit dans la maison de sa bien-aimée et la surprend tandis qu'elle défait ses tresses en chantant la ballade du roi de Thulé. Faust se montre alors et lui déclare sa flamme. Il la séduit. Mais Méphistophélès apparaît et emmène Faust.
Acte IV, première scène. La chambre de Marguerite. La jeune fille, passionnément amoureuse, pleure son bonheur perdu en attendant Faust, qui ne vient pas.
Deuxième scène. Une forêt et des grottes. Faust est à nouveau las de l'existence, et supplie la Nature de lui donner la paix. Méphistophélès, craignant que l'âme de Faust ne lui échappe, lui apprend que Marguerite est en danger. Toujours éprise de lui, elle l'attendait chaque nuit après avoir fait boire à sa mère un somnifère qui la tuait lentement. Découverte, elle doit être jugée. Faust demande une nouvelle fois l'aide de Méphistophélès, mais celui-ci réclame son âme en échange.
Troisième scène. Faust et Méphistophélès, chevauchant Vortez et Giaour, disparaissent au fond de l'abîme après une course infernale.
Quatrième scène. L'enfer. Méphistophélès crie victoire tandis que Faust est jeté dans les flammes.
Cinquième scène. Le ciel et la terre. Marguerite a préféré mourir plutôt que d'accepter l'aide du démon. Elle est sauvée et monte au ciel. Les âmes bienheureuses essuient ses larmes et le chœur séraphique chante les louanges de Dieu.

■ L'idée de mettre en musique le *Faust* de Goethe, qui l'avait fortement impressionné, vint à Berlioz à l'automne 1828, alors qu'il brûlait d'une ardente passion pour l'actrice shakespearienne Harriett Smithson qui deviendra sa femme. La cantate pour chœurs et orchestre intitulée *Huit scènes de Faust, opus 1,* qui constitue l'embryon de la future partition, date de cette époque. Berlioz compléta son travail, dédié à Liszt, en 1845, et le fit jouer l'année suivante sous le titre de *La damnation de Faust*. La première, le 6 décembre 1846, fut un échec et la seconde représentation, soigneusement préparée, confirma le fiasco. Très affecté, Berlioz se retrouva en outre avec une dette de près de dix mille francs. Quelques décennies plus tard, l'œuvre connut en revanche un immense succès et reste le seul opéra vraiment fameux de Berlioz. *La damnation* fut d'abord une suite de morceaux symphoniques et vocaux destinés à l'exécution en concert. L'adaptation pour la scène fut réalisée dans les années 1880 par Raoul Gunsbourg, qui supprima quelques passages et changea l'ordre des scènes. Sous cette forme, l'opéra connut une faveur permanente. En fait, la seule partie véritablement théâtrale est le troisième acte, avec le trio de Marguerite, Faust et Méphistophélès, le reste de l'œuvre n'étant à l'évidence pas conçu pour le théâtre. C'est pourquoi la version de concert est finalement meilleure. Le caractère hybride de *La damnation* est sensible dans une certaine incohérence de la composition : la première partie, d'orchestration complexe et bien étudiée, s'achève sur la fameuse marche Rakoczy (comme on demandait à Berlioz pourquoi il avait située l'action en Hongrie, il répondit : « Parce que je voulais faire entendre un morceau de musique instrumentale dont le thème soit hongrois, comme je l'aurais située n'importe où ailleurs dans le monde si j'avais trouvé pour cela la moindre raison musicale. » La deuxième partie est moins vivante et plus mélancolique ; la troisième, on l'a dit, a un caractère plus nettement théâtral ; la quatrième enfin, qui s'éloigne du *Faust* de Goethe puisque le héros est damné et non sauvé, est un épilogue solennel et macabre où s'exprime tout le romantisme de Berlioz. GP

MACBETH

Mélodrame en quatre actes de Giuseppe Verdi (1813-1901). Livret de Francesco Maria Piave (1810-1876), d'après la tragédie de William Shakespeare (1564-1616). Première représentation : Florence, Teatro alla Pergola, 14 mars 1847. Interprètes : Marianna Barbieri-Nini (Lady Macbeth), Felice Varesi (Macbeth), Brunacci, Benedetti.

LES PERSONNAGES : Macbeth (baryton) ; Banco (basse) ; Lady Macbeth (soprano) ; une dame de Lady Macbeth (mezzo-soprano) ; Macduff (ténor) ; Malcolm (ténor) ; un médecin (basse) ; un domestique, un tueur, un héraut (basse).

L'INTRIGUE : En Écosse.
Acte I. Macbeth et Banco reviennent victorieux d'une bataille. Ils rencontrent les sorcières qui leur prédisent que Macbeth sera seigneur de Cawdor et que les enfants de Banco seront rois. La première prophétie se réalise sur-le-champ : un messager apporte à Macbeth sa nomination par le roi Duncan. Lady Macbeth apprend que celui-ci doit passer la nuit au château et persuade Macbeth de l'assassiner afin que la deuxième prophétie puisse s'accomplir.
Acte II. Le roi a été tué. On accuse son fils Malcolm, qui doit s'enfuir en Angleterre. Macbeth est désormais roi d'Écosse. Lady Macbeth veut faire disparaître Banco et son fils, Fleance. Ce dernier échappe à la mort. Macbeth, au cours d'un banquet, est terrifié par l'apparition de l'ombre de Banco.
Acte III. Macbeth, angoissé, retourne voir les sorcières. Leur verdict est mystérieux : il n'a rien à craindre tant que la forêt de Birnam ne marchera pas sur Dunsinane. Lady Macbeth l'exhorte à se débarrasser des héritiers de Macduff. Les fils du roi assassiné sont en train de lever une armée en Angleterre pour attaquer l'Écosse.
Acte IV. L'armée de Malcolm et Macduff entre secrètement en Écosse. Arrivés à la forêt de Birnam, les soldats se camouflent avec des branchages et montent

à l'assaut. Lady Macbeth, tourmentée par des cauchemars, marche dans son sommeil. Elle meurt et Macbeth est tué en duel par Macduff, après la réalisation de la prophétie.

■ Cet opéra connut toute une série de transformations et de remaniements. Après la première florentine, il fut joué à Saint-Pétersbourg, en 1855, sous le titre de *Sivardo il Sassone*. En 1865, une version française fut montée au Théâtre-Lyrique avec un nouveau livret de Maffei (1798-1885) traduit par Beaumont et Nuittier, et une partition adaptée aux goûts du public français. *Macbeth* est l'une des plus grandes œuvres de Verdi, d'une importance décisive pour l'évolution de ses conceptions musicales, mais peu réussie sur le plan dramatique. Ni Piave ni plus tard Maffei ne sont parvenus à rendre la complexité des personnages shakespeariens, leur psychologie subtile et tortueuse. Ainsi, des pages du meilleur Verdi côtoient des passages médiocres, comme la scène des sorcières, autrement plus impressionnante chez Shakespeare que dans la transposition musicale. L'élément marquant de l'œuvre est en définitive l'orchestration, qui représente un net progrès dans l'art verdien et un acquis précieux pour les opéras ultérieurs. EP

LES BRIGANDS
(I Masnadieri)

Mélodrame en quatre actes de Giuseppe Verdi (1813-1901). Livret d'Andrea Maffei (1798-1885), d'après la tragédie de Schiller (1759-1805), Die Räuber. *Première représentation : Londres, Her Majesty's Theatre, 22 juillet 1847.*

Les personnages : Massimiliano (basse), Francesco (baryton) ; Carlo (ténor) ; Amalia (soprano) ; Arminio (ténor) ; Moser (basse) ; Rollo (ténor).

L'intrigue : En Allemagne, au début du XVIIIe siècle. Carlo, fils du régent de Moor, reçoit une lettre de son père lui annonçant qu'il est chassé et déshérité pour avoir quitté sa famille. En réalité, la lettre a été écrite par le méchant frère de Carlo, Francesco. Pour se venger, Carlo prend la tête d'une bande de malandrins. Francesco le fait passer pour mort auprès de leur père et de sa fiancée Amalia, qu'il convoite. Carlo n'a pas le courage de châtier définitivement son frère, jusqu'au moment où il apprend que son père a été jeté en prison. Francesco, traqué, se pend. Massimiliano et Amalia périssent à leur tour, après avoir appris ce qu'était devenu Carlo. Celui-ci, brisé et repentant, se livre à la garde.

■ L'opéra fut accueilli froidement par le public anglais. On reprocha à la musique de Verdi de n'être pas à la hauteur de la tragédie de Schiller, et, de fait, on n'y retrouve ni la violence, ni la passion contenues dans l'original. Présenté en Italie en février de l'année suivante (au Teatro Apollo de Rome), il fut également très critiqué. Il s'agit d'ailleurs d'un des moins bons opéras de Verdi. EP

MARTHA ou LE MARCHÉ DE RICHMOND (Martha oder Der Markt zu Richmond)

Opéra en quatre actes de Friedrich von Flotow (1812-1883). Livret de Creval de Charlemagne, d'après le ballet-pantomime Lady Henriette ou La servante de Greenwich, *de J. H. Vernoy de Saint-Georges (1801-1875), mis en musique par Flotow lui-même en collaboration avec Burgmüller et Deldevez (représenté à Paris le 21 février 1844). Première représentation : Vienne, Kärntnertortheater, 25 novembre 1847. Interprètes : Anna Kerr, A. Ander, K.J. Formes.*

LES PERSONNAGES : Lady Henriette, dame d'honneur de la reine (soprano) ; Nancy, son amie et confidente (contralto) ; Lionel (ténor) ; Plumkett, un riche fermier ami de Lionel (baryton) ; Sir Tristan de Mickleford (basse) ; le shérif de Richmond (basse) ; serviteurs, fermiers, paysans.

L'INTRIGUE : L'action se déroule en Angleterre, en 1710, au temps de la reine Anne.
Acte I. Lady Henriette s'ennuie, malgré tous les efforts de Nancy et de ses dames de compagnie pour la distraire. Son cousin et admirateur, Sir Tristan, vient lui rendre visite. A ce moment, on entend passer sur la route un groupe joyeux de petites servantes qui vont chercher un emploi à la foire annuelle de Richmond. Elles ont l'air si gaies que Lady Henriette propose à Nancy de se déguiser et de se joindre à elles. Elle persuade son cousin de faire de même. Sur la grand-place de Richmond, il y a foule. Plumkett, un riche paysan, est là avec son ami Lionel, qu'il a élevé après la mort de son père, un inconnu qui n'a laissé qu'une bague précieuse à remettre à la reine si Lionel se trouvait en difficulté. Plumkett, qui cherche à embaucher des servantes, s'adresse à Henriette et Nancy, qui se font appeler Martha et Betsy. Par jeu, elles acceptent les arrhes que leur offre Plumkett, mais elles sont ensuite obligées de le suivre, s'étant en fait engagées pour un an. Tristan, qui proteste, est écarté sans ménagements.
Acte II. A la ferme de Plumkett. Les deux jeunes filles sont chargées de préparer le dîner et de filer la laine, mais se montrent bien peu expertes. Toutefois, une certaine sympathie naît entre Nancy et Plumkett et entre Henriette et Lionel. Quand tout le monde va se coucher, Sir Tristan arrive avec une voiture et tous trois s'enfuient.
Acte III. Comme Plumkett boit un verre à l'auberge, on entend le son du cor : c'est la reine qui passe à cheval, avec sa suite. Sorti sur le pas de la porte, Plumkett a la surprise de reconnaître Nancy, mais il est tenu à distance par les gens de la reine. Lionel reconnaît à son tour Henriette, et s'approche pour lui baiser la main. Honteuse d'être vue avec ce paysan, elle le repousse ostensiblement. Lionel, furieux, veut alors faire valoir ses droits d'employeur, mais Henriette proteste et il est arrêté. Avant qu'on l'emmène, il donne à Plumkett la bague de son père à remettre à la reine.
Acte IV. La maison de Plumkett.

Henriette et Nancy arrivent avec de bonnes nouvelles. Henriette à personnellement remis à la reine la bague de Lionel, et celui-ci à été reconnu comme l'héritier des comtes de Derby. Lady Henriette réussit, non sans mal, à se faire pardonner de l'avoir maltraité. Elle lui offre son cœur et sa main, tandis que Plumkett demande à Nancy de l'épouser. Tout s'achève par une fête dans les jardin de Lady Henriette, où l'on a reproduit le décor du marché de Richmond, et où Nancy et elle reçoivent, vêtues de nouveau en paysannes.

■ Il s'agit de l'œuvre la plus réussie et la plus célèbre de Flotow, qui est encore jouée aujourd'hui. Très proche du stylc de l'opéra-comique, elle présente plusieurs influences, notamment françaises et italiennes. MS

ESMÉRALDA

Opéra en quatre actes d'Alexandre Dargomyjsky (1813-1869). Livret du compositeur inspiré du livret écrit par Victor Hugo en 1836 d'après son roman Notre-Dame de Paris *(1831) pour le musicien Bertin. Première représentation : Moscou, Théâtre impérial, 17 décembre 1847.*

L'intrigue : Une reconstitution du Paris médiéval, baignant dans une atmosphère romantique, pittoresque et fantastique. Esméralda est une jeune gitane farouche et tendre. Pour gagner sa vie, elle danse et prédit l'avenir. Elle vit avec la pègre et les mendiants de Paris dans la Cour des Miracles. Tous sont amoureux d'elle, mais surtout Quasimodo, bossu difforme d'une force herculéenne, sonneur de Notre-Dame. Frollon, bienfaiteur de Quasimodo, oblige ce dernier à lui prouver sa reconnaissance en enlevant Esméralda, qu'il convoite lui aussi. Mais Esméralda est sauvée par Phœbus de Châteaupers, capitaine des archers. La jeune fille tombe éperdument amoureuse de Phœbus, qui voit là simplement l'occasion d'une aventure sans lendemain. Frollon, dévoré de jalousie, tue Phœbus. Esméralda est accusée du meurtre et condamnée malgré la solidarité de la Cour des Miracles. Quasimodo, désespéré, apprenant que Frollon est le véritable coupable, le jette du haut des tours de Notrc-Dame. Puis, lui-même va mourir dans le cimetière des condamnés, étreignant le corps sans vie d'Esméralda.

■ L'opéra est assez médiocre, comme le reconnut Dragomyjsky lui-même une vingtaine d'années plus tard. Inspiré de modèles français, il a la particularité d'introduire pour la première fois dans l'opéra russe les mouvements de foules, idée qui fera fortune par la suite. C'est d'ailleurs la raison pour laquelle le Théâtre impérial hésita longtemps avant de monter le spectacle : *Esméralda* fut joué en 1847 alors qu'il était prêt depuis 1839. Dargomyjsky, découragé, ralentit beaucoup sa production lyrique. L'opéra n'eut guère de succès et ne fut donné que trois soirs après la première. Il fut cependant repris de temps à autre en Russie pendant une trentaine d'années. MS

LE CORSAIRE
(Il corsaro)

Mélodrame tragique en quatre actes de Giuseppe Verdi (1813-1901). Livret de Francesco Maria Piave (1810-1876), d'après le poème de George Gordon Byron (1788-1824). Première représentation : Trieste, Grand Théâtre, 25 octobre 1848. Interprètes : Marianna Barbieri-Nini, Carolina Rapazzini, Gaetano Fraschini, Achille de Bassini, Giovanni Volpini, Giovanni Petrovich.

Les personnages : Corrado, le corsaire (ténor) ; Medora (soprano) ; Gulnara (soprano) ; Selimo (basse) ; Saïd (baryton) ; Giovanni (basse).

L'intrigue : Le corsaire grec Corrado réussit à s'introduire dans le camp des Turcs, commandés par le pacha Saïd. Déguisé, il n'est pas reconnu. Mais ses corsaires attaquent le camp avant le signal convenu, si bien que Corrado est découvert, blessé et arrêté. Gulnara, la concubine de Saïd, lui sauve la vie. Quand le fugitif parvient à rejoindre l'île repaire des corsaires, il trouve sa fiancée Medora à l'agonie : la fausse nouvelle de sa mort avait plongé la jeune fille dans un désespoir mortel. Corrado, fou de douleur, se jette à la mer.

■ Verdi avait pensé un moment établir un parallèle entre Corrado et Garibaldi, entre la lutte des corsaires grecs contre les Turcs et le *risorgimento* italien. Puis, ayant pris meilleure connaissance du livret, il abandonna cette idée. En outre, il éprouvait une antipathie croissante à l'égard de l'éditeur Francesco Lucca, qui lui avait commandé l'opéra. Il écrivit donc *Il corsaro* à la hâte, au cours d'un séjour à Paris. EP

LE VAL D'ANDORRE

Drame lyrique en trois actes de Jacques Halévy (1799-1862). Livret de J. H. Vernoy de Saint-Georges (1801-1875). Première représentation : Paris, Opéra-Comique, 11 novembre 1848.

L'intrigue : L'action se déroule au temps de Louis XIV. On enrôle des hommes pour l'armée, et la seule issue pour les malchanceux désignés par le sort est de payer une forte somme au capitaine Hilarion. Rose, une jeune paysanne, soutire de l'argent à Thérèse, une veuve, logeuse de son état, pour éviter à son amoureux, Charles, de partir au service. On assiste aussi aux mésaventures de Saturnin, un gentil campagnard, et de Georgette, héritière fortunée. Entre-temps, Thérèse accuse Rose de vol et la traîne devant les juges. Elle s'aperçoit à ce moment que Rose est sa propre fille et, refusant de renouveler ses accusations contre elle, est condamnée à l'exil. La tristesse de la séparation est toutefois adoucie par l'heureuse issue des histoires d'amour : Rose épouse Charles et tout finit bien aussi pour Saturnin et Georgette.

■ Halévy fait preuve, dans cette œuvre, d'une certaine versatilité fasciné qu'il est par la style du grand opéra. L'histoire est compliquée, comme souvent chez Halévy, mais il y a quelques passages musicaux très réussis. Le style mélodique et l'harmonie reposent sur une charmante inspiration musicale. Hector Berlioz, faisant la critique de l'opéra pour le *Journal des Débats*, écrivait, le 14 novembre 1848 : « *Le val d'Andorre* à l'Opéra-Comique est l'un des succès les plus généreux, spontanés et sincères auxquels j'ai assisté. » L'accueil du public fut également très chaleureux.

LB

POLYEUCTE (Poliuto)

Opéra en trois actes de Gaetano Donizetti (1797-1848). Livret de Salvatore Cammarano (1801-1852), d'après la tragédie de Corneille Polyeucte *(1640). Première représentation (posthume) : Naples, théâtre San Carlo, 30 novembre 1848. Interprètes : C. Baucardé (Polyeucte) ; E. Tadolini (Pauline) ; F. Colini (Sévère) ; G. Rossi (Félix) ; Arati (Callistène).*

Les personnages : Sévère, proconsul (baryton) ; Félix, gouverneur de Mytilène (basse) ; Polyeucte, magistrat et mari de Pauline (ténor) ; Pauline, fille de Félix (soprano) ; Callistène, grand prêtre de Jupiter (basse) ; Néarque, chef des chrétiens d'Arménie (basse) ; un chrétien (ténor). Chrétiens, magistrats, prêtres de Jupiter, peuple, guerriers, Romains.

L'intrigue : Mytilène, capitale de l'Arménie, en 257 de notre ère. Acte I. Dans un souterrain, on célèbre le baptème clandestin de Polyeucte. Il est solennellement accueilli dans la communauté chrétienne par Néarque. Pauline, craignant pour la vie de son mari, vient les rejoindre : elle a déjà perdu à la guerre son premier fiancé, Sévère, et sait que les chrétiens sont passibles de mort. La jeune femme est émue par les cantiques des chrétiens et par leur bonté, car ils prient aussi pour leurs ennemis. Comme les chrétiens se séparent après le rite, on entend une fanfare militaire : c'est le nouveau proconsul, Sévère. Pauline défaille : Sévère n'était donc pas mort ! Le peuple de Mytilène acclame le proconsul et ses légions, chargés de libérer l'Arménie du péril chrétien. Sévère est impatient de revoir Pauline. Il demande des nouvelles à Félix qui, tout embarrassé, lui présente son gendre Polyeucte. La déception de Sévère est si visible que Polyeucte, ébranlé par les calomnies de Callistène, soupçonne Pauline d'infidélité.
Acte II. La maison du gouverneur. Sévère, convaincu par Callistène que Pauline a été contrainte d'épouser Polyeucte, cherche la jeune femme. Il lui reproche de ne pas l'avoir attendu et lui demande si elle l'aime encore. Pauline a un moment de trouble lorsque Sévère se jette à ses pieds. Polyeucte, averti par Callistène, assiste de loin à la scène. Il est désormais persuadé que Pauline le trahit. A ce moment, un chrétien vient lui annoncer que Néarque a été arrêté. Au temple de Jupiter. Néarque, accusé d'être chrétien, ne se disculpe pas, mais refuse de révéler le nom du nouveau baptisé, prêt à affronter la prison et les tortures. Polyeucte s'avance alors et déclare être le nouveau chrétien. Sévère les condamne à mort

tous les deux. Pauline implore en vain son père et Sévère de les sauver. Polyeucte, voyant sa femme aux pieds du proconsul, la renie publiquement et, dans sa colère, détruit l'autel païen devant lequel ils ont été unis. On emmène Néarque et Polyeucte. Sévère comprend, devant le désespoir de Pauline, qu'elle ne l'aime plus.
Acte III. Le peuple fanatisé par les prêtres s'apprête à assister au martyre des chrétiens. Pauline se rend à la prison où est enfermé Polyeucte. Elle lui jure qu'elle ne l'a jamais trahi, et lui explique que Sévère avait été son fiancé, qu'elle avait cru mort. Les intrigues de Callistène sont une vengeance, car Pauline a repoussé ses avances. Polyeucte, réconcilié avec sa femme, attend la mort avec sérénité. Pauline le conjure d'abjurer. Mais la fermeté de Polyeucte fait comprendre à la jeune femme ce qu'est la Foi : elle est désormais prête à affronter le martyre avec son époux. Sévère tente en vain de sauver Pauline, tandis que Callistène savoure sa vengeance.

■ Écrit en 1838 pour le théâtre San Carlo de Naples, l'opéra fut bloqué par la censure qui jugea le sujet « trop sacré ». A Paris, Scribe réalisa une version française intitulée *Les martyrs*, qui fut présentée à l'Opéra le 10 avril 1840, avec pour interprètes principaux Duprez et Dorus-Gras. Une traduction italienne, *I martiri*, fut jouée à Lisbonne le 15 février 1843, puis dans d'autres pays. En Italie, l'opéra s'appela *Paolina e Poliuto*, tandis qu'une version allemande était montée à Vienne en 1841 sous le titre *Les Romains à Mytilène*. L'œuvre originale avait été demandée par le ténor français Nourrit, qui comptait sur le rôle de Polyeucte pour regagner la faveur du public. Mais, quand la censure fut levée, dix ans plus tard, il n'était plus en mesure d'interpréter le rôle. Donizetti venait de mourir peu avant la première au théâtre San Carlo. L'opéra fut repris en 1960 à la Scala de Milan dans l'interprétation exceptionnelle de Maria Callas et Franco Corelli, et reçut un accueil triomphal. MS

LA BATAILLE DE LEGNANO
(La battaglia di Legnano)

Tragédie lyrique en quatre actes de Giuseppe Verdi (1813-1901). Livret de Salvatore Cammarano (1801-1852). Première représentation : Rome, Teatro Argentina, 27 janvier 1849. Interprètes : T. De Guili Borsi, C. Fraschini, F. Colini.

L'INTRIGUE : L'action se déroule à Milan et à Côme, en 1176.
Acte I. Dans une rue de Milan, on fête la victoire de la Ligue lombarde. Rolando, Milanais, embrasse le Véronais Arrigo, qu'il avait cru mort à la bataille. La femme de Rolando, Lida, autrefois amoureuse d'Arrigo, est aimée du prisonnier allemand Marcovaldo. Comme Arrigo reproche à Lida de n'avoir pas su l'attendre, elle lui explique qu'elle le croyait mort et que son père, mourant, l'avait conjurée d'épouser Rolando.
Acte II. Arrigo et Rolando sont envoyés comme émissaires de la Ligue à Côme, alliée de Barbe-

rousse, pour convaincre ses dirigeants de changer de camp. Au même moment, l'empereur arrive, à la tête d'une immense armée, et déclare qu'il a l'intention d'écraser la résistance lombarde et de raser Milan. Les deux Lombards proclament leur foi en une Italie libre.
Acte III. Les Chevaliers de la Mort se réunissent dans la crypte de Sant'Ambrogio. Arrigo fait désormais partie de cette confrérie qui a juré de libérer l'Italie. Lida lui écrit une lettre d'amour, qui est interceptée par Marcovaldo. Dépité, il la remet au mari de la jeune femme. Celui-ci, qui avait confié sa femme et son fils à Arrigo au cas où il lui arriverait malheur, est indigné. Il surprend Lida et Arrigo. Ce dernier a beau jurer que Lida est innocente et demander à Rolando de le tuer, le mari est inflexible. Il décide d'enfermer Arrigo pour l'empêcher d'aller combattre avec les Chevaliers de la Mort, ce qui signifie pour lui le déshonneur. Mais Arrigo se jette dans le fleuve.
Acte IV. Les femmes de Milan prient pour leurs guerriers. Ils rentrent vainqueurs : Barberousse a été gravement blessé par Arrigo, qui s'est battu héroïquement avant de tomber percé de coups. Mourant, il retrouve l'amitié et la confiance de Rolando.

■ On estime en général que *La bataille de Legnano* inaugure, chez Verdi, la période des opéras plus structurés et d'une plus grande complexité psychologique, comme par exemple *Luisa Miller*. La composition en est solide et équilibrée, même si le sujet se fût peut-être prêté à plus de grandeur et de solennité. L'opéra obtint un succès honorable. Par la suite, Verdi se retira à Sant'Agata et commença à composer moins, consacrant plus de temps à chaque œuvre. Peut-être aussi était-il las des tracasseries de la censure qui l'avait encore obligé, pour *La bataille de Legnano*, à changer les lieux et les noms des personnages. A signaler à titre de curiosité, la reprise de l'opéra en 1960, à Cardiff, sous le titre *The battle*, l'action étant transposée à l'époque de l'occupation nazie en Italie. EP

LES JOYEUSES COMMÈRES DE WINDSOR (Die lustigen Weiber von Windsor)

Opéra-comique fantastique en trois actes d'Otto Nicolai (1810-1849), d'après la comédie de Shakespeare (1564-1616) adaptée par S. H. Mosenthal (1821-1877). Première représentation : Berlin, Hofoper, 9 mars 1849.

L'INTRIGUE :
Acte I. Le vieux John Falstaff fait la cour à plusieurs femmes en même temps. Celles-ci se mettent d'accord pour lui donner une leçon. Elles l'invitent à un rendez-vous galant chez madame Fluth en l'absence de son mari, qu'elles prennent soin d'avertir par une lettre anonyme. Celui-ci, comme prévu, rentre furieux, obligeant le séducteur à se cacher dans le panier à linge.
Acte II. Falstaff, ignorant qu'il parle à Fluth, lui raconte sa mésaventure galante. La jalousie du mari ne fait que croître. Un second rendez-vous est à nouveau

interrompu par Fluth, et Falstaff réussit de justesse à s'enfuir, ridiculement déguisé en vieille servante.
Acte III. Madame Fluth explique à son mari qu'elle et scs amies se paient la tête de Falstaff. Tous ensemble, ils préparent un tour encore plus sévère. Ils fixent rendez-vous à Fastaff dans la forêt de Windsor. Mais, au lieu de la dame attendue, il est accueilli par une bande d'elfes qui lui font passer le goût des amourettes.

■ Cet opéra est le chef-d'œuvre de Nicolai, mort très jeune quelques mois après la première représentation. Il obtint immédiatement un grand succès, réunissant le meilleur du romantisme allemand et de la tradition italienne. Aujourd'hui encore, il figure au répertoire de nombreux théâtres de langue allemande, à cause de sa finesse, de son ironie et de sa drôlerie, ainsi que de la beauté des mélodies et de l'orchestration. SC

LE PROPHÈTE

Opéra en cinq actes de Giacomo Meyerbeer, de son vrai nom Jakob Liebmann Meyer Beer (1791-1864). Livret d'Eugène Scribe (1791-1861). Première représentation : Paris, Opéra, 16 avril 1849. Interprètes : Pauline Viardot-Garcia, Jeanne-Anaïs Castellan, Gustave Roger.

L'INTRIGUE : En Hollande, au XVIe siècle, au temps de la révolte des anabaptistes.
Acte I. Jean de Leyde (ténor) et Berthe (soprano) demandent au comte d'Oberthal son consentement à leur mariage. Le comte, amoureux de Berthe, refuse et convoque la jeune fille dans son château. Elle obéit, mais se fait accompagner de la mère de Jean, Fidès.
Acte II. Les anabaptistes proposent à Jean de se joindre à eux, lui prédisant qu'il deviendra roi. Berthe réussit à s'enfuir et part à la recherche de son fiancé. Mais le comte retient Fidès prisonnière et menace de la tuer si Berthe ne revient pas.
Acte III. Le camp des anabaptistes. Les rebelles et Jean de Leyde, leur nouveau prophète, décident de donner l'assaut au château. Le fils du comte d'Oberthal s'est mêlé aux anabaptistes. Reconnu, il va être mis à mort lorsqu'il est sauvé par Jean, qui apprend de lui que Berthe et Fidès se sont évadées. Les deux femmes maudissent les anabaptistes qui ont dévoyé Jean, et Berthe jure de tuer le prophète.
Acte IV. Trois anabaptistes trahissent le prophète, maintenant assiégé dans le château de Munster. Berthe, apprenant que le prophète et Jean ne sont qu'une seule et même personne, se donne la mort. Jean, plutôt que de se rendre, fait sauter le château, où il trouve la mort avec sa mère et les ennemis venus pour l'arrêter.

■ Le point de départ de l'opéra est un épisode historique : le couronnement à Munster, en 1535, de Jan Neuckelzoon (Jean de Leyde chez Meyerbeer). *Le prophète*, comme d'autres opéras du compositeur allemand, privilégie la force dramatique et les ensembles choraux au détriment de l'étude des personnages. L'opéra eut un immense succès jusqu'au début du XXe siècle, et fut chanté par les plus grands interprètes, comme le Polonais Jean de Reszke et les Italiens Caruso et Martinelli.

LUISA MILLER

Mélodrame tragique en trois actes de Giuseppe Verdi (1813-1901). Livret de Salvatore Cammarano (1801-1852), d'après la pièce Kabale und Liebe, *de Friedrich Schiller (1759-1805). Première représentation : Naples, théâtre San Carlo, 8 décembre 1849. Interprètes : Marietta Cazzaniga, Salandri, Settimo Malvezzi, Achille De Bassini.*

LES PERSONNAGES : Luisa Miller (soprano) ; Rodolfo (ténor) ; le comte de Walter (basse) ; Miller (baryton) ; Wurm (basse).

L'INTRIGUE : Au Tyrol, dans la première moitié du XVIIe siècle.
Acte I. Luisa Miller et Rodolfo s'aiment. Mais le jeune homme est le fils du comte de Walter, qui a arrangé pour lui un riche mariage. Rodolfo n'entend cependant pas renoncer à Luisa, et il menace son père de révéler qu'il a tué un de ses cousins pour s'emparer de son titre et de ses biens.
Acte II. Miller, père de Luisa, a été arrêté pour s'être opposé aux injustices du comte. Sa vie est en danger. Le châtelain Wurm, amoureux de Luisa, parvient à la convaincre d'écrire, pour sauver son père, une lettre où elle déclare ne pas aimer Rodolfo mais accepter son amour par intérêt. Wurm fait parvenir cette lettre à Rodolfo qui, bouleversé, est prêt désormais à accepter l'union voulue par son père.
Acte III. Luisa, après avoir sacrifié son amour pour sauver son père, ne veut plus vivre. Elle écrit un testament où elle raconte la vérité. Miller, à force de tendresse, la dissuade de se tuer et promet de l'emmener très loin. Comme ils s'apprêtent à partir, survient Rodolfo, qui veut savoir si la lettre infamante est vraie. Luisa, fidèle à sa promesse de ne rien révéler, acquiesce. Rodolfo fait boire à la jeune fille, après lui, un breuvage empoisonné. Comprenant qu'elle va mourir, Luisa lui dit la vérité. Rodolfo a encore la force de tuer le perfide Wurm avant de mourir avec sa bien-aimée.

■ La pièce de Schiller, écrite en 1783 et publiée un an plus tard sous le titre de *Luise Millerin*, est une classique histoire de cape et d'épée. Verdi, bien que sensible à ces atmosphères ténébreuses et dramatiques, a cependant réussi à faire de Luisa un personnage nouveau, délicat, d'une grande finesse psychologique. C'est pourquoi on estime que *Luisa Miller* est le premier opéra de la maturité de Verdi. A l'époque, on considéra déjà qu'il marquait le début d'une deuxième manière du compositeur. Ce jugement fut quelque peu nuancé par la suite, mais il avait sa raison d'être : Luisa Miller, héroïne bourgeoise, était indiscutablement un fait nouveau dans l'opéra. Il faut aussi avoir présent à l'esprit que l'œuvre a été composée en 1849, alors que s'éteignaient les espoirs et les enthousiasmes de la grande révolution européenne, et que partout les tyrans raffermissaient leur pouvoir. Il n'y avait plus guère de place pour l'élan d'optimisme patriotique qui avait rendu célèbres les chœurs de Verdi. Ce qui explique un certain repli dans l'intimisme, même si le mot « repli » s'applique mal à Verdi : en effet, cette première approche tout en délicatesse d'un caractère féminin est comme l'esquisse du personnage de Violetta. EP

CRISPINO ET LA COMMÈRE (Crispino e la comare)

Melodramma giocoso *en trois actes de Federico (1809-1877) et Luigi (1805-1859) Ricci. Livret de Francesco Maria Piave (1810-1876). Première représentation : Venise, Teatro Gallo a S. Benedetto, 28 février 1850. Interprètes : Carlo Cambaggio (Crispino Tacchetto), Giovannina Pecorini (Annetta), Luigi Rinaldini (Fabrizio), Luigi Ciardi (Mirabolano), Giuseppe Pasi (le comte del Fiore), Angelo Guglielmi (Don Asdrubale), Giavannina Bordoni (Lisetta), Paolina Prinetti (la commère).*

L'INTRIGUE :
Acte I. Une place de Venise. Crispino (bouffe), un pauvre cordonnier, est assis sur un tabouret devant sa boutique. Don Asdrubale (basse), le propriétaire de la maison, poursuit de ses assiduités Annetta (soprano), la femme de Crispino, qui cherche en vain à vendre des journaux pour gagner quelques sous. Le cordonnier proteste, mais s'entend aussitôt rappeler qu'il doit de l'argent à Don Asdrubale. Désespéré, il s'enfuit avec l'intention de se jeter dans un puits. Annetta réussit à se défaire de l'étreinte de Don Asdrubale, et s'échappe. Crispino va se jeter dans le puits, lorsqu'une femme en surgit à l'improviste, et le ferme. C'est la commère (mezzo-soprano). Elle veut aider Crispino, et lui promet qu'il deviendra riche et célèbre en s'improvisant médecin. Quand il visitera un malade, celui-ci sera sauvé si la commère n'est pas à son chevet. Crispino, sous les railleries, commence à exercer sa nouvelle profession.
Acte II. Une pharmacie. On amène Bortolo, un maçon tombé d'un toit. Le docteur Fabrizio (baryton) pense qu'il est condamné. Crispino, n'apercevant pas la commère, déclare qu'il va le sauver. A la suite d'opérations compliquées, le maçon revient à lui, au grand étonnement de l'assistance.
Acte III. Une place de Venise. La maison de Crispino a été magnifiquement reconstruite. Lisetta (soprano), nièce de Don Asdrubale, est gravement malade. On appelle Crispino. En entrant dans la chambre, il aperçoit la commère au côté d'Asdrubale. Il annonce alors que Lisetta sera sauvée, mais que son oncle mourra. En effet, celui-ci est peu après victime d'une syncope, tandis que Lisetta guérit. Inévitablement, le cordonnier finit toutefois par s'enorgueillir de ses succès, de sa renommée, de sa richesse. Un jour, alors qu'il se dispute avec sa femme, la commère apparaît. Crispino la chasse, l'insulte, et affirme qu'il n'a plus besoin de son aide. La commère lui touche alors l'épaule, et il tombe évanoui sur une chaise. Puis il s'enfonce dans un souterrain où la commère lui révèle qu'elle est la Mort et lui annonce

que son heure est venue. Crispino demande pardon, et émeut la commère, qui lui permet de retourner auprès de sa famille. Crispino revient à lui peu après. Il est entouré de sa femme, de ses fils et de quelques amis. Il promet sincèrement à Annetta, tout heureuse d'avoir retrouvé son mari, de changer de vie.

■ On peut sans aucun doute considérer *Crispino et la commère* comme le meilleur opéra des deux frères Ricci. La valeur théâtrale de ce travail est probablement due à la contribution de chacun des deux frères : Luigi avait une imagination très fertile, tandis que Federico possédait la technique et le style. Il est difficile, dans ces conditions, d'établir ce que l'on doit attribuer à chaque frère. Luigi et Federico Ricci savaient que *Crispino et la commère* était leur chef-d'œuvre, et il est intéressant de noter que Luigi en attribuait les meilleures parties à Federico, et réciproquement. L'opéra est très plaisant et bien équilibré, aussi bien en ce qui concerne le texte et l'action scénique que dans l'écriture musicale. Celle-ci doit beaucoup à la verve mélodique de l'école napolitaine, mais n'est pas dénuée d'invention harmonique, et l'orchestration est de très bon goût.
RB

LA TEMPÊTE
(La tempesta)

Opéra en trois actes de Jacques Halévy (1799-1862). Livret d'Eugène Scribe (1791-1861) traduit en italien par P. Giannone, d'après le drame de William Shakespeare (1611). Première représentation : Londres, Her Majesty's Theatre, 8 juin 1850.

■ Le livret de cet opéra, qui ne reprend qu'une partie seulement de la tragédie de Shakespeare, avait d'abord été écrit pour être mis en musique par Félix Mendelssohn-Bartholdy.

GENEVIÈVE
(Genoveva)

Opéra en quatre actes de Robert Schumann (1810-1856). Livret de Robert Reinick, d'après l'œuvre de Friedrich Hebbel (1813-1863) et Ludwig Tieck (1773-1853). Première représentation : Leipzig, Stadttheater, 25 juin 1850. Interprètes : Adèle Rémy, M. Vergnet, M. Auguez, Eléonore Blanc, M. Challet.

L'INTRIGUE :
Acte I. Pour rejoindre l'armée de Charles Martel, qui se bat contre les Sarrasins, le comte Siegfried a confié son épouse, Geneviève, au fidèle Golo. Mais celui-ci tombe amoureux de la jeune femme, et l'embrasse tandis qu'elle est évanouie. Marguerite, une magicienne nourrice de Golo, a assisté à la scène. Pour se venger d'avoir été chassée du château, elle se propose d'aider Golo à conquérir Geneviève, et suscite l'hostilité de la cour contre la châtelaine.
Acte II. Golo avoue son amour à Geneviève, mais est fermement éconduit. Sur le conseil de Marguerite, il parvient à convaincre Drago, par un mensonge, de pénétrer en cachette dans la chambre de la jeune femme. Il lui affirme

qu'il trouvera dans cette pièce la preuve que Geneviève trahit Siegfried. Pendant ce temps, Marguerite calomnie publiquement Geneviève, et les gens du château, habilement poussés par Golo, entrent dans sa chambre où ils surprennent Drago. On le tue, et l'épouse prétendument infidèle est conduite en prison.
Acte III. A Strasbourg, Siegfried est blessé. Marguerite accourt pour le guérir, puis l'invite dans sa masure, où il pourra voir le passé et le futur dans un miroir magique. Le héros refuse. Mais Golo arrive, et raconte ce qui s'est passé au château. Pour en avoir la preuve, Siegfried regarde dans le miroir, et aperçoit Geneviève qui tend les bras à Drago. Furieux, il casse le miroir et se précipite au château mais l'image de Drago apparaît dans les débris du miroir : il menace Marguerite et lui ordonne de révéler sa perfidie.
Acte IV. Les gens de Siegfried conduisent Geneviève dans la forêt, où elle doit être exécutée. La malheureuse châtelaine prie la Vierge. Golo n'a pas renoncé, et lui propose de lui sauver la vie, si elle accepte de fuir avec lui. Mais il essuie un nouveau refus. Les soldats s'apprêtent à tuer la jeune femme, quand sonnent les trompettes qui annoncent l'arrivée de Siegfried. Il a appris la vérité et accourt pour sauver son épouse, qu'il ramène triomphalement au château. Hindulfus, évêque de Trèves, bénit à nouveau l'union des deux époux.

■ *Genoveva* est le seul opéra de Schumann. Le choix du livret ne fut pas très heureux. Écrit par le peintre et poète Reinick, à la demande de Schumann lui-même, il fut modifié à plusieurs reprises par le musicien. Le texte en reste néanmoins assez faible. Des deux sources dont il est tiré, Schumann avait demandé à Reinick dc privilégier l'œuvre de Hebbel, en s'attachant particulièrement à l'aspect dramatique de ce texte, centré sur le personnage du traître Golo. Or la partition s'attache surtout à la description de la malheureuse protagoniste du drame. Parmi les plus beaux moments de l'opéra, il faut signaler l'ouverture et le duo entre Golo et Geneviève. Mais l'ensemble est alourdi par un trop grand nombre de scènes et d'épisodes, dont l'apparente variété se fond en définitive dans une monotonie un peu conventionnelle. La première représentation, qui ne fut suivie que de deux reprises, fut une grande déception pour Schumann, qui avait mis beaucoup d'espoir dans ce travail, et pensait qu'il allait être une étape fondamentale de sa production artistique. *Genoveva* connut toutefois un certain succès après la fin tragique du compositeur.

RB

LOHENGRIN

Opéra romantique en trois actes de Richard Wagner (1813-1883). Livret du compositeur. Première représentation : Weimar, Hoftheater, 28 août 1850. Interprètes : Carl Beck, Höfer, Rosa von Milde, Feodor Milde, Fastilinger. Chef d'orchestre : Franz Liszt.

Les personnages : Le roi Henri l'Oiseleur (basse) ; Lohengrin (ténor) ; Elsa de Brabant (soprano) ; Frédéric de Telramund, comte de Brabant (baryton) ; Ortrude, la femme de Frédéric (mezzo-soprano) ; le héraut du roi (baryton) ; le frère d'Elsa ; nobles, dames, pages, hommes et femmes du peuple, serviteurs.

L'INTRIGUE : A Anvers, dans la première moitié du xe siècle.
Acte I. Sur les rives du Scheldt. Frédéric de Telramund, poussé par sa femme Ortrude, accuse Elsa de fratricide devant le roi Henri et les nobles du Brabant. En mourant, affirme-t-il, le vieux duc de Brabant lui avait confié ses deux enfants. Mais le frère d'Elsa a mystérieusement disparu un jour au cours d'une promenade dans un bois. Selon Frédéric, Elsa est responsable de la mort de son frère. Il demande qu'elle soit punie, et revendique pour lui-même la succession du duc de Brabant. Elsa refuse de se défendre. Dans une sorte d'extase, elle raconte qu'elle a vu en songe un mystérieux chevalier qui venait la défendre, vêtu d'une armure resplendissante. Le roi fait alors appel au jugement de Dieu : qu'un noble s'avance pour être le champion de la jeune accusée, et il se battra contre Telramund. A la stupeur générale, une nacelle s'approche alors, traînée par un cygne blanc, et un chevalier à l'armure d'argent en descend. C'est Lohengrin ; il renvoie le cygne, et se déclare prêt à défendre l'honneur de la jeune fille. Il ne révèle toutefois pas son identité. S'il gagne, Elsa deviendra sa femme, mais elle ne devra jamais lui demander son nom, ni d'où il vient. Le duel a lieu, et le mystérieux chevalier en sort rapidement vainqueur. Il laisse la vie sauve à Frédéric pour qu'il puisse se repentir. L'innocence d'Elsa est prouvée.
Acte II. Dans le château d'Anvers. Telramund et Ortrude se reprochent mutuellement l'échec de leur complot. Ortrude incite son mari à la vengeance, et lui propose de jeter le trouble dans l'esprit d'Elsa en la persuadant de demander à Lohengrin de lui révéler son identité. Dans la nuit étoilée, la jeune fille apparaît à son balcon pour chanter son bonheur. Ortrude l'adjure de ne pas croire aveuglément le cavalier inconnu. Au lever du soleil, la foule se rassemble pour assister au mariage de Lohengrin et d'Elsa. Les trompettes sonnent, et le héraut annonce le bannissement de Telramund tandis que Lohengrin est fait protecteur du Brabant. Le cortège nuptial s'apprête à sortir de l'église lorsque Ortrude fait irruption et accuse le mystérieux cavalier d'avoir vaincu Telramund grâce à des artifices magiques. Telramund demande à son tour que Lohengrin révèle son nom et son origine. Il se heurte à un refus. Le cavalier ne révélera son nom qu'à Elsa, si elle le lui demande.
Acte III. On accompagne les époux vers la chambre nuptiale. Les propos d'Ortrude préoccupent Elsa. Quel est le nom de son époux, et d'où vient-il ? Elle ne peut se retenir de poser la question fatale, et le chevalier tente vainement de calmer ses angoisses. Telramund surgit à la tête de ses sbires. Il veut tuer son mystérieux rival, mais celui-ci le met sur-le-champ hors de combat. Pourtant, il n'échappera pas à son destin : puisque Elsa le veut, Lohengrin lui révélera son secret en présence du roi et des nobles,

puis la quittera. Sur les rives du Scheldt, l'assemblée s'est réunie. Le chevalier parle : il vient de Montsalvat, une forteresse où une garde de héros protège le Saint Graal, le calice dont Jésus s'est servi lors de la Cène, et dans lequel on conserve le sang du Rédempteur. Les chevaliers du Graal possèdent des pouvoirs surhumains lorsqu'ils viennent parmi les hommes défendre les innocents en danger. Mais si l'on découvre leur secret, ils doivent disparaître et revenir à Montsalvat. Le chevalier s'appelle Lohengrin. Son père, Parsifal, est roi du Graal. Désespérée, Elsa tente en vain de retenir le chevalier qui va la quitter. Le cygne qui doit le ramener à la forteresse apparaît sur les eaux du Scheldt. Ortrude semble triompher, et elle révèle que le cygne est en réalité le frère d'Elsa, qu'elle a ensorcelé. Lohengrin prie. Une colombe descend alors du ciel pour prendre la place de l'oiseau. Celui-ci disparaît dans les eaux, d'où émerge le frère d'Elsa, acclamé par les seigneurs de Brabant. Lohengrin s'éloigne à bord de la nacelle, la tête basse, tandis qu'Elsa tombe évanouie dans les bras de son frère.

■ La réalisation de cet opéra a occupé Wagner de 1845 à 1848. Les sources dont l'artiste s'est inspiré sont nombreuses, mais le cœur de l'intrigue est tiré d'un poème allemand de la première moitié du XIIIe siècle. D'autres éléments proviennent du *Parsifal* de Wolfram von Eschenbach, du *Chevalier du cygne* de Konrad von Würzburg et du *Jeune Titurel* d'Albrecht von Scharfenberg, tous du XIIIe siècle. On a souvent affirmé que, dans le personnage de Lohengrin, Wagner avait voulu symboliser la solitude et l'incompréhension de l'artiste. Lohengrin, si l'on se réfère à ce qu'a écrit le musicien lui-même dans la *Mitteilung an meine Freunde*, personnifie la difficile entreprise de l'artiste, qui cherche sa place dans le monde des humains. Une place qui exige, en contrepartie, une fidélité absolue, comme celle qui est demandée à Elsa. La beauté du chant explique la grande popularité de *Lohengrin*, en particulier dans les pays latins. Il ne fait toutefois aucun doute que *Lohengrin* représente une étape importante dans la réalisation des réformes auxquelles Wagner songeait depuis longtemps. L'aria s'efface ici devant une ligne mélodique continue d'une grande force expressive, en particulier dans le personnage d'Ortrude. RM

STIFFELIO

Opéra en trois actes de Giuseppe Verdi (1813-1901). Livret de Francesco Maria Piave (1810-1876), d'après la pièce, Le pasteur *de E. Bourgeois et E. Sauvestre (1806-1854). Première représentation : Trieste, Grand Théâtre, 16 novembre 1850. Interprètes : Marietta Cazzaniga, Gaetano Fraschini, Filippo Colini, Raineri Dei, Francesco Reduzzi.*

L'INTRIGUE : L'histoire se déroule au début du XIXe siècle, au château de Stankar, en Allemagne. Le pasteur protestant Stiffelio (ténor), persécuté pour ses idées, trouve refuge chez son coreligionnaire, le comte Stankar, dont il épouse la fille Lina (soprano). La jeune femme, en l'absence de son mari, le trompe avec un gentilhomme, Raffaele (ténor). Stankar veut tuer Raffaele pour venger l'honneur de sa famille, mais Stiffelio rappelle que le devoir d'un chrétien est de pardonner, et il accepte le repentir de son épouse.

■ L'opéra eut des problèmes avec la censure, qui le jugea blasphématoire. Une scène où Stiffelio citait les Écritures fut coupée et Verdi dut changer les noms des personnages et les lieux. Le public n'apprécia d'ailleurs pas beaucoup cette œuvre, qui fut plus tard refondue dans *Aroldo*. EP

L'ENFANT PRODIGUE

Opéra en cinq actes de Esprit Auber (1782-1871). Livret d'Eugène Scribe (1791-1861). Première représentation : Paris, Opéra, 6 décembre 1850.

■ C'est le seul opéra d'Auber traitant d'un sujet biblique. Il fut beaucoup joué pendant toute la seconde moitié du XIXe siècle, avec un certain succès (le livret fut traduit en anglais, italien et allemand). Par la suite, il ne fut plus jamais repris. GP

LA DAME DE PIQUE

Opéra en trois actes de Jacques Halévy (1799-1862). Livret d'Eugène Scribe (1791-1861). Première représentation : Paris, Opéra-Comique, 28 décembre 1850.

■ L'opéra, qui s'inspire d'une fameuse nouvelle de Pouchkine, raconte l'histoire du jeune Hermann, obsédé par l'idée d'arracher à une étrange vieille dame le secret d'un jeu de cartes. Après avoir causé la mort de la vieille femme, Hermann, hanté par des cauchemars, devient fou. LB

RIGOLETTO

Mélodrame en trois actes de Giuseppe Verdi (1813-1901). Livret de Francesco Maria Piave (1810-1876), d'après le drame historique de Victor Hugo (1802-1885) Le roi s'amuse *(1832). Première représentation : Venise, théâtre La Fenice, 11 mars 1851.*

LES PERSONNAGES : Rigoletto (baryton) ; le duc de Mantoue (ténor) ; la comtesse de Ceprano (soprano) ; Marullo (baryton) ; le comte de Monterone (basse) ; Sparafucile (basse) ; Gilda (soprano) ; Giovanna (contralto), Maddalena (mezzo-soprano).

L'INTRIGUE : Le duché de Mantoue, à l'époque de la Renaissance.
Acte I. Le duc de Mantoue, jouisseur et libertin, raconte complaisamment, au cours d'une fête, ses nombreuses aventures amoureuses. Il s'éloigne ensuite avec la comtesse de Ceprano. Le bouffon Rigoletto se moque ouvertement du mari de la jeune femme. Au beau milieu de la fête, le comte de Monterone fait irruption, accusant le duc d'avoir séduit sa fille. Il est arrêté, sous les sarcasmes de Rigoletto. Tandis qu'on l'emmène, il maudit le

bouffon. Marullo décide de jouer un tour à Rigoletto en enlevant la jeune fille qui vit recluse chez lui et que tous croient être sa maîtresse. Il ignore que le duc a déjà remarqué Gilda, qui est en réalité la fille de Rigoletto, et qu'il a réussi à s'introduire chez elle pour lui déclarer sa flamme. Gilda, le croyant simple étudiant, n'a pas parlé de sa visite à son père. Sparafucile, un tueur à gages, propose ses services à Rigoletto, qui refuse. Le soir même, les courtisans arrivent devant la maison du bouffon. Lui faisant croire qu'ils en ont après la comtesse de Ceprano, dans la maison voisine, ils lui bandent les yeux et se font même aider par lui à placer une échelle contre le balcon de sa propre maison. Lorsqu'il comprend qu'il a été joué, il est trop tard : la malédiction de Monterone commence à se réaliser.

Acte II. Gilda a été enlevée et est enfermée dans les appartements du duc de Mantoue. Rigoletto, comme si de rien n'était, arrive au palais, toujours railleur, et tente de faire parler les courtisans. Il médite intérieurement une terrible vengeance. Lorsque Gilda se jette dans ses bras, en larmes, avouant s'être laissé séduire par celui qu'elle croyait un simple jeune homme amoureux, Rigoletto décide de faire assassiner son maître par Sparafucile. Gilda implore sa pitié pour le duc, qu'elle aime toujours.

Acte III. Au bord d'une rivière, la nuit. L'orage menace. Dans une auberge louche, Sparafucile explique à sa sœur Maddalena qu'il est payé pour assassiner son prochain client, dont elle ignore que c'est le duc. Celui-ci arrive et fait des avances à Maddalena. Gilda et Rigoletto, cachés, assistent à la scène (le duc chante l'air fameur *La donna è mobile*). Gilda feint d'admettre alors que cet homme mérite le sort qui l'attend. Elle accepte de se déguiser en homme et de se réfugier à Vérone, où son père viendra la rejoindre. Maddalena, après avoir conduit son admirateur dans la chambre, se dispute avec son frère : le jeune inconnu lui plaît trop pour qu'elle le laisse assassiner. Ils décident de tuer à la place le prochain visiteur. Quand Gilda revient, espérant au dernier moment sauver la vie de son amant, elle tombe dans l'embuscade. Sparafucile met le corps de la jeune fille mourante dans un sac qu'il remet à Rigoletto, prêt à savourer sa vengeance. Mais, dans la nuit, on entend la chanson du duc. Rigoletto, horrifié, ouvre le sac et découvre Gilda. Elle n'a que la force de lui demander pardon avant d'expirer, et il s'effondre à ses côtés. La malédiction de Monterone s'est accomplie.

■ La censure de Venise n'autorisa pas l'opéra sous sa forme première, car il portait atteinte à un personnage royal (comme dans la pièce de Victor Hugo). Verdi fut donc obligé de remplacer le roi par le duc de Mantoue. Mais cela ne suffit pas. Les censeurs jugèrent l'histoire de la malédiction impie, les aventures amoureuses trop osées, etc. Le livret dut être tellement remanié qu'il finit par perdre beaucoup de sa signification et que Verdi dut accomplir des prouesses pour conserver au moins les grands axes de l'original. Mais il tira parti, en fin de compte, de cette expérience, car elle l'obligea à accorder plus d'attention au personnage ambigu de Rigoletto, à la fois odieux et pitoyable, qui sert de fil conducteur à l'opéra. C'est donc bien un pas en avant dans la conception dramatique de Verdi. Premier opéra de la fameuse « trilogie » (avec *La traviata* et *Le trouvère*), *Rigoletto* déplace le centre traditionnel du mélodrame, du seigneur au bouffon grotesque et difforme. La psychologie de ce dernier est analysée en profondeur, en opposition avec celle de l'autre roturier, Sparafucile. Cependant, la critique estima que la psychologie de Verdi paraissait « puérile » en comparaison de celle de Wagner. Stravinsky corrigea plus tard ce verdict, voyant dans *Rigoletto* « plus d'invention véritable ». Verdi chercha, dans cette œuvre, à éviter la division classique en arias, récitatifs et duos, aspirant à l'unité formelle, que Boito saura si bien réaliser avec ses admirables adaptations de Shakespeare. ET

SAPHO

Opéra en trois actes de Charles Gounod (1818-1893). Livret d'Émile Augier (1820-1889). Première représentation : Paris, Opéra, 16 avril 1851.

L'INTRIGUE : En Grèce, Sapho (mezzo-soprano) remporte un concours de chant pour l'ouverture des Jeux olympiques, au grand enthousiasme du public, contre son très talentueux rival Alcée (baryton). Phaon (ténor), amant de Glycère (soprano), tombe amoureux de la poétesse et lui déclare sa flamme. Cependant, Lesbos est opprimée par le tyran Pithéas, et Phaon organise une conspiration pour restaurer la liberté. Glycère l'apprend et menace Sapho de dénoncer Phaon si elle ne le quitte pas. Sapho se résigne et Phaon retourne auprès de Glycère, qui fait passer la poétesse pour une femme inconstante et bavarde. Celle-ci subit, sans pouvoir se défendre, les violents reproches de Phaon. Elle monte alors sur un rocher surplombant la mer et, après un déchirant chant d'adieu, se jette dans les flots.

■ Ce premier opéra de Gounod bénéficia, lors de sa création, de l'excellente interprétation de Pauline Viardot dans le rôle de Sapho. Il n'eut cependant pas grand succès, car la musique, à part quelques passages d'une grande sensibilité, manque de force dramatique. *Sapho* est toutefois un moment clef de la carrière de Gounod, car c'est à partir de cette œuvre qu'il se consacra à l'art lyrique. Sa rencontre avec Pauline Viardot fut décisive à cet égard et d'ailleurs, l'opéra fut composé dans sa propriété de Brie, où Gounod était invité avec sa mère. Une réédition de *Sapho* en quatre actes et comportant quelques modifications dans la partition fut donnée à l'Opéra de Paris le 2 avril 1884. LB

LE JUIF ERRANT

Opéra en cinq actes de Jacques Halévy (1799-1862). Livret d'Eugène Scribe (1791-1861) et J. H. Vernoy de Saint-Georges

(1801-1875). Première représentation : Paris, Opéra, 23 avril 1852.

L'INTRIGUE : A Anvers, en 1190. Le Juif errant, Ashavérus, a arraché une de ses descendantes, Irène, à des bandits. Il l'a ensuite confiée à Théodora, une pauvre femme. Celle-ci se met en route pour Constantinople, afin de rendre l'enfant à son père, l'empereur Baudoin. Elle apprend en chemin que l'empereur est mort, et s'arrête en Bulgarie. L'enfant grandit, entourée de l'affection de Théodora et de son jeune frère Léon, qui croit qu'Irène est sa sœur. Celle-ci est un jour enlevée et emmenée à Constantinople pour y être vendue comme esclave au nouvel empereur, Nicéphore. Ashavérus apparaît alors et révèle l'ascendance impériale de la jeune fille. Elle est proclamée impératrice et le sénat souhaite qu'elle épouse Nicéphore. Mais Irène refuse, car elle aime son frère adoptif Léon. Nicéphore essaie alors de faire assassiner son rival, mais Ashavérus intervient une nouvelle fois pour le sauver. Puis l'Ange exterminateur apparaît et rappelle au Juif errant sa triste destinée : « Marche, marche, marche toujours ! »

■ Halévy donne libre cours à son imagination dans cet opéra, comme précédemment dans *La Juive*, bien que la trame soit ici historique. L'œuvre se caractérise par des effets scéniques spectaculaires, une musique majestueuse et une certaine emphase dramatique. L'opéra n'obtint cependant pas le même succès que *La Juive*, malgré une similitude due à l'argument. LB

SI J'ÉTAIS ROI

Opéra bouffe en trois actes d'Aldolphe-Charles Adam (1803-1856). Livret A. P. d'Ennery et J. Brésil. Première représentation : Paris, Théâtre-Lyrique, 4 septembre 1852.

■ Cette œuvre, très appréciée en France et à l'étranger au XIXe siècle, est presque totalement tombée dans l'oubli, reprise seulement de loin en loin en France. GP

LE TROUVÈRE (Il trovatore)

Drame en quatre actes de Giuseppe Verdi (1813-1901). Livret de Salvatore Cammarano (1801-1852), d'après la tragédie espagnole El trovador, *d'Antonio Garcia Gutierrez (1812-1884). Première représentation : Rome, Teatro Apollo, 19 janvier 1853. Interprètes principaux : R. Penco (Leonora), Goggi (Azucena), C. Baucardé (Manrico), G. Guicciardi (le comte de Luna).*

LES PERSONNAGES : Leonora (soprano) ; Ferrando (basse) ; Inès (soprano) ; Manrico (ténor) ; le comte de Luna (baryton) ; Azucena (mezzo-soprano).

L'INTRIGUE : En Espagne, au XVe siècle.
Acte I. Le capitaine de la garde du comte de Luna, Ferrando, raconte à ses soldats comment, vingt ans auparavant, une gitane, qui avait jeté un sort à l'ancien comte, avait été brûlée vive. La fille de la bohémienne, pour se venger, avait enlevé un des fils

du comte et l'avait, pensait-on, jeté sur le bûcher de sa mère. Dans le château, Leonora confie à Inès qu'elle a été troublée par le chant d'un trouvère sous ses fenêtres. Justement, sa voix résonne au loin, et Leonora sort pour aller à sa rencontre. Mais elle est arrêtée par le comte de Luna, qui la courtise assidûment. Comprenant que Manrico, le trouvère, est son rival, il le provoque en duel.
Acte II. Blessé au cours du duel, Manrico est retourné au camp des gitans pour se soigner. Sa mère Azucena lui raconte l'horrible supplice infligé par le père du comte à son aïeule. Dans son exaltation, elle parle aussi d'un enfant jeté au feu, mais s'arrête brusquement, craignant de se trahir. Manrico la presse de questions, mais en vain. A ce moment, on apprend que Leonora, croyant que Manrico a été tué, a décidé de prendre le voile. Le trouvère part en toute hâte pour empêcher sa bien-aimée d'entrer au couvent. De son côté, le comte de Luna se prépare à enlever Leonora. Manrico arrive à temps pour la sauver.
Acte III. Azucena est arrêtée et Ferrando la reconnaît : c'est la fille de la vieille gitane brûlée vive, qui a enlevé le frère du comte. Celui-ci décide qu'elle périra aussi au bûcher. Cette nouvelle parvient à Manrico alors qu'il s'apprête à épouser Leonora. Il vole au secours de sa mère.
Acte IV. La généreuse tentative de Manrico a échoué. Il est jeté dans un cachot avec sa mère et doit être décapité au matin. Leonora, pour les sauver, promet au comte de se donner à lui. Mais, pour ne pas trahir Manrico, elle boit un poison mortel. Elle va ensuite annoncer aux prisonniers qu'ils vont être libérés. Comprenant le prix qu'elle a dû payer, Manrico la repousse. Mais le poison fait son effet et Leonora expire dans les bras du trouvère. Le comte de Luna, fou de rage, décide de faire exécuter Manrico. Quand celui-ci a été décapité, Azucena révèle au comte la terrible vérité : l'enfant qu'elle a jeté au feu était le sien, et Manrico était le frère du comte. Avec une joie morbide, elle s'écrie : « Ma mère, tu es vengée ! » *(Sei vendicata, o madre)*.

■ *Il trovatore* est le second opéra de la « trilogie populaire », et sans doute le plus conventionnel du point de vue de l'intrigue. Cela ne déplut d'ailleurs pas au public, habitué aux sombres drames romantiques. La musique est en revanche d'une exceptionnelle beauté, même si l'on peut déplorer l'usage purement décoratif du chœur. Le livret fut achevé par L. E. Bardare, après la mort subite de Cammarano. C'est peut-être ce qui explique le caractère assez décousu de l'ouvrage et le flou du personnage principal. Malgré ces handicaps, Verdi écrivit pour *Le trouvère* quelques-unes de ses plus belles pages et à juste titre les plus célèbres. L'air final d'Azucena est saisissant dans sa violence. EP

LA TRAVIATA

Mélodrame en trois actes de Giuseppe Verdi (1813-1901). Livret de Francesco Maria Piave (1810-1876) d'après La dame aux camélias, *d'Alexandre Dumas fils (1824-1895). Première représentation : Venise, théâtre La Fenice, 6 mars 1853. Interprètes : F. Salvini, Donatelli (Violetta), L. Graziani (Alfredo), F. Varesi (Germont). Direction : G. Mares.*

LES PERSONNAGES : Violetta Valéry (soprano) ; Alfredo Germont (ténor) ; Flora Bervoix (mezzo-soprano) ; Annina (soprano) ; Giorgio Germont (baryton) ; Gaston, vicomte de Letorières (ténor) ; le baron Douphol (baryton).

L'INTRIGUE : Paris, au milieu du XIXe siècle.
Acte I. Violetta Valéry, une célèbre demi-mondaine, donne une grande fête pour oublier son angoisse de se savoir gravement malade. Un jeune noble, Gaston, présente à la maîtresse de maison son ami Alfredo, qui est l'un de ses admirateurs. L'attention que montre Violetta à l'égard d'Alfredo n'échappe pas à Douphol, son amant du moment. Alfredo invite Violetta à danser et lui déclare sa flamme. Violetta lui offre un camélia : elle ne reverra Alfredo que lorsque la fleur sera fanée. Quand la fête s'achève, Violetta, déjà très affaiblie, s'aperçoit soudain qu'elle vient de tomber amoureuse pour la première fois de sa vie.
Acte II. Alfredo et Violetta ont quitté Paris et vivent heureux dans une maison de campagne. Alfredo apprend, par la femme de chambre Annina, que Violetta est en train de vendre ses bijoux car il ne lui reste plus d'argent. Il part à Paris pour s'en procurer. Violetta, restée seule, reçoit la visite du père d'Alfredo, Giorgio Germont. Il l'accuse de ruiner son fils, mais Violetta proteste : elle ne lui a jamais demandé d'argent. Giorgio insiste : leur union fait scandale et déshonore son nom. Si elle se prolonge, il ne pourra pas marier sa fille. Violetta, malgré son chagrin, choisit la solution qui lui semble la meilleure pour Alfredo. Elle part sans donner d'explication. On retrouve Violetta à une fête parisienne, à nouveau accompagnée par Douphol. Alfredo est parmi les invités. Il affecte dédaigneusement de ne pas avoir vu Violetta. Le chevalier servant de la jeune femme est prêt à le provoquer en duel. Violetta conjure Alfredo de s'en aller et lui avoue qu'elle a promis de ne plus le revoir, lui laissant croire que c'est à Douphol qu'elle a fait cette promesse. Alfredo, perdant son sang-froid, lui jette au visage l'argent qu'il vient de gagner au jeu pour ne plus rien lui devoir. Son père, qui vient d'entrer, lui reproche sévèrement d'avoir offensé publiquement une femme ; mais, malgré son émotion, il ne lui dit pas la vérité.
Acte III. La maladie qui mine Violetta s'est beaucoup aggravée. La jeune femme ne peut plus quitter son lit. Elle reçoit une lettre de Germont, qui a décidé de tout dire à Alfredo. Celui-ci, bouleversé, accourt au chevet de Violetta. La malheureuse craint de ne pas vivre jusqu'a son arrivée, car elle se sait perdue. Il est enfin là, près d'elle, et elle est partagée entre la joie de l'avoir retrouvé et la mort qui l'étreint déjà. Elle expire entre les bras d'Alfredo, sous les yeux de Germont plein de remords, dans un climat douloureux adouci cependant par la beauté et la pureté de l'amour.

■ Un an après la création de *La traviata*, Verdi fit représenter l'œuvre, à Venise toujours, au théâtre San Benedetto, en transposant l'action au XVIIe siècle pour complaire au public. Troisième opéra de la « trilogie populaire » de Verdi, *La traviata* est peut-être la plus belle étude psychologique de tout le théâtre lyrique romantique. L'intrigue respecte fidèlement le roman de Dumas fils, à l'exception des noms (Violetta s'appelait dans le roman — et la réalité puisqu'elle a existé — Marguerite Gautier, et Alfredo se nommait Armand Duval). On fit à l'opéra de Verdi les mêmes critiques qu'au roman : l'histoire de cette prostituée de luxe se sacrifiant par amour et posée en victime de la société allait à l'encontre de la morale de l'époque, qui aurait accepté tout au plus sa rédemption. Mais Verdi n'en était plus au manichéisme : depuis *Luisa Miller*, il se passionnait pour les psychologies subtiles, les personnages complexes et fragiles. Cette nouvelle approche est sensible dans la musique dès le début du l'opéra : il n'y a pas à proprement parler d'ouverture, mais un prélude qui annonce l'ambiance générale du drame (un autre prélude introduit le troisième acte). De nouveau, comme dans *Rigoletto* et *Il trovatore*, le personnage principal domine l'opéra. Pour *La traviata*, il ne s'agit pas seulement d'un choix artistique, mais aussi d'une préoccupation personnelle de Verdi : sa compagne, Giuseppina Strepponi, était gravement malade et — resté veuf une fois déjà — il craignait de la perdre. De même, le souci de respectabilité et le côté moralisateur du personnage de Germont font sans doute référence aux médisances qui entouraient Giuseppina Strepponi qui, avant d'épouser Verdi — après plusieurs années de vie commune — avait été la maîtresse de l'imprésario Merelli, dont elle avait eu un enfant. EP

L'ÉTOILE DU NORD

Opéra en trois actes de Giacomo Meyerbeer (1791-1864). Livret d'Eugène Scribe (1791-1861). Première représentation : Paris, Opéra-Comique, 16 février 1854.

L'INTRIGUE : C'est l'histoire d'une paysanne russe, Catherine, qui, vêtue en homme, s'engage dans l'armée du tsar à la place de son frère. Elle a l'occasion de rendre service au souverain en lui révélant un complot qui se trame contre lui. Le tsar s'éprend de la jeune fille, et l'épouse.

■ Meyerbeer réutilisa dans cet opéra des morceaux composés pour un singspiel, *Ein Feldlager in Schlesien*, écrit à l'intention de la soprano suédoise Jenny Lind, surnommée le Rossignol. Cet opéra fut choisi pour l'inauguration du Théâtre royal de Berlin, le 7 décembre 1844, puis fut remanié sous le titre de *Lielka*. *L'étoile du Nord* fut représenté en Italie pour la première fois à Milan, au Teatro alla Cannobiana, le 30 avril 1856. SC

ALFONSO ET ESTRELLA (Alfonso und Estrella)

Opéra en trois actes de Franz Schubert (1797-1828). Livret de

F. von Schober. Première représentation : Weimar, 24 juin 1854. Opéra composé entre septembre 1821 et février 1822.

L'INTRIGUE : Mauregato s'est emparé du trône de Troila, qui s'est réfugié dans les montagnes avec quelques fidèles et son fils Alfonso. L'usurpateur est tourmenté par le souvenir de ses méfaits et sa seule joie dans la vie est sa fille, la jeune et belle Estrella. Au cours d'une partie de chasse, la jeune fille s'égare dans la forêt et rencontre par hasard Alfonso. Ils s'éprennent l'un de l'autre, mais Estrella a un prétendant, un général de son père, le méchant Adolfo. Celui-ci se voyant refuser la main de la jeune fille, décide de se venger en complotant contre la couronne. Quand la conjuration semble devoir l'emporter, Alfonso arrive en libérateur, et est reconnu héritier légitime du trône. Il épouse Estrella et son vieux père pardonne le mal qu'on lui a fait. Seul Adolfo est mis en prison et tout s'achève dans l'allégresse générale.

■ Le livret de cet opéra est assez médiocre. Schubert écrivit pourtant pour ce texte sans grande valeur une musique ravissante, notamment le finale du premier acte. L'œuvre comporte des mélodies admirables, qui annoncent les thèmes propres à l'opéra allemand des décennies suivantes.
RB

LES VÊPRES SICILIENNES

Drame en cinq actes de Giuseppe Verdi (1813-1901). Livret de C. Duveyrier et Eugène Scribe (1791-1861). Première représentation : Paris, Opéra, 13 juin 1855. Interprètes : S. Cruvelli, L. Guyemard, L. M. Obin, S. Sauvier.

LES PERSONNAGES : La duchesse Hélène (soprano) ; Henri, un jeune Sicilien (ténor) ; Guy de Montfort, gouverneur de Sicile (baryton) ; Jean de Procida, chef des patriotes siciliens (basse) ; le comte de Vaudemont (basse) ; Ninette (contralto) ; Daniel (ténor léger) ; Thibault (ténor) ; Robert (basse) ; Manfred (ténor).

L'INTRIGUE : Palerme, 1282.
Acte I. La grand-place. Les Français occupent la Sicile. La duchesse Hélène, sœur de Frédéric d'Autriche qui a été exécuté, est en lutte contre l'occupant. Elle provoque un soulèvement populaire, mais le gouverneur français, Guy de Montfort, parvient à rétablir le calme. Hélène est amoureuse d'Henri, un jeune Sicilien, qui vient la rejoindre en sortant de prison, car il a refusé fièrement de se battre pour les Français.
Acte II. Hélène et Henri ont une entrevue avec le chef des patriotes siciliens Jean de Procida, secrètement rentré d'exil. Il leur annonce que Pierre d'Aragon est prêt à intervenir en Sicile s'il y a un début d'insurrection. Henri déclare son amour à Hélène, qui lui demande de venger son frère. Le jeune homme est arrêté après avoir dédaigneusement repoussé une invitation du gouverneur.
Acte III. Montfort apprend, par une lettre d'une femme qu'il avait séduite autrefois, qu'Henri est son fils. Il le convoque et lui révèle la vérité : Henri, bouleversé dans son patriotisme, sent

qu'il va perdre l'amour d'Hélène. Il est forcé d'accepter de se rendre au bal masqué organisé par les Français (qui donne prétexte à un long ballet d'une demi-heure). Hélène et Procida sont là, masqués, pour assassiner le gouverneur. Henri sauve la vie de son père et les conspirateurs sont arrêtés.
Acte IV. La forteresse où sont enfermés les rebelles. Hélène a pitié d'Henri quand il lui explique qui est Montfort, mais Procida ne lui pardonne pas sa trahison. Entre-temps, le gouverneur accepte de gracier les prisonniers si Henri le reconnaît publiquement comme son père. Henri s'exécute et on annonce ses prochaines noces avec Hélène. Une amnistie est accordée pour l'occasion.
Acte V. Dans les jardins du palais, on prépare le mariage. Mais Procida dévoile à Hélène qu'au premier son de cloches, les Siciliens se soulèveront et attaqueront le palais. La jeune femme veut alors empêcher le massacre en refusant de se marier. Mais le gouverneur, usant d'autorité, exige que la cérémonie ait lieu au plus vite. Il fait sonner les cloches et c'est le signal de l'insurrection, sur laquelle s'achève l'opéra.

■ L'opéra, traduit en italien par Fusinato et Caimi, fut présenté au théâtre ducal de Parme le 26 décembre 1855 et à la Scala de Milan le 4 février 1856, sous le titre de *Giovanna di Guzman*. Verdi n'était pas très satisfait du livret original et, d'autre part, le public français ne montrait guère d'enthousiasme pour la partition, trop éloignée des conceptions meyerbeeriennes dominantes sur les scènes parisiennes. Verdi trouvait en particulier que l'histoire d'amour s'insérait mal dans le contexte historique, ce qui allait à l'encontre de ses conceptions dramatiques exigeant en général que les motivations politiques et sentimentales des personnages soient intimement liées. L'opéra obtint malgré tout un succès exceptionnel et Verdi fut invité à s'installer à Paris, ce qu'il refusa. EP

ROUSSALKA

Opéra en trois actes d'Alexandre Dargomyjsky (1813-1869). Livret de l'auteur d'après le poème d'Alexandre Pouchkine (1832). Première représentation : Saint-Pétersbourg, Théâtre impérial, 16 mai 1856. Interprètes : Petrov, Bulachova, Leonova.

L'INTRIGUE : Natacha, la fille d'un meunier, est séduite puis abandonnée par un prince, dont elle attend un enfant. Désespérée, elle se jette dans le fleuve Dniepr et se transforme en « roussalka », c'est-à-dire en ondine. Le meunier devient fou de douleur. Le prince, lui, se marie. Quelques années plus tard, Natacha envoie sa fille, ondine elle aussi, à la recherche de son père. Le prince, attiré par une force irrésistible, arrive au bord du fleuve. La petite ondine lui dit que sa mère l'aime toujours et qu'elle l'attend. Le meunier fou précipite alors le prince dans le fleuve.

■ Après un voyage en Europe dans les années 1844-1845, Dargomyjsky décida d'écrire un opéra national. Mais la réalisation de ce projet lui prit dix ans : le compositeur avait en effet été assez découragé par l'expérience d'*Esméralda* ; d'autre part, il entreprit de longues recherches sur le folklore russe, et enfin, de réelles difficultés de mise en scène retardèrent la sortie de l'ouvrage. *Roussalka* fut finalement monté en 1856, avec peu de succès, puis repris périodiquement en Russie et à l'étranger. L'opéra est encore aujourd'hui au répertoire en Union soviétique. *Roussalka* constitue un net progrès, par rapport à Esméralda, sur le plan de la recherche d'une forme de récitatif mélodique chère à Dargomyjsky. Le texte de Pouchkine est respecté assez scrupuleusement par rapport à la version de Dvořak.

LES MASQUES
(Tutti in maschera)

Opéra en trois actes de Carlo Pedrotti (1817-1893). Livret de Marcelliano Marcello, inspiré de la comédie L'impresario delle Smirne *de Carlo Goldoni. Première représentation : Vérone, Teatro Nuovo, 4 novembre 1856.*

L'INTRIGUE : Abdalah, richissime imprésario turc, de passage à Venise, veut emmener à Damas une troupe de musiciens du théâtre La Fenice. Seule Vittoria, la prima donna, n'est pas séduite par l'offre d'Abdalah, car elle veut rester auprès de son bien-aimé, le chevalier Emilio. Elle finit pourtant par accepter de partir, pour convaincre Dorotea, une autre cantatrice, qu'elle n'est pas sa rivale, comme celle-ci le croit à cause d'un quiproquo. Emilio est cruellement déçu. Entre-temps, il intercepte un billet adressé par Abdalah à une dame inconnue lui donnant rendez-vous pendant un bal masqué qui doit avoir lieu à La Fenice. Craignant que la dame en question ne soit Vittoria, il décide de se rendre au bal déguisé en Turc et de se faire passer pour Abdalah. Vittoria ne le reconnaît pas et, croyant parler à l'imprésario, elle lui demande de la libérer du contrat qui la lie car son plus cher désir est de demeurer auprès d'Emilio, qu'elle aime. Les deux amants se réconcilient ainsi et la troupe s'embarque pour la Turquie sans Vittoria.

■ Cet opéra est, de l'avis unanime, le meilleur de tous ceux qu'a composés Pedrotti. Il fut joué pendant très longtemps à l'Athénée de Paris sous le titre *Les masques*. L'œuvre présente des moments de grand effet comique et spectaculaire, comme par exemple le bal masqué et le chœur du Carnaval. MSM

SIMON BOCCANEGRA

Mélodrame en trois actes de Giuseppe Verdi (1813-1901). Livret de Francesco Maria Piave (1810-1876), d'après la pièce d'Antonio Garcia Gutierrez (1812-1884). Première représentation : Venise, théâtre La Fenice, 12 mars 1857. Interprète principal : Le baryton Leone Giraldoni.

LES PERSONNAGES : Simon Boccanegra (baryton) ; Jacopo Fiesco (basse) ; Gabriele (ténor) ; Amelia (soprano) ; Paolo (basse) ; Pietro (baryton) ; le capitaine (ténor) ; une servante (mezzo-soprano).

L'INTRIGUE : L'action se déroule à Gênes au XIVe siècle. Prologue. L'ancien corsaire Simon Boccanegra est élu doge grâce aux manœuvres de Pietro et de Paolo. Il épouse la fille du patricien Fiesco, mais celle-ci meurt, laissant une fille qui disparaît un jour mystérieusement.
Acte I. Vingt-cinq ans plus tard. Fiesco a élevé une enfant trouvée, Amelia, qui est en réalité la fille de Simon Boccanegra. Gabriele Adorno, fils d'une famille patricienne, est amoureux de la jeune fille. Boccanegra, de son côté, voudrait la marier à son fidèle ami Paolo. Amelia demande à Gabriele de l'épouser sur-le-champ pour ne pas être obligée d'épouser Paolo. Mais le doge, voyant un portrait de sa défunte femme conservé par Amelia, comprend qu'elle est sa fille et renonce à son projet. Entre-temps, Gabriele est arrêté pour meurtre après avoir arraché Amelia à une tentative d'enlèvement. La jeune fille accuse Paolo d'être à l'origine du rapt manqué.
Acte II. Gabriele, emprisonné, est convaincu par Paolo qu'Amelia est la maîtresse de Simon Boccanegra. Sortant de prison, il tente d'assassiner le doge. Amelia l'en empêche et lui révèle que ce dernier est en réalité son père. Mais Paolo a fait boire à Simon un poison à effet lent.
Acte III. Les guelfes de Gênes se soulèvent contre le doge, mais Gabriele, qui soutient désormais Simon, réussit à calmer les esprits. Le doge, cependant, agonise, tué par le poison. Paolo, démasqué, est exécuté. Simon Boccanegra bénit le mariage de sa fille avec Gabriele avant d'expirer. Le jeune homme lui succède, réconciliant enfin les factions rivales.

■ Le livret de Piave fut mal accueilli, et Verdi demanda quelques années plus tard à Boito de le réécrire. Celui-ci ne fut guère plus heureux, l'histoire étant assez médiocre en elle-même. La nouvelle version fut représentée à la Scala le 25 mars 1881. A vrai dire, le premier livret avait plus été l'œuvre de Verdi que de Piave. Le compositeur avait écrit une ébauche en prose qu'il avait soumise au théâtre La Fenice, et le travail de Piave avait consisté uniquement à mettre le texte en vers. La partition est nettement meilleure. Le personnage de Boccanegra est l'une des grandes réussites de Verdi. Il symbolise l'homme politique intègre aux prises avec les trahisons, l'incompréhension, l'inconstance, qui sont le lot du pouvoir. EP

AROLDO

Drame lyrique en quatre actes de Giuseppe Verdi (1813-1901). Livret de Francesco Maria Piave (1810-1876), version remaniée de Stiffelio. *Première représentation : Rimini, Teatro Nuovo, 16 août 1857. Interprètes : Marcellina Lotti, Giovanni Pancani, Carlo Poggiali, Giovanni Battista Cornago, Gaetano Ferri. Direction : Angelo Mariani.*

LES PERSONNAGES : Aroldo (ténor) ; Mina (soprano) ; Egberto (baryton) ; Briano (basse) ; Godvino (ténor) ; Enrico (ténor) ; Elena (mezzo-soprano).

L'INTRIGUE : L'action se déroule au XIIIe siècle. Un chevalier saxon, Aroldo, rentre des croisades. Il découvre que sa femme Mina ne porte plus une bague qu'il lui avait donnée. Celle-ci, pendant son absence, a été la maîtresse d'un chevalier errant, Godvino, qui était l'hôte de son père, Egberto. Briano, un ermite ami d'Aroldo, lui révèle la trahison de Mina. Le chevalier part alors pour une retraite solitaire. Plusieurs années plus tard, Mina et son père sont jetés par une tempête non loin du refuge d'Aroldo. Les époux se reconnaissent et le chevalier pardonne à Mina le mal qu'elle lui a fait.

■ Verdi avait souvent songé à réutiliser la musique de *Stiffelio*, mal adaptée au livret d'origine. Piave insistait pour que le héros soit cette fois un croisé. Verdi se laissa difficilement convaincre, mais finit par accepter les raisons du poète. Au cours d'une des dernières répétitions, le chef d'orchestre Mariani s'inquiéta de la mauvaise exécution du passage de la tempête par l'orchestre. Mais Verdi prit la défense des musiciens : c'était sans doute la scène elle-même qui n'était pas bonne, expliqua-t-il. En une nuit, il la réécrivit complètement, pour la satisfaction de tous. EP

LE MÉDECIN MALGRÉ LUI

Opéra-comique en trois actes de Charles Gounod (1818-1893). Livret de Jules Barbier (1825-1901) et Michel Carré (1819-1872) d'après la comédie de Molière (1666). Première représentation : Paris, Théâtre-Lyrique, 15 janvier 1858.

L'INTRIGUE : Pour se venger de son mari Sganarelle, buveur et violent, Martine le fait passer pour médecin devant une maison où se trouve une jeune fille très malade. Contraint d'accepter ce rôle, Sganarelle s'improvise médecin et singe les manies de cette profession. Il réussit en outre à présenter comme pharmacien l'amoureux de la jeune fille, à qui l'on avait fermé la porte de la maison. La malade guérit aussitôt, retrouve la santé et la parole, et épouse son bien-aimé, tandis que Sganarelle, au vu des excellents résultats qu'il a obtenus, continue d'exercer la profession de médecin.

■ Sur les traces de Molière, et avec l'aide de deux habiles librettistes, Gounod a réussi à rendre avec goût dans cet opéra-comique l'atmosphère du XVIIe siècle. Malgré les qualités de la partition, l'ensemble est toutefois assez froid, même si quelques pages — le duo entre Sganarelle et Martine ou le sextuor de la consultation — ne manquent pas d'entrain. Les effets musicaux sont souvent habiles : dans les « couplets de la bouteille » que chante Sganarelle, l'effet d'imitation est obtenu grâce à une structure rythmique exécutée par les cors, les bassons, les clarinettes et les flûtes. L'opéra, peut-être parce qu'il manquait d'une véritable *vis comica*, n'obtint pas un grand succès. Il fut en revanche bien accueilli à Londres, où il fut représenté à Covent Garden, le 27 février 1865, sous le titre *The mock doctor.* LB

JONE ou LE DERNIER JOUR DE POMPÉI (Jone o l'ultimo giorno di Pompei)

Opéra dramatique en quatre actes d'Errico Petrella (1813-1877). Livret de Giovanni Peruzzini, tiré du roman de E. G. Bulwer-Lytton, The last days of Pompei. *Première représentation : Milan, théâtre de la Scala, 26 janvier 1858. Interprètes : Albertini-Boucardé, Carmelina Pooh, Ricciardi, Carlo Negrini. Direction : Cavallini.*

Les personnages : Arbace, égyptien, grand prêtre d'Isis ; Jone (soprano) ; Glauco, un Athénien (ténor) ; Nidia, une esclave ; Burbo, l'aubergiste, ancien gladiateur ; Sallustio et Clodio, de jeunes praticiens, amis de Glauco ; Dirce, esclave de Jone ; un prêtre d'Isis ; une esclave éthiopienne. Le chœur et quelques petits rôles.

L'intrigue : A Pompéi, en l'an 79 de notre ère. Jone aime Glauco, un jeune et riche Grec. Mais elle est aimée de l'Égytien Arbace, grand prêtre d'Isis, qui met au point un piège, avec la complicité de l'aubergiste Burbo, pour la soustraire à Glauco. Burbo sait que la jeune Nidia, esclave de Jone, est secrètement amoureuse de Glauco. Il lui propose donc d'administrer à celui-ci un philtre qui lui fera oublier Jone tandis qu'il brûlera d'amour pour elle. Mais le philtre a un tout autre effet. Glauco semble devenir fou et exalte le vin et les plaisirs en présence de Jone. Amère et déçue, celle-ci se fait conduire par Arbace dans le temple d'Isis pour y prier. Mais le prêtre égyptien tente de la séduire. Nidia, cachée, assiste à la scène, et comprend d'un coup le mal qu'elle a involontairement provoqué. Elle appelle alors Glauco qui, fou de jalousie, tente de tuer le prêtre ; ce qui lui vaut d'être condamné à être dévoré par les fauves. Le peuple réussit toutefois à obtenir sa grâce, au moment où l'on ressent les premières secousses du tremblement de terre qui annonce l'éruption du Vésuve. Glauco et Jone courent vers la mer se mettre à l'abri. Nidia, désespérée que Glauco ne partage pas son amour, reste pour mourir.

■ La première représentation de *Jone* à la Scala fut un véritable fiasco, dû à un concours de circonstances malheureuses, et notamment à la mise en scène bâclée de l'imprésario Marzi. Les costumes étaient démodés et les décors déplorables. L'éruption du Vésuve était rendue par quelques feux de Bengale. Le 10 juillet de la même année, *Jone* fut représenté à Padoue. On dut cette fois renoncer à la célèbre marche funèbre, la fanfare qui devait l'exécuter étant partie pour le champ de bataille. Mais le public fit malgré tout un véritable triomphe à Petrella. L'opéra connut en revanche un nouvel échec, le 9 novembre 1858, au théâtre San Carlo de Naples.

MSM

LE BARBIER DE BAGDAD (Der Barbier von Bagdad)

Opéra en deux actes de Peter Cornelius (1824-1874). Livret du compositeur, d'après les Milles et une nuits, *sur une intrigue déjà utilisée pour deux* singspiel *de G. André (1780) et Hattasch (1793). Première représentation : Weimar, Hoftheater, 15 février 1858. Direction : Franz Liszt.*

L'INTRIGUE : Le jeune Nureddin (ténor) languit d'amour pour Margiana (soprano), fille du gouverneur. Son amie d'enfance Bostana (mezzo-soprano) lui promet de lui faire rencontrer la jeune fille. A cette occasion, il fait venir un barbier : c'est Abul Hassan (basse), un bavard qui le soûle de ses potins. Nureddin réussit finalement à entrer dans la maison de sa bien-aimée. Abul le suit en secret. Le gouverneur (ténor) est allé prier à la mosquée, mais il revient à l'improviste pour punir une esclave. Nureddin se cache dans une caisse. Abul craint que le jeune homme ait été assassiné. Il proteste et exige qu'on appelle le calife (baryton) en personne. Nureddin est finalement retrouvé dans sa caisse, et le gouverneur doit céder aux pressions du calife : les deux jeunes gens obtiennent la permission de se marier. Quant à Abul, le gouverneur le prend à son service pour qu'il le distraie par ses histoires extraordinaires.

■ Il s'agit du premier opéra composé par Cornelius. Il fut mis en scène à la cour de Weimar par son ami Franz Liszt, qui avait la charge de directeur de théâtre. Or ce fut un échec, dû surtout à une suite de cabales qui entraînèrent bientôt la démission de Liszt. L'œuvre, vite retirée de l'affiche, ne fut plus jamais exécutée du vivant du compositeur. *Le barbier de Bagdad* fut ensuite repris le 1er février 1884, à Karlsruhe, réorchestré par F. Mottl, et devint alors assez populaire. Il fut à nouveau repris en 1926 au Metropolitan Opera de New York. L'œuvre, très brillante, peut être considérée comme la meilleure comédie allemande après *Les Maîtres chanteurs de Nuremberg* de Wagner. A noter : un intermède inspiré de l'appel du muezzin à la prière. MS

ORPHÉE AUX ENFERS

Opéra féerique en quatre actes et douze tableaux de Jacques Offenbach (1819-1880). Livret d'Hector Crémieux et Ludovic Halévy (1833-1908), remanié par les auteurs en 1874. Première représentation : Paris, Bouffes Parisiens, 21 octobre 1858.

L'INTRIGUE : Il s'agit d'une adaptation sur le mode comique du mythe d'Orphée et Eurydice. Orphée est professeur de violon, et Eurydice n'est certainement pas un exemple de fidélité conjugale. Pluton, qui fait partie de ses soupirants, ne veut pas révéler sa véritable identité, et se fait passer pour un certain Aristée, apiculteur. Jupiter est aussi son amant ; pour la rejoindre, il se transforme en mouche et passe par le trou de la serrure. Elle est enfin courtisée par John Styx, fils d'un ancien roi de Béotie, devenu domestique de Pluton. Quand Eurydice meurt, Orphée, qui pourtant la déteste, doit aller la chercher aux Enfers, conformément à la légende. Là, le pauvre Orphée en voit de toutes les couleurs. Les dieux dansent le french-cancan, contestent Jupiter en chantant *La Marseillaise* ou dansent le menuet. A l'issue de ce voyage mouvementé, alors qu'Orphée s'apprête à remonter sur terre avec son Eurydice, Jupiter, pour l'en empêcher, lui donne un bon coup de pied qui l'oblige à se retourner. Eurydice retourne aussitôt aux Enfers, où elle est accueillie dans l'enthousiasme général par une bacchanale frénétique.

■ L'œuvre fut assez mal accueillie lors de la première. *Le Figaro* l'éreinta, et le public se laissa convaincre. Quinze ans plus tard, au contraire, l'accueil fut triomphal. On chercha les allusions, vraies ou supposées, à des personnages et des situations politiques. On chantait dans les rues les airs les plus réussis : le cancan et les galops, dont le rythme — comme l'a écrit Sarcey — « semblait emporter dans son tourbillon le siècle tout entier, gouvernement, institutions, coutumes et lois ». L'heureuse rencontre entre Offenbach, doté d'une solide formation musicale et d'une écriture originale, et les librettistes Crémieux et Halévy, donna naissance à des situations pleines d'ironie, et à un nouveau genre musical, l'opérette, qui désacralisait personnages et styles musicaux au moment où le grand opéra, qui en avait fait un usage démesuré, entrait dans une période de déclin.

SC

UN BAL MASQUÉ
(Un ballo in maschera)

Mélodrame en trois actes de Giuseppe Verdi (1813-1901). Livret d'Antonio Somma (1809-1865) inspiré de Gustave III ou Le bal masqué *d'Eugène Scribe (1791-1861). Première représentation : Rome, Teatro Apollo, 17 février 1859. Interprètes principaux : Julienne Déjean, Zelinda Sbriscia, Leone Giraldoni, Gaetano Fraschini, P. Scotti. Direction : E. Terziani.*

LES PERSONNAGES : Riccardo (ténor) ; Samuel (basse) ; Tom (basse) ; Oscar (soprano) ; Amelia (soprano) ; Renato (baryton) ; Ulrica (contralto) ; Silvano (basse) ; un juge (ténor) ; un serviteur d'Amelia (ténor).

L'INTRIGUE : Boston, à la fin du XVIIe siècle.
Acte I. Riccardo, gouverneur du Massachusetts, donne audience à des personnages importants, parlementaires, officiers, etc. Ses ennemis Samuel et Tom, qui complotent contre lui, sont dans l'assistance. Riccardo reçoit la liste des invités au grand bal masqué qui doit avoir lieu sous peu. Il y voit le nom d'Amelia, la femme de son dévoué secrétaire Renato, dont il est secrètement amoureux. Il éprouve d'autant plus de remords de ce sentiment coupable que Renato lui est cher et qu'il vient de lui rendre grand service en lui révélant le complot ourdi par ses ennemis. Entretemps, un juge annonce qu'un décret d'expulsion a été pris contre la Noire Ulrica, accusée de sorcellerie. Le page Oscar prend sa défense et Riccardo, pour en avoir le cœur net, décide de ren-

dre visite à Ulrica, déguisé en marin. Celle-ci est en train de prédire à Silvano honneurs et fortune. Mais un serviteur lui annonce la venue d'Amelia, et elle exige de recevoir la jeune femme en tête-à-tête. Amelia lui demande un philtre pour se libérer d'un amour qu'elle redoute. Ulrica répond qu'il lui faut pour cela une certaine herbe qui croît la nuit au pied de l'échafaud. Riccardo a tout entendu. Ulrica lui prédit ensuite qu'il mourra de la main d'un ami, le premier qui lui serrera la main. Les compagnons de Riccardo se moquent des prophéties de la vieille femme, mais nul n'ose toutefois serrer la main du gouverneur. Renato, survenant à ce moment, donne, en toute innocence, une poignée de main à son ami.
Acte II. Amelia cueille l'herbe au pied de l'échafaud. Riccardo la surprend et tous deux s'avouent leur amour, et leurs remords. On vient. C'est Renato, qui avertit le gouverneur que les conjurés sont prêts à passer à l'action. Amelia, qui s'était voilée, se découvre le visage lorsque les hommes attaquent, pour les empêcher de commettre leur forfait. Les conjurés s'esclaffent et Renato se croit trahi.
Acte III. Amelia demande en vain pardon à son époux. Sûre qu'une triste fin l'attend, elle embrasse une dernière fois son fils. Renato, pour se venger, a rejoint les conjurés et exige de tuer Riccardo de sa main. Le sort le désigne justement pour commettre l'assassinat. Entre-temps, on reçoit les invitations pour le bal masqué. Amelia essaie de prévenir Riccardo, mais trop tard. Pendant le bal, à la faveur des déguisements, Renato le frappe mortellement. En mourant, Riccardo innocente Amelia et pardonne aux conjurés.

■ Le héros de la pièce de Scribe n'était pas un gouverneur américain mais le roi Gustave de Suède. Le livret original respectait les personnages de la pièce, mais la censure, qui ne tolérait pas l'outrage aux souverains, exigea la transposition de l'intrigue. A Naples, ce fut la censure des Bourbons et, à Rome, celle du pape, qui ne voulait pas voir mis en scène un grand roi catholique. Verdi refusa tout net de céder aux injonctions du censeur napolitain ; mais, à Rome, il accepta de remanier l'œuvre en la déplaçant en Amérique. La première représentation de l'opéra intégral et non censuré n'eut lieu qu'en 1958, à l'Opéra de Paris. Verdi apporta le plus grand soin au livret, qu'il considérait pratiquement comme son œuvre. Il put ainsi exprimer avec élégance et même avec noblesse la tragédie et la passion. Il fit preuve aussi, pour la première fois, d'un certain humour, qui deviendra feu d'artifice dans *Falstaff*, à la fin de sa carrière. L'intérêt porté par Verdi à la restitution des atmosphères « coïncide, selon Mila, avec une attention accrue prêtée à la partie instrumentale, et avec l'usage délibéré de la déclamation musicale ». EP

FAUST

Drame lyrique en cinq actes de Charles Gounod (1813-1893). Livret de Jules Barbier (1825-1901) et Michel Carré (1819-1872), d'après le Faust *de Goethe. Pre-*

mière représentation : Paris, Théâtre-Lyrique, 19 mars 1859. Interprètes : Caroline Miolan-Carvalho, Barbot, Reynald, Balariqué. Direction : M. A. Delêtre.

LES PERSONNAGES : Docteur Faust (ténor) ; Méphisto (basse) ; Marguerite (soprano) ; Valentin, frère de Marguerite (baryton) ; Wagner, élève de Faust (basse) ; Siebel (mezzo-soprano) ; Marthe (mezzo-soprano). Étudiants, soldats, bourgeois, jeunes filles, gens du peuple.

L'INTRIGUE :
Acte I. Le bureau du docteur Faust. Le vieillard médite tristement sur sa vie solitaire et sa jeunesse enfuie. Il s'apprête à boire un poison, lorsqu'un chœur de jeunes filles résonnant au loin le fait changer d'avis. Grâce à des formules magiques, il invoque le diable. Méphisto apparaît et lui offre la jeunesse et les plaisirs en échange de son âme. Comme Faust hésite, Méphisto lui montre l'image de la belle Marguerite. Il se décide alors de conclure le pacte. Transformé en un beau jeune homme, il sort avec Méphisto en quête d'aventures.
Acte II. Sur la place, un jour de kermesse. Valentin, frère de Marguerite, part pour la guerre et confie sa sœur à Siebel, un étudiant épris d'elle. Méphisto interrompt les réjouissances en faisant de sinistres prédictions : à Wagner, un ami de Valentin, il annonce sa mort au combat ; à Siebel, que toutes les fleurs qu'il cueillera se faneront entre ses doigts ; il prédit enfin à Valentin qu'il sera tué par un homme de sa connaissance. Les jeunes gens font reculer le diable en brandissant devant lui leurs épées croisées en guise de crucifix. Au milieu des danses et des chants, entre Marguerite. Méphisto éloigne Siebel et Faust aborde la jeune fille, lui demandant la permission de l'accompagner. Elle refuse, mais Méphisto assure Faust qu'elle lui appartiendra bientôt.
Acte III. Le jardin de Marguerite. Siebel cueille des fleurs pour les lui offrir, mais elles se fanent aussitôt. Il les fait revivre en les aspergeant d'eau bénite, et laisse un bouquet à la porte de Marguerite. Méphisto et Faust arrivent après son départ. Ils se moquent du pauvre présent de Siebel et déposent devant la porte un coffret rempli de bijoux. Marguerite, en rentrant, découvre les bijoux. Elle s'en pare et se trouve ravissante (c'est le fameux *Air des bijoux*). Marthe, sa gouvernante, lui dit qu'il s'agit sans doute du don d'un riche admirateur. Faust et Méphisto se montrent alors. Ce dernier annonce à Marthe la mort de son mari et se met aussitôt à lui faire la cour. Faust déclare sa flamme à Marguerite. La jeune fille lui semble soudain si douce et si pure qu'il veut renoncer à la séduire. Mais Méphisto l'encourage à tenter l'aventure. Dans la nuit, Marguerite, à son balcon, chante son amour pour Faust. Le jeune homme accourt et monte la rejoindre.
Acte IV. A l'intérieur d'une église. Marguerite, qui attend un enfant, essaie de prier, mais Méphisto la tourmente, lui prédisant la damnation éternelle. Valentin revient de guerre, et Siebel essaie de le préparer à la triste nouvelle du déshonneur de sa sœur. Mais il trouve, en arrivant chez lui, Méphisto en train de chanter une

sérénade sarcastique sous les fenêtres de Marguerite. Valentin, apprenant que sa sœur a été séduite par Faust, le provoque en duel. Il est mortellement blessé. Acte V. Le palais de Brocken. Méphisto transporte Faust dans son château où se déroule une bacchanale avec les plus belles et les plus célèbres courtisanes de l'histoire. Mais Faust n'a plus le cœur au plaisir. Il supplie Méphisto de l'emmener auprès de Marguerite. La jeune fille a perdu la raison et a tué l'enfant né de Faust. Elle est emprisonnée, attendant le jugement. Faust lui demande de fuir avec lui. Mais, dans son délire, elle a la force de refuser. Invoquant la miséricorde divine, elle expire. Un chœur séraphique accompagne l'âme de Marguerite qui monte au ciel tandis que Faust, agenouillé, prie.

■ L'opéra, qui s'inspire du poème de Goethe, est centré sur le personnage de Marguerite. Il est même parfois joué en Allemagne sous le titre de *Margarethe*. Depuis son séjour à Rome, en 1839, Gounod avait exprimé l'intention d'écrire un opéra sur *Faust*. Pendant vingt ans, il composa tous les thèmes que lui suggérait l'œuvre de Goethe. En 1857, il chargea J. Barbier d'écrire le livret avec la collaboration de M. Carré, auteur d'un « drame fantastique » tiré de *Faust* que Gounod avait vu jouer au Gymnase en 1850. Pendant les répétitions, le directeur de l'Opéra-Comique et les artistes du Théâtre-Lyrique imposèrent un certain nombre de coupes et de modifications. Gounod a écrit pour *Faust* quelques-unes de ses plus belles pages de musique, exprimant avec une grande délicatesse les tourments et la tendresse de l'âme de Marguerite. Les plus beaux moments sont sans doute la rencontre entre Faust et Marguerite et la chanson du roi de Thulé. A travers la musique de Gounod transparaît une culture nourrie de Palestrina et de Bach, de Mozart et de Beethoven. *Faust* fut un immense succès. Par la suite, Gounod transforma l'œuvre d'opéra-comique en grand opéra, selon son idée première. C'est sous cette forme qu'il est représenté de nos jours, avec des récitatifs à la place des parties parlées en usage au Théâtre-Lyrique. Pour la représentation londonienne de 1864, on rajouta la prière de Valentin dont on entend le thème dans le prélude ; en 1869, fut inséré le ballet du cinquième acte. D'autres morceaux, comme le chœur des soldats, avaient été écrits pour *Ivan le terrible*, resté inachevé, tandis que la prière de Marguerite est inspirée du *Dies Irae* d'un *Requiem* composé en 1842. LB

DINORAH ou LE PARDON DE PLOËRMEL

Opera semiseria *en trois actes de Giacomo Meyerbeer (1791-1864). Livret de Jules Barbier (1825-1901) et Michel Carré (1819-1872). Première représentation : Paris, Opéra-Comique, 4 avril 1859. Interprètes : M. J. Cabel, J. B. Faure, C. L. Sainte-Foy, Bareille, V.A. Warot.*

Les personnages : Dinorah (soprano) ; Hoël, son fiancé (baryton) ; Corentin, un berger (ténor) ; un chasseur ; un faucheur.

L'INTRIGUE : L'action se passe en Bretagne. Dinorah, folle de douleur d'avoir été abandonnée le jour de ses noces, parcourt la campagne à la recherche de son bien-aimé Hoël. Elle arrive à la cabane de Corentin et s'y endort. Hoël y vient, lui aussi, mais Dinorah, dans son délire, ne le reconnaît pas. Hoël raconte alors à Corentin comment un terrible orage a détruit sa pauvre chaumière le jour même de son mariage. Il a alors préféré partir à la recherche d'un trésor dont il avait entendu parler plutôt que d'obliger sa jeune femme à vivre dans la misère. Corentin part avec Hoël à la chasse au trésor. Ils le découvrent enfin, mais aucun des deux ne veut y toucher le premier, de peur d'être puni par les esprits qui le gardent. Dinorah survient à ce moment. Hoël, croyant qu'il s'agit d'une apparition, s'enfuit. Corentin en profite pour demander à la jeune fille de toucher au trésor. Dinorah tombe évanouie et Hoël, revenu de sa frayeur, se précipite à son secours. Revenant à elle, Dinorah a tout oublié : l'abandon le jour de ses noces et l'année d'errance à la recherche d'Hoël. Celui-ci s'empresse de confirmer qu'il ne s'est rien passé, et tous deux se dirigent vers l'église de Ploërmel pour s'y marier.

■ Bien qu'il ne s'agisse pas d'un drame historique, son genre de prédilection, Meyerbeer réussit avec *Dinorah* une œuvre élégante et de bon goût. Il a pallié la minceur du livret par des airs ravissants comme *Dors, petite, dors tranquille,* à l'acte I, et *Ombres légères* à l'acte III.

RITA ou LE MARI BATTU

Opéra en un acte de Gaetano Donizetti (1797-1848). Livret de Gustave Vaëz. Première représentation (posthume) : Paris, Opéra-Comique, 7 mai 1860. Interprètes : Warot, Barielle, Faure-Lefebvre.

L'INTRIGUE : Rita (soprano), propriétaire d'une auberge suisse, a épousé Gaspard, un marin, qui, le jour même de leurs noces, l'a battue comme plâtre et s'est enfui au Canada. Elle apprend un peu plus tard que le navire de son mari s'est perdu en mer. Rita peut donc se remarier et choisit cette fois le brave et timide Beppe (ténor). Maintenant, c'est elle qui le bat. Mais voici que Gaspard revient, contre toute attente. Condamné à reprendre sa femme, il se procure leur contrat de mariage et le déchire, au grand soulagement de Rita. Il repart ensuite pour toujours, non sans avoir prodigué des conseils à Beppe sur la manière d'éviter de se faire battre par sa femme.

■ Cet opéra, connu aussi sous le titre de *Deux hommes et une femme,* fut composé en 1841. Il ne reçut pas l'accueil enthousiaste des œuvres plus célèbres de Donizetti, et ne fut monté en Italie qu'en 1876, à Naples. MS

BEATRIX ET BENEDICT

Opéra en deux actes d'Hector Berlioz (1803-1869). Livret du compositeur d'après la pièce de Shakespeare Beaucoup de bruit pour rien. *Première représenta-*

tion : Baden-Baden, théâtre Benazet, 9 août 1862.

■ *Beatrix et Benedict,* opéra-comique proche du répertoire bouffe italien, est la dernière composition de Berlioz, qui connut immédiatement un immense succès. Le texte fut presque aussitôt traduit en allemand. Toutefois, cet opéra ne fait pas partie du répertoire de Berlioz joué à l'étranger ou en France, où la première représentation n'eut lieu que le 4 juin 1890. GP

LA FORCE DU DESTIN
(La forza del destino)

Mélodrame en quatre actes de Giuseppe Verdi (1813-1901). Livret de Francesco Maria Piave (1810-1876), d'après Alvaro ou La force du destin, *drame espagnol d'Angel de Saavedra, duc de Rivas (1791-1865). Première représentation : Saint-Pétersbourg, Théâtre Impérial, 10 novembre 1862. Interprètes : C. Barbot, C. Nantier-Didiée, E. Tamberlick, L. Graziani, A. De Bassini, G.F. Angelini.*

Les personnages : Leonora (soprano) ; Don Alvaro (ténor) ; Don Carlo (baryton) ; le marquis de Calatrava (basse) ; Preziosilla (mezzo-soprano) ; Frère Melitone (basse comique) ; le Père Guardiano (basse) ; Curra (mezzo-soprano) ; un alcade (basse) ; maître Trubuco (ténor) ; un chirurgien militaire (basse).

L'intrigue : Vers le milieu du XVIIIe siècle, en Espagne, puis en Italie.
Acte I. Don Alvaro tente d'enlever Leonora, fille du marquis de Calatrava, mais il est surpris par le maître de maison, qui lui refuse la main de sa fille, car il n'est pas de son rang. Alvaro se déclare seul coupable et innocente Leonora : il jette à terre son pistolet. Mais le coup part accidentellement et tue le marquis. En mourant, celui-ci maudit sa fille.
Acte II. Leonora part à la recherche d'Alvaro. Vêtue en homme, elle entre dans une auberge. La gitane Preziosilla s'aperçoit du stratagème, mais ne fait rien pour trahir Leonora. Le frère de cette dernière, Carlo, se trouve aussi dans l'auberge. Il cherche les amoureux fugitifs pour les tuer tous les deux. Leonora se réfugie au couvent de la Madonna degli Angeli. Elle est accueillie par le Frère Melitone et conduite au Père supérieur. Celui-ci sera seul à connaître sa véritable identité. La jeune fille se retire dans un ermitage, non loin du couvent, et les moines se chargent de protéger sa tranquillité et son secret (chœur *La Vergine degli Angeli*).
Acte III. La guerre éclate en Italie entre les Espagnols et les Autrichiens. Don Alvaro, sous un faux nom, combat dans les rangs franco-espagnols, non loin de Velletri. Il est convaincu que Leonora est morte. Au cours d'une bataille, il sauve la vie d'un de ses compatriotes. C'est Don Carlo qui, sans le reconnaître, signe avec lui un pacte de fraternité. Blessé, Don Alvaro lui remet un portrait en lui demandant de le détruire. Carlo reconnaît alors Leonora et comprend qu'Alvaro est l'homme qui a tué son père. Dès que celui-ci est remis de ses blessures, il le pro-

voque en duel. Ils ont à peine croisé le fer qu'une ronde les oblige à fuir. Le jour se lève sur le camp. Vivandières et soldats vaquent à leurs occupations matinales.

Acte IV. Le couvent. Dans le cloître, les pauvres attendent le repas que distribue Frère Melitone. Parmi les moines se trouve un nouveau venu, Père Raffaele, qui n'est autre qu'Alvaro. Don Carlo réussit à le retrouver et le défie une nouvelle fois. Avant le combat, Raffaele se défroque pour ne pas commettre un sacrilège. Le duel tourne à l'avantage de Don Alvaro et Don Carlo, mortellement blessé, demande un confesseur. Alvaro entre alors dans l'ermitage tout proche pour chercher un prêtre. Il découvre Leonora. Celle-ci accourt au chevet de son frère qui, dans un ultime effort, la transperce de son épée, assouvissant ainsi sa terrible vengeance. Elle expire dans les bras d'Alvaro, tandis que le Père supérieur lui donne l'extrême-onction.

■ Verdi n'était pas satisfait du livret. Piave étant malade, il demanda à Antonio Ghislanzoni (1824-1893) de le réécrire. Ghislanzoni était un curieux personnage, membre du mouvement littéraire milanais de la *scapigliatura*, médecin, chanteur lyrique puis journaliste et homme de lettres. Plein d'esprit, il déclare que, dans le finale, « les morts s'entassaient vraiment trop » (effectivement, dans la version de Piave, Alvaro mourait aussi) et décida de le laisser survivre. C'est sa version de *La forza del destino* qui est chantée aujourd'hui. La première de l'opéra remanié eut lieu à la Scala de Milan, le 27 février 1869, dans une mise en scène de Verdi lui-même. Cette deuxième mouture satisfit davantage le compositeur et lui causa moins d'ennuis que la première : en effet, à Saint-Pétersbourg, il avait dû affronter les intrigues de musiciens jaloux, et la maladie de la Barbot, sa *prima donna*, qui retarda d'un an la sortie de l'opéra. A Milan, le public italien lui fit au contraire un véritable triomphe. EP

FERAMORS

Opéra en deux actes d'Anton Grigoriévitch Rubinstein (1829-1894). Livret de J. Rodenberg, d'après Lalla Rookh, *de Thomas Moore. Première représentation : Dresde, Hoftheater, 24 février 1863.*

L'INTRIGUE : Il s'agit d'un conte oriental, qui narre les amours de la princesse hindoue Lalla Rookh. Promise en mariage au roi de Boukhara, la princesse s'éprend, au cours du voyage, d'un beau chanteur nommé Feramors. Obligée de le quitter, elle est présentée à son futur époux, somptueusement vêtue mais en larmes : quelle n'est pas sa joie en reconnaissant Feramors, qui n'était autre que le roi !

■ *Feramors* est la plus plaisante des œuvres profanes de Rubinstein. Les ballets, quelques danses et des chœurs sont encore fréquemment repris en concert. L'élément oriental a certainement séduit le compositeur, mais l'histoire est sans grand intérêt et la tonalité particulière est traitée de façon très conventionnelle.

RB

LORELEI
(Die Lorelei)

Opéra en quatre actes de Max Bruch (1838-1920). Livret d'Emanuel Giebel. Première représentation : Mannheim, Hoftheater, 14 juin 1863.

■ Le livret avait été écrit pour Mendelssohn, qui n'acheva jamais la partition. MS

LES PÊCHEURS DE PERLES

Opéra en trois actes d'Alexandre César Léopold Bizet, dit Georges Bizet (1838-1875). Livret d'E. Cormon et M. Carré (1819-1872). Première représentation : Paris, Théâtre-Lyrique, 30 septembre 1863. Interprètes : M. Morini, M. Guyat, M. Ismael, Léontine de Maesen.

Les personnages : Nadir (ténor), Zurga (baryton) ; Nourabad (basse), Leïla (soprano) ; pêcheurs, fakirs, prêtres.

L'intrigue :
Acte I. Une plage déserte de l'île de Ceylan, à une époque indéterminée. Les pêcheurs se préparent pour leur saison de travail et réparent leurs cabanes. Zurga est élu chef de la tribu. Arrive Nadir, ami de toujours de Zurga. Ensemble, ils évoquent leur passé, et leur amour commun pour une danseuse sacrée. Tous deux l'avaient quittée pour ne pas compromettre leur amitié. Une barque approche du rivage : ce sont les anciens du village, qui sont allés chercher la jeune vierge dont le chant devra apaiser la mer. La tradition religieuse exige que la jeune fille ait fait vœu de chasteté. Or dans la barque se trouve Leïla, la danseuse dont Nadir et Zurga étaient amoureux.
Acte II. Les ruines d'un temple indien. Leïla se repose. Le grand prêtre Nourabad lui rappelle ses engagements, et elle lui raconte alors comment elle a une fois risqué sa vie pour sauver un étranger. Pour la récompenser, celui-ci lui avait offert un collier. Un peu plus tard, Nadir rejoint Leïla en escaladant les rochers qui surplombent la mer. Les jeunes gens décident de se retrouver là chaque soir. Mais le grand prêtre les découvre et les dénonce aux pêcheurs et à Zurga. Lorsque Zurga reconnaît la jeune fille, pris de jalousie, il condamne les deux traîtres à mort. Une tempête se lève. Les pêcheurs, terrorisés, sont persuadés qu'il s'agit de la vengeance de la mer offensée.
Acte III, première scène. La chaumière de Zurga. Leïla tente vainement de défendre Nadir. Puis elle demande à Zurga d'envoyer son collier à sa mère. Zurga reonnaît le bijou : Leïla, enfant, lui avait sauvé la vie. Deuxième scène. Au bord de la mer. Par reconnaissance envers Leïla, Zurga a décidé de sauver les deux amants en leur permettant de s'enfuir. Pour égarer les pêcheurs qui attendent l'exécution des deux traîtres, il met le feu au village. Mais il est surpris par Nourabad et brûlé sur le bûcher préparé pour apaiser la colère des dieux.

■ L'opéra n'obtint un grand succès que plusieurs années après la mort du compositeur, puis disparut de la scène pour n'être à nouveau représenté qu'en 1938 à la

Scala de Milan. Depuis, il est inscrit au programme des plus grands théâtres du monde. Lors de la création, les critiques avaient reproché à Bizet de trop grandes concessions à Wagner et à Verdi. Berlioz fut l'un des rares à reconnaître immédiatement la qualité de cet opéra, et à voir en lui une expression véritable de la personnalité de Bizet. La partition comporte de superbes mélodies, mais on y retrouve également la maîtrise dramatique du compositeur et son extraordinaire capacité à évoquer musicalement des paysages, des situations et des personnages. MS

LES TROYENS

Poème lyrique en deux parties (La prise de Troie *et* Les Troyens à Carthage) *et cinq actes d'Hector Berlioz (1803-1869). Livret du compositeur, d'après* l'Énéide *de Virgile. Première représentation : Paris, Théâtre-Lyrique, 4 novembre 1863 (seule la seconde partie fut exécutée). Principaux interprètes : M. Charton-Demeur et Maujauze. Direction : Hector Berlioz. Exécution intégrale de l'opéra (en allemand), en deux soirées, les 6 et 7 décembre 1890 au Hoftheater de Karlsruhe. Direction : Felix Mottl.*

LES PERSONNAGES : Énée (ténor) ; Priam, roi de Troie (basse) ; Cassandre (mezzo-soprano) ; Hector (basse) et Polyxène (soprano), les enfants de Priam ; Chorèbe, fiancé de Cassandre (baryton) ; Didon, reine de Carthage (soprano) ; Anna, sa sœur (contralto) ; des chœurs de Troyens et de Carthaginois.

L'INTRIGUE : L'action se déroule à Troie pour la première partie, à Carthage pour la seconde, à une époque indéterminée.
Première partie. Acte I. Les Troyens se réjouissent, les Grecs ont abandonné le siège de Troie. Ils sortent de la ville et trouvent un cheval de bois. Pensant à une offrande à Pallas laissée par les fuyards, ils décident de le transporter à l'intérieur des murs. Mais Cassandre se tient à l'écart de l'enthousiasme général, et prédit de nouveaux malheurs. Pourtant, personne ne l'écoute, et même Chorèbe refuse de suivre son conseil et de s'enfuir.
Acte II, premier tableau. Les Troyens ont ouvert les jeux en l'honneur des dieux, mais la fête est interrompue par Énée qui raconte comment Laocoon, prêtre de Neptune, craignant un piège, a frappé le cheval et a été dévoré par deux serpents. Tous redoutent alors une punition divine. Deuxième tableau. Énée est réveillé par les cris des combattants. Hector lui apparaît et lui demande de fuir.
Acte III. Les femmes, conduites par Polyxène, se réunissent dans le temple de Vesta. Cassandre les incite à se donner la mort avant de tomber aux mains de l'ennemi, et donne l'exemple en se poignardant. Avant d'expirer, elle prédit qu'Énée réussira à se sauver. Suivi de quelques Troyens, il mettra en lieu sûr le trésor de Priam.
Deuxième partie. Acte I. A Carthage. On annonce l'arrivée des Troyens. La reine Didon, bien qu'elle ait promis de rester fidèle à la mémoire de son mari Sichée, s'éprend d'Énée, qui l'a aidée à repousser une invasion numide. Elle l'épouse, mais Mercure

pousse Énée à partir pour l'Italie. Au cours d'une chasse, Didon et le héros se réfugient dans une caverne. Mais des voix mystérieuses ne cessent de répéter le nom de l'Italie.

Acte II, premier tableau. Les fantômes des morts de Troie incitent à nouveau Énée au départ. Le héros tente de convaincre Didon que leur séparation est inévitable.

Deuxième tableau. Rentrée dans ses appartements, la reine demande à Anna de persuader Énée de rester. Au même moment, on annonce que les Troyens sont partis.

Troisième tableau. Didon se poignarde après avoir sacrifié aux dieux. Elle souhaite la vengeance de sa dynastie sur celle d'Énée, mais meurt en ayant le pressentiment du triomphe de Rome.

■ L'opéra fut écrit à l'instigation d'une protectrice du compositeur, la comtesse de Sayn Wittgenstein, une amie de Liszt. Trois années plus tard, à l'issue de la composition, Berlioz écrit à Napoléon III pour que son travail puisse être présenté intégralement à Paris. Mais l'empereur, étant donné la longueur de l'ouvrage, n'autorisa que la représentation de la seconde partie, précédée d'un prologue. *Les Troyens* fut bien accueilli par la critique, mais le public y resta assez indifférent. Ce n'est qu'en 1890 que l'œuvre fut jouée intégralement. Elle est aujourd'hui inscrite au répertoire et régulièrement interprétée.

Berlioz éprouvait pour Virgile une véritable passion qui, conjuguée à son intérêt pour la tragédie, lui a permis de traiter les livres II et IV de l'*Énéide* dans un style qualifié par certains de shakespearien. Le mime, d'une solennité gluckienne, est un élément important de l'œuvre. Dans *Les Troyens*, Berlioz a suivi fidèlement les conceptions d'Eschyle et des grands dramaturges grecs, qui juxtaposaient plusieurs actions dramatiques successives (reliées par un fil conducteur précis). A cette différence près que l'opéra de Berlioz ne comporte que deux parties, alors que les Grecs écrivaient des trilogies. L'acte IV est particulièrement célèbre. On y sent, a-t-on écrit, l'influence de *Didon et Énée* de Purcell. Le bref prologue de la deuxième partie, écrit par le compositeur peu avant la première représentation, est en revanche bâclé et sans grand intérêt. GP

MIREILLE

Opéra en trois actes de Charles Gounod (1818-1893). Livret de Michel Carré (1819-1872) d'après le poème de Frédéric Mistral Mirèio. *Première représentation : Paris, Théâtre-Lyrique, 19 mars 1864 (version en cinq actes) ; 16 décembre 1864 (version en trois actes).*

L'INTRIGUE : En Provence, au printemps. Mireille (soprano), la jolie fille de Ramon (basse), aime le pauvre Vincent (ténor). Taven (mezzo-soprano), amie de la jeune fille, l'avertit que son père la destine à Ourrias (baryton), un homme très riche mais méchant. Mireille avoue à son père qu'elle est amoureuse de Vincent, mais celui-ci lui dit qu'il ne permettra jamais leur mariage. Ourrias, jaloux de Vincent, le blesse grièvement. Mireille se rend à un sanctuaire pour prier et offrir tout ce qu'elle possède pour la guérison de son bien-aimé. Elle marche sous le soleil brûlant jusqu'à l'épuisement et tombe morte.

■ La version définitive en trois actes fut représentée pour la première fois le 16 décembre 1864. Gounod avait écrit l'opéra en deux mois, à Saint-Rémy-de-Provence, en parfaite communion d'esprit avec Mistral, qui vivait non loin de là, à Maillane. Le véritable sujet de cette musique fragile et délicate, c'est le paysage provençal. Si le librettiste a laissé subsister peu de chose du poème de Mistral, la musique recrée au contraire le charme légendaire de la Provence, utilisant d'anciennes chansons folkloriques et médiévales.

LB

LA BELLE HÉLÈNE

Opéra bouffe en trois actes de Jacques Offenbach (1819-1880). Livret d'Henri Meilhac (1831-1897) et Ludovic Halévy (1833-1908). Première représentation : Paris, théâtre des Variétés, 17 décembre 1864.

L'INTRIGUE :
Acte I. A Sparte, la belle Hélène (soprano), préside de grandes festivités. Elle remarque le jeune Pâris (ténor), déguisé en berger, et inconnu de tous sauf de Calchas (baryton). Il lui plaît fort. Pâris remporte les épreuves « destinées aux choses de l'esprit ». Hélène, qui sait qu'elle est le prix offert par Vénus au vainqueur, est tout émue.
Acte II. Hélène explique à Pâris avec une grande sévérité qu'elle ne peut l'aimer, puisqu'elle est l'épouse de Ménélas. Entretemps arrivent au palais Agamemnon (basse), Achille (ténor), Calchas et d'autres héros, qui se mettent à jouer au jeu de l'oie. Calchas, qui triche, est chassé. Hélène se retrouve seule avec Pâris, vêtu en esclave. Ménélas les surprend en train de s'embrasser et ne veut entendre aucune explication. Il entre dans une colère noire, attirant par ses cris ses amis qui tentent de le calmer.
Acte III. Hélène est aux bains de mer à Nauplie. Comme une bonne épouse bourgeoise, elle essaie d'oublier son amourette, mais Vénus ne l'entend pas ainsi. Offensée par Ménélas, qui a troublé ses plans, elle déchaîne dans la ville une véritable épidémie d'infidélité conjugale qui bouleverse la vie spartiate au point qu'Agamemnon et Calchas se rendent en délégation auprès de Ménélas pour qu'il apaise la déesse. Ménélas écrit à Cythère, résidence de Vénus, pour demander une trêve. Un prêtre de Vénus arrive à Sparte et conseille l'envoi d'Hélène à Cythère, où elle devra accomplir un grand sacrifice pour calmer la colère de la déesse. Hélène part donc en compagnie de l'augure pacificateur qui, alors que le bateau quitte la rive, se démasque : c'est Pâris en personne, qui nargue Ménélas en emmenant sa femme.

■ L'opérette, interprétée par l'inégalable Hortense Schneider, eut un succès extraordinaire et fut donnée sept cents soirs de suite. La satire de mœurs et la parodie du théâtre lyrique meyerbeerien étaient manifestes. On en parlait, on en riait, et il se trouvait même des gens pour s'indigner de la désacralisation des héros d'Homère. Cette œuvre est effectivement le chef-d'œuvre d'Offenbach. Elle représente, selon Corte-Pannain « une admirable perfection de forme et de contenu, la satisfaction des moindres exigences du sujet, la plus grande tension dans la plus harmonieuse et complète eurythmie esthétique ». Les reprises récentes ont prouvé qu'un siècle plus tard, l'opéra n'a rien perdu de sa verve. SC

L'AFRICAINE

Opéra en cinq actes de Giacomo Meyerbeer (1791-1864). Livret d'Eugène Scribe (1791-1861). Première représentation : Paris, Opéra, 28 avril 1865. Interprètes : Beval, Castelmary, Marie Battu, Émile Naudin, Joseph Warrot, M. Constance Sass.

LES PERSONNAGES : Don Pedro, président du Conseil royal du Portugal (basse) ; Don Diego, amiral (basse) ; Inès, sa fille (soprano) ; Vasco de Gama (ténor) ; Don Alvaro, conseiller (ténor) ; Nelusko, esclave (baryton) ; Sélika, esclave (soprano) ; le grand prêtre de Brahma (basse) ; Anna, confidente d'Inès (mezzo-soprano) ; le grand inquisiteur (basse) ; officiers, prêtres, Indiens, soldats, etc.

L'INTRIGUE :
Acte I. La salle du conseil du Roi. Don Diego annonce à sa fille Inès sa décision de la marier au président du Conseil, Don Pedro. Inès semble résignée, mais elle est triste car son cœur appartient au navigateur Vasco de Gama, dont on est sans nouvelles. Le Conseil délibère pour savoir s'il faut envoyer des secours à la flotte égarée. Don Alvaro estime que c'est inutile car elle a certainement fait naufrage, selon le témoignage d'un survivant. Celui-ci est en fait Vasco lui-même, qui affirme qu'il est possible de doubler le cap des Tempêtes, et qu'au-delà s'étendent de riches terres inexplorées. Pour prouver ce qu'il avance, le navigateur présente deux esclaves d'une race inconnue, Sélika et Nelusko, originaires de ces contrées. Le grand inquisiteur accuse Vasco d'hérésie et le fait jeter en prison ainsi que les deux esclaves.
Acte II. La prison de l'Inquisition. Vasco, endormi, rêve à ses voyages et à sa bien-aimée Inès. Sélika veille tendrement sur lui, le protégeant de la jalousie de Nelusko. Quand Vasco s'éveille, Sélika lui montre sur une carte géographique l'itinéraire à suivre et lui révèle qu'elle est originaire d'une grande île située au-delà du cap des Tempêtes et qu'elle a été jetée sur les côtes africaines à la suite d'un naufrage. Vasco, ému, l'embrasse, lorsque apparaît Inès, qui apporte l'ordre de libération du navigateur, qu'elle a obtenu en consentant à épouser Don Pedro. Inès croit qu'il ne l'aime plus et c'est en vain qu'il tente de se disculper. Vasco apprend ensuite avec tristesse que Don Pedro, se servant des plans qu'il lui avait remis imprudemment, s'est fait confier le commandement de la prochaine mission d'exploration.

Acte III. Sur le navire amiral de Don Pedro, Inès, Sélika et d'autres femmes se reposent, tandis que Don Pedro consulte les cartes de navigation. Alvaro exprime la crainte que Nelusko, chargé de les piloter, ne les trahisse. Deux navires ont déjà sombré et celui de Don Pedro n'a pu doubler le cap qu'en suivant le sillage d'un bateau inconnu battant pavillon portugais. Don Pedro ne prête pas attention aux inquiétudes de Don Alvaro et met le cap au nord sur les conseils de Nelusko. Une chaloupe envoyée du bateau inconnu aborde le vaisseau. Vasco de Gama en descend. Il vient prévenir Don Pedro des dangers qui l'attendent sur la route du nord. Ce dernier, ne le croyant pas, le fait jeter dans la cale. La tempête qui menaçait éclate alors et le navire en perdition est assailli par des sauvages qui sèment la mort parmi l'équipage. Acte IV. Une plage, avec au fond, des temples et des palais. On célèbre en grande pompe le retour de Sélika, reine du lieu, et de son fidèle Nelusko. Sélika jure qu'elle respectera les lois de ses pères interdisant à tout étranger de fouler le sol de la patrie. Des Portugais, seuls ont survécu les femmes et Vasco, prisonnier dans la cale. Nelusko ordonne que Vasco soit exécuté et que les femmes soient conduites sous un arbre aux émanations mortelles. Sélika sauve la vie de Vasco en le présentant comme son époux. Le grand prêtre de Brahma invoque la protection divine pour les époux. Vasco, plein de reconnaissance, promet à Sélika de rester auprès d'elle. On entend au loin la triste plainte d'Inès. Acte V, premier tableau. Les jardins de Sélika. Inès et Vasco sont surpris ensemble. Sélika se met en colère mais Vasco lui promet qu'il tiendra parole. De toute façon, Inès est catholique et ne sera jamais à lui puisqu'il est l'époux de Sélika. Celle-ci, après mûre réflexion, prend une noble décision : elle rend la liberté aux prisonniers et les fait escorter jusqu'à leur navire. Deuxième tableau. Un promontoire où pousse l'arbre au parfum mortel. Sélika respire les fleurs empoisonnées et s'effondre. Entendant le son du canon qui annonce le départ du vaisseau portugais, elle chante un dernier adieu à son bien-aimé *(D'ici, je vois la mer immense)*. Nelusko, désespéré, tente en vain de l'emmener loin de l'arbre de mort.

■ L'argument est une adaptation fantaisiste de l'histoire de Vasco de Gama, le navigateur portugais qui franchit le premier le cap de Bonne-Espérance. Meyerbeer travailla à *L'Africaine* près de vingt-cinq ans. L'œuvre, commencée en 1838, fut mise de côté une première fois lors de la composition d'*Ein Feldlager in Schlesien* (1844) pour l'inauguration du Théâtre royal de Berlin ; elle fut ensuite reprise et abandonnée plusieurs fois, et Meyerbeer en écrivit, en 1860, une deuxième édition complète. Les répétitions commençaient enfin à Paris lorsque le compositeur mourut, le 23 avril 1863. L'opéra, revu par François-Joseph Fétis, fut monté deux années plus tard et, malgré sa longueur exceptionnelle (près de six heures), fut un succès retentissant. On estima qu'il s'agissait là du chef-d'œuvre de Meyerbeer, au confluent du grand opéra romantique, du mélodrame italien et de l'esprit français. *L'Africaine* est aussi le plus représentatif des grands opéras, genre dont Meyerbeer fut à la fois l'un des créateurs et l'auteur le plus prestigieux. En cc qui concerne les fameuses mesures à seize temps dont on a tant parlé, elles seraient issues tout droit, selon le musicologue G. Giacomelli, d'un prélude-marche pour fifres et tambours joué depuis des temps immémoriaux lors des processions de la semaine sainte à Cagliari. SG

TRISTAN ET ISOLDE
(Tristan und Isolde)

Drame musical en trois actes de Richard Wagner (1813-1883). Livret du compositeur. Première représentation : Munich, Hoftheater, 10 juin 1865. Interprètes : Ludwig Schnorr von Carolsfeld, Malvina Schnorr von Carolsfeld, Zottmayer, Antonio Mitterwurzer. Direction : Hans von Bülow.

Les personnages : Tristan (ténor) ; le roi Marke (basse) ; Isolde (soprano) ; Brangäne, servante d'Isolde (mezzo-soprano) ; Kurwenal, écuyer de Tristan (baryton) ; un marin (ténor) ; un berger (ténor) ; un pilote (baryton). Hommes d'équipage, chevaliers, écuyers.

L'intrigue :
Acte I. Le pont du navire de Tristan pendant la traversée, d'Irlande en Cornouailles. Isolde, fille du roi d'Irlande, repose sous un somptueux baldaquin. Tristan la conduit chez son oncle, le roi Marke de Cornouailles, qui doit l'épouser. Dans la mâture, un marin chante et fait allusion au malheureux destin d'Isolde. La princesse ordonne à sa servante Brangäne de lui amener Tristan, pour qu'il lui renouvelle son hommage avant que l'on aborde. Tristan, profondément troublé en entendant prononcer le nom de la jeune femme, se dérobe. Kurwenal dit ironiquement à la servante d'Isolde que Tristan n'a d'hommage à rendre à personne ; le fiancé d'Isolde, Morold, tué par Tristan, voulait faire payer un tribut au roi Marke : c'est maintenant, au contraire, la princesse d'Irlande qui lui est envoyée pour épouse. Isolde raconte alors à Brangäne son triste secret. Morold a été tué par Tristan qui a ensuite envoyé sa tête à Isolde. La princesse a juré de se venger. Un jour, elle a recueilli un chevalier blessé qui se faisait appeler Tantris. Mais elle a découvert qu'il s'agissait en réalité de Tristan. Prête à le châtier, elle lui a finalement accordé la vie pourvu qu'il ne reparaisse jamais devant elle. Manquant à sa promesse, il est revenu en grande pompe demander la main d'Isolde pour son oncle, le roi de Cornouailles. Ayant achevé son récit, Isolde ordonne à Brangäne de préparer un philtre mortel qu'elle boira en même temps que Tristan. Kurwenal annonce que les côtes de Cornouailles sont en vue et Isolde lui ordonne de faire venir Tristan. Le jeune homme se présente et Isolde lui reproche durement d'avoir manqué de parole. Elle lui dit qu'elle ne l'a sauvé que pour pouvoir se venger sur un homme en pleine possession de ses forces. Tristan, pâle, lui tend son épée pour qu'elle fasse justice. Mais Isolde

refuse, lui offrant de boire ensemble le philtre de la réconciliation. Tristan comprend qu'il s'agit d'un poison, mais il le boit, imité par Isolde. Au lieu de la mort attendue, c'est soudain un émerveillement qui les saisit : le breuvage était un philtre d'amour. Immobiles un instant, ils s'étreignent ensuite passionnément. Dehors, les cris de la foule annoncent l'arrivée du roi Marke.
Acte II. Une claire nuit d'été, dans les jardins du château royal. On entend au loin le son du cor. Isolde, accompagnée de Brangäne, attend anxieusement l'arrivée de Tristan. Celui-ci est dissimulé dans l'ombre. Il attend le signal convenu : lorsque la torche placée près de la porte sera éteinte, il pourra rejoindre sa bien-aimée, Brangäne hésite, craignant les manigances de Melot, un chevalier de Marke secrètement épris d'Isolde. La princesse, n'écoutant que son impatience, éteint elle-même la torche et Tristan se précipite pour la prendre dans ses bras. Enlacés, ils chantent un long hymne à la nuit propice à leur amour. Brangäne, qui veille, les avertit que l'aube est proche mais les amants extasiés ne veulent pas penser aux dangers du jour. Un cri de la servante les glace soudain. Kurwenal arrive en courant pour les mettre en garde, mais trop tard : le roi Marke et Melot font irruption. La partie de chasse était un piège monté par Melot pour surprendre les amants. Marke reproche amèrement à Tristan d'avoir trahi sa confiance. Celui-ci, se tournant vers Isolde, lui demande si elle est prête à le suivre au pays « où n'entre pas la lumière du soleil ». Isolde répond qu'elle le suivra. Tristan provoque alors Melot en duel et se laisse percer de son épée.
Acte III. Le château de Tristan en Bretagne. Le chevalier, mourant, est veillé par son fidèle Kurwenal. La complainte d'un berger leur apprend qu'aucune voile n'est en vue sur la mer. Tristan, s'éveillant, maudit la lumière et se lamente de savoir Isolde vivante en plein jour alors que lui-même glisse déjà vers les ténèbres. Puis il retombe inconscient. Mais la cornemuse du berger annonce enfin l'arrivée du vaisseau d'Isolde. Tristan, fou de joie, arrache son pansement et se précipite à la rencontre de son adorée, dans un ultime effort. Il expire dans ses bras. Sur un autre bateau, Marke et Melot viennent aussi d'arriver. Kurwenal, croyant qu'ils vont attaquer, se jette sur Melot et le tue. Blessé, il meurt aux côtés de son maître. Le roi Marke était en fait venu apporter son pardon. Brangäne lui avait révélé l'histoire du philtre, et il venait réunir les amants. Mais il est trop tard. Isolde ne l'entend déjà plus. Elle chante le suprême chant d'amour pour Tristan *(Liebestod : « Mild und leise wie er lächelt »)* et tombe inanimée sur le corps de son amant.

■ Le texte poétique fut écrit à Zurich en 1857, tandis que la partition fut composée entre 1857 et 1859, d'abord en Suisse puis à Venise, « la ville des cent solitudes profondes », où Wagner s'était retiré après sa douloureuse rupture avec Mathilde Wesendonk. L'argument de *Tristan* est inspiré du poème allemand de Gottfried von Strassburg (XIIIe siècle), lui-même issu d'une ancienne légende celtique. Mais de l'antique poème ne subsistent que les principaux personnages et les grandes lignes de la légende. L'enchantement qui saisit dès les premières notes est d'une autre nature ; il tire son essence des expériences intellectuelles et sentimentales vécues par Wagner pendant les années où il concevait l'opéra. D'une part, le compositeur avait, au cours de cette période, trouvé dans la lecture de Schopenhauer une expression de ses propres idées. Il estimait que la pensée du philosophe lui apportait « la seule possibilité d'espoir », malgré la négation de la volonté de vivre et l'idée que le « point focal » de l'existence est l'éros. D'autre part, il éprouva pendant ces années une ardente passion pour Mathilde Wesendonk, femme d'un industriel suisse chez qui il passa un an, entre l'été 1857 et l'été 1858, dans sa maison de campagne proche de Zurich. Délicate et sensible, Mathilde écrivait des poèmes que Wagner mit en musique dans les *Wesendonk Lieder*, dont les thèmes se fondront dans le grand fleuve sonore de *Tristan*. Leur amour, aussi démesuré qu'impossible, laissa au cœur de l'artiste des stigmates profonds. Les racines de *Tristan* résident dans ces expériences biographiques. L'opéra est un poème à l'amour transcendé par la mort, l'union des amants s'accomplissant dans le non-être. La partie centrale de l'œuvre, ce long duo d'amour dans la nuit, au second acte, où s'exprime si intensément le désir de mort, en est aussi le sommet. C'est, selon Thomas Mann, le plus inspiré des poèmes d'amour. Il est d'un profond romantisme, avec cet hommage à la nuit pure et salvatrice et ces invectives contre le jour et ses illusions. Le chromatisme qui exprime le désir d'amour et de mort, prélude à la rupture de tonalité, le flux musical continu, en font l'opéra le plus révolutionnaire du romantisme finissant et le point de départ de toute la musique moderne. RM

LA FIANCÉE VENDUE (Prodaná Nevĕsta)

Opéra-comique en trois actes de Bĕdrich Smetana (1824-1884). Livret de Karel Sabina (1813-1877). Première représentation : Prague, Théâtre national, 30 mai 1866. Interprètes : T. Rückaufova, E. von Ehrenberg, J. Polàk, J. Kysela, F. Hynek, V. Sebesta.

LES PERSONNAGES : Marenka (soprano) ; Jenik (ténor) ; Vašek (ténor) ; Kecal (basse) ; le père de Marenka (baryton) ; Esméralda (soprano).

L'INTRIGUE :
Acte I. Un village tchèque. C'est la fête paroissiale. Tous les habitants participent à l'allégresse générale. Seule la belle Marenka est triste et pensive. Le jeune homme qu'elle aime est pauvre, et on ne sait rien de sa famille. Il est arrivé au village il y a quelque temps, sans que quiconque sache d'où il venait. Kecal, l'entremetteur du village, a pensé donner à la jeune fille un fiancé plus digne d'elle. Mais Marenka et Jenik se jurent fidélité. Kecal propose aux parents de Marenka de la fiancer à Vašek, le fils cadet de Tobias Micha, riche

marchand d'un pays lointain. Marenka refuse, et avoue qu'elle est liée à un autre homme, auquel elle ne renoncera jamais. Acte II. Une auberge tchèque. Le bègue Vašek arrive au village. Il ne connaît pas Marenka, et tombe dans le piège qu'elle lui tend. Elle lui fait croire que la jeune fille qu'on lui destine n'est pas un bon parti, et que, s'il l'épouse, elle sera capable de le tuer, car elle aime un autre homme. Elle lui promet en revanche de l'épouser, s'il renonce à Marenka. Vašek accepte. Pendant ce temps, Kecal cherche Jenik, et lui propose de renoncer à sa bien-aimée en échange de la somme qui lui a été promise s'il parvient à conclure le mariage. Jenik commence par refuser. Puis il apprend que l'époux promis est le fils de Tobias Micha. Il accepte alors trois cents florins, à la condition expresse que Marenka épouse le fils de Tobias. Acte III. La place du village. Vašek, convaincu de la mauvaise foi de la jeune fille, refuse de signer le contrat de mariage, d'autant plus qu'une troupe de saltimbanques vient d'arriver, et qu'il est tombé amoureux de la ballerine Esméralda. Mais Marenka surgit, furieuse. Elle a appris que Jenik l'a abandonnée, et décide d'obéir à la volonté de ses parents. A cet instant, Jenik se présente et salue respectueusement Tobias Micha et son épouse qui, stupéfaits, reconnaissent en lui leur fils aîné. Jenik peut exhiber le contrat qu'il a passé avec Kecal, et emmener sa bien-aimée.

■ Cet opéra, commencé en mai 1863, fut terminé en mars 1866. A la suite de la première représentation, sous la direction de Smetana lui-même, le compositeur continua à ajouter des airs nouveaux et à apporter des modifications, jusqu'à parvenir à la forme définitive, en trois actes, en 1870. Le 25 septembre de la même année, l'opéra fut présenté pour la première fois dans sa version définitive. Malgré la longueur de la composition, les ajouts et les modifications, qui nuisent d'habitude à la cohérence d'une œuvre, *La fiancée vendue* est d'une remarquable unité de style. Son élaboration difficile a permis au compositeur d'atteindre un équilibre parfait entre une composition originale et un fond assez traditionnel. Au vu d'autres pages de Smetana, ce n'est peut-être pas sa meilleure partition. Mais la façon dont il a su rendre la vie paysanne, de la fête aux problèmes quotidiens du village, a fait généralement considérer *La fiancée vendue* comme son chef-d'œuvre. C'est sans aucun doute le plus beau des opéras tchécoslovaques, celui où le musicien a su le mieux exprimer le génie populaire. RB

MIGNON

Drame lyrique en trois actes d'Ambroise Thomas (1811-1896). Livret de Michel Carré (1819-1872) et Jules Barbier (1825-1901) d'après Wilhelm Meisters Lehrjahre *de Goethe. Première représentation : Paris, Opéra-Comique, 17 novembre 1866. Interprète principale : Celestina Galli-Marié.*

LES PERSONNAGES : Mignon (mezzo-soprano) ; Philine (soprano

léger) ; Wilhelm Meister (ténor) ; Lothaire (basse ou baryton) ; Laerte (baryton) ; Giarno (basse) ; Federigo (ténor ou contralto) ; Antonio (basse) ; dames, bourgeois, valets, gitans, paysans, danseuses.

L'INTRIGUE :
Acte I. A Francfort, dans une auberge où logent deux acteurs, Philine et Laerte, ainsi qu'un vieux musicien des rues un peu fou, Lothaire, arrive une troupe de gitans. L'un d'eux, Giarno, propose de divertir la compagnie en faisant danser à Mignon, une jeune gitane, la danse de l'œuf. Mais Mignon, offensée par les railleries de Philine, refuse de danser. Comme Giarno, menaçant, s'apprête à la punir, Lothaire et un jeune homme, Wilhelm, s'interposent. Mignon, pleine de gratitude, raconte son histoire à Wilhelm. Elle a perdu sa famille et ne garde que le vague souvenir d'un pays chaud, que le jeune homme pense être l'Italie. Ému, il décide d'arracher Mignon aux gitans et de l'aider à retrouver ses origines. La jeune fille semble déjà jalouse de le voir prêter attention à Philine.
Acte II, première scène. Le boudoir de Philine, dans un château où elle doit jouer *Le songe d'une nuit d'été* avec Laerte. Wilhelm et Mignon entrent alors que l'actrice est en train de se préparer. Mignon feint de s'endormir mais surveille du coin de l'œil la cour que Wilhelm fait à Philine. Quand ils sortent, elle revêt une des toilettes de l'actrice, au grand embarras du jeune homme, qui lui dit qu'il ne peut plus la garder avec lui.
Deuxième scène. Dans le parc, Lothaire console Mignon, qui exprime violemment son désir de voir le château brûler avec tous ses invités. La pièce prend fin et Wilhelm sort avec les acteurs dans le parc. Il est désolé d'avoir été cruel envers Mignon. Philine, jalouse à son tour, demande à Mignon de montrer son attachement à son bienfaiteur en allant chercher dans sa loge un bouquet qu'il lui a offert. Mignon est dans le château lorsque éclate soudain un violent incendie : Lothaire a pris au mot les malédictions de Mignon et mis le feu au château. Wilhelm se précipite alors au secours de la jeune fille et la sauve.
Acte III. Salon d'une villa au bord d'un lac. Mignon, conduite en Italie en convalescence par Wilhelm, a repris des forces grâce aux soins de Lothaire. Le serviteur Antonio raconte aux hôtes que ce château appartenait à un homme riche devenu fou après la disparition de sa fille unique et parti un jour sans laisser de traces. Lothaire paraît bouleversé par ce récit. Entretemps, Mignon tremble à nouveau car Philine est arrivée d'Allemagne et risque de lui reprndre le cœur de Wilhelm. Le jeune homme la rassure tendrement lorsque apparaît soudain Lothaire transformé : il a retrouvé la raison et s'est souvenu qu'il était le comte Cipriani, maître de ce château. Il est sûr de reconnaître en Mignon sa fille perdue. En effet, celle-ci se remémore une prière qu'elle récitait étant enfant. Brisée par l'émotion, Mignon s'évanouit dans les bras de Wilhelm et de son père enfin retrouvé.

■ Ambroise Thomas occupe une place importante dans le mouvement de renouveau de la musique française qui se développe vers le milieu du XIXe siècle. Enseignant de grande valeur, il dirige à partir de 1871 le Conservatoire de Paris comme successeur d'Auber. Il voit dans le retour à la grande littérature la possibilité de redonner au théâtre lyrique français le souffle qu'il a perdu. Lui-même compose en 1850 un opéra *Le songe d'une nuit d'été* de Shakespeare et, en 1859, après la sortie du *Faust* de Gounod, il décide de chercher lui aussi l'inspiration chez Goethe. Il compose donc *Mignon,* d'après *Wilhelm Meister* de Goethe, puis, en 1868, *Hamlet* et, en 1882, *Françoise de Rimini. Mignon* est sans conteste son meilleur opéra. La musique est plcine de grâce et d'agrément, même aux moments tragiques. On doit noter que Thomas, délibérément opposé aux fins tragiques, a donné une conclusion joyeuse au drame de Goethe. *Mignon* est la seule œuvre de Thomas à figurer toujours au répertoire dans de nombreux pays. GP

DON CARLOS
(Don Carlo)

Opéra en cinq actes de Giuseppe Verdi (1813-1901). Livret de François-Joseph Méry (1798-1865) et Camille du Locle (1832-1903), d'après la tragédie de Schiller (1759-1805). Première représentation : Paris, Opéra, 11 mars 1867. Interprètes : Costanza Sass, Luigi Gueymard, J. B. Faure, Henry Obin, Morère, A. Castelmary. Direction : F. G. Haynl.

LES PERSONNAGES : Don Carlos, infant d'Espagne (ténor) ; Élisabeth de Valois, reine d'Espagne (soprano) ; Philippe II, roi d'Espagne (basse) ; Rodrigo, marquis de Posa, grand d'Espagne (baryton) ; la princesse Eboli (mezzo-soprano) ; le Grand Inquisiteur (basse) ; un moine (basse) ; le comte de Lerma (ténor) ; un messager (ténor).

L'INTRIGUE : L'action se déroule en France et en Espagne, en 1560.

Acte I. Don Carlos, infant d'Espagne, rencontre à Fontainebleau Élisabeth de Valois, dont il tombe éperdument amoureux. Mais on apprend que le roi de France vient d'accorder la main de la jeune fille à Philippe II, le père de Don Carlos. L'amour des deux jeunes gens est désormais impossible.

Acte II. Des moines prient sur la tombe de Charles Quint. Don Carlos confie sa peine à son ami Rodrigo, qui le conjure de l'accompagner en Flandre, pour y ramener la paix. Carlos fait parvenir un message à Élisabeth, maintenant reine d'Espagne : il veut la voir une dernière fois avant de partir. Leur entrevue est douloureuse. Don Carlos cherche à reconquérir l'amour de la reine, mais celle-ci, consciente de son devoir, est inflexible. Don Carlos s'en va et Philippe II survient presque immédiatement. Trouvant la reine seule, il décide de renvoyer en France sa dame de compagnie, la comtesse d'Aremberg, qui a manqué à sa mission. Puis il révèle à Rodrigo ses soupçons d'un sentiment coupable entre son fils et la reine.

Acte III. Une fête dans les jardins de la reine, à Madrid. Don

Carlos rencontre une femme voilée qui lui a donné rendez-vous. Croyant qu'il s'agit de la reine, il lui déclare à nouveau sa flamme. Mais la femme voilée est en réalité la princesse Eboli, amoureuse de lui : comprenant qu'il aime la reine, elle jure de se venger. Deuxième scène. On conduit au supplice un groupe d'hérétiques flamands. Don Carlos, à la tête d'une délégation de députés flamands, interrompt le cortège royal pour demander au roi de faire cesser les persécutions en Flandre. Le roi les traite dédaigneusement de rebelles, et Don Carlos tire son épée. Rodrigo arrête son geste. Philippe II se montre reconnaissant et le fait duc.
Acte IV. Le roi réfléchit aux déceptions du pouvoir lorsque apparaît le Grand Inquisiteur. Celui-ci lui demande de condamner pour hérésie Don Carlos et Rodrigo, dont il craint la rébellion. Élisabeth entre à cet instant, très préoccupée : on lui a volé son coffret à bijoux. Elle l'aperçoit sur la table de Philippe II. La princesse Eboli, pour se venger, l'a remis au roi, sachant qu'il contenait un portrait de Don Carlos. Pour le roi, le doute n'est plus permis, et il accuse la reine d'adultère. Toutes ses dénégations sont vaines, et le repentir tardif de la princesse Eboli ne lui permet pas de prouver son innocence. Pendant ce temps, dans la prison de l'Inquisition, Rodrigo avoue à Don Carlos qu'il a pris sur lui toute la responsabilité des actes qui leur sont reprochés en montrant les documents compromettants que l'infant lui avait confiés. Don Carlos est bouleversé du sacrifice de son ami lorsque soudain celui-ci reçoit une balle dans le dos et meurt sous ses yeux. Philippe II fait libérer son fils, qui est acclamé par le peuple.
Acte V. Élisabeth est en prière sur la tombe de Charles Quint. Don Carlos vient lui dire un ultime adieu avant de partir pour les Flandres prêcher la liberté. Mais les amants sont surpris par Philippe II et le Grand Inquisiteur, persuadés de leur culpabilité. Carlos va être arrêté lorsque l'âme de Charles Quint s'élève du tombeau et l'emmène.

■ *Don Carlos* est le troisième ouvrage commandé à Verdi par l'Opéra de Paris, après la version française d'*I Lombardi* intitulée *Jérusalem* et *Les vêpres siciliennes. Don Carlos* a d'ailleurs la majesté et l'articulation typique du drame lyrique français. Verdi y atteint les sommets de l'expression dramatique. La composition instrumentale démontre aussi clairement que le musicien était ouvert aux courants européens. *Don Carlos* lui avait été demandé pour la première fois en 1850 par Alphonse Royer et Gustave Vaëz, mais il ne s'intéressa à l'œuvre qu'en 1865, s'engageant alors à la terminer pour l'Exposition de 1867, ce qu'il fit. Il composa *Don Carlos* en cinq actes, en hommage aux traditions françaises, mais cette solution ne le satisfit pas. C'est pourquoi, après l'avoir présenté en Italie dans la traduction d'A. Lauzière (Bologne, Théâtre communal, 27 octobre 1867), il décida de le remanier. En 1883, il acheva une nouvelle version en quatre actes, avec un livret réécrit par Zanardini. L'opéra fut joué sous cette forme à la Scala, en 1884. Du premier acte, seul subsistait l'air *Io la vidi et il suo sorriso.* Verdi, encore insatisfait, écrivit une troisième version en restituant toute son ampleur à l'opéra bien qu'il ait conservé les modifications apportées dans la deuxième version. Mais cette édition définitive n'eut pas le succès de la précédente. Ceci s'explique par la lourdeur des épisodes secondaires ajoutés, par goût du spectaculaire, par un Verdi tout imprégné de l'esthétique du grand opéra. EP

ROMÉO ET JULIETTE

Opéra en cinq actes de Charles Gounod (1818-1893). Livret de Jules Barbier (1825-1901) et Michel Carré (1819-1872), d'après la tragédie de Shakespeare. Première représentation : Paris, Théâtre-Lyrique 27 avril 1867. Interprètes : Caroline Miolan-Carvalho, Michot, Daran.

L'intrigue :
Acte I. Une grande fête dans la maison des Capulet. Roméo (ténor), fils de la famille Montaigu, ennemie des Capulet, est là, masqué, à la recherche de Rosalina, qu'il courtise. Mais il rencontre Juliette, la fille du comte Capulet, et tous deux tombent éperdument amoureux l'un de l'autre. Tybalt (ténor), cousin de Juliette, jure de venger l'affront fait à sa famille par les intrus.
Acte II. Balcon de la maison des Capulet. Roméo s'est introduit dans le jardin avec l'aide du serviteur Stefano (soprano). Il parle avec Juliette, sortie sur le balcon, mais l'intervention des gens des Capulet l'oblige à fuir. Les jeunes gens ont toutefois décidé de se marier secrètement. Juliette fera savoir à Roméo le jour et le lieu de la bénédiction par Frère Laurent, son confesseur, qui les unira.
Acte III. La cellule de Frère Laurent. Sans crainte des conséquences, Frère Laurent (basse) marie les deux jeunes gens. Peu après, Stefano chante sous les fenêtres des Capulet une sérénade moqueuse qui provoque une rixe entre gens des deux maisons ennemies. Roméo, essayant de séparer les combattants, est provoqué par Tybalt. Il refuse toutefois de relever le défi par amour pour Juliette. Mais son meilleur ami, Mercutio (baryton), est mortellement blessé par Tybalt, et Roméo le venge en tuant ce dernier. Capulet (basse), le père de Juliette, apprend de Tybalt mourant que c'est Roméo qui l'a tué, et obtient son bannissement par le duc de Vérone.
Acte IV. Maison des Capulet. Roméo passe la nuit avec Juliette et, à l'aube, lui dit un adieu bouleversant. Après son départ, Capulet annonce à sa fille, en présence de Frère Laurent, qu'elle doit épouser Pâris, comme l'a souhaité Tybalt avant d'expirer. Le frère fait signe à Juliette de ne rien dire puis, lorsqu'ils sont seuls, lui propose un plan désespéré. Il lui fera boire un philtre qui la fera paraître morte et seul Roméo saura qu'il n'en est rien. Dans la chapelle des Capulet, tout est prêt pour le mariage de Juliette avec Pâris quand, soudain, la jeune fille tombe inanimée.
Acte V. Le caveau de famille des Capulet. Juliette, que tous ont cru morte, a été déposée dans le caveau. Roméo, qui n'a pas reçu le message de Frère Laurent, la

trouve sans vie et, fou de douleur, s'empoisonne sur le corps de son épouse. Elle s'éveille à cet instant, mais c'est pour voir Roméo mourir à ses pieds. Elle se transperce alors du poignard de son bien-aimé et meurt avec lui dans une ultime étreinte.

■ La très célèbre histoire des amants de Vérone avait déjà inspiré plusieurs compositeurs, dont Berlioz *(Roméo et Juliette)* et Bellini *(I Capuleti e i Montecchi).* L'argument semblait propre à stimuler un Gounod, et parfaitement adapté à sa sensibilité mélodique. Cependant, l'œuvre est un peu trop théâtrale, malgré des passages d'un grand lyrisme. *Roméo et Juliette* eut toutefois beaucoup de succès et fut donné au Théâtre-Lyrique jusqu'en 1873, puis à l'Opéra. LB

LA JOLIE FILLE DE PERTH

Opéra en quatre actes de Georges Bizet (1836-1875). Livret de J. H. Vernoy de Saint-Georges (1801-1875) et Jules Adenis, d'après The Fair Maid of Perth, *de Walter Scott (1828). Première représentation : Paris, Théâtre-Lyrique, 26 décembre 1867.*

L'INTRIGUE : L'action se déroule à Perth, en Écosse, à la fin du XIVe siècle. Le duc de Rothsay (baryton), fils de Robert III d'Écosse, profitant des fêtes du Carnaval, décide de faire enlever une jeune fille de Perth dont il est épris. Catherine (soprano), est la fille d'un honnête gantier. Henri Smith (ténor), armurier, courtise Catherine, qui réserve sa réponse, selon la tradition, pour le jour de la Saint-Valentin. Ralph (basse), l'apprenti de son père, est aussi amoureux d'elle et attend sa décision. La tentative d'enlèvement organisée par le duc échoue grâce à l'intervention de Mab (soprano), une gitane qui se substitue à Catherine. Le jour dit, celle-ci donne la préférence à Henri. Mais il la repousse dédaigneusement, car il croit qu'elle a cédé au duc. Ce dernier assiste à la scène et, pour se venger d'avoir été berné, se garde bien d'innocenter Catherine, à qui le désespoir fait perdre la raison. Ralph essaie de persuader Henri de la bonne foi de la jeune fille, mais ce dernier le provoque en duel, laissant la Providence décider. Henri est en fait résolu à se faire tuer pour prouver l'innocence de Catherine. Le duc arrive à temps pour empêcher le duel. Le chant d'Henri ramène Catherine à la raison et tout finit pour le mieux.

■ Dans cet opéra, Bizet s'efforce de satisfaire au goût du jour jusqu'à en sembler rétrograde, à la grande déception de la critique qui attendait mieux de lui. Ce fut cependant le seul opéra de Bizet à être bien accueilli du public, du vivant de l'auteur. L'influence de Verdi est très nette dans *La jolie fille de Perth.* MS

MÉPHISTOPHÉLÈS (Mefistofele)

Opéra en un prologue, quatre actes et un épilogue d'Arrigo Boito (1842-1918). Livret de l'auteur d'après Faust *de Goethe. Première représentation : Milan, théâtre de la Scala, 5 mars 1868.*

Interprètes : M. Junca, Spallazi, Raboux, Alessandrini. Direction : Arrigo Boito.

LES PERSONNAGES : Méphistophélès (basse) ; Faust (ténor) ; Wagner (ténor) ; Nereo (ténor) ; Marguerite (soprano) ; Marta (contralto) ; Elena (soprano). Chœurs : promeneurs, étudiants, chasseurs, anges, chérubins, pénitents, chorus mysticus, gens du peuple, bourgeois, sorcières, sirènes, coryphées grecs, guerriers. Danses : *L'Obertas* (acte I) ; *La ronde du sabbat* (acte II) ; *Chorea,* danse grecque (acte IV).

L'INTRIGUE : Prologue. Méphistophélès affirme au Seigneur qu'il saura s'emparer de l'âme de Faust.
Acte I, première scène. Francfort-sur-le-Main, le dimanche de Pâques. La foule est rassemblée pour voir passer le cortège du prince-électeur. Faust et son élève Wagner regardent les danses qui se déroulent sur la place. Au crépuscule, Faust remarque un étrange moine gris qui les suit, et en éprouve une sourde inquiétude : c'est Méphistophélès.
Deuxième scène. Faust, dans son bureau, s'apprête à lire les Écritures lorsque le moine lui apparaît. Jetant son déguisement, il lui révèle qu'il est le diable et lui propose un marché : tous les plaisirs de la vie à l'instant, en échange de son âme après la mort. Faust accepte, espérant éprouver ne serait-ce qu'un moment de joie parfaite.
Acte II, première scène. Faust, rajeuni et se faisant appeler Enrico, courtise l'ingénue Marguerite. Il la persuade d'administrer un somnifère à sa mère pour pouvoir avoir avec lui un rendez-vous nocturne.
Deuxième scène. Méphistophélès a amené Faust sur le mont Brocken pour assister au sabbat des sorcières. Le philosophe est bouleversé par une vision de Marguerite enchaînée avec une marque rouge sur le cou, mais Méphistophélès l'entraîne dans la ronde infernale.
Acte III. Marguerite, devenue folle, est en prison. Dans son délire, elle raconte qu'elle a empoisonné sa mère et noyé l'enfant conçu avec Faust, après que celui-ci l'eut abandonnée. Faust et Méphistophélès apparaissent soudain et lui proposent de fuir. Après un mouvement de joie, elle reconnaît le diable et refuse, horrifiée, d'accepter son aide. Dans un brusque éclair de lucidité, elle implore le pardon divin et tombe morte. Une voix céleste annonce le salut de son âme.
Acte IV. En Grèce, au bord du fleuve Peneyos. Faust a exprimé le désir de voir la belle Hélène (Elena) pour réaliser l'union idéale de la beauté grecque et de la sagesse allemande, de l'esprit classique et de l'âme romantique. Hélène chante ses souvenirs de la longue guerre et de la chute de Troie. Touchée par l'admiration de Faust, elle lui promet son amour et tous deux partent en quête de la sereine vallée d'Arcadie.
Épilogue. Le bureau de Faust. Redevenu un vieillard las, Faust songe avec amertume à la vanité des plaisirs que lui a procurés Méphistophélès ; il sent que sa mort est proche alors qu'il n'a pu atteindre l'instant de bonheur parfait qu'il espérait. Soudain, il comprend que l'amour suprême, celui de Dieu, pouvait seul lui

donner ce bonheur. Il invoque le Seigneur et se fait un rempart des Évangiles contre Méphistophélès. Il meurt sauvé, tandis que le diable disparaît, vaincu.

■ La première représentation de *Méphistophélès* s'acheva sur une tempête de sifflets, au point que, pendant des années, l'auteur n'osa plus signer ses œuvres que d'un anagramme, Tobia Gorrio. Après cet échec retentissant, Boito reprit la partition et y effectua des coupures importantes (en effet, la première version durait cinq heures et demie, si bien qu'on devait la représenter en deux soirées). La version modifiée fut montée, cette fois avec succès, au Théâtre communal de Bologne le 4 octobre 1875, et fit dorénavant partie du grand répertoire lyrique. *Méphistophélès* fut ressenti, dans les milieux du théâtre lyrique italien, à la fois comme une surprise et comme une sorte de provocation, ce qui attira à Boito une avalanche de protestations. On lui reprochait d'avoir eu l'audace de rompre avec une tradition musicale fermée et isolée des courants européens, d'avoir voulu tenir compte de ce qui s'était passé en musique à l'étranger depuis Beethoven, Chopin, Schumann et maintenant avec Wagner. Le choix d'un grand classique allemand pour le livret était déjà révélateur en soi. Boito travailla plusieurs années, avec de nombreuses interruptions, au livret et à la musique. Son adaptation est une de celles qui rendent le mieux l'atmosphère du drame de Goethe. Boito était avant tout un poète, plus admiré par les hommes de lettres de la *Scapigliatura* (mouvement littéraire milanais) que par les musiciens. Effectivement, le résultat est assez médiocre sur le plan musical : on y sent plus de convention et de construction intellectuelle que d'inspiration. Cependant, certains passages pathétiques sont d'une grande beauté. Gounod avait mis l'accent, dans *Faust,* sur le personnage de Marguerite, tandis que Berlioz, dans *La damnation de Faust* s'était davantage intéressé aux épisodes spectaculaires du drame de Goethe ; Boito est à mi-chemin de ces deux lectures, privilégiant quant à lui l'aspect philosophique, ce qui est une innovation considérable dans le mélodrame lyrique italien. La contribution critique la plus intéressante concernant l'œuvre de Boito est certainement celle de Benedetto Croce, parue en 1904. MS

HAMLET

Opéra en cinq actes d'Ambroise Thomas (1811-1896). Livret de Jules Barbier (1825-1901) et Michel Carré (1819-1872), d'après le Hamlet *de Shakespeare. Première représentation : Paris, Opéra, 9 mars 1868. Interprètes : Faure, Gueymard, M. B. Nilsson, Castelmary.*

L'INTRIGUE : L'opéra respecte assez fidèlement la tragédie de Shakespeare. Hamlet, prince de Danemark, apprend de l'ombre de son père la vérité sur sa mort : il a été tué par son frère, qui a ensuite épousé la reine et usurpé le trône qui revenait à Hamlet. Le prince jure de se venger. Il simule la folie et traite cruellement Ophélie, qui l'aime. La jeune fille, désespérée, finit par se tuer. Le roi, qui se sait démasqué, essaie de se débarrasser d'Hamlet en préparant une coupe de poison. Mais c'est la reine, mère d'Hamlet, qui boit le poison et meurt. Le roi suscite ensuite un duel entre Hamlet et Laerte, frère d'Ophélie, dont le père a été tué accidentellement par le prince. La pointe de l'épée de Laerte est empoisonnée, si bien que les duellistes meurent tous deux. Hamlet a le temps, avant d'expirer, de tuer le roi, vengeant ainsi l'assassinat de son père.

■ Après l'énorme succès de *Mignon,* Ambroise Thomas voulut créer un opéra vraiment important et choisit la tragédie de Shakespeare, la mode étant à l'adaptation des grands textes de la littérature. Malgré la médiocrité du livret, alourdi par des intermèdes chorégraphiques dans le plus pur style grand opéra (comme *La fête du printemps*), la musique fut une réussite, notamment sur le plan de l'utilisation des voix. Le rôle d'Hamlet, transposé de la tessiture de ténor à celle de baryton, est l'un des rôles les plus dramatiques jamais composés pour ce registre. Les parties soprano ont souvent marqué le sommet de la gloire pour les cantatrices, que ce soit dans le rôle de la reine (soprano dramatique) ou d'Ophélie (coloratura). L'opéra fut un triomphe et les contemporains le considérèrent comme « l'opéra français le plus important après les drames d'Halévy ». L'instrumentation y est plus élaborée que dans d'autres œuvres de Thomas (à noter, en particulier, l'usage rythmique du saxophone dans la scène du cimetière). *Hamlet* est sans doute le dernier exemple de grand opéra et, après *Mignon,* la meilleure œuvre lyrique du compositeur. GP

DALIBOR

Opéra tragique en trois actes de Bedřich Smetana (1824-1884). Livret de Joseph Wenzig. Première représentation : Prague, Théâtre municipal, 16 mai 1868.

L'INTRIGUE : Prague, au XVe siècle. Le chevalier Dalibor, pour venger la mort de son ami Zdenek, attaque le château du burgrave de Ploskovice, et le tue. Milada, la sœur du burgrave, demande justice au roi Vladislav. Au procès, Dalibor se montre si digne et si courageux que Milada en tombe amoureuse. Il est malgré tout condamné et jeté en prison. Jitka, un de ses fidèles, décide de le libérer avec l'aide de Milada. Déguisée en homme, la jeune femme s'introduit dans la prison après avoir gagné la confiance des gardiens. Mais le projet d'évasion est découvert, et la peine de Dalibor est commuée en peine capitale. Dalibor écoute stoïquement la sentence et se dirige sans trembler vers l'échafaud. A cet instant, le peuple, conduit par Milada, se soulève. Dans une première version, Dalibor est malgré tout exécuté et Milada meurt pendant l'insurrection. Dans la deuxième mouture, Dalibor échappe aux bourreaux et prend la tête de la révolte populaire, tandis que Milada meurt dans ses bras.

■ La première de l'opéra eut lieu à l'occasion de la pose de la première pierre de l'actuel Théâtre national de Prague. *Dalibor* est la seule œuvre tragique de Smetana. Elle s'inspire de l'histoire du héros légendaire de l'indépendance tchèque : Dalibor représente la nation et sa lutte est celle de la liberté. L'opéra eut un succès grandiose à sa création mais disparut ensuite rapidement des scènes. Il ne fut redécouvert qu'après la mort du compositeur. RB

LES MAITRES CHANTEURS (Die Meistersinger von Nürnberg)

Opéra en trois actes de Richard Wagner (1813-1883). Livret du compositeur. Première représentation : Munich, Hoftheater, 21 juin 1868. Interprètes : Franz Betz, Franz Nachbaur, K. Heinrich, G. Hölzel, K. Schlosser, Matilde Mallinger. Direction : Hans von Bülow.

LES PERSONNAGES : Hans Sachs, cordonnier (baryton héroïque) ; Veit Pogner, orfèvre (basse) ; Kunz Vogelgesang, pelletier (ténor) ; Konrad Nachtigall, laitier (basse) ; Sixtus Beckmesser, écrivain public (baryton) ; Fritz Kothner, boulanger (baryton) ; Balthasar Zorn, ferblantier (ténor) ; Ulrich Eisslinger, épicier (ténor) ; Augustin Moser, tailleur (ténor) ; Hermann Ortel, savonnier (basse) ; Hans Schwarz, bonnetier (basse) ; Hanz Foltz, chaudronnier (basse profonde) ; Walther von Stolzing, un jeune chevalier de Franconie (ténor) ; David, un apprenti de Sachs (ténor) ; Eva, fille de Pogner (soprano) ; Magdalena, nourrice d'Eva (mezzo-soprano) ; un veilleur de nuit (basse). Des bourgeois, les femmes des artisans, des jeunes gens, le peuple.

L'INTRIGUE : A Nuremberg, au milieu du XVIe siècle.
Acte I. A l'église Sainte-Catherine, l'office de la veille de la Saint-Jean va s'achever. Tandis que les fidèles se dispersent, le jeune chevalier Walther von Stolzing, séduit par la beauté d'Eva, le fille de l'orfèvre Pogner, l'aborde et lui demande si elle est fiancée. Elle ne l'est pas, mais son père veut la marier au vainqueur d'un concours de chant organisé le lendemain par les Maîtres chanteurs de la ville. Eva n'est toutefois pas résignée à ce destin inconnu, et ne parvient pas à cacher l'affection soudaine qu'elle éprouve pour le jeune homme : « Vous ou personne », lui dit-elle. Magdalena, la nourrice d'Eva, a alors une idée : que Walther participe également au concours, et qui sait si la chance ne lui sourira pas ? Il faut cependant que le chevalier subisse d'abord l'épreuve qui lui permettra de devenir Maître chanteur. David, fiancé de Magdalena et apprenti du cordonnier et poète Hans Sachs, se charge de lui donner, séance tenante, une leçon confuse sur les règles compliquées qu'il faut observer rigoureusement pour devenir Maître. On installe l'estrade, les femmes sortent, et les Maîtres chanteurs ouvrent leur réunion. Le jeune chevalier demande alors à faire partie de leur association. « En connais-tu les règles ? » lui demande-t-on. « De quelle école viens-tu ? » Tranquillement, Walther répond qu'il a appris ce

que lui ont enseigné les vents, les torrents, les oiseaux et la poésie de Walther von Vogelweide. Malgré la perplexité des examinateurs, l'épreuve commence. L'écrivain public Beckmesser, pédant et maladroit, sera le « marqueur », chargé de noter toutes les erreurs que fera le concurrent. Or, il convoite lui aussi la main d'Eva. Walther choisit un hymne au printemps, bien vite jugé trop original. Beckmesser prend un malin plaisir à faire grincer la craie sur l'ardoise, et à inscrire les fautes de son rival. Seul Hans Sachs est impressionné par l'audace et la fantaisie de ce chant. Mais son intervention ne sert à rien, le candidat est définitivement éliminé.

Acte II. Une douce soirée d'été dans les vieilles rues de Nuremberg. Des jeunes gens plaisantent. Pogner confirme devant sa fille sa décision de la donner en mariage à un Maître chanteur. Eva, consternée, apprend d'autre part l'échec de Walther. Hans Sachs est assis à sa table de cordonnier, devant la boutique. Il pense toujours au chant de Walther, dont le lyrisme l'a troublé. Gentiment, avec un brin de coquetterie, Eva flatte la passion que le cordonnier, veuf et âgé, éprouve à son égard. En même temps, elle est incapable de lui cacher ses véritables sentiments pour le jeune Walther. Hans Sachs comprend et, renonçant avec mélancolie à son rêve impossible, décide d'aider les deux amoureux. Walther parvient à convaincre Eva de s'enfuir avec lui, lorsque Beckmesser arrive, contraignant les jeunes gens à se cacher derrière un grand tilleul. L'écrivain porte un luth. Il a l'intention de chanter une sérénade sous les fenêtres d'Eva. Contrarié par la présence de Sachs, il prétend être venu lui demander son avis. Le cordonnier accepte et promet de lui signaler chaque erreur par un grand coup de marteau sur la semelle qu'il est en train d'ajuster. Commence alors une sérénade grotesque, accompagnée des coups de marteau de Sachs. Le bruit réveille les voisins. David, qui croit que la sérénade est destinée à Magdalena, en vient aux mains avec l'écrivain. Des gens apparaissent aux fenêtres et descendent dans la rue, créant une pagaille épouvantable. Eva et Walther tentent à nouveau de s'enfuir, mais Sachs les en empêche. Finalement, la scène se vide comme par enchantement, tandis que résonne la trompe du veilleur de nuit. La place retrouve son calme sous le clair de lune.

Acte III. Sachs, assis dans sa boutique, médite et reçoit distraitement les excuses de David pour la part qu'il a prise aux événements de la nuit. Peu après, Walther vient lui raconter un beau rêve qu'il a fait. Sachs en copie les paroles, lui donne de sages conseils, et il en naît un merveilleux chant d'amour. Tandis qu'ils s'éloignent, Beckmesser entre dans la boutique, et découvre le papier sur lequel Sachs a recopié la chanson de Walther. Il s'inquiète, croyant qu'il s'agit du texte avec lequel le cordonnier concourra le lendemain. Il s'apprête même à le dérober, lorsque Hans le surprend, et feint habilement de le rassurer. Qu'il prenne ce texte, et qu'il s'en serve pour le concours ! Lui-même est trop vieux, et a renoncé à la main d'Eva. Beckmesser, satisfait, est à peine parti, qu'entre Eva, sous le prétexte d'une chaussure trop étroite. Elle est en réalité venue voir le beau chevalier. Walther arrive, ainsi que Magdalena et David, et un quintette conclut la scène. Dans un grand pré, au bord du fleuve Pegnitz. Le concours va commencer. Les corporations défilent avec leurs bannières. Les Maîtres chanteurs ferment la marche. Le concours est ouvert. C'est le tour de Beckmesser. L'interprétation qu'il donne de la poésie de Walther est tellement grotesque que tout le monde en rit. Furieux de s'être couvert de ridicule, il interpelle Sachs et le traite de perfide et de traître. Hans explique alors ce qui s'est passé, appelle Walther, et l'invite à chanter le poème comme il doit l'être. La foule est immédiatement sous le charme, et les maîtres, émus, le proclament vainqueur : il a mérité la couronne et la main d'Eva. Encore blessé de l'affront qu'il a reçu de la première épreuve, le jeune homme manifeste son intention de refuser le titre de Maître chanteur. Mais Sachs le reprend avec une sévérité affectueuse : les jeunes, lui explique-t-il, ne doivent pas mépriser les formes anciennes de l'art. Eva enlève la couronne du front de Walther et la remet à Sachs, en qui les Maîtres reconnaissent leur chef, dans l'allégresse générale.

■ *Les Maîtres chanteurs de Nuremberg* sont le seul exemple de comédie de la vaste production wagnérienne. Selon l'auteur lui-même, il s'agit d'un contrepoint gai et bourgeois au drame aristocratique de *Tannhäuser.* L'intrigue repose dans les deux cas sur un concours de chanteurs, mais le cadre et l'esprit sont totalement différents : aux chevaliers médiévaux tourmentés de Tannhäuser s'opposent, dans les *Maîtres chanteurs,* les artisans bourgeois débonnaires, querelleurs et sentimentaux, du Nuremberg du XVIe siècle ; et le dénouement, dramatique dans le premier cas, est heureux et joyeux dans le second. Parmi les innombrables associations de chanteurs qui existaient à l'époque en Allemagne, celle de Nuremberg était la plus réputée. Hans Sachs, le célèbre cordonnier poète, né en 1494, en faisait partie. Wagner a recueilli les principaux éléments de sa comédie (le cérémonial des séances, la poétique bizarre et les règles strictes selon lesquelles les concours de chant étaient organisés) dans une *Chronique de Nuremberg* écrite par J. C. Wagenseil en 1694. Le reste de l'intrigue est le fruit de son imagination. Dans un cadre bourgeois, c'est en fait l'éternel conflit entre le renouveau nécessaire, symbolisé par Walther, le chanteur à l'inspiration libre, et les tendances conservatrices d'une critique trop liée à la tradition, qui est représenté. On reconnaît dans le « marqueur » Beckmesser le critique viennois Éduard Hanslick, principal représentant de l'anti-wagnérisme. Hans Sachs est le sage médiateur : gardien de la tradition et conscient de la nécessité du renouvellement de l'art. L'œuvre la plus gaie de Wagner est pourtant empreinte de mélancolie et de résignation. Lorsque Hans Sachs renonce à l'amour d'Eva, c'est Wagner qui se sépare de Mathilde Wesendonck, l'inspiratrice de *Tristan.* Le compositeur a donné dans cet opéra une extraordinaire leçon d'écriture harmonique, contrapuntique et instrumentale. Dans l'ouverture, la prodigieuse pagaille du deuxième acte, le quintette du troisième ou dans le finale, la technique de Wagner atteint les sommets de la perfection formelle, de telle sorte que cet opéra peut être considéré, selon Massimo Mila, comme un « monument de savoir et de doctrine musicale, comme un hommage rendu à la plus haute tradition de l'art allemand par un artiste qui, dans sa frénésie révolutionnaire, avait plutôt semblé jusqu'alors être un dilettante génial qu'un légitime héritier de Jean-Sébastien Bach ». RM

WILLIAM RATCLIFF

Opéra en trois actes de César Antonovitch Cui (1835-1918). Livret de A. N. Plecheev, tiré de la tragédie de Heinrich Heine. Première représentation : Saint-Pétersbourg, théâtre Marrinsky, 26 février 1869.

L'INTRIGUE : L'action se déroule en Écosse dans une atmosphère pleine de fantômes. Nous sommes dans un château, à la veille du mariage de Maria MacGregor et de Douglas. Le père de Maria révèle à Douglas qu'un étudiant accueilli un an plus tôt au château, amoureux de Maria, a juré qu'elle n'appartiendrait jamais à un autre qu'à lui. L'étudiant s'appelle William Ratcliff, et par deux fois déjà, à la veille du mariage de Maria, il a tué le prétendant. Mais Douglas va à la rencontre de Ratcliff sans crainte et, à l'heure dite, le retrouve à l'endroit fatidique où ont été commis les crimes précédents. Au cours du duel, Douglas maîtrise son adversaire, mais lui laisse la vie sauve, car il a reconnu en lui quelqu'un à qui il doit lui-même la vie. Maria, obsédée par le souvenir de Ratcliff, parvient à savoir pour quelle raison leur aventure est aussi tragique. La mère de Maria et le père de Ratcliff s'étaient beaucoup aimés, mais n'avaient pu s'épouser. Surpris ensemble après leurs mariages respectifs, ils étaient morts, l'un, le père de Ratcliff, tué par MacGregor, l'autre, la mère de Maria, vaincue par la douleur. A la fin de la tragédie, Ratcliff, blessé, est accueilli par Maria avec des mots d'amour. Mais le jeune homme est pris d'une crise de démence et tue MacGregor et Maria avant de se donner la mort.

■ Il a fallu dix ans à César Cui pour composer *William Ratcliff*. On y décèle clairement ce qui faisait l'ambiguïté de la position de Cui au sein du groupe des Cinq. Le sujet est loin d'être antiromantique, et la musique reflète les influences de la musique française, de Schumann et de Wagner. MS

RUY BLAS

Drame lyrique en quatre actes de Filippo Marchetti (1831-1902). Livret de Carlo d'Ormeville (1840-1924), d'après la pièce de Victor Hugo. Première représentation : Milan, théâtre de la Scala, 3 avril 1869.

L'INTRIGUE : L'action se déroule en Espagne, vers la fin du XVIIe siècle. Ruy Blas, jeune homme d'origine modeste, est le valet de Don Salluste, un courtisan tombé en disgrâce à cause de la reine, et qui lui en garde rancune. Il imagine une vengeance, mais a besoin d'un complice. Il pense à l'un de ses cousins, Don César, un noble dévoyé, qui refuse de se prêter à ses machinations. Il décide alors d'employer son valet, qu'il présente à la reine comme son cousin Don César. Celle-ci s'éprend de lui et devient sa maîtresse. La faveur royale fait parvenir Ruy Blas au sommet de la réussite, jusqu'au poste de ministre. Il accomplit de sages réformes qui lui suscitent bien des inimitiés. C'est ce moment que choisit Don Salluste pour révéler la supercherie à la reine. Il la convoque dans une maison solitaire par une fausse lettre de Ruy Blas. Ce dernier, comprenant quel rôle on lui a fait jouer, sauve l'honneur de la reine en tuant Don Salluste avant de se donner la mort.

■ Cet opéra, monté à la Scala au cours de la même saison que *La forza del destino*, passa en conséquence complètement inaperçu. En revanche, lors de sa reprise au théâtre Pagliano de Florence, il connut un immense succès ; il fut ensuite joué sur soixante autres scènes et put être comparé, pour sa popularité, à *Rigoletto*. *Ruy Blas* manque un peu de souffle dramatique mais réussit à créer une atmosphère annonçant les œuvres de Catalani et de Puccini. AB

LE GUARANY
(Il Guarany)

Opéra en quatre actes d'Antonio Carlos Gomes (1836-1896). Livret d'Antonio Scalvini (1835-1881). D'après le roman de José Martiniano de Alencar. Première représentation : Milan, théâtre de la Scala, 19 mars 1870.

L'intrigue : Cecilia (soprano) est la fille de Don Antonio de Mariz (basse), noble d'origine portugaise et gouverneur de la colonie espagnole du Guarany. Don Alvaro (ténor) et Don Gonzales (baryton) se disputent le cœur de la jeune fille, ignorant qu'elle aime Péry (ténor), fils du roi indigène. Son père, quant à lui, veut accorder sa main à Don Alvaro. Gonzales essaie d'enlever Cecilia avec l'aide de deux aventuriers espagnols, Ruy Bento (ténor) et Alonso (basse), à qui il promet de révéler l'emplacement d'une mine d'argent qu'il a découverte. Cecilia est arrachée à ses ravisseurs par la féroce tribu indienne des Aimoré, qui s'apprêtent également à tuer Péry. Don Antonio libère les deux jeunes gens, mais les Indiens lancent une attaque contre le palais du gouverneur avec la complicité de Gonzales. Don Antonio fait alors sauter les munitions du château, tandis que Cecilia et Péry assistent de loin au terrifiant spectacle.

■ Cet opéra joliment inspiré et plein d'effets spectaculaires eut un grand succès à sa création à la Scala. Il s'inspire ouvertement des mélodrames verdiens, y ajoutant en outre une teinte exotique assez réussie. Verdi parla, à propos d'*Il Guarany* de « véritable génie musical » et « d'exquise facture ». La notoriété de Gomes fut à son comble lorsqu'il assista, aux côtés de l'empereur Don Pedro II, à la triomphale représentation de son œuvre à Rio, la même année. Le compositeur brésilien avait auparavant en 1867 obtenu un succès honorable avec deux comédies *Se sa minga* et *Nella luna.* Par la suite, il adopta un style wagnérien mais ne retrouva ni l'originalité mélodique ni le côté spectaculaire d'*Il Guarany.* LB

AÏDA

Opéra en quatre actes de Giuseppe Verdi (1813-1901). Livret d'Antonio Ghislanzoni (1824-1893), d'après une idée de F. A. Mariette reprise par Camille du Locle (1832-1903) en collaboration avec Verdi. Première représentation : Le Caire, théâtre de l'Opéra, 24 décembre 1871. Interprètes : Antonietta Pozzini, Eleonora Grossi, Pietro Mongini, Francesco Steller, Medini. Direction : Giovanni Bottesini.

LES PERSONNAGES : Aïda (soprano) ; Radamès (ténor) ; Amnéris (mezzo-soprano) ; Ramfis (basse) ; Amonasro (baryton) ; un messager.

L'INTRIGUE : Memphis et Thèbes à l'époque des pharaons.
Acte I, première scène. Salle du palais royal à Memphis. L'armée éthiopienne menace la vallée du Nil et Thèbes. Ramfis, le grand prêtre, consulte les dieux pour savoir qui doit prendre la tête de l'armée égyptienne. Cet honneur échoit à Radamès. Le jeune homme est grisé car il va pouvoir se couvrir de gloire aux yeux d'Aïda, l'esclave éthiopienne qu'il aime passionnément. Amnéris, la fille du pharaon, est éprise du jeune héros ; mais elle soupçonne son secret amour pour Aïda et, feignant d'éprouver une grande amitié envers l'esclave, elle jure en son for intérieur de se venger. A cet instant, le pharaon arrive en grande pompe pour annoncer à Radamès qu'il a été choisi comme chef des armées égyptiennes. Aïda, qui est la fille du roi d'Éthiopie Amonasro, se désespère, déchirée entre ses sentiments patriotiques et son amour.
Deuxième scène. Au cours d'une cérémonie solennelle, Radamès reçoit l'épée de général et la consécration de Ramfis pour la guerre et la victoire.
Acte II. Une salle dans les appartements d'Amnéris. La princesse emploie une ruse pour s'assurer des sentiments d'Aïda envers Radamès : elle lui fait croire qu'il a été tué et observe sa réaction. Aïda ne peut cacher son chagrin. Entrant dans une grande colère, Amnéris lui dit alors qu'elle l'a trompée et qu'elle-même est sa rivale, et jure de se venger sans pitié.
Deuxième scène. Le triomphe de Radamès. Les Égyptiens sont rentrés victorieux, chargés de trésors pris à l'ennemi. Radamès est couronné vainqueur par Amnéris. Il demande au pharaon d'épargner les prisonniers, au nombre desquels se trouve Amonasro, qui ordonne à Aïda de ne pas révéler qu'il est le roi. Les prêtres suggèrent au pharaon de libérer tous les prisonniers à l'exception d'Amonasro, gardé en otage. Le souverain accepte, puis il accorde à Radamès la main d'Amnéris. Le général victorieux et la misérable esclave étouffent tous deux leur peine devant cet événement inattendu.

Acte III. Au bord du Nil. Le mariage est imminent. Amnéris se rend au temple d'Isis pour prier. Amonasro, comprenant l'ascendant d'Aïda sur le chef égytien, la persuade de se faire confier par Radamès l'itinéraire permettant de rejoindre les armées éthiopiennes. Les amoureux se rencontrent sur les rives du fleuve et renouvellent leurs serments passionnés. Mais comment échapper à la fureur d'Amnéris ? Ils décident de s'enfuir et Radamès explique que la passe de Napata n'est pas gardée. Amonasro, qui a tout entendu, sort de sa cachette, triomphant, et s'écrie que son armée s'engouffrera dans la passe. Radamès, horrifié, comprend qu'il vient involontairement de trahir son pays. A cet instant surviennent Ramfis et Amnéris. Amonasro se jette sur la princesse et Radamès la protège. Puis il avoue avoir révélé un secret militaire et se constitue prisonnier.
Acte IV, première scène. Le palais royal. Amnéris, qui aime toujours Radamès, va le voir dans sa prison et le supplie de renoncer à Aïda en échange de sa grâce. Mais Radamès est résolu à expier son crime et refuse de renoncer à l'amour d'Aïda. Il est conduit devant les prêtres qui le condamnent à être enterré vivant.
Deuxième scène. En haut, le temple ; en contrebas, le tombeau où doit être enseveli Radamès. Quand la pierre est scellée, Radamès entend à ses côtés la voix d'Aïda, qui s'est fait emmurer vivante avec lui. Dans le temple, Amnéris pleure, tandis que les amants enlacés attendent la mort en chantant leur tendre adieu.

■ *Aïda* fut commandé par le vice-roi d'Égypte Ismaïl Pacha, mais non, comme on le croit souvent, pour l'inauguration du canal de Suez ; il s'agissait simplement de l'ouverture du nouvel Opéra khédival. D'ailleurs, les dates coïncidaient pratiquement. Cependant, *Aïda* fut joué avec près d'une année de retard, car les décors et les costumes devaient arriver de Paris et la capitale française était assiégée par les Prussiens. Dans cet opéra, Verdi démontre la variété de ses talents, passant des grandioses scènes d'ensemble aux personnages isolés, des passions collectives au drame intime. Il fut ainsi amené à soigner tout particulièrement l'enchaînement des scènes d'atmosphères très diverses, et à exiger des interprètes une étroite collaboration pour donner à l'opéra une unité d'esprit malgré sa complexité. Pour les représentations européennes — la première italienne eut lieu à la Scala un mois après la création au Caire — Verdi veilla personnellement à ce qu'aucun détail ne soit négligé, de la disposition des instruments solistes à la scénographie. Par rapport aux œuvres précédentes du compositeur qui privilégiaient l'élément vocal, *Aïda* représente un tournant, car l'orchestre y joue un rôle décisif. On n'en est plus à ce que Mila appelait « la vulgarité des accompagnements traditionnels » mais à une œuvre « italienne et tout en lumière ». Verdi ressentait déjà la nécessité de se distinguer de Wagner, dont il ne pouvait pas avoir subi encore fortement l'influence, puisque les œuvres du grand compositeur allemand ne parvinrent en Italie que dans les années qui suivirent. Verdi n'en connaissait que des extraits, qui l'avaient fasciné, mais qui révélaient toute la distance séparant leurs conceptions artistiques. Verdi médita cette apparente incompatibilité pendant seize ans avant de composer un nouvel opéra, *Othello*. EP

LE CONVIVE DE PIERRE (Kammennyi Gost)

Opéra en trois actes d'Alexandre Dargomyjsky (1813-1869). Livret tiré de la pièce d'Alexandre Pouchkine (1830). Première représentation (posthume) : Saint-Pétersbourg, théâtre Mariinsky, 28 février 1872. Interprètes : Pétrov, Kommissarzevsky.

Les personnages : Don Juan (ténor) ; Leporello (basse) ; Donna Anna (soprano) ; Don Carlos (baryton) ; Laura (mezzo-soprano) ; un moine (basse) ; premier invité (ténor) ; deuxième invité (basse) ; la statue du Commandeur (basse) ; invités de Laura (chœur).

L'intrigue :
Acte I, première scène. Un soir dans les environs de Madrid. Don Juan est rentré clandestinement de l'exil auquel il avait été condamné après avoir tué le Commandeur. Avec son serviteur Leporello, il arrive près du cimetière où est enterré le Commandeur et où Donna Anna, sa veuve, vient prier chaque soir. La jeune femme apparaît, voilée, et Don Juan se jure de la conquérir.
Deuxième scène. Un dîner chez Laura, une actrice. Les invités prennent congé à l'exception de Don Carlos, nouvel amant de la maîtresse de maison. Laura lui avoue avoir aimé Don Juan. A ce moment, celui-ci survient justement et les deux hommes se battent en duel. Don Carlos est tué.
Acte II. Un cloître près de la tombe du Commandeur, Don Juan, vêtu en moine, s'approche de la veuve et lui fait une déclaration enflammée. Donna Anna, déconcertée, invite celui qui s'est présenté comme Diego de Calvido à lui rendre visite le lendemain. Don Juan promet de se comporter en gentilhomme. La femme partie, il laisse éclater sa joie. Il s'adresse en riant à la statue du Commandeur et l'invite à se rendre chez Donna Anna le lendemain. La statue accepte d'un signe de tête.
Acte III. La chambre de Donna Anna. Le séducteur est presque parvenu à ses fins. Il réussit même, après avoir révélé son identité, à se faire pardonner. Mais soudain, on frappe à la porte. La statue du Commandeur entre et étouffe Don Juan dans une étreinte mortelle, tandis que Donna Anna tombe évanouie.

■ Dargomyjsky avait cessé de composer pour l'opéra après les amères expériences d'*Esméralda* et de *Roussalka*. Mais ses amis du groupe des Cinq, qui se réunissaient chez lui, le poussèrent à écrire un nouvel opéra. *Le convive de pierre*, tiré d'une version de l'histoire de Don Juan due à Pouchkine, resta inachevé à la mort du compositeur. Rimsky-Korsakov en fit l'orchestration et Cui termina certains morceaux incomplets. Le succès fut moyen, mais l'œuvre fut cependant régulièrement jouée et figure encore au répertoire en Union sioviétique.

Le convive de pierre a également été repris récemment à l'étranger, par exemple au cour du Mai musical florentin de 1956. L'opéra revêt une certaine importance à cause de la forme de récitatif mélodique mise au point par Dargomyjsky dans ses opéras précédents et perfectionnée dans sa dernière œuvre, qui a eu ainsi une influence non négligeable sur les musiciens russes. HS

DJAMILEH

Opéra-comique en un acte de Georges Bizet (1838-1875). Livret de Louis Gallet, d'après le poème Namouna *d'Alfred de Musset (1832). Première représentation : Paris, Opéra-Comique (Salle Favart), 22 mai 1872.*

L'INTRIGUE : L'histoire se passe en Égypte. Haroun (ténor), jeune homme riche et blasé, change de maîtresse tous les mois. Son secrétaire Splendiano (baryton) est chargé de lui en acheter chaque fois une nouvelle au marché aux esclaves. Le sort de Djamileh (mezzo-soprano) est donc d'être bientôt rejetée par Haroun. Mais elle est tombée amoureuse de lui et décide, avec la complicité du secrétaire, de revenir sous un déguisement. Ainsi, à force d'astuce, d'amour et de persévérance, elle réussit à gagner le cœur d'Haroun.

■ Comme tous les opéras de Bizet, *Djamileh* se passe dans un pays étranger, ce qui autorise l'exotisme, oriental dans ce cas. On sent dans *Djamileh* les premiers échos du Bizet de la maturité. L'œuvre n'eut cependant aucun succès et fut retirée de l'affiche au bout de onze représentations, taxée par la critique de « wagnérisme ». Elle ne fut reprise à Paris que le 27 octobre 1938. MS

LES FIANCÉS
(I promessi sposi)

Opéra en trois actes d'Amilcare Ponchielli (1834-1886). Livret d'Emilio Praga (1839-1875). Première représentation : Milan Teatro Dal Verme, 5 décembre 1872.

■ Cette œuvre, inspirée du célèbre roman d'Alessandro Manzoni, fut écrite une première fois en 1855 et monté en 1856 à Crémone, au Teatro della Concordia, avec un certain succès qui n'alla toutefois pas au-delà des scènes provinciales. Le triomphe des *Fiancés* de Petrella incita Ponchielli à reprendre son œuvre de jeunesse. L'excellent livret d'Emilio Praga assura cette fois le succès de l'opéra. Celui-ci plut tant que l'éditeur Ricordi en commanda un nouveau à Ponchielli : *I Lituani,* sur un texte d'A. Ghislanzoni, qui devait être monté à la Scala. MSM

IVAN LE TERRIBLE
(Pskovitianka)

Opéra en trois actes de Nicolaï Rimsky-Korsakov (1844-1908). Livret du compositeur d'après une pièce de L. A. Meï (1822-1862). Première représentation : Saint-Pétersbourg, théâtre Mariinsky, 13 janvier 1873.

L'INTRIGUE : En Russie, à la fin

du XVIe siècle. La ville de Pskov vit dans la terreur de subir le même sort que Novgorod, dont les habitants ont été massacrés pour s'être rebellés contre Ivan le Terrible. Pskov est gouvernée par le prince Youri Tokmakov. Le prince vit avec Olga, qu'il fait passer pour sa fille, mais qui est en réalité sa nièce, fille d'Ivan le Terrible et de sa sœur. La ville est divisée en deux camps. Le prince et son compagnon Matuta, dont il voudrait faire l'époux d'Olga, sont partisans d'une reddition sans conditions. L'autre faction, conduite par Michel Toutcha, est décidée à prendre les armes pour défendre l'indépendance de la cité. C'est le prince qui l'emporte et il fait ouvrir les portes de Pskov. Toutcha, dans un effort désespéré, se lance à l'attaque des troupes du tsar. Olga, qui l'aime, tente en vain de s'interposer entre les deux armées, mais elle est tuée. Toutcha meurt au combat et Ivan le Terrible, bouleversé par le sacrifice de sa fille, pleure pour la première fois.

■ Cet opéra est également connu sous le titre : *La jeune fille de Pskov*. La composition en fut assez laborieuse. Rimsky-Korsakov trouva l'inspiration en contemplant la nature et la terre russe chez son ami Lodygensky, à la campagne. Il abandonna ensuite son travail qu'il ne reprit que plus tard, alors qu'il habitait avec Moussorgsky. L'influence de ce dernier est sensible d'un bout à l'autre de l'opéra, notamment dans le traitement du thème, nettement politique (le conflit entre le tsar et la cité), alors qu'il s'agissait à l'origine d'une histoire sentimentale. RB

LE ROI L'A DIT

Opéra en trois actes de Léo Delibes (1836-1891). Livret d'Edmond Condinet. Première représentation : Paris, Opéra-Comique, 24 mai 1873.

L'INTRIGUE : A la suite d'une série de malentendus, tout le monde croit que le marquis de Montecontour a un fils, si bien que le marquis est obligé de faire passer pour son rejeton un jeune paysan. Ce dernier profite de la situation, au grand agacement du marquis, qui a les plus grandes peines à s'en débarrasser. Il finit par se consoler de n'avoir pas d'enfant en obtenant le titre de duc.

■ Il s'agit là de la première tentative de Delibes pour écrire un véritable opéra, le compositeur n'ayant jusqu'alors à son actif qu'une douzaine d'opérettes. L'œuvre eut beaucoup de succès à Paris et fut aussi jouée à l'étranger. En 1898, une nouvelle version en deux actes fut réalisée par Philippe Gille. MS

LA FOIRE DE SOROTCHINSKY (Sorotchinskaïa Iarmarka)

Opéra-comique en trois actes de Modeste Moussorgsky (1839-1881). Livret du compositeur d'après une nouvelle de Gogol. L'opéra est inachevé : commencé en 1873, Moussorgsky en composa l'introduction, la scène du marché du premier acte, une grande partie du deuxième acte, une scène adaptée du morceau symphonique Une nuit sur le mont Chauve, *une danse instrumentale (le* gopak *du troisième acte) et deux arias. Première représentation privée de l'opéra incomplet : Saint-Pétersbourg, Komedii Teatr, 30 décembre 1911 (à l'occasion du trentième anniversaire de la mort du compositeur). Première représentation en public : Moscou, Svobodnyi Teatr, 3 novembre 1913.*

LES PERSONNAGES : Tchérévik (basse) ; Gritzko (ténor) ; Afanassi Ivanovitch, fils du pope (ténor) ; le compère de Tchérévik (baryton) ; le tzigane (basse) ; Parassia, fille de Tchérévik (soprano) ; Khivria, femme de Tchérévik (mezzo-soprano) ; jeunes gens, tsiganes, marchands, cosaques, peuple.

L'INTRIGUE : Le village de Sorotchinsy, un jour de foire. Tchérévik traite des affaires tandis que sa fille, la jolie Parassia, admire les vêtements et les colifichets des étalages. Gritzko s'approche de Parassia et lui fait un brin de cour. Pendant ce temps, un vieux tsigane raconte qu'un diable a jeté un sort au pays, dérangeant toutes les affaires et faisant disparaître bétail et chevaux. Tchérévik s'aperçoit que Gritzko courtise sa fille et intervient. Mais, apprenant qu'il s'agit du fils d'un de ses vieux amis, il lui accorde sur-le-champ la main de Parassia. Pour fêter l'événement, ils vont tous ensemble à l'auberge. Khivria, l'épouse acariâtre de Tchérévik, vient les y rejoindre et pousse de hauts cris : il n'est pas question que sa belle-fille épouse Gritzko. Le soir tombe et les gens s'attroupent sur la place, Gritzko est malheureux, mais le vieux tsigane lui promet son aide s'il lui vend ses bœufs un bon prix. Sur le chemin du retour, Parassia et Gritzko se rencontrent et se parlent d'amour.
Acte II. La chaumière de Tchérévik. Khivria morigène sans cesse son mari et finit par le chasser de la maison. Puis, restée seule, elle met la table et prépare un bon dîner pour recevoir Afanassi Ivanovitch. Comme tous deux s'apprêtent à festoyer, Tchérévik rentre avec ses amis. Elle n'a que le temps de cacher son galant dans le grenier et de faire disparaître les victuailles. Les hôtes, un peu éméchés, se mettent à raconter que le diable est dans le pays, sous l'apparence d'un porc. Soudain, une tête de cochon apparaît à la fenêtre : effroi général. Afanassi, affolé, tombe de son grenier et essaie de se cacher sous les jupes de Khivria. Ce n'est pas du tout le diable, mais le tsigane qui, avec les jeunes du village, a voulu faire une farce. Au grand amusement de tous, on découvre Afanassi et sa liaison avec Khivria.
Acte III. La place du village. Parassia se regarde dans un miroir et, ravie de se voir si jolie, se met à danser. Tchérévik se joint à elle. Gritzko arrive et renouvelle sa demande en mariage. Khivria essaie bien encore de s'y opposer, mais cette fois, son mari ne l'écoute pas ; les jeunes gens du pays dansent le *gopak* autour des fiancés enlacés.

■ C'est le compositeur russe César Antonovitch Cui (1835-1918), membre comme Moussorgsky du groupe des Cinq, qui acheva l'opéra, resté à l'état fragmentaire, en 1917. Une autre version en fut réalisée par Nikolaï Tchérepnine, en 1923, chargé de la première représentation de l'œuvre complète à Monte-Carlo. Cette version est plus fidèle au langage harmonique et mélodique de Moussorgsky qui savait si génialement utiliser les chants populaires russes (et, dans cet opéra, ukrainiens). SC

BORIS GODOUNOV

*Opéra en un prologue et quatre actes de Modeste Moussorgsky (1839-1881). Livret du compositeur, d'après le drame d'Alexandre Pouchkine (1799-1826) et l'*Histoire de l'État russe *de Nikolaï M. Karamzine (1766-1826). Première représentation : Saint-Pétersbourg, théâtre Mariinski, 8 février 1874.*

Les personnages : Boris Godounov (baryton basse) ; Fiodor et Xénia, ses enfants (mezzo-soprano et soprano) ; le prince Chouiski (ténor) ; Andreï Tchelkalov, secrétaire de la Douma (baryton) ; Pimène, un moine chroniqueur (basse) ; Grigori (le faux Dimitri) (ténor) ; Marina Mnichek, fille du voïvode de Sandomir (mezzo-soprano) ; Rangoni, un jésuite (basse) ; Varlaam et Missaïl, moines vagabonds (basse et ténor) ; une hôtesse (mezzo-soprano) ; l'Innocent (ténor) ; un officier de police (basse) ; un boyard de la cour (ténor) ; le boyard Khrouchtchev (ténor) ; Lavitchki et Tchernikovski, jésuites (basses) ; boyards, soldats, officiers, seigneurs et dames de Pologne, jeunes filles de Sandomir, pèlerins, peuple de Moscou.

L'intrigue : L'action se déroule entre 1598 et 1605.

Prologue, premier tableau. La cour du couvent de Novodevitchi, où s'est retiré le boyard Boris Godounov qui, des années auparavant, a fait assassiner l'héritier du trône, Dimitri. A présent, le tsar Fiodor est mort et la foule veut que Boris lui succède.

Deuxième tableau. Sur la grand-place du Kremlin, Boris est couronné. Les cloches sonnent et un chœur grandiose célèbre l'avènement du nouveau tsar.

Acte I, première scène. Dans sa cellule, le moine Pimène écrit la chronique sanglante de la Russie. Auprès de lui, Grigori, un jeune novice, dort. A son réveil, il raconte au vieux moine un rêve révélateur d'une grande ambition. Pimène le met alors en garde et lui raconte l'histoire du tsarévitch Dimitri, assassiné par Boris, usurpateur du trône. Grigori, bouleversé, invoque le châtiment divin et la vengeance des hommes contre le meurtrier.

Deuxième scène. Une auberge à la frontière lituanienne. L'hôtesse chante gaiement en reprisant. Entrent Missaïl et Varlaam, deux moines vagabonds, accompagnés de Grigori qui a fui le couvent et cherche à passer la frontière. La police, qui le recherche, fait irruption dans l'auberge. L'officier, analphabète, fait lire son ordre de mission à Grigori, qui en profite pour donner la description de Varlaam au lieu de la sienne. Mais il est démasqué, et doit s'enfuir par la fenêtre.

Acte II. Les appartements du tsar au Kremlin. Xénia, la fille de Boris, pleure la mort de son fiancé. Fiodor, son frère, regarde une carte de géographie et montre à son père ce qui sera plus tard son

royaume. Le tsar est attendri, mais il n'éprouve aucune joie véritable, car le remords de ses crimes le poursuit. Un boyard annonce l'arrivée du prince Chouiski, et prévient Boris qu'il complote contre lui. Le prince apporte au tsar la nouvelle d'une insurrection menée par un homme qui se fait passer pour le tsarévitch Dimitri. Boris est épouvanté, craignant de voir revenir le prince assassiné. Chouiski, pensant le rassurer, lui dit qu'il a vu de ses yeux le corps du tsarévitch exposé dans l'église : cette vision plonge Boris dans une angoisse plus grande encore.
Acte III, première scène. Au château de Sandomir, en Pologne, la princesse Marina se fait habiller et parer par ses servantes. Elle a décidé de séduire le faux tsarévich Dimitri — qui est en réalité Grigori, le novice évadé — pour devenir tsarine de Russie. Son confesseur, le père jésuite Rangoni, l'encourage dans ce projet, à condition qu'elle ramène ensuite la Russie au sein de l'Église catholique.
Deuxième scène. Le jardin, au clair de lune. Dimitri attend Marina. Rangoni lui donne espoir, pourvu qu'il accepte de suivre ses conseils. Marina paraît mais, aux déclarations enflammées de Dimitri, elle oppose une soif de pouvoir implacable. Dimitri est à la fois séduit et effrayé par le cynisme de la jeune femme. Le Père Rangoni, dissimulé, savoure son triomphe.
Acte IV, première scène. La Douma est réunie au Kremlin pour délibérer au sujet de la révolte conduite par Dimitri. Le prince Chouiski raconte la terreur de Boris à l'évocation de la mort du tsarévitch. Boris surgit, à nouveau en proie au délire, puis il tombe évanoui. Lorsqu'il revient à lui, c'est pour entendre le moine Pimène dire qu'il a assisté à une guérison miraculeuse près de la tombe du tsarévitch. Boris a une nouvelle crise de démence. Sentant sa mort proche, il fait appeler son fils. Après lui avoir recommandé de gouverner dans la justice, il meurt.
Deuxième scène. La forêt de Kromy. Le peuple insurgé a capturé un boyard et le met à mort ; l'Innocent, absorbé dans ses prières, se fait dérober ses quelques sous ; les moines Varlaam et Missaïl se joignent à la foule. Deux jésuites, qui chantent les louanges de Dimitri en latin, sont pris à parti et doivent abandonner tout espoir de susciter des conversions. Le faux tsarévitch apparaît et entraîne la foule en délire. L'Innocent reste seul, priant et pleurant sur les malheurs de la Russie.

■ Ce chef-d'œuvre indiscuté de la musique russe fut commencé à l'automne 1868 par Moussorgsky, sur les conseils de l'historien V. Nikolsky, et achevé un peu plus d'un an plus tard. Il fut rejeté par le comité de lecture du théâtre Mariinski : l'œuvre était à la fois trop éloignée des genres dominants — drame wagnérien ou mélodrame français et italien — et trop audacieuse sur le plan musical. En 1872, Moussorgsky tenta à nouveau sa chance après avoir coupé certains passages et ajouté l'histoire des amours de Marina et Dimitri du troisième acte, dit aussi « acte polonais ». Il n'eut pas plus de succès cette fois-là. Mais l'opéra commençait malgré tout à être connu grâce à des interprétations en concert et des représentations théâtrales en extraits, à l'initiative de certains artistes qui avaient le privilège de choisir eux-mêmes leur programme. Il put finalement être monté, en 1874, sous la direction d'Edouard Napravnik, avec le baryton Ivan A. Melnikov dans le rôle de Boris, Julia P. Platonova dans celui de Marina, Daria Leonova, l'hôtesse, et Ossip Petrov, Varlaam. Le public fut enthousiasmé, mais la critique assez partagée. L'opéra fut retiré de l'affiche au bout de cinq ans, après vingt-six représentations. Il fut ensuite repris, dans les années 1888-1890, au Bolchoï de Moscou. Nikolaï Rimsky-Korsakov fit publier la partition après la mort du compositeur et entreprit une nouvelle orchestration. Malgré la révision critique de Paul Lamm publiée en Russie en 1928, c'est presque toujours la version de Rimsky-Korsakov qui est exécutée. L'opéra fut joué à Paris en 1908 par la troupe de Diaghilev, avec Chaliapine dans le rôle de Boris ; en Italie, il fut donné à la Scala le 14 janvier 1909 ; Toscanini le dirigea à New York en 1913, année où il fut également présenté à Londres. La dernière en date des éditions de *Boris Godounov* est celle de Chostakovitch, pour le Bolchoï de Moscou, en 1963. SC

LE DÉMON
(Demon)

Opéra en trois actes d'Anton Grigorievitch Rubinstein (1829-1894). Livret de P.A. Viskovatov, d'après Lermontov (1814-1841). Première représentation : Saint-Pétersbourg, Théâtre impérial, 25 janvier 1875.

L'INTRIGUE : Le Démon est un mortel, mais doté de pouvoirs diaboliques. Il s'ennuie et pense à sa jeunesse gâchée en contemplant tristement le monde du haut d'une montagne. Maintenant, il n'aspire qu'à l'amour d'une femme. Il rencontre Tamara, qui danse avec ses compagnes, la veille de ses noces. Il tombe amoureux de la jeune fille et fait assassiner par des brigands son fiancé, le prince Sinodal. Tamara, pour fuir l'amour du Démon, se réfugie dans un couvent. Mais il parvient à la rejoindre jusque dans le secret de sa cellule. Tamara est fascinée par son amour maléfique et ils chantent ensemble un long duo passionné. Mais soudain apparaît le fiancé assassiné, transformé en ange, qui appelle Tamara. Celle-ci réussit à s'arracher à l'étreinte de son amant et tombe morte. En sacrifiant sa vie elle a gagné le salut éternel. Le Démon, vaincu, retrouve sa solitude et son désespoir.

■ *Demon* eut un tel succès à sa création qu'il valut à son auteur une grande renommée nationale. Il est encore considéré comme le chef-d'œuvre de Rubinstein. Bien qu'on ait pu comparer l'atmosphère et les ressorts dramatiques à ceux des opéras wagnériens, la musique en elle-même n'a aucun rapport avec eux. RB

CARMEN

Drame lyrique en quatre actes de Georges Bizet (1838-1875). Livret

d'Henri Meilhac (1831-1897) et Ludovic Halévy (1834-1908), d'après la nouvelle de Prosper Mérimée (1845). Première représentation : Paris, Opéra-Comique, 3 mars 1875. Interprètes : Célestine Galli-Marié (Carmen), Paul Lhérie (Don José), Bouchy (Escamillo), Margherita Chapuis (Micaëla).

LES PERSONNAGES : Carmen (mezzo-soprano ou soprano) ; Micaëla (soprano) ; Frasquita (soprano) ; Mercedes (mezzo-soprano) ; Don José (ténor) ; Zuniga (basse) ; Morales (baryton) ; officiers, dragons, cigariers, gitans, contrebandiers.

L'INTRIGUE : En Espagne, dans les années 1820.
Acte I. La grand-place de Séville, avec d'un côté la Manufacture de tabac, et de l'autre, le corps de garde des Dragons. Une foule de badauds et de soldats attend la sortie des cigarières. Micaëla cherche timidement Don José, un brigadier des Dragons, mais il est absent, et la jeune fille s'éloigne. Entrée de Don José au moment où les cigarières quittent la Manufacture. Carmen, qui s'est éprise de Don José, lui jette une fleur. Le bel officier, apparemment indifférent, est troublé par la jolie gitane. Micaëla, sa fiancée, vient lui apporter des nouvelles de sa mère. Pendant ce temps, une bagarre éclate entre les ouvrières de la Manufacture. Carmen est arrêtée pour avoir blessé une de ses compagnes. On confie la garde de la prisonnière à Don José et Carmen déploie tout son charme pour se faire libérer. Contre la promesse d'un rendez-vous, il laisse Carmen s'échapper.
Acte II. L'auberge de Lillas-Pastia. Carmen danse avec d'autres gitanes. Entrée très remarquée du toréador Escamillo, applaudi par ses admirateurs. Il fait des avances à Carmen. Mais la jeune fille attend Don José, qui doit venir la rejoindre après avoir purgé sa peine de prison pour l'avoir laissée s'évader. Carmen fait partie d'une bande de contrebandiers, qui préparent un gros coup. Elle demande à Don José de partir avec eux dans la montagne, où ils vivent en liberté. Mais Don José, bien qu'aveuglé par la passion, est encore conscient de son devoir militaire. Toutefois, quand Zuniga, son supérieur, lui enjoint de regagner la caserne, il se rebiffe. Les deux hommes se battent et sont séparés par Dancaïre et Remendado, les contrebandiers : José ne peut plus reculer, il doit fuir dans la montagne avec Carmen.
Acte III. Le repaire des contrebandiers. Don José est tenaillé par le remords d'avoir quitté le droit chemin. Carmen, elle, se lasse de ce compagnon qui n'a pas su s'adapter à la vie de la bande, et pense de plus en plus à Escamillo. Carmen consulte les cartes et il y lit des présages funestes. A ce moment, Escamillo apparaît et défie Don José. Les deux hommes tirent leur couteau et Carmen réussit à grand-peine à les séparer. Mais il est manifeste, désormais, qu'elle n'aime plus Don José. Micaëla arrive alors et supplie José de se rendre au chevet de sa mère mourante. Don josé, hagard, se laisse emmener par Micaëla, en proférant des menaces contre Carmen, qui le nargue.
Acte IV. Devant les arènes de Séville. La foule applaudit Esca-

millo qui se rend à la corrida avec Carmen à son bras. On prévient Carmen que Don José la cherche, mais elle n'a pas peur. Don José la supplie de revenir vers lui, et elle le repousse avec des mots durs, jetant à ses pieds une bague qu'il lui avait offerte. Tandis que de l'arène montent les acclamations pour le toréador, Don José, fou de jalousie, se jette sur Carmen et la poignarde. Puis, effondré, il se laisse arrêter.

■ L'atmosphère de l'opéra n'a rien à voir avec le réalisme de la nouvelle de Mérimée. Du reste, le public parisien n'appréciait guère les histoires de contrebandiers, d'ouvrières et de gitans, à plus forte raison avec un dénouement tragique et violent. C'est pourquoi les auteurs s'efforcèrent d'adoucir l'Espagne de Mérimée en y ajoutant beaucoup de couleur locale, voire d'exotisme, avec de nombreuses danses et des chœurs. Dans le même esprit, ils introduisirent le personnage positif de Micaëla comme contrepoint à celui de Carmen, passionné et violent. La gitane est d'ailleurs transformée en une élégante « señorita » bien éloignée de l'héroïne de Mérimée, une misérable gitane comme enragée parce que son mari a été tué par les soldats. José est à son tour transformé en un brave garçon de la campagne qui n'a rien d'un fou homicide. Malgré toutes ces précautions, les auteurs affrontèrent la première représentation avec anxiété. La critique se déchaîna effectivement, taxant l'opéra d'immoralité, d'obscénité, de mauvais goût ; on reprocha à la musique d'appartenir à ce que l'on appelait alors « la musique de l'avenir », de manquer de mélodie. Les représentations suivantes se déroulèrent devant une salle vide. Et pourtant, il s'agissait du chef-d'œuvre de Bizet. Dans *Carmen*, il déployait tout son génie dramatique, dépassant le cadre étroit du livret. Tout en conservant les structures traditionnelles du genre opéra-comique, il apportait un souffle nouveau : arias, chansons, chœurs, duos et récitatifs se retrouvent très classiquement dans *Carmen*, mais au lieu des mièvreries conventionnelles, les émotions y sont fortes et l'action violente. La musique est merveilleusement inspirée d'un bout à l'autre. Les polémiques des puristes sur l'origine des motifs musicaux, par exemple ceux qui sont issus de la musique populaire espagnole, sont finalement de peu d'intérêt. L'opéra fut rapidement repris et favorablement accueilli à l'étranger et en province. Son succès alla croissant jusqu'au triomphe définitif à Paris, huit ans après la première représentation. Le 24 décembre 1904, la millième eut lieu à l'Opéra-Comique. Depuis, *Carmen* a fait le tour du monde, traduit en toutes les langues. Malheureusement, Bizet n'assista pas à la consécration de son œuvre. Il était mort trois mois après la première, à l'âge de trente-six ans, terriblement éprouvé par l'échec de son ultime et plus bel opéra. MS

LA REINE DE SABA
(Die Königin von Saba)

Opéra en quatre actes de Karoly Goldmark (1830-1915). Livret de

Salomon Hermann Mosenthal (1821-1877). Première représentation : Vienne, Hoftheater, 10 mars 1875.

L'INTRIGUE : L'histoire s'inspire de l'épisode biblique de la visite de la reine de Saba à Salomon. Assad, fiancé de Sulamid, fille du grand prêtre, tombe amoureux de la reine de Saba dès qu'il l'aperçoit. Salomon exige toutefois qu'Assad respecte sa promesse et épouse Sulamid. La reine, dépitée, entre dans le temple pendant la cérémonie nuptiale. Assad, dans une crise de folie, maudit sa religion et le lieu sacré du culte, puis prend la fuite. Seules les supplications de Sulamid permettent qu'il ne soit qu'exilé, et non exécuté. Assad, pendant ce temps, s'est réfugié dans le désert. La reine de Saba l'y rejoint et tente de le séduire, mais il la repousse. Sulamid le retrouve mourant et elle lui pardonne tandis qu'il expire dans ses bras.

■ *La Reine de Saba* est le premier opéra de Goldmark et c'est son succès qui rendit fameux le nom du compositeur. La musique, quoique inégale, est intéressante par l'emploi de mélodies et de timbres orientalisants où est sensible l'influence de l'harmonie wagnérienne. Il s'agit sans aucun doute du meilleur opéra du compositeur hongrois. LB

VAKOULA LE FORGERON
(Kouznetz Vakoula)

Opéra en quatre actes de Piotr Ilitch Tchaïkovski (1840-1893). Livret de Y. P. Polonski, d'après La nuit de Noël, *de Gogol (1832). Première représentation : Saint-Pétersbourg, théâtre Mariinski, 6 février 1876.*

■ C'est le premier travail dont Tchaïkovski se déclara satisfait. Il le remania en 1885 et le fit jouer sous le titre *Les bottines (Tchérévitchki),* à Moscou, le 31 janvier 1887. Le même opéra est aussi connu en Europe sous le titre *Les caprices d'Ossana.* Le livret avait à l'origine été écrit pour le musicien Serov. L'opéra eut un grand succès en Russie, notamment parce qu'il utilisait largement les thèmes des folklores russe et ukrainien. MS

ANGELO

Opéra en deux actes de César Cui (1835-1918). Livret de V. Bourénine, d'après le drame de Victor Hugo Angelo, tyran de Padoue *(1835). Première représentation : Saint-Pétersbourg, théâtre Mariinski, 13 février 1876.*

L'INTRIGUE : Padoue, en 1549. Angelo Malipiero est le gouverneur de la ville, envoyé par Venise. La Thisbé, une actrice, passe pour être la maîtresse d'Angelo, alors qu'elle est amoureuse de Rodolfo, en réalité Ezzelino da Romano qui se cache sous un faux nom. Celui-ci aime de son côté une femme connue à Venise, Caterina, qu'il sait mariée mais dont il a perdu la trace. Elle se révèle être l'épouse d'Angelo. Thisbé, surprenant ensemble Rodolfo et Caterina, veut se venger. Mais elle reconnaît en Caterina la personne qui a autrefois sauvé sa mère. Elle ne songe plus, dès lors, qu'à soustraire Caterina à la colère de son mari. Elle remplace par un somnifère le poison qu'Angelo voulait faire boire à son épouse, puis elle emmène Caterina endormie chez elle. Rodolfo, découvrant sa bien-aimée inanimée, croit que Thisbé l'a empoisonnée, et la tue. Il comprend trop tard sa fatale erreur.

MS

LA GIOCONDA
(Gioconda)

Opéra dramatique en quatre actes d'Amilcare Ponchielli (1834-1886). Livret de Tobia Gorrio (anagramme d'Arrigo Boito, 1842-1918), d'après Angelo, tyran de Padoue *(1835), de Victor Hugo. Première représentation : Milan, théâtre de la Scala, 8 avril 1876. Interprètes : Mariani-Masi, Biancolini-Rodriguez, Gayarre, Aldighieri, Maini. Direction : Franco Faccio. Deuxième version définitive : Milan, théâtre de la Scala, 12 février 1880.*

LES PERSONNAGES : La Gioconda (soprano) ; Laura Adorno, femme d'Alvise (mezzo-soprano) ; Alvise Bodoero, un des chefs de l'Inquisition d'État (basse) ; l'aveugle, mère de la Gioconda (contralto) ; Enzo Grimaldo, prince génois (ténor) ; Barnabé (baryton) ; Zuarre (basse) ; un chanteur (basse) ; Isepo, écrivain public (ténor). Chœurs.

L'INTRIGUE : Venise, au XVIIe siècle.

Acte I. La cour du Palais Ducal. Gioconda, cantatrice d'une troupe ambulante, repousse les avances de Barnabé, un espion du Conseil des Dix. Pour se venger, il accuse alors la mère, aveugle, de Gioconda d'être une sorcière. La foule s'empare d'elle et la tuerait si Enzo Grimaldo ne venait à son secours. C'est un noble génois proscrit de la république vénitienne qui s'est mêlé aux réjouissances des Padouans, déguisé en marin dalmate. Gioconda est secrètement éprise de lui, mais il aime de son côté Laura, génoise comme lui, et femme du chef de l'Inquisition d'État, Alvise Badoero. La vieille aveugle est arrêtée, malgré l'intervention d'Enzo. Laura obtient cependant sa grâce et, en signe de reconnaissance, la vieille femme lui donne un rosaire. Barnabé, pour éloigner Enzo de Gioconda, promet à son rival de favoriser sa fuite avec Laura, mais il avertit Alvise par une lettre anonyme. Gioconda, qui a entendu Barnabé dicter la lettre à un écrivain public, connaît maintenant les sentiments d'Enzo pour Laura, et décide de tuer la jeune femme.

Acte II. Gioconda s'est dissimulée dans le bateau que doivent emprunter les fugitifs. Déjà, elle s'apprête à poignarder sa rivale lorsqu'elle aperçoit le rosaire donné à Laura par la vieille aveugle. Elle comprend alors que c'est Laura qui a sauvé sa mère, et se résout à la laisser s'enfuir avec Enzo. Mais Alvise survient pour arrêter les amants. Gioconda aide Laura à s'enfuir, tandis qu'Enzo se jette à la mer après avoir mis le feu au bateau.

Acte III. Alvise a rattrapé Laura et, pour la punir de son infidélité, l'oblige à boire un poison, pendant qu'une grande fête se

déroule dans les salons. Gioconda réussit à substituer un somnifère au poison et encourage Laura à le boire. Pendant ce temps, la fête se poursuit *(Danse des Heures)*. A la fin du bal, Alvise découvre aux invités horrifiés le corps inerte de Laura. Enzo, qui s'était mêlé aux invités, masqué, se trahit en apercevant Laura, qu'il croit morte. Gioconda, pour le sauver, doit promettre son amour à Barnabé en échange de la vie d'Enzo. Barnabé accepte le marché, mais il prend la mère de Gioconda en otage.
Acte IV. Laura, toujours endormie, est transportée par des serviteurs de Gioconda dans un palais en ruine. La cantatrice, désespérée d'avoir perdu à la fois Enzo et sa mère, pense au suicide. Enzo, qui s'est évadé avec l'aide de Barnabé, vient chercher Laura et s'enfuit avec elle. Gioconda, restée seule, accueille Barnabé, venu réclamer sa récompense. Mais elle se poignarde devant lui, tandis que, fou de rage, il lui crie qu'il a tué sa mère.

■ Il s'agit là d'un exemple typique de grand opéra populaire, plein de passion, pathétique, avec des mélodies faciles à retenir. C'est peut-être le seul opéra de Ponchielli qui ait gardé aujourd'hui une grande faveur auprès du public, surtout en Italie. Très spectaculaire, il se prête aux mises en scène grandioses, comme celle des arènes de Vérone. Le livret est pour beaucoup dans la valeur de l'opéra. Toutefois Boito, doutant de lui, préféra le signer d'un pseudonyme. Bien que l'œuvre eût été un succès dès la première, Ponchielli, tenant compte de certaines observations de la critique, y apporta de nombreuses modifications qui simplifièrent à la fois l'action et la musique. Déjà, les représentations de Rome (décembre 1877) et de Gênes (décembre 1879), différaient assez nettement de l'original. La version définitive fut donnée à la Scala le 12 février 1880. MSM

L'ANNEAU DU NIBELUNG (Der Ring des Nibelungen)

Cycle dramatique en un prologue et trois « journées » de Richard Wagner (1813-1883). Livret du compositeur inspiré de légendes nordiques.

L'Anneau du Nibelung *(Der Ring des Nibelungen)* comporte quatre unités dramatiques :
Prologue : L'Or du Rhin *(Das Rheingold)*.
1re journée : La Walkyrie *(Die Walküre)*.
2e journée : Siegfried.
3e journée : Le Crépuscule des dieux *(Götterdämmerung)*.
Première représentation du cycle complet : Bayreuth, août 1876.

L'Or du Rhin *(Das Rheingold)*

Un acte. Première représentation : Munich, Hoftheater, 22 septembre 1869. Interprètes : August Kindermann, Franz Nachbaur, Heinrich Vogl Fischer, Schlosser, Sophie Stehle. Direction : Franz Wüllner.

LES PERSONNAGES : Les dieux : Wotan, père des dieux (baryton

basse) ; Donner, dieu du tonnerre et de la foudre (baryton) ; Froh, dieu du soleil (ténor) ; Loge, dieu du feu (ténor) ; Fricka, déesse de la fécondité, épouse de Wotan (mezzo-soprano) ; Freia, sa sœur, déesse de la jeunesse (soprano) ; Erda, déesse de la terre (contralto).
Les Nibelungs : Alberich, roi des Nibelungs (baryton) ; Mime, son frère (ténor).
Les Géants : Fasolt (basse) ; Fafner (basse profonde).
Les Filles du Rhin : Woglinde (soprano) ; Wellgunde (soprano) ; Flosshilde (contralto).

L'INTRIGUE : Au commencement du monde. L'or repose au fond du Rhin, gardé par les trois filles du fleuve. Elles jouent dans l'eau et plaisantent gaiement lorsque soudain apparaît Alberich, un Nibelung, peuple de nains vivant dans les cavernes de Nibelheim. Les jeunes filles se rient des avances d'Alberich. Tout à coup une lueur intense éclaire le lit du fleuve : c'est l'éclat de l'or sous un rayon de soleil. Les filles du Rhin révèlent alors imprudemment le pouvoir magique du trésor. Celui qui s'en emparera pourra forger l'anneau qui lui donnera la puissance suprême, à condition toutefois de renoncer à l'amour. La soif du pouvoir est telle chez le Nibelung qu'il décide de voler le trésor. Il plonge dans le fleuve en criant : « Maudit soit l'amour ! » La lueur de l'or s'éteint au fond des eaux et fait place à l'obscurité. Lorsque les ténèbres se dissipent, on découvre un paysage montagneux. Wotan et son épouse Fricka sont endormis. A leur réveil, ils découvrent avec émerveillement le splendide château du Walhalla, construit par les géants Fasolt et Fafner pour abriter les dieux, las de leur vie vagabonde. Mais le prix qu'a dû promettre Wotan aux géants est énorme : il s'agit de Freia, déesse de la jeunesse ; sans elle, les dieux vont peu à peu vieillir et mourir. A présent, Wotan se ravise et propose une autre récompense aux constructeurs du Walhalla. La colère des géants est terrible. Froh, le dieu du soleil, et Donner, le dieu de la tempête, luttent avec eux. Wotan est obligé d'arrêter cet affrontement sauvage : il sait qu'il va lui falloir honorer sa promesse, car le père des dieux est aussi le gardien des serments, et ne peut manquer à sa parole. Loge, le rusé dieu du feu, propose alors une autre solution. Il raconte qu'Alberich s'est emparé du trésor du Rhin et détient maintenant la puissance : si les géants veulent l'or, il faut qu'ils renoncent à Freia. Ceux-ci acceptent l'échange, mais gardent la déesse en otage. A peine Freia s'est-elle éloignée que les dieux apparaissent soudain pâles et vieillis. Wotan décide de descendre avec Loge dans les antres souterrains de Nibelheim pour dérober le trésor d'Alberich. Dans les entrailles de la terre. Alberich a réduit en servitude le peuple des Nibelungs et veut à présent soumettre les géants et les dieux. Fou d'orgueil, il donne des preuves de sa toute-puissance en se transformant en dragon puis, sur la demande insidieuse de Loge, en crapaud. Wotan met le pied sur l'animal et les dieux maîtrisent ainsi Alberich, qu'ils obligent à leur remettre le trésor. Wotan passe à son doigt l'anneau magique. Le nain, voyant s'évanouir son rêve de puissance, lance alors une terrible malédiction : l'anneau causera la mort de celui qui le possédera. Fasolt et Fafner viennent réclamer leur dû. Ils veulent assez d'or pour recouvrir le corps de Freia. Ils obtiennent aussi le casque magique mais, lorsqu'ils réclament l'anneau, Wotan a un mouvement de refus. Soudain apparaît Erda, déesse de la terre, celle qui sait tout. Elle lance un avertissement à Wotan : « Crains la malédiction de l'anneau, chaque chose a une fin et les dieux aussi périront un jour ! » Wotan, frappé de terreur, donne l'anneau et, aussitôt, la malédiction s'accomplit : Fafner tue Fasolt. Mais Freia est libérée et les dieux retrouvent la jeunesse et l'immortalité. Donner déchaîne un ouragan. Quand les cieux redeviennent sereins, on voit se profiler, de l'autre côté du Rhin, la majestueuse silhouette du Walhalla. Les dieux triomphants s'acheminent vers leur nouvelle demeure en franchissant le fleuve sur un arc-en-ciel, tandis qu'on entend les filles du Rhin pleurer leur trésor perdu.

La Walkyrie ***(Die Walküre).***
Première journée.

Trois actes. Première représentation : Munich, Hoftheater, 26 juin 1870. Interprètes : Heinrich Vogl, Karl Bausewein, August Kindermann, Therese Vogl, Sophie Stehle, Anna Kaufmann. Direction : Franz Wüllner.

LES PERSONNAGES : Siegmund (ténor) ; Hunding (basse) ; Wotan (baryton basse) ; Sieglinde (soprano) ; Brünnhilde (soprano) ; Fricka (mezzo-soprano) ; Gerhilde (soprano) ; Ortlinde (soprano) ; Waltraute (soprano) ; Schwerleite (contralto) ; Siegrune (contralto) ; Grimgerde (contralto) ; Rossweisse (contralto).

L'INTRIGUE : Wotan, père des dieux, a offert un de ses yeux à Erda en échange d'une partie de son savoir. De leurs amours sont nées neuf vierges guerrières, les Walkyries. Elles ont pour tâche de choisir sur les champs de bataille les plus valeureux héros et de les conduire au Walhalla, où ils protègent les dieux. Wotan a aussi engendré avec une mortelle les jumeaux Siegmund et Sieglinde. Wotan veut charger Siegmund, qui n'est pas comme lui lié par une promesse, de récupérer l'anneau magique détenu par Fafner. Les jumeaux ont été séparés à la mort de leur mère, Sieglinde étant forcée d'épouser Hunding tandis que Siegmund a été abandonné à son sort.
Acte I. Siegmund, poursuivi par des ennemis, trouve refuge dans la cabane des Hunding. Sieglinde y est seule et, sans se reconnaître, ils se sentent irrésistiblement attirés l'un vers l'autre. Hunding, à son retour, questionne l'étranger ; il découvre que c'est justement l'homme que lui et les siens pourchassent. Il dit à Siegmund qu'il peut se reposer toute la nuit mais qu'au matin, ils s'affronteront dans un duel à mort. Le jeune homme, resté seul, pense au destin qui l'attend. Un jour, son père lui avait promis une arme qui lui assurerait la victoire dans tous les combats. Soudain, la lueur du foyer fait briller la lame d'une épée profondément enfoncée dans le tronc autour duquel est construite la

cabane. Sieglinde, qui a fait boire un puissant somnifère à Hunding, raconte alors l'histoire de son mariage et explique qu'un mystérieux étranger borgne lui a prédit que seul un héros pourrait arracher l'épée plantée dans le frêne. La porte s'ouvre et laisse apparaître un radieux clair de lune : Siegmund comprend alors que la femme et l'épée lui sont destinées. D'un geste puissant, il enlève l'épée du frêne et la baptise Nothung (fille de la nécessité). Puis, rayonnants de bonheur, le frère et la sœur enfin réunis s'enfuient dans la nuit printanière.

Acte II. Une montagne escarpée. Wotan ordonne à la Walkyrie Brünnhilde, sa préférée, de protéger Siegmund de Hunding, qui le pourchasse. Mais Fricka, gardienne des vœux matrimoniaux, exige que cesse l'amour incestueux des jumeaux : il faut que Siegmund meure. Wotan lui dit que Siegmund, libre mortel, a pour mission d'empêcher les Nibelungs de reprendre l'anneau d'Alberich, ce qui signifierait l'anéantissement des dieux. Inexorable, Fricka demande que l'ordre des choses soit rétabli. Wotan, malgré sa douleur, acquiesce : Brünnhilde ne devra pas sauver Siegmund. La Walkyrie, restée seule, regarde les fugitifs gravir la montagne. Lorsqu'ils s'arrêtent, Sieglinde, qui porte le fruit de leurs amours incestueux, s'endort épuisée. La Walkyrie apparaît à Siegmund et lui annonce sa mort prochaine et son ascension au Walhalla. Il lui demande si Sieglinde pourra le suivre. La réponse est non : Siegmund alors saisit son épée pour se tuer avec sa sœur. Brünnhilde arrête son bras. Émue par son amour, elle prend la résolution de désobéir à Wotan et de les sauver. Précédé du son du cor, Hunding apparaît. Au milieu des éclairs, les rivaux s'affrontent dans un duel sans merci. Déjà, Siegmund semble l'emporter quand Wotan fait voler son épée en éclats, et le héros tombe sous les coups de son ennemi. Wotan foudroie ensuite Hunding puis se lance à la poursuite de Brünnhilde, qui a pris la fuite, emportant sur son cheval Sieglinde évanouie.

Acte III. Le sommet d'une montagne escarpée. Les Walkyries se retrouvent après une folle chevauchée pour raconter leurs aventures. Brünnhilde arrive la dernière et demande l'aide de ses sœurs pour sauver Sieglinde de la colère de Wotan : la jeune femme doit donner naissance à Siegfried, le héros qui rassemblera un jour les fragments de l'épée de son père, Nothung. Sieglinde, cachée dans une grotte de la forêt où Fafner garde son trésor, mettra au monde son enfant. Pendant ce temps, Wotan exhale sa fureur contre Brünnhilde, qui tente de justifier son acte : il la prive de son immortalité et la condamne à un profond sommeil dont elle sera tirée un jour par l'homme qu'elle devra épouser. Il exauce cependant la prière de sa fille en acceptant de l'entourer d'un cercle de feu afin que seul un héros valeureux puisse venir la réveiller. Wotan, avec une grande émotion, lui donne un baiser d'adieu et l'endort. Puis, après l'avoir couverte de son bouclier, il s'en va, tandis que s'élève le cercle de flammes, en chantant gravement : « Celui qui craint la pointe de ma lance ne traversera jamais le feu. »

Siegfried. Deuxième journée.

Trois actes. Première représentation : Bayreuth, Festspielhaus, 16 août 1876. Interprètes : Georg Unger, Eugen Gura, Köge, Karl Schlosser, Bete, Karl Hill, Amalie Materna, Franz Bettz. Direction : Hans Richter.

Les personnages : Siegfried (ténor) ; Mime (ténor) ; le Voyageur (baryton basse) ; Alberich (baryton) ; Fafner (basse profonde) ; Erda (contralto) ; Brünnhilde (soprano) ; l'Oiseau (soprano).

L'intrigue :
Acte I. Une caverne dans la forêt. Mime, le Nibelung, essaie en vain de forger les fragments de Nothung, l'épée magique brisée par Wotan. Mime a élevé Siegfried depuis sa naissance, sa mère étant morte en couches. Il nourrit l'espoir d'utiliser un jour la force miraculeuse du jeune homme pour tuer Fafner, transformé en dragon, afin de s'emparer du trésor. Siegfried arrive tout joyeux, ramenant avec lui un ours capturé dans la forêt, à la grande épouvante du nain. L'adolescent goguenard fait une fois de plus voler en éclats l'épée que lui a préparée Mime. Puis il l'oblige à lui raconter la véritable histoire de ses parents : la fuite de Siegmund et Sieglinde, le duel entre son père et Hunding, la mort de sa mère. Il ordonne au nain de reforger Nothung, l'épée invincible. A peine le jeune homme parti, un étrange personnage borgne et drapé dans un grand manteau fait son apparition : c'est le Voyageur, en réalité Wotan déguisé. Il prédit au nain que « seul celui qui ne connaît pas la peur pourra forger l'épée » et lui dit de redouter le téméraire qui en sera capable. Mime, comprenant qu'il ne pourra jamais ressusciter Nothung, se méfie alors de Siegfried et décide de lui apprendre la peur. Mais Siegfried ne fait que rire des histoires destinées à l'effrayer et la mention du dragon éveille sa curiosité. Décidé à se mesurer à lui, il entreprend de refondre les morceaux de Nothung. Mime pense alors que si Siegfried tue Fafner, il n'aura plus qu'à l'empoisonner pour s'approprier le trésor. Pendant ce temps, Siegfried travaille en chantant joyeusement. Lorsque Nothung, resplendissante, a retrouvé sa forme initiale, le jeune homme fend l'enclume d'un seul coup d'épée.
Acte II. Au plus profond de la forêt, Alberich épie anxieusement la grotte où le dragon surveille son trésor. La haute silhouette du Voyageur se profile sous la lune et il prédit : « Alberich, prends garde, car Mime se servira de la force du jeune homme pour tuer le dragon et s'emparer de l'or. » A l'aube, Mime conduit Siegfried à l'entrée de la caverne, puis s'éloigne. Soudain, comme par enchantement, la forêt prend vie et l'on entend dans les branches le chant d'un oiseau. Attendri, Siegfried pense à sa mère qu'il n'a pas connue. Peut-être l'oiseau saurait-il lui parler d'elle ? Il essaie d'imiter son chant avec une flûte improvisée, mais en vain. Il sonne alors de son cor d'argent. Fafner, réveillé, sort de sa tanière pour brûler l'intrus de son haleine de feu, mais Siegfried ne lui en laisse pas le temps et lui plonge son épée dans le cœur. Une goutte de sang du dragon lui

brûle la main, qu'il porte à sa bouche pour atténuer la douleur. Et voici que tout à coup il comprend le langage de l'oiseau. Celui-ci lui dit que, dans l'antre de Fafner, se trouvent le casque et l'anneau qui permettent de dominer le monde. Lorsque le héros ressort avec les objets magiques, l'oiseau le met en garde : le breuvage que lui offre Mime est empoisonné. Siegfried, pris de colère, tue le nain et jette son cadavre dans la grotte. Le murmure de la forêt et le chant de l'oiseau reprennent. Ils apprennent à Siegfried que la plus belle des femmes dort entourée d'un cercle de flammes, attendant le héros au cœur pur qui bravera le danger pour la réveiller. Siegfried, grisé, s'élance vers ce nouvel exploit, guidé par l'oiseau qui lui montre la route.
Acte III. Wotan, au pied de la montagne où dort Brünnhilde, invoque Erda et l'interroge sur l'avenir. Mais la déesse répond par d'obscurs présages sur la fin des dieux. Wotan, déçu et troublé de ses réponses, la renvoie dans les entrailles de la terre et la plonge dans un sommeil éternel. C'est alors qu'apparaît Siegfried, précédé par l'oiseau. Wotan se dresse devant lui pour lui barrer la route. Malgré sa tendresse pour le fils de Siegmund, il sait que sa victoire signifierait la fin du règne des dieux. Mais Wotan est impuissant contre la volonté humaine et l'arme forgée de la main de l'homme. Sa lance se brise contre Nothung et il doit laisser passer le héros. Ignorant qu'il vient d'anéantir la puissance du père des dieux, Siegfried gravit la montagne. A la vue de la femme endormie, une étrange et nouvelle émotion inonde son âme : pour la première fois, il ressent une obscure terreur. Il donne un baiser à Brünnhilde qui s'éveille et salue le monde dans l'aube radieuse. Elle a perdu sa divinité et l'amour terrestre s'empare d'elle, irrésistible. Elle abandonne les dieux à leur destin : « Que commence le crépuscule des dieux, Brünnhilde vivra pour l'amour de Siegfried. » Les deux jeunes gens s'étreignent avec passion.

Le Crépuscule des dieux
(Götterdämmerung).
Troisième journée.

Trois actes. Première représentation : Bayreuth, Festspielhaus, 17 août 1876. Interprètes : Georg Unger, Eugen Gura, Gustav Siehr, Karl Hill, Amalie Materna, Matilde Weckerlin, Luise Jaide, Johanna Wagner, Josephine Schefzky, Federica Grün. Direction : Hans Richter.

LES PERSONNAGES : Siegfried (ténor) ; Gunther (baryton) ; Alberich (baryton) ; Hagen (basse) ; Brünnhilde (soprano) ; Gutrune (soprano) ; Waltraute (mezzo-soprano) ; première Norne (contralto) ; deuxième Norne (mezzo-soprano) ; troisième Norne (soprano) ; Woglinde (soprano) ; Wellgunde (soprano) ; Flosshilde (mezzo-soprano). Guerriers, vassaux, femmes.

L'INTRIGUE : Prologue. Sur la montagne où Siegfried vient de réveiller Brünnhilde du profond sommeil dans lequel Wotan l'avait plongée, les trois Nornes tissent le fil de la Destinée, dans la pénombre à peine éclairée des dernières flammes du brasier qui entourait la Walkyrie. Soudain, le fil d'or se rompt : c'est la fin d'une ère. Les trois Nornes, terrorisées, retournent dans les abîmes vers Erda, la mère éternelle. Le jour se lève dans toute sa splendeur. Siegfried et Brünnhilde apparaissent, rayonnant de bonheur. Le héros s'apprête à partir pour de nouveaux exploits. La Walkyrie déchue lui confie son merveilleux cheval Grane tandis qu'il passe au doigt de sa bien-aimée l'anneau enchanté en gage de fidélité. Après une dernière étreinte, Siegfried commence sa descente le long du Rhin.

Acte I. Le royaume de Gibichung, au bord du Rhin. Gunther et Gutrune, enfants de Gibich et Grimhilde, règnent, conseillés par leur demi-frère Hagen, fils du Nibelung Alberich, qui poursuit le rêve de son père : reconquérir l'anneau. Il fait naître chez Gunther l'ardent désir de conquérir Brünnhilde, sans lui dire qu'elle est déjà la femme de Siegfried. Il présente simplement celui-ci comme un rival dangereux et suggère à Gunther de lui faire boire un philtre qui lui ôtera le souvenir de Brünnhilde et le fera tomber amoureux de la première femme rencontrée. Lorsque le héros aborde au Gibichung, Gutrune lui offre la coupe fatale. Aussitôt, il perd le souvenir de la Walkyrie et s'éprend de Gutrune, qu'il demande sur-le-champ en mariage à son frère. Gunther accepte, à condition que Siegfried brave une nouvelle fois le feu de Loge pour lui ramener Brünnhilde. Celle-ci, pendant ce temps, accueille sa sœur Waltraute, venue la supplier de rendre au Rhin l'anneau maudit pour sauver le Walhalla et les dieux. Brünnhilde refuse dédaigneusement et Waltraute s'éloigne désespérée, tandis que résonne le cor de Siegfried. Mais l'homme qui traverse les flammes a les traits de Gunther (Siegfried en a pris l'apparence grâce au casque magique). Brünnhilde, effrayée, essaie de lui résister, mais il lui arrache l'anneau. Puis, sans se souvenir de rien, il place entre eux son épée en signe de chasteté en attendant de livrer Brünnhilde à Gunther.

Acte II. Le palais de Gibichung, au bord du Rhin. Le nain Alberich incite son fils Hagen à reprendre l'anneau que détient Siegfried pour que la puissance revienne au peuple des Nibelungs. Le héros rentre justement et annonce l'arrivée de Brünnhilde et de Gunther. Hagen sonne du cor pour que se rassemblent guerriers et vassaux afin d'accueillir le couple. Mais Brünnhilde reconnaît Siegfried et, indignée, voit qu'il porte l'anneau à son doigt. Elle proclame alors que c'est lui qui a pris l'anneau et qu'il est son époux. Siegfried, toujours sous l'effet du philtre, nie formellement et jure, sur la lame de l'épée que lui présente Hagen qu'il n'a pas entaché l'honneur de Gunther. Brünnhilde, pour se venger, trame avec Gunther et Hagen l'assassinat de Siegfried. Le lendemain, au cours d'une partie de chasse, Hagen frappera Siegfried dans le dos, son seul point vulnérable a révélé Brünnhilde, et recevra l'anneau en récompense.

Acte III. Au bord du Rhin, tandis qu'on entend au loin l'écho du cor de chasse, les Filles du Rhin conjurent Siegfried de leur rendre l'anneau, car sa mort est proche. Mais il refuse. A cet instant, Gunther et Hagen arrivent avec leur suite pour une halte après la chasse. Ils interrogent Siegfried sur son histoire. Mais le héros perd le fil de son récit au moment de la mort du dragon. Hagen lui fait boire alors une potion qui lui rend la mémoire. Avec une émotion croissante, il raconte sa conquête de Brünnhilde. Gunther comprend alors que Hagen lui a menti. Soudain, les deux corbeaux de Wotan viennent tournoyer autour de la tête de Siegfried. Pendant qu'il les regarde, Hagen lui plonge traîtreusement son épée dans le dos. Les dernières paroles du héros sont pour Brünnhilde, dont il a retrouvé le souvenir. Ainsi meurt Siegfried. Au son d'une marche funèbre, son corps, couché sur les boucliers des guerriers, est ramené au palais. Devant Gutrune effondrée, Gunther accuse Hagen, qui le tue. Mais quand le fils d'Alberich s'avance pour enlever l'anneau du doigt de Siegfried, la main du héros mort se lève, menaçante. Brünnhilde, désespérée de n'avoir pas compris que Siegfried avait été ensorcelé, réclame le droit de mourir après lui ; elle lui ôte l'anneau et se le passe au doigt puis demande qu'un bûcher soit dressé ; elle se précipite dans les flammes avec son cheval Grane. L'incendie fait bientôt rage dans le palais. Alors, le Rhin sort de son lit et submerge tout, entraînant Hagen dans ses profondeurs. Les Filles du Rhin récupèrent l'anneau tandis que le feu monte vers le ciel et embrase le Walhalla, où les dieux réunis attendent leur fin. La malédiction d'Alberich s'est accomplie, et le sacrifice de Brünnhilde a purifié le monde.

■ Wagner a puisé, pour écrire *L'Anneau du Nibelung* dans l'*Edda*, recueil en langue scandinave de chants du XIIe siècle inspirés de la mythologie germanique et dans le *Nibelungenlied*, poème épique allemand anonyme où l'on retrouve, au milieu d'une trame légendaire, un certain nombre de faits historiques relatifs au règne des Burgondes. Ce dernier élément disparaît toutefois dans la tragédie wagnérienne, située lors d'un mythique commencement du monde. Wagner a repensé et enrichi des sources poétiques disparates pour réaliser une œuvre profondément personnelle, imprégnée de sa philosophie et de son expérience. Le mythe, au-delà de sa valeur symbolique, trace un saisissant tableau de la condition humaine où s'expriment en filigrane la crise et les contradictions de la civilisation capitaliste du XIXe siècle. La légende, dans la conception wagnérienne, est le véritable langage poétique des peuples. Il s'en est servi, selon l'expression de Thomas Mann, pour créer « un art qui aspire à un monde de fraternité, libre des illusions du pouvoir et de la domination de l'or, et dont les fondements sont la justice et l'amour ». Il fallut vingt-huit ans à Wagner pour composer la Tétralogie : de 1848, date de la première ébauche du texte de *Siegfried Tod (La Mort de Siegfried)* qui devait devenir *Le Crépuscule des dieux*, à 1876, année de la première représentation de l'œuvre à Bayreuth. L'élaboration littéraire se fit à l'inverse de l'ordre chronologique : du *Crépuscule des dieux*, Wagner étendit le récit à *La Jeunesse de Siegfried* (1851), qu'il fit ensuite précéder de *La*

Walkyrie, puis enfin de *L'Or du Rhin*, le prologue (1853). La version définitive fut publiée en 1863. Au cours de cette longue gestation, le contenu philosophique de l'œuvre subit des changements fondamentaux. A sa conception, elle était tout imprégnée de la vision optimiste de l'avenir propre à l'esprit de la révolution de 1848 à laquelle Wagner avait adhéré avec enthousiasme : l'idée maîtresse était celle d'un retour à la liberté originelle de l'homme. Puis *L'Anneau* fut marqué par la découverte de la pensée pessimiste de Schopenhauer par Wagner, vers 1854. La différence entre les deux versions du *Crépuscule des dieux* est à cet égard significative : dans la première, on assistait à l'apothéose de Siegfried et Brünnhilde, renaissant des flammes pour monter dans le Walhalla, transparente métaphore de l'humanité enfin consciente d'elle-même et libérée de la nécessité du divin ; dans la version définitive, au contraire, tout s'achève en apocalypse. La rédemption du monde — thème fondamental dans l'opéra wagnérien — se réalise, à la fin du *Crépuscule*, par l'anéantissement des hommes et des dieux, rendus à la Nature originelle et éternelle. La composition musicale suivit l'ordre chronologique du récit. *L'Or du Rhin* fut achevé en 1854. En 1856, Wagner termina *La Walkyrie* et commença *Siegfried*, interrompu au deuxième acte jusqu'en 1865, et mené à son terme en 1869. En 1874, enfin, il mit la dernière main au *Crépuscule des dieux*, dont certains morceaux remontaient à l'époque où Wagner écrivait le livret. Le cycle complet fut joué pour la première fois à Bayreuth du 13 au 17 août 1876, pour l'inauguration du Festspielhaus, nouveau théâtre créé par Wagner. Le plus célèbre machiniste de l'époque, Karl Brandt, et le peintre viennois Josef Hoffmann, chargé des décors, participèrent à la réalisation du spectacle, où les nouveautés techniques abondaient. A titre de curiosité signalons que l'éclairage au gaz voisinait avec des projecteurs électriques et qu'une « lanterne magique » fut utilisée pour projeter la chevauchée des Walkyries. *L'Anneau du Nibelung* est un monument essentiel de la culture européenne. La pensée et la musique du XIXe siècle trouvèrent dans cette gigantesque épopée une impulsion nouvelle. Elle représentait en effet la réalisation de la théorie dite du *Wort-Ton-Drama*, conception de l'art lyrique où paroles, musique et action se fondent dans une œuvre totale, dégagée des schémas et des conventions. La réforme dramatique, succédant à celle des siècles passés, de Monteverdi à Gluck, a toutefois moins d'importance que la révolution musicale représentée par la Tétralogie. L'action, libérée des contraintes des « formes fermées », se déroule sans rupture à travers l'exposition, le retour, la combinaison et la superposition des thèmes conducteurs (leitmotive) dont chacun évoque un personnage, un sentiment ou une situation. Ainsi se forme un tissu musical ininterrompu, une mélodie infinie où le spectateur est guidé par le retour des thèmes conducteurs subtils et insistants jusqu'à la perception des moindres nuances dramatiques, sans même qu'intervienne la parole. Les modulations finissent par estomper la tonalité et font place à un chromatisme « bien apte à exprimer l'état d'âme romantique d'un désir de l'inaccessible, de la chose espérée et perdue, hors du présent » (Massimo Mila). L'histoire du langage musical, avec la Tétralogie, s'ouvrait sur un avenir plein de perspectives et d'inconnu.

RM

LE BAISER (Hubička)

Opéra populaire en deux actes de Bědrich Smetana (1824-1884). Livret d'Eliska Krásnohorská, tiré d'une nouvelle de K. Svetlé. Première représentation : Prague, Théâtre national, 27 octobre 1876.

L'INTRIGUE : Lukas, veuf, est père d'un petit garçon. Le père de Vendulka lui permet d'épouser sa fille. Mais ils ont l'un et l'autre mauvais caractère, et commencent aussitôt à se disputer. Lorsque Vendulka se rend chez son fiancé, celui-ci veut qu'elle lui donne un baiser. La jeune fille refuse : selon une croyance populaire, un baiser donné à un veuf fait en effet souffrir l'épouse décédée. Les flatteries et les menaces s'avérant inutiles, Lukas s'en va au cabaret danser avec les jeunes filles du village et, pour la provoquer, passe avec deux d'entre elles sous les fenêtres de Vendulka. Offensée, celle-ci s'enfuit dans la forêt. Lukas, pris de remords, va alors la chercher avec des amis. Après une nuit d'aventures, les deux fiancés se retrouvent : Vendulka se jette dans les bras de son bien-aimé pour l'embrasser. A son tour, il refuse. Il exige d'abord des excuses. Les excuses arrivent... avec un baiser.

■ *Le baiser,* qui se déroule, comme *La fiancée vendue,* dans un milieu paysan, ne possède pas la gaieté du chef-d'œuvre de Smetana. Il s'agit plutôt d'une méditation douce et mélancolique sur la vie des paysans tchèques. L'opéra obtint un grand succès et devint l'œuvre la plus populaire et la plus représentée du compositeur après *La fiancée vendue.*

RB

LE ROI DE LAHORE

Opéra en cinq actes de Jules Massenet (1842-1912). Livret de Louis Gallet (1835-1898). Première représentation : Paris, Opéra, 27 avril 1877.

LES PERSONNAGES : Alim, roi de Lahore ; Scindia, son premier ministre ; Timour, grand prêtre ; Indra, dieu hindou ; Naïr, prêtresse du temple d'Indra ; Khaled, jeune esclave.

L'INTRIGUE : En Inde, à l'époque de l'invasion du sultan Mahmoud, au XIe siècle.
Acte I. Péristyle du temple d'Indra. Scindia, premier ministre du roi de Lahore, aime la prêtresse Naïr et demande au grand prêtre Timour de la délier de ses vœux, mais celui-ci refuse. Scindia sait que la jeune fille a des rendez-vous nocturnes avec un homme et lui fait avouer qu'elle a commis le péché sacrilège. Pour se venger de n'être pas aimé, le ministre dénonce publiquement la faute de Naïr. On apprend par la

suite que son amant est le roi en personne. Pour expier, le roi doit aller combattre les musulmans et il part, accompagné du chœur qui l'exhorte à la guerre.
Acte II. On entend au loin des fanfares. Une foule d'esclaves et de soldats de l'armée d'Alim en déroute envahissent la scène. Scindia annonce que le roi a été mortellement blessé et que la colère divine a ainsi frappé l'impie, qui n'est plus digne de commander : le ministre s'empare donc du pouvoir. Le roi Alim, trahi, est jeté en prison, où il meurt dans les bras de Naïr.
Acte III. Le jardin des bienheureux au Paradis d'Indra. Le dieu demande à Alim de raconter son histoire. Ému par sa triste destinée, Indra lui accorde le privilège de retourner parmi les vivants. Seulement, il ne sera plus roi, mais simple homme du peuple, et il mourra à l'instant même où disparaîtra celle qu'il aime.
Acte IV. La grand-place de Lahore. Alim se réveille, vêtu en roturier. On prépare le couronnement du nouveau roi, Scindia. Alim interrompt le cortège en se jetant sur Scindia et en l'accusant de l'avoir assassiné. Revenu de sa surprise, l'usurpateur traite Alim d'imposteur, et celui-ci doit chercher refuge dans le temple pour ne pas être arrêté.
Acte V. Le sanctuaire d'Indra. Alim retrouve Naïr, qui s'est enfuie de la chambre nuptiale où Scindia l'avait conduite de force. Le nouveau roi les rejoint et va s'emparer d'eux lorsque Naïr se poignarde pour lui échapper. Alim, selon la volonté d'Indra, meurt en même temps que sa bien-aimée.

■ Cet opéra, qui n'est pas une œuvre de la maturité de Massenet, révèle cependant déjà les dons qui feront de lui l'un des principaux auteurs lyriques français de la fin du XIXe siècle. Il a su tirer parti d'un livret dramatique et mouvementé, écrivant quelques pages très réussies, par exemple celle du réveil d'Alim et l'introduction de la scène du Paradis. GP

SAMSON ET DALILA

Opéra en trois actes et quatre tableaux de Camille Saint-Saëns (1835-1921). Livret de Ferdinand Lemaire inspiré de l'épisode biblique. Première représentation : Weimar, Hoftheater, 2 décembre 1877. Interprètes : Von Müller (Dalila), Ferenczy (Samson), Milde (le grand prêtre), Dengler (Abimelech).

LES PERSONNAGES : Dalila (mezzo-soprano) ; Samson (ténor) ; le grand prêtre de Dagon (baryton) ; Abimelech, satrape de Gaza (basse) ; un vieux Juif (basse) ; un messager philistin (ténor) ; deux Philistins (ténor et basse) ; chœur des Juifs, Philistins.

L'INTRIGUE :
Acte I. Une place de Gaza, en Palestine, vers 1115 avant notre ère. Les Philistins oppriment les Israélites. Samson encourage son peuple à placer tout son espoir en Dieu, rappelant aux Juifs la libération d'Égypte et la traversée de la mer Rouge. Abimelech, satrape de Gaza, a des paroles méprisantes à l'égard des Juifs et de leur Dieu. Samson, inspiré par le Seigneur, annonce à Abimelech que sa dernière heure est proche

et, saisissant l'épée brandie par le satrape, il le tue. Le grand prêtre de Dagon appelle les Philistins à la vengeance, mais une force mystérieuse les retient. Le soir, Samson et ses guerriers occupent la ville. Ils sont absorbés dans leurs prières lorsque apparaît Dalila, prêtresse de Dagon, suivie d'un cortège de femmes philistines. Elle invite Samson à lui rendre visite, et il ne peut cacher son trouble.
Acte II. La vallée de Soreck, en Palestine, au crépuscule. Le grand prêtre persuade Dalila de séduire Samson pour découvrir le secret de sa force extraordinaire. Samson, partagé entre son désir et la conscience de son destin de libérateur du peuple hébreux, reste prudent tout d'abord. Puis il succombe aux charmes de Dalila et finit par avouer le secret de sa force. La femme lui coupe les cheveux pendant son sommeil et les Philistins viennent l'arrêter, désormais sans défense.
Acte III. La prison de Gaza. Samson, aveugle, les cheveux coupés, est enchaîné à une roue qu'il doit pousser sans cesse. Le chœur des Juifs pleure la trahison du héros, qui les a vendus pour une femme. Samson demande pardon au Seigneur. Deuxième tableau. Le temple de Dagon. Les prêtres et le peuple philistin sont rassemblés. Dalila, railleuse, invite Samson à participer à l'orgie sacrée, lui rappelant qu'elle l'a rendu esclave par ses charmes. Samson, sous les huées, est conduit au milieu du temple pour s'humilier, à genoux, devant le dieu païen. Samson se fait conduire jusqu'aux colonnes du temple et, suppliant Dieu de lui rendre un instant sa force surhumaine, il les fait s'écrouler. Le temple s'effondre, ensevelissant les Philistins et Samson sous ses décombres.

■ *Samson et Dalila,* monté à Weimar sur l'initiative de Liszt, ne fut repris à l'Opéra de Paris que seize ans plus tard. Cet opéra — considéré comme le meilleur de Saint-Saëns — est aussi le second d'inspiration biblique, après *Le Déluge* (1876). Mais la force du récit de la Bible ne se retrouve pas chez Saint-Saëns, dont les personnages sont essentiellement sentimentaux. Dalila, que le compositeur présente comme l'héroïne de son peuple, est le personnage central de l'œuvre, axée sur le thème de la séduction. Le charme irrésistible de Dalila justifie la trahison de Samson, explique l'abdication de sa volonté héroïque. En réalité, aussi bien Samson que Dalila sont ici les personnages typiques d'un mélodrame romantique et manquent de l'épaisseur historique qui en fait, dans la Bible, les acteurs de la tragédie de deux peuples. Leur ravissant duo d'amour du deuxième acte, mélodie exquise en soi, s'adapte mal aux personnages et à la situation. La valeur musicale de la partition rachète cependant les erreurs de perspective dramatique. L'inspiration atteint à certains moments de véritables sommets, comme dans le duo du deuxième acte déjà cité. Le culte de Saint-Saëns pour la forme se manifeste pleinement dans *Samson et Dalila,* et l'on peut y déceler l'influence des Parnassiens, au point que le musicien adopta la devise « l'art pour l'art ». L'opéra occupe encore aujourd'hui une place importante dans les répertoires lyriques grâce à sa beauté claire et équilibrée, manquant toutefois d'invention originale et de souffle créateur. RB

LE SECRET (Tajemstvi)

Opéra-comique en trois actes de Bedřich Smetana (1824-1884). Livret d'Eliska Krásnohorská. Première représentation : Prague, Nouveau Théâtre tchèque, 18 septembre 1878.

L'INTRIGUE : Les deux conseillers municipaux Kalina et Malina sont en grande discussion lorsque le vieux Boniface vient remettre à Kalina une lettre qui lui est adressée et qu'il a découverte dans le bois. C'est une lettre du frère défunt de Kalina qui lui donne des instructions pour retrouver un trésor. Le conseiller, qui a lu à haute voix devant Boniface, lui fait jurer de ne rien dire à personne. Mais le vieux s'empresse de raconter l'histoire à un maçon, qui doit promettre à son tour de garder le silence. Et ainsi, de bouche à oreille, chacun s'engageant à ne rien répéter, le secret fait le tour du village ; lorsqu'il arrive aux oreilles du sonneur, celui-ci monte à son clocher et, de là, il le crie aux bonnes gens rassemblés, en leur recommandant d'être discrets. Pendant ce temps, Kalina s'apprête à commencer ses recherches au pied de l'église, lieu de pèlerinage. Une procession passe à ce moment. Il aperçoit son fils Vit, qui est amoureux de Blazenka, la fille de Malina. Mais leurs pères ne veulent pas entendre parler de mariage car, autrefois, on avait refusé à Kalina la sœur de Malina, Rosa, parce qu'il était trop pauvre. Après de nombreuses péripéties, on découvre que le trésor était tout simplement un passage secret menant à la chambre de Rosa. Kalina, faisant irruption chez Malina, en profite pour demander la main de sa fille pour son fils et celle de Rosa pour lui-même, ce qui lui est accordé.

■ Il s'agit de l'avant-dernier opéra de Smetana, alors atteint de surdité complète, malade et vivant dans la misère. Pour ces raisons peut-être, *Le secret,* malgré son sujet comique, exprime une certaine tristesse, notamment dans l'évocation de l'orgueil blessé de Kalina, de ses amours tardifs avec Rosa et de la passion des deux jeunes gens.

RB

POLYEUCTE

Opéra en cinq actes de Charles Gounod (1818-1893). Livret de Jules Barbier (1825-1901) et Michel Carré (1819-1872), d'après la tragédie de Corneille (1642). Première représentation : Paris, Opéra, 7 octobre 1878. Interprètes : Krauss, Salomon, Lassalle.

L'INTRIGUE : A Mytilène, capitale de l'Arménie, Pauline, fille du gouverneur Félix, a épousé Polyeucte, un noble arménien. Le général romain Sévère, ancien fiancé de Pauline que tout le monde croyait mort, revient après une campagne glorieuse pour apprendre que Pauline est mariée à Polyeucte. Ce dernier, converti secrètement au christianisme, est obligé de se rendre au temple pour un sacrifice en l'honneur de Sévère : il renie alors publiquement les dieux païens. Polyeucte échappe à une condamnation immédiate grâce aux supplications de Pauline et à l'intervention de Sévère, qui estime malgré tout son rival. Mais Félix déclare que si son gendre n'abjure pas publiquement sa foi, il sera exécuté. Le peuple, fanatisé par les prêtres païens, réclame la mort des chrétiens. Polyeucte refuse de renier le Christ et Pauline, émerveillée de sa fermeté d'âme, décide de mourir à ses côtés. Les deux époux, transfigurés par la foi, marchent ensemble au martyre.

■ *Polyeucte* fut jugé très décevant par le public parisien, malgré l'excellente interprétation de la Krauss, de Salomon et de Lassalle. L'échec s'explique d'une part par le caractère hybride du livret, à mi-chemin entre l'oratorio et l'opéra, et d'autre part par la musique de Gounod, manquant ici d'inspiration et peu adaptée au mysticisme héroïque des personnages de Corneille. LB

LE MARCHAND DE MOSCOU (Koupetz Kalachnikov)

Opéra en trois actes d'Anton Grigorievitch Rubinstein (1829-1894). Livret de N. J. Koulibov, d'après Lermontov. Première représentation : Saint-Pétersbourg, Théâtre impérial, 5 mars 1880.

L'INTRIGUE :
Acte I. Le palais d'Ivan le Terrible. Les Oprichniki, garde personnelle du tsar, apprennent que des délégués du Zemstvo vont être reçus par le souverain, à qui ils viennent se plaindre des exactions de sa garde. Le tsar apparaît et assiste à une cérémonie religieuse solennelle. Puis, après avoir reçu les délégués, il discute familièrement avec les Oprichniki. L'un d'eux, Kirikheïevitch, avoue être tombé amoureux.
Acte II. Dans les rues de Moscou. La foule se disperse à l'arrivée des terribles Oprichniki. A cet instant, Aliéna, femme du marchand Kalachnikov, sort de chez elle pour se rendre aux vêpres. Kirikheïevitch lui déclare sa flamme et l'enlève. Une vieille femme, qui a assisté à la scène, raconte au marchand ce qui s'est passé. Kalachnikov, partagé entre l'indignation et la peur, décide en fin de compte de dénoncer le garde du tsar.
Acte III. Une place de Moscou grouillante de monde : mille et une petites scènes de la vie populaire s'y déroulent. Le tsar écoute les plaignants : Kirikheïevitch, qui accuse le marchand de crimes imaginaires, Aliéna, qui implore sa grâce, et Kalachnikov, qui demande justice. Finalement, il rend hommage au mari courageux qui a osé braver les Oprichniki. L'opéra s'achève sur un chœur qui accueille Kalachnikov sortant de prison.

■ L'opéra salué avec enthousiasme fut rapidement retiré de l'affiche à cause de la censure. Bien que le style en soit hybride, certains passages sont d'une grande profondeur psychologique, comme par exemple les airs et récitatifs de Kalachnikov au deuxième acte. Notons également le récit du bouffon, qui reflète fidèlement l'âme populaire russe. RB

L'ENFANT PRODIGUE (Il figliuol prodigo)

Opéra en quatre actes d'Amilcare Ponchielli (1834-1886). Livret d'Angelo Zanardini (1820-1893). Première représentation : Milan, théâtre de la Scala, 26 décembre 1880. Interprètes : Francesco Tamagno, Anna d'Ageri, Édouard de Reszké, Federico Salvati.

Les personnages : Ruben, chef des tribus d'Israël (basse) ; Azaël, son fils (ténor) ; Aménophis, un aventurier assyrien (baryton) ; Jephtel, pupille de Ruben (soprano) ; Nephté, aventurière, sœur d'Aménophis (mezzo-soprano) ; un charmeur de serpents (mime).

L'intrigue : Dans la vallée de Jessen, la tribu de Ruben célèbre la Pâque. Le vieux Ruben et sa pupille Jephtel sont tristes de l'absence d'Azaël. Un aventurier assyrien, Aménophis, survient et raconte que sa sœur Nephté a été sauvée des griffes d'une féroce panthère par le courage d'Azaël. Ce dernier rejoint les siens, accompagné de Nephté. Dans la joie générale, Jephtel reste sombre : fiancée d'Azaël, elle observe avec jalousie la jeune étrangère qui vante les plaisirs de Ninive. Azaël, enthousiasmé par le récit de ses nouveaux amis, décide de partir avec eux pour Ninive. Ruben et Jephtel essaient vainement de l'en dissuader. A Ninive, près du temple païen. Une coutume cruelle veut que, chaque année, une victime soit sacrifiée au fleuve Tigre. Aménophis décide de livrer Azaël. Nephté tente de mettre en garde le jeune homme. Sur la grand-place de Ninive, pendant les festivités religieuses. Aménophis et d'autres jeunes gens provoquent Azaël, qui est vite pris à partie par la foule goguenarde. Au même instant, Ruben et Jephtel, partis à sa recherche, arrivent sur la place. La jeune fille, pour ménager le vieil homme, fait semblant de ne pas avoir vu Azaël au milieu de la procession païenne. Dans le temple, Jephtel, surprise par des prêtres qui l'accusent d'avoir profané le lieu sacré, est condamnée à mort. Aménophis obtient que l'exécution soit remise au lendemain ; puis, resté seul avec Jephtel, il lui déclare son amour et lui dit qu'il fera tout pour la sauver, mais elle le repousse avec fermeté. Azaël entre à son tour dans le temple, accablé : il est déçu de l'attitude de ceux qu'il prenait pour ses amis et plein de remords à la pensée de son père et de Jephtel. Apercevant la jeune fille, il veut l'arracher à la mort en s'accusant lui-même de sacrilège. On se saisit de lui et il est jeté dans le Tigre, malgré les tentatives de Nephté pour le sauver. Azaël échappe cependant à la noyade et mène dès lors une vie d'errance. Il apprend que son vieux père est devenu fou de douleur, et son désespoir redouble. Un jour, il rencontre Jephtel, venue puiser de l'eau au bord du fleuve : elle le persuade de retourner vers Ruben. C'est à nouveau la fête pascale : on entend s'élever des psaumes. Azaël se présente devant son père et exprime son repentir : le vieillard, à la vue de son fils, retrouve la raison et embrasse avec émotion l'enfant prodigue.

■ Il s'agit de l'avant-dernier opéra de Ponchielli. Le propos austère est entremêlé d'évocations orientales raffinées qui ne sont sans doute pas sans rapport avec l'*Aïda* de Verdi. MSM

LES CONTES D'HOFFMANN

Opéra fantastique en trois actes avec prologue et épilogue de Jacques Offenbach (1819-1880). Livret de Jules Barbier (1822-1901) et Michel Carré (1819-1872), tiré de trois contes de Ernst Theodor Amadeus Hoffmann (1776-1822). Première représentation : Paris, Opéra-Comique, 10 février 1881. Interprètes : Isaac, Talazac, Taskin, Grivot, Belhomme, Gourdon, Troy, Teste, Collin.

Les personnages : Hoffmann (ténor) ; le conseiller Lindorf (basse ou baryton) ; Coppelius (basse ou baryton) ; Dapertutto (basse ou baryton) ; le docteur Miracle (basse ou baryton) ; Spalanzani (ténor) ; Schlemil (basse ou baryton) ; Crespel (basse ou baryton) ; Andrès-Cochenille-Pitichinaccio-Franz (ténor) ; maître Luther (basse ou baryton) ; Nathaniel (ténor) ; Hermann (basse ou baryton) ; Stella (soprano) ; Olympia (soprano) ; Giulietta (soprano) ; Antonia (soprano) ; Nicklausse (mezzo-soprano ou ténor) ; étudiants, garçons de taverne, valets, convives, esprits de la bière et du vin.

L'intrigue : Prologue. La taverne de maître Luther, à Nuremberg. Le conseiller Lindorf, première des quatre incarnations du Mal, ennemi d'Hoffmann, intercepte une lettre de la cantatrice Stella donnant rendez-vous au poète. Hoffmann et son ami Nicklausse arrivent à la taverne. Les étudiants qui y sont réunis demandent à Hoffmann s'il a jamais vraiment aimé. Il se met alors à raconter les aventures merveilleuses de ses amours.

Acte I. Le laboratoire du physicien Spalanzani : Hoffmann est devenu son élève pour pouvoir approcher Olympia, qu'il croit être sa fille. Celle-ci est en réalité un automate construit par le savant et son collaborateur, l'étrange Coppélius. C'est en vain que son ami Nicklausse met Hoffmann en garde : le poète amoureux ne veut rien entendre. Au cours d'un bal, il déclare son amour à Olympia, qui chante et danse divinement. Mais Coppélius, autre incarnation du Mal, brise la poupée dans un grand bruit d'engrenages cassés. Hoffmann comprend avec douleur qu'il a été joué, dans l'hilarité générale.

Acte II. A Venise, une luxueuse galerie ouvrant sur le Grand Canal. On entend une douce barcarolle. Hoffmann est amoureux de Giulietta, une courtisane tombée au pouvoir du démon Dapertutto. Elel a déjà volé l'ombre de son amant Schlemil et s'apprête, sur ordre du diable, à ravir celle d'Hoffmann. Le fidèle Nicklausse incite une nouvelle fois son ami à la prudence, sans succès. Hoffmann provoque Schlemil en duel et le tue. Il s'empare de la clef de la chambre de Giulietta que possédait son rival. Mais il découvre que la jeune femme s'est enfuie avec un autre.

Acte III. A Munich, la maison du luthier Crespel. Cette fois, Hoffmann aime la belle Antonia, fille de Crespel. La jeune fille répète une chanson, mais son père la réprimande sévèrement : la ferveur qu'elle met à chanter pourrait lui être fatale, tant elle est fragile, comme sa mère, morte d'avoir trop chanté. Le diabolique docteur Miracle, quatrième incarnation du mauvais génie d'Hoffmann, fascine Antonia en jouant au violon un air d'une irrésistible beauté. Elle se met à chanter, malgré les supplications d'Hoffmann. Elle s'épuise peu à peu et chante jusqu'à en mourir. Alors, le docteur Miracle disparaît dans un ricanement. Épilogue. La taverne du début. Hoffmann a fini son récit. Convaincu désormais que Stella l'a trahi, il s'enivre pour oublier.

■ Cet opéra est un hommage à l'écrivain et compositeur allemand Ernst Theodor Amadeus Hoffmann, qu'Offenbach admirait profondément. L'orchestration, restée incomplète, fut achevée par Ernest Guiraud (1837-1882). L'œuvre, la plus ambitieuse, sinon la plus réussie, du compositeur dont le nom est resté lié à l'opérette, fut représentée après sa mort. Elle contient des pages d'une grande fraîcheur et porte les germes du nouvel opéra-comique qui, abandonnant le genre « canaille », se tourne vers des personnages lyriques et dramatiques plus humains. SC

LA PUCELLE D'ORLÉANS (Orleanskaïa deva)

Opéra en quatre actes de Piotr Illitch Tchaïkovski (1840-1893). Livret de V. A. Zoukovski, d'après une traduction russe de l'œuvre de Schiller. Première représentation : Saint-Pétersbourg, théâtre Mariinsky, 25 février 1881.

■ Dans cet opéra, Tchaïkovski abandonne les sujets russes pour se tourner vers une histoire chère aux musiciens occidentaux. Ce ne sera pourtant qu'une incursion et il reviendra aux thèmes russes, dont il se sent plus proche, avec *Mazeppa*. MS

EUGÈNE ONÉGUINE (Evgueni Oneguin)

Scènes lyriques *en trois actes de Piotr Illitch Tchaïkovski (1840-1893). Livret de K. S. Silovski et Modeste Illitch Tchaïkovski, d'après le poème d'Alexandre Sergueïevitch Pouchkine (1831). Première représentation : Moscou, Conservatoire de Musique, 29 mars 1879, interprétation des étudiants. Première représentation officielle : Moscou, théâtre Bolchoï, 23 avril 1881.*

LES PERSONNAGES : La veuve Larina (mezzo-soprano) ; Tatiana, sa fille (soprano) ; Olga, son autre fille (contralto) ; la nourrice Filipevna (mezzo-soprano) ; Eugène Onéguine (baryton) ; Lenski (ténor) ; le prince Grémine (basse) ; un capitaine (basse) ; Zaretski (basse) ; Triquet, professeur de français (ténor) ; Guillot, valet de chambre français (rôle muet) ; paysans, propriétaires terriens, invités, officiers.

L'INTRIGUE : L'action se déroule à

Saint-Pétersbourg, au début du XIXe siècle.
Acte I, première scène. Le jardin de la maison de la veuve Larina. Celle-ci bavarde avec la nourrice Filipevna tandis qu'on entend chanter ses filles Tatiana et Olga. On célèbre la fin des moissons. Olga, gaie et insouciante, participe de tout son cœur à la fête. Tatiana, romantique et mélancolique, se tient un peu à l'écart. Lenski, le fiancé d'Olga, arrive avec un de ses amis, Eugène Onéguine, jeune homme élégant et instruit, mais désabusé, égoïste et blasé. Tatiana en tombe immédiatement amoureuse.
Deuxième scène. La chambre de Tatiana, la nuit. La jeune fille écrit une longue lettre enflammée à Onéguine, lui demandant un rendez-vous.
Troisième scène. Onéguine retrouve Tatianan dans le jardin, mais il se montre froid et réservé. Il lui explique qu'il ne se sent aucun goût pour le mariage, et la prie de l'oublier.
Acte II, première scène. On fête l'anniversaire de Tatiana. Au cours du bal, Onéguine s'aperçoit qu'on jase parce qu'il a dansé avec Tatiana. Il se met alors à inviter Olga avec insistance, au point de provoquer la jalousie de Lenski. Le ton monte entre les deux hommes et Lenski provoque Onéguine à un duel au pistolet. Pendant ce temps, Monsieur Triquet, le professeur de français, dédie un de ses poèmes à Tatiana.
Deuxième scène. Le lendemain à l'aube près d'un vieux moulin. Lenski se présente accompagné de son ami Zaretski et Onéguine, de son valet de chambre français, Guillot. Ils hésitent un moment, pensant à leur ancienne amitié, mais aucun n'ose faire le premier pas. Le duel a lieu : Lenski est tué du premier coup.
Acte III, première scène. Une somptueuse salle dans le palais du prince Grémine à Saint-Pétersbourg. Une fête s'y déroule et Onéguine est parmi les invités. Six ans ont passé depuis la mort de Lenski et Onéguine vient de rentrer d'un long voyage entrepris pour tenter d'apaiser ses remords. Il revoit alors Tatiana, devenue l'épouse du prince Grémine, et conçoit pour elle une grande passion.
Deuxième scène. Le salon de Tatiana. Celle-ci a accepté de recevoir Onéguine. Malgré son émotion, elle résiste aux déclarations enflammées du jeune homme et refuse avec fermeté de s'enfuir avec lui. Elle lui demande de s'en aller pour toujours.

■ Il s'agit sans aucun doute du chef-d'œuvre lyrique de Tchaïkovski. La musique, facile et spontanée, s'éloigne délibérément des idéaux prônés par le groupe des Cinq, dont l'ambition était de créer une musique nationale libre de toute influence occidentale. Les courants musicaux européens rejetés par le groupe, français, italiens et allemands, sont présents dans *Eugène Onéguine,* musique agréable et pleine de sentiment. Les moments les plus enlevés sont toutefois ceux où le compositeur renoue avec les rythmes russes. MS

LIBUŠE

Opéra en trois actes de Bedřich Smetana (1824-1884). Livret de

Joseph Wenzig. Première représentation : Prague, Théâtre national, 11 juin 1881.

L'INTRIGUE : La nation tchèque est gouvernée par la princesse Libuše, descendante du héros légendaire qui a conduit son peuple en Bohême. Elle est très aimée et respectée pour sa sagesse et ses dons de voyante. Un grave désaccord entre deux frères jeunes et puissants menace la paix du pays, qui risque d'être divisé en deux parties. La princesse Krasava envenime la discorde : amoureuse de l'un des frères, Chrudos, mais croyant que cet amour n'est pas partagé, elle feint d'aimer l'autre, Stahlav. Libuše pense mettre fin à la dispute en se conformant aux usages anciens : le patrimoine sera divisé en deux parties égales. Mais Chrudos, irascible et vindicatif, mécontent de la sentence, outrage gravement la princesse, sous le prétexte qu'il est indigne que des hommes soient gouvernés par une femme. Blessée par cet affront, Libuše choisit comme époux un homme simple et sage, Premysl. Celui-ci, devenu roi, fonde la première dynastie de Bohême, à laquelle il donne son nom.

■ La première représentation de *Libuše* fut donnée à l'occasion du mariage de l'archiduc Rodolphe et de l'archiduchesse Stéphanie, qui coïncidait avec l'inauguration du théâtre national de Prague. Smetana voulut écrire pour cette circonstance « un opéra de fête, pour les jours mémorables ». Il a parfaitement atteint ce but. *Libuše,* considéré comme le symbole de la nation tchèque, est représenté dans toutes les grandes occasions de la vie de ce peuple. RB

HÉRODIADE

*Opéra tragique en quatre actes de Jules Massenet (1842-1912). Livret d'Angelo Zanardini (1820-1893), tiré d'*Hérodias *de Gustave Flaubert (1821-1880). Première représentation : Bruxelles, théâtre de la Monnaie, 19 décembre 1881.*

L'INTRIGUE : Salomé, que sa mère Hérodiade a abandonnée pour épouser Hérode, est une disciple du prophète Jean-Baptiste, dont elle est amoureuse. Hérode, fasciné par la beauté de Salomé, ne cache pas le désir qu'elle lui inspire. Sa femme Hérodiade veut utiliser cette passion pour faire tuer Jean-Baptiste, qui lui est hostile. Mais Jean-Baptiste et ses disciples représentent pour Hérode les seuls vrais opposants à l'envahisseur romain. Le proconsul Vitellius a en effet remporté une victoire facile sur la population juive, qui s'est soumise aux Romains sans combattre. Le prophète est l'unique soutien sérieux d'Hérode. Il refuse toutefois d'être utilisé par le tétrarque, et celui-ci, qui a découvert l'amour de Salomé pour le prophète, le fait à nouveau emprisonner. Salomé rejoint Jean-Baptiste en prison, prête à mourir avec lui. Le prophète, à ce moment, ne repousse plus un amour purifié par tant de sacrifices. Les gardes emmènent pourtant la jeune fille, pour la livrer aux caprices des Romains. Salomé, désespérée, se jette aux pieds d'Hérode et d'Hérodiade et se fait reconnaître de sa mère, qui s'unit alors aux prières de sa fille pour obtenir la grâce de Jean-Baptiste. Mais il est trop tard : le prophète a déjà été décapité. Salomé se tue sous les yeux de sa mère.

■ Opéra passionné et sanguinaire, *Hérodiade* présente, comme l'a écrit le critique Louis Gallet, de fortes analogies avec Berlioz — par le goût des oppositions violentes — et avec Verdi — par la passion sous-jacente au discours musical. Toutefois, ajoute Gallet, Massenet ne s'impose vraiment que « lorsqu'il s'abandonne à lui-même, à ce naturel et à cette jeunesse heureuse qui le portent vers une sorte de simplicité d'une richesse et d'une douceur délicieuse, et font de lui un enchanteur incomparable ». GPa

LA JEUNE FILLE DE NEIGE (Snegourotchka)

Opéra en un prologue et quatre actes de Nikolaï Rimsky-Korsakov (1844-1908). Livret du compositeur d'après une comédie d'Alexandre N. Ostrovski. Première représentation : Saint-Pétersbourg, théâtre Mariinski, 10 février 1882.

L'INTRIGUE : La fée Printemps (mezzo-soprano) ne veut pas mette fin à l'hiver. Elle avoue aux oiseaux qu'elle craint pour Snegourotchka, la fille qu'elle a eue du vieil Hiver (basse), car si Iarilo, le Soleil, la voit, elle mourra. Hiver a peur que Iarilo n'inspire à la jeune fille l'amour pour un homme, car ce sentiment ferait fondre son cœur de glace. Il cache alors Snegourotchka chez un paysan (ténor), à l'entrée du village où vit le tsar Berendeï (ténor). La jeune fille, loin de sa forêt natale, n'est pas heureuse. Son amie Koupava (soprano), pour la distraire, l'invite à son mariage et lui présente son fiancé, Mizguir (baryton). Celui-ci tombe amoureux de Snegourotchka et abandonne Koupava, qui va demander justice au tsar. Berendeï interroge la fille de l'Hiver, qui répond qu'elle n'aime personne. Ne sachant comment réconcilier les deux jeunes filles, il les invite au bal donné pour fêter la fin de l'hiver. Pendant les réjouissances, Snegourotchka se tient à l'écart, immobile et glacée ; Koupava, au contraire, s'amuse et accepte les avances d'un berger qui veut l'épouser. Le soir Mizguir déclare sa passion avec tant de ferveur que la fille du Printemps, bouleversée, va dans la forêt supplier sa mère de lui donner la possibilité d'aimer. La fée Printemps apparaît, portant une guirlande de fleurs qu'elle donne à sa fille. Celle-ci se sent aussitôt transformée et court vers Mizguir : une émotion nouvelle la pousse à accepter sa demande en mariage. Le jeune homme demande la bénédiction du tsar pour lui-même et sa fiancée. Mais un rayon du soleil, symbole d'amour, vient toucher Snegourotchka qui fond et disparaît. Mizguir, désespéré, se jette dans le lac. Après la mort de la fille de l'Hiver, le soleil se met à resplendir.

■ Rimksy-Korsakov avait lu l'œuvre d'Ostrovski en 1874, mais ce n'est que bien plus tard, en la relisant, qu'il décida de demander à l'auteur la permission d'utiliser son texte, ce qui lui fut accordé. Il se mit au travail à l'été 1880 et, en deux mois et demi, l'opéra fut terminé. Il habitait alors Stélévo, en pleine campagne, dans une maison avec un immense jardin. La richesse de la nature, les champs s'étendant à l'infini, les fleurs, les forêts furent autant de sources d'inspiration pour le compositeur, attentif aux moindres nuances de la vie qui palpitait autour de lui. L'opéra eut un immense succès auprès du public, mais la critique fut sévère : elle condamna l'empreinte folklorique trop marquée et le manque absolu de sens dramatique. Mais Rimsky-Korsakov était satisfait de son œuvre, au point que, treize ans plus tard, en 1893, il décrivait *Snegourotchka* dans une lettre à sa femme, comme son opéra le plus réussi, aussi bien du point de vue musical que scénique, l'ensemble étant, selon lui, très bien proportionné. « Ceux qui n'aiment pas *Snegourotchka* n'ont rien compris à ma musique ni à moi-même », concluait Rimsky-Korsakov. L'opéra, très enlevé, baigne dans une atmosphère féerique, et la transfiguration mythologique de la vie de la nature restitue à merveille l'esprit de la poésie populaire, que le compositeur chercha toujours à saisir. RB

FRANÇOISE DE RIMINI

Opéra en un prologue et quatre actes d'Ambroise Thomas (1811-1896). Livret de Jules Barbier (1822-1901) et Michel Carré (1819-1872). Première représentation : Paris, Opéra, 14 avril 1882.

L'INTRIGUE : L'argument s'inspire de l'histoire de Paolo Malatesta et Francesca da Rimini, racontée par Dante dans le cinquième chant de l'*Enfer*. Francesca, épouse de Gianciotto Malatesta, seigneur de Rimini, est surprise par son mari dans les bras de Paolo, frère de Gianciotto, aussi gentil et beau que ce dernier est méchant et laid. Fou de rage, Gianciotto tue Francesca et son jeune frère. Les librettistes ont introduit des innovations de leur cru dans ce récit classique, faisant notamment apparaître dans le prologue Dante et Virgile aux portes de l'enfer.

■ C'est le dernier opéra de Thomas, qui s'efforça de réaliser une synthèse des grands courants musicaux (l'influence wagnérienne est notamment prépondérante). La première représentation eut un succès moyen, mais l'œuvre tomba très vite dans l'oubli. Cela affecta beaucoup le musicien, qui cessa alors de composer. On a redécouvert récemment les qualités musicales de cette œuvre qui, bien qu'elle ne figure pas au répertoire en permanence, est considérée comme un travail sérieux et l'un des meilleurs ouvrages de Thomas. GP

PARSIFAL

Drame sacré en trois actes de Richard Wagner (1813-1883). Livret du compositeur inspiré du poème de Wolfram von Eschenbach, lui-même tiré de l'œuvre de

Chrétien de Troyes Perceval. *Première représentation : Bayreuth, Festspielhaus, 26 juillet 1882. Interprètes : Amalie Materna, Hermann Winkelmann, Theodor Reichmann, Karl Hill. Direction : Hermann Levi.*

LES PERSONNAGES : Amfortas (baryton) ; Titurel (basse) ; Gurnemanz (basse) ; Parsifal (ténor) ; Klingsor (basse) ; Kundry (soprano) ; premier et second chevaliers du Graal (ténor et basse) ; jeunes filles du jardin de Klingsor (six sopranos solistes et deux chœurs de sopranos et contraltos) ; les chevaliers du Graal (ténors et basse) ; jeunes gens et enfants (ténors, contraltos, sopranos).

L'INTRIGUE :
Acte I. Dans les Pyrénées, le château de Montsalvat, construit par le pieux chevalier Titurel, renferme le Graal, calice dans lequel Jésus but lors de la Cène et où fut recueilli son sang. Titurel, très âgé, a cédé la couronne de roi du Graal à son fils Amfortas. Ce dernier souffre d'une blessure que lui a infligée le magicien Klingsor, ennemi des chevaliers du Graal, avec sa propre arme, la Lance sacrée qui a blessé le Christ. Seul le contact de la Lance pourra guérir cette blessure. A l'aube, le chevalier Gurnemanz et ses deux écuyers voient passer le cortège qui mène le roi malade au lac dont les eaux lui apportent un peu de soulagement. Soudain, ils aperçoivent Kundry, étrange créature qui sert de messagère aux chevaliers du Graal, mais en réalité asservie aux forces du mal par les enchantements du magicien Klingsor. Elle apporte au roi un baume d'Arabie. Amfortas l'accepte bien qu'on lui ait prédit que seul un chevalier au cœur pur, un « innocent rendu sage par la pitié », pourrait reprendre la Lance et lui donner la guérison. Gurnemanz raconte aux écuyers l'histoire d'Amfortas lorsqu'une troupe de guerriers amène devant lui un adolescent coupable d'avoir abattu un des cygnes sacrés de Montsalvat. C'est Parsifal, jeune chevalier errant ignorant à peu près tout du monde et de sa propre histoire : il ne sait pas qui est son père, ni que sa mère Herzleide est morte de douleur depuis qu'il l'a quittée. Gurnemanz, sentant qu'il s'agit de l'« innocent » annoncé à Amfortas, le ramène au château, où se déroule la cérémonie de présentation du saint Graal. Le roi blessé officie lui-même, dans de grandes souffrances physiques et morales, car il sait qu'il a péché. Mais il est encouragé par la voix de Titurel et un chœur d'enfants chantant les louanges du Seigneur. Il découvre la coupe qui a recueilli le sang du Christ, et elle resplendit sous un rayon de soleil ; il bénit ensuite le pain et le vin puis se retire, épuisé. Parsifal a assisté à la scène sans rien comprendre, apparemment indifférent. Gurnemanz, irrité, le renvoie en lui reprochant son peu de ferveur.
Acte II. Klingsor, dans son château enchanté, convoque Kundry et lui ordonne de séduire Parsifal. Comme Amfortas et comme les autres chevaliers du Graal, il péchera et le saint Calice tombera alors entre les mains du magicien, qui détient déjà la Lance sacrée. Klingsor, à l'approche de Parsifal, transforme son château en un merveilleux jardin peuplé

de filles-fleurs qui déploient mille charmes pour retenir le jeune homme, mais en vain. Kundry s'avance alors et entreprend d'attendrir Parsifal en lui parlant de sa mère. Insidieusement, elle lui dit que seul l'amour d'une femme peut remplacer l'amour maternel. Parsifal écoute ses paroles avec une émotion croissante, mais lorsque Kundry lui donne un baiser, il se ressaisit : il comprend brutalement la faute et la douleur du pécheur qui profane le Graal. « Amfortas, s'écrie-t-il, la blessure ! Je la sens brûler dans mon cœur. » Kundry est bouleversée par ce cri et désire soudain échapper au pouvoir maléfique de Klingsor. Elle avoue à Parsifal son péché séculaire : elle est la femme qui s'est moquée du Christ en croix et espère trouver le salut dans l'amour de Parsifal. Le jeune homme la repousse avec horreur. Alors, elle appelle Klingsor qui, du haut de la tour, jette la Lance sacrée. Mais l'arme reste miraculeusement suspendue en l'air ; Parsifal s'en saisit et trace le signe de la croix. Aussitôt, Klingsor et son château disparaissent, tandis que Kundry tombe sans connaissance.

Acte III. Gurnemanz vit en ermite non loin de la montagne du Graal. Dans ce matin de Vendredi saint, l'hiver a fait place à une douceur printanière. Gurnemanz découvre Kundry, épuisée, en habits de pénitente. Elle demande la permission de revenir servir les chevaliers du Graal. Soudain, un chevalier revêtu d'une armure noire s'approche. Gurnemanz lui fait remarquer qu'on ne porte pas d'armes le Vendredi saint, et, en silence, il enlève son heaume, dépose la Lance sacrée et s'agenouille : c'est Parsifal. Gurnemanz reconnaît en lui « l'innocent rendu sage par la pitié » annoncé par la prophétie. Il lui apprend la mort de Titurel, et le désarroi des chevaliers du Graal depuis qu'Amfortas refuse de célébrer le rite sacré. Devant l'angoisse de Parsifal, le vieil ermite comprend qu'il est mûr pour sa mission et le consacre roi du Graal. Le premier geste du héros est de baptiser Kundry. Il montre à la femme en pleurs le merveilleux éveil de la nature : c'est l'Enchantement du Vendredi saint qui annonce la Résurrection après la Passion. Au son des cloches de Montsalvat, ils se rendent au château du Graal. Les chevaliers réunis veillent la dépouille de Titurel. Amfortas, à bout de forces, a cependant promis de découvrir une dernière fois le Calice en l'honneur de son père. Ses souffrances sont indicibles, mais il s'apprête à subir cette ultime épreuve lorsque Parsifal le touche de sa Lance et le guérit. Puis il découvre lui-même le saint Graal, rayonnant de lumière, tandis qu'un chœur céleste célèbre la rédemption. Kundry succombe, enfin pardonnée, et une blanche colombe descend du ciel devant les chevaliers agenouillés en adoration.

■ *Parsifal*, dernier opéra de Wagner, occupa les dernières années de la vie du compositeur, de 1877 à 1882. Mais l'idée initiale et les premières ébauches remontent aux années de sa pleine maturité. Le texte dont s'inspire l'opéra est le poème médiéval de Wolfram von Eschenbach (celui qui servit de modèle à *Tannhäuser*, 1160-1220 environ), lui-même tiré de Chrétien de Troyes et des légendes celtiques. Wagner s'est beaucoup éloigné de l'original, sinon par l'action, du moins par l'esprit général de l'œuvre et les motivations des personnages. Le long cheminement de Parsifal, de l'expérience du péché effleuré dans le baiser de Kundry à la transcendance de l'amour en un sentiment de compassion universelle, fait du héros le messager du salut, le rédempteur : lui seul peut guérir la blessure jamais refermée, et redonner au Graal sa primitive splendeur. La faute et le repentir sont aussi les composantes fondamentales des personnages d'Amfortas, le tourmenté, et de Kundry, « la plus forte et la plus audacieuse figure féminine jamais conçue par Wagner » (Thomas Mann). La mystique chrétienne dont l'œuvre est empreinte (qui fut, avec la conclusion pessimiste du *Crépuscule des dieux*, la cause de la rupture avec la pensée de Nietzsche) n'altère pas la cohérence des valeurs exprimées par Wagner à travers tous ses opéras, malgré l'apparente diversité thématique. On a pu établir un parallèle entre Siegfried et Parsifal, représentant l'innocence investie d'une mission salvatrice, entre Alberich et Klingsor, tous deux assoiffés de pouvoir et malfaisants, entre Wotan et Amfortas, liés et détruits par leurs propres actes. Mais, par-delà ces similitudes entre les personnages et les situations, il est indéniable que le thème de la rédemption, présent dans toute l'œuvre de Wagner, atteint au sublime dans son dernier opéra. La rédemption est, avec le refus du pouvoir et de la richesse, du mensonge et de la violence, le véritable leitmotiv qui parcourt l'œuvre monumentale de Wagner. RM

HENRY VIII

Opéra en quatre actes de Camille Saint-Saëns (1835-1921). Livret de Léonce Détroyat et Armand Silvestre (1837-1901). Première représentation : Paris, Opéra, 5 mars 1883.

L'intrigue : Henry VIII, roi d'Angleterre, est amoureux d'Anne Boleyn, une dame d'honneur de la reine. Anne aime Don Gomez de Feria, ambassadeur d'Espagne, mais l'ambition l'emporte et elle consent à épouser Henri VIII. Le roi répudie sa femme légitime, Catherine d'Aragon, après avoir fait ratifier par le Parlement la séparation de l'Église d'Angleterre avec Rome, qui s'opposait à la volonté royale. Mais Catherine possède une lettre prouvant les liens existant entre Anne et Don Gomez. Anne se présente au chevet de la reine mourante, feignant le repentir, pour récupérer le document accusateur. Mais sa manœuvre échoue. Personne ne reprendra la lettre compromettante, que Catherine jette au feu. Le roi, dévoré de jalousie, n'a plus de preuves de l'infidélité d'Anne et ne peut que la menacer de mort au cas où elle le tromperait.

■ La composition de cet opéra fut particulièrement laborieuse. Saint-Saëns avait reçu le livret à Madrid, au cours d'une tournée, et l'avait accepté volontiers, se réservant toutefois le droit d'y apporter des modifications. Puis, les mêmes auteurs lui confièrent le livret d'*Inès de Castro*, qui lui plut beaucoup moins. Finalement, après de nombreux ajournements, *Henry VIII* fut présenté à Paris avec un livret presque totalement remanié. Ce fut un triomphe, à la fois pour Saint-Saëns et l'école française. La critique jugea l'œuvre « de réflexion plus que d'inspiration, très élaborée et d'une grande densité ».

RB

LAKMÉ

Opéra en trois actes de Léo Delibes (1836-1891). Livret d'Edmond Gondinet et Philippe Gille (1831-1901), tiré d'un récit de Gondinet : Le mariage de Loti. *Première représentation : Paris, Opéra-Comique 14 avril 1883. Interprètes : M. Van Zandt, A. Talazac, Combalet.*

LES PERSONNAGES : Lakmé (soprano) ; Malika (mezzo-soprano) ; Ellen (soprano) ; Rose (soprano) ; Madame Bentson (mezzo-soprano) ; Gerald (ténor) ; Nilakantha (basse), Frédéric (baryton). Des Hindous, des officiers anglais et leurs épouses, des marins, des marchands chinois, des musiciens, des brahmanes.

L'INTRIGUE : En Inde, au milieu du XIXe siècle.
Acte I. Le jardin du brahmane Nilakantha. Intrigué par l'atmosphère mystérieuse de la maison du brahmane et la réputation de grande beauté de sa fille, Lakmé, un officier anglais, Gerald, s'introduit dans le jardin. Il est émerveillé par la jeune fille. Celle-ci est également émue par cette rencontre. Gerald s'éloigne à l'arrivée du brahmane. Constatant qu'un étranger a pénétré chez lui, celui-ci, animé d'une véritable haine contre le colonisateur britannique, jure de le retrouver et de le tuer pour venger cet affront.
Acte II. Une place. Nilakantha contraint Lakmé à chanter sur la place où s'est installée la garnison britannique, persuadé que la voix et la présence de la jeune fille amèneront tôt ou tard l'étranger à se découvrir. C'est ce qui se passe. Mais Lakmé avertit Gerald du danger qu'il court, et lui propose de se réfugier avec elle en lieu sûr. Gerald refuse : il ne veut pas passer pour déserteur. Dans la cohue provoquée par un défilé, Nilakantha s'approche de Gerald et lui donne un coup de poignard. Mais la blessure n'est pas grave, et Lakmé, aussitôt accourue, est vite rassurée.
Acte III. Une cabane dans la forêt. Gerald s'éveille. Lakmé est à ses côtés. Elle l'a amené là pour le soigner avec des herbes magiques. Les jeunes gens savourent leur bonheur. On entend dans le lointain le chant des amoureux qui se rendent à la source miraculeuse de l'amour éternel. Tandis que Lakmé se rend à la source, un ami de Gerald, qui a réussi à le retrouver, l'incite à regagner la garnison, où les événements se précipitent. Lorsque Lakmé revient, Gerald hésite à boire l'eau sacrée. La jeune fille comprend le drame de Gerald, contraint de choisir entre sa patrie, son devoir et son amour. Elle coupe une feuille de poison et l'avale. Mais l'officier a choisi de boire avec elle à la coupe magique. Nilakantha arrive alors et les trouve enlacés. Gerald est dé-

sarmé, mais Lakmé arrête la main de son père en lui révélant qu'il est désormais sacré, puisqu'ils ont bu à la même coupe. S'il a besoin d'une victime, son sacrifice suffira : et elle s'effondre dans les bras de Gerald, tuée par le poison.

■ C'était l'époque de l'Orient mystérieux, et Delibes a suivi la mode en composant une musique orientalisante, dont on a surtout retenu le fameux Air des clochettes. Il y a beaucoup de Massenet dans cet ouvrage, mais on y retrouve aussi Delibes, le brillant compositeur d'opérettes. Il s'agit de l'œuvre la plus célèbre de ce compositeur. Jouée deux cents fois à l'Opéra-Comique de Paris jusqu'en 1895, l'œuvre atteignit les mille représentations en 1931. Entre-temps, *Lakmé* avait fait le tour du monde, et figure encore au répertoire français. MS

MANON

Opéra tragique en cinq actes et six tableaux de Jules Massenet (1842-1912). Livret d'Henri Meilhac (1831-1897) et Philippe Gille (1831-1901) d'après le roman de l'abbé Prévost (1697-1763), Histoire du chevalier des Grieux et de Manon Lescaut. *Première représentation : Paris, Opéra-Comique, 19 janvier 1884. Interprètes : Marie Heilbronn (Manon), Chevalier (Javotte), Molé-Truffier (Pousette), Rémy (Rosette), Talazac (des Grieux), Taskin (Lescaut), Cobalet (Lecomte), Grivot (Guillot). Direction : Jules Danbé.*

Les personnages : Manon Lescaut (soprano) ; Pousette (soprano) ; Rosette (contralto) ; Javotte (mezzo-soprano) ; le chevalier des Grieux (ténor) ; Lescaut (baryton) ; le comte des Grieux, père du chevalier (basse) ; Guillot de Morfontaine (basse) ; de Brétigny (baryton) ; l'aubergiste (baryton) ; deux gardes (ténors) ; le portier du séminaire (récitant). Joueurs, banquiers, voyageurs, marchands, femmes légères, foule.

L'intrigue : En France, en 1721.
Acte I. La cour d'une auberge à Amiens. De Morfontaine et de Brétigny déjeunent joyeusement en compagnie de trois femmes de petite vertu (Rosette, Javotte et Pousette). A l'arrivée de la diligence d'Arras, les badauds se rassemblent. Une jolie jeune fille descend de la diligence : c'est Manon Lescaut, accueillie par le sergent Lescaut, son cousin, chargé de la conduire au couvent. Celui-ci laisse Manon seule un instant. Morfontaine en profite pour lui faire une déclaration et, vantant sa fortune, lui propose de s'enfuir avec lui. La jeune fille l'écoute, mi-amusée, mi-séduite, lorsque son cousin revient et lui reproche sévèrement de parler à un étranger. Mais, entraîné par ses compagnons à une partie de cartes, il quitte Manon encore une fois. Le chevalier des Grieux, jeune gentilhomme voyageant pour rejoindre son père, est frappé par la beauté de Manon. Elle se montre d'abord réservée, puis la curiosité l'emporte. Elle raconte au jeune homme que ses parents l'envoient dans un pensionnat à cause de son caractère trop fantaisiste. Des Grieux la persuade

d'échapper à cet avenir sans joie et ils décident de fuir ensemble.
Acte II. L'appartement de des Grieux et Manon à Paris. Le chevalier écrit à son père pour lui demander pardon et lui annoncer son intention d'épouser Manon. Lescaut et Brétigny font irruption et demandent au jeune homme quelles sont ses intentions. Il leur montre la lettre pour prouver sa bonne foi. Lescaut semble tranquillisé mais, pendant ce temps, Brétigny avertit Manon que des Grieux doit être arrêté le soir même sur ordre de son père. Il lui propose de l'abandonner à son sort et de venir vivre avec lui dans le luxe et les plaisirs. Manon hésite, puis choisit la facilité : elle laisse des Grieux aller ouvrir lorsqu'on frappe à la porte. Elle entend une lutte confuse, puis une voiture qui s'éloigne.
Acte III, premier tableau. La promenade du Cours-la-Reine, un joue de kermesse. Manon, vêtue avec élégance, se promène au bras de Brétigny. Ils rencontrent une joyeuse compagnie : Morfontaine, Javotte, Rosette et Pousette. Le comte des Grieux, présent lui aussi, raconte à Brétigny que son fils, déçu par la vie, est entré dans les ordres. Manon, sans se faire reconnaître, demande au comte des nouvelles de son fils, mais ne reçoit que des réponses évasives.
Deuxième tableau. Le parloir du séminaire Saint-Sulpice. Un groupe de fidèles commente les prêches pleins de talent de l'abbé des Grieux. Le comte vient voir son fils pour essayer de le convaincre d'abandonner la carrière ecclésiastique, mais en vain. Resté seul, des Grieux s'absorbe en prière lorsque paraît Manon. Elle vient rapidement à bout de la fermeté de son ancien amant, toujours amoureux d'elle. A force de tendresse, elle le persuade de s'enfuir avec elle.
Acte IV. Des Grieux et Manon arrivent dans un hôtel. Le chevalier, amoureux fou, cherche à se procurer de l'argent pour satisfaire les caprices de Manon. Il entreprend une partie de cartes avec Morfontaine et gagne, mais son adversaire l'accuse d'avoir triché. Tandis qu'il tente de se disculper, son père fait irruption et lui reproche sévèrement sa conduite. Il le fait arrêter ainsi que Manon, qui est condamnée à la déportation aux Amériques comme prostituée.
Acte V. La route du Havre. Lescaut et des Grieux attendent le convoi des femmes qu'on embarque pour les Amériques, parmi lesquelles se trouve Manon. Ils ont soudoyé le chef de l'escorte pour pouvoir approcher Manon. Celle-ci, à bout de forces, se jette dans les bras de des Grieux et lui demande pardon avant de mourir.

■ *Manon* est sans doute l'opéra le plus célèbre de Massenet, qui n'avait rien d'un auteur confirmé lorsqu'il le composa. La critique fut sévère, malgré le succès de la première représentation. La faveur du public alla toutefois croissant. En 1952, eut lieu à Paris la deux millième représentation. Du point de vue musical, c'est indéniablement l'œuvre la plus complète de Massenet ; tous les genres y sont représentés, du mélodrame au comique, du lyrisme à l'intimisme et jusqu'au tragique. *Manon* marque l'apogée de l'opéra romantique français, mais le raffinement du langage mélodique annonce déjà la grande époque de Debussy et de Ravel. GPa

MAZEPPA

Opéra en trois actes de Piotr Illitch Tchaïkovski (1840-1893). Livret du compositeur et de V. P. Bourénine d'après le poème de Pouchkine Poltava. *Première représentation : Moscou, théâtre Bolchoï, 15 février 1884.*

LES PERSONNAGES : Maria (soprano) ; Lioubov (mezzo-soprano) ; Andreï (ténor) ; Mazeppa (baryton) ; Kotchoubeï (basse) ; Iskra et Orlik (basses) ; un cosaque (ténor).

L'INTRIGUE : L'action se déroule en Ukraine, au début du XVIIIe siècle.
Acte I, première scène. Le jardin de la résidence du ministre de la justice d'Ukraine, Kotchoubeï. Le commandant militaire de l'Ukraine, Mazeppa, est l'hôte du ministre. La fille de ce dernier, Maria, est amoureuse de Mazeppa, cosaque auréolé de gloire, bien qu'il soit nettement plus âgé qu'elle (il est d'ailleurs son parrain). Elle avoue ce sentiment à Andreï, son ami d'enfance, qui en est attristé car il l'aime depuis toujours. Tandis qu'une fête avec des chants et des danses se déroule dans les jardins en l'honneur de l'invité, Mazeppa demande à Kotchoubeï la main de sa fille. Étonné, ce dernier refuse tout net. Mazeppa lui dit alors que Maria est déjà promise. Une querelle s'ensuit et Maria doit choisir entre ses parents et Mazeppa. Après une brève hésitation, elle choisit Mazeppa et part avec lui, tandis que ses parents leur lancent une malédiction.
Deuxième scène. Une salle dans la maison de Kotchoubeï. Le ministre a eu vent d'une conspiration contre le tsar, soutenue par le roi de Suède dans laquelle Mazeppa est impliqué. Pensant tenir sa revanche sur le séducteur de sa fille, il convoque Andreï et l'envoie à Moscou prévenir le souverain.
Acte II, première scène. Les caves du palais de Mazeppa. Le tsar, qui a entière confiance en Mazeppa, n'a pas cru les délateurs et a livré Kotchoubeï à son ennemi. Soumis à la torture, celui-ci avoue qu'il a inventé de toutes pièces l'histoire de la conspiration — ce qui est faux. Il est condamné à mort avec son fidèle Iskra.
Deuxième scène. Une salle du palais. Mazeppa ne sait comment annoncer à Maria la condamnation de son père. La jeune femme, trouvant son comportement étrange, croit qu'il la trompe et se désole. Mazeppa lui parle alors de la conjuration contre le tsar et lui demande si elle préférerait voir mourir son père ou son époux. Maria, interdite, ne répond pas, se contentant d'embrasser Mazeppa en lui jurant son amour. Il sort en lui demandant pardon. C'est la mère de Maria, Lioubov, qui lui apprend que son père doit être exécuté. Maria se précipite pour tenter de le sauver.
Troisième scène. Un champ où est dressé l'échafaud. Kotchoubeï et Iskra sont exécutés au moment où Maria et Lioubov accourent.

Folle de douleur, Maria s'évanouit.
Acte III. Le jardin de la maison de Kotchoubeï, maintenant en ruine. Pierre le Grand vient de remporter la bataille de Poltava contre Charles XII de Suède. Andreï, qui a vainement tenté de tuer Mazeppa au combat, est à la recherche de Maria. Mazeppa et son fidèle Orlik, abandonnés par le roi de Suède, sont en fuite. Andreï les aperçoit et se jette sur Mazeppa, l'épée à la main. Mais il est mortellement blessé d'un coup de pistolet. C'est alors qu'apparaît Maria, spectrale : elle a perdu la raison et erre dans le jardin à la recherche de ses souvenirs. Elle ne reconnaît ni Mazeppa ni Andreï, mourant, qu'elle prend tendrement dans ses bras et berce en chantant. Mazeppa doit s'enfuir et Andreï meurt sur le sein de Maria, qui continue à le bercer dans son délire.

■ L'opéra s'inspire du personnage historique du chef cosaque Mazeppa, qui tenta de créer un état ukrainien indépendant avec l'aide de Charles XII de Suède. Avec *Mazeppa*, Tchaïkovski revient définitivement aux sujets russes, abandonnés pour composer *La Pucelle d'Orléans*. MS

LES PÈLERINS DE CANTERBURY
(The Canterbury Pilgrims)

Opéra en deux actes de Charles Villiers Stanford (1852-1924). Livret de A. Beckett. Première représentation : Londres, Drury Lane, 23 avril 1884.

■ Cet opéra, tiré des *Contes de Canterbury* de Geoffroy Chaucer (vers 1340-1400), retrace avec vivacité l'atmosphère de l'Angleterre à la fin du Moyen Age. Les personnages sont dépeints avec verve et brio, l'enchaînement des scènes est habile ; l'œuvre eut un grand succès en Angleterre. L'auteur a su utiliser dans sa composition tout un patrimoine folklorique anglais et irlandais, et faire revivre la *merry England*.
FP

LE TROMPETTE DE SÄCKINGEN
(Der Trompeter von Säckingen)

Opéra héroï-comique en trois actes de Viktor Nessler (1841-1890). Livret de Rudolf Bunge d'après le poème de Viktor Joseph von Scheffel (1826-1886), lui-même inspiré d'une légende populaire. Première représentation : Leipzig, Stadttheater, 4 mai 1884.

L'INTRIGUE : En Allemagne, après la guerre de Trente Ans. Le trompette Werner Kirchhof, ancien étudiant de Heidelberg, arrive à un château au bord du Rhin, où vit Marguerite, la fiancée du noble Damian, connue pour sa beauté. Au cours d'une scène cocasse des plus réussies, Werner apprend à la jolie châtelaine à jouer de la trompette. Elle met vite en pratique ses nouveaux talents en sonnant l'alarme lorsque le château est attaqué par surprise. Dans la bataille qui s'engage alors, Werner prouve son courage en défendant Marguerite au péril de sa vie, tandis que Damian révèle sa couardise.

Marguerite et Werner s'éprennent l'un de l'autre, mais le père de la jeune fille s'oppose à une union si peu glorieuse. Werner doit quitter sa bien-aimée. Après de longues pérégrinations, il arrive à Rome où il finit par devenir maître de chapelle du pape. Deux ans plus tard, Marguerite retrouve Werner à Rome. Le pontife, ému de leur amour, nomme Werner marquis de Camposanto (la traduction italienne de Kirchhof) et les deux jeunes gens obtiennent ainsi le consentement du père de Marguerite.

■ Cet opéra bénéficia d'une grande faveur auprès du public, due à la beauté des mélodies et au juste équilibre entre romantisme et comique qui le caractérise. SC

LES VILLI
(Le Villi)

Opéra en deux actes de Giacomo Puccini (1858-1924). Livret de Ferdinando Fontana (1850-1919). Première représentation : Milan, Teatro Dal Verme, 31 mai 1884. Interprètes : Caponetti, Antonio d'Andrade. Direction : Achille Panizza.

L'INTRIGUE :
Acte I. Un village de la Forêt Noire. Roberto (ténor), qui vient de célébrer ses fiançailles avec Anna (soprano), doit partir à Mayence pour recevoir l'héritage d'une tante. Anna est attristée par de funestes pressentiments et Roberto ne parvient pas à la rassurer.
Acte II. Roberto a rencontré une aventurière et oublié Anna. Celle-ci l'a attendu pendant des mois et a fini par mourir de chagrin. Son esprit est allé rejoindre les Villi, fantômes de toutes les jeunes filles mortes de douleur parce qu'elles ont été abandonnées. Par une nuit d'hiver, les Villi dansent leur ronde macabre. Roberto est rentré au village et Guglielmo (baryton), le père d'Anna, invoque l'esprit de sa fille pour qu'elle se venge. Anna apparaît avec les autres Villi et Roberto, la croyant vivante, l'embrasse. Entraîné dans une danse effrénée, il finit par tomber mort aux pieds de la jeune fille. On entend un hosanna dans le lointain.

■ *Le Villi*, inspiré d'une légende probablement d'origine slave, est le premier opéra de Puccini. Il obtint un succès extraordinaire dès la première représentation, et Verdi lui-même le jugea très favorablement. A la fois éclectique et conventionnel, l'ouvrage est surtout remarquable par le sens dramatique très sûr qu'il révèle. RB

MARION DELORME

Opéra en quatre actes d'Amilcare Ponchielli (1834-1886). Livret d'E. Golisciani d'après la pièce de Victor Hugo. Première représentation : Milan, théâtre de la Scala, 17 mars 1885. Interprètes : Romilda Pantaleoni, Francesco Tamagno, Augusto Brogi, Angelo Tanburini, Adele Borghi, Angelo Fiorentini, Napoleone Limonta, Carlo Moretti. Direction : Franco Faccio.

LES PERSONNAGES : Marion Delorme (soprano) ; Didier (ténor) ; le marquis de Saverny (baryton) ; Monsieur de Laffemas ; Lelio (comique) ; les officiers Brichanteau et Gassé ; un capitaine, un geôlier.

L'INTRIGUE : Marion Delorme, après avoir mené une vie mondaine et dissipée, s'est retirée à Blois. Le marquis de Saverny, un de ses anciens amants, lui rend visite et lui reproche de priver de sa présence tous ses admirateurs. Elle lui répond qu'elle compte désormais vivre dans la solitude. Saverny comprend alors qu'elle est vraiment amoureuse, mais ne parvient pas à savoir le nom de l'heureux élu. Après son départ, Didier arrive chez Marion et ils chantent ensemble un duo d'amour, brusquement interrompu par des appels au secours. C'est le marquis qui a été assailli par des voleurs en sortant de chez Marion. La jeune femme, très embarrassée, doit présenter les deux rivaux. Sur une place de Blois, des officiers commentent avec Lelio les derniers événements de Paris, les liaisons et les duels. Ils se perdent en conjectures à propos de l'inexplicable retraite de Marion Delorme. Pendant ce temps, on placarde un édit royal interdisant le duel. Un peu plus tard, Saverny et Didier se rencontrent par hasard ; ils échangent des propos un peu vifs qui dégénèrent en défi, puis en duel. Au passage de la ronde, Brichanteau conseille à Saverny de faire le mort. Marion Delorme, avertie de ce qui se passait, arrive au moment où Didier est arrêté. Laffemas et Saverny s'amusent de la prétendue mort du marquis, à présent méconnaissable sous un déguisement. Marion et Didier, évadé de prison, se font passer pour des acteurs espagnols et se joignent à la troupe comique de Lelio. Saverny, qui n'est pas dupe, se fait reconnaître de Didier. Le jeune homme est stupéfait, croyant l'avoir tué. Ils s'expliquent et le marquis révèle à Didier le passé tumultueux de Marion Delorme. Le malheureux, bouleversé, souhaite mourir. Entre-temps, Laffemas a reconnu Didier et veut le livrer à Richelieu. Il propose à la troupe de jouer la comédie devant le cardinal. Didier, désespéré, se dénonce et Laffemas le met en état d'arrestation pour le meurtre de Saverny. Celui-ci jette alors le masque et montre à tous qu'il est vivant. Laffemas les fait arrêter tous les deux pour désobéissance au décret royal. Marion réussit à obtenir du roi la grâce de Didier ; mais lorsqu'elle présente l'ordre à Laffemas, celui-ci en nie l'authenticité. Il déclare sa flamme à Marion et lui offre la vie de Didier en échange de son amour. La jeune femme le repousse avec indignation. Saverny et Didier, pendant ce temps, sont incarcérés et attendent l'exécution de la sentence. Un geôlier leur apprend qu'il a reçu l'ordre de faciliter la fuite du marquis. Ce dernier refuse de partir sans Didier. Marion, avec l'aide du geôlier, s'introduit dans la prison et supplie Didier de s'enfuir avec elle. Mais il la repousse avec mépris en lui jetant à la face sa vie passée. L'exécution va avoir lieu. Marion se jette aux pieds de Didier en implorant son pardon et il l'étreint passionnément avant de marcher au supplice. Saverny et Didier sont exécutés tandis que Marion tombe inanimée.

■ Le livret, tiré de la pièce de Victor Hugo, était déjà connu en Italie car il avait inspiré deux opéras de G. Bottesini et C. Pedrotti. L'opinion de la critique, lors de la première, à la Scala, fut des plus réservées. Ponchielli, proche de la mort, en fut très affecté : il succomba à une pneumonie peu de temps après.
MSM

UNE NUIT DE CLÉOPÂTRE

Opéra tragique en trois actes de Victor Massé (1822-1884). Livret de Jules Barbier (1822-1901) d'après la nouvelle de Théophile Gautier (1811-1872). Première représentation : Paris, Opéra-Comique, 25 avril 1885.

L'INTRIGUE : Le jeune Meïamoun, rendu audacieux par sa folle passion pour Cléopâtre, réussit, à la suite d'une série d'astuces téméraires, à attirer l'attention de la reine au cours d'un voyage sur le Nil. Par caprice, la souveraine lui accorde une nuit d'amour en échange de sa vie, qui lui sera ôtée pour châtier son audace. Meïamoun accepte et, après un grandiose banquet, triste épilogue de son rêve éphémère, il s'empoisonne. Marc-Antoine, qui arrive au même instant avec ses guerriers, n'accorde pas un regard au corps du malheureux.

■ Sur ce livret d'un exotisme raffiné, où le goût du détail masque la simplicité de l'intrigue, Massé, très influencé par Gounod, a composé une musique tout imprégnée de cet hédonisme flamboyant propre à l'art décadent. Ainsi, tantôt douce, tantôt caustique, la musique souligne avec des nuances délicates les descriptions de palais et de temples antiques, de paysages enchanteurs et la légendaire beauté de Cléopâtre, reine féroce et raffinée. Massé, compositeur doué d'une certaine invention mélodique, est aujourd'hui considéré comme un musicien de second plan dans l'art lyrique français de la fin du XIXe siècle. Son œuvre est tombée dans un oubli presque total ; seul un air de Cléopâtre (acte II, premier tableau) est encore parfois exécuté. GPa

LE CID

Opéra-ballet en quatre actes de Jules Massenet (1842-1912). Livret d'A. P. d'Ennery, L. Gallet et E. Blau (1836-1906), d'après la pièce de Corneille (1606-1684). Première représentation : Paris, Opéra, 30 novembre 1885.

L'INTRIGUE : L'Espagne, au temps de la *Reconquista.* Pour venger l'offense faite à son père, Rodrigue provoque et tue le père de Chimène, sa fiancée. La jeune fille ne peut plus aimer Rodrigue et, pour venger son père, doit exiger le châtiment du jeune homme. Mais le roi a besoin de Rodrigue pour combattre les Maures. Il revient couvert de gloire, et est proclamé *Cid campeador* (chef guerrier). L'heure de la punition a sonné et le roi décide de laisser à Chimène, l'offensée, le soin de prononcer la sentence. Celle-ci, malgré son chagrin, finit par pardonner. Le Cid, se sachant coupable, est prêt à se tuer lorsque Chimène elle-même arrête son bras : l'honneur et l'amour sont saufs et le roi unit les jeunes gens.

■ Opéra ambitieux sur l'amour et la gloire, *Le Cid* n'est pas une des réussites de Massenet. Outre le ton mélodramatique habituel, on y sent une complaisance excessive à l'égard des goûts du public. L'influence de Verdi est notable. GPa

LA KHOVANTCHINA

Drame musical populaire en cinq actes de Modeste Moussorgsky (1839-1881). Livret du compositeur et de Vladimir V. Stassov (1824-1906) inspiré d'anciennes chroniques des schismatiques « vieux croyants ». Première représentation : Saint-Pétersbourg, théâtre Kononov, 21 février 1886.

LES PERSONNAGES : Le prince Ivan Khovanski, commandant des *streltsy* (basse) ; le prince Andreï, son fils (ténor) ; le prince Vassili Galitsine (ténor) ; le boyard Chakloviti (baryton) ; Dossipheï, chef des « vieux croyants » (basse) ; Marpha, « vieille croyante » (mezzo-soprano) ; l'écrivain (ténor) ; Emma, jeune fille du quartier allemand (soprano) ; Varsonovev, domestique de Galitsine (basse) ; Kouska, *strelets* (baryton) ; trois *streltsy* (deux basses, un ténor) ; Strechnev (ténor) ; Susanna, ancienne « vielle croyante » (soprano) ; *streltsy,* « vieux croyants », jeunes filles et esclaves persanes d'Ivan Khovanski, garde de Pierre le Grand, le peuple.

L'INTRIGUE : Il s'agit d'un drame historique assez complexe qui a pour thème l'affrontement entre la Russie féodale et la Russie moderne dans les années précédant l'arrivée au pouvoir de Pierre le Grand. La *Khovantchina* est le nom du soulèvement traditionaliste conduit par le prince Ivan Khovanski en 1682, sous la régence de la tsarine Sophie, mère de Pierre et Ivan. Les trois personnages principaux incarnent les clans en présence : Ivan Khovanski, chef des *streltsy*, représente le pouvoir des boyards et la vieille Russie ; Dossipheï, chef de la secte fanatique des « vieux croyants », symbolise la Russie mystique ; enfin, le prince Galitsine est le porte-parole des idées modernes et occidentales. Moussorgsky ne porte pas de jugement moral sur ces personnages en qui coexistent le vice et la vertu, la foi et la superstition, et qui sont les facettes du même prisme, l'âme de la Russie.

Acte I. A l'aube, sur la place Rouge. Des *streltsy* racontent leurs hauts faits de la nuit : ils ont torturé un prêtre et écartelé un Allemand. Un écrivain public traverse la place pour s'installer au coin où il exerce sa fonction. Le boyard Chakloviti lui donne à écrire une lettre anonyme en le menaçant de mort s'il en parle à quiconque ; il s'agit d'une dénonciation adressée à la tsarine Sophie et accusant Ivan Khovanski de fomenter une révolte contre l'État avec l'aide des « vieux croyants ». Le prince Khovanski, pendant ce temps, harangue la foule, se déclarant le protecteur des enfants royaux Pierre et Ivan. Emma, une jeune Allemande luthérienne, chercher à échapper à Andreï, le fils d'Ivan

Khovanski, qui, après avoir tué son père et exilé son fiancé, veut s'emparer d'elle. Marpha, une mystique « vieille croyante », ancienne maîtresse d'Andreï, s'interpose. Ivan Khovanski, frappé par la beauté d'Emma, ordonne à ses soldats de la conduire dans son palais. Andreï est prêt à la tuer plutôt que de renoncer à elle, mais il est arrêté par Dossipheï, chef des « vieux croyants ». Celui-ci prêche la vraie religion orthodoxe et Ivan sent tout le profit que sa cause peut tirer d'une alliance avec les « vieux croyants ».

Acte II. Le prince Galitsine, dans son palais d'été, lit une lettre de la tsarine, qui est sa maîtresse, mais dont il redoute l'ambition sans bornes. Marpha se présente chez le prince pour lui prédire l'avenir ; sa prophétie est sombre : elle ne voit qu'une suite de malheurs puis l'exil. Le prince, irrité et inquiet, la renvoie et ordonne à un serviteur de la noyer dans les marais. Resté seul, il médite les paroles de Marpha. Khovanski arrive chez lui à l'improviste et lui reproche brutalement les réformes entreprises pour moderniser le pays. Le ton monte entre les deux princes, que Dossipheï invite à se réconcillier au nom de la vieille Russie. Galitsine s'y refuse, alors que Khovanski accepte. Marpha fait irruption, racontant qu'elle vient d'échapper à son assassin grâce à l'intervention des soldats de la garde personnelle du jeune tsar Pierre. A cet instant, Chakloviti vient annoncer que les Khovanski sont accusés de complot contre l'État.

Acte III. Le quartier des *streltsy*. Une procession de « vieux croyants » passe, chantant des cantiques ; les femmes des *streltsy* vitupèrent leurs maris ivres morts en les traitant de fainéants ; Marpha chante une romance populaire sur son amour perdu. L'écrivain public arrive en courant : il vient d'assister à des massacres perpétrés par les soldats de Pierre. Les *streltsy* demandent à Khovanski de lancer une contre-attaque, mais il refuse, attendant de voir ce que va faire le tsar.

Acte IV. Dans les terres de Khovanski. Le prince est à table, diverti par des chants et des danses d'esclaves persanes. Un messager de Galitsine vient l'avertir que sa vie est en danger. Il refuse de le croire. Chakloviti survient alors pour l'inviter, au nom de la tsarine, à participer au Grand Conseil. Flatté, Khovanski tombe dans le piège. Il sort, vêtu somptueusement et est surpris par les assassins sur le seuil de sa maison. Pendant ce temps, à Moscou, Galitsine prend dignement le chemin de l'exil. Marpha annonce à Dossipheï que le Grand Conseil a ordonné l'extermination des « vieux croyants ». Andreï est toujours à la recherche d'Emma mais Marpha, visionnaire, lui dit que la jeune fille est hors de portée et que son père gît assassiné, sans sépulture. Andreï veut alors rassembler les *streltsy*, mais ceux-ci arrivent, au son d'une cloche funèbre, portant la hache et le billot pour leur propre supplice : ils s'apprêtent à mourir puisqu'ils ont été condamnés comme complices de Khovanski. Marpha entraîne Andreï tandis que la garde de Pierre le Grand apporte le pardon du tsar aux *streltsy*.

Acte V. La retraite des « vieux croyants » dans une forêt. Dossipheï et ses fidèles préparent un bûcher où ils s'immoleront collectivement au nom de leur foi. On entend les trompettes de la garde du tsar, qui s'approche, tandis que les mystiques, vêtus de blanc, prient autour du bûcher. Marpha rappelle à Andreï, qui pleure toujours Emma, leur amour passé, et l'embrasse une dernière fois avant de le pousser sur le bûcher, qu'elle allume. Le chant de Marpha, que Moussorgsky appelle « le requiem de l'amour », accueille les soldats du tsar qui s'arrêtent, médusé, en découvrant le bûcher en flammes.

■ *La Khovantchina*, inachevé, fut complété par Rimsky-Korsakov qui avait été chargé de la publication de l'œuvre chez l'éditeur Bessel. Il manquait la fin du deuxième acte et le chœur final des « vieux croyants », pour lesquels n'existaient que quelques indications. La révision de Rimsky-Korsakov, quoique de grande valeur, se prête, comme pour *Boris Godounov*, à un certain nombre de critiques : il a coupé plusieurs scènes de façon à adapter la partition à la représentation théâtrale ; mais, ce qui est plus grave, il a, par moments, changé l'esprit même de la musique, enfermant l'opéra dans les limites de son esthétique personnelle. Après la première de 1886, qui ne fut suivie que de huit représentations, l'opéra fut repris en 1891 au théâtre Mariinski de Saint-Pésterbourg, avec Chaliapine dans le rôle de Dossipheï. Le 15 juin 1913, la troupe de Diaghilev joua au théâtre des Champs-Élysées, à Paris, la version revue par Stravinski et Ravel. Une nouvelle édition, réalisée par Chostakovitch, fut présentée au public au théâtre Kirov de Léningrad en 1960.

SC

GWENDOLINE

Opéra en trois actes d'Emmanuel Chabrier (1841-1894). Livret de Catulle Mendès (1841-1909). Première représentation : Bruxelles, théâtre de la Monnaie, 10 avril 1886.

L'INTRIGUE : En toile de fond, la guerre entre les Saxons et les Danois. Harald, roi des Vikings, tombe amoureux de Gwendoline, fille d'un chef saxon prisonnier, Armel. Ce dernier ordonne à sa fille d'épouser Harald pour pouvoir l'assassiner dans son sommeil. Mais Gwendoline ne peut accomplir ce forfait et meurt avec son mari sous les coups d'Armel.

■ L'opéra est le premier hommage délibéré de la musique française à Wagner, avec le choix d'un sujet nordique et l'introduction des leitmotive. Mais le « wagnérisme » de Chabrier, très personnel, ne va pas au-delà de ces manifestations formelles. L'ouvrage fut toutefois jugé trop wagnérien par l'Opéra de Paris, qui le refusa ; il fut donc monté au théâtre de la Monnaie de Bruxelles qui avait pris l'habitude, depuis 1871, d'accueillir les œuvres non conformistes rejetées par l'Opéra. L'événement était très attendu et ce fut un succès. Avec *Gwendoline*, Chabrier entrait définitivement dans les rangs des compositeurs professionnels, après avoir abandonné, six années auparavant, son emploi de fonctionnaire au ministère de l'Intérieur. MS

OTHELLO
(Otello)

Drame lyrique en quatre actes de Giuseppe Verdi (1813-1901). Livret d'Arrigo Boito (1842-1918) d'après la tragédie de Shakespeare. Première représentation : Milan, théâtre de la Scala, 5 février 1887. Interprètes : R. Pantaleoni (Desdémone), G. Petrovich (Émilia), F. Tamagno (Othello), V. Maurel (Iago), F. Navarrini (Ludovico), G. Paroli (Cassio), V. Fornari (Roderigo). Direction : Franco Faccio.

Les personnages : Othello (ténor) ; Iago (baryton) ; Cassio (ténor) ; Roderigo (ténor) ; Desdémone (soprano) ; Montano (basse) ; Ludovico (basse) ; Émilia (mezzo-soprano).

L'intrigue : A Chypre, possession vénitienne, au XVe siècle.

Acte I. Devant le château du Maure Othello, gouverneur de l'île. Une violente tempête empêche le bateau d'Othello d'aborder. Une foule de citoyens vénitiens et de soldats observe avec anxiété les manœuvres du navire. Seul Iago ne partage pas l'inquiétude générale : il déteste Othello, qui a nommé Cassio capitaine à sa place, et il a juré de se venger. Othello finit par débarquer, au milieu des acclamations. Il annonce triomphalement la défaite de la flotte turque *(Esultate !)*. Tandis que le Maure entre dans son château, on allume des feux de joie et on boit à la victoire. Pendant les festivités, Iago commence à mettre en œuvre la machination destinée à perdre Othello. Il insinue perfidement devant Roderigo, qui lui a avoué son amour pour Desdémone, femme d'Othello, que Cassio est également épris d'elle. Puis, ayant fait boire le capitaine, il monte les deux hommes l'un contre l'autre. Ils sont prêts à se battre en duel lorsque Montano s'interpose. Il est blessé par Cassio. Iago donne l'alarme bruyamment et exagère délibérément l'événement pour créer le scandale. Othello, à qui Iago donne une version de l'histoire propre à incriminer Cassio, dégrade et punit celui-ci. Iago exulte. Desdémone, réveillée par le bruit, apparaît alors. Othello renvoie tout le monde et, resté seul avec Desdémone, il chante avec elle un merveilleux duo d'amour, tandis que Vénus brille dans le ciel *(Già nella notte densa)*.

Acte II. Une salle du château ouvrant sur le jardin. Iago suggère à Cassio de demander à Desdémone d'intercéder en sa faveur auprès d'Othello. Dans un monologue, Iago exprime sa vision cynique de la vie *(Credo in un Dio crudel)*. Il réussit ensuite à faire naître la jalousie dans le cœur du Maure en insinuant qu'un amour secret lie Desdémone à Cassio. Quand la jeune femme vient plaider la cause de Cassio, Othello y voit une confirmation de ses soupçons et rejette brutalement sa requête. Iago raconte alors avoir entendu Cassio prononcer quelques phrases compromettantes dans son sommeil *(Era la notte, Cassio dormia)*. Puis il prétend avoir vu entre les mains de Cassio un mouchoir offert par Othello à

Desdémone — il l'a en réalité subtilisé lui-même avec l'aide de sa femme Émilia, suivante de Desdémone. Pour Othello, c'est une preuve suffisante et il jure solennellement de se venger *(Si, pel Ciel marmoreo giuro).*

Acte III. La grande salle du château. On annonce l'arrivée des ambassadeurs de Venise. Desdémone, en toute innocence, plaide à nouveau la cause de Cassio. Othello, pour toute réponse, exige qu'elle lui montre le mouchoir qu'il lui a offert. Comme elle en le retrouve pas, fou de rage, il la traite de courtisane et la chasse. Resté seul, il pleure son bonheur perdu *(Dio, mi potevi scagliare tutti i mali).* Mais il se ressaisit à l'arrivée de Iago. Ce dernier, pour rendre plus vraisemblable encore la trahison, s'arrange pour qu'Othello, caché, entende Cassio parler de l'amour d'une courtisane et croie qu'il s'agit de Desdémone ; il met enfin entre les mains de Cassio le fameux mouchoir. C'est plus qu'il n'en faut pour porter à son paroxysme la jalousie d'Othello, qui jure de tuer l'infidèle. A cet instant, les ambassadeurs vénitiens viennent annoncer à Othello qu'il est rappelé à Venise et que Cassio est nommé gouverneur à sa place. Hors de lui, il s'en prend publiquement à Desdémone, qu'il jette à terre, devant les dignitaires médusés. Iago met en œuvre la phase finale de son plan diabolique en poussant Roderigo à tuer Cassio. Othello maudit Desdémone et s'effondre, évanoui, tandis que les acclamations de la foule en l'honneur du Maure montent de la place. Iago, sarcastique, montre le corps prostré d'un geste triomphant *(Ecco il leone).*

Acte IV. La chambre de Desdémone. La jeune femme se prépare pour la nuit, aidée par Émilia. Elle est désespéré par l'attitude d'Othello, qu'elle ne peut comprendre. Dans sa tristesse, elle raconte l'histoire d'une servante abandonnée par son bien-aimé (Chanson du saule). Elle vient d'achever sa prière *(Ave Maria)* lorsque Othello entre dans la chambre. Il l'accuse ouvertement d'adultère et n'écoute pas ses protestations d'innocence. Il l'a déjà condamnée et, allant jusqu'au bout de son délire, il l'étrangle. Émilia entre et annonce que Roderigo a été tué alors qu'il tentait d'assassiner Cassio. Apercevant le corps de Desdémone, elle hurle et accuse Othello d'avoir tué une innocente. Elle se tourne vers Iago, venu contempler son œuvre, et dénonce ses manœuvres malfaisantes. Démasqué, il prend la fuite. Othello, comprenant soudain qu'il a été le jouet d'une machination, étreint une dernière fois Desdémone et se poignarde sur son corps.

■ Verdi présenta *Otello* au public après seize années de silence. Il avait beaucoup réfléchi, pendant cette période, sur son expérience propre et sur l'évolution de l'art lyrique, et avait conclu qu'il lui fallait créer quelque chose de radicalement nouveau pour rester en contact avec son époque. La collaboration avec Boito fut décisive à cet égard. Celui-ci écrivit un livret « à structure continue » permettant de rompre avec le schéma classique arias-duos-récitatifs au profit d'un discours unique. Les rapports entre Verdi et Boito ne furent pas toujours faciles, mais c'est justement de la confrontation de leurs idées que naquit l'œuvre. Boito s'efforça de rester le plus fidèle possible au texte de Shakespeare, tout en réalisant la fusion des « trois arts » (musique, littérature, arts plastiques), formule chère à la *Scapigliatura* (mouvement artistique de l'époque romantique dont Boito avait été l'un des porte-parole). La recherche d'une cohérence parfaite entre la musique, le drame et la scénographie fut, dans *Otello*, une grande réussite puisqu'elle permit de restituer à la fois l'intensité et la finesse psychologique de la pièce de Shakespeare. Il en fut de même pour *Falstaff*, le dernier opéra de Verdi, tandis que sa précédente expérience shakespearienne, *Macbeth*, avait été assez médiocre, quoique capitale pour l'évolution du compositeur. *Otello* ne mit pas fin à la querelle entre verdiens et wagnériens, mais prouva que le vieux maître avait su tirer profit de conceptions différentes, voire opposées à celles qui avaient été les siennes toute sa vie. EP

LE ROI MALGRÉ LUI

Opéra en trois actes d'Emmanuel Chabrier (1841-1894). Livret de Paul Burani (1845-1901) et Émile de Najac (1828-1889), d'après un vaudeville de François Ancelot. Première représentation : Paris, Opéra-Comique, 18 mai 1887. Interprètes : Bouvet, Delaquerrière, Fugère, Thierry, Barnold. Direction : Léon Carvalho.

L'INTRIGUE : Elle s'inspire d'un épisode historique. A la fin du XVIe siècle, le futur Henri III de France devient roi de Pologne.

■ La troisième représentation de l'opéra, le 25 mai 1887, fut interrompue par l'incendie du théâtre. L'œuvre ne fut ensuite reprise que le 16 novembre suivant, dans une salle provisoire. Dans cet opéra-comique, Chabrier, considéré comme l'un des pères de l'impressionnisme, donne toute la mesure de son talent anticonformiste, refusant toute concession à l'académisme dominant. Bien que le public et la critique n'aient pas immédiatement saisi l'importance de cette attitude, cet opéra fut le plus grand succès de Chabrier. Comme *Gwendoline*, il fut représenté dans toute l'Europe. *Le roi malgré lui* fut repris en 1929 et, par la suite, dans une version simplifiée d'Albert Carré. MS

LE ROI D'YS

Opéra en trois actes d'Édouard Lalo (1823-1892). Livret d'Édouard Blau (1836-1906), inspiré d'une légende bretonne. Première représentation : Paris, Opéra-Comique, 7 mai 1888.

L'INTRIGUE : Le roi d'Ys a promis sa fille Margared au prince de Karnac en signe de réconciliation. Mais la jeune fille, comme sa sœur Rozenn, est amoureuse de Mylio, qui a disparu un jour mystérieusement. Mylio revient à l'improviste et déclare son amour à Rozenn, Margared, qui a appris son retour, refuse dès lors d'épouser Karnac. Celui-ci, furieux, lance un défi au roi d'Ys. Mylio demande au roi la permission de combattre pour lui. La main de Rozenn sera sa récompense s'il sort vainqueur de ce duel. Il triomphe et s'apprête à épouser sa bien-aimée. Margared, folle de jalousie, conçoit une horrible vengeance. Elle décide avec Karnac, qui n'a été que blessé, de démolir la digue qui protège la ville d'Ys et d'engloutir ainsi toute la population. Saint Corentin, patron d'Ys, leur apparaît et les conjure d'abandonner leur plan criminel. Margared est effrayée mais Karnac, résolu à se venger, fait une brèche dans la digue : les flots se déversent sur la ville au moment même où l'on célèbre le mariage de Rozenn et Mylio. La population, affolée, se réfugie sur une colline. Mylio tue Karnac et Margared, repentante, rejoint les siens. Alors que la mer atteint le niveau de la colline, elle avoue son crime et se jette dans les flots en invoquant la protection de saint Corentin. Le saint apparaît alors et les eaux se retirent miraculeusement. La population, agenouillée, prie pour l'âme de Margared.

■ Cet opéra de Lalo obtint un énorme succès, tant auprès du public que de la critique, et est encore assez populaire en France, bien qu'il ne figure pas au répertoire de l'Opéra de Paris. MSM

LES FÉES
(Die Feen)

Opéra en trois actes de Richard Wagner (1813-1883), composé en 1833-1834 sur un livret du compositeur, inspiré de La femme-serpent *de Carlo Gozzi (1720-1807). Première représentation : Munich, Hoftheater, 29 juin 1888.*

L'INTRIGUE : Arindal, heureux époux de la belle et mystérieuse Ada, n'a pas le droit de demander qui elle est ni d'où elle vient. Mais il ne peut résister à la curiosité et, au moment où il apprend qu'Ada est une fée, elle disparaît avec le château et leurs enfants. Pour la retrouver, Arindal devra surmonter de dures épreuves et vaincre l'enchantement qui a transformé Ada en pierre. Il franchit tous les obstacles et finit par arriver au royaume des fées. Son chant rompt l'enchantement qui retenait Ada, mais celle-ci ne peut redevenir une femme. Alors Arindal, fort de son amour, acquiert l'immortalité et peut ainsi vivre pour toujours avec son épouse au royaume des fées.

■ C'est le premier opéra de Wagner, composé à Würzbourg lorsqu'il était chef des chœurs à l'Opéra. L'inspiration fantastique propre au premier romantisme est évidente dans cette œuvre de la période de formation du compositeur. Outre l'influence de Beethoven, celle de Weber est ici manifeste, aussi bien dans le texte que dans la partition. Mais Wagner insuffle à la trame fantastique une dimension humaine ; la catharsis finale n'est pas sans évoquer le thème du *Liebestod*, fondamental dans l'œuvre de Wagner. RM

LE JACOBIN
(Jakobin)

Opéra en trois actes d'Anton Dvořák (1841-1904). Livret de Marie Červiková Riegrová. Pre-

mière représentation : Prague, Théatre national tchèque, 12 février 1889.

L'INTRIGUE : Le Jacobin, exilé pour raisons politiques, revient dans son pays bien des années plus tard et tente de s'y réinsérer, avec l'aide de son ami musicien Benda.

■ *Le Jacobin,* œuvre dans laquelle est sensible l'influence du grand opéra, eut beaucoup de succès en Tchécoslovaquie, où il fut souvent repris. MS

EDGAR

Opéra en quatre actes de Giacomo Puccini (1858-1924). Livret de Ferdinando Fontana (1850-1919), d'après le drame en vers d'Alfred de Musset La coupe et les lèvres. *Première représentation : Milan, théâtre de la Scala, 21 avril 1889. Interprètes : Romilda Pantaleoni, Aurelia Cattanéo, Gregorio Gabrielesco. Direction : Franco Faccio.*

L'INTRIGUE : Dans les Flandres, en 1302.
Acte I. Edgar (ténor) est partagé entre l'amour qu'il éprouve pour Fidelia (soprano) et l'attirance sensuelle pour Tigrana (mezzo-soprano), une Noire abandonnée, enfant, par des gitans, et élevée par le père de Fidelia. Frank (baryton), frère de Fidelia, est un soupirant malheureux de Tigrana. Celle-ci, accusée par les gens du village de conduite scandaleuse, est défendue par Edgar. Frank le provoque en duel mais il est blessé. Edgar et Tigrana s'enfuient ensemble.
Acte II. Edgar se joint à un groupe de soldats de passage. Frank est parmi eux. Ils se réconcilient et Edgar avoue son repentir d'avoir abandonné Fidelia. Tigrana, délaissée, jure de se venger.
Acte III. Une forteresse près de Coutray. On célèbre une messe à la mémoire d'Edgar, que tout le monde croit mort. Un moine s'avance : c'est Edgar, vivant. Fidelia se jette dans ses bras, mais Tigrana la poignarde.

■ Cet opéra, malgré les très nets progrès du jeune compositeur, fut éreinté par la critique et ne fut joué que deux fois après sa création. Cet échec est dû en grande partie au livret, imposé par l'éditeur Ricordi et totalement étranger à la sensibilité de Puccini. La même année, le musicien révisa l'ouvrage, le réduisant à trois actes. La nouvelle version fut jouée pour la première fois à Ferrare le 28 février 1892. RB

ESCLARMONDE

Opéra en quatre actes de Jules Massenet (1842-1912). Livret d'É. Blau (1836-1906) et L. de Gramont. Première représentation : Paris, Opéra-Comique, 15 mai 1889.

■ *Esclarmonde,* écrit par Massenet pour l'Exposition Universelle de 1889, est un opéra grandiose et spectaculaire. Le compositeur, qui avait adopté, dans d'autres œuvres, le style vériste *(La Navarraise)* ou mystique *(Le jongleur de Notre-Dame)*, s'inspire ici de la musique de Wagner.

Mais, malgré le caractère composite de son inspiration, Massenet a un langage musical qui lui est propre, empreint d'une grande douceur mélodique. EP

LORELEY

Action romantique en trois actes d'Alfredo Catalani (1854-1893). Livret de Carlo d'Ormeville et A. Zanardini, d'après le livre de Depanis. Première représentation : Turin, Teatro Regio, 16 février 1890. Interprètes : Virginia Ferni Germano, Leonora Dexter, Eugenio Durot, Enrico Stinco Palermini. Direction : Edoardo Mascheroni.

LES PERSONNAGES : Rudolfo, margrave de Biberich (basse) ; Anna de Rehberg, sa nièce (soprano) ; Walter, duc d'Oberwesel (ténor) ; Loreley, une orpheline (soprano dramatique) ; Hermann (baryton) ; Chœur : chasseurs, pêcheurs, bûcherons, jeunes filles, gens du peuple, nymphes du Rhin, esprits de l'air.

L'INTRIGUE : Vers 1300, au bord du Rhin.
Acte I. Walter, seigneur d'Oberwesel, doit épouser Anna, nièce de Rudolfo, margrave de Biberich. Mais Walter est épris de Loreley, une orpheline, qui l'aime passionnément. Pourtant, sur les conseils d'Hermann, secrètement amoureux d'Anna, il décide d'abandonner Loreley. Il lui annonce son intention d'épouser Anna. Loreley, humiliée et en proie au désespoir, erre sur les rives du Rhin, invoquant Albrich, roi du fleuve, qui, selon la légende, exauce les vœux des malheureux dont il entend les lamentations. Loreley lui demande la beauté fascinante, le regard qui charme, la voix qui enchante l'âme, l'amour qui enivre et tue. Tout cela lui est accordé, à condition qu'elle épouse le roi du Rhin. La jeune fille accepte et se jette dans le fleuve. Elle en ressort peu après, transformée en une merveilleuse créature à la chevelure d'or.
Acte II. Un jardin au bord du Rhin, devant le palais du margrave. On s'apprête à célébrer le mariage de Walter et Anna. Hermann s'approche de la fiancée et la met en garde contre Walter. Croyant que c'est la jalousie qui le fait parler, elle n'y prête pas attention. Parmi les danses et les chants, le cortège nuptial se forme. Soudain Loreley apparaît. Son chant fascine Walter qui la suit, sourd aux supplications d'Anna. Mais, avant qu'il ne puisse la rejoindre, Loreley disparaît dans les flots.
Acte III. La plage d'Oberwesel. Les pêcheurs parlent de la nouvelle sirène qui hante les eaux du Rhin, et que certains ont aperçue sur un rocher. Un cortège funèbre passe : ce sont les obsèques d'Anna, morte de douleur. Walter veut s'approcher, mais le margrave le repousse et le maudit. Le jeune homme veut alors se jeter dans le Rhin, mais les ondines l'en empêchent. Loreley apparaît sur un rocher : Walter l'appelle, la supplie, lui parle de leur amour. Bouleversée, elle va vers lui, lorsque les esprits de l'air lui rappellent sa promesse d'être fidèle au roi du Rhin. Alors, Loreley dit adieu pour toujours à Walter et retourne s'asseoir sur son rocher, d'où elle

continuera éternellement à charmer les navigateurs. Walter, désespéré, se jette dans le fleuve.

■ *Loreley* est une nouvelle monture du premier opéra de Catalani, *Elda*, présenté dix ans auparavant (1880), également au Théâtre royal de Turin. Dans cette seconde édition, le style du compositeur s'affirme, même si les influences de Ponchielli, Massenet et Wagner sont toujours très sensibles. L'œuvre remaniée obtint un succès honorable et fait depuis partie du répertoire des grands théâtres lyriques. MS

CAVALLERIA RUSTICANA

Mélodrame en un acte de Pietro Mascagni (1863-1945). Livret de Giovanni Targioni-Tozzetti (1863-1934) et Guido Menasci (1867-1925), d'après le roman de Giovanni Verga. Première représentation : Rome, théâtre Costanzi, 17 mai 1890. Interprètes : Gemma Bellincioni, Anneta Guli, Roberto Stagno, Gaudenzio Salassa, Federica Casali. Direction : Leopoldo Mugnone.

Les personnages : Santuzza (soprano) ; Lola (mezzo-soprano) ; Turiddu (ténor) ; Alfio (baryton) ; Lucia (contralto). Chœur de paysans et paysannes.

L'intrigue : Le jour de Pâques, au petit matin, dans un village sicilien. Avant le lever du rideau, on entend Turiddu chanter une « sicilienne » sous les fenêtres de Lola. En partant au service militaire, il avait promis de l'épouser mais, à son retour, il l'a trouvée mariée au charretier Alfio. Pour se consoler, il a séduit une autre jeune fille, Santuzza, qu'il a juré d'épouser. Mais il n'a pas pour autant oublié Lola, dont il est devenu l'amant. Au lever du rideau, un chœur de paysans chante la belle saison. Santuzza demande à Lucia, la mère de Turridu, des nouvelles de son fils. Il n'est pas en voyage, comme le soutient sa mère, puisqu'il a été vu dans le village. La conversation est interrompue par Alfio, qui a lui aussi aperçu Turiddu à l'aube près de sa maison. Santuzza empêche Lucia de demander de plus amples explications. Mais, après le départ d'Alfio, elle lui fait part de ses craintes quant aux relations entre Turiddu et Lola. Turiddu rentre justement. Il répond d'abord évasivement, puis avec une irritation croissante, aux questions de Santuzza. Lola passe devant la maison sur le chemin de l'église et fait la coquette pour exaspérer la jalousie de Santuzza. Turiddu, furieux, finit par repousser brutalement la jeune fille et part. Santuzza le maudit et va révéler à Alfio l'infidélité de sa femme. Le charretier jure de se venger sur-le-champ. L'action est interrompue par un intermède. Les gens du village sortent de la messe et Turiddu invite ses amis à boire « au vin pétillant » *(al vino spumeggiante)* et à la beauté de Lola. Alfio, invité à se joindre à la fête, refuse dédaigneusement : le défi est lancé. Suivant la coutume, les deux adversaires s'embrassent et Alfio en profite pour mordre l'oreille de Turiddu. On éloigne Lola, folle d'inquiétude. Turiddu a une dernière pensée émue pour Santuzza et la confie à sa vieille mère à qui il demande sa bénédiction sans lui dire qu'il va se battre. On entend un bruit dans le lointain, puis un cri de femme : « On a tué Turiddu ! »

■ Lorsque fut annoncé, dans la revue *Teatro Illustrato*, en juillet 1888, un concours destiné à récompenser « un opéra en un acte et un tableau — deux à la rigueur — sur un sujet idyllique, sérieux ou comique au choix », Pietro Mascagni préparait la première version de *Guglielmo Ratcliff* à Cerignola, où il était chef d'orchestre et surintendant du Civico Teatro. Le but du concours était d'encourager les jeunes compositeurs italiens et il prévoyait, outre une somme d'argent, la représentation des trois meilleures œuvres au théâtre Costanzi de Rome. Targioni suggéra à Mascagni la pièce en un acte que Giovanni Verga avait tirée d'une de ses nouvelles : le compositeur répondit qu'il avait déjà eu cette idée en 1884 après avoir vu jouer la pièce à Milan, avec Eleonora Duse. La partition fut prête en quelques mois. Mascagni, convoqué à Rome en février 1890, fut informé officieusement de la victoire de *Cavalleria rusticana*. Le jury, composé des musiciens Sgambati, d'Arcais, Galli, Platania et Marchetti, rendit public le palmarès dans le *Teatro Illustrato* : les deuxième et troisième prix étaient attribués à *Labilia*, de Niccolo Spinelli, et *Rudello*, de Vincenzo Ferroni. Le succès retentissant de *Cavalleria rusticana* lors de sa création est resté célèbre dans l'histoire de l'opéra : il y eut soixante rappels le premier soir. En dix mois, l'œuvre de ce compositeur presque inconnu entra dans le répertoire européen. Les raisons de ce succès se trouvent, selon l'éminent critique autrichien de l'époque, Edouard Hanslick, dans la révélation d'un « talent frais, énergique, sincère », aussi « inimitablement italien » que « moderne et européen ». On considéra en effet la musique passionnée de *Cavalleria rusticana*, plus axée sur la mélodie que sur l'accompagnement, comme caractéristique de l'« italianité » par opposition à l'école wagnérienne. La qualité de l'opéra est également imputable au livret, brillant et neuf, qui doit plus à la nouvelle de Verga qu'à sa transposition théâtrale, et qui est un des rares exemples de correspondance parfaite entre langage musical et langage littéraire. Le succès de *Cavalleria rusticana* s'inscrit dans le droit fil du nouveau courant européen, à la fois spirituel, social et esthétique, qui prévaut déjà en peinture et en littérature : le réalisme. C'est ainsi que l'opéra fut rapidement considéré comme le manifeste du vérisme. AB

LE PRINCE IGOR
(Kniaz Igor)

Opéra en un prologue et quatre actes d'Alexandre Borodine (1833-1887). Livret du compositeur d'après un poème russe anonyme du IX*e siècle* Le chant d'Igor. *Première représentation (posthume) : Saint-Pétersbourg, théâtre Mariinski, 4 novembre 1890.*

LES PERSONNAGES : Igor Sviatoslavitch, prince de Seversk (baryton) ; Jaroslavna, sa femme (soprano) ; Vladimir Igorievitch, son fils d'un premier lit (ténor) ; Vladimir Jaroslavitch, prince Galitski, frère de Jaroslavna (baryton basse) ; Kontchak, khan polovtsien (basse) ; Kontchakovna, sa fille (mezzo-soprano) ; Ovlour, un Polovtsien (ténor) ; Skoula et Erochka, musiciens (basse et ténor) ; la nourrice de Jaroslavna (soprano). Princes et princesses russes, guerriers, jeunes filles, Polovtsiens, servantes de Kontchak, esclaves de Kontchak, prisonniers russes.

L'INTRIGUE :
Prologue. La grand-place de la ville de Putivl, en 1185. Les Polovtsiens du khan Kontchak marchent sur la cité et le prince Igor décide d'aller à leur rencontre avec son armée pour se battre en champ ouvert. La foule acclame les guerriers lorsque, soudain, se produit une éclipse du soleil. Tout le monde y voit un funeste présage. Igor ne renonce pas pour autant à la bataille et part, accompagné de son fils Vladimir. Pendant ce temps, Skoula et Erochka, deux bons à rien peu tentés par l'aventure militaire, profitent de la confusion pour fausser compagnie à l'armée et rejoindre le prince Galitski, beau-frère d'Igor, viveur et insouciant.
Acte I, premier tableau. Chez le prince Galitski. Les convives festoient joyeusement, s'amusant de la dernière prouesse du prince, qui a enlevé une jolie fille pour se divertir. Au milieu des beuveries, quelqu'un lance l'idée de déposer Igor et de couronner Galitski à sa place : celui-ci affirme que, si c'était lui qui gouvernait, personne ne manquerait jamais ni de vin ni de plaisirs. Entrent à ce moment les compagnes de la jeune fille enlevée par le prince, qui réclament sa libération. Galitski, railleur, les chasse.
Deuxième tableau. Les appartements de Jaroslavna, épouse d'Igor. La princesse, sans nouvelles d'Igor et de Vladimir, est morte d'inquiétude. Les compagnes de la jeune fille ravie par Galitski viennent la supplier d'intervenir. Jaroslavna réprimande sévèrement son frère, qui promet vaguement de libérer la captive et de s'amender. Des boyards apportent la nouvelle de la défaite russe : l'armée est en déroute, Igor et son fils ont été faits prisonniers.
Acte II. Le camp polovtsien. Vladimir, prisonnier, est tombé amoureux de la fille du khan, Kontchakovna. Ovlour, un Polovtsien converti au christianisme, propose à Igor de l'aider à s'enfuir. Entre-temps, le khan Kontchak, plein d'estime pour son ennemi, le traite en hôte de marque. Des danseuses exécutent pour lui les danses polovtsiennes.
Acte III. (Généralement supprimé dans les mises en scène de l'opéra.) Le camp polovtsien. Les préparatifs pour célébrer la victoire. Les prisonniers russes croient savoir que Putivl est tombée aux mains de l'ennemi. Ils supplient Igor de s'enfuir pour prendre en main la situation et sauver la cité. Vladimir hésite à partir, pensant à la princesse polovtsienne. Pendant que les gardes polovtsiens s'endorment, ivres morts, le prince Igor réussit à s'enfuir, mais Vladimir est arrêté. Le khan lui laisse la vie sauve et lui offre même la main de sa fille en signe d'amitié :

« L'aiglon généreux trouvera un nouveau nid et le bonheur parmi les Polovtsiens ! »
Acte IV. Les murailles et la place de Putivl. Jaroslavna pleure son époux et les malheurs de la cité. Soudain, deux cavaliers apparaissent au loin : ce sont Igor et Ovlour. Le prince, follement acclamé, se prépare à défendre la ville contre l'imminente attaque polovtsienne. Auparavant, il se rend à la cathédrale avec son épouse. Skoula et Erochka, redoutant la punition du prince, montent au clocher et sonnent les cloches en l'honneur d'Igor. Le peuple fête le retour du prince, qui accorde son pardon aux déserteurs. Tous sont désormais sûrs de la victoire.

■ Borodine travailla au *Prince Igor* de 1869 à sa mort, laissant l'œuvre inachevée. C'est son unique opéra. Borodine était en effet un musicien amateur, exerçant d'autre part la profession de chimiste, où il se distingua par quelques découvertes importantes. Mais il adorait la musique et jouait du piano, de la flûte, du hautbois et du violoncelle : il composait seulement à ses moments de loisir. Il faisait pourtant partie, avec Balakirev, Moussorgsky, Rimsky-Korsakov et Cui, du fameux groupe des Cinq. A sa mort, il restait à écrire une grande partie du troisième acte, l'ouverture et quelques autres passages. L'orchestration se limitait en outre à quelques fragments. Ses amis, qui avaient suivi l'élaboration de l'ouvrage, se chargèrent de le terminer. Glazounov acheva le troisième acte et écrivit l'ouverture, qu'il connaissait par cœur pour l'avoir entendue souvent jouer au piano par Borodine, qui ne l'avait jamais mise par écrit. Rimsky-Korsakov se chargea de l'orchestration en suivant les instructions données par Borodine. Il laissa donc de côté son style personnel rutilant et se rapprocha plutôt de l'esprit de Glinka. La première représentation fut assez chaleureusement accueillie et *Le Prince Igor* devint rapidement un classique en Russie, malgré les quelques critiques adressées à la transcription des amis du compositeur. Leur version resta pourtant la seule en vigueur, même si on prit l'habitude de supprimer le troisième acte, le plus incomplet. La carrière de l'opéra à l'étranger commença par les Danses polovtsiennes, présentées à Paris en 1909 par les Ballets russes de Diaghilev. L'argument de l'opéra convenait parfaitement à Borodine, qui s'intéressait à la fois à la musique orientale et à la musique populaire russe, deux éléments présents dans la partition. Comme toutes les compositions de Borodine, *Le Prince Igor* est simple et limpide, mais plein d'inspiration et d'images : les paysages, les plaines, la vie populaire. On y sent aussi un humour et une vitalité irrésistibles, issus tout droit du caractère enjoué et optimiste de l'auteur. MS

LA DAME DE PIQUE
(Pikovaïa dama)

Opéra en trois actes de Piotr Illitch Tchaïkovski (1840-1893). Livret de Modeste Illitch Tchaïkovski, frère du compositeur, d'après le conte de Pouchkine

(1834). Première représentation : Saint-Pétersbourg, théâtre Mariinsky, 19 décembre 1890. Interprètes : Nikolaï Figner, Medea Figner, Dolina, S. M. Alexandrovna, Jakovlev. Direction : E. F. Napravnik.

LES PERSONNAGES : Hermann (ténor) ; le comte Tomski (baryton) ; le prince Ieletski (baryton) ; Tchekalinski (ténor) ; Kapliski (ténor) ; Sourine (basse) ; Naroumov (basse) ; la comtesse (mezzo-soprano) ; Lisa (soprano) ; Pauline (contralto) ; la gouvernante (mezzo-soprano) ; Macha, la femme de chambre (soprano). Chœur d'enfants. Personnages de l'intermède : Prilepa (soprano) ; Milovzor-Pauline (contralto) ; Zlatomor-Tomski (baryton).

L'INTRIGUE : L'action se déroule à Saint-Pétersbourg, vers 1800.
Acte I, premier tableau. Un jardin public. Deux officiers, Tchekalinski et Sourine, se rencontrent et se font part de leur inquiétude au sujet de leur ami Hermann. Sa passion du jeu l'entraîne chaque soir dans les tripots où il ne peut jouer faute d'argent, mais où il s'enivre régulièrement. Les deux hommes s'éloignent et Hermann apparaît en compagnie de Tomski. Hermann raconte qu'il est amoureux d'une jeune fille dont il ne connaît même pas le nom. On apprend par la suite qu'il s'agit de Lisa, la fiancée du prince Ieletski. Elle est accompagnée partout de sa vieille tante, une comtesse, connue autrefois comme joueuse invétérée et surnommée la Dame de pique. On prétend qu'elle possède une combinaison de trois cartes toujours gagnantes, mais que celui qui lui arrachera son secret la tuera du même coup. Hermann s'imagine déjà détenteur du secret, riche, et enfin digne d'épouser Lisa.
Deuxième tableau. La chambre de Lisa. La jeune fille chante et s'amuse avec ses amies, mais, celles-ci parties, elle s'assombrit : elle n'aime pas son fiancé et pense au jeune Hermann, qu'elle a remarqué. A cet instant, Hermann entre dans sa chambre par la fenêtre et lui fait une déclaration passionnée. La comtesse arrive au même moment et Lisa doit cacher son soupirant. Le danger passé, ils tombent dans les bras l'un de l'autre.
Acte II, premier tableau. Un salon luxueux, où se déroule un bal masqué. Ieletski se désole de la froideur de Lisa à son égard, tandis qu'Hermann, sombre et pensif, songe toujours au fameux secret des trois cartes qui pourrait faire son bonheur. On présente un spectacle musical racontant l'histoire d'une bergère, aimée d'un noble et d'un pauvre berger, et qui choisit ce dernier. Lisa donne subrepticement à Hermann la clef de la maison de sa tante et lui fixe rendez-vous pour la nuit suivante.
Deuxième tableau. Chez la comtesse. Hermann s'introduit dans la maison et ne peut résister à la tentation d'attendre la vieille dame dans sa chambre pour lui demander son secret. La comtesse rentre du bal fatiguée et s'endort dans un fauteuil. Hermann se montre et la supplie de lui révéler la combinaison magique ; dans son excitation, il va jusqu'à la menacer. Mais la vieille femme, épouvantée, est prise d'un malaise et meurt. Lisa accourt, chasse Hermann et l'accuse de ne s'être introduit

dans la maison que pour arracher son secret à sa tante.
Acte III, premier tableau. La chambre d'Hermann à la caserne. Le fantôme de la comtesse apparaît à Hermann et lui révèle la combinaison secrète : sept, as, trois.
Deuxième tableau. Sur les rives de la Néva, Lisa et Hermann se rencontrent. Lisa aime encore le jeune homme, mais celui-ci est dans un état d'exaltation délirante : il ne pense qu'au jeu. Il repousse Lisa brutalement et la jeune fille, désespérée, se jette dans la Néva et se noie.
Troisième tableau. Une maison de jeu. C'est l'ultime partie de cartes. Hermann joue sa dernière main. Le sept et le trois ont déjà gagné mais, au lieu de l'as attendu, il tire la dame de pique. Devant ses yeux hagards, la carte se transforme et laisse apparaître le visage grimaçant de la vieille comtesse. Hermann, sombrant dans la folie, se tue d'un coup de poignard.

■ Cet opéra, composé en cent vingt-six jours, fut accueilli très favorablement et n'a rencontré depuis lors que des succès partout dans le monde, mais surtout en Russie. L'auteur écrivait lui-même : « Ou je me trompe terriblement et sans aucune excuse, ou *La Dame de pique* est réellement mon chef-d'œuvre. » Le livret suit fidèlement le récit de Pouchkine, sauf au finale. Dans l'original, le héros devenait fou et finissait dans un asile d'aliénés, répétant sans fin la combinaison des trois cartes. En tout état de cause, il s'agit de l'opéra le plus dramatique et le plus élaboré de Tchaïkovski.

MS

L'AMI FRITZ
(L'amico Fritz)

Comédie lyrique en trois actes de Pietro Mascagni (1863-1945). Livret de P. Suardon (pseudonyme de Nicola Daspuro : 1853-1941), d'après L'ami Fritz *de E. Erckmann (1822-1899) et C.A. Chatrian (1826-1890). Première représentation : Rome, théâtre Costanzi, 31 octobre 1891. Interprètes : E. Calvé, G. De Luca, O. Synnemberg, P. Lhérie. Direction : Rodolfo Ferrari.*

LES PERSONNAGES : Suzel (soprano) ; Fritz Kobus (ténor) ; Beppe le tsigane (mezzo-soprano) ; David, rabbin (baryton) ; Federico et Hanezo, amis de Fritz (second ténor et seconde basse) ; Caterina, servante de Fritz (soprano). Chœur de paysans et paysannes (en coulisses).

L'INTRIGUE : L'action se déroule en Alsace.
Acte I. Fritz Kobus, jeune et riche propriétaire à l'âme généreuse, est un ennemi acharné du mariage : il parie une de ses vignes avec le rabbin David que ce dernier ne réussira jamais à le persuader d'abandonner la joyeuse vie de célibataire qu'il mène avec ses amis Federico et Hanezo. Le jour de sa fête, il est frappé par la beauté de la petite Suzel, fille de son métayer, venue le saluer, et il l'invite à se joindre aux invités. La jeune fille, intimidée, préfère s'esquiver. David affirme qu'elle ferait la plus gracieuse épouse de toute l'Alsace.
Acte II. Fritz va passer quelques jours à la campagne chez le métayer. Il éprouve une tendresse croissante à l'égard de Suzel, mais refuse de s'avouer à lui-

même qu'il est amoureux. La petite aime aussi Fritz, mais elle est trop réservée et trop consciente de la différence de leurs positions sociales pour laisser paraître ses sentiments. Le rabbin arrive par un stratagème à lui faire avouer son amour ; de même, il annonce à Fritz que Suzel doit épouser un garçon du village et peut ainsi vérifier que son ami est bel et bien amoureux. Bouleversé par la nouvelle, Fritz quitte la ferme sans dire adieu à Suzel, qui en est profondément attristée.
Acte III. Fritz pense toujours à Suzel et à la façon dont il est parti. Les efforts de Beppe, un tsigane qu'il a sauvé un jour, restent vains : Fritz n'a plus le cœur à rire. David vient annoncer à Fritz l'arrivée du père de Suzel, venu demander son consentement au mariage de sa fille. Fritz, jaloux, déclare qu'il le refusera. Apprenant ensuite que Suzel ne désire pas ce mariage, il se décide finalement à lui déclarer son amour. David, triomphant, offre à Suzel la vigne, enjeu du pari avec Fritz, et se met sur-le-champ en quête d'épouses pour les deux compagnons de Fritz.

■ L'opéra, sorti un an après le fulgurant succès de *Cavalleria rusticana*, qui avait rendu Mascagni célèbre, était attendu avec un vif intérêt. C'est l'une des plus réussies des œuvres de jeunesse du compositeur, même si elle manque un peu d'homogénéité de style : Mascagni avait en effet voulu réagir aux critiques qui lui reprochaient sa faiblesse sur le plan de l'harmonie et de l'orchestration, en mêlant des éléments italiens, français et allemands dans sa composition. Le sujet de *L'ami Fritz*, tiré du roman d'Erckmann et Chatrian, paru en 1864, et de la version théâtrale de 1891, semble toutefois moins convenir au talent de Mascagni que le thème de *Cavalleria rusticana.* AB

LA WALLY

Opéra en quatre actes d'Alfredo Catalini (1854-1893). Livret de Luigi Illica (1857-1919) tiré du roman de Wilhelmine von Hillern Die Geyer-Wally *(1875, version théâtrale 1880). Première représentation : Milan, théâtre de la Scala, 20 janvier 1892. Interprètes : Pietro Cesari, Hericlea Darclée, Adelina Stehle-Garbin. Direction : Edoardo Mascheroni.*

LES PERSONNAGES : Wally (soprano) ; Stromminger, son père (basse) ; Afra (mezzo-soprano) ; Walter, joueur de cithare (soprano léger) ; Giuseppe Hagenbach de Sölden (ténor) ; Vincenzo Gellner de l'Hochstoff (baryton) ; le piéton de Schnals (basse). Chœurs : montagnards, bergers, bourgeois, paysans, chasseurs, gens de Sölden et de l'Hochstoff.

L'INTRIGUE : L'action se déroule au Tyrol, vers 1800.
Acte I. La place d'un village. On fête le soixante-dixième anniversaire de Stromminger, le père de Wally. Des chasseurs font des exercices en son honneur ; parmi eux se trouve Gellner, amoureux de Wally. Le musicien Walter, ami fidèle de la jeune fille, chante et joue de la cithare. Hagenbach se vante de ses hauts faits de chasse. Stromminger ne l'aime pas, car il est le fils d'un

de ses vieux ennemis. Il a des paroles blessantes à son égard, et les choses vont s'envenimer, lorsque Wally sépare les deux hommes. Stromminger promet la main de sa fille à Gellner mais la jeune fille, amoureuse de Hagenbach, ne veut rien savoir. Le père, intraitable, chasse l'enfant rebelle. Wally quitte la maison paternelle.
Acte II. La place d'un autre village, Sölden, où vit Wally. C'est la fête et des gens des villages alentour sont venus pour l'occasion. Gellner, Hagenbach et sa fiancée Afra sont présents. Wally a la réputation d'être fière et inaccessible. Hagenbach parie avec d'autres jeunes gens qu'il obtiendra un baiser de la jeune fille pendant le bal. Wally l'accepte pour cavalier, se laisse courtiser et l'embrasse. Hagenbach triomphe et Wally, comprenant qu'il s'agissait d'un jeu cruel, profondément humiliée, jure de se venger. Elle demande à Gellner de tuer Hagenbach. En échange, elle se donnera à lui.
Acte III. Hochstoff. Wally se repent de sa colère, mais trop tard. Gellner, embusqué sur le passage d'Hagenbach, l'a poussé dans un précipice. Wally appelle au secours et, avec les autres villageois, descend dans le ravin pour essayer de sauver le jeune homme. Il n'est que blessé, mais toujours inconscient. Wally, courageusement, le confie à Afra. Puis, elle s'enfuit dans la montagne.
Acte IV. Walter, qui a rejoint Wally, la supplie de redescendre dans la vallée avant d'être surprise par la neige. Mais Wally refuse de le suivre. Entre-temps, Hagenbach, qui est tombé amoureux de la jeune fille, part à sa recherche. Il la retrouve et ils finissent par tomber dans les bras l'un de l'autre. Mais ils sont pris dans une bourrasque de neige et une avalanche les ensevelit, unis pour toujours.

■ C'est le cinquième et dernier opéra de Catalini, qui mourut l'année suivante. C'est aussi, sans conteste, le meilleur. L'idée du sujet lui vint à la lecture d'un roman publié en feuilleton dans le journal milanais *La Perseverenza*, sous le titre italien de *La Wally dell'avvoltoio (Wally du vautour)*. L'opéra fut composé en quelques mois. Dans *La Wally* s'affirme le style du musicien, dans la tradition du mélodrame italien, mais plein de poésie et de romantisme et avec de nettes influences françaises et wagnériennes. Toscanini, grand admirateur de Catalini et de *La Wally*, baptisa ainsi une de ses filles. L'éditeur Ricordi jugeait l'œuvre « rapide, intéressante, vigoureuse et pleine de jeunesse ». Ce fut un grand succès et *La Wally* figure encore au répertoire des principaux Opéras. MS

WERTHER

Drame lyrique en trois actes et cinq tableaux de Jules Massenet (1842-1912). Livret d'Édouard Blau (1836-1906), Paul Milliet et Georges Hartmann, d'après Die Leiden des jungen Werther, *de Goethe. Première représentation : Vienne, Hofoper, 16 février 1892 (dans une traduction allemande).*

Les personnages : Werther (ténor) ; Albert (baryton) ; le bailli (baryton ou basse) ; Schmidt, son ami (ténor) ; Johann (baryton ou basse) ; Bruhlmann (coryphée) ; Charlotte, fille aînée du bailli (mezzo-soprano) ; Sophie, sa sœur cadette (soprano) ; Katchen (coryphée) ; les enfants Fritz, Max, Hans, Gretel, Clara (rôles muets) ; habitants de Wetzlar, invités, musiciens. Au dernier tableau, chœur d'enfants en coulisses.

L'intrigue : Une petite ville proche de Francfort, dans les années 1780.
Acte I. Le jardin de la maison du bailli. Au lever du rideau, le bailli est entouré d'enfants à qui il enseigne des chants de Noël. Ses amis Johann et Schmidt viennent le chercher pour leur traditionnelle partie de cartes, mais il doit rester à la maison pour garder les enfants, car sa fille aînée, Charlotte, va au bal ce soir-là. Werther, son cavalier, arrive le premier. Le bailli a beaucoup d'estime pour ce jeune poète mélancolique. Werther regarde avec émotion Charlotte donner à ses frères et sœur leur dîner frugal. Werther et Charlotte partent rejoindre les autres jeunes gens invités au bal. Sophie, la jeune sœur de Charlotte, envoie son père passer la soirée à l'auberge avec ses amis. Restée seule, elle a la surprise de voir apparaître Albert, le fiancé de sa sœur, rentré de voyage à l'improviste. Il est déçu de ne pas trouver Charlotte, mais Sophie le rassure : elle ne l'a pas oublié. Charlotte et Werther, au clair de lune, échangent de tendres propos. Soudain, le père de la jeune fille l'appelle et lui annonce le retour de son fiancé. Elle doit alors avouer à Werther qu'elle a promis à sa mère mourante d'épouser Albert. Werther s'enfuit.
Acte II. La place de Wetzlar. On fête les noces d'or du pasteur. Charlotte et Albert, mariés depuis trois mois, sont parmi les convives. Johann et Schmidt boivent à leur santé. Werther, un peu à l'écart, contemple tristement la scène, inconsolable d'avoir perdu Charlotte. Albert s'approche de lui et lui parle amicalement : il l'estime pour son sacrifice et lui suggère de trouver une consolation dans l'amour de Sophie. Mais Werther reste sombre. Il avoue à Charlotte qu'il ne l'a pas oubliée. La jeune femme lui demande de s'éloigner pour quelque temps et lui dit qu'il pourra la revoir à Noël. Werther songe au suicide et repousse brutalement Sophie, qui l'invite gaiement à danser. Il s'en va en s'écriant qu'il ne reviendra jamais. Sophie éclate en sanglots.
Acte III, premier tableau. Le salon de la maison d'Albert. Charlotte relit les lettres de Werther, sombre et mélancolique. Sophie arrive, chargée de cadeaux pour Noël. Elle s'inquiète de la tristesse de sa sœur et lui demande si l'absence de Werther en est la cause. Charlotte ne peut cacher la vérité. A cet instant, Werther apparaît, pâle et miné par la maladie. Il a voulu mourir, mais la pensée de revoir sa bien-aimée à Noël l'a retenu. Il lui récite quelques vers d'*Osslan* et Charlotte, terrassée par l'émotion, s'abandonne un instant dans ses bras. Mais elle se ressaisit et s'enfuit en disant à Werther qu'elle ne le reverra plus jamais. Werther s'en va, en proie au désespoir. Albert, à son retour, se doute de quelque chose. Il trouve

un billet de Werther lui demandant de lui prêter ses pistolets pour « un long voyage ». Il les lui fait porter. Charlotte, folle d'inquiétude, se précipite chez Werther.
Deuxième tableau. Charlotte découvre Werther agonisant. Il ouvre les yeux en entendant la voix de sa bien-aimée. En larmes, elle lui avoue qu'elle n'a aimé que lui, depuis le premier jour. Werther, heureux, meurt dans ses bras. On entend, au loin, des voix enfantines chanter Noël.

■ L'idée de mettre en musique *Les souffrances du jeune Werther* de Goethe fut suggérée à Massenet par l'éditeur Hartmann. Le thème profondément romantique du roman de Goethe convenait merveilleusement à la sensibilité de Massenet, touché à la fois par l'aspect passionnel et par le lyrisme subtil du chant d'amour. On sait que Massenet se rendit à Wetzlar, où se passe l'histoire, et en revint bouleversé ; ce voyage en Allemagne confirma aussi l'admiration de Massenet pour la musique de Wagner, qui est peut-être perceptible dans son opéra. Comme l'écrivit le librettiste Paul Milliet : « Quand la nuit de Noël descend sur Werther, la clarté du pardon dissipe les ombres dans lesquelles le monde disparaît, et pour lui, comme pour Tristan, la musique des âmes commence à chanter dans le silence lorsque les voix humaines se sont tues. » L'opéra eut un grand succès en son temps. Aujourd'hui, la musique de Massenet n'est guère appréciée, même si — il faut le rappeler — Debussy a souligné l'influence évidente de l'auteur de *Manon* sur de nombreux compositeurs. De son côté, Saint-Saëns, fin connaisseur de la musique de ses contemporains, voyait en *Werther* le « raffinement », la « cristallisation » et la « condensation » de Gounod. C'était, peut-être, selon l'expression de G. Confalonieri, « du sucre filé », mais par un pâtissier de grande classe. GP

PAILLASSE
(I pagliacci)

Opéra en un prologue et deux actes de Ruggero Leoncavallo (1858-1919). Livret du compositeur. Première représentation : Milan, Teatro Dal Verme, 21 mai 1892. Interprètes : A. Stehle-Garbin, F. Giraud, V. Maurel, Daddi, Roussel. Direction : Arturo Toscanini.

LES PERSONNAGES : Nedda, femme de Canio (soprano) ; Canio, chef de la troupe de comédiens ambulants (ténor) ; Tonio, le clown (baryton) ; Peppe, un acteur (ténor) ; Silvio, soupirant de Nedda (baryton).

L'INTRIGUE :
Prologue. Tonio annonce aux spectateurs que le spectacle va commencer ; mais il les avertit : derrière la fiction théâtrale se cachent des passions authentiques, car le théâtre naît toujours de la réalité.
Acte I. Dans un village de Calabre, l'arrivée d'une troupe de comédiens ambulants est accueillie avec enthousiasme par tous les habitants. Tonio offre galamment sa main à Nedda, la femme du chef de la troupe, pour l'aider

à descendre de la roulotte. Mais Canio, jaloux, le repousse brutalement, ne tolérant pas qu'on fasse des grâces à sa femme en dehors de la scène. Les acteurs se rendent à l'auberge du village. Nedda reste seule, pensive, à écouter le chant des oiseaux. Tonio s'approche d'elle et lui déclare son amour : elle le rabroue avec dégoût et, comme il insiste, le frappe en plein visage d'un coup de cravache. Tonio s'éloigne mais continue à épier Nedda. Il la voit s'entretenir avec Silvio, un jeune homme du village, qui la supplie de s'enfuir avec lui. Nedda hésite, puis finit par promettre à Silvio de le rejoindre après le spectacle. Leur conversation est brusquement interrompue par Canio, prévenu par Tonio. Silvio réussit à fuir sans être reconnu et Nedda refuse de révéler son nom. Mais l'heure du spectacle approche et Canio doit cacher sa fureur et endosser le costume de Paillasse.

Acte II. Le spectacle commence, commenté à haute voix pour le public. Après une galante sérénade Peppe, jouant Arlequin, a un tendre rendez-vous avec Nedda, qui tient le rôle de Colombine. Canio apparaît sous le déguisement de Paillasse, mari de Colombine. Arlequin prend la fuite. Canio, se retrouvant dans la même situation que dans la réalité, ne distingue plus ce qui n'est qu'une comédie de son drame personnel. Il se jette sur Nedda et lui ordonne d'avouer le nom de son amant et, comme elle refuse, il la frappe d'un coup de poignard. Silvio bondit sur la scène pour la secourir et Canio le tue aussi. Puis il se tourne vers le public et murmure, hagard : « La comédie est finie. »

■ L'opéra s'inspire d'un fait divers survenu à Montalto, en Calabre, et que le père de Leoncavallo, magistrat, avait eu à juger. Le compositeur travailla rapidement ; l'œuvre fut achetée par Edoardo Sonzogno et commença un tour du monde triomphal. En quelques mois, elle fut représentée à Berlin, Londres, Stockholm, Vienne, New York, Mexico, Buenos-Aires, Moscou, Bordeaux et Paris, et traduite dans toutes les langues. Son succès n'a fait que se confirmer depuis. *Paillasse* est considéré comme l'exemple type de l'opéra vériste. Les plus grands interprètes en ont fait leur cheval de bataille comme, en leur temps, Caruso, Pertile, Galeffi, Ruffo et Tamagno. La critique, quant à elle, fut toujours assez sévère. Hanslich, en 1893, parla de « manque de goût » ; en 1902, Bellaigue écrivait que « *Paillasse* lui avait fait horreur » ; en 1939, Domenico De Paoli n'hésita pas à définir l'opéra comme « un fait divers sanguinolent dont la partition superficielle est un travail d'amateur qui regorge d'un lyrisme facile et d'effets grossiers » ; Pannein parlera des « débris d'un passé usé jusqu'à la corde » et de « culture sans nerf ». Aujourd'hui, la critique a tendance à juger l'œuvre avec un regard neuf, à la suite de René Leibowitz qui y voit « un opéra puissant, d'une rare intensité expressive ». MSM

CHRISTOPHE COLOMB
(Cristoforo Colombo)

Opéra en trois actes et un épilogue d'Alberto Franchetti (1860-

1942). Livret de Luigi Illica (1857-1919). Première représentation : Gênes, théâtre Carlo Felice, 6 octobre 1892. Interprète : Giuseppe Kaschmann. Direction : Luigi Mancinelli.

L'INTRIGUE :
Acte I. Le couvent de Saint-Étienne, à Salamanque. Quelques chevaliers, dans la cour du couvent, et une foule nombreuse, à l'extérieur, attendent le verdict du Conseil à propos de la tentative projetée par Christophe Colomb. La réponse est négative. Quand Christophe Colomb (baryton) apparaît sur le seuil, il est raillé, injurié, et serait même molesté si un officier du roi, Don Fernan Guevara (ténor), ne s'interposait, rappelant que la reine est en prière dans une petite église toute proche. Colomb s'approche de l'église au moment où Isabelle (soprano) en sort. La reine est aussi déçue que lui de la décision du Conseil et, d'un geste impulsif, elle ôte son diadème et l'offre à Colomb : il servira à financer l'armement des navires pour l'expédition.
Acte II. Sur l'océan, à bord de la *Santa Maria*. Il règne une ambiance de malaise et de découragement. Colomb lui-même commence à douter de l'issue de l'entreprise. Tandis que trois moines rassemblent les marins sur le pont pour la prière, Roldano (basse) et Matheos (ténor) donnent le signal de la rébellion et s'avancent vers Colomb, menaçants. Mais Colomb est absorbé dans l'observation de l'horizon, où il a aperçu des feux. De la *Pinta*, on entend des cris : « Terre ! Terre ! ».
Acte III. Les chevaliers espagnols, sur ordre du roi, attendent le retour de Christophe Colomb. Bobadilla (basse) arrive, porteur d'un parchemin dans lequel Don Alonzo Martin, commandant de la *Pinta*, accuse Colomb de s'être approprié toutes les richesses des nouvelles terres et de s'être proclamé roi. Martin avertit le roi de l'arrivée prochaine de Colomb à Palos. En effet, les navires sont en vue. Colomb débarque et baise la terre en remerciant Dieu. Isabelle le met en garde : une conjuration s'est montée contre lui. Malgré l'intervention de Guevara, Colomb est arrêté et emprisonné.
Épilogue. La chapelle royale de Medina del Campo. Colomb, désormais vieux et malade, entre, accompagné de Guevara, qui veut voir la reine pour lui décrire la misère à laquelle est réduit le grand navigateur. Mais des jeunes filles portant des couronnes funéraires font leur entrée : la reine est morte. Colomb, terrassé, défaille, soutenu par Guevara. Il se met ensuite à délirer, parlant de la mer, de ses voyages, de sa ville natale et des persécutions dont il a été l'objet. Dans un souffle, il dit à Guevara que sa dernière heure est arrivée, et meurt. Guevara s'agenouille auprès du corps de Christophe Colomb.

■ C'est Verdi lui-même qui avait choisi le jeune compositeur turinois Franchetti pour mettre en musique le livret sorti vainqueur d'un concours organisé par la ville de Gênes. L'opéra devait être représenté à l'occasion du quatre centième anniversaire de la découverte de l'Amérique. L'œuvre présente, notamment au deuxième acte, de sérieuses difficultés de mise en scène qui firent du tort aux premières représentations. Luigi Mancinelli, en désaccord avec l'auteur, abandonna la direction au bout de trois représentations, laissant le pupitre au jeune chef Arturo Toscanini. De fait, l'opéra fut remanié plus d'une fois. Présenté à la Scala le 26 décembre 1892, il fut ensuite repris en Allemagne et outre-Atlantique. MS

LES RANTZAU
(I Rantzau)

Opéra lyrique en quatre actes de Pietro Mascagni (1863-1945). Livret de Giovanni Targioni-Tozzetti (1863-1934) et Guido Menasci (1867-1925). Première représentation : Florence, Teatro della Pergola, 10 novembre 1892.

L'INTRIGUE : Les frères Gianni et Giacomo Rantzau se haïssent mortellement, mais leurs enfants respectifs, Lisa et Giorgio, s'aiment en secret. Leur amour n'est découvert que lorsque le père de Lisa veut l'obliger à épouser un autre homme. La jeune fille, désespérée, tombe gravement malade. De son côté Giorgio, après une explication orageuse avec Giacomo, quitte la maison paternelle. Gianni, pour sauver sa fille, se résout à chercher un accord avec son frère. Celui-ci en profite pour lui imposer un contrat humiliant. Gianni est prêt à y souscrire malgré tout lorsque Giorgio, indigné de l'injustice commise par son père, intervient. Il finit par réconcilier les deux frères et le mariage des jeunes gens peut enfin avoir lieu.

■ L'atmosphère de mesquinerie dans laquelle se déroule l'action a sans doute bridé l'inspiration de l'auteur, même si l'attention de l'auditeur est retenue par quelques trouvailles harmoniques et rythmiques. AB

YOLANDE
(Iolanta)

Opéra en un acte de Piotr Illitch Tchaïkovski (1840-1893). Livret du frère du compositeur, Modeste Illitch Tchaïkovski, d'après la pièce danoise Kongs Renés Datter (La fille du roi René), *de H. Hertz. Première représentation : Saint-Pétersbourg, Théâtre national, 24 décembre 1892.*

L'INTRIGUE : L'action se déroule au XVe siècle, à la cour du roi René de Provence. Yolande, fille du roi, est aveugle, mais ne le sait pas. Pour la soigner, il faut lui faire prendre conscience de son infirmité pour qu'elle puisse lutter elle-même contre le mal. Aidée par un chevalier qui l'aime, la jeune fille retrouve la vue.

■ Il s'agit du dernier opéra de Tchaïkovski, qui fut, à l'époque, un de ses plus grands succès. MS

MADAME CHRYSANTHÈME

Conte lyrique en quatre actes d'André Messager (1853-1929). Livret de G. Hartmann et A. Alexandre, d'après le roman de Pierre Loti (1850-1923). Pre-

mière représentation : Paris, théâtre de la Renaissance, 30 janvier 1893.

■ L'histoire du mariage d'un lieutenant de vaisseau et d'une geisha est l'occasion d'évoquer l'atmosphère exotique et les coutumes du Japon. Dans cet opéra, Messager se révèle un artiste de goût, d'un raffinement bien français. SC

MANON LESCAUT

Opéra en quatre actes de Giacomo Puccini (1858-1924), d'après le roman de l'abbé Prévost (1697-1763). Première représentation : Turin, Teatro Regio, 1er février 1893. Interprètes : Cesira Ferrani (Manon), Giuseppe Cremonini (des Grieux). Direction : Alexandre Pomé.

LES PERSONNAGES : Manon Lescaut (soprano) ; Lescaut, son frère (baryton) ; le chevalier des Grieux (ténor) ; Géronte de Ravoir, trésorier général (basse).

L'INTRIGUE : En France, au XVIIIe siècle.
Acte I. Le jeune chevalier des Grieux courtise aimablement des jeunes filles sur la place de la poste à Amiens, lorsque arrive la diligence. Manon, que son frère Lescaut conduit au couvent contre sa volonté, en descend. Entre Manon et des Grieux, c'est le coup de foudre. L'étudiant Edmond fait part à des Grieux du projet d'enlèvement de Manon par le vieux et riche Géronte de Ravoir, avec la complicité de l'aubergiste. Le chevalier déjoue leur plan et propose à Manon de s'enfuir avec lui. Lescaut se met au service du trésorier général de Ravoir, se faisant fort de lui ramener Manon.
Acte II. Manon a quitté des Grieux et vit dans le luxueux hôtel de Géronte de Ravoir. Elle songe avec nostalgie aux moments de bonheur passés avec des Grieux, malgré leur pauvreté, et demande des nouvelles du jeune homme à son frère, venu lui rendre visite. Mais à cet instant, le chevalier en personne entre et, dans l'émotion des retrouvailles, ils s'étreignent passionnément. Géronte survient à l'improviste. Manon le nargue ; il part en jurant de se venger. Lescaut conseille aux amants de fuir, mais Manon s'attarde à rassembler les bijoux offerts par Géronte. Soudain, la garde fait irruption, appelée par le vieux trésorier : Manon est arrêtée pour vol et prostitution.
Acte III. Le port du Havre. Manon a été condamnée à la déportation en Louisiane. Les tentatives de des Grieux et de Lescaut pour la libérer sont restées vaines. Après l'appel, les déportées sont embarquées. Le chevalier, ne supportant pas l'idée d'être séparé de Manon, obtient la permission de partir avec elle.
Acte IV. Une lande désolée. Manon et des Grieux ont fui La Nouvelle-Orléans et marchent au hasard, espérant atteindre une colonie anglaise. Manon, à bout de forces, revit son passé comme dans un cauchemar. Des Grieux, parti chercher de l'eau, la retrouve mourante. Elle expire dans ses bras et le jeune homme, fou de douleur, s'effondre sur son corps inanimé.

■ L'idée de mettre en musique le

thème du roman de l'abbé Prévost, quelques années seulement après le triomphal succès de la *Manon* de Massenet, fut conçue par Puccini lui-même, qui la défendit avec chaleur contre ceux qui faisaient valoir les risques d'une telle entreprise. Massenet, disait-il, ressentait le sujet « en Français, avec la poudre et les menuets ; moi, je le ressens en Italien, avec une passion désespérée ». Puccini avait des idées très arrêtées sur le livret et était résolu à les imposer ; d'où ses rapports orageux avec les écrivains qui s'attaquèrent tour à tour au texte : d'abord Ruggero Leoncavallo, hésitant encore entre la carrière de dramaturge et celle de compositeur ; puis Marco Praga, un prosateur qui demanda l'aide du poète Domenico Oliva pour la mise en vers ; puis Giuseppe Giacosa, recommandé par l'éditeur Ricordi, et enfin Luigi Illica. Cinq librettistes, sans parler de Ricordi, c'était trop ; finalement, l'opéra fut publié, plus de trois ans après avoir été entrepris, sous le titre de : *Manon Lescaut, drame lyrique en quatre actes. Musique de Giacomo Puccini.* Troisième opéra de Puccini, après *Les Villi* et *Edgar*, c'est aussi celui où s'affirme la personnalité du compositeur. Le souffle romantique et la ferveur des passions sont exprimés avec une richesse d'idées mélodiques qu'on ne retrouve dans aucune de ses œuvres ultérieures. Une musicalité aussi débordante pouvait d'ailleurs se passer d'une description très appuyée des personnages ; de fait, on a observé que des Grieux — le plus féminin des ténors pucciniens — qui s'est vu attribuer un plus grand nombre d'arias et de cavatines que l'héroïne, pourrait parfaitement chanter la partie de Manon sans altérer son portrait de façon significative (M. Carner). Le drame s'efface complètement derrière la musique — parmi les plus sombres et désespérées de Puccini — au dernier acte, parfaitement statique et occupé presque entièrement par la mort de Manon. Parmi les scènes d'ensemble, celle de l'embarquement des prostituées pour l'Amérique est mémorable, avec les quolibets de la foule, les cris des déportées, l'agitation frénétique de Lescaut et le désespoir des deux amants. Le public de la première accueillit *Manon Lescaut* avec un enthousiasme irrépressible. La critique vit en Puccini « l'un des plus forts, sinon le plus fort des jeunes compositeurs lyriques italiens ». Ce succès inconditionnel dès la première représentation assura la renommée internationale de Puccini et aussi son aisance matérielle. RB

FALSTAFF

*Comédie lyrique en trois actes de Giuseppe Verdi (1813-1901). Livret d'Arrigo Boito (1842-1918), d'après la trilogie de Shakespeare composée d'*Henry IV, Falstaff et The merry wives of Windsor. *Première représentation : Milan, théâtre de la Scala, 9 février 1893. Interprètes : Victor Maurel (Falstaff), Emma Zilli (Alice), Adelina Stehle (Nannette), Virginia Guerrini (Meg), Giuseppina Pasqua (Dame Quickly), Edoardo Garbin (Fenton), Antonio Pini-Corsi (Ford), Vittorio Arimondi (Pistol), Pelagalli Rossetti (Bardolph), Giovanni Parodi (docteur*

Caius). Direction : Edoardo Mascheroni.

Les personnages : Caius (ténor) ; Falstaff (baryton) ; Pistol (basse) ; Bardolph (ténor), Meg Page (soprano), Alice Ford (soprano) ; Dame Quickly (contralto) ; Nanette Ford (soprano) ; Ford (baryton) ; Fenton (ténor).

L'intrigue : Windsor, sous le règne d'Henry IV d'Angleterre.
Acte I. L'Auberge de la Jarretière. Sir John Falstaff, gros homme paillard et ivrogne, se moque bruyamment de Caius, qui l'a traité de voleur, et le fait jeter dehors. Il confie ensuite à ses serviteurs, Bardolph et Pistol, son intention de séduire deux honnêtes bourgeoises, Alice Ford et Meg Page, mais ceux-ci refusent de se faire complices de ses manigances. Il les chasse et charge son page de porter aux deux femmes la même lettre d'amour. Alice et Meg s'amusent fort d'être courtisées par un tel personnage, dont la présomption va jusqu'à tenter de séduire deux femmes à la fois. Avec leur voisine, Dame Quickly, et la fille de Ford, Nannette, elles décident de donner une leçon à ce joli cœur bedonnant. Pendant ce temps, Bardolph et Pistol ont averti Ford des intentions de Falstaff. Le jeune Fenton, amoureux de Nannette, offre ses services pour punir le soupirant.
Acte II. John Falstaff est à l'auberge lorsque Dame Quickly vient lui annoncer qu'Alice Ford le recevra entre deux et trois heures l'après-midi même. Dame Quickly partie, survient Ford, déguisé, qui offre de l'or à Falstaff pour qu'il l'aide à conquérir Alice Ford. Falstaff s'empresse d'accepter et, tout faraud, déclare qu'il a justement rendez-vous avec la dame le jour même. Ford, furieux, tombe des nues, mais décide de poursuivre l'aventure. Entre-temps, Dame Quickly informe ses amies du résultat de sa mission. Leurs rires sont interrompus par une crise de larmes de Nannette : son père veut la marier au vieux docteur Caius alors qu'elle aime Fenton. Les trois femmes lui promettent qu'elles feront tout pour qu'elle épouse l'homme de son choix. Alice reste seule, et Falstaff ne tarde pas à arriver. Elle se laisse courtiser, tout en le tenant à bonne distance. Dame Quickly fait irruption, annonçant la visite de Meg Page ; celle-ci, feignant l'affolement, crie que le mari d'Alice arrive. Falstaff se cache derrière un paravent. Entrée de Ford, accompagné de Fenton, Caius, Bardolph et Pistol. Ils fouillent fébrilement la pièce sans apercevoir le gros homme puis vont inspecter le reste de la maison. Dès qu'ils sont sortis, Alice pousse Falstaff dans le panier à linge, déjà fouillé, tandis que Nannette et Fenton se réfugient derrière le paravent. Ford revient et, entendant le bruit d'un baiser, découvre les amoureux, qui s'enfuient. Bardolph crie qu'il a vu Falstaff s'enfuir par l'escalier, et tout le monde se précipite à sa suite. Alice en profite pour faire jeter le panier à linge dans la Tamise, puis montre à son mari jaloux le spectacle burlesque du gros Falstaff pataugeant dans la rivière.
Acte III, premier tableau. Devant l'Auberge de la Jarretière. Falstaff enrage de son bain forcé, mais Dame Quickly jure que tout est la faute des serviteurs et

qu'Alice brûle de le revoir. Elle lui donne rendez-vous à minuit, dans le parc royal, suggérant qu'il se déguise en Chasseur Noir pour ne pas être reconnu. Falstaff et Dame Quickly entrent dans l'auberge et les autres femmes mettent au point avec Ford et ses amis toute une mise en scène : déguisés en fées et en elfes, ils tourmenteront Falstaff jusqu'à lui faire passer l'envie de jouer les séducteurs. Ford, enchanté, décide de profiter de l'ombre complice pour faire célébrer le mariage de Nannette avec le docteur Caius. Mais Quickly a tout entendu et va révéler à la jeune fille le stratagème de son père. Deuxième tableau. La nuit, dans le parc de Windsor. Falstaff, ridiculement déguisé, tremble de peur en entendant le « chant des fées ». Alice arrive et feint d'accepter ses déclarations enflammées. Soudain, Meg apparaît et les avertit que l'endroit est hanté : une bande de prétendus elfes se jettent alors sur le gros homme et le tirent, le poussent, le pincent, avant de l'abandonner à demi-mort de peur. Ford se montre enfin et sermonne sévèrement Falstaff, à qui il accorde toutefois son pardon. Dans l'allégresse générale, on célèbre ensuite un double mariage : celui de Nannette et Caius, et celui d'un autre couple, présenté par Alice. Tout le monde se démasque et Ford s'aperçoit qu'il vient de bénir l'union de Nannette avec Fenton, tandis que Caius avait à son bras Bardolph, déguisé comme Nannette en Reine des fées. Il n'y a bien sûr plus rien à faire. « Tout au monde est plaisanterie ! » est le mot de la fin.

■ Avec *Falstaff*, Verdi dit adieu à l'opéra, et c'est un adieu grandiose. Il a choisi pour cela un genre qui lui est peu familier : le comique. Boito a écrit pour lui un texte sans ruptures qui permet au vieux maître de développer sa puissance d'expression comme jamais, donnant aux instruments un rôle aussi important qu'aux personnages, et utilisant l'orchestre de façon incomparable. Lorsque Verdi déclarait, un peu comme une provocation, que « regarder en arrière, c'est faire un pas en avant », il ne servait certes pas l'innovation dans l'opéra italien ; mais avec *Falstaff*, il fait indiscutablement passer un souffle nouveau, alors que déjà ses grands opéras sont devenus des classiques. EP

HANSEL ET GRETEL
(Hänsel und Gretel)

Conte musical en trois actes d'Engelbert Humperdinck (1854-1921). Livret d'Adelheid Wette (sœur du compositeur). Première représentation : Weimar, Hoftheater, 23 décembre 1893. Direction : Richard Strauss.

LES PERSONNAGES : Hänsel (mezzo-soprano) ; Gretel (soprano) ; Peter, leur père (baryton) ; Gertrude, leur mère (mezzo-soprano) ; la Sorcière (mezzo-soprano) ; le Marchand de sable (soprano) ; deux nains (sopranos) ; enfants, anges gardiens.

L'INTRIGUE :
Acte I. Dans une misérable chaumière, les petits Hänsel et Gretel aident leur maman ; mais ils en ont vite assez et retournent s'asseoir près du feu. Leur mère,

Gertrude, les gronde et, dans sa colère, renverse le pot de lait, seule nourriture de la famille. Elle envoie donc les enfants cueillir des fraises dans la forêt. Leur père, Peter, rentre peu après chargé de victuailles, car sa journée de travail a été bonne. Il s'inquiète en apprenant que les enfants sont partis dans la forêt, sachant qu'y vit une méchante sorcière qui mange les petits enfants. Les parents partent à la recherche de Hänsel et de Gretel.
Acte II. Dans la forêt. On aperçoit au loin la maison de la sorcière. Les enfants ont mangé toutes les fraises, malgré les recommandations de leur mère, et ils ont peur de rentrer les mains vides. Le Marchand de sable passe, et ils s'endorment sur l'herbe, protégés par leurs anges gardiens.
Acte III. Au petit matin. Les enfants s'éveillent. Gretel raconte un beau rêve, tandis que Hänsel dit qu'il n'a jamais si bien dormi. Ils découvrent, émerveillés, une maisonnette tout de sucre et de pain d'épice que la sorcière a créée pour les attirer. Dès qu'ils sont entrés, elle les capture. Elle oblige Gretel à mettre la table et commence à engraisser Hänsel pour le manger. Mais Gretel, profitant d'un moment d'inattention de la sorcière, s'empare de sa baguette magique et libère son frère. Ils poussent alors la vieille dans le four et la maison disparaît. Leurs parents arrivent à ce moment, ainsi qu'une foule d'enfants libérés de l'enchantement qui les retenait prisonniers.

■ Cet opéra était conçu initialement pour amuser les enfants du compositeur, si bien que la première représentation eut lieu en réalité dans un petit théâtre privé de Francfort. Par la suite, l'auteur remania son œuvre et Richard Strauss en fut enthousiasmé au point de proposer de diriger la première représentation publique : « Ton opéra m'a enchanté, écrivit-il à Humperdinck. C'est véritablement un chef-d'œuvre ; il y a longtemps que je n'avais vu un ouvrage d'une telle importance. J'admire la profusion mélodique, la finesse, la richesse polyphonique de l'orchestration (...) tout cela est neuf, original, vraiment allemand. » De fait, cette œuvre d'inspiration purement romantique plut à tous ceux qui étaient las du vérisme italien, et contribua à renforcer la position de l'Allemagne dans le domaine de l'art lyrique. Humperdinck avait été élève de Wagner et *Hänsel und Gretel* révèle à la fois une réaction à l'art wagnérien et une utilisation originale des techniques musicales de Wagner. L'auteur s'inspira largement des chansons et comptines populaires pour rendre l'œuvre accessible à un large public. A la suite de *Hänsel und Gretel*, la mode des contes musicaux prit une grande ampleur dans la musique allemande post-wagnérienne. L'opéra eut beaucoup de succès et fut joué dans le monde entier. Il figure aujourd'hui au répertoire permanent, surtout dans les pays de langue allemande. FP

THAÏS

Drame lyrique en trois actes et sept tableaux de Jules Massenet (1842-1912). Livret de L. Gallet d'après le roman d'Anatole

France (1844-1924). Première représentation : Paris, Opéra, 16 mars 1894.

Les personnages : Thaïs, une courtisane (soprano) ; Athanaël, moine cénobite (baryton) ; Nicias, un philosophe (ténor) ; Palémon, un vieux cénobite (basse) ; Albine, abbesse (mezzo-soprano) ; une magicienne (mezzo-soprano) ; cénobites, esclaves, acteurs, philosophes, peuple, moines.

L'intrigue : L'action se déroule en Égypte, au IVe siècle de notre ère.
Acte I, première scène. Les rives du Nil. Athanaël, un pieux moine cénobite, pense avec douleur à la corruption qui règne à Alexandrie, que symbolise la belle courtisane Thaïs. Celle-ci lui apparaît en songe et, au réveil, il décide de sauver l'âme de la pécheresse.
Deuxième scène. Une terrasse de la maison de Nicias, à Alexandrie. Athanaël arrive chez son ami et lui fait part de sa mission rédemptrice. Nicias trouve l'idée loufoque ; mais justement, Thaïs est invitée au dîner chez lui le soir même, et Athanaël pourra lui parler. Le moine s'adresse donc à Thaïs, la conjurant de retourner vers Dieu ; pour toute réponse, elle tente de le séduire. Athanaël la repousse avec mépris.
Acte II, première scène. La maison de Thaïs. La courtisane est terrifiée à l'idée de vieillir. Athanaël la persuade de réfléchir à sa vie dissolue et aux vraies valeurs de l'existence. Mais elle refuse de changer sa façon d'être.
Deuxième scène. Devant la maison de Thaïs. Athanaël dort au pied de l'escalier, sous le portique. Thaïs n'est pas restée insensible aux paroles du cénobite et lui demande de l'aider à trouver le salut. Athanaël lui parle alors d'un monastère où la Romaine Albine a rassemblé autour d'elle des jeunes femmes qui vivent dans le recueillement et l'humilité. Il propose à Thaïs de l'y conduire, pourvu qu'elle efface toute trace de son passé corrompu. Thaïs, vêtue d'une simple robe de laine, regarde brûler sa maison avant de partir en compagnie d'Athanaël.
Acte III, première scène. Une oasis. Athanaël et Thaïs arrivent au monastère d'Albine. Le moine confie aux saintes femmes la pécheresse repentie et lui dit adieu, soudain attristé à l'idée de ne plus la revoir.
Deuxième scène. Le village cénobite au bord du Nil. Athanaël, sombre, ne parvient pas à oublier la beauté de Thaïs. Palémon lui rappelle qu'il faut savoir s'opposer fermement aux tentations du Malin. Athanaël s'endort ; Thaïs lui apparaît en rêve, mourante, entourée des religieuses. Il se dresse, bouleversé, et décide de partir immédiatement pour revoir Thaïs.
Troisième scène. Lorsque Athanaël arrive au couvent, c'est pour recueillir le dernier souffle de Thaïs. Elle le reconnaît et le remercie de l'avoir sauvée. Puis elle meurt, tandis qu'Athanaël, désespéré, lui crie son amour.

■ *Thaïs*, opéra complexe et bien articulé, n'est cependant pas aussi réussi que l'œuvre plus importante de Massenet, *Manon*, même si les bonnes intuitions musicales n'y manquent pas. La page la plus convaincante reste encore aujourd'hui l'intermède symphonique connu sous le nom de « méditation » : une phrase musicale ample, soutenue par les harpes. Rappelons aussi l'invocation d'Athanaël : « Voilà donc la terrible cité », et le duo célèbre. L'opéra eut un succès honorable lors de sa création. GPa

GUNTRAM

Opéra en trois actes de Richard Strauss (1864-1949). Livret du compositeur. Première représentation : Weimar, Hoftheater, 10 mai 1894. Interprètes : Heinrich Zeller, Pauline de Ahna. Direction : Richard Strauss.

L'INTRIGUE :
Acte I. Dans l'Allemagne médiévale. La Guilde des champions d'amour, une société secrète de chevaliers-poètes, envoie Guntram (ténor) pour libérer les populations opprimées par le duc Robert. La première victime du tyran est sa femme Freihild (soprano), que Guntram sauve du suicide, et dont il tombe éperdument amoureux. Le vieux duc (basse), père de Freihild, qui a cédé sa couronne au duc Robert (baryton), demande à Guntram de participer à un concours de chant.
Acte II. Fête à la cour ducale. Guntram chante les douceurs de la paix et du bon gouvernement, les horreurs de la guerre et de l'injustice. Le duc Robert, se sentant attaqué, provoque Guntram en duel, et meurt au cours du combat. Guntram est jeté en prison sur ordre du vieux duc, mais Freihild lui rend la liberté.
Acte III. Friedhold (basse), un membre âgé de la Guilde, exhorte Guntram à se soumettre au jugement des Anciens. Mais Guntram, faisant son examen de conscience, se rend compte que sa faute n'a pas été de tuer l'oppresseur, mais d'avoir, au fond de son cœur, désiré la mort du mari de la femme qu'il aimait. Il refuse donc d'être jugé et se réfugie dans la solitude.

■ *Guntram* est le premier opéra de Richard Strauss, et aussi son premier échec, dû en grande partie à la difficulté du rôle du ténor. Une nouvelle version, donnée à Weimar en 1940, ne parviendra pas à le rendre plus réalisable. La partition est d'inspiration délibérément wagnérienne ; l'originalité de l'opéra tient surtout au dénouement, avec son orgueilleuse affirmation de la conscience individuelle.
RB

DOÑA DIANA

Opéra-comique en trois actes d'Emil Nikolaus von Rezniček (1860-1945). Livret du compositeur d'après la comédie El Lindo Don Diego *de Moreto. Première représentation : Prague, Théâtre national, 16 décembre 1894.*

L'INTRIGUE : Diana, fille de Don Diego, a décidé de ne jamais se marier, à l'instar de la déesse dont elle porte le nom. Après un tournoi, son père lui demande de se choisir un époux parmi les vainqueurs : Don César d'Urgel, Don Luis de Béarn et Gaston, comte de Foix. Don César est amoureux de Diana, mais la froideur de la jeune fille à son égard le décourage. Son serviteur, Perrins, lui conseille d'adopter la même attitude envers elle. Lors de la cérémonie du choix de l'époux, Diana pose la couronne d'or de l'élu sur la tête de Don César. Mais celui-ci la refuse, avouant à la jeune fille qu'il partage ses idées sur l'amour et le mariage. Offensée, Diana se jure de le conquérir. Au cours d'une réception, elle parvient à briser sa résistance et à l'humilier, mais il revient vite à son apparente indifférence. Pendant ce temps, Perrins et les deux autres prétendants ont choisi leurs épouses, laissant Diana et Don César poursuivre leur jeu de dépit amoureux. La jeune fille déclare qu'elle veut épouser Don Luis, par bravade. Don César rétorque qu'il va demander la main de Doña Laura. Finalement, Diana s'avoue à elle-même qu'elle aime Don César, et lui accorde sa main.

■ L'opéra obtint immédiatement un grand succès. Il fut créé à Prague, où le compositeur exerçait la charge de chef d'orchestre, puis fut rapidement repris dans tous les théâtres d'Allemagne. L'influence wagnérienne est évidente, aussi bien dans la partie vocale que dans celle de l'orchestre. Le caractère comique n'apparaît qu'occasionnellement dans la musique. RB

GUGLIELMO RATCLIFF

Tragédie en quatre actes de Pietro Mascagni (1863-1945). Texte de Heinrich Heine (1796-1856) dans la traduction d'Andrea Maffei (1798-1885). Première représentation : Milan, théâtre de la Scala, 16 février 1895. Interprètes : G. B. Negri, R. Vidal, G. Pacini, G. De Grazia, A. Stehle, D. Rogers. Direction : Pietro Mascagni.

Les personnages : Ratcliff (ténor) ; Douglas (baryton) ; Mac Gregor (basse) ; Maria (soprano) ; Margherita (mezzo-soprano).

L'intrigue : L'action se déroule en Écosse, vers 1820.
Acte I. Douglas, fiancé de Maria, la fille du châtelain Mac Gregor, arrive au château et raconte qu'il a été assailli par trois brigands et sauvé par l'intervention d'un cavalier inconnu. Mac Gregor lui explique alors que, bien des années auparavant, Maria a repoussé l'amour de Guglielmo Ratcliff et que, depuis, il a tué deux hommes qui la courtisaient. Douglas reçoit à son tour un défi de Ratcliff, l'invitant à se battre en duel près de la Roche Noire.
Acte II. Dans une taverne. Ratcliff explique à son ami Lasley que, depuis que Maria l'a éconduit, il a chassé tout bon sentiment de son cœur et décidé de tuer quiconque lèverait les yeux sur elle. Il est suivi par deux personnages mystérieux qui semblent l'inquiéter beaucoup.
Acte III. Près de la Roche Noire, deux ombres furtives disparaissent à l'arrivée de Ratcliff. Douglas reconnaît en son adversaire l'homme qui l'a sauvé. Avant de se battre, il invoque l'aide des fiancés de Maria tués par Ratcliff. Celui-ci est terrassé, mais Douglas se refuse à le frapper. Ratcliff, resté seul, pense avec

angoisse à l'apparition des fantômes.

Acte IV. Tandis que Maria s'apprête pour son mariage, Margherita, sa nourrice, lui raconte l'histoire tragique de sa famille : la mère de Maria, Elisa, et le père de Guglielmo, Eduardo, s'aimaient passionnément ; mais, par dépit, Elisa avait épousé Mac Gregor et Guglielmo, Ginevra Campbell. Eduardo, toujours amoureux, avait été surpris par Mac Gregor aux alentours du château, et tué ; Elisa était morte de douleur. A cet instant, Ratcliff, pâle et ensanglanté, entre dans la chambre de Maria. Bouleversée, elle croit revivre l'histoire de sa mère et se sent brusquement attirée vers lui. Mais elle se ressaisit et lui demande de partir pour toujours. Repoussé une nouvelle fois, Ratcliff perd la raison et se jette sur Maria. La jeune fille s'enfuit épouvantée, mais il la rattrape et la poignarde, ainsi que son père, accouru à son secours. Puis il se suicide d'un coup de pistolet.

■ La tragédie en un acte écrite par Heinrich Heine en trois jours en 1822 avait déjà inspiré le Russe Cui ; elle fut, par la suite, mise en musique par le compositeur tchèque Vavrinecz et par le Hollandais Cornelis Dopper. Mascagni avait écrit une première ébauche lorsqu'il était élève au conservatoire de Milan. Hanslick, à qui il avait joué l'œuvre au piano, l'avait aimée et lui avait prédit « le succès qu'elle n'avait pas obtenu dans la version d'Andrea Maffei au théâtre Manzoni de Milan ». Puccini, lui aussi, s'était montré très enthousiaste devant cette œuvre de jeunesse de Mascagni, qui ne vit pourtant le jour qu'après le succès de *Cavalleria rusticana*, considérablement remaniée. AB

SILVANO

Opéra en deux actes de Pietro Mascagni (1863-1945). Livret de Giovanni Targioni-Tozzetti (1863-1934). Première représentation : Milan, théâtre de la Scala, 25 mars 1895.

L'INTRIGUE : L'action se déroule dans un village italien de la côte adriatique. Mathilde attend avec inquiétude le retour de son fiancé Silvano, mis en prison pour contrebande : pendant son absence elle s'est laissée séduire par un autre marin, Renzo. Tandis qu'on fête le lancement du nouveau bateau de Renzo, Silvano rentre au village. Il va saluer Renzo mais ce dernier, jaloux, l'insulte. Les deux hommes se battent et seule la mère de Silvano, Rosa, parvient à les séparer. Un peu plus tard, Renzo se rend chez Mathilde et menace de tuer Silvano si elle ne vient à un dernier rendez-vous avec lui sur les rochers. Mathilde, qui aime toujours Silvano, accepte. Mais son fiancé la surprend et la menace de son pistolet. Renzo, qui s'était caché, se montre alors pour la défendre, et Silvano tire sur lui, puis s'enfuit.

■ Il s'agit d'un des opéras les moins réussis de Mascagni. Le compositeur, fidèle à l'esthétique vériste, se complaît dans des descriptions d'un réalisme cru, sans toutefois atteindre l'intensité dramatique de son chef-d'œuvre, *Cavalleria rusticana*. AB

L'ÉVANGÉLISTE (Der Evangelimann)

Opéra en deux actes de Wilhelm Kienzl (1857-1941). Livret du compositeur, d'après le récit de L. F. Meissner (1894). Première représentation : Berlin, 4 mai 1895.

L'INTRIGUE : Johannes Fredhofer, professeur au monastère bénédictin de Saint-Othmar, aime Martha. Mais la jeune fille est amoureuse de son frère Mathis, intendant du couvent. Fou de jalousie, Johannes dénonce les amants et Mathis est chassé du couvent. Son frère s'arrange aussi pour le faire accuser d'un incendie qu'il a lui-même allumé : Mathis est condamné à vingt ans de prison. Trente ans plus tard, il retrouve Magdalena, l'amie de Martha, et lui raconte qu'ayant appris, à sa sortie de prison, le suicide de Martha, il était devenu prêcheur évangéliste. Magdalena, qui soigne Johannes, à l'article de la mort, amène Mathis à son chevet. Johannes ne le reconnaît pas, mais lui avoue ses fautes et son frère lui pardonne et lui donne l'absolution.

■ *L'Évangéliste* est le seul opéra de Kienzl qui ait connu un succès réel et durable. Outre l'influence d'un musicien comme Schumann, on y retrouve un langage et une technique d'inspiration wagnérienne, auxquels le compositeur a su toutefois conférer un ton familier et populaire.

LA COUPE ENCHANTÉE

Opéra en deux actes de Gabriel Pierné (1863-1937). Livret d'Emmanuel Matrat, tiré d'une comédie de La Fontaine et Champmeslé datant de 1688. Première représentation : Royan, 24 août 1895.

LA BOHÈME

Opéra en quatre actes de Giacomo Puccini (1858-1924). Livret de Giuseppe Giacosa (1847-1906) et Luigi Illica (1857-1919), d'après le roman Scènes de la vie de bohème *(1849), d'Henri Murger (1822-1861). Première représentation : Turin, Theatro Regio, 1er février 1896. Interprètes : Cesira Ferrani (Mimi), Camilla Pasini (Musetta), Evan Gorga (Rodolfo), Tieste Wilmant (Marcello), Antonio Pini-Corsi (Schaunard), Michele Mazzara (Colline), Alessandro Polonini (Benoît/Alcindoro). Direction : Arturo Toscanini.*

LES PERSONNAGES : Mimi, une grisette (soprano) ; Musetta (soprano) ; Rodolfo, poète (ténor) ; Marcello, peintre (baryton) ; Schaunard, musicien (baryton) ; Colline, philosophe (basse) ; Benoît, le propriétaire (basse) ; Alcindoro, conseiller d'État (basse) ; Parpignol (ténor) ; le sergent des douaniers (basse) ; étudiants, grisettes, bourgeois, boutiquiers, etc.

L'INTRIGUE : A Paris, vers 1830. Acte I. Une chambre sous les combles, la veille de Noël. Le poète Rodolphe contemple les toits couverts de neige, tandis que son ami Marcel peint. Pour se réchauffer, Rodolphe allume du feu avec un de ses manuscrits. Deux amis, le philosophe Colline et le musicien Schaunard font alors leur entrée, chargés de victuailles, achetées grâce au don d'un mécène. Les quatre jeunes gens se mettent à festoyer joyeusement, lorsque le propriétaire, Benoît, vient jouer les trouble-fête en réclamant le loyer impayé. Les bohèmes le font boire et le vieux se met à raconter ses aventures galantes : feignant l'indignation, ils le mettent à la porte, Marcel, Colline et Schaunard descendent au café Momus, laissant Rodolphe finir un article pour son journal. On frappe. C'est Mimi, une grisette vivant sur le même palier, qui vient demander une allumette pour rallumer sa chandelle. Elle est prise d'une terrible quinte de toux, et Rodolphe doit la soutenir. Leurs deux chandelles s'éteignent et Mimi laisse tomber la clef de sa chambre. Ils cherchent à tâtons dans le noir et Rodolphe, qui a retrouvé la clef, la cache ; leurs mains se rencontrent dans l'obscurité ; le jeune homme emprisonne la main de Mimi, comme pour la réchauffer *(Che gelida manina).* Ils se mettent alors à parler d'eux-mêmes, tandis qu'un tendre sentiment naît entre eux. De la cour, on entend les amis de Rodolphe qui l'appellent. Les amoureux s'embrassent et sortent ensemble.

Acte II. Devant le café Momus, au Quartier latin. Rodolphe et Mimi s'arrêtent pour acheter un bonnet ; Schaunard marchande le prix d'un cor, et Colline fait l'acquisition d'une vieille redingote. Musetta, la maîtresse de Marcel, apparaît au bras d'un riche bourgeois sur le retour, Alcindoro ; elle rassure Marcel sur son amour en lui chantant une valse *(Quando me'n vo')* et s'arrange pour éloigner Alcindoro. Les deux amants tombent dans les bras l'un de l'autre. Tandis qu'un défilé militaire passe, les jeunes gens profitent de la confusion pour fausser compagnie au vieux galant de Musetta en lui laissant l'addition.

Acte III. La barrière d'Enfer. Un matin de février. Rodolphe s'est disputé avec Mimi et est allé s'installer dns un petit hôtel où vit aussi Marcel. Ce dernier est en train de peindre l'enseigne de l'hôtel lorsque Mimi arrive secouée d'une mauvaise toux. Elle pense que Rodolphe l'a quittée pour toujours. Le jeune homme sort justement, et Mimi se cache derrière un arbre. Le poète parle à son ami de la légèreté de Mimi, qu'il sait pourtant gravement malade. Une quinte de toux trahit la présence de la jeune fille. Les amants s'embrassent, mais la réconciliation n'est que de courte durée. Musetta vient à son tour faire une scène à Marcel.

Acte IV. La chambre de Rodolphe sous les combles. Le poète évoque avec Marcel le temps heureux de leurs amours avec Mimi et Musetta. Surviennent Colline et Schaunard ; les quatre jeunes gens trompent leur mélancolie en feignant de s'amuser follement. Musetta entre à l'improviste, annonçant que Mimi, gravement malade, attend à la porte. On la couche sur le lit de Rodolphe ; Musetta envoie Marcel vendre ses boucles d'oreilles pour pouvoir acheter des médicaments et sort elle-même chercher un manchon pour réchauffer les mains glacées de Mimi. Rodolphe et Mimi, restés seuls, évoquent leur première rencontre. Les amis reviennent et Colline annonce l'arrivée du docteur. Rodolphe, plein d'espoir, croit que Mimi s'est endormie, lorsqu'il lit la vérité sur le visage de ses amis. Il se jette en sanglotant sur le corps de la jeune morte.

■ L'élaboration du livret de *La Bohème* n'alla pas sans mal, étant donné les rapports orageux entre les librettistes et Puccini. Plus d'une fois, Illica et Giacosa furent près d'abandonner la partie, jugeant irréalisables les exigences du compositeur. Puccini avait commencé *La Bohême* en janvier 1893 (il donne lui-même cette précision dans sa polémique avec Leoncavallo, auteur d'une *Bohême* presque contemporaine) ; la dernière note fut écrite le 10 novembre 1895, et Puccini éprouva le sentiment « d'avoir vu mourir un de ses enfants ». Le public accueillit favorablement la première représentation, surtout la fin du premier acte et le finale, mais sans rien de comparable à l'enthousiasme déchaîné par *Manon Lescaut.* La critique fut assez partagée ; certains virent dans *La Bohême* « une œuvre manquée » et « un déplorable déclin ». Pourtant, *La Bohême,* qui présente un équilibre parfait entre tristesse et gaieté, entre réalisme et impressionnisme, entre lyrisme passionné et description minutieuse des caractères, est peut-être le chef-d'œuvre de Puccini et sans aucun doute une des créations les plus originales du théâtre lyrique. RB

ZANETTO

Opéra en un acte de Pietro Mascagni (1863-1945). LIvret de Giovanni Targioni-Tozzetti (1863-1934) et Guido Menasci (1867-1925), d'après la comédie en un acte Le passant *de François Coppée (1842-1908). Première représentation : Pesaro, théâtre Rossini, 2 mars 1896.*

L'INTRIGUE : L'action se déroule à Florence, dans un jardin, devant la maison de Silvia, une courtisane célèbre. Silvia est malheureuse de ne pouvoir ressentir d'amour profond et véritable. Vient à passer Zanetto, un jeune poète, qui la prend pour une dame de qualité. Silvia, émue par sa candeur d'adolescent, l'invite à venir chez elle. Le jeune homme lui avoue qu'il aimerait faire la connaissance de la courtisane dont on vante partout la beauté ; Silvia lui dit d'essayer de la rencontrer, mais Zanetto déclare qu'il n'en a plus envie, et que son plus cher désir est de rester auprès d'elle. Silvia, bouleversée de la spontanéité d'un tel aveu, le repousse doucement, à la fois triste de renoncer à lui et émerveillée d'avoir enfin connu la douceur de l'amour véritable.

■ Cette œuvre laissa la critique perplexe. Seul, Ugo Oietti déclara que l'auteur avait écrit là son opéra « le plus organisé, le plus original, le plus cohérent ». En fait, cet ouvrage marque une sorte de relâchement dans la production de Mascagni après dix ans d'intense activité. Le choix d'un sujet d'inspiration parnassienne (la comédie de François Coppée avait été créée à Paris en 1869 et traduite en italien par Emilio Praga en 1872) révèle le désir du compositeur de se rapprocher des mouvements littéraires ; mais le texte ne suscita pas, semble-t-il, de véritable inspiration chez Mascagni. AB

ANDRÉ CHÉNIER
(Andrea Chénier)

Drame historique en quatre tableaux d'Umberto Giordano (1867-1948). Livret de Luigi Illica (1857-1919). Première représentation : Milan, théâtre de la Scala, 28 mars 1896. Interprètes : Giuseppe Borgatti (André Chénier), Mario Sammarco (Charles Gérard), Evelina Carrera (Madeleine de Coigny), M. Ticci, D. Rogers, G. Roveri, E. Brancaleone, M. Wigley, E. Giordani, R. Terzi.

LES PERSONNAGES : André Chénier (ténor) ; Charles Gérard (baryton) ; Madeleine de Coigny (soprano) ; la mulâtresse Bersi (soprano) ; la comtesse de Coigny (mezzo-soprano) ; Madelon (mezzo-soprano) ; Roucher (basse) ; le romancier Pierre Fléville (baryton basse) ; Fouquier-Tinville (baryton basse) ; le sans-culotte Mathieu, dit Populus (baryton) ; un Incroyable (ténor) ; l'Abbé poète (ténor) ; Schmidt, geôlier de Saint-Lazare (basse) ; Dumas, le président du Tribunal de salut public (basse). Dames, messieurs, serviteurs, prêtres ; bourgeois, sans-culottes, gardes nationaux, soldats, gens du peuple, Merveilleuses, Incroyables, députés, juges, prisonniers.

L'INTRIGUE : L'action se déroule en France, d'abord en 1789, puis en 1794.
Premier tableau. Dans l'Orangerie du château de Coigny, une fête se prépare. Le serviteur Gérard exprime sa haine pour ses maîtres en regardant travailler humblement son vieux père. La seule personne qui trouve grâce à ses yeux est la fille de la comtesse, Madeleine, dont il est amoureux. Les invités arrivent ; parmi eux se trouvent le romancier Fléville, le poète André Chénier et l'Abbé. Ce dernier apporte les dernières nouvelles alarmantes de Paris, où gronde la révolution. Mais la compagnie préfère écouter Fléville lire son dernier roman. On réclame ensuite André Chénier. Le jeune homme déclame alors un hymne vibrant à l'amour et à la patrie *(Un di all'assuro spazio)* qui flétrit l'injustice de la noblesse et du clergé à l'égard du peuple. Il s'adresse ensuite à Madeleine, impressionné par sa beauté, et la conjure de ne pas mépriser l'amour et la poésie. Le bal est ouvert. Soudain, des gueux demandant la charité font irruption, introduits par Gérard. La comtesse les fait chasser et met Gérard à la porte. La gavotte reprend comme si de rien n'était.
Deuxième tableau. Paris. La terrasse des Feuillants et le café Hottot. La révolution a triomphé et la Terreur tient le haut du pavé. Chénier, suspect aux yeux du gouvernement révolutionnaire, est constamment surveillé par un Incroyable, homme du chef révolutionnaire Gérard, l'ancien serviteur. Chénier reçoit une lettre d'une femme inconnue qui lui demande aide et protection. Il refuse de suivre le conseil de son ami Roucher et de fuir, avant de savoir qui est sa mystérieuse correspondante. Il découvre peu après qu'il s'agit de Madeleine de Coigny, qui a perdu sa mère et vit cachée. André et Madeleine

s'avouent leur amour. Mais Gérard, averti par son espion, les surprend ensemble. Les deux hommes se battent et Chénier blesse Gérard. Celui-ci lui dit de fuir en emmenant Madeleine.
Troisième tableau. Le tribunal révolutionnaire, un an plus tard. L'Incroyable annonce à Gérard qu'il a retrouvé André Chénier. Gérard doit signer l'acte d'accusation ; il hésite un moment puis, cédant à la jalousie, il inscrit : « Ennemi de la Patrie », ce qui équivaut à un arrêt de mort. Madeleine vient le voir, suppliante, allant jusqu'à s'offrir à lui pour sauver la vie du poète. Gérard, qui se repent déjà de son geste, affirme publiquement lors du procès qu'il a accusé Chénier à tort. Celui-ci se défend avec une vibrante éloquence. Mais le terrible Fouquier-Tinville, implacable, réclame la mort d'André Chénier.
Quatrième tableau. La cour de la prison de Saint-Lazare. Gérard a tout essayé pour sauver Chénier, mais en vain. Le poète emprisonné écrit ses derniers vers en attendant la mort. Madeleine arrive, accompagnée de Gérard. Elle achète le gardien de la prison pour qu'il la laisse prendre la place d'une jeune condamnée, à qui elle offre son sauf-conduit. Les deux amants réunis montent sur la charrette des condamnés. Gérard, impuissant, sanglote.

■ *Andrea Chénier* est le seul opéra de Giordano qui soit encore apprécié aujourd'hui, et qui figure fréquemment au programme des plus grands théâtres lyriques. On reproche souvent à l'auteur d'avoir exploité les effets théâtraux et vocaux les plus faciles, qui tiennent lieu, dans cet opéra, d'inspiration. Mais le public s'est au contraire montré presque toujours favorable à *Andrea Chénier.* Le livret avait à l'origine été écrit pour Franchetti, qui avait renoncé à l'utiliser. Illica tint à citer ses sources en exergue du livret : « J'ai pris l'idée d'utiliser ce personnage pour le théâtre lyrique et les détails historiques chez H. de Latouche, Méry Arsène Houssaye, Gauthier, et J. et E. Goncourt. » La plupart des notations historiques et des références à la poésie de Chénier sont vérifiables. André Chénier, né à Constantinople en 1762 et mort à Paris en 1794, était membre du Club des Feuillants : il fut arrêté, et guillotiné sur la place du Trône-Renversé. L'opéra fut d'abord jugé injouable par A. Galli, conseiller musical de la Scala, et retiré du calendrier ; Mascagni intervint personnellement pour l'y faire réinscrire. Puis, ce fut le ténor Garulli, auquel était destiné le rôle-titre, qui se retira. On dut confier la partie d'André Chénier à un ténor au succès chancelant, qui estimait n'avoir rien à perdre. Ce fut un triomphe. Depuis lors, ce rôle de ténor a attiré les plus grands interprètes. MS

LE CORRÉGIDOR
(Der Corregidor)

Opéra en quatre actes de Hugo Wolf (1860-1903). Livret de Rosa Mayreder-Obermayer, d'après une nouvelle espagnole de Pedro de Alarcón y Ariza (1833-1891). El sombrero de tres picos. *Première représentation : Mannheim, Nazionaltheater, 7 juin 1896. Direction : H. Rohr.*

LES PERSONNAGES : Don Eugenio de Zuniga (ténor bouffe) ; Donna Mercedès (soprano) ; Juan Lopez (basse profonde) ; Pedro (ténor) ; Tonuelo (basse) ; Repela (basse bouffe) ; Tio Lucas (baryton) ; Frasquita (mezzo-soprano) ; Duenna (contralto) ; Manuela (mezzo-soprano) ; un voisin (ténor) ; un garde (basse).

L'INTRIGUE : L'action se déroule en Andalousie, au début du XIXe siècle.
Acte I. Frasquita, femme du meunier Tio Lucas, profite de la cour assidue du vieux magistrat Don Eugenio pour essayer d'obtenir un poste pour son neveu. Mais le galant *corregidor* est un peu trop pressé, et Frasquita le remet à sa place. L'évêque et sa suite font une halte au moulin. Pendant ce temps, Don Eugenio envoie un message à sa femme pour lui dire qu'il ne rentrera pas ce soir-là car il doit travailler à la mairie.
Acte II. Le maire convoque Tio Lucas pour un témoignage. Entre-temps, le *corregidor* arrive au moulin, tout trempé : il est tombé dans un ruisseau, et doit faire sécher ses habits sur une chaise. Il courtise Frasquita avec de plus en plus d'insistance. Pensant toujours à la nomination de son neveu, la meunière le tient à distance sans le repousser franchement. A la fin, exaspéré, il la menace de son pistolet : elle rétorque en braquant sur lui un fusil. De peur, Don Eugenio s'évanouit, et Frasquita part en courant chercher son mari. Pendant ce temps, Tio Lucas, se rendant compte que tous les prétextes sont bons pour le retenir, fait boire le maire, l'huissier et le secrétaire, et réussit à s'esquiver.
Acte III. Lucas et Frasquita se croisent dans l'obscurité. Le meunier, rentrant chez lui, trouve Don Eugenio dans son lit, où l'a transporté un serviteur, et se croit trompé. Il enfile alors les habits du *corregidor,* mis à sécher sur une chaise, et sort. Le maire et ses acolytes, ayant cuvé leur vin, arrivent au moulin. Ils croient que c'est Lucas qui dort dans le lit et tombent sur Don Eugenio à bras raccourci. Frasquita rentre à ce moment et dissipe la confusion. Ils partent à la recherche du meunier.
Acte IV. Lorsqu'ils arrivent chez Don Eugenio, la domestique leur dit que son maître est couché depuis plus d'une heure. Le véritable *corregidor,* vêtu en meunier, et le maire alertent la garde par leurs cris et sont malmenés. Frasquita, qui croit que son mari est au lit avec Donna Mercedès, pleure amèrement. En réalité, Lucas et la femme de Don Eugenio ont seulement voulu donner une leçon à leurs conjoints respectifs. Le meunier se persuade vite de la fidélité de Frasquita, tandis que Donna Mercedès se garde bien de détromper son mari qui croit qu'elle l'a trahi.

■ Première tentative de Wolf dans le domaine de l'opéra (la seconde *Manuel Venegas* restera inachevée à cause de la maladie mentale du compositeur), *Le Corrégidor* se ressent du fait que l'auteur écrivait surtout des *lieder.* En effet, l'opéra se présente comme une série de morceaux de musique de chambre, reliés toutefois par un fil conducteur musical qui annonce certains développements ultérieurs de la musique d'opéra. Dans *Le Corrégidor,* Hugo Wolf montre aussi

son talent à éclairer la psychologie des personnages, ces types bourgeois qu'il décrit si bien dans ses fameux *Liederbücher*.
EP

LA JEUNE FILLE DANS LA TOUR (Jungfrun i tornet)

Opéra en un acte de Jean Sibelius (1865-1957). Livret de R. Hortzberg. Première représentation : Helsinki, Théâtre national, 7 novembre 1896.

■ C'est le seul ouvrage lyrique de Sibelius. Il fut joué, avec peu de succès, sous la direction du compositeur, au bénéfice d'œuvres de charité, et ne fut jamais publié.
RB

FERVAAL

Action dramatique en un prologue et trois actes de Vincent d'Indy (1851-1931). Livret du compositeur. Première représentation : Bruxelles, théâtre de la Monnaie, 12 mars 1897.

L'INTRIGUE : L'action se déroule dans les Cévennes, au temps des Druides. Pour sauver la montagne sacrée de Cravann de l'ennemi qui menace, Fervaal, disciple du prêtre Arfgard, doit renoncer à l'amour profane, afin de devenir le pur héros toujours vainqueur. Mais Fervaal ne parvient pas à résister au charme de la magicienne Guilhen, et il est vaincu. Guilhen le retrouve blessé au milieu des corps des guerriers morts dans la bataille, et se repent. Mais elle meurt gelée dans la neige. Fervaal emporte le corps de sa bien-aimée jusqu'au sommet de la montagne.

■ Il s'agit du premier opéra important de Vincent d'Indy. L'inspiration wagnérienne, manifeste dans le choix du sujet, est toutefois tempérée par l'apport de la culture française contemporaine, et notamment par l'esthétique symboliste. L'argument de *Fervaal* est tiré d'une légende celtique.
AB

LA BOHÈME

Opéra en quatre actes de Ruggero Leoncavallo (1858-1919). Livret de l'auteur, inspiré du roman Scènes de la vie de bohème *(1849) d'Henri Murger (1822-1861). Première représentation : Venise, théâtre La Fenice, 6 mai 1897. Interprètes : L. Frandin, Rosina Storchi, R. Beduschi, R. Angelini-Fornari, Isnardon. Direction : Alexandre Pomé.*

L'INTRIGUE : Quatre amis se retrouvent au café Momus, à Paris : Schaunard, musicien, Rodolphe, poète, Marcel, peintre, Colline, philosophe. Ils fêtent joyeusement le réveillon de Noël en compagnie d'Euphémie, Musette et Mimi. Ils sont tous sans le sou et apprennent avec joie que Barbemuche, un amateur d'art, leur offre le dîner. Marcel fait la cour à Musette, qui se laisse séduire. Mimi et Rodolphe s'aiment aussi. Mais, au cours d'une fête donnée par Musette dans la cour (elle a été mise à la porte parce qu'elle n'a pas payé son loyer), le vicomte Paul propose à Mimi de quitter cette vie mésirable et dissolue et de venir vivre avec lui. Mimi hésite un moment puis accepte. Musette, elle aussi, finit par quitter Marcel, épuisée par les privations et le jeu de cache-cache incessant avec les créanciers. Mimi revient vite, car elle aime vraiment Rodolphe. Mais il la repousse, refusant de croire à son repentir. Un an passe, c'est de nouveau la veille de Noël. Musette est revenue auprès de Marcel et le groupe d'amis fête Noël dans la soupente de Rodolphe. Soudain, Mimi apparaît, chancelante : elle est gravement malade et a voulu revoir Rodolphe avant de mourir. Tous s'empressent autour d'elle, mais leurs tendres soins sont sans effet : Mimi expire en délirant dans les bras de Rodolphe.

■ L'œuvre de Leoncavallo fut créée un an après l'opéra homonyme de Puccini. La critique fut unanimement favorable et le public s'intéressa vivement à la comparaison des deux œuvres. A Milan, elles furent même montées simultanément au Théâtre-Lyrique et au Dal Verme. Le succès de l'opéra de Leoncavallo alla pourtant en déclinant et ne fut pas relancé par la reprise d'une nouvelle version, sous le titre de *Mimi Pinson,* au théâtre Massimo de Palerme en 1913.

MSM

L'ARLÉSIENNE
(L'Arlesiana)

Opéra en trois actes de Francesco Cilea (1866-1950). Livret de Leopoldo Marenco (1831-1899), d'après la pièce L'Arlésienne *(1872) d'Alphonse Daudet, adaptée des* Lettres de mon moulin *(1869). Première représentation : Milan, Théâtre-Lyrique, 27 novembre 1897. Interprètes : Tracey (Rosa), Ricci-De Paz (Vivetta), Orlando (l'innocent), Enrico Caruso (Federico), L. Casini (Baldassarre), Arisi (Metifio), Frigiotti (Marco), Direction : Giovanni Zuccani.*

LES PERSONNAGES : Rosa Mamai (mezzo-soprano) ; Federico, son fils (ténor) ; Vivetta, filleule de Rosa (soprano) ; Baldassarre, un vieux berger (baryton) ; Metifio, gardian (baryton) ; Marco, frère de Rosa (basse) ; l'innocent (soprano). Chœur de jeunes filles et de villageois.

L'INTRIGUE :
Acte I. En Provence. La cour de la ferme de Rosa Mamai. Baldassarre raconte une histoire au fils cadet de Rosa, enfant un peu attardé. La patience du vieux berger aide beaucoup le petit. Rosa, de son côté, est préoccupée par son fils aîné, Federico, qui est tombé amoureux d'une jeune fille d'Arles et veut l'épouser. Il est parti à la ville pour essayer de retrouver la belle inconnue. Vivetta, la filleule de Rosa, qui aime Federico, est terriblement déçue lorsqu'elle apprend qu'il veut se marier. Federico revient, rayonnant : tout va bien, on peut fixer la date des noces. Mais un gardian, Metifio, demande à parler à Rosa. Il lui révèle que la jeune fille que Federico s'apprête à épouser a été son amante. Ses parents, au courant de leur liaison, l'ont renvoyé lorsque Federico s'est présenté. Comme preu-

ve, il lui montre deux lettres de l'Arlésienne, qu'il lui laisse pour qu'elle puisse les faire voir à son fils.
Acte II. Au bord d'un étang. Rosa et Vivetta cherchent Federico. Désespéré, il erre à travers la Camargue. Son jeune frère et Baldassarre le retrouvent. Le vieil homme l'incite à travailler et à penser au chagrin de sa mère. Rosa, émue par la souffrance de son fils, accepte de recevoir l'Arlésienne chez elle. Federico refuse : il veut surmonter son orgueil et épouser Vivetta. Rosa l'embrasse en pleurant.
Acte III. La ferme. On prépare la réception pour les noces. Federico rassure Vivetta, et lui affirme qu'il est tout à fait remis de sa mésaventure. Metifio arrive : il cherche les lettres. Baldassarre les a déjà portées chez lui, mais Metifio ne peut pas les avoir trouvées puisque, explique-t-il, il a passé deux jours en Arles. Il ajoute qu'il n'a pas renoncé à l'Arlésienne. Federico est pris d'un subit accès de jalousie. Il se jette sur Metifio, qu'il tente de tuer avec un marteau. Baldassarre et Rosa les séparent. On emmène Federico dans sa chambre. Il semble se calmer, mais la nuit, alors que tous pensent qu'il dort, il monte au grenier. Rosa et Vivetta essaient, sans succès, de le retenir : il se jette dans le vide.

■ L'énorme succès de cet opéra rendit célèbre le nom de Cilea et fut aussi l'occasion des débuts véritables du grand chanteur Enrico Caruso. Georges Bizet s'était déjà inspiré du conte de Daudet pour une *Arlésienne* représentée à Paris en 1872.

HÉRO ET LÉANDRE (Ero e Leandro)

Opéra en trois actes de Luigi Mancinelli (1848-1921). Livret d'Arrigo Boito (1842-1918). Première représentation : Madrid, Théâtre royal, 30 novembre 1897.

L'INTRIGUE : L'action se déroule à Sestos, en Thrace, sur les bords de l'Hellespont. Héro, prêtresse de Vénus, est fascinée par Léandre, jeune vainqueur des épreuves données en l'honneur de la déesse. Ariopharnès, archonte de Thrace, qui préside les cérémonies religieuses, est épris d'Héro ; repoussé par elle, il jure de se venger. Sur son ordre, Héro est enfermée dans la tour de la Vierge, dont la prêtresse, selon une ancienne coutume sacrée, doit renoncer à l'amour profane pour servir la déesse. Mais Léandre, bravant mille dangers, traverse chaque nuit l'Hellespont pour la rejoindre. Une nuit, il est surpris par Ariopharnès et une procession de prêtres venus supplier la déesse d'apaiser la mer déchaînée. Pour leur échapper, Léandre se jette à la mer et périt broyé sur les écueils. Héro est anéantie de douleur.

■ Cette œuvre, intéressante surtout par les chœurs, est plus un oratorio qu'un opéra. Elle fut d'ailleurs exécutée d'abord en concert, au Festival de Norwich, en 1896. AB

SADKO

Opéra épique en sept tableaux de Nikolaï Rimsky-Korsakov (1844-

1908). Livret du compositeur et de Vladimir I. Belski, d'après un ancien poème russe anonyme. Première représentation : Moscou, théâtre Solodovnikov, 7 janvier 1898.

L'INTRIGUE :
Premier tableau. Sadko (ténor), un pauvre joueur de *gousli* (sorte de guitare), taquine les marchands de Novgorod en se moquant, dans ses chansons, de leur sottise. S'il avait autant d'argent qu'eux, dit-il, il l'utiliserait pour voyager par le vaste monde. Chassé par les marchands, Sadko arrive sur les rives du lac Ilmen.
Deuxième tableau. Une nuit, Sadko chante au bord du lac lorsqu'il voit venir à lui les filles du roi de la mer. L'une d'elles, Volkhova (soprano), tombe amoureuse de lui et, à l'aube, elle lui promet, en le quittant, que trois poissons d'or mordront à son hameçon.
Troisième tableau. Lioubava (mezzo-soprano) est inquiète. Son mari, Sadko, a fait un terrible pari avec les marchands de Novgorod.
Quatrième tableau. Un matin, sur le port. Sadko propose le pari : s'il réussit à pêcher des poissons d'or, les marchands lui donneront toutes leurs richesses ; s'il échoue, ils pourront lui faire couper la tête. Les négociants, sûrs de pouvoir enfin se débarrasser de l'impertinent musicien, acceptent. Mais Sadko tire de l'eau les poissons d'or et, chose promise, chose due, il se retrouve riche comme Crésus. Il réalise alors son vieux rêve et part faire le tour du monde.
Cinquième tableau. Quelques années plus tard. Le roi de la mer décide de punir l'orgueil de Sadko. Il déchaîne une violente tempête et réclame une vie humaine pour apaiser les flots. Sadko, pour sauver ses compagnons, abandonne le navire et reste seul sur un radeau. Il descend au fond de la mer avec son *gousli.*
Sixième tableau. Le royaume de la mer. Sadko chante pour le roi et la reine. A son chant, les ondes commencent à danser, ce qui provoque une tempête effroyable. Saint Nicolas de Moïank intervient pour faire cesser la danse et ordonne à Volkhova de se rendre à Novgorod, où elle sera changée en fleuve.
Septième tableau. Sous les murailles de Novgorod. Sadko dit adieu à Volkhova et tombe dans un profond sommeil. A son réveil, sa femme Lioubava est à ses côtés tandis que le fleuve Volkhova coule désormais pour la plus grande prospérité de Novgorod.

■ L'argument de *Sadko* s'inspire d'une vieille légende de la région de Novgorod, chantée par les *chomorokhi,* des ménestrels-compositeurs. L'idée d'en faire un opéra est due à Moussorgsky ; mais, surchargé de travail, il laissa à Rimsky-Korsakov le soin de la composition. La première version fut réalisée en 1867, sous forme de poème symphonique, et contenait en condensé tous les éléments de l'opéra écrit près de trente ans plus tard. C'est pendant l'été de 1894 que le critique Findeisen envoya au compositeur un projet de livret. L'ampleur du sujet, le thème fantastique et la possibilité de représenter la mer scéniquement et musicalement, frappèrent l'imagination ardente de Rimsky-Korsakov. Il s'installa, pour travailler, dans le lieu de villégiature habituel de sa famille, au bord d'un lac proche de Vetchacha. Le critique Stassov, et surtout l'homme de lettres et mathématicien Belski, proche collaborateur du musicien, participèrent à l'élaboration du livret. Rimsky-Korsakov consacra tout l'été de 1895 à la composition de *Sadko,* mais, à cause d'une série de contretemps et des quelques modifications qu'il voulait encore apporter, il n'acheva l'opéra que l'année suivante. C'est une grande réussite. Comme l'écrit R. M. Hofmann, on y trouve « l'essence même de la nature et du génie de Rimsky-Korsakov : ici sont réunis son amour profond pour le peuple russe, la foi en sa destinée, l'attachement à la mer, le goût du fantastique ».

RB

FEDORA

Opéra en trois actes d'Umberto Giordano (1867-1948). Livret d'Arturo Colautti (1851-1914), d'après le drame de Victorien Sardou (1831-1908). Première représentation : Milan, Théâtre-Lyrique, 17 novembre 1898. Interprètes : Gemma Bellincioni, Enrico Caruso, Delfino Menotti. Direction : Umberto Giordano.

Les personnages : La princesse Fedora Romanov (soprano) ; la comtesse Olga Soukarev (soprano léger) ; le comte Loris Ipanov (ténor) ; de Siriex, diplomate (baryton) ; Dimitri, serviteur (contralto) ; un petit Savoyard (contralto) ; Désiré, valet de chambre (ténor) ; le baron Rouvel (ténor) ; Cirillo, cocher (baryton) ; Borov, médecin (baryton) ; Grech, policier (basse) ; Lorex, chirurgien (baryton) ; chœurs, rôles muets.

L'intrigue : L'action se déroule vers la fin du XIXe siècle.

Acte I. La maison du comte Vladimir. On attend le retour du comte, parti enterrer joyeusement sa vie de garçon, la veille de ses noces, avec la princesse Fedora. Cette dernière arrive, très contrariée, car le comte ne l'a pas rejointe au théâtre comme il l'avait promis. Dimitri part en courant le chercher à son club. Mais, au même instant, le traîneau du comte s'arrête devant la maison. Vladimir, grièvement blessé, est accompagné de l'officier de police Grech, qui commence son enquête. Le cocher, Cirillo, déclare avoir conduit son maître au parc ; là, il a entendu deux coups de feu, puis a vu s'enfuir un homme couvert de sang ; peu après, il a découvert Vladimir évanoui et blessé, son pistolet à côté de lui. On apprend que la vieille femme vivant dans la maison où s'est déroulé le drame a fait parvenir, dans la journée, une lettre au comte, mais la missive reste introuvable. Dimitri se souvient pour sa part qu'un visiteur a attendu le comte un moment au salon avant de s'en aller brusquement, sans explications : il s'agit du comte Loris Ipanov. Vladimir meurt. Grech annonce qu'Ipanov a disparu.

Acte II. Une réception chez Fedora, à Paris. Le comte Ipanov est au nombre des invités. Fedora déploie toute sa séduction pour l'amener à avouer son crime. Loris admet que c'est lui qui a tué Vladimir, mais jure que ses raisons étaient estimables, et promet à Fedora de lui en apporter la preuve. Fedora écrit une lettre dénonçant le comte Ipanov. Elle la remet au policier Grech en lui demandant de la faire parvenir à Saint-Pétersbourg et d'arrêter Loris lorsqu'il sortira de chez elle. Le jeune homme revient et explique que Vladimir était l'amant de sa femme et qu'il avait rendez-vous avec elle, la veille même de son mariage avec Fedora, comme le prouvent des lettres qu'il montre à Fedora. Celle-ci, folle de rage, décide de sauver Loris. Pour l'empêcher de sortir et de tomber dans le piège de Grech, elle le retient en lui déclarant son amour, quitte à se compromettre.

Acte III. Le jardin d'une villa en Suisse. Loris et Fedora vivent heureux ensemble. Mais la machination ourdie par Fedora pour venger Vladimir a eu des conséquences tragiques pour la famille Ipanov : le frère de Loris, incarcéré, est mort en prison, et sa mère est morte de chagrin peu après. La lettre de Borov qui apprend à Loris ces terribles nouvelles indique aussi que la dénonciation qui a causé tant de malheurs venait d'une femme vivant à Paris. Loris jure de se venger. Fedora le supplie en vain de pardonner à la femme inconnue : il est intraitable. Alors, Fedora s'empoisonne avant d'être démasquée. Ipanov comprend trop tard ce qui s'est passé : Fedora meurt en lui demandant pardon.

■ Cet opéra eut un succès considérable en Italie et à l'étranger, surtout à Paris. C'est la meilleure œuvre de Giordano après *Andrea Chénier*. Le compositeur avait été bouleversé par le drame de Sardou, qu'il avait vu jouer par Sarah Bernhardt alors qu'il n'avait que dix-huit ans. Déjà à ce moment, il avait demandé à l'auteur la permission d'en faire un opéra, et Sardou lui avait répondu : « On verra plus tard. »

MS

IRIS

Mélodrame en trois actes de Pietro Mascagni (1863-1945). Livret de Luigi Illica (1857-1919). Première représentation : Rome, théâtre Costanzi, 22 novembre 1898. Interprètes : Hariclea Darclée, F. De Lucia, Karuson, G. Tisci-Tamburini. Direction : Pietro Mascagni.

Les personnages : L'aveugle (basse) ; Iris (soprano) ; Osaka (ténor) ; Kyoto (baryton) ; une geisha (soprano) ; un mercier (ténor) ; un chiffonnier (ténor).

L'intrigue :
Acte I. L'action se déroule dans un village du Japon. Osaka, un jeune homme riche et capricieux, s'est épris d'Iris, une simple blanchisseuse, et a chargé Kyoto, propriétaire d'une maison de thé, de l'enlever. Ils présentent alors un spectable de marionnettes qui raconte les amours de Dhia et Jor. Osaka chante le rôle de Jor, fils du dieu Soleil. Iris vient regarder le spectacle ; des hommes s'emparent d'elle et l'entraînent. Kyoto envoie à son père, un vieil aveugle, une somme d'argent et une lettre disant qu'Iris est allée s'installer au Yorishawa (lieu de luxure) de son plein gré. Le vieillard demande qu'on le conduise

en ville pour qu'il retrouve Iris et la maudisse.
Acte II. Iris, qui avait perdu connaissance, revient à elle dans le riche appartement d'Osaka. Elle reconnaît la voix qui chantait le rôle de Jor. Osaka essaie de la conquérir, mais elle repousse ses avances. A la fin, lassé, il la laisse aux mains de Kyoto, qui l'habille somptueusement et la montre à la foule. Le père d'Iris, qu'on amène devant elle, la maudit et lui jette de la boue à la face. Désespérée, elle se jette dans un ravin.
Acte III. Des chiffonniers découvrent le corps inanimé d'Iris et veulent la dépouiller des riches vêtements et des bijoux qu'elle porte. Mais la jeune fille revient à elle et ils s'enfuient épouvantés. Les rayons du soleil levant éclairent les derniers instants d'Iris. Un tapis de fleurs éclôt autour d'elle et elle monte au ciel dans une radieuse symphonie de couleurs.

■ Cet opéra sortit en pleine vogue du « liberty », ce qui est manifeste même dans l'illustration de la partition par Hoenstein. Ceci explique le succès de l'œuvre auprès du public, alors que la critique était très réservée. La musique est assez caractéristique de Mascagni, mais l'auteur s'est efforcé de traduire musicalement le symbolisme d'Illica tout en recherchant des modes d'expression nouveaux et une plus grande cohérence. AB

MOZART ET SALIERI
(Mozart i Salieri)

Scènes dramatiques en deux actes de Nikolaï Rimsky-Korsakov (1844-1908), sur un texte d'Alexandre Pouchkine (1799-1837). Première représentation : Moscou, théâtre Solodovnikov, 7 décembre 1898.

L'INTRIGUE : Salieri est plongé dans une sombre méditation. Il a tout sacrifié à la musique et se rend compte maintenant de l'ingratitude du génie musical, qui récompense un individu paresseux, frivole et sans jugement comme Mozart. Celui-ci arrive justement, en compagnie d'un musicien qu'il a rencontré dans la rue en train de massacrer un joli morceau de musique. Mozart se met au piano et improvise une courte fantaisie pleine d'une tristesse péremptoire. Salieri décide de tuer Mozart, vraiment trop doué. Il l'invite à dîner et met du poison dans son vin. Quand Mozart, incommodé, prend congé, Salieri réalise l'inutilité de son geste : en tuant le grand compositeur, il a peut-être apaisé son envie, mais il a aussi perdu définitivement toute confiance en lui-même. Michel-Ange n'aurait jamais tué personne par basse jalousie, pense Salieri en se remémorant les paroles prononcées par Mozart : le génie et la malhonnêteté ne peuvent coexister.

■ Rimsky-Korsakov eut l'idée de cet opéra en lisant Pouchkine, son poète préféré. Il écrivit le deuxième tableau pendant l'été de 1897, comme une sorte d'exercice, presque par jeu. Le résultat lui plut, et il décida d'écrire un opéra complet d'après les scènes de Pouchkine. Son respect pour le poète était tel qu'il utilisa directement son texte, sans aucune modification. L'accusation purement fantaisiste selon laquelle Salieri aurait empoisonné Mozart a été prise pour argent comptant par bon nombre de personnes au siècle dernier. RB

CENDRILLON

Conte de fées en quatre actes et six tableaux de Jules Massenet (1842-1912). Livret d'Henri Cain (1859-1937) inspiré du célèbre conte de Perrault (1628-1703). Première représentation : Paris, Opéra-Comique, 24 mai 1899.

LES PERSONNAGES : Cendrillon (soprano) ; Mme de la Haltière (mezzo-soprano) ; le prince (soprano) ; la fée (soprano léger) ; Noémie (soprano) ; Dorothée (mezzo-soprano) ; six esprits (sopranos, mezzo-sopranos, contraltos) ; Pandolphe (baryton) ; le roi (baryton) ; le doyen de la Faculté (ténor) ; le surintendant des plaisirs (baryton) ; le premier ministre (basse ou baryton) ; domestiques, courtisans, coiffeurs, modistes, musiciens, etc.

L'INTRIGUE :
Acte I. Une grande agitation règne chez Mme de la Haltière. Ses deux filles, Noémie et Dorothée, se font belles pour le grand bal du prince où elles sont invitées. Comme à l'accoutumée, leur demi-sœur Lucie, dite Cendrillon, reste à la maison. Quand tout le monde est prêt, la famille part pour le bal. Cendrillon, toute triste, finit par s'endormir et rêve que des fées et des lutins lui permettent d'aller au bal, entourée et admirée. La fée, d'un coup de baguette magique, transforme alors la pauvre robe de Cendrillon en une toilette resplendissante. La jeune fille, ravie, part en toute hâte, avec toutefois l'obligation d'être de retour pour minuit.
Acte II. La salle de bal du palais. Le prince se tient à l'écart, mélancolique. Il ne sait quelle jeune fille choisir pour épouse et reste indifférent aux attentions dont l'entourent les sœurs de Cendrillon. Mais l'arrivée inopinée de celle-ci éveille son intérêt. Ébloui par la beauté et la grâce de l'inconnue, il se jette à ses pieds en la suppliant de lui révéler son nom. Mais elle répond que c'est impossible. Il essaie en vain de la retenir avec des paroles d'amour : quand minuit sonne, Cendrillon s'enfuit, perdant une pantoufle ; la fée retient le prince qui se lance à sa poursuite.
Acte III, première scène. Salon chez Mme de la Haltière. Cendrillon rentre tout essoufflée et pleure la fin de son beau rêve. Elle a précédé ses sœurs de quelques instants et, lorsqu'elles arrivent, elle leur demande avec une naïveté feinte comment s'est passé le bal. Furieuses, elles racontent qu'une étrangère qui n'était même pas invitée s'est introduite dans le palais. Cendrillon craint soudain que le prince ait pu se méprendre sur la pureté de ses intentions. Bouleversée par cette idée, elle décide de chercher la mort au Bois des fées.
Deuxième scène. Près d'un chêne au Bois des fées. Cendrillon cherche le réconfort auprès de sa fée protectrice. Le prince arrive lui aussi et, heureux de l'avoir retrouvée, lui offre son cœur. Les fées les font tomber dans un profond sommeil, afin qu'ils croient

tous deux qu'il s'agissait d'un rêve.
Acte IV, première scène. Le balcon de la chambre de Cendrillon. La jeune fille a été trouvée inconsciente dans le Bois et se relève à peine d'une grave maladie. Comme elle demande à son père si elle a laissé échapper des paroles pendant son délire, Pandolphe lui répond qu'elle a parlé d'amour et d'une certaine chaussure. On entend, dans la rue, un héraut annoncer que le prince fera essayer la pantoufle perdue par l'inconnue à toutes les jeunes filles qui se présenteront. Cendrillon comprend qu'elle n'a pas rêvé.
Deuxième scène. Le palais royal. La foule regarde passer le cortège de jeunes filles. Le prince attend avec angoisse. Enfin, la fée apparaît avec Cendrillon, qui porte le cœur du prince qu'il lui a offert au Bois des fées. Le prince peut étreindre sa bien-aimée sous les acclamations de la foule.

■ Bien que l'opéra déborde d'inspiration mélodique, il est quelque peu alourdi par des effets musicaux trop souvent utilisés. La tentative de Massenet d'écrire l'équivalent français de l'opéra merveilleux *Hänsel et Gretel* d'Humperdinck, alors en vogue, n'est pas une réussite. GPa

LA FIANCÉE DU TSAR (Tsarskaïa nevesta)

Drame en trois actes de Nikolaï Rimsky-Korsakov (1844-1908). Livret de L. A. Meï (1822-1862), complété par I. F. Tioumenev. Première représentation : Moscou, théâtre Solodonikov, 3 novembre 1899.

L'INTRIGUE : Grigori Griaznoï vit avec Lioubacha, qu'il a séduite et enlevée à ses parents. Mais il tombe un beau jour amoureux de Marpha, la fiancée du boyard Lykov. Griaznoï, pour la conquérir, demande au magicien Bomélius un philtre d'amour. Lioubacha, qui a tout entendu, s'offre au magicien pourvu qu'il remplace le philtre par un poison qui tue lentement. Griaznoï, ignorant tout, fait boire le poison à Marpha. A ce moment, coup de théâtre : un messager d'Ivan le Terrible vient annoncer que le tsar a décidé de prendre Marpha pour épouse. On ne discute pas les ordres du tsar ; Marpha devient donc tsarine. Mais, atteinte d'un mal mystérieux, elle meurt. Griaznoï accuse le premier fiancé de Marpha de l'avoir tuée par jalousie, mais celui-ci a perdu la raison de douleur. Lioubacha finit par avouer son crime et Griaznoï la tue.

■ Griaznoï, le héros de l'opéra, est un *opritchnik*, cette garde royale redoutée et toute-puissante. L'œuvre se veut une dénonciation des paradoxes et de l'arbitraire du pouvoir tsariste, mais le résultat est peu convaincant. En effet, le librettiste Tioumenev, élève du compositeur, a insisté sur les aspects les plus conventionnels, souvent de mauvais goût, de l'histoire. Bien que Rimsky-Korsakov ait considéré cet opéra comme l'un de ses chefs-d'œuvre, son seul intérêt réside dans les emprunts qu'il fait au patrimoine folklorique russe. RB

TOSCA

Opéra en trois actes de Giacomo Puccini (1858-1924). Livret de Giuseppe Giacosa (1847-1906) et Luigi Illica (1857-1919), d'après la pièce de Victorien Sardou (1831-1908). Première représentation : Rome, Teatro Costanzi, 14 janvier 1900. Interprètes : Hariclea Darclée (Tosca), Enrico De Marchi (Cavaradossi), Eugenio Giraldoni (Scarpia). Direction : Leopoldo Mugnone.

Les personnages : Floria Tosca, célèbre cantatrice (soprano) ; Mario Cavaradossi, peintre (ténor) ; le baron Scarpia, chef de la police (baryton) ; Cesare Angelotti (basse) ; Spoletta, agent de Scarpia (ténor) ; sacristain (basse).

L'intrigue : Rome, juin 1800.
Acte I. L'intérieur de l'église Sant'Andrea della Valle. Cesare Angelotti, consul de l'ex-République romaine, évadé de la forteresse du Château Saint-Ange, se réfugie à l'église Sant'Andrea della Valle, où sa sœur, la marquise Attavanti, lui a laissé des vêtements dans la chapelle de famille. L'artiste Mario Cavaradossi est en train de peindre une image de Marie Madeleine dans laquelle le sacristain croit reconnaître les traits d'une mystérieuse dévote qui fréquente assidûment l'église (il s'agit en réalité de la marquise Attavanti). Lorsque le peintre reste seul, Angelotti sort de sa cachette, car il a reconnu en lui un ami de longue date qui partage ses idées politiques. Mais une voix impérieuse résonne : c'est Tosca, une grande cantatrice maîtresse de Mario. Angelotti se dissimule à nouveau. Tosca, jalouse, a entendu des chuchotements en entrant dans l'église et veut savoir avec qui parlait le peintre ; il affirme qu'il était tout seul et la tranquillise en lui donnant rendez-vous pour la nuit dans leur refuge habituel. Mais les soupçons de Tosca sont renforcés lorsqu'elle remarque que le visage de la sainte représente en fait la marquise Attavanti. Mario se disculpe encore et réussit à l'éloigner. Entretemps, la fuite d'Angelotti a été découverte et l'alarme est donnée par un coup de canon. Cavaradossi, sans hésitation, propose au fugitif de le cacher dans sa maison en dehors de Rome, et ils partent ensemble. Le sacristain vient annoncer la défaite de Napoléon. Les gens se rassemblent dans l'église pour chanter un *Te Deum*. Scarpia, le chef de la police, découvre un éventail appartenant à la marquise d'Attavanti ; la disparition de Cavaradossi, signalée par le sacristain, le persuade que le peintre, dont il connaît les opinions républicaines et la liaison avec Tosca, est impliqué dans l'évasion. Tosca revient à ce moment pour décommander son rendez-vous avec Mario. Comme elle s'étonne de son absence, Scarpia attise sa jalousie en lui montrant l'éventail de la marquise. Furieuse, Tosca part pour la maison de son amant, sûre de le trouver en compagnie de sa rivale ; elle ne s'aperçoit pas qu'elle est suivie par un homme de Scarpia, Spoletta. Tandis que s'élève le *Te Deum*, Scarpia, agenouillé, médite un plan diabolique : faire exécuter le peintre pour faire de Tosca sa maîtresse.
Acte II. La chambre de Scarpia au Palais Farnèse. Attablé pour le repas, il savoure à l'avance la

réussite de son plan. Par la fenêtre ouverte, on entend les rumeurs d'une fête donnée au Palais Farnèse pour célébrer la victoire sur Napoléon, à laquelle Tosca participe. A ce moment, on amène Cavaradossi, arrêté par Spoletta. Il nie toute relation avec Angelotti. Tosca fait irruption, avertie par un message que Scarpia lui a fait parvenir. Cavaradossi n'a que le temps de lui ordonner de se taire avant d'être traîné dans une pièce voisine et soumis à la torture. Tosca, incapable de supporter les hurlements de douleur de son amant, s'effondre et révèle la cachette d'Angelotti. A cet instant, on apporte la nouvelle de la victoire de Napoléon à Marengo ; Cavaradossi, ramené devant Scarpia, entonne un hymne à la liberté. On l'emmène. Tosca supplie Scarpia de le sauver. Spoletta entre en annonçant qu'Angelotti s'est suicidé pour échapper à l'arrestation. Scarpia, implacable, déclare à Tosca que son amant sera exécuté si elle ne se donne pas à lui. Déchirée, Tosca accepte. Scarpia ordonne alors que l'exécution du peintre soit simplement simulée ; en sous-main, il annule toutefois cet ordre. Il signe un laissez-passer pour Tosca et Cavaradossi, puis s'approche de la jeune femme et cherche à l'embrasser. Tosca s'empare d'un couteau sur la table et le poignarde. Puis elle prend les sauf-conduits et s'enfuit.

Acte III. La plate-forme du Château Saint-Ange. A l'aube, Cavaradossi est tiré de sa cellule pour l'exécution. Ses dernières pensées sont pour Tosca *(E lucean le stelle)*. Mais celle-ci apparaît et lui dit que l'exécution ne sera qu'un simulacre. Les amants envisagent déjà leur bonheur futur. Le peloton d'exécution se met en place, et Tosca recommande à Mario de tomber de façon convaincante. On le fusille. Mais lorsque la jeune femme soulève le manteau que les soldats ont jeté sur le corps, elle découvre un cadavre criblé de balles. A cet instant, on entend des cris : on a retrouvé Scarpia assassiné et Spoletta arrive avec ses soldats pour arrêter Tosca. La jeune femme enjambe le parapet et se jette dans le vide en criant : *« Scarpia ! Avanti a Dio ! » (« Scarpia, nous nous retrouverons devant Dieu »).*

■ Avec *Tosca*, Puccini fait une incursion dans le domaine du vérisme : insistance sur les détails réalistes, recherche d'effets théâtraux marqués, exagération des aspects cruels et morbides (par exemple avec le thème de Scarpia). D'autre part, *Tosca* rappelle aussi le ton héroïque et tragique du grand opéra aux antipodes du lyrisme sentimental et intimiste de *La Bohème*. L'invention musicale exubérante (il y a près de soixante thèmes, associés aux personnages et aux situations, qui courent à travers l'opéra à la manière des leitmotive wagnériens) doit s'adapter à l'enchaînement rapide des péripéties et à un dialogue haché. L'atmosphère dramatique de l'œuvre en est renforcée, et ce n'est pas un hasard si *Tosca* compte parmi les opéras les plus populaires de Puccini. La première eut lieu dans une ambiance de très grande tension : l'hostilité de certains cercles artistiques romains faisait craindre un chahut et, pour ne rien arranger, un quart d'heure avant le lever du rideau, la rumeur d'un attentat — rendue plausible par le climat politique et par la présence de la reine dans la salle — se répandit parmi les spectateurs. La qualité de l'interprétation souffrit sans doute de cette agitation. L'accueil de la critique fut froid, voire franchement hostile. Celui du public, au contraire, fut des plus enthousiastes, et l'opéra connut un succès qui ne s'est jamais démenti depuis. RB

LOUISE

Roman musical en quatre actes et cinq tableaux de Gustave Charpentier (1860-1956). Livret du compositeur. Première représentation : Paris, Opéra-Comique, 2 février 1900. Interprètes : Marthe Rioton, M. B. Descamps-Jehin, A. Maréchal, L. Fugère. Direction : André Messager.

LES PERSONNAGES : Louise (soprano) ; la mère (mezzo-soprano) ; Irma (soprano) ; Camille (soprano) ; la petite (soprano) ; le gamin (soprano) ; Elise (soprano) ; la petite chiffonnière (soprano) ; la marchande de journaux (soprano) ; la ramasseuse de vieux papiers (soprano) ; la vendeuse de carottes (soprano) ; la vendeuse d'artichauts (soprano) ; Gertrude (soprano) ; Suzanne (mezzo-soprano) ; Blanche (mezzo-soprano) ; Madeleine (mezzo-soprano) ; Henriette (mezzo-soprano) ; Jeanne (mezzo-soprano) ; la maîtresse (mezzo-soprano) ; la balayeuse (mezzo-soprano) ; la laitière (mezzo-soprano) ; Julien (ténor) ; son père (baryton) ; le noctambule (ténor) ; le Pape des Fous (ténor) ; le chansonnier (ténor) ; le jeune poète (ténor) ; l'étudiant (ténor) ; le premier philosophe (ténor) ; le brocanteur (ténor) ; le ferrailleur (baryton) ; le peintre (baryton) ; le second philosophe (baryton) ; le sculpteur (baryton) ; un agent de police (baryton) ; un autre agent de police (baryton) ; le tonnelier (baryton) ; un chiffonnier (basse) ; un commis (contralto).

L'INTRIGUE : L'action se déroule dans le Paris de 1900.

Acte I. Un modeste appartement. Louise, une jolie grisette, fille d'ouvriers, est amoureuse de Julien, poète et sans le sou. La mère de Louise les trouve en grande discussion, elle à son balcon, lui à la fenêtre de sa mansarde. Elle fait rentrer sa fille, lui reprochant de s'être éprise d'un bohème, d'un bon à rien. Le père de Louise partage l'opinion de sa femme, mais il est plus compréhensif et plus tendre. Louis promet de ne plus revoir Julien. Mais, alors qu'elle lit à son père le journal qui décrit les joies du printemps de Paris, elle éclate en sanglots.

Acte II, première scène. Une rue de Montmartre, à l'aube. La ville s'anime au son d'un lent prélude orchestral intitulé *Paris s'éveille*. On voit passer le dernier noctambule, qui chante *Je suis le plaisir de Paris*, tandis que les personnages de la vie de tous les jours arrivent un à un. Julien est là avec un groupe d'amis. Il se cache en voyant approcher Louise qui se rend à l'atelier de couture, accompagnée de sa mère. Dès que la jeune fille est seule, il apparaît et la supplie de quitter ses parents pour venir vivre avec lui. Louise, qui adore ses parents, hésite.

Deuxième scène. L'atelier de couture. Louise, distraite et mélancolique, se tient à l'écart des bavardages et des chants de ses compagnes. Celles-ci la taquinent un peu. Du dehors, on entend la voix de Julien qui chante une sérénade. Louise prétexte un malaise et sort. Les autres petites-mains la regardent s'éloigner avec le jeune bohème.

Acte III. Louise et Julien vivent à Montmartre. Ils invoquent Paris, la ville des amoureux, pour qu'il protège leur bonheur, leur vie libre et sans souci. Un groupe de bohèmes et de grisettes organise une cérémonie burlesque au cours de laquelle le Pape des Fous couronne Louise « muse de Montmartre ». Au milieu de la fête, apparaît la mère de Louise ; elle supplie sa fille de rentrer à la maison car son père, très affecté par sa fugue, est mourant et demande à la voir. Louise, bouleversée, part en promettant à Julien de revenir ; sa mère s'engage à ne rien faire pour la retenir.

Acte IV. Chez les parents de Louise. Le père de la jeune fille est guéri. Mais les parents retiennent leur fille par tous les moyens, allant jusqu'à l'enfermer, tant ils ont peur de la perdre à nouveau. Louise regarde par la fenêtre Paris qui l'appelle, et pense à sa vie heureuse et insouciante avec Julien. Au cours d'une violente dispute, son père lui dit que le poète ne l'épousera jamais et, comme elle ne veut rien entendre, il la chasse de la maison pour toujours. Louise prend son envol vers le monde qu'elle aime tant, tandis que le vieillard maudit la ville qui lui prend ce qu'il a de plus cher.

■ Le sujet est assez proche de celui de *La Bohème* de Puccini, créé quatre ans plus tôt. Mais la comparaison s'arrête là. *Louise* est l'opéra le plus réussi dans le style naturaliste français ; ce fut un énorme succès, surtout auprès des Parisiens de tous les milieux. Le caractère composite de l'œuvre explique sa popularité : la musique est simple, l'histoire empreinte du réalisme le plus concret, avec une ouverture sur la question sociale et une exaltation de la liberté et des plaisirs qui n'est pas sans évoquer certaines valeurs des anarchistes. L'ouvrage était, à bien des égards, audacieux : on ne montrait pas communément sur la scène des personnages de la rue (ouvriers, midinettes, marchands ambulants), s'interpellant de façon parfois triviale. L'ensemble forme un tableau très vivant du Paris de 1900. Une vive polémique s'ouvrit d'ailleurs entre partisans de la tradition et novateurs à propos de *Louise.* Gustave Charpentier a émaillé l'opéra de références autobiographiques sur sa vie montmartroise et ses idées socialisantes. La fête du troisième acte, en particulier, retrace une cérémonie organisée par Charpentier lui-même pour le couronnement de la muse de Montmartre, une jeune ouvrière : toutes les musiques composées à cette occasion ont été insérées dans *Louise.* Par la suite, Charpentier écrivit un opéra intitulé *Julien*, suite de *Louise*, mais le succès ne se renouvela pas.

MS

PROMÉTHÉE

Opéra en trois actes de Gabriel Fauré (1845-1924). Livret de

Jean Lorrain (1856-1906), d'après un texte d'André Ferdinand Hérold (1791-1833). Première représentation : Béziers, Arènes, 27 août 1900. Interprètes : De Max (Prométhée), Cora Laparcerie (Pandore). Direction : F. Eustace.

L'INTRIGUE : La légende de Prométhée a été quelque peu modifiée avec l'introduction du personnage de Pandore, amoureuse du titan, qui tente de l'empêcher de donner le feu aux hommes. Quand Kratos, Bia et Héphaïstos enchaînent Prométhée au rocher, Pandore tombe inanimée. On la croit morte et son corps est déposé dans une grotte. Les lamentations du titan la réveillent. Hermès offre alors à Pandore un coffret rempli des larmes de Prométhée, qu'elle apporte sur la terre.

■ Cette relecture ambitieuse de la tragédie d'Eschyle est le premier ouvrage de Fauré écrit pour la scène. Il fut créé à ciel ouvert dans les arènes de Béziers. Inaugurant un genre qui sera utilisé par Debussy, Stravinski et bien d'autres, Fauré mêle parties déclamées et parties chantées. Avec les chœurs, le corps de ballet, les acteurs, les chanteurs et les musiciens (il fallait deux orchestres d'instruments à vent et dix-huit harpes), la représentation exigeait sept cents exécutants. Malgré l'aide généreuse d'un riche mécène, Castelbon de Beauhoste, la réalisation de *Prométhée* fut particulièrement difficile. Un violent orage éclata pendant la première représentation, et le spectacle dut être repris le lendemain. Le succès fut triomphal et se confirma lors des exécutions ultérieures. En 1917, Roger Ducasse réduisit *Prométhée* à des proportions plus adaptées à un théâtre normal. Il s'agit de l'œuvre la plus romantique et la plus wagnérienne de Fauré.

MS

TSAR SALTAN (Skazka o Tsare Saltane)

Opéra fantastique en un prologue, quatre actes et six tableaux de Nikolaï Rimsky-Korsakov (1844-1908). Livret de V. I. Belski, d'après une œuvre de Pouchkine. Première représentation : Moscou, théâtre Solodovnikov, 3 novembre 1900.

L'INTRIGUE : Le tsar Saltan, qui avait le choix entre trois sœurs, a épousé la jeune Militrissa, qui s'est promis de lui donner un fils qui sera un héros. Guidon naît en l'absence de son père. Les deux sœurs et Babarissa, leur cousine, jalouses de la jeune mère, en profitent pour se venger. Elles subtilisent un message de la tsarine à son époux, et font croire au tsar que sa femme a donné naissance à un monstre. Saltan a une terrible réaction : il fait enfermer la mère et l'enfant dans un coffre que l'on jette à la mer. Toutefois, après avoir surmonté de multiples dangers, ils finissent par aborder sur une île déserte. Guidon sauve la vie à un cygne. Reconnaissant, celui-ci transforme le lambeau de terre en un endroit merveilleux. Mais, bien qu'il vive dans l'abondance, le jeune héros n'est pas heureux. Il veut connaître le nom de son père. Avec l'aide du cygne, il se rend en secret au palais de Saltan. Le tsar, intrigué par les récits de quelques navigateurs, voudrait visiter l'île étrange, mais les sœurs et Babarissa, qui ont deviné la vérité, l'en dissuadent. Le cygne se transforme alors en princesse et devient l'amie du jeune homme, que son père finit par reconnaître. Militrissa pardonne à son mari, et ensemble ils décident de ne pas châtier les sœurs et Babarissa.

■ *Tsar Saltan* est certainement l'opéra de Rimsky-Korsakov qui fait le plus appel au matériau symphonique. C'est en outre un chef-d'œuvre de fantaisie. Il fut entièrement composé au cours de l'été 1899. Belski lui avait suggéré de réaliser ce travail pour célébrer le centenaire de la naissance de Pouchkine. RB

ZAZA

Opéra en quatre actes de Ruggero Leoncavallo (1858-1919). Livret du compositeur inspiré de la comédie de C. Simon et P. Berton. Première représentation : Milan, Théâtre-Lyrique, 10 novembre 1900. Interprètes : Rosina Storchio, E. Garbin, S. Sanmarco. Direction : Ruggero Leoncavallo.

LES PERSONNAGES : Zaza (soprano) ; Anaïs, sa mère (mezzo-soprano) ; Nathalie, la femme de chambre de Zaza (soprano) ; Floriane, une chanteuse (mezzo-soprano) ; Mme Dufresne (soprano) ; Émile Dufresne (ténor) ; Cascart (baryton) ; Courtois, imprésario (baryton basse) ; Bussy, journaliste (baryton) ; Auguste, aubergiste (ténor) ; Marc, un employé de la maison Dufresne (ténor). Danseurs et danseuses, des chanteurs en costumes, des clowns, des pompiers, des machinistes, divers petits rôles.

L'INTRIGUE : L'action se déroule en France, à la fin du XIXe siècle.

Acte I. A Saint-Étienne, au théâtre de l'Alcazar. Lancée par l'imprésario Cascart, la chanteuse Zaza triomphe dans un théâtre de Saint-Étienne. A la fin d'un spectacle, le journaliste Bussy la présente à un ami parisien, Émile Dufresne, dont Zaza tombe aussitôt amoureuse. Dufresne lui témoigne toutefois beaucoup de froideur. Il confie à son ami qu'il ne veut rien avoir à faire avec les gens du spectacle, qu'il considère comme frivoles et d'un commerce déplaisant. Quelques soirs plus tard, la chanteuse, sous un prétexte quelconque, parvient à rester seule avec lui. Dufresne ne parvient pas à lui résister et lui révèle ses sentiments, qu'il avait réussi jusqu'alors à dissimuler.

Acte II. Dans la maison de Zaza. Dufresne vit avec Zaza depuis trois mois. Mais il doit partir pour l'Amérique, où il restera assez longtemps. Un jour Cascart, de retour de Paris, confie à la jeune femme qu'il y a vu Dufresne en compagnie d'une dame très élégante. Il lui conseille de se résigner et de reprendre sa carrière, abandonnée pour un amour précaire. Pleine de colère et de jalousie, Zaza ne l'écoute pas et part aussitôt pour Paris.

Acte III. Dans la maison de Dufresne. Émile Dufresne, marié et père d'une petite fille, s'apprête à partir pour l'Amérique avec toute sa famille. Conscient de ses devoirs, il sait que la seule façon

de rompre sa liaison avec Zaza est de quitter la France. Il vient à peine de sortir avec son épouse qu'une femme de chambre fait entrer Zaza, qui s'est fait passer pour une amie de la maîtresse de maison. Une lettre abandonnée sur une écritoire donne aussitôt à la jeune femme une vision exacte de la situation. Sa découverte est encore plus pénible lorsque la fille de Dufresne entre, gracieuse et rayonnante de bonheur. Zaza, qui n'a pas le courage de détruire le bonheur d'une famille, s'en va, désespérée.
Acte IV. Dans la maison de Zaza. La chanteuse est revenue à Saint-Étienne. L'imprésario Courtois lui offre un contrat important pour sa carrière. Mais elle ne veut rien savoir, et refuse de reprendre son travail tant qu'elle n'aura pas obtenu une dernière entrevue avec son amant. Leur rencontre est orageuse. Zaza révèle à Dufresne la manière dont elle a appris la vérité. Puis, irritée par l'attitude de Dufresne, elle ment et lui affirme qu'elle a mis sa femme au courant de leur liaison. La colère du journaliste devient incontrôlable. Il insulte Zaza, clame son amour pour sa femme et son mépris pour une relation uniquement fondée sur une attirance sensuelle. Face à la mesquinerie de l'homme qu'elle aime, Zaza retrouve sa dignité et lui avoue qu'elle a menti : sa femme ne sait rien, et il peut donc retourner tranquillement auprès d'elle. Restée seule, elle s'abandonne à sa douleur.

■ C'est l'opéra de Leoncavallo qui a obtenu le plus de succès après *Paillasse*. Il est souvent repris en Italie, surtout quand on dispose d'une cantatrice également bonne comédienne. La grande interprète du rôle fut Mafalda Favero. MSM

LES MASQUES (Le Maschere)

Comédie lyrique et joyeuse en trois actes de Pietro Mascagni (1863-1945). Livret de Luigi Illica (1857-1919). La première représentation de l'opéra eut lieu simultanément dans six villes italiennes, le 17 janvier 1901. La direction était assurée par Toscanini à Milan, et par l'auteur lui-même à Rome.

L'INTRIGUE : Le jeune Florindo est épris de Rosaura, la fille de Pantalone, qui lui rend son amour. Mais son père a décidé de la marier au capitaine Spaventa. Colombina, la servante du docteur Graziano, et Brighella veulent favoriser l'idylle des jeunes gens. Pour cela, Brighella leur procure une poudre qu'ils versent dans le vin le jour des noces : il s'ensuit une confusion indescriptible. Le contrat de mariage ne peut être conclu. Les invités, étourdis, errent d'un pas mal assuré. Avec l'aide d'Arlequin, le serviteur de Spaventa, les amoureux, que Colombine soutient toujours, tentent de faire échouer définitivement le mariage. Arlequin leur promet de leur remettre une valise qui contient des documents compromettants pour le capitaine. Mais la même valise est déjà tombée entre les mains du docteur Graziano. En compagnie de Brighella, déguisé en gendarme, il dénonce Spaventa comme escroc et bigame.

Pantalone finit alors par se résigner et accorde la main de Rosaura à Florindo.

■ L'opéra, dans lequel Mascagni entendait « reprendre le style de Cimarosa et de Rossini » et écrire une musique « agréable, facile à retenir, à l'image du sujet », fut accueilli favorablement à Rome (où l'auteur l'avait dirigé lui-même), surtout après la première, mais fut un échec dans les autres villes d'Italie (Milan, Turin, Gênes, Venise, Vérone), où il avait été représenté simultanément. Cet échec fut peut-être dû à l'attente excessive du public et à une certaine exagération dans le lancement publicitaire. La critique reconnut toutefois peu à peu sa verve, sa fraîcheur, et le caractère populaire de la musique. AB

ROUSSALKA
(Rusalka)

Conte lyrique en trois actes d'Anton Dvořák (1841-1904). Livret de Jaroslav Kvapil. Première représentation : Prague, Théâtre national tchèque, 31 mars 1901.

L'INTRIGUE : C'est l'histoire d'une ondine (Roussalka), qui s'éprend d'un prince. Abandonnée par celui qu'elle aime, elle disparaît dans les eaux. Le prince, repentant, la suit et meurt dans ses bras.

■ L'opéra, tiré d'un conte populaire, eut beaucoup de succès dans les pays slaves. C'est l'opéra le plus connu des neuf qu'a écrits Dvořák. Il est encore souvent représenté aujourd'hui en Tchécoslovaquie. MS

GRISÉLIDIS

Opéra en trois actes de Jules Massenet (1842-1912). Livret de Paul Armand de Silvestre (1837-1901) et d'Eugène Morand, tiré d'une légende médiévale. Première représentation : Paris, Opéra-Comique, 20 novembre 1901.

L'INTRIGUE : Le marquis de Saluce, appelé par la croisade en Terre sainte, a dû laisser au pays son fils Loys et sa jeune et belle épouse Grisélidis. N'ayant aucun doute sur la fidélité de son épouse, il parie avec le diable qu'il n'arrivera pas à attenter à sa vertu. Le diable essaie en vain de la tenter. Finalement, furieux de sa défaite, il se venge en enlevant Loys. Puis, après s'être déguisé en pirate, il propose à la malheureuse Grisélidis de venir chercher son fils à bord de son navire. Mais le marquis est de retour. Le diable refusant de rendre Loys, ses parents, désespérés, implorent sainte Agnès, leur protectrice. Tandis qu'ils prient devant l'autel de la sainte, le triptyque s'ouvre, découvrant leur fils endormi aux pieds de sainte Agnès.

■ La légende dont A. de Silvestre et E. Morand ont tiré le livret est, semble-t-il, apparue pour la première fois dans *Le Fresne*, un des *Lais* de Marie de France. Boccace fit ensuite de Grisélidis l'héroïne d'une nouvelle du *Décameron*, et Pétrarque reprit l'histoire, en latin, ce qui permit sa diffusion dans toute l'Europe. Chaucer s'est probablement servi du texte de Pétrarque pour écrire le *Clerkes tale.* Au plan musical, on peut observer que *Grisélidis*, une œuvre mineure de Massenet, outre une ligne mélodique gracieuse et une heureuse cohérence entre le texte littéraire et l'écriture musicale, ne manque pas d'un certain charme, dû surtout au lyrisme diffus dont elle est empreinte. GPa

LE FEU DE LA SAINT-JEAN (Feuersnot)

Singgedicht *en un acte de Richard Strauss (1864-1949). Livret de Ernst von Wolzogen (1855-1934). Première représentation : Dresde, Königliches Opernhaus, 21 novembre 1901. Interprètes : Annie Krull, Karl Scheidemantel. Direction : Ernst von Schuch.*

L'intrigue : Un soir de la Saint-Jean à Munich, en des temps légendaires. Les enfants du pays passent de maison en maison pour recueillir le bois pour la fête du feu célébrée, selon une tradition ancestrale, lors du solstice d'été. Diemut, la fille du bourgmestre, descend le bois dans un panier relié à une poulie. Kunrad, un alchimiste, sort de la maison d'en face. Diemut apparaît sur le pas de la porte. Une passion irrésistible naît au moment où ils se rencontrent. Kunrad se précipite sur Diemut et l'embrasse, à la stupeur générale. Resté seul, Kunrad prie la jeune fille, qu'il aperçoit derrière une fenêtre, de le laisser entrer chez elle. Diemut, qui souhaite punir publiquement ce prétendant trop impétueux, l'invite à monter dans le panier, le soulève et l'abandonne en l'air. Les gens se rassemblent sur la place pour se moquer de Kunrad. Mais à la suite d'une invocation mystérieuse de l'alchimiste, tous les feux de la ville s'éteignent. Puis, d'un seul bond, Kunrad atteint le balcon de sa bien-aimée. Après avoir reproché à la foule de ne pas comprendre l'irrésistible force fécondante de l'amour, il annonce que la privation de feu (Feuersnot) ne prendra fin que lorsque Diemut lui aura cédé. La foule implore Diemut (qui n'attend que cela) de se soumettre à la volonté du sorcier. Kunrad entre dans la chambre de la jeune fille. Les feux se rallument. La foule célèbre le miracle de l'union de l'homme et de la femme.

■ *Feuersnot* fit beaucoup de bruit lors de sa création, en raison du sujet osé, et à cause des nombreuses allusions aux difficultés rencontrées à Munich par Wagner, et par Richard Strauss lui-même. La musique est un curieux mélange de styles où l'on décèle à la fois l'influence de Wagner et de contemporains, comme Mahler et Bruckner, mais où l'on trouve aussi d'admirables intuitions de ce que seront les chefs-d'œuvre du compositeur. RB

LE JONGLEUR DE NOTRE-DAME

Miracle en trois actes de Jules Massenet (1842-1912). Livret de M. Léna. Première représenta-

tion : Monte-Carlo, théâtre du Casino, 18 février 1902. Direction : Raoul Gunsbourg.

LES PERSONNAGES : Jean le jongleur (ténor) ; frère Boniface, cuisinier de l'abbaye (baryton) ; le prieur (basse) ; un moine poète (ténor) ; un moine musicien (baryton) ; un moine peintre (baryton) ; un moine sculpteur (basse) ; deux anges (soprano et mezzo-soprano) ; un moine conseiller (baryton) ; un bel esprit (baryton) ; un ivrogne (basse) ; un chevalier (ténor) ; une voix (basse) ; la Vierge (rôle muet). Moines, chevaliers, bourgeois, paysans, marchands.

L'INTRIGUE : L'action se déroule au XIVe siècle.
Acte I. La place de Cluny, un jour de marché. Jean le jongleur va présenter son spectacle et chante l'*Alleluia du vin* pour attirer les badauds. Le prieur de l'abbaye apparaît, courroucé, et ordonne à la foule de se disperser. Jean reste seul, honteux et déconfit. Le prieur le tance sévèrement pour sa chanson blasphématoire et Jean, contrit, demande pardon en pleurant. Le prieur, ému, lui dit que la seule façon d'obtenir le pardon de la Vierge est d'abandonner son métier de jongleur. Jean réfléchit un moment, mais l'idée de perdre sa belle liberté ne lui sourit guère, jusqu'à l'arrivée de frère Boniface, le cuisinier, qui lui demande de l'aider à préparer le repas. Jean, à la vue de tant de bonnes choses, se dit que la vie monacale n'est peut-être pas si triste. Les moines l'invitent à partager leur repas.
Acte II. Dans l'abbaye. Jean s'aperçoit que toutes les activités artistiques sont encouragées au couvent. Le prieur félicite le moine poète et le moine musicien pour un cantique écrit en l'honneur de la Vierge, puis se tourne vers Jean et lui demande de chanter. Jean refuse, avouant ne connaître que des chansonnettes profanes et ne pas se sentir digne de louer la Sainte Vierge. Il préfère s'en aller. Mais les moines le retiennent : il faut, lui disent-ils, apprendre les arts propres à célébrer la gloire de Dieu. Frère Boniface le rassure en lui disant que la Madone est pleine d'indulgence pour les humbles et les ignorants comme lui, et qu'elle accueille aussi bien les jongleurs que les rois *(Fleurissait une rose)*. Jean invoque alors la Sainte Vierge avec ferveur.
Acte III. La chapelle de l'abbaye. Les moines chantent une hymne à la Vierge Marie. Jean, qui a revêtu la bure, reste seul et prie la Madone : il lui demande la permission de lui rendre hommage en jonglant pour elle, la seule chose qu'il sache faire. Il s'habille donc en jongleur et commence son numéro, observé sans le savoir par le moine peintre qui, le croyant fou, va chercher le prieur. Ils reviennent accompagnés de Boniface, qui les empêche d'intervenir. Comme ils se disputent sur la question de l'humilité et de la décence d'une telle attitude, un miracle se produit. La statue de la Madone bénit le jongleur et sourit, tandis que s'élève un chœur céleste. Les moines regardent, éblouis, tandis que Jean, qui ne s'est aperçu de rien, vient humblement s'excuser auprès du prieur pour son spectacle improvisé. Mais soudain, une auréole apparaît au-dessus de sa tête et Jean tombe mort dans les bras des moines.

■ Bien qu'il s'agisse d'une œuvre mineure de Massenet, *Le jongleur de Notre-Dame* ne manque pas de qualités. On y retrouve toute la grâce mélodique, tout le lyrisme du compositeur, malgré l'originalité du thème traité. La musique élégiaque exprime une profonde religiosité, qui relègue au second plan l'aspect dramatique de l'œuvre. C'est sans doute à cause de ce charme particulier que *Le jongleur de Notre-Dame* est encore apprécié aujourd'hui.

GPa

GERMANIA

Opéra en un prologue, deux tableaux et un épilogue d'Alberto Franchetti (1860-1942). Livret de Luigi Illica (1857-1919). Première représentation : Milan, théâtre de la Scala, 11 mars 1902. Interprètes : Enrico Caruso, Mario Sommarco, A. Pinto, J. Bathory. Direction : Arturo Toscanini.

Les personnages : Giovanni Filippo Palm (basse) ; Federico Loewe, étudiant (ténor) ; Carlo Worms, étudiant (baryton) ; Crisogono, étudiant (baryton) ; Ricke (soprano) ; Jane, sa sœur (mezzo-soprano) ; Lene Armuth, vieille mendiante (mezzo-soprano) ; Jebbel, son neveu (soprano) ; Stapps, le pasteur (basse) ; Luigi Adolfo Guglielmo Lützow (basse) ; Carlo Teodoro Körner (ténor) ; Mme Hedvige (mezzo-soprano) ; le gardien de troupeaux Peters (basse) ; le chef de la police (basse) ; une femme (contralto) ; un jeune homme (contralto). Étudiants, soldats, policiers, membres du « Tugendbund », du « Louise-Bund » et des « Chevaliers Noirs ».

L'intrigue :
Prologue. Un vieux moulin où des étudiants en lutte contre l'occupation de l'Allemagne par Napoléon ont installé une imprimerie clandestine. Ricke est inquiète car elle est sans nouvelles de son frère et de son fiancé, Federico. Mais Worms reçoit une lettre de ce dernier qui annonce son prochain retour et la constitution du « Tugendbund » (Union des étudiants patriotes). Worms a trahi la confiance de son ami en séduisant sa fiancée pendant son absence et il est plein de dégoût de lui-même. Ricke s'arrange pour rester seule avec lui et lui déclare qu'elle va tout avouer à Federico. Mais Worms la supplie de se taire pour ne pas briser leur amitié ; s'ils se battent, l'un d'eux sera tué, et ce sera un combattant de moins pour la patrie. Ricke promet de ne rien dire. Federico revient et annonce à la jeune fille la mort de son frère. Puis la police fait une descente et ils s'enfuient.

Premier tableau. Une maisonnette en Forêt Noire. Federico et Ricke sont mariés par le pasteur. Les étudiants se sont dispersés après l'échec de leur campagne contre les Français. Worms arrive, maigre et épuisé, évadé d'un camp de prisonniers. Quand il apprend que Federico et Ricke viennent de se marier, il insiste pour repartir immédiatement, sans même se reposer. Il donne rendez-vous à Federico à Königsberg. Comme celui-ci sort pour lui indiquer le chemin, Ricke, ne supportant plus le mensonge, décide de tout

avouer ; elle écrit un mot à Federico et s'enfuit. Le jeune homme, en rentrant, interroge la sœur de Ricke, Jane, et comprend la vérité.
Deuxième tableau. Une cave où se réunit une société secrète, à Königsberg. On introduit de nouveaux membres qui doivent prêter serment. Un homme accuse Worms de bassesse. Il se démasque : c'est Federico. Worms ne se défend pas. Il promet de se racheter en mourant au combat.
Épilogue. La plaine de Leipzig, après la bataille. Ricke cherche Federico. Elle le découvre, blessé. Il demande faiblement qui a gagné. En entendant le mot Allemagne, il reprend conscience et reconnaît sa femme. Il lui demande alors de pardonner à Worms et de le retrouver sur le champ de bataille. Elle l'aperçoit, mort, et recouvre son corps du drapeau qu'il tenait serré sur sa poitrine. Puis elle revient auprès de Federico, qui meurt dans ses bras, après avoir appris que sa patrie est victorieuse.

■ Le goût des sonorités éclatantes et des effets spectaculaires trahit une forte influence allemande dans cet opéra. Malgré un certain souffle romantique, les accents réalistes permettent de classer le compositeur parmi les membres de la nouvelle école italienne vériste. L'œuvre connut un succès honorable lors de sa création.
MS

LES AMOURS D'INÈS (Los amores de la Ines)

Zarzuela *de Manuel de Falla (1876-1946). Livret de E. Dugi. Première représentation : Théâtre-Comique de Madrid, 12 avril 1902.*

■ C'est l'une des cinq *zarzuelas* écrites par Manuel de Falla en collaboration avec A. Vives, spécialiste de ce genre typiquement espagnol. Seul *Los amores de la Ines* fut joué sur scène. Des passages d'une autre *zarzuela, La casa de Tocarme Roque,* furent utilisés dans *El sombrero de tres picos.*
MS

PELLÉAS ET MÉLISANDE

Opéra en cinq actes de Claude Debussy (1862-1918). Texte adapté de la pièce de Maurice Maeterlinck (1862-1949). Première représentation : Paris, Opéra-Comique, 30 avril 1902. Interprètes : Mary Garden (Mélisande), Jean Périer (Pelléas), Gerville-Réache (Geneviève), Hector Dufranne (Golaud), Félix Vieulle (Arkel), C. Blondin (Yniold), Viguié (le médecin). Direction : André Messager.

LES PERSONNAGES : Arkel, roi d'Allemagne (basse) ; Geneviève, sa fille, mère de Pelléas et de Golaud (contralto) ; Pelléas (baryton-Martin, aigu) ; Golaud, son demi-frère (baryton) ; Mélisande (soprano) ; le petit Yniod, fils de Golaud (soprano) ; un médecin (basse). Serviteurs, gens du peuple, chœurs des marins.

L'INTRIGUE : L'action se déroule dans un Moyen Age mythique, au pays imaginaire d'Allemonde. Acte I, première scène. Golaud, petit-fils du roi Arkel, rencontre, au cours d'une chasse en forêt, une mystérieuse et ravissante jeune fille, pleurant près d'une fontaine. Mélisande — c'est son nom — ne sait rien, ni qui elle est, ni pourquoi elle pleure. Golaud l'emmène avec lui et elle accepte de l'épouser.

Deuxième scène. Une salle du château. Geneviève, mère de Pelléas et de Golaud, lit à son père une lettre de Golaud qui lui demande la permission de ramener au château sa jeune épouse Mélisande. Il arrivera dans trois jours et ne franchira le seuil du château que si une lampe allumée au sommet de la tour lui montre que Mélisande est la bienvenue. Arkel se réjouit de cette nouvelle, car Golaud est resté veuf avec un petit garçon et il est bon qu'il se remarie.

Troisième scène. Par un soir d'orage, Pelléas accueille son frère et sa jeune femme à la porte du château. Golaud lui demande de conduire Mélisande à ses appartements tandis qu'il va chercher le petit Yniold. Pelléas annonce qu'il partira le lendemain. Mélisande en est attristée.

Acte II, première scène. Dans le parc. Pelléas conduit Mélisande auprès d'une vieille fontaine qu'on dit enchantée : son eau, selon la légende, peut rendre la vue aux aveugles. Mélisande joue distraitement avec l'anneau que Golaud lui a donné, et qui possède un mystérieux pouvoir. Soudain, l'anneau lui échappe et tombe dans la fontaine.

Deuxième scène. Une chambre dans le château. Golaud est blessé, car il est tombé de cheval au cours de la chasse. Mélisande le soigne tendrement. Il s'aperçoit que l'anneau n'est plus à son doigt et s'en inquiète. Mélisande dit l'avoir perdu dans une grotte, au bord de la mer. Golaud lui demande d'aller le chercher immédiatement et, comme il fait nuit, d'emmener Pelléas pour la protéger.

Troisième scène. Les jeunes gens arrivent devant la grotte. Au clair de lune, ils aperçoivent trois vieux mendiants endormis. Mélisande recule effrayée, mais Pelléas lui dit : « Ne les réveillons pas, car ils dorment profondément. »

Acte III, première scène. La tour du château. Mélisande chante à la fenêtre, ses longs cheveux défaits. Pelléas, charmé, s'approche. Elle se penche vers lui et il est caressé par sa chevelure, qu'il retient un moment contre son visage. Golaud les surprend et ressent une pointe de jalousie.

Deuxième scène. Les caves du château. Golaud montre à son frère les sombres galeries qui s'enfoncent dans le rocher sous le château. Ils quittent à la hâte ce lieu sinistre.

Troisième scène. L'entrée du souterrain. Golaud dit à son frère d'éviter la compagnie de Mélisande.

Quatrième scène. Devant le château. Golaud, rongé de jalousie, demande au petit Yniold ce que font Pelléas et Mélisande quand ils sont ensemble ; puis il le soulève à hauteur de la fenêtre pour les épier : l'enfant dit qu'ils sont assis en silence et, effrayé, éclate en sanglots.

Acte IV, première scène. Pelléas a décidé de partir et demande à Mélisande de la revoir une dernière fois près de la fontaine. Golaud fait irruption et, sans explications, saisit Mélisande par les cheveux et la jette

brutalement à terre. Le vieux roi Arkel, qui assiste, impuissant, à la scène, pense que Golaud est ivre.
Deuxième scène. Yniold joue près de la fontaine, cherchant une bille d'or. Quand il s'éloigne, Pelléas et Mélisande se rencontrent. Ils s'avouent leur amour et s'étreignent pour la première et la dernière fois. Mais Golaud, caché dans l'ombre, surgit à ce moment : il poignarde Pelléas et blesse Mélisande, qui s'enfuit.
Acte V. Mélisande gît sur son lit, à bout de forces, venant de donner naissance à une fille. Golaud, rongé de remords mais toujours jaloux, demande à sa femme si son amour pour Pelléas était coupable. Mais Mélisande expire sans répondre, après avoir regardé tristement son enfant. « L'âme humaine est bien silencieuse », conclut Arkel.

■ *Pelléas et Mélisande* est le seul opéra de Debussy, et sans doute un chef-d'œuvre. Mais c'est aussi, d'un point de vue plus général, l'une des plus belles œuvres lyriques jamais écrites. En 1892, déjà, lors de la création du drame de Maeterlinck, Debussy avait esquissé la musique de certains personnages : il avait enfin trouvé le texte qu'il cherchait. L'ouvrage de Maeterlinck, purement symboliste, correspondait parfaitement aux penchants du compositeur français, très influencé par Verlaine et par le cercle de Mallarmé. Debussy écrivit avec *Pelléas* son œuvre la plus impressionniste ou, du moins, celle où les principes de l'impressionnisme sont exprimés de la façon le plus évidente. Le travail de composition fut long : de 1893 à 1901. Lorsqu'il fut enfin achevé, Albert Carré, le directeur de l'Opéra-Comique, resta perplexe devant la nouveauté du langage et la structure dramatique dans son ensemble. C'est grâce à l'insistance d'André Messager, chef d'orchestre attitré de l'Opéra-Comique, que *Pelléas et Mélisande* put malgré tout être joué. En gage de reconnaissance, Debussy lui dédia l'opéra, ainsi qu'à Georges Hartmann. La première représentation eut lieu dans une atmosphère tendue. Maeterlinck avait rompu avec Debussy et l'Opéra-Comique après qu'on eut confié le rôle de Mélisande à Mary Garden plutôt qu'à sa femme, la cantatrice Georgette Leblanc, et n'accepta de voir l'opéra que dix-huit ans plus tard, en janvier 1920, à New York. Les interprètes de la première étaient tous excellents, ce qui ne désarma pas les adversaires du nouveau style musical. L'œuvre fut accueillie par des sifflets, des rires dans la salle, et éreintée par la presse. En revanche, les jeunes compositeurs comme Ravel, Dukas, Satie et bien d'autres, prirent ardemment fait et cause pour Debussy, qui reçut également le soutien du critique du *Temps*, P. Lalo. La fermeté des défenseurs de *Pelléas*, et du chef André Messager, permit de tenir quatorze représentations et, peu à peu, les critiques s'apaisèrent. D'autres polémiques éclatèrent toutefois quand l'opéra commença à faire le tour du monde, avant d'être progressivement accepté, puis définitivement classé au rang des chefs-d'œuvre. Mais ce succès arraché de haute lutte avait épuisé Debussy, qui ne composa plus jamais pour la scène. MS

ADRIENNE LECOUVREUR (Adriana Lecouvreur)

Opéra en quatre actes de Francesco Cilea (1866-1950). Livret d'Arturo Colautti (1851-1914), d'après la pièce d'Eugène Scribe (1791-1861) et Ernest Legouvé (1807-1903), Adrienne Lecouvreur *(1849). Première représentation : Milan, Théâtre-Lyrique, 6 novembre 1902. Interprètes : Angelica Pandolfini, Edvige Ghibaudo, Enrico Caruso, Giuseppe De Luca, E. Sottalana, E. Giordani. Direction : Cleofonte Campanini.*

Les personnages : Adrienne Lecouvreur, actrice de la Comédie-Française (soprano) ; la princesse de Bouillon (mezzo-soprano) ; Maurice, comte de Saxe (ténor) ; Michonnet, metteur en scène de la Comédie-Française (baryton) ; le prince de Bouillon (basse) ; l'abbé de Chazeuil (ténor) ; mademoiselle Jouvenot, sociétaire de la Comédie-Française (soprano) ; mademoiselle Dangeville, sociétaire (mezzo-soprano) ; Quinault, sociétaire (basse) ; Poisson, sociétaire (ténor) ; un majordome (ténor) ; une femme de chambre (rôle muet). Personnages du ballet : Pâris, Mercure, Junon, Pallas, Vénus, Iris, amazones, amours.

L'intrigue : L'action se déroule à Paris, en 1730.
Acte I. Le foyer de la Comédie-Française. La représentation de *Bajazet*, de Racine, va commencer. Michonnet, le metteur en scène, aide les uns et les autres à se préparer. Entre le prince de Bouillon, amant de la célèbre actrice Duclos, suivi de l'abbé de Chazeuil. Adrienne Lecouvreur apparaît à son tour, prête pour l'entrée en scène, et répétant son rôle, tandis que la Duclos s'attarde dans sa loge pour écrire un billet. Le prince, jaloux, demande à l'abbé d'intercepter le message. Entre-temps, Michonnet, resté seul avec Adrienne, s'apprête à lui faire une déclaration lorsqu'elle l'arrête en lui racontant qu'elle est amoureuse d'un jeune officier de la suite du comte Maurice de Saxe. Elle ignore qu'il s'agit en fait du comte en personne. Maurice arrive pour assister au spectacle. Adrienne lui offre un bouquet de violettes. Pendant ce temps, le prince de Bouillon s'est aperçu que le billet écrit par sa maîtresse est adressé au comte de Saxe et lui fixe un rendez-vous dans un pavillon que le prince lui a lui-même offert. De dépit, il décide d'inviter toute une compagnie à dîner après le spectacle dans ce pavillon. Il ignore toutefois que le billet a été envoyé pour le compte de la princesse, sa femme, qui depuis quelque temps reçoit ses amis de cette façon. Maurice, abusé par les prétendus motifs politiques invoqués dans la lettre, accepte le rendez-vous. Le prince, de son côté, a invité Adrienne et lui a remis une clef du pavillon.
Acte II. Un salon du pavillon de la Duclos. La princesse de Bouillon attend Maurice de Saxe, dont elle est éprise. Il se présente, intéressé uniquement par l'enjeu politique d'une telle rencontre : en effet, il est actuellement prétendant au trône de Pologne. La princesse sent qu'il pense à une autre femme et, pour la tranquilliser, il lui offre le bouquet de violettes d'Adrienne. Le prince arrive à ce moment avec ses invités, et la princesse doit se réfu-

gier dans une pièce voisine. Adrienne apprend la véritable identité de Maurice. Celui-ci lui explique la situation et lui demande de faciliter la fuite discrète d'une dame qui se trouve dans le salon attenant et dont il doit taire le nom. Adrienne donne la clef du pavillon à la princesse et, malgré le peu de paroles échangées, les deux femmes comprennent qu'elles sont rivales.

Acte III. Une réception à l'hôtel du prince de Bouillon. La princesse accueille les invités et cherche à reconnaître la femme qui lui a permis de quitter le pavillon, qu'elle n'a vue que dans la pénombre. Elle se doute qu'il s'agit d'Adrienne et le vérifie en disant que le comte de Saxe vient d'être blessé en duel : la réaction d'Adrienne confirme son intuition. A l'apparition de Maurice, sain et sauf, Adrienne réalise à son tour que la femme du pavillon devait être la princesse. Après un spectacle de ballets, une vive prise de bec éclate entre les rivales. La princesse fait allusion à la « nouvelle amie » du comte, tandis qu'Adrienne montre à tout le monde un bracelet perdu par une dame de la bonne société fuyant un rendez-vous secret. Le prince reconnaît le bijou, tandis que la princesse, dans la consternation générale, prie Adrienne de réciter des vers sur un ton insolent. Adrienne récite le monologue de *Phèdre* et, se tournant vers la princesse, lui lance à la face l'invective finale.

Acte IV. Un salon chez Adrienne Lecouvreur. C'est la fête de la jeune actrice et ses amis sont venus la féliciter. On apporte, de la part de Maurice, un coffret contenant le bouquet de violettes, sèches à présent. En réalité, c'est la princesse de Bouillon qui les envoie, et elles sont imprégnées de poison. Adrienne respire leur parfum et est prise de malaise. Quand Maurice vient la demander en mariage, son bonheur est de courte durée : elle expire dans les bras de son bien-aimé.

■ L'héroïne de l'opéra est un personnage historique ; elle fut l'une des grandes interprètes de Corneille et de Racine, et une amie de Voltaire ; elle vécut de 1692 à 1730. Quand Cilea décida de mettre en musique *Adrienne Lecouvreur*, il avait déjà à son actif *L'Arlésienne*, qui avait obtenu un grand succès. *Adrienne Lecouvreur* ouvrit la saison du Théâtre-Lyrique de Milan où l'œuvre fut très bien accueillie, puis connut une rapide diffusion à l'étranger. Quand le succès commença à diminuer, Cilea reprit la partition en la raccourcissant un peu. Cette version définitive fut créée au théâtre San Carlo de Naples en 1930, et fut partout saluée comme une grande réussite. Elle reste, pour beaucoup, le chef-d'œuvre de Cilea. MS

L'ÉTRANGER

Opéra en deux actes de Vincent d'Indy (1851-1931). Livret du compositeur. Première représentation : Bruxelles, théâtre de la Monnaie, 7 janvier 1903.

L'INTRIGUE : L'Étranger est un personnage qui a tout sacrifié pour son idéal, sans comprendre que l'effort humain est inutile s'il n'est motivé que par un individualisme égoïste. Il navigue sans fin sur la mer qu'il parvient toujours à dominer grâce à une émeraude qui avait appartenu à l'apôtre Paul. L'Étranger aime Vie, une jeune fille qui ne comprend pas son attitude froide et insensible. Elle essaie de le rendre jaloux et parvient à lui faire révéler le secret de l'émeraude. Mais la pierre perd aussitôt son pouvoir magique. Vie la jette alors à la mer, déchaînant ainsi une tempête qui renverse une barque. Personne n'ose secourir les naufragés. L'Étranger et Vie affrontent courageusement la mer, mais l'embarcation dans laquelle ils sont montés est engloutie par les flots.

■ On décèle dans *L'Étranger* des réminiscences wagnériennes, qu'il s'agisse de l'atmosphère mystérieuse et symbolique *(Le vaisseau fantôme)* ou du mysticisme romantique *(Lohengrin)*. D'Indy s'est peut-être inspiré également du personnage clef du *Brand* d'Ibsen. La musique souffre toutefois de l'ambition des problèmes psychologiques exposés. Les meilleures pages se trouvent dans l'acte II, où d'Indy s'abandonne à sa veine créative. Debussy émit cependant sur *L'Étranger* un jugement assez positif : « Cet opéra est une admirable leçon pour ceux qui croient à cette brutale esthétique d'importation, qui consiste à étouffer la musique sous des amas de vérisme. » AB

OCEANA

Comédie fantastique en trois actes d'Antonio Smareglia (1854-1929). Livret de Silvio Benco (1874-1949). Première représentation : Milan, théâtre de la Scala, 22 juin 1903.

L'INTRIGUE : Nersa est une jeune nomade recueillie par le vieux chef de tribu Vadar. Celui-ci s'est épris d'elle, mais Nersa ne songe qu'à un idéal qu'elle-même ne peut définir : l'appel de la Nature, de l'inconnu, de l'infini. Comme elle chante son rêve, elle est en butte aux brimades de ses compagnes, lorsque apparaît Ers, génie marin, qui la protège : il est le messager du dieu Init, qui cherche une épouse, et Nersa se laisse convaincre de partir avec lui. Vadar l'en dissuade ; pour sa punition, la jeune fille est conduite au bord de la mer où elle doit rester trois jours et trois nuits sous la garde des génies marins. Le dieu Init en tombe amoureux, mais Vadar vient la rechercher et elle est décidée à le suivre et à l'épouser. Pourtant, le jour de ses noces, Nersa est reprise de sa passion pour l'inconnu. Le dieu Init apparaît et Vadar lui cède la jeune rebelle ; il lui demande une grâce : qu'il lui fasse perdre la raison pour qu'il ne ressente pas trop cruellement la douleur de l'avoir perdue. Le dieu l'exauce.

■ *Oceana,* dont la première fut dirigée par Toscanini, est la meilleure œuvre de Smareglia. La pauvreté du livret nuit toutefois à la qualité de l'opéra, qui se présente comme une succession de tableaux sans grand lien entre eux. La musique elle-même est assez monotone, sans véritable distinction entre moments lyriques et moments dramatiques :

l'ensemble manque singulièrement de vie. RB

BASSES TERRES
(Tiefland)

Opéra en un prologue et trois actes d'Eugen d'Albert (1864-1932). Livret de Rudolf Lothar d'après une comédie catalane d'Angel Guimera, Terra Baixa *(1896). Première représentation : Prague, Théâtre allemand, 15 novembre 1903.*

L'INTRIGUE : Pedro est un pauvre berger un peu fruste qui a du monde une vision tranchée : le bien et le mal, les moutons et le loup. De son côté, Sebastiano, l'homme des basses terres, propriétaire d'un domaine qui s'étend à perte de vue, est égoïste et dominateur et se sent des droits sur l'âme même des gens qui travaillent pour lui. Il veut marier Pedro à Martha, une pauvre fille ramassée affamée au bord de la route et dont il a fait sa maîtresse. Il pense ainsi l'avoir toujours à sa disposition, tout en faisant taire les mauvaises langues qui risquent d'empêcher son mariage avec une riche héritière. Martha est en butte aux persécutions des gens du village. Lorsque Pedro apprend la vérité, il tue Sebastiano sans remords, comme il supprime les loups qui menacent ses moutons. Puis il retourne dans les montagnes avec son troupeau, emmenant avec lui la pauvre Martha, qui veut fuir son passé.

■ Il s'agit de l'œuvre la plus populaire d'Albert, la seule dont l'action se situe hors d'Allemagne. MS

LES FEMMES CURIEUSES
(Le donne curiose)

Comédie musicale en trois actes d'Ermanno Wolf-Ferrari (1876-1948). Livret de L. Sugana, d'après la comédie de Goldoni (1707-1793). Première représentation : Munich, Residenztheater, 27 novembre 1903. Interprètes : Bender, Huhn, Tordek, Koppe, Brodersen, Bosetti, Breuer, Sieglitz. Direction : Ermanno Wolf-Ferrari.

L'INTRIGUE : Des Vénitiens ont loué une maison pour s'y réunir tranquillement sans être dérangés par leurs épouses un peu trop envahissantes. Mais celles-ci soupçonnent qu'ils y reçoivent en fait d'autres femmes. La soubrette Colombina (soprano) réussit à arracher à Florindo (ténor) l'adresse de la maison et à soutirer les clefs à Ottavio (basse). Béatrice (mezzo-soprano) et Colombina essaient de s'introduire dans la maison, mais elles sont arrêtées par Pantalone (basse bouffe). Arrivent alors Florindo, Ottavio et une femme masquée. Florindo reconnaît avec indignation sa fiancée, Rosaura (soprano) : elle n'a donc pas confiance en lui ? Les dames persuadent ensuite Arlequin (basse bouffe) de les laisser regarder par la fenêtre : elles découvrent les hommes — tout seuls — attablés autour d'un bon dîner. Elles entrent alors et leur font des excuses. D'abord fâchés, ceux-ci se radoucissent et tous se mettent à danser joyeusement en l'honneur des amoureux Florindo et Rosaura.

■ Dans son premier opéra, *Cenerentola*, Wolf-Ferrari avait un peu noyé le texte dans la musique. Ici, au contraire, il se borne à mettre en valeur les dialogues de Goldoni, réduisant le commentaire musical au minimum, ce qui permet à l'intrigue de se dérouler sans à-coups. *Le donne curiose* fut créé à Munich, où Wolf-Ferrari terminait ses études sous la direction de Josef Rheinberger. EP

LE ROI ARTHUS

Opéra en trois actes d'Ernest Chausson (1855-1899). Livret du compositeur. Première représentation (posthume) : Bruxelles, théâtre de la Monnaie, 30 novembre 1903.

■ C'est le seul opéra de Chausson qui ait jamais été monté. On a prétendu que la première avait eu lieu à Karlsruhe en 1900, mais c'est une erreur : cette représentation était restée à l'état de projet. Comme dans beaucoup d'œuvres de Chausson, l'argument est d'inspiration médiévale. MS

LA SIBÉRIE
(Siberia)

Opéra en trois actes d'Umberto Giordano (1867-1948). Livret de Luigi Illica intitulé à l'origine La femme, la maîtresse, l'héroïne. *Première représentation : Milan, théâtre de la Scala, 19 décembre 1903. Interprètes : Giovanni Zenatelo, Rosina Storchio, Guiseppe De Luca, Antonio Pini-Corsi. Direction : Cleofonte Campanini.*

Les personnages : Stephana (soprano) ; Nikona (mezzo-soprano) ; la jeune fille (soprano) ; Vassili (ténor) ; Gléby (baryton) ; le prince Alexis (ténor) ; Ivan (ténor) ; le banquier Miskinsky (baryton) ; Valinov (basse) ; le capitaine (basse) ; le sergent (ténor) ; le cosaque (ténor) ; le gouverneur (basse) ; l'invalide (baryton) ; l'inspecteur (basse) ; officiers, nobles, paysans, gens du peuple, soldats, prisonniers.

L'intrigue :
Acte I. A l'aube, la belle courtisane Stephana n'est pas encore rentrée dans son élégante villa, offerte par le prince Alexis. Gléby, amant et « homme d'affaires » de la jeune femme, survient à l'improviste. La vieille servante Nikona prétend que sa maîtresse est au lit, malade, mais Gléby n'est pas dupe. Le prince Alexis arrive avec quelques amis pour jouer au baccara, et attend que Stephana vienne les rejoindre. Celle-ci rentre par une porte dérobée. Vassili, un jeune officier de cavalerie, filleul de Nikona, reconnaît en Stephana la femme dont il est tombé amoureux, croyant qu'il s'agissait d'une simple dentellière. Stephana le supplie de s'en aller, mais il lui déclare son amour. Ils sont surpris par Alexis, qui insulte la jeune femme. Les deux hommes se battent et le prince est blessé.
Acte II. La frontière de la Sibérie. Un convoi de forçats est emmené en déportation. Stephana arrive en traîneau munie d'un sauf-conduit et demande à parler

au numéro 107, Vassili, condamné pour avoir blessé le prince. Elle lui déclare qu'elle a tout abandonné pour le suivre.
Acte III. Le bagne des mines du Transbaïkal. Gléby est amené au camp. Il a été condamné et a demandé à être envoyé à cet endroit pour retrouver Stephana. Il connaît un passage qui permet de s'évader par un puits désaffecté et essaie d'entraîner Stephana. Mais elle refuse de le suivre. Le jour de Pâques, il y a une fête au camp. Gléby raconte publiquement comment il a connu Stephana et ses débuts dans la carrière de demi-mondaine. Vassili veut lui faire rentrer ses insultes dans la gorge, mais Stephana le retient, jusqu'au moment où Gléby va trop loin. Elle dénonce alors le rôle de proxénète et d'escroc qu'il a joué. Puis elle persuade Vassili de tenter l'évasion. Mais Gléby les voit entrer dans le puits et donne l'alarme. Stephana est tuée. Elle meurt en disant son amour pour Vassili.

■ Cet opéra fut un grand succès, surtout en Italie. Avec *Siberia*, Giordano fit son entrée dans les programmes de l'Opéra de Paris : le dernier Italien à avoir bénéficié de ce privilège avait été Giuseppe Verdi, en 1870. Une version remaniée de *Siberia* fut représentée à la Scala de Milan, le 4 décembre 1927. MS

JENUFA

(Titre original, encore en usage en Tchécoslovaquie : **Jeji Pastorkyna**. La belle-fille.)
Opéra en trois actes de Leóš Janáček (1854-1928). Livret du compositeur, d'après la pièce de Gabriela Preissova (1890). Première représentation : Brno, Théâtre national allemand, 21 janvier 1904. Interprètes : Maria Kabelacova, Leopolda Svobodova, Stanek Doubravsky.

Les personnages : La grand-mère Buryja (contralto) ; Laca Klemen (ténor) ; Steva Buryja (ténor) ; Kostelnicka Buryja (soprano) ; Jenufa, sa belle-fille (soprano) ; Karolka (mezzo-soprano) ; une servante (mezzo-soprano) ; Barena (soprano) ; Jano (soprano) ; la tante (contralto).

L'intrigue :
Acte I. Le moulin de la vieille Buryja. Par un chaud après-midi d'été, Jenufa, enceinte de Steva, attend anxieusement son retour : il est allé au centre de recrutement militaire où a lieu le tirage au sort des conscrits : s'il est enrôlé, c'est pour elle le déshonneur, car il ne pourra pas l'épouser. Sa grand-mère la réprimande parce qu'elle ne fait pas attention à son travail et Laca, le beau-frère de Steva, laisse paraître sa jalousie. Le vieux meunier arrive, porteur d'une bonne nouvelle : Steva n'a pas été enrôlé. Ce dernier survient peu après, ivre. Il traite Jenufa assez grossièrement, lui montrant un bouquet de fleurs offert par une autre fille et l'entraînant dans une danse endiablée. Son vacarme est interrompu par Kostelnicka, belle-mère de Jenufa. Ignorant la grossesse de la jeune fille, elle lui interdit d'épouser Steva avant un an, période où il devra se racheter en cessant de boire. Restée seule avec son amant, Jenufa lui

fait promettre qu'il tiendra ses engagements. Steva caresse ses joues roses en lui disant, de façon un peu désinvolte, qu'il l'aime. Puis, titubant, il va se coucher. Laca s'approche de Jenufa et lui fait une déclaration ; elle le repousse assez brusquement et le jeune homme, perdant son sang-froid, la défigure d'un coup de couteau. Puis il recule, horrifié de son geste.

Acte II. Une chambre dans la maison de Kostelnicka. Jenufa a mis au monde son enfant. Sa belle-mère, mortifiée, l'a tenue enfermée pendant des mois, prétendant qu'elle était partie se placer à Vienne. Kostelnicka convoque Steva pour connaître ses intentions ; embarrassé, le jeune homme avoue qu'il s'est fiancé à la fille du maire, Karolka. Kostelnicka ne voit alors qu'une seule issue pour éviter le scandale : tuer l'enfant. Elle noie le nourrisson dans la rivière glacée et dit à Jenufa qu'il est mort pendant qu'elle était au lit, malade. Laca propose à Jenufa de l'épouser et la jeune fille, désespérée et à bout de forces, accepte. Kostelnicka est en proie à des hallucinations.

Acte III. La maison de Kostelnicka. On prépare le mariage de Laca avec Jenufa. Kostelnicka, rongée de remords, est mal à l'aise à cause de la présence du maire avec sa fille et Steva. Elle pressent une catastrophe. Comme elle s'apprête à donner la bénédiction aux époux, quelqu'un pousse un cri : on vient de trouver un nouveau-né mort pris dans la glace. Jenufa reconnaît avec horreur son enfant et Kostelnicka se dénonce pour innocenter sa belle-fille, déjà accusée de meurtre par l'assistance. On l'emmène. Jenufa, effondrée, dit à Laca de s'en aller, mais il veut rester auprès d'elle. Bouleversée, elle comprend enfin la profondeur de son amour.

■ *Jenufa* est un moment capital dans l'œuvre de Janáček. Après quelques expériences de compositions chorales et ses premiers opéras, il s'affranchit de l'influence allemande et dépasse les limites de l'emprunt au folklore, en élaborant un langage tout à fait original. L'histoire, tirée d'une pièce de Gabriela Preissova créée à Prague en 1890, donne l'occasion au compositeur d'utiliser la langue tchèque et le parler populaire comme éléments musicaux « soulignant l'expression et la musicalité des voix, le rythme et la coupure des phrases ». En outre, si le sujet de l'opéra semble relever de l'esthétique vériste, la réflexion de Janáček est en fait d'ordre spirituel : ce sont les thèmes de la damnation, de l'expiation et de l'amour, à la fois destructeur et rédempteur. Quand la partition fut soumise au Théâtre national tchèque, au début de 1903, on lui reprocha de « manquer d'unité de style », de « faire du nouveau à tout prix » et d'être « primitive ». Malgré son succès triomphal à Brno, l'opéra ne fut repris à Prague qu'en 1916. Les réserves de l'école tchèque envers l'abandon du modèle wagnérien et le retour à la culture nationale tentés par Janáček n'empêchèrent pas le succès de *Jenufa*, qui se confirma à Vienne deux ans plus tard, puis dans toute l'Europe. Janáček obtint ainsi une renommée internationale et devint le chef de file de la jeune musique tchèque. AB

MADAME BUTTERFLY
(Madama Butterfly)

Opéra en trois actes de Giacomo Puccini (1858-1924). Livret de Giuseppe Giacosa (1847-1906) et Luigi Illica (1857-1919), d'après la pièce de David Belasco tirée d'un récit de John Luther Long. Première représentation : Milan, théâtre de la Scala, 17 février 1904. Interprètes : Rosina Storchio, Giovanni Zenatello ; Giuseppe De Luca. Direction : Cleofonte Campanini.

LES PERSONNAGES : Cio-Cio-San, dite Madame Butterfly (soprano) ; Suzuki, sa servante (mezzo-soprano) ; Kate, femme américaine de Pinkerton (soprano) ; F. B. Pinkerton, officier de la Marine américaine (ténor) ; Goro, marieur (ténor) ; Sharpless, consul des États-Unis (baryton) ; le prince Yamadori (ténor).

L'INTRIGUE : Nagasaki, au début du XXe siècle.
Acte I. Une maison sur une colline dominant le port. On célèbre selon les rites japonais le mariage de Pinkerton avec Cio-Cio-San. Goro, le marieur, fait visiter la maison à l'officier de marine américain lorsque survient Sharpless, le consul des États-Unis. Pinkerton ne lui cache pas que ce mariage n'est pour lui qu'un jeu, et Sharpless l'avertit que Madame Butterfly a pris une décision irréversible en renonçant à sa religion sans rien dire à sa famille. Butterfly arrive accompagnée de ses parents, et la cérémonie a lieu. L'oncle de la jeune femme, un bonze, la condamne publiquement pour avoir trahi la religion de ses ancêtres. Pinkerton, furieux, chasse la famille japonaise et console Butterfly dans un touchant duo.
Acte II. Première partie. Dans la maison de Butterfly. Trois ans sont passés depuis le départ de Pinkerton, qui a promis de revenir « quand les rouges-gorges font leur nid ». Butterfly l'attend avec patience. Sharpless arrive, porteur d'une lettre de Pinkerton annonçant son mariage avec une Américaine et demandant au consul d'expliquer cela à Butterfly. Mais, avant qu'il ait pu accomplir sa mission délicate, Goro, le marieur, entre, accompagné du prince Yamadori, riche admirateur de Butterfly. Goro dit à la jeune femme que, selon la loi japonaise, elle est libre de se remarier, mais elle ne l'écoute même pas et congédie le prétendant. Sharpless, troublé, lui demande ce qu'elle ferait si Pinkerton ne devait jamais revenir. Après une légère hésitation, Butterfly montre l'enfant qu'elle a eu de l'Américain et répond que, si Pinkerton connaissait l'existence de ce fils, il reviendrait certainement. Sharpless n'ose rien lui dire et s'en va. Un coup de canon annonce l'arrivée d'un navire de guerre que Butterfly reconnaît immédiatement : c'est l'*Abraham Lincoln*, le bateau de Pinkerton. Radieuse, elle décore sa maison de fleurs, revêt l'habit nuptial et se prépare à recevoir son époux.
Acte III. Deuxième partie. Butterfly a veillé inutilement toute la nuit et Suzuki l'invite à prendre un peu de repos. Pinkerton apparaît en compagnie de sa femme, Kate, et du consul. Il est bouleversé depuis qu'il a appris qu'il avait un fils et n'ose pas se présenter devant Butterfly. Il s'éloi-

gne après avoir contemplé tristement la maison qui lui rappelle de tendres souvenirs. Butterfly se précipite dans la chambre, croyant y trouver son bien-aimé. A la vue de Kate et du consul, elle comprend la vérité. L'Américaine a décidé d'emmener l'enfant de son mari. Butterfly les reçoit avec humilité. Elle dit qu'elle donnera l'enfant à son père si celui-ci vient le chercher en personne dans une demi-heure. Restée seule, elle embrasse son fils avec une émotion déchirante. Puis elle lui bande les yeux et lui dit de se remettre à jouer. Elle se retire alors derrière un paravent et se tue avec le sabre de son père où sont gravés ces mots : « Plutôt mourir dans l'honneur que vivre dans le déshonneur ». Pinkerton apparaît sur le seuil, criant le nom de Butterfly. Mais elle est venue mourir à côté de son enfant. Il emporte le corps frêle inanimé.

■ *Madame Butterfly* était l'opéra préféré de Puccini : « le plus sincère et le plus évocateur que j'aie jamais conçu », disait-il. Cette œuvre marque un retour au drame psychologique, à l'intimisme, à l'observation profonde des sentiments, à la poésie des petites choses. Mais la qualité musicale est nettement supérieure à celle de *La Bohème*, notamment dans la richesse de la mélodie, dans l'harmonie, dans le coloris orchestral. L'emploi du *leitmotiv* est plus nuancé : il n'est plus systématiquement attaché aux choses apparentes, mais exprime les passions intérieures. Puccini, pris par son sujet et son héroïne, se plongea dans l'étude de la musique, de la culture et des rites japonais, allant jusqu'à écouter l'actrice Sada Jacco, alors en tournée en Europe, pour se familiariser avec le timbre de voix des femmes japonaises. Cette recherche porta ses fruits : l'exotisme dont est empreint l'opéra échappe miraculeusement au maniérisme et fait partie intégrante de l'inspiration musicale. Quelques mélodies japonaises authentiques, l'emploi par moments de la gamme pentatonique et les touches d'exotisme dans les sonorités instrumentales sont parfaitement intégrés au style puccinien. L'œuvre est entièrement centrée sur le personnage de Butterfly, sur sa progression vers la tragédie : du bonheur de son mariage assombri par la malédiction du bonze, avec le thème du sabre de son père, à l'atmosphère rêveuse et extatique du deuxième acte *(Un bel dí vedremo)* qui se transforme en tristesse infinie lorsqu'elle parle à son enfant *(Che tua madre)*, et enfin l'adieu à son fils *(Tu, tu piccolo iddio)*, le moment le plus émouvant de l'opéra. Pinkerton est un personnage ambigu. Sa conduite est méprisable mais, soit pour justifier l'amour de Butterfly, soit tout simplement à cause de la tendresse de Puccini pour ses créatures, il apparaît, au premier acte, nimbé d'une lumière romantique (dans le fameux duo *Viene la sera*), et, au troisième acte, plein d'un réel remords dans l'aria *(Addio, fiorito asil)*. Les autres personnages sont tout juste esquissés. La première et unique représentation de la version originale de l'opéra, en deux longs actes comportant quelques traits forcés et artificiels, fut huée par une salle hostile à la Scala de Milan. Cet échec tint sans doute moins aux quelques défauts, faciles à corriger, qu'à la cabale organisée par les adversaires de Puccini. Une nouvelle version de *Madame Butterfly* fut montée à Brescia, au Grand Théâtre, le 28 mai 1904. Le deuxième acte avait été divisé, le rideau tombant entre l'attente nocturne de Butterfly et l'aube. Puccini accepta l'expédient de mauvaise grâce ; effectivement, il introduit une coupure malencontreuse dans le déroulement de l'action. Depuis lors, cependant, l'opéra a toujours été représenté en trois actes. A Brescia, un public essentiellement milanais fit un triomphe à *Madame Butterfly*, qui partit ensuite à la conquête des grands théâtres lyriques du monde. RB

KOANGA

Opéra en trois actes, un prologue et un épilogue, de Frederick Delius (1862-1934). Livret de C. F. Keary, d'après le récit de George Washington Cable (1844-1925) The Grandissimes *(1880). Texte original en anglais, traduit en allemand par le compositeur et sa femme. Première représentation (en allemand) : Elberfeld, Stadttheater, 30 mars 1904.*

L'INTRIGUE : L'histoire se passe dans une plantation du Mississippi. Palmira, une mulâtresse, repousse les avances du surveillant Simon Perez, car elle aime Koanga, prince de sa tribu africaine. Ils doivent obtenir le consentement du propriétaire de la plantation, Don José Martinez, pour pouvoir se marier. Celui-ci donne son accord. Pendant les festivités nuptiales, Perez enlève Palmira. Koanga, après une vive altercation avec Don José, s'enfuit dans la forêt. Avec l'aide d'un sorcier vaudou, il envoie la peste sur ses oppresseurs. Palmira, désespérée, est aux mains de son ravisseur : Koanga vole à son secours, mais les deux hommes meurent en se battant. Palmira se poignarde alors avec l'arme de Koanga.

■ Dans sa version originale anglaise, l'opéra ne fut présenté que le 23 septembre 1935, à Londres. Delius avait composé *Koanga* en 1897, alors qu'il vivait à Paris, au Quartier latin. MS

RÉSURRECTION
(Risurrezione)

Drame lyrique en quatre actes de Franco Alfano (1876-1954). Livret de C. Hanau, d'après le roman de Tolstoï. Première représentation : Turin, théâtre Victor Emmanuel II, 30 novembre 1904. Interprètes : Elvira Magliulo, Angelo Scandiani, Mieli, Ceseroli. Direction : Tulio Serafin.

LES PERSONNAGES : Le prince Dimitri Ivanovitch Neklioudov (ténor) ; Sofia Ivanovna, sa tante (mezzo-soprano) ; Katioucha (soprano) ; Matriona Pavlovna, gouvernante (soprano) ; Nora (soprano) ; Anna, paysanne (contralto) ; Fenitchka (mezzo-soprano) ; la Bossue (contralto) ; la Rousse (mezzo-soprano) ; Fedia, une petite fille ; Simonson (baryton) ; Kirtzlov (basse) ; Vera (mezzo-soprano). Une vieille servante, un paysan, détenus, soldats, paysans.

L'INTRIGUE : L'action se déroule en Russie et en Sibérie, au XIXe siècle.
Acte I. Le prince Dimitri vient saluer sa tante, Sofia Ivanovna, avant de partir à la guerre. Son ancienne camarade de jeux, Katioucha, une jeune paysanne, est maintenant demoiselle de compagnie de Sofia Ivanovna. Dimitri la retrouve avec émotion et, cette nuit-là, devient son amant. Le lendemain, il part pour la guerre.
Acte II. La gare d'une petite ville. Katioucha, enceinte, a été chassée de la maison. Elle attend anxieusement le prince Dimitri, qui doit passer par là. Mais elle le voit arriver avec une prostituée, et n'a pas le courage de se montrer. Elle s'en va, la mort dans l'âme.
Acte III. Une prison de Saint-Pétersbourg. Katioucha, brisée par l'abandon de Dimitri et la mort de son enfant, a fini dans un lieu de débauche. Mêlée à un crime, quoique innocente, elle a été comdamnée pour meurtre après un procès éprouvant, et doit être déportée en Sibérie. Avant son départ, Dimitri, rongé de remords, vient la voir dans sa prison et lui offre de l'épouser. Mais elle est dans un tel état de désespoir et d'abjection qu'elle refuse désormais toute consolation.
Acte IV. Sur la route de Sibérie. Katioucha s'est ressaisie et est redevenue la bonne et douce fille d'autrefois. Elle a retrouvé une raison de vivre en apportant le réconfort à ses compagnes de déportation. Dimitri, qui l'a suivie, veut maintenant l'épouser coûte que coûte. Il obtient sa grâce et sa libération. Mais Katioucha, bien qu'elle l'aime toujours de toute son âme, refuse. Elle sent que seul leur renoncement à tous deux permettra leur rédemption.

■ L'idée de tirer un opéra de *Résurrection* vint à Alfano en assistant à la pièce inspirée du roman de Tolstoï à l'Odéon, en 1902 ; il séjournait alors à Paris, travaillant à la musique de deux ballets pour les Folies-Bergère. Profondément impressionné par le sujet, il demanda à C. Hanau et C. Antona Traversi de lui écrire le livret, tandis qu'il se mettait lui-même à composer la musique. Il travailla rapidement, écrivant les deux premiers actes dans l'année ; le troisième fut écrit à Berlin et le quatrième en Russie, à l'exception du finale, composé à Naples en 1904. La première de Turin fut un véritable triomphe. L'opéra connut ensuite un grand succès en Europe et en Amérique, servi par des interprètes prestigieux comme Mary Garden et Cervi Cairoli. En 1951, la millième représentation eut lieu à Naples. L'ensemble de la critique considère *Résurrection* comme une des grandes œuvres du vérisme italien, à côté de celles de Mascagni, Puccini et Giordano ; mais elle préfigure aussi, d'une certaine manière, l'évolution ultérieure d'Alfano en dehors de la mouvance vériste, par l'abandon des morceaux séparés et par l'emploi des solos instrumentaux. Cet opéra est sans doute le chef-d'œuvre du compositeur, bien qu'il s'agisse d'une œuvre de jeunesse. Il est assez rarement représenté, mais figure au répertoire permanent. GP

AMICA

Drame lyrique en deux actes de Pietro Mascagni (1863-1945). Livret de P. Bérel (pseudonyme de P. de Choudens) et P. Collin. Première représentation : Monte-Carlo, théâtre du Casino, 16 mars 1905.

L'INTRIGUE : Le patron d'une usine, Camoine, est amoureux de sa servante et voudrait l'épouser. Mais comme sa nièce Amica, qui vit auprès de lui, est un obstacle à ce mariage, il l'oblige à prendre pour époux le berger Giorgio. Or Amica est éprise du frère de Giorgio, Rinaldo, et refuse d'obéir à son oncle. Contrainte de choisir entre l'obéissance ou la fuite, elle s'enfuit avec Rinaldo. Les deux amoureux sont rejoints par Giorgio, dont les supplications décident Rinaldo à abandonner Amica. Celle-ci, en tentant de rattraper son bienaimé, tombe dans un ravin.

■ Arrigo Boito écrivit à propos de cet opéra que l'auteur « n'avait jamais rien écrit de plus puissamment et évidemment mascagnien ». En fait, l'œuvre n'a pas la spontanéité d'autres travaux du compositeur. Le livret, écrit à l'origine en français, fut traduit en italien par G. Targioni-Tozzetti. *Amica* fut représenté dans cette version à l'Opéra de Rome le 13 mai 1905. AB

SALOMÉ

Drame musical en un acte de Richard Strauss (1864-1949) d'après l'œuvre d'Oscar Wilde. Traduction allemande d'Hedwig Lachmann. Première représentation : Dresde, Königliches Opernhaus, 9 décembre 1905. Interprètes : Marie Wittich, Karl Burrian. Direction : Ernst von Schuch.

LES PERSONNAGES : Hérode (ténor), Hérodias, la femme d'Hérode (mezzo-soprano) ; Salomé, la fille d'Hérodias (soprano) ; Jokanaan (baryton) ; Narraboth, un jeune Syrien capitaine de la garde (ténor) ; le page d'Hérodias (contralto) ; cinq Hébreux (quatre ténors et une basse) ; deux Nazaréens (basse) ; un homme de la Cappadoce (basse) ; un esclave (soprano ou ténor).

L'INTRIGUE : La terrasse du palais d'Hérode à Tibériade, au bord de la mer de Galilée. Hérode festoie avec sa cour à l'intérieur du palais. Narraboth, le capitaine de la garde, espionne la très belle Salomé, belle-fille du tétrarque, dont il est éperdument amoureux. Salomé, sortie sur la terrasse pour contempler la lune, entend la voix de Jokanaan (saint Jean-Baptiste). Enfermé par Hérode dans une citerne, il continue d'annoncer la venue du Messie. Fascinée, Salomé veut voir le prisonnier. Les gardes n'osant pas désobéir au roi, elle se tourne vers Narraboth, incapable de résister à ses flatteries. Sorti de la citerne, Jokanaan prononce de terribles invectives contre Hérode et sa femme, la courtisane Hérodias. Salomé, subjuguée par le prophète, exerce sur lui toutes les ressources de sa séduction. Alors que Jokanaan la presse de tout abandonner pour chercher le Fils de l'Homme, elle lui répond, provocante : « Le fils de l'homme est-il beau comme toi ? » ; puis elle tombe en extase devant le corps du prophète et sa bouche, qu'elle veut embrasser. Désespéré, Narraboth se tue. Jokanaan repousse Salomé et retourne dans sa cellule. Hérode apparaît. Il est inquiet. Sa perplexité s'accroît lorsqu'il découvre le cadavre de Narraboth. Il invite alors Salomé à lui tenir compagnie. Hérodias, révoltée par les accusations de Jokanaan, réclame sa tête, suscitant ainsi une discussion théologique parmi les Hébreux présents. On entend les prophéties de Jokanaan. Saisi par le désir, Hérode demande à Salomé de danser pour lui, et lui promet en échange de lui accorder ce qu'elle voudra. Salomé danse. Puis elle se penche sur la citerne et s'abandonne dans les bras d'Hérode : « Je veux la tête de Jokanaan ! » Passant de l'excitation à l'horreur, Hérode finit par accepter. Le bourreau apporte la tête de Jokanaan sur un plateau d'argent. Salomé, extatique, s'en empare. Cette tête qui refusait son amour doit maintenant l'accepter. Ce corps était infiniment désirable : elle peut maintenant se rassasier de sa bouche. Et Salomé embrasse sur la bouche la tête sanguinolente. Horrifié, Hérode crie au gardes de la tuer. Les soldats la tuent à coups de bouclier.

■ La première représentation de *Salomé*, précédée d'une répétition générale publique dirigée par Toscanini à la Scala de Milan, fut un triomphe international malgré les difficultés de réalisation. Le sujet osé, l'atroce scène finale, sans parler de la danse des sept voiles, faisaient craindre l'intervention des censeurs. Et certains, à juste titre, conseillèrent de donner la première à Dresde, plutôt que dans la Vienne catholique, où Mahler l'aurait pourtant dirigée, ou dans l'austère Berlin. La mise au point de la distribution fut également ardue : les difficultés du rôle de Salomé, jointes au fait que Strauss craignait que l'orchestre ne couvre la voix firent choisir la Wittich, une puissante soprano wagnérienne. On ne pouvait imaginer physique plus éloigné de celui de la princesse de l'œuvre de Wilde. Il fallut donc la faire doubler dans la célèbre danse. Mais « en dépit de tante Wittich », comme Strauss lui-même l'écrivit à Hofmannstahl, les interprètes, le chef et le compositeur eurent trente-huit rappels de la part du public. L'orchestre exprime les alchimies spirituelles de l'opéra par des couleurs vives et agressives, comme dans le terrible interlude qui suit le suicide de Narraboth et le retour de Jokanaan dans sa cellule, où Strauss décrit ce qui se passe dans l'esprit de Salomé : la révélation d'un amour dont le mystère est plus grand que le mystère de la mort. RB

GREYSTEEL

Opéra en un acte de Nicholas Comyn Gatty (1874-1946). Livret de son frère Reginald Gatty, tiré de la saga islandaise Gisli the Outlaw *(traduction de G. W. Dasent). Première représentation : Sheffield (Angleterre), Opéra, 1er mars 1906.*

L'INTRIGUE : Greysteel est le nom

d'une épée magique que possède Kol, un guerrier valeureux tombé en servitude avec son peuple après avoir été vaincu par une tribu rivale. Kol est lui-même l'esclave d'Ingjeborg, la très belle fille d'Isi, le chef de la tribu ennemie. Kol, qui n'a conçu aucune rancune à l'égard de la jeune fille, l'a toujours servie fidèlement. L'épée est son bien le plus précieux. Il l'entretient comme si elle pouvait encore servir. Il ne s'agit pas d'une épée quelconque. Elle a été forgée par des nains dans un acier trempé et est dotée de pouvoirs mystérieux. Celui qui s'en sert n'est jamais vaincu. Ingjeborg épouse Ari, seigneur de Surnadale. Kol la suit. C'est un mariage malheureux. La jeune femme n'est pas aimée de son mari, qui la traite comme un objet. Elle tombe alors amoureuse de son beau-frère, Gisli, un beau jeune homme, très différent d'Ari. Un jour, Surnadale est attaqué par les Bearsak, une tribu de pillards du nord du pays. Leur chef défie Ari en combat singulier pour s'emparer de tous ses biens, épouse y compris. Ari, méprisant, refuse l'épée magique que lui propose Kol et est tué. A cet instant, selon la coutume, Gisli succède à son frère et doit recueillir également son épouse. Mais Gisli doit se battre avec le chef des Bearsak. Il prend l'épée magique et vient rapidement à bout de son ennemi. On fête l'événement, et Ingjeborg et Gisli rendent la liberté à Kol.

■ C'est le premier opéra de Gatty. Il fut représenté, dans une version en deux actes, au Sadler's Wells de Londres, le 23 mars 1938. MS

DON PROCOPIO

Opéra bouffe en deux actes de Georges Bizet (1838-1875). Texte italien original de C. Cambaggio, traduit en français par Paul Collin et Paul Bérel. Première représentation (posthume) : Monte-Carlo, théâtre du Casino, 10 mars 1906.

L'INTRIGUE : Dans la maison de campagne de Don Andronico, en Italie, vers 1800. Don Andronico (basse) a décidé de donner en mariage sa nièce Bettina (soprano) à Don Procopio (baryton), un vieil avare. Les autres membres de la famille tentent d'empêcher ce mariage. Bettina, aidée par Eufemia (soprano), l'épouse de Don Andronico, et par son frère Ernesto (baryton), laisse entendre au vieil homme qu'elle a l'intention de dépenser tout son argent, sans lui accorder un instant de répit. Terrorisé, Don Procopio renonce à ses projets de mariage sous mille prétextes. Bettina exulte et épouse son bien-aimé Odoardo (ténor), le jeune officier qui lui faisait la cour.

■ L'opéra, écrit en 1858, fut retrouvé dans les papiers du compositeur Auber à la mort de celui-ci. La version exécutée au début de 1906, sous la direction de Ch. Malherbe, était traduite en français. L'original italien fut mis en scène au Théâtre municipal de Strasbourg le 6 février 1958. Le texte est une adaptation de *I pretendenti delusi* de Previdali, mis en musique par Luigi Mosca en 1811. L'opéra, composé alors que Bizet séjournait à Rome, s'inspire de l'opéra bouffe italien. On songe au *Don Pasquale* de

Donizetti ; l'œuvre révèle une bonne technique et une vivacité d'expression peu communes.

MS

LES RUSTRES
(I quatro rusteghi ou **Die vier Grobiane)**

Comédie musicale en trois actes d'Ermanno Wolf-Ferrari (1876-1948). Livret de G. Pizzolato d'après la comédie de Carlo Goldoni (1707-1793) : I Rusteghi. *Version allemande de H. Teibler. Première représentation : Munich, Hoftheater, 19 mars 1906.*

LES PERSONNAGES : Cancian (basse) ; Lunardo (basse) ; Maurizio (basse) ; Simon (baryton) ; Lucieta (soprano) ; Filipeto (ténor) ; Margarita (mezzo-soprano) ; Marina (soprano) ; Dame Felice (soprano) ; le comte Riccardo (ténor) ; une jeune servante (mezzo-soprano).

L'INTRIGUE : L'action se déroule à Venise vers 1750.
Acte I. Lucieta, la fille de Lunardo, et Margarita, sa belle-mère, se plaignent : le Carnaval est presque fini, et l'avarice de Lunardo n'a pas permis à sa fille de se faire belle pour participer à la grande fête vénitienne. Le même jour, un repas de famille doit avoir lieu chez Lunardo. Il confie à son épouse Margarita qu'il a en vue un bon parti pour Lucieta : c'est Filipeto, le fils de Maurizio. Mais, comme le veut la coutume, les deux fiancés ne doivent pas se voir jusqu'à leur mariage. Cette tradition ne plaît évidemment pas aux deux jeunes gens. Les femmes imaginent alors un stratagème pour leur permettre au moins de s'apercevoir.
Acte II. Lucieta prie la Vierge. Elle souhaite avoir rapidement un mari jeune et beau, qui lui plaise. Pendant ce temps, Dame Delice a mis au point son plan : le jeune homme arrivera chez Lunardo déguisé en femme (c'est Carnaval, et à Venise tout est permis...), accompagné d'un chevalier étranger, le comte Riccardo. Tout se passe comme prévu. Les jeunes gens réussissent à se voir, et tombent aussitôt amoureux l'un de l'autre. Mais les hommes arrivent, et ils doivent se cacher. Le maître de maison annonce le mariage. Au cours de la discussion qui s'ensuit, Cancian prononce quelques paroles irrespectueuses à l'égard du comte Riccardo, qui sort de sa cachette. C'est le scandale. Lunardo menace de mettre Lucieta au couvent, et tous les compères se promettent de punir sévèrement leurs femmes.
Acte III. Lunardo, Cancian et Simon réfléchissent aux châtiments qu'ils vont infliger à leurs épouses. Leur conciliabule est interrompu par Dame Felice qui, au lieu de se défendre, s'en prend vivement à Cancian, son mari, puis aux autres, qu'elle accuse de lui avoir mis des « âneries » en tête. Elle accepte d'assumer la responsabilité de ce qui s'est passé, mais refuse de faire amende honorable : *« Sè tropo rusteghi, se tropo salvadeghi. »* Le comte Riccardo va trouver Maurizio, le père de Filipeto, qui s'était retiré chez lui après le scandale. Lucieta et Margarita demandent pardon à Lunardo, lui donnant ainsi un peu de satisfaction. On célèbre aussitôt le mariage, et

tous s'attablent pour un bon repas.

■ Lorsque les théâtres de Munich et de Berlin furent informés que Wolf-Ferrari mettait en musique les *Rusteghi* de Goldoni, ils firent de la surenchère pour obtenir la première représentation. Le compositeur s'était imposé comme un des meilleurs interprètes de son grand compatriote dont cette comédie est, à juste titre, une des plus célèbres. Le musicien a un peu trahi Goldoni : amoureux de sa ville, il a eu tendance à embellir les caractères plutôt désagréables des personnages. L'opéra a été comparé à une dentelle raffinée, brodée de passages polyphoniques, de chansons, de pauses, de reprises et de savantes compositions instrumentales. Les parties de basses (Cancian, Lunardo et Maurizio), auxquelles Wolf-Ferrari a habilement mêlé le baryton (Simon) sont particulièrement colorées. Et même si l'ambition difficile des *Quatro Rusteghi* semble être à première vue de faire revivre la musique du XVIIIe siècle, il est évident que Wolf-Ferrari avait en tête une autre référence, inévitable pour un musicien italien du début du siècle : le *Falstaff* de Verdi. EP

MÉDÉE
(Medea)

Opéra en trois actes de Vincenzo Tommasini (1878-1950). Livret du compositeur. Première représentation : Trieste, théâtre Verdi, 8 avril 1906.

L'INTRIGUE : Inspirée de la tragédie d'Euripide, l'histoire se déroule à Corinthe, aux temps antique. Médée, épouse de Jason, est dévorée de jalousie car le héros, après lui avoir donné deux enfants, veut l'abandonner pour épouser la jeune et riche Glauca, fille du roi de Corinthe, Créon. Médée est résolue à se venger de Jason en tuant Glauca et ses propres enfants. Elle offre à la jeune femme un voile empoisonné qui la tue ainsi que son père, qui l'a embrassée. Puis elle immole ses enfants dans le temple avant de se jeter dans les flammes en maudissant Jason.

■ *Medea*, œuvre de jeunesse de Tommasini, n'est pas particulièrement original. La musique révèle l'ambition du jeune compositeur d'assimiler au maximum la culture musicale européenne, du drame wagnérien à l'impressionnisme, et reflète l'influence du romantisme allemand. Par la suite, au contraire, ses ouvrages se rapprocheront davantage de la musique française et notamment de Debussy. FP

ARIANE

Opéra en cinq actes de Jules Massenet (1842-1912). Livret de Catulle Mendès (1841-1909). Première représentation : Paris, Opéra, 31 octobre 1906.

■ De nombreux livrets ont été inspirés par le mythe d'Ariane et certains opéras qui en ont été tirés ont une grande importance pour l'histoire de la musique : citons l'*Arianna* de Monteverdi (1567-1643), dont on ne conserve que le célèbre *lamento*, celle de

Richard Strauss (1864-1949) et celle de Georg Friedrich Haendel (1685-1759). En revanche, l'*Ariane* de Massenet est une œuvre mineure du compositeur français. Massenet joue beaucoup sur les variations des timbres orchestraux et sur le lyrisme extatique (un peu facile cependant) des parties chantées. Malgré une certaine spontanéité dans l'inspiration, *Ariane* est rarement repris aujourd'hui. GPa

LES NAUFRAGEURS
(The wreckers)

Opéra en trois actes d'Ethel Smyth (1858-1944). Texte adapté d'une pièce d'Henry Brewster Les Naufrageurs *et écrit à l'origine en allemand sous le titre* Strandrecht *par H. Decker et J. Bernhoff. Traduit ensuite en anglais par le compositeur et A. Strettell. Première représentation (en allemand) : Leipzig, Königliches Opernhaus, 11 novembre 1906.*

L'INTRIGUE : Les habitants d'un petit village de Cornouailles pillent les navires qui viennent d'échouer sur les écueils et tuent les naufragés pour les voler. Ils vont même jusqu'à provoquer les naufrages avec la complicité du gardien du phare qui trompe les bateaux en manœuvrant la lumière de façon à ce qu'ils se fracassent sur les rochers. Thirza, femme de Pascoe, le chef du village, est horrifiée par cette pratique. Lawrence, le gardien du phare, et sa fille Avis, découvrent un jour que quelqu'un allume des feux sur le rivage pour guider les bateaux dans les passes dangereuses. Avis, envieuse de la beauté de Thirza, décide de se venger en accusant son mari. Elle ignore qu'elle sert ainsi les projets de Thirza, qui veut se débarrasser de son mari parce qu'elle est amoureuse de Mark. Mais Pascoe est sauvé par Mark lui-même, qui avoue être l'auteur des feux nocturnes. Avis, qui l'aime, tente à son tour de le sauver, en prétendant que Mark a passé la nuit avec elle. Thirza s'avance alors et déclare que Mark est son amant et qu'elle l'a aidé à allumer les feux. Malgré un ultime effort de Pascoe pour les arracher à la mort, Thirza et Mark sont enfermés dans une grotte au bord de la mer et noyés par la marée.

■ L'influence de Wagner est très sensible dans cet opéra : Ethel Smyth utilise par exemple le *leitmotiv* pour renforcer les effets dramatiques. C'est son premier ouvrage consacré à un sujet spécifiquement anglais. RB

KITÈGE
(Kitej)

(Titre complet : Légende de la ville invisible de Kitège et de la vierge Fevronia)
Opéra en quatre actes et six tableaux de Nikolaï Rimsky-Korsakov (1844-1908). Livret de V. I. Belski. Première représentation : Saint-Pétersbourg, théâtre Mariinski, 20 février 1907.

L'INTRIGUE :
Acte I. Une forêt proche de la petite-Kitège, faubourg de Kitège-la-Grande. La jeune Fevronia (soprano), sœur d'un bûcheron, vit là dans la solitude, en compa-

gnie seulement des animaux de la forêt dont elle est l'amie. Un jour, le prince Vsevolod (ténor) est blessé au cours d'une partie de chasse, et Fevronia le soigne avec dévouement. Il tombe amoureux de la jeune fille et lui demande d'être sa femme. Elle accepte, ignorant toujours qui il est. Il part, promettant de lui envoyer le cortège nuptial pour la conduire à Kitège.

Acte II. La petite-Kitège. Le peuple en liesse accueille le cortège nuptial, escorté par Poïarok (baryton), écuyer et garçon d'honneur du prince Vsevolod. Gricha Koutierma (ténor), un ivrogne, s'adresse à Fevronia et lui rappelle ses origines modestes. La réponse de la jeune fille est pleine d'humilité, accompagnée du chœur. Mais la fête est brutalement interrompue par l'arrivée des Tartares, qui mettent la ville à feu et à sang. Seuls Fevronia et Gricha échappent au massacre. Les chefs tartares Bediaï et Burundaï (basses) obligent Gricha à les conduire à Kitège-la-Grande. Fevronia, prisonnière, prie pour le salut de la ville menacée.

Acte III, premier tableau. Kitège-la-Grande reçoit la terrible nouvelle. Le prince Vsevolod prend la tête de l'armée tandis que son vieux père Youri (basse) reste avec son peuple prier la Sainte Vierge de protéger la cité. Soudain, un épais brouillard dissimule la ville aux regards et les cloches se mettent à sonner à toute volée.

Deuxième tableau. Au cours d'un interlude, on apprend la mort de Vsevolod et de ses guerriers. Au lever du rideau, les Tartares contemplent, stupéfaits, les bords du lac où se dressait auparavant Kitège-la-Grande, devenue invisible. Les chefs tartares, entre-temps, se battent pour le partage du butin, et Bediaï est tué. Pendant la nuit, les Tartares sont réveillés par les cris de Gricha, qui voit se refléter dans le lac la ville invisible. Épouvantés par ce prodige, les Tartares s'enfuient.

Acte IV, premier tableau. Fevronia et Gricha, libres, se réfugient dans la forêt, mais l'homme s'égare et Fevronia tombe, à bout de forces. Des centaines de fleurs éclosent autour d'elle. Dans son délire, elle voit Vsevolod qui vient la chercher pour la conduire dans la ville invisible.

Deuxième tableau. Épilogue. La ville revit, radieuse, pour l'éternité. Le peuple, tout de blanc vêtu, accueille le cortège nuptial interrompu : le prince et Fevronia sont enfin réunis dans l'au-delà.

■ *Kitège*, créé en 1907, avait été composé en 1903-1904. Contrairement aux autres opéras de Rimsky-Korsakov, il s'agit plutôt d'une légende mystique que d'un conte. Cependant, l'imagination du compositeur se donne là encore libre cours avec l'épisode miraculeux et le contraste symbolique entre la violence et la bonté. Mieux encore que dans les opéras précédents de Rimsky-Korsakov, le rythme et la richesse mélodique des chants folkloriques russes se mêlent à l'invention propre du compositeur. Le livret est dû à Belski, homme d'une grande culture, qui sacrifia toute ambition personnelle pour collaborer assidûment aux travaux de Rimsky-Korsakov. Belski a utilisé de nombreuses légendes pour écrire l'histoire, au point qu'il est difficile de retrouver les diverses sources. Pour ce qui est de la musique, c'est « l'un des plus grands chefs-d'œuvre de l'auteur, l'un des sommets de la musique russe » (R. Hofmann). RB

ROMÉO ET JULIETTE AU VILLAGE (Romeo und Julia auf dem Dorfe)

Opéra en trois actes de Frederik Delius (1862-1934). Livret du compositeur d'après un récit de Gottfried Keller (1819-1890). Première représentation (en allemand) : Berlin, Komische Oper, 21 février 1907.

L'INTRIGUE : Deux paysans du village Seldwyl, en Suisse, autrefois bons amis, se sont disputés à propos d'une parcelle de terrain sans propriétaire située entre leurs terres respectives. Manz et Marti ont, l'un un fils, Sali, et l'autre une fille, Verli, qui sont amis de toujours. Leurs pères leur interdisent de s'adresser la parole. Des années plus tard, les deux paysans se sont ruinés en procédures. Ils ont progressivement vendu leurs terres, leurs bêtes, et jusqu'aux meubles. Sali et Verli, devenus grands, et n'ayant jamais cessé de se voir en cachette, découvrent qu'ils s'aiment. Un jour, le père de la jeune fille est obligé de vendre sa maison pour payer les frais de justice. Les amoureux pensent un moment à fuir avec une bande de vagabonds vivant au jour le jour. Mais ils s'aperçoivent vite de la superficialité des sentiments parmi les gens de ce groupe. En contemplant l'eau de la rivière, l'idée de mourir ensemble leur vient tout à coup : seuls, réprouvés, trop pauvres pour se maricr, n'est-ce pas la solution de leurs malheurs ? Sali et Verli montent dans une barque et se laissent couler, au milieu du fleuve, étroitement enlacés.

■ Composé en 1901, c'est l'opéra le plus important de Delius. Présenté à Londres le 22 février 1910 sous le titre *A village Romeo and Juliet*, il fut largement apprécié. Il ne figure plus aujourd'hui dans les répertoires lyriques, mais l'intermède qui précède la scène finale *The walk to the Paradise Garden (Le chemin du jardin du Paradis)* est encore joué en concert. MS

ARIANE ET BARBE-BLEUE

Conte lyrique en trois actes de Paul Dukas (1865-1935). Livret tiré pratiquement sans modifications du drame de Maurice Maeterlinck (1862-1949). Première représentation : Paris, Opéra-Comique, 10 mai 1907. Interprètes : Georgette Leblanc et Félix Vieuille. Direction : Franz Ruhlmann.

LES PERSONNAGES : Barbe-Bleue (basse) ; Ariane (mezzo-soprano) ; la nourrice (mezzo-soprano) ; Sélisette (mezzo-soprano) ; Igraine (soprano) ; Mélisande (soprano) ; Berengère (soprano) ; trois paysans (basses et ténor). Paysans, foule.

L'INTRIGUE :
Acte I. Une foule de paysans attend l'arrivée de Barbe-Bleue avec sa sixième épouse, Ariane.

Celle-ci est au courant de la disparition mystérieuse des cinq premières femmes de Barbe-Bleue, et est bien décidée à les retrouver. Comme cadeau de noce, Barbe-Bleue offre à Ariane six petites clefs d'argent et une clef d'or. Les premières ouvrent six portes derrnière lesquelles elle trouvera toutes sortes de présents. Mais de la dernière, elle ne devra jamais se servir. Lorsqu'elle ouvre les six portes, Ariane voit couler à ses pieds des monceaux de pierreries : améthystes, saphirs, perles, émeraudes, rubis et diamants. Seuls les diamants l'attirent car elle à la « passion de la clarté ». Derrière la sixième porte, cependant, s'en trouve une septième, celle qu'ouvre la clef d'or. Ariane l'ouvre sans hésitation. Elle voit une échelle qui descend vers des profondeurs souterraines, tandis que lui parviennent des voix féminines. Mais Ariane est surprise par Barbe-Bleue, qui la réprimande sévèrement pour sa désobéissance et veut l'entraîner dans le souterrain. Ariane appelle à l'aide et les paysans restés à proximité du château accourent. Elle les remercie et les renvoie en disant qu'elle ne court plus aucun danger. Barbe-Bleue s'en va, humilié.

Acte II. Ariane découvre les cinq premières femmes de Barbe-Bleue au fond du souterrain : pâles, en loques et terrorisées. Elle les libère et les malheureuses retrouvent la lumière du jour en pleurant de joie.

Acte III. Les femmes se sont parées de fleurs et de bijoux. Mais Barbe-Bleue revient, à la tête de sa garde de Maures. Les paysans, rassemblés devant le château pour protéger les six femmes, lui infligent une défaite. Barbe-Bleue, blessé et ligoté, est amené devant ses victimes. Elles n'entendent pourtant pas se venger cruellement. Ariane coupe ses liens. Les cinq autres femmes s'empressent autour de Barbe-Bleue et c'est en vain qu'Ariane leur dit qu'elles sont libres et qu'elles peuvent partir. Alors, Ariane s'en va tristement, suivie de la nourrice. Deux des femmes, Igraine et Bérengère, referment la porte derrière elle.

■ La composition d'*Ariane et Barbe-Bleue* s'étendit sur sept ans, interrompue par d'autres travaux. C'est le seul opéra de Dukas, et probablement l'une de ses meilleures œuvres. La première représentation ne manquait pas de défauts, mais le spectacle fut progressivement mis au point. *Ariane et Barbe-Bleue* a connu un certain succès à l'étranger, mais surtout en France. MS

ELEKTRA

Tragédie en un acte de Richard Strauss (1864-1949). Livret de Hugo von Hofmannstahl (1874-1929), d'après la tragédie de Sophocle. Première représentation : Dresde, Königliches Opernhaus, 25 janvier 1909. Interprètes : Anny Krull (Elektra), Ernestine Schumann-Heink (Klytemnestra), Margarethe Siems (Chrysothemis), Carl Perron (Orest). Direction : Ernst von Schuch.

Les personnages : Klytemnestra (mezzo-soprano) ; Elektra (soprano), Chrysothemis (soprano) ;

Ægisth, amant de Klytemnestra (ténor) ; Orest, fils de Klytemnestra et d'Agamemnon (baryton).

L'INTRIGUE : La cour du palais des Atrides, à Mycènes. Elektra, sauvage et échevelée, a l'aspect d'une bête traquée. Les servantes qui vont puiser de l'eau se moquent de l'état d'abjection où est réduite la fille d'Agamemnon. Seule la plus jeune traite Elektra avec respect. Les servantes sont rappelées à l'intérieur du palais et la petite est fouettée pour avoir témoigné de la pitié à Elektra. Celle-ci, restée seule, revit la scène de la mort de son père : comment Klytemnestra, l'accueillant à son retour de Troie, le surprit dans son bain et l'emprisonna dans un filet tandis qu'Ægisth, son amant, le poignardait ; comment, enfin, sa propre femme l'acheva à coups de hache. Implorant l'aide de son père mort, Elektra rêve de sa vengeance et imagine déjà la danse rituelle qu'elle accomplira pour célébrer son triomphe. Sa vision est interrompue par sa sœur Chrysothemis. Celle-ci, aussi douce qu'Elektra est véhémente, ne désire que se marier et avoir des enfants pour quitter le palais maudit. Elle avertit Elektra que Klytemnestra et Ægisth veulent l'enfermer dans une tour. Une procession approche : c'est Klytemnestra qui se rend à l'autel pour un sacrifice ; couverte de bijoux et d'amulettes, elle est cependant usée et vieillie ; elle va demander aux dieux de la délivrer des cauchemars qui la hantent depuis son crime. La vue d'Elektra la rend furieuse et elle lui demande pourquoi elle souille toujours le palais de sa présence. Mais sa fille lui adresse des paroles apparemment apaisantes : « Pourquoi railler les dieux ? N'es-tu pas toi-même une déesse ? » Klytemnestra alors quitte la procession et s'approche d'Elektra. Elle connaît sans doute le remède à ses cauchemars : quelle victime faut-il sacrifier ? Elektra l'amène à parler de son fils Orest, qui a fui Mycènes, et qui est en fait le vengeur qui hante ses nuits. Elle menace Elektra de la jeter en prison si elle ne lui dit pas que faire contre l'angoisse. Elektra, dans son explosion de haine, lui crie que la victime désignée, c'est elle et que, quand la hache vengeresse sera tombée, il n'y aura plus de rêves. La confidente de Klytemnestra vient alors dire à la reine que deux messagers ont apporté la nouvelle de la mort d'Orest, et sa peur fait place à l'exultation. Elektra, désespérée, comprend que la vengeance lui incombe à présent. Ne se sentant pas assez forte, elle demande l'aide de Chrysothemis. La jeune fille, épouvantée, s'enfuit, poursuivie par les malédictions de sa sœur. Elektra se met à creuser la terre frénétiquement à la recherche de la hache qu'elle a cachée. Elle reproche amèrement au messager d'avoir survécu à la mort d'Orest. Il devine alors qui elle est et lui dit doucement : « Orest vit. » Un peu plus tard, quatre vieux serviteurs reconnaissent le prince et tombent à genoux. « Qui es-tu ? », demande Elektra. « Les chiens dans la cour me reconnaissent, mais pas ma propre sœur », répond Orest. Elektra, émerveillée, le bénit, pleurant de lui apparaître dans un tel état, ayant perdu toute sa beauté pendant la longue attente. Orest, accompagné de son tuteur, entre dans le palais. Elektra attend, tendue. Un horrible cri de Klytemnestra fait accourir Ægisth. Elektra allume une torche pour le guider. Il entre à son tour dans le palais et apparaît un instant après à une fenêtre, appelant à l'aide. « Agamemnon t'entend », lui crie Elektra. Justice est faite. Alors la fille de l'Atride se met à danser, cette danse de joie morbide dont elle a longtemps rêvé, jusqu'à tomber inanimée sur le sol. Chrysothemis se jette en pleurant sur le corps de sa sœur.

■ *Elektra* est le premier fruit de la collaboration de Strauss avec Hugo von Hofmannstahl et, lors de la première, on reprocha à l'opéra le livret « pervers et immoral ». Et pourtant, à quelques détails près, il suit fidèlement la tragédie de Sophocle, que Hofmannstahl connaissait dans le texte. Ses lectures dans le domaine de la psychanalyse (par exemple *Psyche* de Rohde et *Studien über Hysterie* de Josef Breuer et Sigmund Freud) le poussèrent seulement à intensifier les aspects psychologiques déjà présents chez Sophocle. Certains critiques ont toutefois considéré *Elektra* comme un drame purement psychanalytique. La mort d'Agamemnon a transformé l'amour d'Elektra enfant à son égard en fixation obsessionnelle. Son meurtre a donc été vécu par sa fille comme le meurtre de son seul amour et, par là même, de toute capacité d'affection chez elle. Orest lui apparaît comme le seul homme capable de remplacer son père, et sa folie s'accroche à lui : pour elle l'amour entre eux rend seul la vengeance possible, et donc aussi la libération ; mais Orest, absent, n'a pas connu cette évolution névrotique et revient simplement pour exécuter le double assassinat. Il n'utilise pas la hache préparée par Elektra et ne vient pas la rejoindre après avoir tué Klytemnestra et Ægisth : elle replonge donc à nouveau dans sa solitude désespérée. Malgré toute son admiration pour Hofmannstahl, Strauss hésita longtemps avant d'accepter le sujet, craignant le parallèle avec *Salomé* (aussi bien entre les deux héroïnes qu'entre Orest et Jokanaan). L'invention musicale est moins époustouflante dans *Elektra* que dans *Salomé*, malgré une plus grande maîtrise orchestrale et une gamme d'effets plus étendue. Du point de vue dramatique, les sommets de la partition sont la rencontre entre Elektra et Klytemnestra où, pour exprimer le caractère tourmenté de la reine, la musique va de la polytonalité jusqu'aux limites de l'atonalité, et les retrouvailles avec Orest, où la tension longtemps accumulée atteint son paroxysme. RB

LE COQ D'OR
(Zolotoï petouchok)

Opéra en trois actes de Nikolaï Rimsky-Korsakov (1844-1908). Livret de V. I. Belski, d'après le conte d'Alexandre Pouchkine. Première représentation : Moscou, théâtre Solodovnikov, 7 octobre 1909.

L'INTRIGUE : Dans un court prologue, l'astrologue (ténor élevé) annonce la représentation d'une fable qui doit servir de leçon.

Acte I. Le palais du roi Dodon. Le roi (basse) et ses fils Guidon (ténor) et Afron (baryton) sont réunis avec le général Polkan (basse) et tous les conseillers : l'inquiétude règne car l'ennemi menace les frontières. Aucune des solutions proposées n'est satisfaisante. Finalement, arrive l'astrologue avec son coq d'or (soprano). L'animal merveilleux est capable d'avertir le roi dès qu'un danger menace le pays. Le roi, enchanté, promet à l'astrologue d'exaucer son premier désir. Quelque temps plus tard, le coq se tourne vers l'Orient et pousse un cri d'alarme. Le fils aîné du roi part avec une armée, puis le fils cadet, et enfin le roi lui-même.

Acte II. Une plaine au crépuscule. On aperçoit une tente. Le roi Dodon est désespéré : il a perdu ses fils et de nombreux soldats. Le général Polkan distingue la tente et ordonne de faire feu lorsqu'en sort la ravissante princesse Chemakhaâ (soprano) qui avoue avoir fait tuer les deux fils du roi. Celui-ci, charmé par la voix et la prestance de la princesse, chante et danse pour elle jusqu'à ce qu'elle consente à devenir sa femme.

Acte III. La grand-place de la capitale. Le peuple en liesse fête le retour du roi, qui apparaît dans un magnifique carrosse avec sa jeune fiancée. Mais l'astrologue s'avance et réclame la princesse au roi, lui rappelant qu'il doit exaucer son premier désir. Le roi, courroucé, refuse, et abat l'astrologue d'un coup de sceptre sur la tête. Le coq d'or, pour venger son maître, se jette alors sur Dodon et lui fracasse le crâne à coups de bec. La princesse disparaît et le peuple pleure son roi, tandis que le rideau tombe. L'astrologue refait son apparition pour l'épilogue. Il rassure le public en affirmant qu'aucun des personnages de la comédie n'est réel, excepté lui-même et la princesse.

■ *Le coq d'or* est une satire politique dans laquelle le personnage du roi, présenté au début avec une certaine majesté, est progressivement tourné en ridicule. L'opéra, terminé en 1907, fit l'objet de vives discussions. La censure tsariste, consciente de la signification politique de l'œuvre, essaya par tous les moyens de gêner sa parution. Finalement, elle obtint que le roi soit transformé en général et le général en colonel, et que le célèbre chant du coq *Règne et dors tranquille dans ton lit sûr* devienne simplement *Dors tranquille...* L'opéra fut donc monté en 1909, après la mort du compositeur, et eut beaucoup de succès. Il fut repris ensuite sous des formes différentes ; par exemple, à l'Opéra de Paris, le 24 mai 1914, il fut joué en pantomime, les chanteurs restant en coulisses. Quand Rimsky-Korsakov composa *Le coq d'or*, il avait soixante-quatre ans, et se plaignait de n'avoir plus ses capacités d'autrefois. En fait, l'opéra est plein de fraîcheur et d'originalité, enrichi en outre par des chœurs et des danses issus du folklore russe. La caractéristique de l'œuvre est l'union parfaitement réussie entre la veine satirique et l'atmosphère de conte de fées. Les mélodies qui soutiennent la musique de bout en bout révèlent une fois encore l'amour du compositeur pour l'expression musicale spontanée de sa terre natale.

RB

PIERROT ET PIERRETTE
(Pierrot and Pierrette)

Drame lyrico-musical en deux scènes de Joseph Holbrooke (1878-1958). Livret de Walter E. Grogan. Première représentation : Londres, Her Majesty's Theatre, 11 novembre 1909.

L'INTRIGUE : Fondée sur un conte populaire, elle raconte l'histoire de Pierrot et Pierrette qui s'aiment d'amour tendre, jusqu'au jour où arrive l'Étranger. Ce personnage, symbole du Mal, persuade Pierrot d'abandonner son village pour voir le vaste monde. Dans la débauche et la corruption qu'il découvre, le jeune homme oublie le pur bonheur qu'il connaissait auprès de Pierrette. Finalement, le passé l'emporte sur les plaisirs superficiels, et Pierrot retourne vers sa bien-aimée, qui l'attendait fidèlement, persuadée qu'il lui reviendrait.

■ Cet opéra tiré du conte allégorique de Grogan fut le premier d'Holbrooke à être présenté sur scène, sous la direction du compositeur. Ce ne fut pas un grand succès et il n'est joué que très occasionnellement aujourd'hui en Angleterre et en Amérique, mais c'est certainement une des œuvres les plus charmantes d'Holbrooke. EP

LE SECRET DE SUZANNE
(Susannens Geheimnis)

Intermède en un acte d'Ermanno Wolf-Ferrari (1876-1948). Livret de E. Golisciani. Version allemande de M. Kalbeek. Première représentation : Munich, Hoftheater, 4 décembre 1909.

LES PERSONNAGES : Gil (baryton) ; Susanna (soprano).

L'INTRIGUE : L'action se déroule dans le Piémont. En rentrant chez lui, Gil croit reconnaître sa femme dans la rue. Mais il la trouve assise devant un piano. En réalité, elle est rentrée précipitamment, juste avant lui. Gil sent une odeur de tabac. Or Susanna ne fume pas. Il la soupçonne alors d'avoir reçu un homme. Son serviteur Sante (un mime) ne lui dit rien, et Gil demande à Susanna si elle est sortie : ce qu'elle nie. Gil regrette de l'avoir soupçonnée, mais continue à respirer l'odeur de tabac tandis qu'ils prennent le thé. Ses soupçons reviennent, et il accuse Susanna de lui cacher quelque chose. Elle l'admet, mais refuse de lui dire de quoi il s'agit. Gil lui fait une scène, casse tout, et elle doit se réfugier dans sa chambre. Quelques instants plus tard, elle incite son mari à partir pour son cercle, avec ses amis. Gil sort, mais oublie son parapluie. Susanne se fait apporter par son serviteur les cigarettes qu'elle était allée acheter et qu'elle lui avait confiées au retour de son mari. Elle s'apprête à en allumer une lorsque Gil revient pour prendre son parapluie. Sûr qu'un amant se cache dans la maison, il rentre par la fenêtre et... découvre l'innocent secret de sa femme. Il lui demande pardon et promet de fumer lui aussi pour lui tenir compagnie.

■ Construit, en dépit du sujet, sur le modèle des intermèdes du

XVIIIe siècle, l'opéra a été dirigé par Toscanini au Teatro Costanzi de Rome en 1911, et a reçu un accueil chaleureux au Metropolitan de New York et au Covent Garden de Londres. La très grande unité entre texte, mime et musique faisait dire au chef d'orchestre Félix Motte : « Cela peut sembler paradoxal, mais c'est l'opéra le plus wagnérien que je connaisse. » EP

DON QUICHOTTE

Opéra en cinq actes de Jules Massenet (1842-1912). Livret d'Henri Cain (1859-1937) d'après la comédie de J. Le Lorrain Le chevalier de la longue figure, *inspirée du roman de Cervantès. Première représentation : Monte-Carlo, théâtre du Casino, 19 février 1910.*

L'INTRIGUE : Les aventures de Don Quichotte racontées par Le Lorrain n'ont qu'un lointain rapport avec le roman de Cervantès. Le Lorrain a fait de Dulcinée une femme de chambre, de Don Quichotte un prédicateur grandiloquent, et du sage Sancho une sorte de propagandiste du socialisme.

■ Ce *Don Quichotte* est une œuvre tardive et mineure du musicien français. Le livret offre très peu d'intérêt, et la musique n'est certainement pas à la hauteur des compositions qui ont rendu Massenet célèbre. GPa

MACBETH

Drame lyrique en un prologue et trois actes d'Ernest Bloch (1880-1959). Livret d'Edmond Fleg, inspiré de la tragédie de William Shakespeare. Première représentaion : Paris, Opéra-Comique, 30 novembre 1910.

LES PERSONNAGES : Macbeth, général de l'armée du roi (baryton) ; Macduff, noble écossais (basse chantante) ; Banquo, général écossais (ténor grave) ; Duncan, roi d'Écosse (ténor) ; Malcolm, son fils (ténor) ; Lennox, noble écossais (ténor grave) ; le portier (baryton) ; un vieux (basse) ; un serviteur (ténor) ; un assassin (basse) ; première apparition (basse) ; un médecin (basse) ; Lady Macbeth (soprano) ; Lady Macduff (soprano) ; la fille de Macduff (mezzo-soprano) ; première sorcière (soprano) ; deuxième sorcière (mezzo-soprano) ; troisième sorcière (contralto) ; seconde apparition (contralto) ; une dame d'honneur (contralto) ; Fleange, fils de Banquo (rôle muet) ; le bébé de Macduff (rôle muet). Des cavaliers, des dames de la cour, des soldats, des paysans, les apparitions.

L'INTRIGUE : Vers 1030.
Prologue. Une lande désolée balayée par le vent. Au loin, un champ de bataille couvert de cadavres. Les sorcières apparaissent dans la brume. Dans une atmosphère de cauchemar, elles font de sombres prophéties à Macbeth et à Banquo.
Acte I, premier tableau. Une salle du château de Macbeth. Lady Macbeth, ambitieuse et autoritaire, domine son mari par l'esprit et par les sens. Le vieux roi Duncan arrive, accompagné de son fils Malcolm.
Deuxième tableau. La cour du

château. Macbeth tue le roi Duncan à coups de poignard pour s'emparer de son trône. Les développements psychologiques sont rendus par un duo entre Macbeth et sa femme, les deux coupables, par la ballade du portier ivre, par le chœur de la foule indignée et par les premiers signes de remords de Macbeth.
Acte II, premier tableau (supprimé lors de la reprise de l'opéra, en 1938). Un tueur à gages aux ordres de Macbeth tue l'épouse et les enfants de Macduff.
Deuxième tableau. La salle des banquets du château de Macbeth. Un autre tueur à gages vient de commettre un meurtre pour le compte de Macbeth : il a tué Banquo, dont les sorcières avaient dit qu'il serait père de roi. Encouragé par son épouse, il se vante de sa férocité devant ses invités. Mais l'ombre de Banquo apparaît : Macbeth est terrorisé. Sa femme tente en vain de l'apaiser. Macbeth tombe à terre, en proie au délire.
Acte III, premier tableau. Le repère des sorcières. En présence de Macbeth, les sorcières accomplissent leurs enchantements : les images de ses crimes défilent devant Macbeth, de plus en plus agité. La prophétie du dernier fantôme, qui lui annonce « qu'il sera invincible jusqu'à ce que la forêt de Birnam se mettre en marche » lui redonne toutefois espoir, bien qu'il reste torturé par le remords, craint et abandonné de tous.
Deuxième tableau. Lady Macbeth est mourante. Somnambule, elle délire, avoue ses crimes, et tombe morte. Le finale est une scène de foule grandiose avec un double chœur : les soldats qui avancent, cachés par des feuillages (la forêt qui marche de la prophétie), et les courtisans et le peuple fous de terreur. Macbeth est tué en duel par Macduff, qui remet la couronne à Malcolm.

■ L'opéra, composée entre 1904 et 1909, est l'unique œuvre lyrique écrite par Bloch. Bien accueillie par la critique et le public, elle n'eut pourtant pas un grand succès. A la suite de cette expérience, Bloch abandonna la France et le théâtre. *Macbeth* ne fut repris que vingt ans plus tard, le 5 mars 1938, au théâtre San Carlo de Naples. Le travail du librettiste est remarquable : il a su donner l'essence de la tragédie de Shakespeare en quelques scènes qui suivent très fidèlement le texte orginal, allant jusqu'à reprendre le vocabulaire même de Shakespeare. Bloch n'avait que vingt-cinq ans lorsqu'il composa *Macbeth*. Mais ce coup d'essai fut une grande réussite. Le drame, les passions, sont rendus avec force, mais sans emphase ni rhétorique. Les protagonistes, le crime et le remords, les victimes : tout est mis en musique avec une extraordinaire clarté.

MS

LA FILLE DU FAR-WEST (La fanciulla del West)

Opéra en trois actes de Giacomo Puccini (1858-1924). Livret de Carlo Zangarini (1874-1943) et Guelfo Civinini (1873-1954), d'après le drame The girl of the golden West *de David Belasco (1853-1931). Première représentation : New York, Metropolitan Opera, 10 décembre 1910. Inter-*

prètes : Emmy Destinn, Enrico Caruso, Pasquale Amato. Direction : Arturo Toscanini.

Les personnages : Minnie (soprano) ; Jack Rance, shérif (baryton) ; Dick Johnson, dit Ramerrez (ténor) ; Billy Jackrabbit, un Peau-Rouge (basse) ; Wowkle, la femme de Billy (mezzo-soprano) ; Jake Wallace, chanteur (baryton).

L'intrigue : Un camp de mineurs au pied des Cloudy Moutains pendant la ruée vers l'or de 1849-1850.
Acte I. A l'intérieur du *Polka Saloon*, dont Minnie est la propriétaire. Les chercheurs d'or boivent, jouent et se battent. On entend Wallace qui chante la « Ballade de la nostalgie ». Un agent de la Wells Fargo Transport Company annonce au shérif Rance que le bandit Ramerrez, tristement célèbre, a été signalé dans les environs. Minnie se mêle à la conversation. Le shérif, qui en est amoureux, essaie d'attirer son attention. Un étranger entre : il se fait appeler Dick Johnson, mais il s'agit en réalité du dénommé Ramerrez. Le bandit, qui a déjà rencontré Minnie, est aussitôt attiré par la jeune fille, qui le remarque également. Rance est jaloux. On amène dans le saloon un des hommes de Ramerrez. Apercevant son chef, il feint de vouloir révéler la cachette des bandits, de sorte que le shérif et les chercheurs d'or sortent avec lui. Restée seule avec Johnson-Ramerrez, Minnie lui confie que les mineurs lui laissent leur or en dépôt et qu'elle préférerait perdre la vie plutôt que de trahir leur confiance. Au fond de lui-même, Ramerrez renonce au hold-up qu'il avait projeté. Minnie l'invite à poursuivre la conversation chez elle.
Acte II. L'intérieur de la maison de Minnie. Le rideau s'ouvre sur une scène de famille. On découvre Wowkle, l'Indienne au service de Minnie, son mari Jackrabbit et leur bébé. Minnie arrive, suivie de Johnson. Elle raconte comment elle en est venue à accompagner les mineurs, son enthousiasme pour la vie dans la sierra. Ils s'avouent leur amour. Le shérif et ses hommes font irruption : ils sont sur les traces du bandit. Minnie cache Johnson et affirme qu'elle est seule chez elle. Johnson avoue à Minnie qu'il est l'homme que l'on recherche, et commence à lui expliquer les raisons qui l'ont amené à devenir un bandit de grand chemin. Mais Minnie, furieuse d'avoir été trompée, lui ordonne de s'en aller, sans se préoccuper du danger qui l'attend à l'extérieur. Entretemps, la neige s'est mise à tomber. Johnson a été blessé. Minnie, apitoyée, le cache dans son grenier. Rance arrive. Minnie lui affirme que le bandit s'est enfui, mais une goutte de sang qui tombe du grenier révèle sa présence. On arrête Johnson. Minnie tente le tout pour le tout : elle propose à Rance de jouer leurs destins au poker. Si Rance gagne, Jonhson sera livré à la justice et elle sera à lui. S'il perd, Johnson sera libre. Minnie triche et gagne.
Acte III. A l'aube, dans la grande forêt californienne. La chasse à l'homme reprend. Johnson, capturé par des chercheurs d'or, va être jugé. Avant d'être pendu, il demande que l'on cache à Min-

nie cette fin ignominieuse, pour qu'elle puisse continuer à croire qu'il s'est amendé. Minnie surgit, à cheval, un pistolet à la main. Dans un discours passionné *Fratelli, non v'è al mondo peccatore cui non s'apra una via di redenzione,* elle supplie les mineurs de laisser la vie au bandit. Malgré les protestations de Rance, jaloux, Johnson est libéré. Johnson et Minnie s'éloignent dans la forêt blanche de neige.

■ Oscillant toujours entre l'introspection psychologique d'héroïnes pathétiques *(La Bohème, Madame Butterfly)* et les situations dramatiques puissantes, les figures héroïques, les grandes passions *(Tosca)*, Puccini revient, avec *La fille du Far-West*, au genre du grand opéra romanesque, exotique, avec de grandes scènes de foules. Cette fois pourtant, au classique conflit triangulaire entre deux hommes et une femme, qui rappelle d'une certaine façon celui de *Tosca*, il ajoute une atmosphère de western d'un modernisme audacieux, destinée à impressionner le public américain. Des situations particulièrement dramatiques, comme la découverte de Johnson, trahi par le sang qui goutte du grenier, et la partie de poker, sont inspirées de faits authentiques. Jake Wallace, le joueur de banjo, dont la chanson ouvre et conclut l'opéra, a réellement existé : toute l'histoire, assez vraisemblable par les personnages et certaines situations, faisait cependant référence à un chapitre de l'histoire américaine encore présent dans la mémoire du public. Parmi les personnages principaux, le moins vraisemblable est celui de Minnie, belle, pure, et pourtant amie d'aventuriers, croyant à l'amour *(L'amore è una sensazione delioziosa del cuore che non si puo cancellare)* mais sachant tricher au poker et se servir d'un pistolet. De même Ramerrez-Johnson est un bandit-gentilhomme assez peu plausible. Ce qui intéressait Puccini, c'était un mécanisme dramatique efficace : les scènes les plus sensationnelles du troisième acte — la chasse à l'homme et l'apparition de Minnie à cheval, armée d'un pistolet, comme une Walkyrie du Far-West — n'existent pas dans la pièce de Belasco et furent introduites dans le livret à l'instigation du compositeur. Il se heurta à des difficultés dues à la rapidité de l'action, aux nombreux changements de décor, à la caractérisation très approximative des personnages, ce qui, ajouté à une invention mélodique assez faible, peut expliquer le peu de popularité de l'opéra. Certains passages sont pourtant devenus très célèbres, comme l'aria de Johnson au troisième acte *Ch'ella mi creda*. Analysée plus finement, la partition révèle une prodigieuse habileté technique, lorsqu'il s'agit par exemple d'évoquer l'atmosphère rude et primitive du camp des chercheurs d'or, ou d'utiliser les ressources du vérisme pour rendre presque pathologique la tension qui s'empare des personnages dans les moments de plus grand suspense (le sang qui tombe du grenier, décrit par des arpèges angoissants, la partie de cartes). Quand il recherche de nouvelles formes harmoniques, qui aboutissent souvent à un effacement complet de la tonalité, Puccini laisse entrevoir ce qu'il doit à Debussy et au Strauss de *Salomé*.

Mais cela n'enlève rien à l'originalité de sa musique. *La fille du Far-West* fut triomphalement accueilli par le public du Metropolitan. Il y eut quarante-sept rappels et, entre le deuxième et le troisième acte, on remit à Puccini une couronne d'argent offerte par la communauté italienne des États-Unis. La critique fut plus tiède et se limita en général à rendre hommage à la maîtrise technique du compositeur. RB

LES ENFANTS DU ROI
(Die Königskinder)

Opéra en trois actes d'Engelbert Humperdinck (1854-1921). Livret d'Ernst Rosmer. Première représentation : New York, Metropolitan Opera, 28 décembre 1910. Interprètes : Farrar, Jadlowker, Goritz.

LES PERSONNAGES : La sorcière ; la gardeuse d'oies ; le fils du roi ; un marchand de balais ; un musicien ; un bûcheron ; un aubergiste ; le peuple et les enfants.

L'INTRIGUE : Dans un pays et en des temps imaginaires.
Acte I. Un bois. L'antre des sorcières. Une terrible sorcière retient prisonnière la gardeuse d'oies, belle jeune fille dont le fils du roi, qui l'a rencontrée par hasard dans la forêt, est tombé amoureux. Il lui a même proposé de l'épouser. Mais la sorcière a retenu la gardeuse d'oies par des artifices magiques. Le jeune homme s'en va. Il devra attendre, pour épouser sa bien-aimée, que le ciel accomplisse un miracle : une étoile tombera sur une fleur en train d'éclore. Pendant ce temps, le marchand de balais, le musicien et le bûcheron demandent à la sorcière qui va succéder au roi, qui vient de mourir. La sorcière annonce que le nouveau souverain apparaîtra à midi. Le musicien s'éprend aussitôt de la gardeuse d'oies et veut l'emmener avec lui, mais la sorcière l'en empêche tandis qu'une étoile tombe sur une fleur qui éclôt. Le miracle s'est produit ; la gardeuse d'oies peut s'enfuir.
Acte II. En ville. Le nouveau roi, pour être digne de la gardeuse d'oies, accepte de garder les porcs de l'aubergiste. A midi, la gardeuse d'oies, qui a épousé le nouveau roi, apparaît au peuple. Face aux moqueries de la foule, qui ne veut pas croire que c'est la reine, le prince tente en vain de la défendre et de se faire reconnaître comme le fils du roi décédé. Seule la fille du marchand de balais croit ce que disent les jeunes gens.
Acte III. Près de la ville. Les deux jeunes souverains, rejetés par le peuple, on dû vendre leur couronne pour se nourrir. Puis, sans un sou, chassés et raillés par tous, ils meurent enlacés sur la neige. Conduits par la fille du marchand de balais, les enfants, qui croient à la véritable identité des deux jeunes gens, arrivent trop tard.

■ C'est le plus célèbre opéra d'Humperdinck après *Hänsel und Gretel*. Il s'agit là aussi d'une sorte d'opéra pour enfants avec une intention didactique. A l'origine, c'était une simple comédie avec un accompagnement musical composé par Humperdinck. La première représentation, sous cette forme, eut lieu à Munich le 23 janvier 1897, et fut reprise ensuite à Vienne, Prague, Berlin, Riga et New York. Certains extraits de l'opéra avaient été donnés auparavant en concert à Heidelberg, le 3 juin 1896, preuve que l'auteur y travaillait déjà. Plus tard, après la première représentation, à New York, de la version opéra, *Les enfants du roi* obtint un très grand succès. Le livret fut traduit en anglais, en français, en italien, en hongrois, en russe, en croate et en suédois. L'opéra est encore inscrit au répertoire de certains théâtres. GP

LE CHEVALIER A LA ROSE (Der Rosenkavalier)

Comédie en trois actes de Richard Strauss (1864-1949). Livret de Hugo von Hofmannsthal (1874-1929). Première représentation : Dresde, Königliches Opernhaus, 26 janvier 1911. Interprètes : Carl Perron, Margarethe Siems, Minnie Nast, Eva von der Osten. Direction : Ernst von Schuch.

LES PERSONNAGES : La Maréchale, princesse de Werdenberg (soprano) ; le baron Ochs von Lerchenau (basse) ; Octavian Rofrano, un jeune noble (mezzo-soprano) ; M. de Faninal, un parvenu (baryton) ; Sophie, sa fille (soprano) ; Marianne Leitmetzerin, sa gouvernante (soprano) ; Valzacchi, un intrigant italien (ténor) ; Annina, sa complice (contralto).

L'INTRIGUE :
Acte I. La Maréchale, profitant de l'absence de son mari, a donné rendez-vous dans sa chambre à son jeune amant, le comte Octavian, dit Quinquin. Mais son bonheur est assombri par l'impression d'une jeunesse qui s'enfuit. Un bruit qu'elle entend dans son antichambre la fait sursauter. Elle craint un retour à l'improviste de son mari. Il s'agit en fait de son cousin, le baron Ochs von Lechernau, un rustre qui vient annoncer à la Maréchale ses fiançailles avec Sophie, la fille d'un bourgeois parvenu, M. de Faninal. Bousculant les serviteurs, Ochs entre dans la chambre avant qu'Octavian, déguisé en femme, ait réussi à s'esquiver, ce qui lui vaut de subir les galanteries peu raffinées du baron. Il demande à la Maréchale de lui recommander un jeune homme susceptible, selon la tradition, de porter la rose d'argent symbolique à la fiancée. La Maréchale lui montre alors un portrait d'Octavian. Ochs remarque la ressemblance avec la « femme de chambre » et, convaincu qu'il s'agit de la sœur illégitime du chevalier dont on vient de lui présenter le portrait, accepte la suggestion de la Maréchale. Une assistance nombreuse assiste ensuite au lever de la Maréchale : le notaire, le chef cuisinier, la modiste, un savant, un vendeur d'animaux, l'intrigant Valzacchi avec sa complice Annina, une veuve noble avec ses trois filles, un chanteur, un flûtiste, enfin le coiffeur. Le baron s'entretient avec le notaire de ses affaires matrimoniales. Valzacchi et Annina lui proposent avec insistance d'entrer à son service pour surveiller sa future épouse. Restée seule, la Maréchale est de nouveau prise de mélancolie, et le retour de Quinquin n'y change rien. Elle pense au contraire avec peine qu'il l'abandonnera bientôt pour une femme plus jeune et plus belle. Octavian voudrait la rassurer,

mais lorsqu'il s'en va, la Maréchale remarque qu'ils ne se sont même pas donné un baiser. Résignée, elle donne à son page noir Mohammed le coffret renfermant la rosc que lui a confiée son cousin, pour qu'il le porte à Octavian.

Acte II. Chez M. de Faninal. On se prépare à accueillir le Chevalier à la rose. Octavian entre, se dirige vers Sophie, et lui remet la rose. Les deux jeunes gens éprouvent immédiatement une attirance l'un pour l'autre. Sophie avoue à Octavian qu'elle n'aime pas le baron, qui ressemble à un maquignon. Ochs arrive. Faninal l'accueille cérémonieusement. Ils se retirent avec le notaire pour rédiger le contrat de mariage. Restés seuls, Sophie et Octavian s'avouent leur amour. Valzacchi et Annina les surprennent et les dénoncent au baron. Octavian affronte le baron en duel et le blesse. Ochs demande un médecin. Faninal voudrait que l'on avance la date des noces. Annina remet au baron un message dans lequel la soi-disant femme de chambre de la Maréchale lui fixe un rendez-vous amoureux le lendemain soir. Ochs est ravi, mais feint de ne pas comprendre qu'Annina attend une récompense.

Acte III. Une pièce réservée dans l'auberge où doit avoir lieu la rencontre entre Ochs et la fausse femme de chambre. Valzacchi et Annina mettent au point le piège destiné au baron. Octavian leur glisse quelque argent, sort et rentre au bras du baron. Ayant renvoyé l'aubergiste et les serviteurs pour ne pas payer une addition trop salée, Ochs s'apprête à passer un bon moment. La ressemblance de la jeune fille avec Octavian ne laisse toutefois pas de l'intriguer. Des bruits mystérieux et d'étranges apparitions l'inquiètent. Annina, portant le deuil, apparaît à l'improviste et prétend reconnaître dans le baron le mari qui l'a abandonnée. Elle est indignée de le trouver avec une mineure. Valzacchi, l'aubergiste et les serviteurs lui prêtent mainforte. Quatre enfants surgissent en criant « Papa ! ». Un commissaire de police intervient ; sans se soucier des protestations du baron, il ouvre une enquête. Pendant ce temps, une foule de curieux qui font des commentaires grivois s'est réunie. Sophie et Faninal arrivent à leur tour. Faninal se trouve mal. Octavian explique toute l'affaire au commissaire et réapparaît vêtu en homme. La Maréchale entre. Le baron, stupéfait de retrouver Octavian, s'esquive de manière inconvenante, poursuivi par l'aubergiste, les serviteurs et les musiciens qui réclament leur dû. La Maréchale comprend que Sophie et Octavian s'aiment, et se soumet avec mélancolie, mais dignité, à la dure loi de la vie. Sophie et Octavian s'embrassent et sortent. Le petit page Mohammed entre alors, ramasse le mouchoir que Sophie a laissé tomber, et sort en dansant.

■ *Le chevalier à la rose* fut annoncé par Strauss lui-même comme un « opéra mozartien » et apparut à de nombreux critiques comme un pas en arrière par rapport à *Salomé* et *Elektra*, voire comme un exemple du conservatisme musical. En réalité, *Le chevalier à la rose* marque le zénith de l'activité créatrice de Strauss, et « comme un astre jette ses rayons dans toutes les directions », il éclaire aussi bien les œuvres précédentes que celles à venir. Dans cet opéra, les dons et les faiblesses de Strauss apparaissent comme grossis à la loupe. Comment la loi mozartienne selon laquelle « les situations les plus crues, les sentiments les plus ardents, ne devraient jamais dispenser la musique d'être belle » pouvait-elle s'adapter au musicien de l'expérience physique, du réalisme sensuel, de l'exploration du pathologique ? L'orchestre tient dans cet opéra une place prépondérante, jusqu'à noyer le texte de Hofmannsthal dans les scènes d'ensemble. Certains passages sont d'une conception très moderne, par exemple lorsque l'orchestre veut suggérer, presque tactilement, le brillant de la rose par des accords polytonaux de flûtes, célesta, harpe et des trois violons solistes. Lors de la création de l'opéra, les grandes phrases musicales qui se développent sur un rythme de valse viennoise furent particulièrement discutées. On parla d'anachronisme, ou d'un expédient pour donner au *Chevalier à la rose* un caractère intemporel. Mais si d'un côté l'anachronisme n'est qu'apparent, car la noblesse viennoise de l'époque aimait effectivement se divertir de danses populaires, l'introduction de ce rythme dans la partition donne à l'ensemble un caractère indéniablement viennois. *Le chevalier à la rose* n'en constitue pas moins un pas décisif dans l'exploration straussienne de la technique symphonique de l'opéra. L'évolution psychologique des personnages est à chaque instant rendue par la musique. Les valses, l'intrigue, les élans lyriques ont conquis le public, qui réserva un accueil triomphal à l'opéra lors de la première, avant qu'il ne soit joué sur toutes les scènes du monde.

RB

LA FILLE DU CAPITAINE (Kapitanskaïa dotchka)

Opéra de César Antonovitch Cui (1835-1918). Livret du compositeur, d'après le roman historique d'Alexandre Sergueïevitch Pouchkine (1836). Première représentation : Saint-Pétersbourg, 1911.

L'INTRIGUE : Les aventures du jeune Grinev et de son serviteur Savélitch au temps de Catherine-la-Grande, pendant la révolte de Pougatchev (1773). Grinev, militaire, est envoyé à la forteresse de Belygrosk, et s'éprend de la fille du commandant, Maria Ivanovna. Il se bat en duel avec son rival, le traître Chvabrine, lorsque arrive le rebelle Pougatchev, qui assiège et occupe le bastion impérial. Il sauve la vie de Maria et Grinev, qu'il reconnaît comme l'homme qui lui avait un jour donné sa pelisse pour se réchauffer. Grinev, par la suite, est accusé de complicité avec les rebelles et condamné. Maria parvient cependant à obtenir sa grâce auprès de la tsarine.

■ Cet exemple de grand opéra national russe est rarement joué aujourd'hui, malgré des pages remarquables.

MS

DÉJANIRE

Tragédie lyrique en quatre actes de Camille Saint-Saëns (1835-

1921). Livret de Louis Gallet (1835-1898). Première représentation : Monte-Carlo, théâtre du Casino, 14 mars 1911.

L'INTRIGUE : Hercule est tombé amoureux de Iole. Déjanire, son épouse, pour reconquérir le cœur du héros, lui offre la tunique du centaure Nessus, que ce dernier lui a remise en l'assurant qu'elle lui ramènerait Hercule. Mais la chemise, imprégnée du sang empoisonné de l'Hydre de Lerne, est en fait un cadeau mortel : le centaure assouvissait ainsi sa vengeance contre Hercule, dont il avait tenté d'enlever la femme et qui l'avait blessé grièvement. Au dernier acte, on assiste au tragique épilogue. Alors que vont être célébrées les noces d'Hercule avec Iole, celle-ci remet la tunique au héros. Au milieu des libations rituelles, il est saisi d'atroces douleurs et supplie qu'on le jette à la mer pour calmer la brûlure. Devant la foule terrorisée, il finit par se précipiter, fou de douleur, sur un bûcher enflammé par la foudre. Il apparaît finalement dans le ciel, transfiguré, au milieu des immortels.

■ L'idée de faire de *Déjanire* un opéra vint à Saint-Saëns alors qu'il écrivait la musique de scène pour la tragédie de Louis Gallet, en 1898. Mais cela impliquait d'assez importantes modifications du texte. Aussi, après la mort de Gallet, quand le prince de Monaco et les directeurs de l'Opéra lui demandèrent de composer un nouveau drame lyrique, Saint-Saëns voulut se charger personnellement du livret, et développa la musique écrite quelques années auparavant. RB

L'HEURE ESPAGNOLE

Comédie musicale en un acte de Maurice Ravel (1875-1937), d'après la comédie de Maurice Étienne Legrand (1873-1934), qui écrivit le livret sous le pseudonyme de Franc-Nohain. Première représentation : Paris, Opéra-Comique, 19 mai 1911. Interprètes : G. Vix, J. Périer, Delvoye, Coulomb, M. Gazeneuve. Direction : Franz Ruhlmann.

L'INTRIGUE : Tolède, au XVIIIe siècle. La boutique de l'horloger Torquemada. Le muletier Ramiro (baryton), apporte à Torquemada (ténor) une vieille montre à réparer. La femme de l'horloger, Concepción (soprano), arrive à ce moment, rappelant à son mari qu'il doit aller, comme chaque jeudi, mettre à l'heure toutes les horloges de la ville. Torquemada s'en va, priant le muletier d'attendre son retour, au grand dépit de Concepción, qui doit recevoir son soupirant, Gonzalve. Elle demande donc à Ramiro de lui rendre un service en transportant à l'étage deux énormes horloges catalanes. Le jeune bachelier Gonzalve (ténor) entre alors et se met à réciter des poèmes à Concepción. Ramiro, entre-temps, a fini son travail et revient. La dame lui demande alors de mettre la première horloge à la place de la seconde et vice versa. Dès qu'il a tourné le dos, elle cache son galant dans le coffre de la deuxième horloge. En effet, un riche banquier qui la courtise assidûment, Inigo Gomez (basse), vient d'entrer. Ramiro revient avec la première horloge et, sans le moindre effort, charge sur ses épaules celle où est caché Gonzalve. Concepción l'accompagne. Le banquier, resté seul, décide de lui faire une farce et se dissimule dans le coffre de l'horloge qui se trouve dans la boutique. Ramiro et Concepción redescendent. La femme est furieuse. Le petit étudiant fait de beaux discours, mais c'est tout. Exaspérée par le tic-tac de l'horloge, elle demande à Ramiro de l'en débarrasser une nouvelle fois en la portant dans la chambre et, par la même occasion, de redescendre celle où est caché Gonzalve. Le banquier, quant à lui, ne peut plus sortir de l'horloge, gêné par son embonpoint. Concepción en a vraiment assez de ses deux soupirants et commence à penser que le muletier est bien musclé, et surtout bien patient. Elle les laisse donc dans leurs horloges respectives, dont ils parviennent finalement à s'extraire. Torquemada, à son retour, les trouve encore là. Pour expliquer leur présence, ils sont obligés de se présenter comme des clients. Torquemada, riant sous cape car il soupçonne la vérité, se fait un plaisir de leur vendre à chacun une des deux horloges catalanes. Lorsque l'horloger vient annoncer à sa femme qu'il n'a plus l'heure dans sa boutique, Concepción lui répond avec un charmant sourire que ça n'a pas d'importance, car Ramiro passera désormais tous les jours sous ses fenêtres pour lui dire l'heure.

■ Legrand contribua en personne à l'adaptation de sa comédie satirique *L'heure espagnole* en livret d'opéra bouffe. Mais, alors que sa pièce avait été très bien accueillie, l'opéra mit un certain temps avant de connaître le succès. Terminé en 1907, il ne fut monté qu'en 1911 à l'Opéra-Comique ; la critique, à quelques observations près, ne se montra pas défavorable, ce qui n'empêcha pas le spectacle d'être retiré de l'affiche au bout de quelques représentations. Il ne fut ensuite repris en France qu'en 1938, avec cette fois un réel succès. L'année suivante, à l'occasion du deuxième anniversaire de la mort de Ravel, il fut intégré à un programme comportant aussi *Daphnis et Chloé* et *Adélaïde ou Le langage des fleurs*. La satire de Franc-Nohain avait enchanté Ravel malgré son côté un peu leste, assez contraire au caractère pudique et réservé du compositeur ; il y voyait toute sorte de possibilités de mise en scène. Il chercha par exemple à animer les objets : dans la première scène, toutes les montres et pendules indiquent une heure différente et sonnent à qui mieux mieux. L'effort de Ravel pour cette composition fut toutefois considérable, étant donné les vives inquiétudes que lui donnait au même moment la santé de son père, qui mourut effectivement avant la création de l'œuvre, après une dernière tentative de son fils pour le faire soigner à l'étranger. Maintenant que *L'heure espagnole* a sa place dans tous les répertoires, on peut reprocher à la critique de 1911, choquée par le sujet jugé scabreux, de n'avoir pas compris la finesse expressive et la magie sonore de l'ouvrage de Ravel. Sans son goût raffiné et l'équilibre harmonique de sa composition, sans doute la comédie fût-elle restée une farce assez douteuse et finalement médiocre. RB

LE MARTYRE DE SAINT SÉBASTIEN

Mystère en cinq scènes de Claude Debussy (1862-1918). Texte poétique français de Gabriele d'Annunzio (1863-1938). Première représentation : Paris, théâtre du Châtelet, 22 mai 1911.

L'INTRIGUE : Rome à l'aube du christianisme.
Première scène. Les jumeaux Marcus et Marcellinus sont attachés à deux colonnes et vont être exécutés : ils ont refusé de sacrifier aux dieux païens et veulent témoigner leur foi chrétienne par le martyre. Leur famille pleure, tandis que Sébastien, le chef des archers, les observe intensément. Soudain, il élève la voix et proclame que lui aussi est chrétien. Les archers le regardent effrayés, tandis que les proches des jumeaux l'imitent en affirmant leur foi.
Deuxième scène. Sébastien assiste à un rituel païen au cours duquel sept sorcières adorent diverses divinités. Il intervient pour leur parler du Christ.
Troisième scène. Sébastien, devenu favori de l'empereur, se voit promettre tous les honneurs, mais, toujours croyant, il brise une image que lui a offerte l'empereur.
Quatrième scène. Sébastien, sur ordre de l'empereur, est ligoté à un laurier et doit être percé de flèches. Les archers hésitent, mais Sébastien les encourage doucement. Il meurt et les archers, tristes et repentants, le pleurent. Les femmes mettent son corps sur une civière.
Cinquième scène. L'âme de Sébastien monte au ciel, accompagnée par un chœur d'anges et de martyrs chantant ses louanges.

■ L'œuvre est construite sous la forme d'un mystère médiéval, en cinq scènes et un prologue-prière. Dans le prologue, l'auteur lui-même définit les parties comme « cinq vitraux », l'ouvrage étant délibérément fragmenté et décoratif. Dès le prélude, le spectateur est plongé dans l'atmosphère orgiaque du paganisme finissant et dans le mysticisme du premier christianisme, qui imprègnent toute la musique. Sébastien, personnage central, est représenté comme un éphèbe ; son rôle récité et dansé fut créé par la danseuse Ida Rubinstein. A côté des personnages qui jouent et récitent, il y a plusieurs rôles uniquement vocaux : la *vox sola,* la *vox caelestis*, la voix de la Vierge, l'*anima Sebastiani*, Érigone, les deux jumeaux. Le chœur tient une place assez importante. L'œuvre fit scandale et fut condamnée à l'avance par l'archevêque de Paris. Malgré une déclaration signée par Debussy et d'Annunzio à la veille de la création, et qui affirmait leur bonne foi et l'absence de toute intention sacrilège, *Le martyre de saint Sébastien* fut mis à l'Index. De fait, quelles qu'aient été les intentions des auteurs, la figure de Sébastien apparaît essentiellement profane. La poésie de d'Annunzio est écrite dans un français archaïque et raffiné. Pour Debussy, ce fut une expérience déterminante dans l'évolution de son langage expressif. L'œuvre est donc d'une grande importance, même si elle n'a pas connu une véritable notoriété. En 1911 et 1917, des projets pour transformer *Le martyre de saint Sébastien* en opéra furent mis à l'étude, mais aucun n'aboutit. MS

ISABEAU

Légende dramatique en trois parties de Pietro Mascagni (1863-1945). Livret de Luigi Illica (1857-1919). Première représentation : Buenos-Aires, Teatro Coliseo, 2 juin 1911. Interprètes : M. Farneti, C. Galeffi, A. Saludas, R. Da Ferrara, G. La Puma, M. Pozzi. Direction : Pietro Mascagni.

LES PERSONNAGES : Isabeau (soprano) ; Ermyntrude (mezzo-soprano) ; Ermyngarde (soprano) ; Giglietta (mezzo soprano) ; Folco (ténor) ; le roi Raymond (basse) ; messire Cornélius (basse) ; le chevalier Faidit (baryton) ; le héraut (baryton) ; Arundel de Westerne, Ethelbert d'Argile, Randolph de Dublin, Ubald de Gascogne.

L'INTRIGUE : L'action se déroule dans une ville et à une époque imaginaires.

Première partie. Au château royal, une épreuve est ouverte : le chevalier qui saura inspirer un sentiment d'amour à la princesse Isabeau obtiendra sa main. Arrivent à ce moment Giglietta, une vieille bûcheronne, et son neveu Folco, fauconnier, qui viennent apporter des présents à la princesse. Le conseiller du roi, messire Cornélius, veut les faire éloigner, mais Isabeau se montre très sensible à leur hommage. Le tournoi va commencer, et la foule se rassemble pour le spectacle. Isabeau est parfaitement indifférente, sauf à l'égard du jeune inconnu, qui lui fait pitié. C'est Ethelbert d'Argile, le neveu du roi, qui avait été banni. Le peuple croit pouvoir l'acclamer comme futur époux de la princesse, mais celle-ci refuse de faire son choix, contrairement à la promesse faite. Sur les conseils de Cornélius, le roi, courroucé, la condamne à chevaucher dans les rues de la ville, nue sur un cheval, pour la punir de son orgueilleuse chasteté.

Deuxième partie. Le peuple demande au roi de promulguer un édit selon lequel toute personne surprise en train de regarder passer la princesse aura les yeux crevés. On boucle donc portes et fenêtres tandis qu'Isabeau, escortée par deux servantes, quitte le palais. Elle a sa longue chevelure pour tout vêtement. Folco, ignorant l'interdiction, lui jette des fleurs du haut d'un jardin en la voyant passer. Les gens furieux se jettent sur lui, et il n'est sauvé que par l'intervention d'Ethelbert.

Troisième partie. Isabeau a des remords d'avoir causé involontairement la condamnation de Folco. Giglietta la supplie de sauver son fils, mais Ethelbert lui rappelle que le peuple ne faisait que défendre son honneur. Isabeau demande à parler au prisonnier. On l'amène, tranquille et heureux de mourir en emportant une si charmante vision. Isabeau lui propose de s'enfuir, mais il refuse. Alors, pour le sauver, elle lui offre sa main, car elle est tombée amoureuse de lui. Elle court porter la nouvelle à son père. Cornélius, qui a tout entendu, en profite pour livrer Folco à la foule menaçante. Quand Isabeau revient, comprenant ce qui s'est passé, elle se précipite pour mourir avec son bien-aimé.

■ L'opéra fut composé presque entièrement entre juin et septembre 1910, à Castellarquato, chez Luigi Illica, et en étroite collaboration avec lui. L'orchestration fut achevée à Milan, où Mascagni présenta la partition à Puccini, son ancien condisciple au conservatoire. Destiné à l'origine au public newyorkais, *Isabeau* finit par être représenté, après bien des vicissitudes, en Amérique du Sud, après une répétition générale au théâtre de Carlo Felice de Gênes. En Italie, l'opéra fut monté simultanément à La Fenice de Venise et à la Scala de Milan, les deux théâtres n'ayant pas réussi à se mettre d'accord. Cette œuvre est une tentative de Mascagni pour renouveler le genre du drame musical, dans l'esprit de d'Annunzio, triomphant à l'époque. L'accueil fut assez froid, contrairement aux ambitions affichées par l'auteur, sauf peut-être en Argentine. *Isabeau* ne figure plus au répertoire des théâtres lyriques européens.
AB

CONCHITA

Opéra en quatre actes de Riccardo Zandonai (1883-1944). Livret de M. Vaucaire et C. Zangarini, d'après La femme et le pantin *de Pierre Louÿs (1870-1925). Première représentation : Milan, Teatro Dal Verme, 14 octobre 1911. Interprètes : Tarquinia Tarquini, P. Schiarazzi, Zinolfi, Lucca. Direction : Ettore Panizza.*

L'INTRIGUE : Une pauvre ouvrière de la manufacture de tabacs de Séville, Conchita (soprano), refuse les avances de Mateo (ténor), car elle ne croit pas à sa sincérité. Mateo offre de l'argent à la mère de la jeune fille (mezzo-soprano), mais Conchita s'enfuit de la maison. Pour vivre, elle devient danseuse de flamenco. Mateo la retrouve et lui offre de l'entretenir luxueusement. Pour le mettre à l'épreuve, Conchita se laisse volontairement surprendre avec un autre homme. Devant la jalousie exaspérée de Mateo, elle se persuade enfin de la sincérité de son amour.

■ Très élaboré sur le plan de l'harmonie et de l'orchestration, *Conchita* est l'œuvre d'un jeune compositeur déjà très mûr. En effet, l'élan juvénile s'accompagne d'éléments de réflexion caractéristiques des œuvres de la maturité de Zandonai, sans toutefois renoncer à la vivacité et au romantisme du thème, d'inspiration vériste.
EP

LES BIJOUX DE LA MADONE (Der Schmuck der Madonna)

Opéra en trois actes d'Ermanno Wolf-Ferrari (1876-1948). Livret de E. Golisciani et C. Zangarini (Version allemande de H. Liebstöckl). Première représentation : Berlin, Kurfürstenoper, 23 décembre 1911.

LES PERSONNAGES : Gennaro (ténor) ; Carmela (mezzo-soprano) ; Maliella (soprano) ; Rafaele (baryton) ; Biaso (ténor bouffe) ; Totonno (ténor) ; Grazia (danseuse).

L'INTRIGUE : L'action se déroule à Naples.

Acte I. C'est la fête de la Madone. Mais le forgeron Gennaro ne participe pas à l'allégresse générale ; il prie la Sainte Vierge de le délivrer de l'amour qu'il éprouve pour Maliella. La jeune fille, au contraire, s'amuse beaucoup : elle sort, danse et va se promener au bord de la mer avec Biaso, l'écrivain public du quartier. Le beau Rafaele, chef d'une bande de malfaiteurs, se met à courtiser Maliella, se déclarant prêt à voler pour elle les bijoux de la Madone, qui est portée en procession ce jour-là.

Acte II. La maison de Carmela, mère de Gennaro, où vit aussi Maliella, orpheline recueillie par Carmela. Gennaro se dispute avec Maliella quand elle lui annonce son intention de quitter la maison. Il finit par lui avouer qu'il l'aime. Mais l'effrontée répond qu'elle ne saurait aimer qu'un homme vraiment courageux et dévoué, un homme capable de voler pour elle les bijoux de la Madone. Gennaro, furieux, l'enferme dans la maison et sort tristement. Rafaele, sous les fenêtre de Maliella, chante une sérénade. Ils se parlent d'amour, et elle accepte de le retrouver au repaire de la bande le lendemain. Quand Gennaro revient, il apporte à Maliella les bijoux volés sur la statue de la Vierge. Alors la jeune fille ne repousse plus ses étreintes et se donne à lui.

Acte III. Le repaire des malfaiteurs. Rafaele boit avec ses amis pour fêter la nouvelle perle qu'il vient d'ajouter à son chapelet de conquêtes : la belle Maliella. La jeune fille entre à cet instant, suppliant qu'on la protège de Gennaro, qui la poursuit. Quand Rafaele comprend qu'elle s'est donnée à Gennaro, il la rejette avec dégoût. Il réalise soudain qu'elle porte les bijoux de la Madone et recule, frappé d'effroi devant ce sacrilège. Des hommes de Rafaele amènent Gennaro, qui n'oppose aucune résistance. Maliella jette à ses pieds les bijoux et s'enfuit. Les bandits s'en vont aussi pour ne pas être pris pour les complices de Gennaro. Celui-ci, resté seul, ramasse les bijoux, va les déposer aux pieds de la statue de la Vierge et se poignarde.

■ Wolf-Ferrari a quitté provisoirement Goldoni pour écrire cet opéra, très italien cependant. Le compositeur vénitien s'éloigna rarement des sujets italiens, peut-être pour conjurer le sort qui avait fait de lui presque un étranger, méconnu dans son propre pays, tandis qu'en Allemagne, il était l'objet d'une faveur grandissante, auprès du public comme de la critique. De même que pour *Le donne curiose, Les bijoux de la Madone (Der Schmuck der Madonna)* lui apporta bien plus de satisfactions à l'étranger qu'en Italie ; l'opéra fut exécuté à New York sous la direction d'Arturo Toscanini, et le Metropolitan Opera lui demanda d'être présent lors des premières représentations. C'est l'une des rares occasions où il fut donné à Ermanno Wolf-Ferrari d'entendre une de ses œuvres chantée en Italien. EP

DIE BRAUTWAHL

Opéra-comique en trois actes de Ferrucio Busoni (1866-1924).

Livret du compositeur, d'après un récit de E. T. A. Hofmann. Première représentation : Hambourg, Staatsoper, 13 avril 1912.

■ Premier opéra de Busoni à avoir été monté sur scène, il fut composé à Berlin, où l'auteur s'était installé à son retour de Boston. MS

UNE ÉDUCATION MANQUÉE

Opéra en un acte d'Emmanuel Chabrier (1841-1894). Livret d'Eugène Leterrier et Albert Vanloo. Première représentation privée, avec accompagnement au piano : Paris, cercle de la Presse, 1er mai 1879. Première représentation publique : Paris, théâtre des Arts, 9 janvier 1913.

L'INTRIGUE : L'action se déroule au temps de Louis XVI, chez le comte de Boismassif. Le jeune comte Gontran (ténor) arrive au château avec son épouse Hélène (soprano). Les deux membres les plus âgés de la famille sont chargés d'expliquer aux jeunes mariés comment on se comporte le soir des noces, ce dont personne ne leur a parlé jusqu'alors. Le grand-père de Gontran lui envoie une lettre où il lui dit que, de son temps, il s'en était très bien tiré, sans avoir besoin d'explications. La tante d'Hélène, une très vieille dame, ne leur est pas d'un grand secours. Un orage providentiel jette les jeunes époux dans les bras l'un de l'autre. Et quand le précepteur Pausanias (basse) arrive en toute hâte pour prodiguer ses conseils à son élève, il découvre qu'on n'a plus du tout besoin de lui.

■ Chabrier écrivit ce petit opéra alors qu'il n'était encore qu'un musicien amateur, travaillant comme fonctionnaire dans un ministère. *Une éducation manquée* a été repris récemment en Angleterre, en 1953 et 1961. MS

PÉNÉLOPE

Opéra en trois actes de Gabriel Fauré (1845-1924). Livret de René Fauchois (1882-1962). Première représentation : Monte-Carlo, théâtre du Casino, 4 mars 1913. Interprètes : L. Bréval et Ch. Rousselière. Direction : L. Jehin.

■ C'est l'opéra le plus important de Gabriel Fauré, qui le dédia à Saint-Saëns. Comme les précédents, il est inspiré de la Grèce antique. Sur le plan musical, on peut remarquer un certain affranchissement par rapport à Wagner et aux conventions romantiques, très présentes jusqu'alors dans l'œuvre du compositeur. MS

LA VIE BRÈVE (La vida breve)

Opéra en deux actes et quatre tableaux de Manuel de Falla (1876-1946). Livret de Carlos Fernandez Shaw. Version française de Paul Milliet. Première représentation (en français) : Nice, théâtre de l'Opéra, 1er avril 1913. Interprète principale : Liliane Grenville.

L'INTRIGUE :
Premier tableau. Dans une maison pauvre de Grenade, la grand-mère (mezzo-soprano) donne à manger aux oiseaux. Sa petite-fille Salud (soprano) attend son amoureux, Paco, qui est en retard. Il arrive peu après, aussi tendre qu'à l'accoutumée. Mais après son départ, l'oncle de Salud, Salvador (baryton ou basse chantante), rentre avec une terrible nouvelle : Paco s'est fiancé avec une jeune fille riche. La grand-mère entre dans une grande colère. Deuxième tableau. A la tombée de la nuit. On prépare le mariage de Paco dans la maison de la fiancée.
Troisième tableau. Salud, devant la maison en fête, chante une chanson bien connue de Paco.
Quatrième tableau. Salud et son oncle entrent dans le patio de la maison. Interrogée par Manuel, le frère de la mariée, Salud lui raconte ses amours avec Paco. Le jeune homme, confronté avec Salud, nie tout. Salud, en entendant ses paroles, tombe morte de douleur.

■ C'est le premier opéra de De Falla. Il remporta en 1905 le concours de l'académie des Beaux-Arts de Madrid, mais ne put être monté que douze ans plus tard, à Nice. La même année, il fut joué à Paris, à l'Opéra-Comique (31 décembre 1913). *La vida breve* ne fut présenté en Espagne qu'en 1914. Il obtint un succès honorable, malgré la médiocrité du livret. A Paris, la musique de Manuel de Falla fut très appréciée par des compositeurs comme Dukas, Albeniz et Debussy. L'œuvre reçut aussi un accueil favorable de la critique et du public. MS

L'AMOUR DES TROIS ROIS
(L'amore dei tre re)

Poème tragique en trois actes d'Italo Montemezzi (1875-1952). Livret de Sem Benelli (1877-1949). Première représentation : Milan, théâtre de la Scala, 10 avril 1913. Interprètes : Luisa Villani, Edoardo Ferrari-Fontana, Carlo Galeffi, Nazarino De Angelis. Direction : Tulio Serafin.

LES PERSONNAGES : Archibaldo (basse) ; Manfredo (baryton) ; Avito (ténor) ; Flaminio (ténor) ; Fiora (soprano) ; une servante (soprano) ; une vieille femme (mezzo-soprano).

L'INTRIGUE : Au Moyen-Age, dans un château en Italie, quarante ans après une invasion barbare.
Acte I. Fiora, fiancée à un prince italien, Avito, a été obligée d'épouser Manfredo, fils du baron Archibaldo, envahisseur étranger, seigneur du château et du comté. Manfredo est à la guerre et Archibaldo soupçonne sa bru d'infidélité. Mais, comme il est aveugle, il ne peut demander que le témoignage du serviteur qui l'accompagne partout, Flaminio. Ce dernier, italien comme Fiora, lui ment en disant qu'il ne se passe rien. En réalité, Fiora retrouve chaque soir son ancien fiancé, Avito. Manfredo revient de guerre, heureux de retrouver son épouse, qu'il aime tendrement.
Acte II. Manfredo doit repartir en campagne. Il prie Fiora de monter sur la tour et de l'accompagner de signes d'adieu jusqu'à ce qu'il disparaisse à l'horizon. Fiora, touchée, éprouve soudain

un sentiment nouveau à l'égard de son mari. Comme elle agite son écharpe du haut des créneaux, Avito survient et, emportés par la passion, ils s'étreignent. Archibaldo entend leurs voix. Flaminio dit à Avito de fuir. Puis il va à la rencontre de Manfredo, qui a fait demi-tour en ne voyant plus flotter l'écharpe de Fiora. Archibaldo, resté seul avec Fiora, lui ordonne d'avouer le nom de son amant. Terrorisée, elle refuse pourtant de parler, et il l'étrangle. Manfredo arrive trop tard. Il comprend ce qui s'est passé, mais pardonne à Fiora. Acte III. Le corps de Fiora est déposé devant la crypte du château, entouré de fleurs. Les gens du pays, qui l'aimaient et qui connaissaient son histoire, la pleurent. Avito s'approche et lui donne un dernier baiser passionné. Mais il se sent soudain saisi d'un froid mortel : Archibaldo, pour démasquer l'amant, a mis du poison sur les lèvres de la morte. Manfredo, desespéré, embrasse lui aussi Fiora et meurt.

■ Cet opéra, construit sur le modèle des mélodrames traditionnels, eut les faveurs du public, surtout à l'étranger. Il fut dirigé par Toscanini au Metropolitan Opera de New York, et de grandes cantatrices comme l'Espagnole Lucrezia Bori, l'Italo-Américaine Rosa Ponselle et l'Américaine Grace Moore interprétèrent le rôle romantique de Fiora. SC

JULIEN
ou LA VIE DU POÈTE

Opéra en un prologue et quatre actes de Gustave Charpentier (1860-1956). Livret du compositeur. Première représentation : Paris, Opéra-Comique, 4 juin 1913. Interprètes : Carré et Rousselière.

■ Conçu comme suite au roman musical *Louise,* cet opéra n'eut pas le moindre succès. MS

PARISINA

Tragédie lyrique en quatre actes de Pietro Mascagni (1863-1945). Livret de Gabriele d'Annunzio (1863-1938). Première représentation : Milan, théâtre de la Scala, 15 décembre 1913.

L'INTRIGUE : Niccolò d'Este a eu un fils bâtard de sa favorite Stella de' Tolomei, dite Stella dell'Assassino, qui a dû quitter la cour lorsque son amant a épousé Parisina Malatesta. Stella voit son fils Ugo en cachette et tente de lui inspirer de la haine envers sa belle-mère. Mais Hugo est conquis par la beauté de Parisina. Au cours d'un pèlerinage à Loreto avec sa suite, Parisina est sauvée par Ugo d'une attaque de pirates slaves. Parisina cherche à résister à la passion d'Ugo, mais elle finit par se laisser emporter. Tourmentée par le remords, elle croit revivre l'aventure de Francesca de Rimini. Comme l'héroïne de Dante, elle est découverte par son mari dans les bras de son amant. Parisina et Ugo sont condamnés à être décapités. Stella accourt pour revoir son fils une dernière fois, mais trop tard.

■ Le succès d'*Isabeau* donna

l'idée à Lorenzo Sonzogno de demander, pour la Scala, un opéra écrit en collaboration par Pietro Mascagni et Gabriele d'Annunzio. Après quelques tâtonnements, Mascagni, enthousiasmé par « la beauté des vers et la véhémence de la tragédie », parvint à travailler très cordialement avec d'Annunzio, s'efforçant d'être fidèle, dans sa musique, aux moindres nuances, idéales ou formelles, du texte poétique. L'opéra, d'une longueur inhabituelle (son principal défaut), obtint un succès chaleureux lors de sa création, grâce à l'intensité et à l'ardeur de l'inspiration. AB

FRANCESCA DA RIMINI

Tragédie en quatre actes de Riccardo Zandonai (1883-1944). Livret de Tito Ricordi (1865-1933), d'après la tragédie de Gabriele d'Annunzio (1863-1938). Première représentation : Turin, Teatro Regio, 9 février 1914. Interprètes : Francesco Cigada, Linda Cannetti, Crimi, Raquelita Merly, Gabriella Besanzoni, Giuseppe Nessi, Direction : Ettore Panizza.

Les personnages : Francesca da Rimini (soprano) ; Paolo (ténor) ; Biancofiore (mezzo-soprano) ; Gianciotto (baryton) ; Samaritana (mezzo-soprano) ; Malatestino (ténor) ; Garsenda (soprano) ; Altichiara (contralto) ; Toldo (ténor) ; Quispiano (ténor) ; le jongleur (ténor).

L'intrigue : Ravenne et Rimini sont les lieux de l'action.
Acte I. La maison de la famille da Polenta de Ravenne. Guido, seigneur de la cité, a décidé de marier sa fille Francesca à Gianciotto Malatesta, jeune homme boiteux et disgracieux. N'osant pas l'avouer à la jeune fille, il lui fait croire qu'elle est destinée au frère de Gianciotto, le beau Paolo. Francesca l'aperçoit à une fenêtre et en tombe éperdument amoureuse. Cependant, sa sœur Samaritana, prise d'un sombre pressentiment, vient supplier Francesca de ne pas accepter le mariage. Mais Francesca, ignorant le stratagème de son père, est résolue à épouser son promis.
Acte II. Rimini est en guerre. Les Malatesta, gibelins, affrontent les Parcitadi, guelfes. Sur la tour, Paolo se bat avec courage. Francesca est à ses côtés. Elle lui reproche d'avoir été complice de la duperie qui a fait d'elle l'épouse de son frère. A un moment, le croyant blessé, elle prend sa tête entre ses mains. Gianciotto arrive à cet instant et félicite Paolo pour sa bravoure. Il porte un toast et Francesca et Paolo se regardent intensément sous les yeux du mari, qui ne se doute de rien. On amène alors Malatestino, jeune frère de Gianciotto et Paolo, blessé à un œil. A peine soigné, il se lance à nouveau dans la bataille.
Acte III. Francesca lit l'histoire de Lancelot et Guenièvre, tandis que ses dames de compagnie dansent et chantent. L'esclave Smaragdi introduit Paolo, de retour d'un long voyage. Francesca et Paolo lisent ensemble et leurs têtes se rapprochent doucement. Quand Lancelot déclare son amour à la reine, ils lâchent le livre et s'embrassent passionnément.

Acte IV, première scène. Malatestino est amoureux de Francesca et lui fait des avances. La jeune femme le repousse dédaigneusement. On entend, dans la prison voisine, un prisonnier qui gémit. Malatestino tire son épée et sort. Il revient un instant après, brandissant la tête coupée du prisonnier. Francesca s'enfuit, épouvantée. Giancotto gronde sévèrement son frère ; l'adolescent, pour se venger, lui révèle que Francesca est la maîtresse de Paolo. Gianciotto exige une preuve, et Malatestino lui dit d'attendre la nuit.
Deuxième scène. Paolo entre dans la chambre de Francesca. Comme ils sont enlacés, on entend la voix de Gianciotto ; Paolo ne parvient pas à s'enfuir et les deux hommes se battent. Francesca se jette entre eux et reçoit un coup mortel. Gianciotto tue ensuite Paolo.

■ *Francesca da Rimini*, considéré comme le modèle du drame lyrique italien au XXe siècle, est l'une des grandes réussites de l'élève le plus doué de Mascagni. Zandonai avait coutume de dire : « Si je vaux quelque chose, c'est dans l'orchestration » ; et, en effet, c'est grâce à la fantastique orchestration que les personnages de d'Annunzio, déjà puissants, prennent vie. Condamné pour son « italianité » dans l'empire austro-hongrois, Zandonai revendiqua hautement le caractère national de son œuvre, négligeant les modes de l'Europe du Nord. Les effets sont sobres, l'harmonie est élégante et riche, tandis que la mélodie, merveilleusement inspirée, ne perd jamais sa grâce. EP

LA MONTAGNE SACRÉE (Der heilige Berg)

Opéra en un prologue et deux actes de Christian Sinding (1856-1941). Livret de Dora Duncker. Première représentation : Dessau, 19 avril 1914.

■ Des deux opéras composés par le musicien norvégien, c'est le seul à avoir été joué en public. RB

MÂROUF, SAVETIER DU CAIRE

Opéra-comique en cinq actes d'Henri Rabaud (1873-1949). Livret de Lucien Nepty tiré d'un conte des Mille et une nuits. *Première représentation : Paris, Opéra-Comique, 15 mai 1914.*

LES PERSONNAGES : Mârouf (ténor), Fatimah, sa femme (soprano) ; Saamcheddine (soprano) ; le sultan de Khaitan (basse) ; le vizir (basse) ; Ali (basse) ; le fellah (ténor) ; Ahmad, le pâtissier (basse) ; le cadi (basse) ; marchands, mamelouks, voisins de Mârouf, marins, femmes du harem, caravaniers.

L'INTRIGUE :
Acte I. L'échoppe misérable d'un savetier du Caire. Mârouf, assis sur un tapis, songe tristement à son malheur d'être doté d'une femme vieille et acariâtre. Fatimah arrive justement et, le trouvant là à ne rien faire, lui demande d'aller lui chercher un gâteau pour le soir. Mârouf n'a pas gagné un sou ce jour-là, mais,

heureusement, un ami pâtissier lui offre le gâteau. Fatimah ne le trouve pas à son goût et Mârouf le mange tout seul. Alors, Fatimah se met à crier tellement fort qu'elle ameute le voisinage. Le cadi, attiré par le bruit, croit que Mârouf a battu sa femme et lui fait donner la bastonnade. Le malheureux, tout endolori, décide de tout quitter et de s'embarquer sur un navire.
Acte II. Le bateau de Mârouf a coulé. Ali le trouve seul sur le rivage. Il reconnaît en lui un camarade d'enfance et le prend sous sa protection. Il dépense beaucoup d'argent en préparatifs grandioses, comme pour recevoir un hôte de marque. Le sultan et le vizir, déguisés en marchands, observent la scène avec curiosité. Le vizir pense que Mârouf est un imposteur mais le sultan, impressionné par sa munificence burlesque, se fait reconnaître et l'invite à dîner.
Acte III. Le palais du sultan. Malgré les protestations du vizir, le sultan décide de donner sa fille en mariage à Mârouf le jour même. En attendant une hypothétique caravane chargée des richesses de l'étranger, le sultan fait ouvrir ses coffres et Mârouf distribue largement l'argent aux courtisans et à la foule. Mais, débarrassé d'une femme, Mârouf a peur que la deuxième ne soit encore pire. Pourtant la vue de la princesse Saamcheddine le charme à tel point, qu'il se met à lui raconter son histoire de façon assez confuse. Il est si ému au souvenir de ses malheurs, qu'il s'évanouit. La princesse l'embrasse tendrement, se demandant ce qu'il a voulu dire.
Acte IV. Le harem. Le temps passe, et on est toujours sans nouvelles de la fameuse caravane. La princesse, qui s'est éprise de Mârouf, le protège et rassure le vizir, de plus en plus soupçonneux. Elle demande cependant à son époux de lui dire la vérité : il avoue que la caravane n'arrivera jamais. Elle lui conseille alors de s'enfuir et part avec lui, déguisée en garçon.
Acte V. Une plaine près de Khaitan, avec la misérable habitation d'un fellah. Les deux fugitifs sont recueillis par le fellah. Pour le remercier, Mârouf l'aide à labourer la terre. Son soc bute sur un anneau accroché à une dalle qu'il parvient à soulever avec peine. Il découvre un escalier, que Saamcheddine veut aller explorer, mais Mârouf la retient. A l'arrivée du paysan, il referme précipitamment le trou, et l'anneau lui reste entre les mains. Il le donne à la princesse. Mais, comme elle le frotte contre sa robe, le fellah se transforme soudain en génie de l'anneau, gardien du trésor. Il se déclare prêt à exaucer n'importe quel vœu exprimé par Mârouf : la caravane imaginaire pourra donc enfin arriver et le savetier, ayant sauvé sa tête, pourra vivre heureux avec la princesse.

■ Joué deux cents soirs de suite lors de sa création, *Mârouf* est l'opéra le plus célèbre des quatre écrits par Henri Rabaud. Le livret est tiré d'un conte des *Mille et une nuits*. L'exotisme et la fantaisie de l'histoire offraient de vastes possibilités à l'imagination du compositeur, à son goût de la couleur et du pittoresque, ainsi qu'à son style raffiné et à son humour. L'opéra fut monté en Italie pour la première fois à la Scala, en 1917. RB

LE ROSSIGNOL

Nouvelle lyrique en trois actes d'Igor Fedorovitch Stravinski (1882-1973). Livret du compositeur, en collaboration avec Stephan Nikolaïevitch Mitousov, d'après un conte d'Andersen. Première représentation : Paris, Opéra, 26 mai 1914. Interprètes : Compagnie de Serge Diaghilev. Direction : Pierre Monteux.

Les personnages : Le Rossignol (soprano) ; la petite cuisinière (soprano) ; la Mort (mezzo-soprano) ; le pêcheur (ténor) ; l'empereur de Chine (basse) ; le chambellan (basse) ; le bonze (basse) ; les ambassadeurs japonais (deux ténors, une basse) ; les courtisans (contraltos, ténors et basses) ; les spectres (contraltos).

L'intrigue : Acte I. Un bois au bord de la mer, la nuit. Un pêcheur, sur sa barque, chante, et le Rossignol lui répond. Le chambellan, le bonze et les courtisans arrivent, guidés par la petite cuisinière. Ils ont entendu parler du chant merveilleux du Rossignol, et sont venus l'écouter. Ils prennent d'abord le mugissement d'une vache, puis les coassements des grenouilles pour le chant du Rossignol, et il faut que la petite leur fasse distinguer la voix mélodieuse de l'oiseau. Le Rossignol se pose avec confiance sur sa main et accepte d'être emmené chez l'empereur.

Acte II. Dans le palais de porcelaine de l'empereur de Chine. Le Rossignol chante pour l'empereur, perché sur un bâton porté par un valet. L'empereur est profondément ému par la beauté et la pureté du chant. Le petit oiseau refuse les honneurs que lui offre l'empereur et s'envole lorsqu'il entend le chant d'un rossignol mécanique perché sur un coffret d'or apporté par trois ambassadeurs japonais. L'empereur bannit pour toujours le Rossignol et nomme l'automate « chanteur de la table de nuit impériale ».

Acte III. La chambre de l'empereur. Il est dans son lit, malade. La Mort est à son chevet, vêtue comme une reine. Le souverain est tourmenté par les remords et les spectres et cherche en vain le réconfort. Mais voici qu'entre le Rossignol, et son chant est si doux, que la Mort elle-même en est fascinée. Elle en oublie sa mission et, à l'aube, elle disparaît. De nouveau, le Rossignol s'envole sans accepter la moindre récompense : il a vu couler les larmes de l'empereur, et cela lui suffit. Il reviendra désormais chaque nuit chanter pour lui. Les courtisans sont stupéfaits de trouver l'empereur en vie. On entend au loin la voix du pêcheur ; il dit que le chant du Rossignol est celui du Paradis.

■ Stravinski avait composé la première partie de cette délicate partition des années auparavant. Aussi, lorsqu'il voulut la compléter, se trouva-t-il confronté à l'évolution de ses propres conceptions musicales. Pourtant, le contraste entre le premier acte et les deux suivants ne nuit pas à l'unité de l'œuvre. L'auteur a réussi à faire du *Rossignol* un ouvrage cohérent, dense, mais également sentimental et drôle, féerique et satirique à la fois. Le conte d'Andersen contenait déjà des pointes comiques, que Stravinski sut mettre en valeur.

L'entrée des courtisans est grotesque ; le rythme ternaire du rossignol mécanique contraste avec la libre mélodie du vrai rossignol. Le chant du pêcheur est beau et profond, malgré quelques « chinoiseries » subtiles et malicieuses, et celui du rossignol aussi délicat que parfait techniquement. L'atmosphère douce et lumineuse de l'opéra n'est brisée que par les sombres visions du début du troisième acte, où l'on retrouve nettement les rythmes déjà familiers chez Stravinski depuis *Le sacre du printemps.*

L'HEURE IMMORTELLE (The immortal hour)

Opéra en deux actes de Ruthland Boughton (1878-1960). Livret de Fiona Macleod (pseudonyme de William Sharp). Première représentation : Glastonbury, 26 août 1914.

L'INTRIGUE : Dalua (baryton), dieu de l'ombre, est porteur de mort et a le pouvoir de lire dans les pensées des mortels et des immortels. Il sait qu'Étain (soprano), princesse des fées, a quitté le lumineux pays de la jeunesse et de l'amour pour voyager dans le monde étrange des mortels à la recherche de quelque chose d'inconnu et d'indéfinissable dont elle a l'intuition. Dalua sait aussi que le roi Éochaidh (baryton) a abandonné la guerre et la lutte pour le pouvoir, le luxe et le cérémonial de la cour, pour partir en quête de l'indicible expérience, l'« heure immortelle ». Éochaidh a demandé aux fées de lui faire rencontrer une jeune fille plus belle qu'aucune mortelle pour qu'il gagne son cœur et l'épouse. Dalua décide qu'il s'agira d'Étain elle-même, bien que leur amour ne puisse être que malheureux, car l'union entre mortels et immortels est impossible. Dalua jette alors un sort à la fée pour lui faire oublier son passé. Elle tombe amoureuse du roi, et ils se marient ; ils connaissent ainsi une année de bonheur sans nuage. Mais, peu à peu, Étain change. Elle est troublée par d'obscures visions de sa vie antérieure. Au cours de la fête donnée pour le premier anniversaire de leur mariage, un étranger demande à parler à la reine. C'est Midir, prince des fées, amoureux d'Étain dans son pays de la jeunesse et des désirs du cœur. Il est venu la reprendre. Dès qu'Étain l'aperçoit, elle se souvient brusquement de tout et, comme fascinée, le suit, sourde aux supplications de son mari. L'heure de Dalua est arrivée. Il touche le roi, qui tombe mort au pied de son trône.

■ Cet opéra fut joué à Londres pour la première fois en 1920. Puis, repris au Regent Theatre le 13 octobre 1922, il connut un succès extraordinaire avec deux cent seize représentations consécutives. MS

MADAME SANS-GÊNE

Opéra en trois actes d'Umberto Giordano (1867-1948). Livret de Renato Simoni (1875-1952), d'après la comédie (1893) de Victorien Sardou (1831-1908). Première représentation (en italien) :

New York, Metropolitan Opera, 25 janvier 1915. Interprètes : Geraldine Farrar, Giovanni Martinelli, Pasquale Amato, O. Althouse. Direction : Arturo Toscanini.

LES PERSONNAGES : Catherine Hubscher, « Madame Sans-Gêne », repasseuse (soprano) ; Toinette (soprano) ; Julie (soprano) ; la Rousse (soprano) ; Lefebvre, sergent de la garde nationale (ténor) ; Fouché (baryton) ; le comte de Neipperg (ténor) ; Vinaigre, tambour (ténor) ; la reine Caroline (soprano) ; la princesse Élise (soprano) ; la femme de chambre de Catherine (rôle muet) ; Despréaux, maître de ballet (ténor) ; Gelsomino, valet (baryton) ; Leroy, tailleur (baryton) ; de Brigode, chambellan (baryton) ; Napoléon (baryton) ; Madame de Bülow (soprano) ; Roustan, chef des mamelouks (baryton) ; Constant, valet de chambre de Napoléon (rôle muet) ; voix de l'impératrice (soprano) ; chœur et comparses ; bourgeois, marchands, gens du peuple, soldats, gens de la cour, diplomates, serviteurs, deux mamelouks.

L'INTRIGUE :
Acte I. Paris, le 10 août 1792, jour de la prise des Tuileries. Un certain désordre règne dans la blanchisserie de Catherine Hubscher, jeune et jolie Alsacienne connue sous le nom de Madame Sans-Gêne, à cause de ses manières libres et décidées. L'ambitieux révolutionnaire Fouché fait partie de sa clientèle, mais elle ne l'aime pas. Elle préfère de loin l'officier taciturne nommé Napoléon Bonaparte, qui vient parfois en voisin. Comme Catherine s'apprête à fermer, un officier autrichien blessé la supplie de la laisser entrer car il est poursuivi. Catherine le cache dans sa chambre. Il s'agit du comte Neipperg. Le sergent Lefebvre, bon ami de la blanchisseuse, arrive avec quelques soldats. Voyant la porte de la chambre fermée, il se doute de quelque chose ; il découvre le blessé mais, comprenant le geste de Catherine, il crie à ses hommes qu'il n'y a personne. La nuit, Lefebvre aide Catherine à préparer l'évasion de Neipperg.
Acte II. Le château de Compiègne, septembre 1811. La gloire de Napoléon est à son zénith. Madame Sans-Gêne a épousé Lefebvre qui a été fait maréchal et duc de Dantzig après s'être distingué à la bataille de Dantzig. Mais les scandales continuels causés par la conduite de Madame Sans-Gêne exaspèrent la cour, et l'empereur lui-même demande à Lefebvre de divorcer et de se trouver une épouse convenant mieux à sa nouvelle position. Les époux sont désespérés. D'autre part, ils sont inquiets pour leur ami, le comte Neipperg, que Napoléon soupçonne d'avoir des liens autres que politiques avec l'impératrice Marie-Louise. Lors d'une réception à la cour, Catherine commet une série d'impairs. Deux sœurs de Napoléon se moquent d'elle et Catherine, hors d'elle, les insulte. Peu après, un majordome vient lui signifier que l'empereur désire lui parler.
Acte III. Napoléon ordonne froidement à la maréchale de divorcer car elle n'est pas faite pour la vie à la cour. Catherine lui rappelle alors le temps de la blanchisserie, quand il n'était qu'un jeune officier, et Napoléon est

émus. Soudain, coup de théâtre : le comte Neipperg a été surpris, entrant dans les appartements de l'impératrice. Napoléon, furieux, le dégrade et ordonne son exécution immédiate. Madame Sans-Gêne intervient pour établir l'innocence du comte, et lui sauve une nouvelle fois la vie. L'empereur est impressionné par son intelligence et sa générosité. La cour ébahie voit la maréchale Lefebvre sortir au bras de l'empereur.

■ L'opéra eut un grand succès en son temps, mais fut ensuite de moins en moins repris. Il révèle le même sens profond du théâtre que le précédent opéra historique de Giordano, *Andrea Chénier*.

MS

PHÈDRE
(Fedra)

Opéra tragique en trois actes d'Ildebrando Pizzetti (1880-1968). Livret de Gabriele d'Annunzio (1863-1938). Première représentation : Milan, théâtre de la Scala, 20 mars 1915. Interprètes : Salomea Kruceniski, Anita Fanny, Edoardo di Giovanni, Edmondo Grandini, Giulio Cirino. Direction : Gino Marinuzzi.

L'INTRIGUE : Dans le palais de Thésée (baryton), les mères des héros attendent le retour du roi avec les cendres des guerriers tués à la guerre. La rumeur — trompeuse — de la mort de Thésée parvient à Phèdre (mezzo-soprano). La reine en conçoit une joie secrète, car elle est amoureuse de son beau-fils Hippolyte (ténor) et espère que la disparition de Thésée lui permettra de conquérir le jeune homme. Mais Thésée revient et apporte en présent à son fils la belle esclave Ippanoe (soprano). Phèdre, jalouse, feint d'abord une grande amitié pour la jeune fille, puis la menace ; finalement, elle la traîne devant l'autel de Jupiter et la poignarde. Hippolyte, peiné, vient demander à Phèdre la raison de son geste. Puis, épuisé par une longue route, il s'endort. Phèdre, fascinée, l'embrasse sur la bouche. Le baiser réveille Hippolyte, qui, horrifié, repousse Phèdre. La reine, folle d'humiliation, veut se donner la mort, mais pas avant de s'être vengée. Elle dit à Thésée qu'Hippolyte a tenté de lui faire violence. Fou de rage, Thésée invoque le châtiment du dieu de la mer. Peu après, on lui apprend qu'Hippolyte a trouvé la mort sur le rivage, désarçonné et piétiné par son cheval. Phèdre arrive, après avoir pris du poison. Elle avoue son crime. Puis, dans son délire, elle s'écrie qu'Hippolyte est enfin à elle dans la mort, et se jette, agonisante, sur le corps du jeune homme.

■ L'opéra fut composé entre 1909 et 1912, à l'origine pour le théâtre Costanzi de Rome, où il devait être présenté au moment du carnaval de 1913. Mais il ne fut finalement pas monté, l'éditeur préférant présenter d'abord *Parisina*, également écrit par d'Annunzio, mais mis en musique par Mascagni. Lors de la première, à la Scala, la critique considéra *Fedra* comme un événement. En effet, depuis la fin du XIXe siècle, l'opéra vériste et le répertoire romantique avaient régné en maîtres, du moins en Italie. Le théâtre lyrique italien était dominé par les intrigues réalistes et les sujets contemporains. Le retour au classicisme avec *Fedra* fut un succès inattendu, les personnages tragiques et les sombres passions contrastant heureusement avec la mesquinerie des figures du quotidien. MSM

L'ENCHANTEUR
(The enchanter)

Opéra avec ballet en trois actes de Joseph Holbrooke (1878-1958). Livret du compositeur. Première représentation : Chicago, Opera House, printemps 1915.

LE MAGICIEN
(The wizard)

Comédie musicale en deux actes de Joseph Holbrooke (1878-1958). Livret du compositeur. Première représentation : Chicago, Opera House, printemps 1915.

LA COMPAGNE DU MAÎTRE D'ÉQUIPAGE
(The boatswain's mate)

Comédie en deux actes d'Ethel Mary Smith (1858-1944). Livret du compositeur, d'après Captain's All *de W. W. Jacobs. Première représentation : Londres, Shaftesbury Theatre, 28 janvier 1916.*

L'INTRIGUE : L'ancien marin Harry Benn, homme sûr de lui et vaniteux, est assis sous un arbre devant l'auberge *Beehive* par un beau soir d'été. Il espère convaincre la patronne de l'auberge, Mme Waters, de l'épouser pour bénéficier de sa protection. Il imagine un stratagème. Si Travers, un ancien soldat qu'il vient de rencontrer, entrait de nuit dans l'auberge comme un voleur, la pauvre femme crierait au secours et lui, Harry, pourrait intervenir et la sauver. Travers se laisse convaincre avec un peu d'argent et tous deux s'approchent de l'auberge. Le « voleur » s'introduit dans la cuisine en faisant le plus de bruit possible. Mais Mme Waters, nullement effrayée, arme son fusil et tire. Travers, terrorisé, se réfugie dans une chambre et s'enferme à clef. Après une série de péripéties, la patronne de l'auberge décide d'accorder ses sympathies au « voleur », qui a su la convaincre qu'il possédait un charme irrésistible.

■ L'opéra de E. M. Smyth, première Anglaise compositeur de renom international, est conçu comme une ballade. Le ton en est plus naturel que celui de ses œuvre lyriques précédentes, car elle utilise des airs populaires, et l'influence wagnérienne y est nettement moins présente. RB

GOYESCAS

Opéra en trois actes d'Enrique Granados (1867-1916). Texte de Fernando Periquet y Zuaznabar. Première représentation : New York, Metropolitan Opera, 28 janvier 1916.

L'INTRIGUE : L'action se déroule dans un faubourg de Madrid, à la fin du XIXe siècle. Le torero Paquiro (baryton), aimé de la jolie

Pepa (soprano) est séduit par une dame de haut rang, Rosario (soprano). Celle-ci est également courtisée par un jeune officier, Fernando (ténor). Lors d'un grand bal populaire, les quatre personnages se retrouvent et cela engendre des jalousies et des haines. Une bagarre éclate, et Paquiro provoque Fernando en duel dans un bois proche de la maison de Rosario. Fernando, entre-temps, ne croyant plus à la fidélité et à l'amour de Rosario, la repousse. Ce n'est que lorsque, mortellement blessé, il vient expirer dans ses bras que Fernando et Rosario comprennent qu'ils s'aimaient par-dessus tout.

■ Il s'agit du dernier opéra de Granados, mais aussi du plus célèbre. C'est une version scénique des pièces pour piano également intitulées *Goyescas*. Granados fut surtout connu comme pianiste et ses compositions (notamment les deux livres des *Goyescas* inspirées par les tableaux de Goya) firent de lui le créateur de la musique pianistique espagnole moderne. L'opéra aurait dû être créé à Paris, mais à cause de la guerre, il fut monté au Metropolitan Opera de New York. Ce fut un succès triomphal qui valut au compositeur une invitation à la Maison Blanche. Granados périt au cours de son voyage de retour, le paquebot qui le ramenait en Espagne ayant été coulé par un sous-marin allemand. LB

ARIANE A NAXOS
(Ariadne auf Naxos)

Opéra en un acte avec prologue de Richard Strauss (1864-1949). Livret de Hugo von Hofmannsthal (1874-1929). Première représentation de la première version : Stuttgart, petite salle du Hofstheater, 25 octobre 1912. Interprètes : Maria Jeritza, Hermann Jadfowker, Margarethe Siems. Direction : Richard Strauss. Première représentation de la deuxième version : Vienne, Hoftheater, 4 octobre 1916. Interprètes : Maria Jeritza, Selma Kurz, Lotte Lehmann. Direction : Franz Schalk.

LES PERSONNAGES : Prologue : Le compositeur (soprano) ; le maître de musique (baryton) ; le ténor, puis Bacchus (ténor) ; le majordome (récitant) ; un officier (ténor) ; un maître de ballet (ténor) ; Zerbinetta (soprano) ; la prima donna, puis Ariane (soprano). Opéra : Ariane (soprano) ; Bacchus (ténor) ; trois nymphes (deux sopranos, un contralto) ; Arlequin (baryton) ; Scaramouche (ténor) ; Truffaldino (basse) ; Brighella (ténor).

L'INTRIGUE : Prologue. Le théâtre privé d'un riche bourgeois viennois du XVIIIe siècle. Le maître de musique apprend avec consternation que l'*opera seria* de son élève, le compositeur, sera suivi d'un intermède comique à la manière de la *commedia dell'arte*. Le compositeur arrive pour la répétition, mais ne trouve ni musiciens ni chanteurs. Zerbinetta, directrice de la troupe italienne, sort à cet instant de sa loge en compagnie d'un officier. Le maître de musique informe le compositeur de la juxtaposition inopportune des deux spectacles, et celui-ci en est très vexé. La prima donna, qui sort de chez son coiffeur, est indignée. Entre-temps, le maître de maison et ses invités ont fini de dîner, et on avertit les artistes de se tenir prêts. Le majordome vient leur communiquer les derniers ordres de son maître : pour gagner du temps (un feu d'artifice doit clore la soirée), les deux spectacles seront représentés simultanément. Le compositeur est effondré. Le maître de ballet essaie de le convaincre que tout ira bien : Zerbinetta est très douée pour l'improvisation et saura parfaitement adapter l'*opera buffa* à l'*opera seria* s'il consent toutefois à couper les passages trop longs de son mélodrame *Ariane*. Le compositeur n'accepte pas de mutiler son œuvre et tente d'expliquer à Zerbinetta les idées sublimes qu'elle exprime ; Zerbinetta, nullement impressionnée, rétorque en lui faisant entrevoir les délices plus réels que peut offrir une femme séduisante. Transporté, le compositeur trouve soudain beaucoup moins important le « drame de la solitude » d'Ariane et accepte de couper certaines scènes. Zerbinetta appelle ses comédiens d'un coup de sifflet et se met à l'ouvrage sans perdre de temps pour réaliser le nouveau spectacle. Dans une grotte de l'île de Naxos, Ariane, abandonnée par Thésée, pleure inconsolablement, entourée par les nymphes, et invoque Hermès, le messager de la mort. Les personnages de la *commedia dell'arte* essaient de la dérider par leurs bouffonneries, lui donnent des conseils. Zerbinetta fait son entrée et chante le grand air *Grossmächtige Prinzessin*, morceau d'une grande virtuosité vocale, où elle tire les leçons de sa longue expérience amoureuse : elle jure à chaque fois d'être fidèle, mais attend tout nouvel amant comme un envoyé du Ciel. Puis, elle s'éloigne avec Arlequin. Les nymphes annnoncent l'arrivée de Bacchus, « un beau garçon, un jeune dieu ». Ariane le prend pour le messager de la mort et s'offre à lui pathétiquement. Bacchus, qui débarque de l'île de Circé, encore sous l'empire des potions de la magicienne, croit la reconnaître en Ariane. Finalement, Ariane, qui le suppliait de la conduire aux enfers, accepte tout compte fait de le suivre sur l'Olympe.

■ La première version d'*Ariane à Naxos* avait été conçue au départ comme un divertissement ajouté à la fin du *Bourgeois gentilhomme* de Molière, dont Richard Strauss avait composé la musique de scène, pour le metteur en scène Max Reinhardt, Hofmannsthal s'étant chargé de l'adaptation de la pièce. Le divertissement ne devait pas durer plus d'une demi-heure mais, la partition achevée, l'œuvre dépassait d'une heure le temps imparti. L'orchestre restreint était traité comme une juxtaposition d'instruments solistes. Le spectacle fut présenté au théâtre de la cour de Stuttgart, à la *Kleine Haus*, plusieurs tentatives ayant échoué dans d'autres théâtres à cause des difficultés de réalisation (double troupe, place de l'orchestre dans une œuvre en prose, etc.). Sous cette forme, *Ariane à Naxos* fut un échec, dû essentiellement à la longueur de la représentation et au manque d'unité entre la pièce française et l'opéra allemand. Un critique, Richard Sprecht, suggéra de séparer le divertissement de la comédie de Molière en le faisant précéder d'un prologue chanté ;

c'est cette solution qu'adoptèrent les auteurs pour la deuxième version. Hofmannsthal tenait son livret en très haute estime et en expliqua la signification profonde dans un article du *Neues Tageblatt* du 12 octobre 1912 : « La transformation que subit Ariane dans les bras de Bacchus, écrivait-il, est le moment vital de tout l'ouvrage... Sa transformation est la vie de la vie même, le véritable mystère de la nature comme force créative... Tout ce qui veut vivre doit se surpasser soi-même, se transformer... doit oublier. Ariane était morte et elle est à nouveau vivante, son esprit s'est vraiment transformé... Zerbinetta et ses semblables voient dans l'expérience d'Ariane exactement ce qu'ils sont capables d'y voir : l'échange d'un amant pour un autre... les deux mondes spirituels sont ironiquement liés, à la fin, par le seul lien possible : l'incompréhension. » Strauss, qui aimait s'inspirer de personnes et de sentiments réels, était d'un avis différent. Les personnages du livret n'étaient rien d'autre, pour lui, que les projections d'une idée littéraire. D'où l'importance donnée au personnage de Zerbinetta, le plus vivant et le plus riche musicalement (le librettiste trouvait cependant « vulgaire » le solo de Zerbinetta). On comprend ainsi comment *Ariane à Naxos* a pu être considéré comme une allégorie de la collaboration entre les deux auteurs, fondée justement sur une incompréhension mutuelle. Œuvre fascinante, *Ariane* deuxième version a obtenu un succès permanent, dû peut-être davantage à la formule stimulante pour l'esprit du théâtre dans le théâtre et à l'opposition entre le prologue dynamique et réaliste et l'opéra immobile et allégorique, qu'à la musique en elle-même.

RB

SAVITRI

Opéra en un acte de Gustav Holst (1874-1934). Livret du compositeur d'après un épisode du Mahabharata. *Première représentation : Londres, Wellington Hall, 5 décembre 1916. Direction : H. Grunebaum.*

LES PERSONNAGES : Savitri (soprano) ; la Mort (basse) ; Satyavan (ténor) ; chœur de voix célestes.

L'INTRIGUE : L'action se déroule en Inde, en des temps légendaires. Savitri, assise devant sa maison, attend avec angoisse le retour de son mari adoré, parti couper un arbre dans la forêt, car elle a eu, en songe, la prémonition d'une catastrophe. Au moment où le grand et fort Satyavan arrive et console sa femme, enfin soulagée, la Mort s'approche et décide d'emporter Satyavan. A sa seule vue, le colosse s'effondre sans vie dans les bras de sa femme. Savitri, déchirée, s'écrie que son amour pour Satyavan est éternel. Et soudain, des voix célestes résonnent autour d'elle, lui disant des paroles de consolation. Ce sont, lui explique la Mort, les voix de tous ceux qu'elle a secourus et réconfortés grâce à la pureté de son âme. La Mort est émue de tant d'amour et de bonté. Elle offre à Savitri d'exaucer n'importe quel vœu, sauf bien sûr celui de retrouver son mari. La jeune femme lui demande alors la vie, une vie heureuse où tout n'est qu'amour, et cette vie pour elle n'a qu'un nom : Satyavan. La Mort inexorable est touchée par la prière de Savitri et lui rend son époux en lui disant que son amour est plus fort que tout au monde.

■ L'argument de l'opéra est issu d'un épisode du poème épique indien *Mahabharata*, Holst était en effet passionné par la civilisation de l'Inde et, en particulier, par la littérature sanskrite. La musique fut composée en 1908, mais l'œuvre ne put être montée qu'en 1916. Elle obtint un succès honorable et fut reprise aux États-Unis. Elle ne figure plus aujourd'hui au répertoire, sauf, à l'occasion, dans certains théâtres anglais. GP

L'HIRONDELLE
(La rondine)

Opéra en trois actes de Giacomo Puccini (1858-1924). Livret de Giuseppe Adami (1878-1946). Première représentation : Monte-Carlo, théâtre du Casino, 27 mars 1917. Interprètes : Gilda Dalla Rizza, Ines Ferraris, Tito Schipa. Direction : Gino Marinuzzi.

LES PERSONNAGES : Magda de Civry (soprano) ; Lisette, sa domestique (soprano) ; Roger, un jeune homme de Montauban (ténor) ; Prunier (ténor) ; Rambaldo, banquier (baryton).

L'INTRIGUE : Paris, sous le Second Empire.
Acte I. Une fête chez la belle Magda de Civry, une demi-mondaine maîtresse du banquier Rambaldo. Le poète Prunier, philosophe de salon, remarque ironiquement que l'amour romantique est revenu à la mode et fauche les victimes par dizaines. Magda raconte alors sa rencontre *Chez Bullier* avec un jeune étudiant qui, pour la première fois, lui a inspiré l'amour. Prunier, également amateur de chiromancie, lit les lignes de la main de Magda et lui prédit que, telle l'hirondelle, elle volera jusqu'à la mer ; mais, malgré son insistance, il refuse d'en dire plus. Entre à ce moment un nouvel invité, le jeune Roger Lastouc, venu de sa province pour rencontrer le banquier Rambaldo. C'est son premier séjour à Paris et Lisette, la femme de chambre, lui conseille d'aller passer une soirée *Chez Bullier*. Magda décide de s'y rendre aussi, en secret.
Acte II. La grande salle du café Bullier, lieu de rendez-vous des étudiants et des grisettes. Magda, vêtue d'une robe de Lisette, fait semblant d'avoir un rendez-vous pour écarter les importuns, et vient s'asseoir à la table de Roger. Celui-ci l'a à peine aperçue lors de sa soirée et ne la reconnaît pas. Émue par les souvenirs de sa jeunesse quand, pauvre et innocente, elle rêvait au grand amour, Magda s'abandonne à la passion qu'elle sent naître pour le timide jeune homme.
Acte III. La terrasse d'une petite villa ouvrant sur la mer. Magda a quitté la vie parisienne pour suivre Roger sur la Côte d'Azur. Le jeune homme veut l'épouser et a écrit à sa mère pour obtenir son consentement. Mais Magda sait bien que son passé lui interdit de devenir la femme de Ro-

ger. Elle lui avoue alors la vérité et retourne à Paris dans sa prison dorée.

■ Les directeurs du Carl-Theater de Vienne, Otto Eibenschutz et Heinrich Berté, furent à l'origine de cet opéra comico-sentimental de style viennois commandé à Puccini. Le compositeur, peu intéressé tout d'abord, signa le contrat en 1914, dans un geste de dépit à l'égard des éditions Ricordi, avec lesquelles il était en mauvais termes. Mécontent du livret original de A. M. Willner et H. Reichert, il chargea Giuseppe Adami de le réécrire, et se remit au travail sans enthousiasme jusqu'à l'achèvement de l'opéra, en 1916. Le public monégasque fit un accueil triomphal à l'œuvre de Puccini, mais ce succès ne dura pas. En effet, *La rondine* est, malgré une certaine élégance formelle, le moins convaincant des opéras de la maturité de Puccini. Ceci est dû sans doute à son caractère hybride qui empêche toute véritable émotion et qui laisse à peine ébauchés les rôles brillants de Lisette et de Prunier. D'autre part, on trouve, à côté des valses du café Bullier, des rythmes modernes (tango, slow-fox, one-step) qui contrastent bizarrement avec le décor Second Empire. RB

LODOLETTA

Drame lyrique en trois actes de Pietro Mascagni (1863-1945). Livret de Giovacchino Forzano (1884-1970). Première représentation : Rome, Teatro Costanzi, 30 avril 1917.

L'INTRIGUE : L'action se déroule dans un village de Hollande (actes I et II) et à Paris, en 1853 (acte III). Le peintre français Flammen, recherché par la police pour raisons politiques, se réfugie dans un petit village hollandais. Là, il rencontre la jeune Lodoletta, qui vient de perdre son père. Pris d'affection pour elle il peint son portrait, tandis que la jeune fille, qui l'aime, repousse les avances d'un garçon du pays, Giannotto. Le peintre lui jure qu'il ne la quittera jamais mais, ayant obtenu l'autorisation de rentrer en France, il ne peut pas résister à la tentation de retrouver Paris, et s'en va. Lodoletta part le rejoindre. Elle arrive près de chez lui le soir du Nouvel An, tandis que Flammen, tourmenté par le remords et hanté par son souvenir, reste un peu à l'écart de la fête. Lodoletta regarde timidement par la fenêtre et voit Flammen en train de danser. Alors, désolée, elle cède à l'épuisement et tombe dans la neige. Flammen, sortant tout mélancolique dans le jardin, aperçoit Lodoletta et se précipite en pleurant, mais trop tard : la jeune fille est morte.

■ Le sujet de l'Opéra s'inspire du roman *Les deux sabots* d'Ouida, pseudonyme de Marie Louise de La Ramée, écrivain de langue anglaise, paru en Italie en 1874. Ce roman avait déjà séduit Puccini, qui avait même chargé Roberto Bracco puis Giuseppe Adami d'en faire un livret, mais qui avait finalement abandonné le projet. On a pu reprocher à *Lodoletta* le contraste exagéré entre les deux premiers actes, dont l'atmosphère fraîche et primesautière rappelle celle de *L'ami*

Fritz, et le dernier acte, aux teintes plus dramatiques. AB

TURANDOT

Opéra féerique en deux actes de Ferrucio Busoni (1866-1924). Livret du compositeur, d'après le conte théâtral de C. Gozzi (1762). Première représentation : Zurich, Stadttheater, 11 mai 1917.

LES PERSONNAGES : Altoum, empereur (basse) ; Turandot, sa fille (soprano) ; Adelma, confidente de Turandot (mezzo-soprano) ; Calaf (ténor) ; Barach, son fidèle compagnon (basse) ; la reine-mère de Samarkand, maure (soprano) ; Truffaldino, chef des eunuques (ténor) ; Pantalone (basse) ; Tartaglia (baryton) ; huit docteurs, une cantatrice, le bourreau. Esclaves, pleureuses, soldats, eunuques, un prêtre.

L'INTRIGUE :
Acte I, première scène : Les murs de Pékin, en Chine. Le prince Calaf retrouve son fidèle Barach, qui a échappé comme lui à la guerre meurtrière où son père a perdu son trône. Barach raconte au prince que la princesse Turandot ne veut pas entendre parler de mariage, ce qui préoccupe beaucoup l'empereur. Elle a décidé de n'accorder sa main qu'à celui qui saura deviner trois énigmes qu'elle lui soumettra ; ceux qui échoueront seront décapités. Beaucoup tentent leur chance, fascinés par la beauté de la cruelle princesse. Calaf, voyant le portrait de Turandot, s'en éprend et se met sur les rangs.
Deuxième scène. La salle du trône du palais impérial de Pékin. Truffaldino, chef des eunuques, prépare la prochaine séance, qui se déroulera en présence de l'empereur et des dignitaires de la Cour et qui s'achèvera une fois encore par la mort du prétendant. Les concurrents entrent d'un côté, l'empereur Altoum et ses ministres Pantalone et Tartaglia de l'autre. L'empereur exprime une nouvelle fois son désespoir devant les exigences inhumaines de sa fille, puis fait introduire le prétendant du jour, Calaf, qui refuse de révéler son nom. Turandot a un moment de trouble en l'apercevant. Il sort victorieux de l'épreuve mais la princesse est prête à se suicider plutôt que de s'avouer vaincue. On l'en empêche à temps et Calaf lui offre généreusement de la libérer de sa promesse si elle parvient à son tour à résoudre une énigme : deviner le nom et l'origine du candidat victorieux.
Acte II. La chambre de Turandot. La princesse hait son vainqueur mais se sent irrésistiblement attirée vers lui. Elle charge Truffaldino de découvrir son nom, mais il échoue. Altoum, qui a appris qu'il s'agit d'un prince de sang royal, supplie sa fille de se soumettre. La princesse demande conseil à sa confidente, Adelma. Celle-ci, princesse réduite en esclavage, avait été amoureuse de Calaf et promet de révéler son nom en échange de la liberté. Turandot est donc en mesure de résoudre l'énigme proposée et Calaf, résigné, prend congé. Mais la princesse, qui n'a plus à ménager son orgueil, avoue qu'elle est amoureuse de lui.

■ Dans cette atmosphère de conte de fées, la fantaisie se donne libre cours. Au contraire, dans la *Turandot* de Puccini, le climat sera tragique et passionnel. Busoni exprime son ironie dans chaque détail, et le ton burlesque est renforcé par la présence incongrue des trois masques : Pantalone, Truffaldino et Tartaglia. Les musiques sont inspirées de thèmes orientaux, chinois et arabes. MS

ARLEQUIN ou LES FENÊTRES (Arlecchino oder Die Fenster)

Capriccio *en un acte de Ferrucio Busoni (1866-1924). Livret du compositeur. Première représentation : Zurich, Stadttheater, 11 mai 1917.*

L'INTRIGUE : L'action se déroule à Bergame, la patrie d'Arlequin. Sur une place, Arlequin (récitant) fait la cour à Annunziata (mime), la femme de Matteo (baryton), un tailleur pédant, lecteur acharné de la *Divine Comédie*. Pour se débarrasser de lui, Arlequin commence par lui faire croire que la ville a été envahie par les barbares. Puis il se présente devant lui, déguisé en capitaine chargé du recrutement, et l'enrôle. Il lui propose même de s'occuper de sa maison pendant son absence. De son côté, Colombine (mezzo-soprano), l'épouse délaissée d'Arlequin, mais qui se vante de lui être toujours fidèle, ne sait pas résister à la cour du chevalier Léandre. Arlequin l'assomme avec son épée de bois et s'enfuit. Mais Léandre n'est pas mort. Arlequin se calme, et accorde sa liberté à Colombine. Trop content, pour sa part, de n'avoir de comptes à rendre à personne.

■ Le sujet convenait parfaitement à l'humour de Busoni, qui exerçait tout spécialement son ironie sur les formes les plus surannées du mélodrame italien. Léandre, par exemple, est une caricature de l'amoureux classique, qui a toujours besoin d'une guitare ou d'un luth pour s'exprimer : la sérénade qu'il chante est écrite en italien, même dans le texte original allemand, afin de rendre l'ironie plus évidente encore. Busoni, quoique italien, a passé toute sa vie à l'étranger. Dans cet opéra, Arlequin ne chante jamais. Lors de la première représentation, son rôle était interprété par l'acteur dramatique Alessandro Moissi : Arlequin est en effet alternativement acteur et commentateur des événements. MS

PALESTRINA

Opéra en trois actes de Hans Pfitzner (1869-1949). Livret du compositeur. Première représentation : Munich, Residenztheater, 12 juin 1917. Principal interprète : Karl Erb. Direction : Bruno Walter.

LES PERSONNAGES : Le pape Pie IV (basse) ; Giovanni Marone et Bernardo Novagerio, légats du pape (baryton et ténor) ; le cardinal Cristoph Madruscht, prince évêque de Trente (basse) ; Carlo Borromeo, cardinal romain (baryton) ; le cardinal de Lorraine (basse) ; Abdisu, patriarche d'Assyrie (ténor) ; Anton Brus de Muglotz, archevêque de Prague (basse) ; le comte Luna, envoyé du roi d'Espagne (baryton) ; l'évêque de Budoja (ténor) ; Theophilus, évêque d'Imola (ténor) ; l'évêque de Cadix (baryton basse) ; Palestrina, maître de chapelle de l'église Sainte-Marie-Majeure de Rome (ténor) ; Igino, son fils (soprano) ; Silla, son élève (mezzo-soprano) ; l'évêque Ercole Severolus, maître des cérémonies au concile de Trente (baryton basse).

L'INTRIGUE :
Acte I. Dans la maison de Palestrina. Silla, l'élève de Palestrina, joue au violon une mélodie d'un goût différent de ceux du maître, et confie ses projets à Igino. Le cardinal Borromeo entre, suivi de Palestrina. Le cardinal commence par reprocher à Palestrina d'enseigner à ses élèves un art nouveau, d'un goût discutable, puis, ayant fait part de ses préoccupations à ce sujet, commande à Palestrina une messe pour la cérémonie de clôture du concile de Trente. Mais Palestrina, vieux et fatigué, traverse une crise religieuse, et refuse cette charge. Il est si déprimé qu'il songe à se suicider. Tandis qu'il est assis à sa table de travail, il voit en rêve les musiciens qui l'ont précédé, et qui l'incitent à poursuivre son œuvre. Des anges leur succèdent, qui chantent le *Kyrie Eleison*, et enfin apparaît son épouse défunte, Lucrezia. Palestrina se sent pénétré d'un sentiment de paix, et se met fébrilement au travail.
Acte II. A Trente, dans l'entrée du palais du prince-évêque. Des prélats discutent avec acharnement. Le bruit court que Palestrina a été emprisonné pour avoir refusé de composer la messe qu'on lui avait commandée. L'assemblée a commencé ses travaux par une prière et un message de paix du pape. Mais les sujets de controverse ne manquent pas. Tous les participants sont préoccupés par le problème du rituel de la messe, et le cardinal Borromeo tente de calmer les esprits. Midi sonne. La séance est suspendue. Mais, les légats s'étant éloignés, une furieuse dispute éclate entre serviteurs italiens, espagnols et allemands. Les soldats font irruption et ouvrent le feu.
Acte III. Palestrina, vieux et affaibli, est chez lui, entouré de cinq jeunes chanteurs et assisté de son fidèle Giuseppe. Son fils Igino, agenouillé auprès de lui, lui annonce que sa messe va être exécutée. Le travail du maître a en effet été rassemblé et conservé par Silla lorsqu'il a été arrêté. On entend des cris de joie dans la rue, et les chanteurs de la chapelle papale viennent annoncer que la messe a été un triomphe. Pie IV en personne félicite Palestrina, et le cardinal Borromeo lui présente ses excuses. Le vieux maître, bien qu'heureux de ce succès, sent toutefois que son œuvre est terminée. Son élève Silla est parti pour Florence, où il suivra une nouvelle école musicale, et même si Igino promet de lui rester fidèle, il sait qu'il lui a déjà appris tout ce qu'il pouvait lui apprendre. L'âme sereine, il s'assied à l'orgue et remercie Dieu.

■ Cet opéra d'inspiration wagnérienne eut de très fervents partisans dans les milieux allemands conservateurs, qui rejetaient les nouveaux courants musicaux de Schönberg et Busoni. Il fut écrit en hommage à Palestrina, dont la *Missa papae Marcelli* a, dit-on, sauvé au XVIe siècle l'art du contrepoint dans la musique d'église. L'Autrichien Julius Patzak fut, dans les années récentes, un très grand interprète du rôle de Palestrina. MSM

LE MARIAGE (Jenitba)

Opéra-comique incomplet, en deux actes, de Modeste Moussorgsky (1839-1881), tiré d'un conte de Gogol. Première représentation : Pétrograd, Musikalnaïa Drama Teatr, 26 octobre 1917.

■ Commencée en 1864, la composition de cet opéra fut interrompue quatre ans plus tard alors que seul le premier acte et une partie du second étaient terminés. La première représentation complète, d'après une partition révisée par Rimsky-Korsakov, eut lieu à Pétrograd le 26 octobre 1917. Toutefois, en 1906, le même Rimsky-Korsakov en avait donné une version de concert, et le 1er avril 1909, le Suvorin Teatr de Saint-Pétersbourg avait donné une version scénique avec accompagnement de piano. L'œuvre fut représentée à Paris en 1923, dans une orchestration de Ravel. L'intrigue de l'opéra repose davantage sur les personnages que sur les événements : le timide Podkolessine, l'entreprenante Fiokla (l'entremetteuse), la fiancée. Autour de ces personnages comiques ou pathétiques, le compositeur a écrit une musique parfaitement adaptée au caractère de chacun, selon les conceptions musicales du groupe des Cinq. SC

LE CHÂTEAU DE BARBE-BLEUE (A Kékszakallu Herceg Vára)

Opéra en un acte de Béla Bartók (1881-1945). Livret de B. Balàzs. Première représentation : Budapest, Királyi Operház, 24 mai 1918. Interprètes : Olgu Haselbeck, Oszkár Kálmán. Direction : Egisto Tango.

LES PERSONNAGES : Le barde (acteur) ; le prince Barbe-Bleue (basse) ; Judith (mezzo-soprano).

L'INTRIGUE : A une époque légendaire, dans un château fantastique. Après que le barde a expliqué aux spectateurs la légende et ses symboles, Barbe-Bleue et Judith, sa nouvelle épouse, arrivent dans l'entrée du château. Le décor a sept portes et aucune fenêtre. La scène est plongée dans l'obscurité. Barbe-Bleue invite Judith à réfléchir à sa décision de quitter sa famille pour se donner entièrement à lui, son époux secret. Mais Judith est plus que jamais sûre de son choix, et ils s'isolent dans leur monde enchanté. Judith, par curiosité, et pour ne pas rester dans l'ombre, ouvre la première des sept portes. Elle découvre un local plein d'instruments de torture dégoulinants de sang. Mais la jeune fille ne semble pas déconcertée et demande la clef pour ouvrir la deuxième porte. Le nouveau local est, lui, plein d'armes — c'est l'armurerie de Barbe-Bleue — couvertes de sang. La scène s'éclaire de plus en plus. Barbe-Bleue, hésitant, permet à sa femme d'ouvrir la troisième pièce. Elle renferme un trésor : de merveilleuses pierres précieuses, elles aussi tachées de sang. La quatrième porte s'ouvre sur un jardin planté de roses. Judith en cueille une, mais des gouttes de sang en tombent. La curiosité de Judith n'est pas encore satisfaite. Elle veut tout voir. La cinquième porte lui découvre une étendue de terre, les possessions du prince, voilées à l'horizon par un nuage rouge de sang. Barbe-Bleue la conjure de ne pas ouvrir les deux autres portes. Mais Judith est insatiable. La sixième porte s'ouvre sur un lac sombre, un lac de larmes. La jeune femme a désormais compris la signification de ce qu'elle voit, mais, comme indifférente, elle veut aussi ouvrir la dernière porte, précipitant ainsi son malheur. Trois fantômes entrent par cette porte. Ce sont les précédentes épouses du prince, réduites à ce triste sort pour avoir voulu voir ce que Judith a vu. Barbe-Bleue raconte leur histoire. Il a rencontré la première à l'aube, et la matinée lui a été consacrée ; la deuxième à midi, et il lui a consacré l'après-midi ; la troisième le soir, et il lui a dédié la soirée. Et il a rencontré Judith la nuit... Tandis que la jeune femme franchit le seuil de la septième pièce, toutes les portes se referment, et Barbe-Bleue reste seul dans l'ombre.

■ L'opéra de Béla Bartók est aujourd'hui considéré comme le chef-d'œuvre du théâtre hongrois. Mais son succès ne fut pas immédiat. Lorsqu'il fut achevé, en 1911, la commission des Beaux-Arts hongroise en interdit la représentation. Bartók mit fin alors à toute activité musicale publique, et se consacra à l'étude du folklore. L'œuvre fut exhumée en 1918 par un chef d'orchestre italien, Egisto Tango, qui sut l'apprécier à sa juste valeur. Mais la défaite subie par la Hongrie pendant la première guerre mondiale avait précipité le pays dans une grave crise politique et économique, et il n'était plus question de parler d'opéra. *Le château de Barbe-Bleue* fut ensuite représenté avec succès en Allemagne (dans une traduction de W. Ziegler) à Francfort en 1922 et à Berlin en 1929. Il fut joué en hongrois à Florence le 5 mai 1938, par la compagnie de l'Opéra de Budapest, à l'occasion du Mai musical florentin. L'opéra est tiré d'un conte de Charles Perrault (1628-1703), très librement adapté. Le personnage principal a perdu sa méchanceté traditionnelle, et l'accent est mis sur sa profonde solitude. Le schéma original du conte est ainsi renversé. *Barbe-Bleue* représente la synthèse de toutes les expériences musicales de Bartók d'avant 1911. Le musicien y a intégré, sous une forme élaborée, les thèmes de la musique populaire hongroise. Il ne s'est toutefois pas encore totalement dégagé des valeurs de la tradition romantique, et certains ont prétendu que l'introduction d'éléments folkloriques a limité l'épanouissement de ses facultés créatrices. Il s'agit en fait d'un dualisme bien réel entre les influences romantiques et impressionnistes et la recherche de nouvelles formes musicales. L'orchestration de l'opéra est va-

riée et compliquée, et atteint à certains moments une puissante expression sonore. *Barbe-Bleue* a été comparé au *Pelléas et Mélisande* de Debussy (le « *Pelléas* hongrois »), a écrit Kodaly) et les analogies entre les deux opéras ne manquent effectivement pas.
GP

LE TRIPTYQUE
(Il trittico)

Spectacle en trois parties comprenant La houppelande (Il tabarro), Sœur Angélique (Suor Angelica) *et* Gianni Schicchi, *de Giacomo Puccini (1859-1924). Livrets de Giuseppe Adami et Giovacchino Forzano (1884-1970). Les trois épisodes sont autonomes et sans lien explicite entre eux. Première représentation : New York, Metropolitan Opera, 14 décembre 1918. Interprètes : Claudia Muzio, Crimi, Luigi Montesanto* (Il tabarro) *; Geraldine Farrar, Flora Perini* (Suor Angelica) *; Giuseppe De Luca, Florence Easton, Giulio Crimi* (Gianni Schicchi).

La houppelande
(Il tabarro)

Livret de Giuseppe Adami (1878-1946) d'après le drame en un acte La houppelande, *de Didier Gold.*

LES PERSONNAGES : Michele, cinquante ans (baryton) ; Luigi, vingt ans, débardeur (ténor) ; Tinca, trente-cinq ans, débardeur (ténor) ; Talpa, cinquante-cinq ans, débardeur (basse) ; Giorgetta, femme de Michele, vingt-cinq ans (soprano) ; la Frugola, femme de Talpa, cinquante ans (mezzo-soprano).

L'INTRIGUE : Paris, au début du siècle. Une péniche à quai sur la Seine. Giorgetta, de la cabine, regarde les débardeurs en train de décharger la péniche, tandis que Michele, immobile près du timon, contemple le coucher du soleil. Un musicien ambulant joue une valse. Michele bavarde avec sa femme et lui parle de Luigi, le plus jeune des débardeurs, qui n'a pas un sou. On entend en coulisse la voix du marchand de chansons. La Frugola, la chiffonnière, arrive avec son sac sur le dos, et repart avec son mari, le débardeur Talpa. Luigi, qui est l'amant de Giorgetta, ne supporte plus cette vie de pauvreté et de clandestinité. Il avertit Michele qu'il quittera la péniche dès leur arrivée à Rouen. Pendant que Michele descend dans la cale, les amoureux chantent un vibrant duo qui exprime le remords de l'amour coupable mais aussi l'ivresse des derniers instants de bonheur. Après s'être donné rendez-vous pour la nuit (Giorgetta craquera une allumette au moment propice), ils se séparent. Michele revient. Il rappelle mélancoliquement à Giorgetta les premiers temps de leur amour, quand il l'enveloppait tendrement dans sa grande houppelande, et se plaint qu'elle ne l'aime plus. Giorgetta, mal à l'aise, répond évasivement. Michele se doute que sa femme a un amant et se demande qui cela peut être : Talpa? Trop vieux ; Tinca ? C'est un ivrogne ; Luigi ? Ce n'est pas lui, puisqu'il va s'en aller. Resté seul sur le pont, Michele allume sa pipe. Luigi, de loin, croit que c'est le signal convenu et se glisse furtivement sur la péniche. Michele le surprend et, comprenant la vérité, l'oblige à avouer et l'étrangle. Il cache le corps dans sa houppelande. Giorgetta sort de la cabine, regrettant sa froideur, et demande tendrement à Michele de l'envelopper dans la houppelande, comme autrefois. Alors Michele ouvre le manteau et le corps de Luigi apparaît aux yeux horrifiés de Giorgetta.

■ Le fait que le livret ait été tiré d'une pièce du genre Grand-Guignol influença défavorablement la critique, qui trouva le projet de mauvais goût. Puccini avait pourtant suivi de près l'élaboration du livret, faisant supprimer une intrigue parallèle qui s'achevait également par un meurtre, et insistant sur les aspects romantiques et émouvants. *Il tabarro*, qui, à l'intérieur de l'acte unique, présente une progression dramatique en trois temps sobre, efficace et équilibrée, est pourtant essentiellement une magistrale étude d'atmosphère. Le charme de l'œuvre réside surtout dans l'évocation musicale du fleuve, avec ses nuées spectrales, le flux lent et perpétuel de l'eau, la monotonie oppressante de la vie des bateliers. Le langage harmonique témoigne de l'intérêt porté par Puccini aux nouvelles tendances de la musique contemporaine, mais reste toutefois étroitement lié aux exigences descriptives.

Sœur Angélique
(Suor Angelica)

Livret de Giovacchino Forzano (1884-1970).

Les personnages : Sœur Angélique (soprano) ; la princesse, sa tante (contralto) ; sœur Geneviève (soprano) ; la sœur infirmière (mezzo-soprano) ; sœur Osmina (soprano) ; la sœur zélatrice (mezzo-soprano) ; deux novices (sopranos), etc.

L'intrigue : L'action se passe dans un couvent, vers la fin du XVIIe siècle. Sœur Angélique est enfermée depuis sept ans dans ce couvent par la volonté de sa famille, pour expier des amours coupables dont est né un enfant. Sa tante, une princesse, vient la voir pour lui demander de signer un acte de renonciation à sa part du patrimoine familial. Au cours de l'entretien, sa tante lui annonce froidement la mort de son fils. Angélique, au fond du désespoir, s'empoisonne. Mourante, elle est prise de remords et invoque la Vierge Marie. Alors, accompagnée d'un chœur céleste, la Madone apparaît, tenant par la main un petit enfant, qu'elle pousse doucement vers Angélique.

■ Parfait techniquement, *Suor Angelica* est peut-être l'opéra le moins réussi du *Triptyque*, à cause de la minceur de l'argument, dont la platitude n'offrait guère de possibilités d'inspiration au compositeur (sauf dans la scène magistrale entre Angélique et sa tante). Cette entrevue renvoie à la scène de la torture dans *Tosca* (ici la torture est psychologique, mais tout aussi cruelle), et Puccini y atteint les sommets de son art. La tante, seul rôle important écrit pour contralto dans toute l'œuvre de Puccini, est l'une des créations les plus originales de la galerie de portraits féminins du compositeur. Dans la même scène s'opère la transformation d'Angélique de nonne à peine reconnaissable parmi ses compagnes, en une mère et femme douloureuse. A la fin, sa voix se confond à nouveau avec celles du chœur des anges. Cependant la scène du miracle, qui est une bonne idée théâtrale, manque d'émotion véritable.

Gianni Schicchi

*Livret de Giovacchino Forzano (1884-1970) d'après un épisode de l'*Enfer *de Dante.*

LES PERSONNAGES : Gianni Schicchi, cinquante ans (baryton) ; Lauretta, sa fille, vingt et un ans (soprano) ; Zita, dite la vieille, cousine de Buoso Donati, soixante ans (mezzo-soprano) ; Rinuccio, neveu de Zita, vingt-quatre ans (ténor) ; Simone, cousin de Buoso, soixante-dix ans (basse) ; Betto di Signa (basse) ; Ciesca (mezzo-soprano) ; Nella (soprano) ; un médecin (basse) ; un notaire (basse).

L'INTRIGUE : L'action se déroule à Florence, en 1299. Les parents de Buoso Donati, qui vient de mourir, sont réunis autour du lit à baldaquin où repose la dépouille du défunt. La nouvelle que Buoso aurait légué toute sa fortune aux moines de Signa, pour expier ses péchés, jette la famille dans la consternation. Les parents abandonnent la veillée funèbre et, conduits par le vieux Simone et Zita, une cousine du mort, se mettent à chercher le testament. Rinuccio, neveu de Zita, découvre finalement le document mais, avant de le donner à sa tante, lui extorque son consentement à son mariage avec Lauretta, fille de Gianni Schicchi, mal vu par la famille Donati à cause de ses origines paysannes. La lecture du testament confirme les craintes de la parentèle : Buoso laisse tous ses biens à un monastère. Rinuccio persuade la famille de faire appel à Gianni Schicchi, connu pour son astuce. Cependant, quand Gianni arrive avec sa fille Lauretta, il est si mal accueilli qu'il fait mine de tourner les talons, offensé. Lauretta, pour le retenir, menace d'aller se noyer dans l'Arno si on ne la laisse pas s'acheter sur-le-champ sa bague de fiançailles, puis supplie son « petit papa chéri » d'aider la famille de son futur mari. Schicchi accepte et expose son plan : il se fera passer pour Buoso Donati mourant, et dictera au notaire un nouveau testament. Les parents sont enthousiasmés par cette idée et, les uns après les autres, essaient de corrompre Schicchi en cachette pour se faire attribuer la meilleure part de l'héritage. Schicchi dit oui à tout le monde puis, ayant revêtu les vêtements de Buoso, fait venir le notaire. Il lui dicte, du fond de son lit, un testament qui laisse pratiquement tout... à Gianni Schicchi ! La famille abasourdie ne peut pas révéler l'imposture dont elle s'est faite complice car, selon une vieille loi florentine, un tel délit est puni de l'amputation d'une main. Dès le départ du notaire, Schicchi met tout le monde à la porte de la maison qui lui appartient désormais, tandis que Rinuccio et Lauretta s'embrassent. Schicchi s'adresse alors au public : à cause de ce tour, dit-il, je me suis retrouvé en enfer, mais si vous

vous êtes bien amusés, vous m'accorderez les circonstances atténuantes !

■ La comédie moderne et la tradition sont étroitement mêlées dans cet opéra de Puccini. Le point de départ de l'histoire s'inspire du Chant XXX de l'*Enfer* de Dante, dans le dixième cercle, où se trouvent les faussaires de mots, de personnes et de monnaie, parmi lesquels figure Gianni Schicchi ; celui-ci, pour gagner une mule, s'était fait passer pour Buoso Donati, et avait dicté un faux testament ; selon une première tradition, la mule était sa récompense pour s'être prêté au jeu ; selon une autre — celle adoptée par Puccini — il s'était légué à lui-même et la mule et l'héritage. D'autres détails, concernant par exemple la lutte entre guelfes et gibelins ou la haine des vieilles familles florentines à l'égard des paysans parvenus, permirent à Puccini d'évoquer le cadre historique de l'intrigue : la Florence de Dante que Puccini chante par la voix de Rinuccio *(Firenze è come un albero fiorito)*. Cet hommage à Florence et le recours à des personnages et à une trame propres à la *commedia dell'arte* ont fait de *Gianni Schicchi* l'opéra le plus « national » de Puccini. Œuvre comique conçue pour divertir, malgré le sujet macabre, *Gianni Schicchi* n'est certainement pas un travail de délassement. Au contraire, il démontre l'impressionnante capacité de Puccini à adapter son style, forgé dans la tragédie, à l'esprit de la comédie, élargissant encore la gamme de sa créativité.

■ Puccini eut l'idée d'écrire trois opéras en un acte destinés à être joués le même soir immédiatement après avoir achevé *Tosca*. A l'origine, les trois sujets, très différents, devaient être tirés respectivement de l'*Enfer*, du *Purgatoire* et du *Paradis* de Dante. Finalement, seul le dernier épisode est inspiré de la *Divina Commedia*. En revanche, l'idée du contraste entre les sujets a été respectée : *Il tabarro* est une histoire sordide et désespérée, *Suor Angelica* est une tragédie qui fait cependant place à l'espoir, tandis que *Gianni Schicchi* est une œuvre burlesque. Les trois opéras connurent des fortunes diverses : *Gianni Schicchi* fut un succès immédiat, alors que les deux autres furent négligés ; la critique mit longtemps avant de modifier son opinion sur *Il tabarro*. Puccini, qui avait conçu *Le Triptyque* comme un tout, se plaignit tout d'abord de le voir « réduit en morceaux », mais finit par admettre que le spectacle complet était trop long et se résigna à voir les trois opéras exécutés séparément. RB

LE CHAUDRON D'ANWYN (The Cauldron of Anwyn)

Triologie dramatique de Joseph Holbrooke (1878-1958). Texte de T.S. Ellis.

Les enfants de Don *(The children of Don)*

Opéra en trois actes et un prologue. Première représentation : Londres, Royal Opera House, 15 juin 1912.

L'INTRIGUE : Inspirée d'une ancienne légende, c'est l'histoire des enfants de la déesse Terre qui parviennent à arracher aux druides leur chaudron magique et à garder pendant près de mille ans.

Dylan, fils de la vague
(Dylan, son of the wave)

Opéra en trois actes. Première représentation : Londres, Drury Lane, 4 juillet 1913.

L'INTRIGUE : Également d'origine légendaire, l'opéra raconte les exploits du héros Dylan, tué par son oncle, félon et cruel. Le meurtrier périt à son tour, noyé dans son château submergé par la mer, venue venger la mort de Dylan.

Bronwen

Opéra en trois actes. Première représentation : Huddersfield, 1er février 1919.

L'INTRIGUE : L'opéra relate les aventures de Bronwen et de son fils Dylan, héros blond et beau comme Siegfried, dans un monde enchanté et primitif. Le finale représente une grandiose bataille entre les divinités des Anglais et celles des Irlandais, à laquelle prennent aussi part les humains.

■ Cette triologie, écrite pendant la pleine maturité du compositeur, n'eut guère de succès en Europe. Il y eut cependant, après les créations en Angleterre, quelques reprises, même partielles, du cycle : *Dylan* fut monté en allemand au Théâtre populaire de Vienne en 1923. La partition de *Dylan* avait été publiée en 1910 et celle de *Bronwen* le fut en 1922. La trilogie est inspirée de très anciennes légendes celtiques. Elle révèle la grande maîtrise du compositeur, mais aussi l'influence évidente de Wagner et de Richard Strauss. Les œuvres de Holbrooke, généralement estimées des critiques, n'ont jamais connu la faveur du public. FP

LA FEMME SANS OMBRE
(Die Frau ohne Schatten)

Opéra en trois actes de Richard Strauss (1864-1949). Livret de Hugo von Hofmannsthal (1874-1929). Première représentation : Vienne, Staatsoper, 10 octobre 1919. Interprètes : Maria Jeritza, Lotte Lehmann, Aagard Oestvig, Richard Mayr, Lucie Weidt. Direction : Franz Schalk.

LES PERSONNAGES : L'empereur (ténor) ; l'impératrice (soprano) ; la nourrice (mezzo-soprano) ; Barak, teinturier (basse baryton) ; la femme de Barak (soprano) ; le borgne, le manchot, le bossu, frères de Barak (basse bouffe, basse, ténor) ; un esprit messager (baryton) ; le gardien du seuil (soprano ou contralto) ; apparition d'un jeune homme (ténor) ; la voix du faucon (soprano) ; une voix (contralto) ; six voix d'enfants (trois sopranos, trois contraltos) ; voix des gardiens de nuit (trois basses).

L'INTRIGUE :
Acte I. Dans un coin sombre du palais impérial, la nourrice est visitée par un messager de Kei-

kobad, prince des esprits, qui lui demande si l'impératrice a une ombre. L'impératrice est une créature surnaturelle, fille de Keikobad, capturée par l'empereur sous la forme d'une gazelle. Elle est maintenant son épouse et vivrait heureuse si elle n'était privée d'ombre, ce qui symbolise son infécondité. Mais le monde des esprits la réclame ; le messager annonce à la nourrice que si, dans trois jours, l'impératrice n'a pas réussi à se trouver une ombre, la nourrice et elle devront quitter le règne des humains, tandis que l'empereur sera changé en pierre. La nourrice, qui hait la terre, se réjouit. Le messager disparaît. Le jour se lève et l'empereur part à la chasse. Il veut retrouver son faucon, qu'il a lui-même blessé parce qu'il avait battu des ailes dans les yeux de la gazelle enchantée. L'impératrice se réveille. Elle aperçoit le faucon qui tournoie dans le ciel et chante sa complainte : *La femme ne projette pas d'ombre, et l'empereur sera changé en pierre.* L'impératrice, angoissée, supplie la nourrice de l'aider à trouver une ombre. La nourrice, mécontente mais obéissante, lui dit que pour cela il faut descendre dans le monde misérable des humains. Elles se mettent donc en route. Elles arrivent bientôt à la hutte de Barak, un pauvre teinturier. Barak y vit avec sa femme et ses trois frères, difformes, violents et paresseux, qui sont un sujet de dispute perpétuel entre Barak et sa femme. Celle-ci aime malgré tout son époux, mais est malheureuse car, en plusieurs années de mariage, elle n'a pas encore eu d'enfant. La nourrice et l'impératrice se présentent à elle comme d'humbles servantes. La nourrice gagne sa confiance, la flatte et lui fait entrevoir un avenir de luxe et d'amour. Pour cela, elle n'aura qu'à abandonner son ombre, et renoncer à la maternité. La pauvre femme accepte le marché et promet de se refuser désormais à son mari. Barak rentre à ce moment et la nourrice fait apparaître un repas par enchantement : cinq petits poissons qui, lorsqu'on les met à frire, exhalent une complainte ; ce sont les esprits des enfants qui ne naîtront pas. La femme de Barak est terrifiée, mais elle ne revient pas sur sa promesse. Le lit conjugal est divisé en deux.

Acte II. La nourrice et l'impératrice sont toujours dans la hutte de Barak, aidant sa femme. La nourrice fait apparaître un jeune homme et incite la femme de Barak à en faire son amant. Le mari, qui a fait de bonnes affaires au marché, revient, suivi de ses trois frères et d'une bande d'enfants affamés à qui il donne à manger. La scène change. L'empereur voit sa femme entrer avec la nourrice et comprend qu'elles sont allées chez les gens de la Terre. Désespéré, il décide de tuer sa femme, mais ne peut finalement s'y résoudre. Dans la hutte du teinturier. La nourrice endort Barak avec une potion et fait à nouveau apparaître l'homme, qui cette fois tente de prendre de force la femme de Barak. Elle crie et Barak s'éveille ; elle lui reproche de ne pas s'occuper d'elle. L'impératrice, de plus en plus tourmentée par ce qu'elle est en train de faire subir à ces pauvres gens, commence à éprouver de la pitié envers l'homme dont elle va détruire le bonheur. Elle a aussi l'intuition que ce n'est pas au moyen d'un pareil stratagème qu'elle obtiendra la dignité de femme et de mère. Pendant la nuit, elle voit, dans un cauchemar, l'empereur qui frappe à une porte taillée dans le rocher et pénètre dans une caverne ; la porte se referme derrière lui, et elle comprend que cela signifie l'accomplissement de la prédiction ; elle entend des voix qui demandent « l'eau de la vie ». Les trois jours sont presque écoulés. Une obscurité menaçante plane sur la hutte de Barak, et le teinturier, insouciant, reste confiant et optimiste. Mais sa femme, à bout de nerfs, explose soudain : elle confesse pêle-mêle le vrai et le faux, crie qu'elle a pris un amant, qu'elle a renoncé à la maternité, qu'elle a vendu son ombre. Effondrée, elle se prépare à mourir. La terre s'ouvre et engloutit le teinturier et sa femme.

Acte III. Barak et sa femme se trouvent dans une caverne, séparés par un mur épais. Elle entend les voix des enfants qui ne sont pas nés, et lui invoque sa femme, qu'il voudrait pouvoir secourir. Tous deux entendent des voix qui les invitent à monter par une grande échelle ; ils arrivent en vue de la roche du rêve de l'impératrice. Entre-temps, l'impératrice et la nourrice sont arrivées près de la roche dans un bateau enchanté. La nourrice conseille à l'impératrice de ne pas se soumettre au jugement de Keikobad, qui l'attend dans la caverne ; elle tente une dernière fois de séparer le teinturier et sa femme. Mais le messager des esprits intervient et condamne la nourrice à errer pour toujours dans le monde des humains, qu'elle déteste. L'impératrice, dans la caverne, déclare qu'elle veut faire partie du monde des hommes, et refuse de boire l'eau dorée qui, lui dit le gardien du seuil, la rendra maîtresse de l'ombre de la femme de Barak. L'empereur lui apparaît alors dans une niche de la caverne, entièrement pétrifié, à l'exception d'un œil, qui bouge désespérément en cherchant à la voir. Mais l'impératrice réitère son refus : elle ne peut pas le sauver s'il faut pour cela condamner deux êtres humains. Et soudain, sa générosité accomplit le miracle : une ombre s'allonge à ses pieds et l'empereur revit. Barak et sa femme sont enfin réunis.

■ *Die Frau ohne Schatten* est l'œuvre la plus ambitieuse de la collaboration Strauss-Hofmannsthal, la plus riche de réflexion, et, malgré des défauts, réels ou présumés, tels que le symbolisme surchargé ou l'existence de personnages inutiles, sans doute la plus achevée. Le thème — l'union de l'homme et de la femme avec l'intervention d'un principe supérieur (Keikobad ou Dieu) et devant la société humaine — rappelle celui de *La Flûte enchantée* tandis que la profondeur de l'introspection rattache l'œuvre à *Tristan und Isolde*. Certains critiques ont reproché à Strauss de n'avoir pas su pénétrer la signification sublime du texte de Hofmannsthal. C'est peut-être vrai mais, une fois que le spectateur s'est orienté dans le système compliqué des symboles, c'est malgré tout à la musique de Strauss qu'il doit l'impression de force et de clarté qui rend explicite le sens du texte. La grandeur et la finesse de la palette orchestrale, la maîtrise de la technique symphonique et l'utilisation des voix atteignent une perfection rarement présente dans les autres opéras du compositeur. Le réveil et l'entrée de l'impératrice, au premier acte, par exemple, sont accompagnés d'un merveilleux passage orchestral qui n'a rien à envier en splendeur, en délicatesse et en transparence aux meilleurs moments de *Salomé* ou à la célèbre présentation de la rose dans *Le chevalier à la rose*. Outre le rôle de l'impératrice, les parties vocales de Barak et de sa femme sont particulièrement remarquables. La femme de Richard Strauss, Pauline, servit de modèle au personnage de la femme de Barak. Lors de sa création, *La femme sans ombre* déchaîna l'enthousiasme et, pour la première fois dans la carrière de Strauss, reçut l'approbation unanime de la critique. RB

LA LÉGENDE DE SAINT CHRISTOPHE

Drame sacré en trois actes de Vincent d'Indy (1851-1931). Livret du compositeur. Première représentation : Paris, Opéra, 9 juin 1920.

L'INTRIGUE : Auférus a décidé de se mettre au service de la puissance qui règne sur le monde. De la cour de la reine de la Volupté, il passe à celle du roi de l'Or, qui a vaincu la Volupté. Il tombe ensuite au pouvoir de Satan. Mais le démon est obligé de rendre hommage au Roi Suprême. Auférus part alors pour une longue quête qui le conduit jusqu'à Rome. Un saint ermite lui conseille de se faire passeur au gué de la rivière ; peut-être le Roi se montrera-t-il un jour à lui. Une nuit d'orage, Auférus accepte, malgré les éléments déchaînés, de transporter un enfant de l'autre côté du fleuve. Le fardeau lui semble tout à coup atrocement lourd, mais il franchit néanmoins le cours d'eau. Sur l'autre rive, il comprend que l'enfant n'était autre que le Souverain, qu'il avait attendu si longtemps. Il devient le messager du Seigneur et reçoit le nom de Christophe, celui qui a porté le Christ. Christophe est emprisonné et son juge est le roi de l'Or. Puisque Satan exige l'âme de Christophe, il envoie donc dans sa prison la reine de la Volupté. Christophe réussit à la convertir et, lorsqu'il est martyrisé, c'est elle qui reprend sa mission.

■ Le thème de l'opéra est tiré de la *Legenda Aurea* ou *Legenda Sanctorum* de Jacopo da Varrazze (1228-1298). La structure de l'œuvre est celle d'un triptyque, dont chaque partie est à son tour divisée en trois épisodes, reliée par une narration. *La légende de saint Christophe* fut composé dans la période 1912-1922, lorsque Vincent d'Indy enseignait la direction d'orchestre au Conservatoire de Paris. AB

L'AVIATEUR DRO (L'aviator Dro)

Poème tragique en trois actes de Francesco Balilla Pratella (1880-1955). Livret du compositeur. Première représentation : Lugo di Romagna, théâtre Rossini, 4 novembre 1920.

■ L'opéra reflète les convictions esthétiques de l'auteur, signataire des deux manifestes de la musique futuriste. RB

LA VILLE MORTE
(Die tote Stadt)

Opéra en trois actes d'Erich Wolfgang Korngold (1897-1957). Livret de P. Schott. Première représentation : simultanément au Stadttheater de Humberg et au Stadttheater de Cologne, 4 décembre 1920. MSM

LE PETIT MARAT
(Il piccolo Marat)

Opéra lyrique en trois actes de Pietro Mascagni (1863-1945). Livret de Giovacchino Forzano (1884-1970) et Giovanni Targioni-Tozzetti (1863-1934). Première représentation : Rome, Teatro Costanzi, 2 mai 1921. Interprètes : H. Lazaro, G. Dalla Rizza, B. Franci, E. Bachini, L. Ferroni. Direction : Pietro Mascagni.

LES PERSONNAGES : Mariella (soprano) ; le petit Marat (ténor) ; le soldat (baryton) ; le charpentier (baryton) ; l'Ogre (basse) ; la princesse (mezzo-soprano) ; le capitaine (baryton) ; l'espion (baryton) ; le voleur (baryton) ; le tigre (basse) ; le porteur d'ordres (baryton) ; le prisonnier (baryton). Les « Marats », hussards, prisonniers, foule.

L'INTRIGUE : L'action se déroule à Paris, pendant la Révolution.

Acte I. Mariella, nièce du président du Comité révolutionnaire surnommé l'Ogre, est assaillie par la foule affamée un jour qu'elle apporte le déjeuner à son oncle et n'est sauvée que par l'intervention d'un jeune inconnu, qui demande comme seule faveur d'être engagé dans les « Marats », la garde révolutionnaire. Il s'agit en réalité du fils de la princesse de Fleury, une noble prisonnière, et il espère ainsi gagner la confiance de l'Ogre pour la sauver.
Acte II. Le jeune prince prépare l'évasion de sa mère avec la complicité d'un brave charpentier, las des excès de la Terreur. Celui-ci promet qu'une barque attendra sous un pont proche de la prison. Mariella, écœurée elle aussi de la cruauté de son oncle, et mise au courant de la tentative d'évasion par le « petit Marat », qui l'aime et lui a dit la vérité, décide de partir avec eux. Au cours d'une réunion orageuse du Comité révolutionnaire, l'Ogre laisse éclater sa férocité à l'encontre de plusieurs prisonniers, dont la mère du jeune homme.
Acte III. Profitant du sommeil de son oncle, Mariella aide le « petit Marat » à le ligoter et à lui extorquer, sous la menace d'un pistolet, un ordre de libération pour la princesse de Fleury et un permis de navigation. L'Ogre est contraint d'accepter mais, de sa main libre, il attrape le pistolet et blesse le prince. Le jeune homme est sauvé par l'intervention du charpentier, qui assomme l'Ogre. Puis, il charge le « petit Marat » sur ses épaules et s'enfuit avec Mariella et la princesse.

■ Mascagni s'était déjà intéressé à plusieurs reprises à la période historique de la Révolution française, même avant le succès d'*Andrea Chénier*, de Giordano, qui mit le thème à la mode. Mais le projet fut sans cesse repoussé, jusqu'à ce que Ferdinando Martini recommande au compositeur la lecture des *Noyades de Nantes* de Lenôtre, et de *Sous la Terreur* de Victor Martin ; ce dernier ouvrage servit de base au drame écrit par Forzano. Mais Mascagni, peu satisfait du texte original, chargea par la suite Targioni-Tozzetti de terminer le livret, suscitant ainsi une vive polémique. Cet opéra marque le retour de Mascagni au réalisme et à l'exaltation du chant populaire sentimental. Accueilli très chaleureusement lors de la première, il fut rarement repris par la suite. AB

LE PRINCE FÉRÉLON
(Prince Ferelon)

Extravagance musicale en un acte de Nicholas Comyn Gatty (1874-1946). Livret du compositeur. Première représentation : Londres, Old Vic, 21 mai 1921.

L'INTRIGUE : Les aventures fantastiques d'une belle princesse qui refuse tous les prétendants. Un jour, trois nouveaux candidats se présentent et le roi, las des caprices de sa fille, lui fait savoir qu'il faut qu'elle choisisse l'un des trois, car c'est la dernière chance qui lui est offerte. Si elle ne se décide pas, c'est la cour qui choisira à sa place. Arrive le moment fatal ; une dame d'honneur de la princesse prépare la salle du trône pour l'audience, lorsque entre un beau jeune homme. Il se présente comme le prince Férélon, venu demander la main de la princesse sous trois déguisements différents ; ainsi, explique-t-il, quelle que soit la décision de la jeune fille, qu'il aime profondément, c'est lui qui deviendra son mari. La cour entre. La princesse, ravissante dans ses somptueux atours, est triste, car elle pense que les prétendants ne l'aiment pas, mais sont attirés par sa fortune et son nom. L'épreuve est ouverte. Le premier candidat est un ménestrel (le prince Férélon déguisé), accompagné d'un groupe de musiciens ; il offre à la princesse une chanson composée pour elle. Celle-ci le remercie, dit que sa chanson est très belle, mais que l'amour est autre chose, et le refuse. Le second prétendant est introduit. Toujours le prince, vêtu cette fois en grand couturier. Avec ses modistes, il apporte des robes merveilleuses, d'un goût exquis, qu'il dépose devant la princesse, en lui promettant de dessiner pour elle les plus beaux habits. Mais cette offre est aussi impitoyablement rejetée. Le troisième jeune homme est un artiste-poète vêtu d'une manière étrange, accompagné d'un corps de ballet qui danse joyeusement. Mais la princesse juge cette exubérance puérile et repousse aussi le poète. Le roi, furieux, décide que le sort désignera le mari de la princesse. La princesse est désespérée car personne ne la comprend. Alors le prince Férélon s'approche d'elle et lui dit qu'il est content qu'elle ait refusé toutes les valeurs superficielles qu'il lui offrait : maintenant, c'est son cœur tout seul qu'il lui propose. La princesse sourit doucement : c'était ce qu'elle attendait depuis si longtemps. Le roi est enchanté surtout lorsque le bruit court que l'élu est le prince Férélon. Il ordonne que les préparatifs du mariage commencent immédiatement.

■ Cet opéra est aussi connu sous le titre *The Princess's Suitors (Les prétendants de la princesse)*. Il a obtenu le Carnegie Award en 1922. MS

ASSASSINS, ESPÉRANCE DES FEMMES (Mörder, Hoffnung der Frauen)

Opéra en un acte de Paul Hindemith (1895-1963). Texte du peintre Oskar Kokoschka (1886). Première représentation : Stuttgart, Landestheater, 4 juin 1921.

L'INTRIGUE : Un ciel nocturne. Une tour. L'Homme, pâle, revêtu d'une armure, a la tête bandée car il est blessé. Derrière lui, une horde d'hommes sauvages armés de lances et portant des torches, le front ceint de bandeaux rouges et gris. L'Homme est à leur tête, mais en même temps en lutte contre eux. Puis, les femmes entrent de la gauche, conduites par la Femme — grande, forte, vêtue de rouge avec sa chevelure blonde flottante. Un dialogue s'instaure entre hommes et femmes sur leur désir mutuel. Une image terrifiante de l'Homme se dessine à travers leurs paroles. Les hommes avancent et les femmes se serrent les unes contre les autres, apeurées. La Femme s'approche de l'Homme, bondissant et rampant. L'Homme arrache furieusement ses vêtements et imprime sa marque au fer rouge dans la chair de la Femme. Elle se jette sur lui avec un couteau et le blesse au flanc. Hommes et femmes s'accouplent bestialement sur le sol. Un cercueil apparaît. L'Homme, qui se déplace lentement, y est déposé, puis enfermé dans la tour. La Femme s'approche de lui ; il retrouve alors sa force et se relève, tandis que la Femme tombe à terre. Hommes et femmes essaient de fuir, mais l'Homme les extermine comme des mouches et s'en va.

■ Comme *Sancta Susanna* et *Das Nusch-Nuschi,* cette œuvre du jeune Hindemith est une contribution de l'artiste au bouillonnement extraordinaire de l'avant-garde dans l'Allemagne de l'immédiat après-guerre. L'opéra, tant par le texte que par la musique, est violemment expressionniste. LB

LE NUSCH-NUSCHI (Das Nusch-Nuschi)

Comédie érotique pour « marionnettes birmanes » de Paul Hindemith (1895-1963). Livret de F. Blei (1871-1942). Première représentation : Stuttgart, Landestheater, 4 juin 1921.

■ L'opéra, violemment polémique, antiromantique et antiwagnérien, utilise de façon provocante quelques thèmes célèbres. On entend ainsi un thème de *Tristan* pendant la scène de la castration. LB

LE ROI DAVID

Opéra (psaume dramatique) en deux parties d'Arthur Honegger (1892-1955). Livret de René Morax (1873-1963). Première représentation : Mézières, théâtre Jorat, 11 juin 1921.

■ Le livret, comme pour les autres opéras du compositeur, est tiré de la Bible. Après la première représentation, l'opéra fut à nouveau joué à Winterthur, le 2 décembre 1923, dans une version allemande en trois parties. *Le roi David* existe également sous la forme d'un oratorio dramatique, assez rarement interprété. GP

KATIA KABANOVA
(Kata Kabanova)

Opéra en trois actes et six tableaux de Leóš Janáček (1854-1928). Livret de Vincene Cervinka, tiré de L'orage, *d'Ostrovski (1823-1886). Première représentation : Brno, 23 novembre 1921.*

Les personnages : Dikoj (basse) ; Boris (ténor) ; Marfa (contralto) ; Tikhon (ténor) ; Katia (soprano) ; Kudrach (ténor) ; Barbara (mezzo-soprano) ; Kulijin (baryton) ; Glasa (mezzo-soprano).

L'intrigue : Dans la seconde moitié du XIXe siècle, dans la petite ville russe de Kalinov, sur les rives de la Volga.
Acte I. Boris confie ses malheurs à son ami Vania. Il aime Katia, l'épouse de Tikhon, et ses rapports avec son oncle Dikoj sont difficiles. Arrive Katia, accompagnée de son mari et de Marfa, sa belle-mère, qui reproche à son fils de lui préférer sa femme. Katia aussi est malheureuse : elle regrette sa jeunesse, est opprimée par une belle-mère tyrannique, et sentimentalement déçue par un mari qui la traite avec froideur et refuse de l'emmener avec lui alors qu'il s'apprête à partir.
Acte II. Barbara, la sœur de Tikhon, confie à Katia la clef de la porte du jardin où Katia, après avoir longuement hésité, a accepté de rencontrer Boris, malgré de sombres pressentiments. La rencontre a lieu tandis que Barbara et Vania font le guet.
Acte III. Katia est rongée de remords et, interprétant comme un signe du ciel une violente tempête qui approche, elle avoue sa faute à Tikhon. Elle dit adieu à Boris, et se jette dans la Volga.

■ L'opéra, composé entre 1919 et 1921, est un des sommets de l'œuvre de Janáček. Les épisodes dramatiques et réalistes y abondent, caractérisés par une déclamation rapide, et alternent avec des musiques descriptives d'un lyrisme typiquement slave. Parmi les personnages émerge notamment, outre Katia, la figure de Marfa, la belle-mère, symbole d'une vieille société paysanne conservatrice. Katia lutte tout au long de l'opéra contre la vieille femme. Son suicide est une affirmation de sa liberté, mais aussi une dénonciation de la société impitoyable qui la pousse à ce geste. Cette protestation fut soulignée par Max Brod, qui, après avoir écouté l'opéra, alla exprimer à l'auteur son estime pour ses principes moraux qui l'avaient conduit « à affronter les problèmes de la vie sans compromis ». AB

LA LÉGENDE DE SAKUNTALA (La leggenda di Sakuntala)

Opéra en trois actes de Franco Alfano (1876-1954). Livret du compositeur. Première représentation : Bologne, Théâtre municipal, 10 décembre 1921. Interprètes : A. Concato, N. Piccaluga. Direction : Tullio Serafin.

LES PERSONNAGES : Sakuntala (soprano) ; Priyamvada (mezzo-soprano) ; Anusuya (soprano) ; le Roi (ténor) ; Kanva (basse) ; Durvasas (basse) ; l'écuyer (baryton) ; Harita (basse) ; le jeune ermite (ténor) ; un pêcheur (ténor) ; un garde (basse).

L'INTRIGUE : En Inde, à une époque indéterminée.
Acte I. Une forêt sombre et silencieuse, où vivent un ermite et un anachorète. On entend au loin le bruit d'une chasse royale. Lorsque le roi apparaît, les ermites le supplient de ne pas tuer la gazelle qu'il poursuit. Le roi épargne le pauvre animal, s'attirant ainsi l'amitié des ascètes qui invoquent sa protection en attendant le retour de Kanva, leur chef, disparu depuis longtemps. Les ermites savent d'autre part, parce que Kanva le leur avait prédit, que le roi tombera amoureux de Sakuntala, une très belle jeune fille élevée par Kanva qu'ils cachent dans leur ermitage. En effet, à peine le roi l'a-t-il aperçue qu'il en tombe amoureux et se déguise en pèlerin pour pouvoir entrer dans l'ermitage. Il découvre ainsi que la jeune fille a des origines royales. A la fin, Sakuntala cède à la passion du jeune roi.
Acte II. Deux amis de Sakuntala, Priyamvada et Anusuya, disposent des guirlandes pour un rite religieux. Durvasas frappe à la porte de l'ermitage. Personne ne lui ouvre. La loi veut en effet que seule Sakuntala ait le droit d'ouvrir la porte, ce qui n'est pas possible puisqu'elle est absente. Furieux, l'ermite maudit la jeune fille et annonce que lorsque le roi la rencontrera de nouveau, il ne se rappellera pas l'avoir aimée, à moins que la jeune fille ne lui fasse voir l'anneau qu'il lui a donné. Apprenant ce qui s'est passé, Sakuntala en est tout attristée, mais elle est réconfortée par Kanva, enfin de retour. Celui-ci, au courant de son amour pour le roi, lui annonce une maternité heureuse et l'invite à se rendre à la cour. La forêt est embrasée par les lueurs du couchant.
Acte III. A l'intérieur du palais royal. Un lit. Le roi est triste malgré la splendeur de sa cour. Pour le distraire, on donne des danses et des réceptions. Un écuyer annonce l'arrivée des ermites, qui accompagnent une femme voilée. Le roi, selon la prophétie, ne se souvient plus de rien. Les ermites lui expliquent la raison de cette visite. Sakuntala enlève son voile, mais le roi ne semble pas la reconnaître. La jeune fille cherche alors l'anneau. Mais elle ne le trouve pas et s'éloigne, désespérée. A ce moment, les gardes amènent un pêcheur trouvé en possession d'une pierre précieuse qu'il a ramassée sur la berge du fleuve. C'est la bague de la jeune fille. Le roi retrouve la mémoire et demande qu'on fasse venir Sakuntala. Mais elle s'est jetée dans l'étang des nymphes et a disparu dans un nuage de feu. Une vive lumière illumine la scène tandis que deux ermites déposent aux

pieds du roi un nouveau-né couvert d'un voile. Tous s'inclinent à la vue de l'héritier.

■ *La légende de Sakuntala* est tirée de *Sakuntala*, le chef-d'œuvre du poète et auteur dramatique indien du VIe siècle, Kâlidâsa. C'est le premier vrai succès d'Alfano. L'opéra est d'ailleurs considéré comme l'une des œuvres les plus réussies du compositeur. Il fut représenté dans de nombreux théâtres italiens et étrangers : en italien à Buenos-Aires et à Montevideo, en allemand à Düsseldorf, en 1924, et dans d'autres théâtres. Le compositeur a rencontré de nombreuses difficultés dans l'adaptation du texte original et dans l'interprétation de la légende indienne. La seule partition complète de l'opéra fut détruite pendant la Seconde Guerre mondiale. Le musicien dut se servir, pour la réécrire, d'une partition incomplète pour voix et panio. La nouvelle version de l'opéra fut représentée à l'Opéra de Rome, le 9 janvier 1952, sous le titre de *Sakuntala*. L'œuvre est d'un riche chromatisme, tandis que l'orchestration et les détails techniques révèlent la recherche de nouveaux moyens d'expression et d'un style symphonique plus moderne. On note dans la partition de 1952 l'influence de Strauss et certaines analogies avec Puccini, surtout dans le traitement des mélodies. FP

L'AMOUR DES TROIS ORANGES (Ljubov k triom apelsiman)

Opéra en un prologue, quatre actes de dix tableaux de Sergueï Prokofiev (1891-1953). Livret du compositeur tiré d'un conte de Carlo Gozzi (1720-1806). Première représentation : Chicago, Opera House, 30 décembre 1921. Interprètes : Nina Koshetz, Hector Dufranne. Direction : Sergueï Prokofiev.

LES PERSONNAGES : Le Roi de trèfle (basse) ; le Prince, son fils (ténor) ; la Princesse Clarisse, sa nièce (contralto) ; Léandre, son Premier ministre (baryton) ; Truffaldino (ténor) ; Pantalone (baryton) ; le Mage Celio (basse) ; la Fée Morgane (soprano) ; Linetta (contralto) ; Nicoletta (mezzo-soprano) ; Ninetta (soprano) ; la cuisinière (basse) ; Farfarello (basse) ; Sméraldine (mezzo-soprano) ; le maître de cérémonies (ténor) ; le héraut (basse) ; le trompette ; chœur (Tragiques, Comiques, Lyriques, Écervelés) ; ballet.

L'INTRIGUE : Prologue. Le rideau est baissé. Deux tours de chaque côté. Les Tragiques, les Comiques, les Lyriques et les Écervelés discutent : quel est le meilleur genre de spectacle ? Dix « originaux » les font tomber de l'avant-scène avec d'immenses perches et promettent aux spectateurs un genre nouveau : *L'amour des trois oranges*. Le héraut annonce le début du spectacle.

Acte I. Une salle du palais royal. Le Roi de trèfle est désespéré. Le Prince, son fils, souffre de mélancolie et ne guérira que s'il réussit à rire. Le comique Truffaldino lui promet des spectacles divertissants. Le Roi confie au Premier ministre Léandre le soin d'organiser les réjouissances. Pantalone, confident du Roi, en est préoccupé : il est en effet au courant des intrigues de Léandre contre la vie du Prince. La scène s'assombrit. Au fond, des signes cabalistiques. Éclairs et coups de tonnerre. Le Mage, Celio, protecteur du Roi, apparaît en compagnie de la Fée Morgane, protectrice de Léandre. La Fée bat le Mage aux cartes. Une salle du palais royal. Le Premier ministre révèle à Clarisse, sa complice, le moyen qu'il a imaginé pour tuer le Prince : il va procurer chaque jour au malheureux des lectures très ennuyeuses. Ils surprennent l'esclave noire Sméraldine qui les écoute. Elle se fait pardonner en leur apprenant que la Fée Morgane participera à la fête. Or personne ne rit jamais lorsque la Fée est présente. La chambre du prince. Truffaldino oblige le Prince à s'habiller pour la fête. La grande cour du palais. Le comique fait tout son possible, mais la présence de Morgane, déguisée en vieille mendiante, empêche les gens de rire. Truffaldino se met à se disputer avec la vieille, la pousse et la fait tomber les quatre fers en l'air. Le Prince rit. Mais la Fée se venge : il va devoir partir à la recherche de trois oranges dont il tombera amoureux. Le jeune homme part immédiatement en compagnie de Truffaldino qu'une gifle du diable Farfarello a envoyé promener.

Acte III. Un désert. Le Mage Celio aide le Prince et Truffaldino, en route pour le château de la Magicienne Créonte, propriétaire des trois oranges : il leur donne un ruban à offrir à la cuisinière, qui surveille les oranges. Le château de Créonte. La cuisinière, qui les menace de sa louche en hurlant, est amadouée par le cadeau. Le Prince s'empare des trois oranges. Un désert. La nuit. Le Prince dort. Truffaldino, assoiffé, ouvre deux des oranges, devenues énormes. Il en sort deux belles jeunes filles, Linetta et Nicoletta, qui meurent de soif sans que Truffaldino puisse les secourir. Terrorisé, il s'enfuit. Le Prince, éveillé, ouvre le troisième fruit : la très belle princesse Ninetta en sort. Le Prince réussit à éviter qu'elle ne meure de soif, grâce à l'aide inespérée des Originaux. Le Prince, rejoint par son père, se rend avec lui chez Ninetta pour l'épouser. Mais il trouve Sméraldine, qui a pris sa place après avoir transformé la Princesse en rat. Parole de Roi : le Prince devra l'épouser.

Acte IV. Le rideau, couvert de signes cabalistiques. Une dispute éclate entre le Mage et la Fée. Les Originaux réussissent à enfermer Morgane. Dans le dégoût général, on découvre un rat sur le trône. Mais le Mage Celio le transforme à nouveau en la belle Ninetta. Sméraldine, Léandre et Clarisse, condamnés à mort, s'enfuient, mais ils tombent ensemble dans une trappe. On donne une grande fête pour les nouveaux époux, dans l'allégresse générale.

■ Représenté pour la première fois à l'Opéra de Chicago, dirigé alors par Mary Garden, dans une version française de V. Janacopoulos, l'opéra ne connut pas un grand succès à ses débuts. Il fut même à l'origine de polémiques et d'incompréhensions entre l'auteur et Igor Stravinski, qui ne l'apprécia guère. Six ans plus tard, *L'amour des trois oranges* fut mis en scène pour la première fois en Russie. Même dans le pays natal du compositeur, il reçut un accueil mitigé. Prokofiev écrivit dans son autobiographie : « Quelques critiques ont cherché à comprendre de qui j'avais voulu me moquer : du public, de Gozzi, de l'opéra ou encore de ceux qui ne savent pas rire. » Les intentions du compositeur, qui a cherché à mettre en évidence le charme féerique de l'œuvre de Gozzi, n'ont probablement pas été assez comprises. La structure de l'opéra est parfaite, avec l'alternance des parties instrumentales, des solistes et des chœurs. Le compositeur s'est servi de différents groupes, qui symbolisent tous une attitude ou un état d'esprit (Tragiques, Comiques, Lyriques, Écervelés, Ridicules). Ces groupes interviennent pour donner à l'action son sens psychologique. Prokofiev tira par la suite de *L'amour des trois oranges* une suite qui eut plus de succès que l'opéra, et fut universellement appréciée. On peut donc en déduire que les critiques adressées à la version théâtrale venaient avant tout de la nouveauté de quelques scènes et de l'utilisation hardie d'un certain symbolisme. RB

JULIETTE ET ROMÉO
(Giulietta e Romeo)

Tragédie en trois actes de Riccardo Zandonai (1833-1944). Livret d'Arturo Rossato (1882-1942), tiré de la tragédie de William Shakespeare et des nouvelles de Luigi Da Porto et Matteo Bandello. Première représentation : Rome, Teatro Costanzi, 14 février 1922. Interprètes : Gilda Della Rizza, Miguel Fleta, Carmelo Maugeri, L. Nardi. Direction : Riccardo Zandonai.

LES PERSONNAGES : Giulietta (soprano) ; Romeo (ténor) ; Isabella (soprano) ; Tebaldo (baryton) ; le chanteur (ténor) ; Gregorio (ténor) ; Sansone (basse) ; Bernabò (basse) ; un Montecchio (ténor) ; un membre de la famille de Romeo (ténor) ; une femme (soprano) ; le crieur public (basse).

L'INTRIGUE : L'action se déroule à Vérone et à Mantoue.
Acte I. Une violente dispute oppose les partisans de la famille Montecchi (les Montaigu) à ceux de la famille Capuleti (les Capulet). Un jeune homme masqué intervient pour la faire cesser, et s'oppose à un Capulet, Tebaldo. Le crieur public annonce qu'une patrouille va passer. Tout le monde se sauve tandis que le jeune homme se cache dans les environs. Giulietta Capulet apparaît à une fenêtre, et le jeune homme, qui n'est autre que Romeo, lui adresse des paroles passionnées. Les deux jeunes gens se trouvent dans une situation insupportable : ils s'aiment, mais leurs familles se haïssent et se combattent. Giulietta jette du balcon une échelle de soie. Romeo la rejoint. Il n'abandonnera qu'à l'aube la chambre de sa bien-aimée.
Acte II. Les jeunes Capulet, dont Giulietta, font une ronde. Tebaldo les interrompt. Il se tourne vers la jeune fille : il est au courant de la visite nocturne de Romeo et lui fait de sévères reproches. Elle devrait se souvenir de son devoir familial, qui l'oblige à épouser, comme l'a décidé son père, le comte de Lodrone. Giulietta affirme qu'elle n'obéira ja-

mais. Gregorio surgit, blessé : une nouvelle bataille a eu lieu, et il prétend avoir reconnu Romeo parmi les agresseurs. Cela ne peut être vrai, puisque le jeune homme est là, caché, dans le jardin. Il sort de sa cachette, et Tebaldo le provoque en duel. Le Capulet est blessé à mort. Giulietta réussit à faire fuir son bien-aimé, mais l'épée ensanglantée, preuve du délit, est restée sur place.
Acte III. Romeo se trouve dans une hôtellerie, où il attend qu'un de ses serviteurs lui apporte des nouvelles de Vérone. Entre un chanteur, qui cntonnc un chant de deuil pour la mort de Giulietta. Romeo s'en prend violemment à lui, et veut lui faire dire que ce n'est pas vrai. Mais le serviteur arrive et confirme la tragique nouvelle. Giulietta est morte la veille de ses noces avec Lodrone. Romeo retourne à Vérone, se rend à la chambre ardente et, face au corps de Giulietta, avale un poison. Mais la jeune fille revient à elle. Elle avait seulement avalé une drogue, pour simuler la mort et ne pas épouser Lodrone. Un messager, envoyé auprès de Romeo, n'est pas arrivé à temps. Giulietta se poignarde alors, aux côtés de son bien-aimé qui meurt.

■ Dans *Giulietta e Romeo*, l'influence du vérisme puccinien est manifeste, même si Zandonai tente de donner à plusieurs situations une tonalité plus moderne, notamment dans l'utilisation de l'orchestre. On a parfois observé que les pages les plus efficaces sont celles dans lesquelles le drame est en gestation, et non celles dans lesquelles il explose le plus tragiquement. Cela est dû au tempérament du compositeur, plus lyrique que dramatique. EP

SANCTA SUSANNA

Opéra en un acte de Paul Hindemith (1895-1963). Livret du compositeur, tiré du drame posthume du poète expressionniste A. Stramm (1874-1915). Première représentation : Francfort, Opernhaus, 26 mars 1922.

L'INTRIGUE : La chapelle d'un monastère. Une nuit de mai. Susanna et Klementia sont en prière devant un autel surmonté d'un grand crucifix. Susanna est prise d'une sorte de délire extatique, qui gagne aussi souvent Klementia. La sainte entend une voix de femme, et aperçoit, par une fenêtre, une jeune fille qui s'approche. Apeurée, puis bientôt rassurée, elle avoue qu'elle était étendue avec son jeune amant sous les glycines. Le jeune homme arrive et l'emmène. Après quelques autres prières exaltées de Susanna, Klementia se rappelle la nuit où, trente ou quarante ans plus tôt, elle avait découvert une religieuse qui s'approchait, nue, de l'autel, et embrassait le crucifix. Elle fut emmenée vivante pour ce sacrilège. Susanna enlève alors ses vêtements, et s'approche du crucifix. Klementia lui rappelle son vœu de chasteté, de pauvreté et d'obéissance. D'autres religieuses accourent. L'opéra s'achève tandis que la jeune femme, nue, se tient debout devant l'autel et que les autres sœurs lui crient : « Satan ! ».

■ Il s'agit d'un opéra de jeunesse

d'Hindemith, qui reflète ses premières conceptions esthétiques. Le nouvel « objectivisme », commun alors à toute l'avant-garde allemande, y est particulièrement présent. L'œuvre — réaction contre le « pathos » de l'époque et le romantisme wagnérien — est peut-être plus importante par sa charge polémique que par sa valeur musicale réelle. Elle reste toutefois un bon exemple de cet expressionnisme qui, en dépit d'indiscutables excès, a tenté de réagir contre l'atmosphère oppressante de l'Allemagne d'alors. EP

AMADIS

*Opéra en quatre actes de Jules Massenet (1842-1912). Livret de J. Claretie (1840-1913), tiré d'*Amadis de Gaule, *roman chevaleresque espagnol de Garcia Ardonez de Montalvo (xve siècle). Première représentation (posthume) : Monte-Carlo, théâtre du Casino, 1er avril 1922.*

L'INTRIGUE : Amadis, fils naturel du roi Périon et d'Élisena, a été abandonné à sa naissance sur une barque, à la merci des flots. Ayant échappé miraculeusement à la mort, il est conduit par le roi Langrines à la cour de son père. Là, il fait la connaissance d'Oriane, la fille du roi de Bretagne, Lisuarte. Les jeunes gens tombent éperdument amoureux l'un de l'autre et se jurent fidélité éternelle. Commence alors une série d'exploits extraordinaires, accomplis par Amadis en l'honneur d'Oriane, qui vont de la recherche et de la découverte de ses parents à un duel avec des géants, de combats dans des châteaux enchantés à la libération des opprimés selon la thématique chevaleresque classique. A la fin, après mille péripéties brillamment surmontées par le héros, et lorsque a été éclaircie une équivoque qui opposait les deux amoureux, les jeunes gens se marient.

■ Même s'il s'agit indiscutablement d'une œuvre mineure, *Amadis* montre bien comment la musique néo-romantique de Massenet s'adapte à la littérature chevaleresque, où l'amour transporte celui qui aime hors de la réalité, dans un royaume absolument libre, sans contrainte. Du point de vue musical, on peut observer que l'orchestre est parfaitement « synchronisé » avec le déroulement des événements, et que cette concordance donne naissance aux parties chantées les plus lyriques et les plus dramatiques. GPa

LA BELLE AU BOIS DORMANT (La bella addormentata nel bosco)

Conte de fées musical en trois actes d'Ottorino Respighi (1879-1936). Livret de Gian Bistolfi, d'après le conte de Perrault. Première représentation : Rome, Teatro Odescalchi, 13 avril 1922.

L'INTRIGUE : La naissance de la princesse est accueillie avec joie par tous les animaux de la forêt. Mais, au milieu de la fête, furieuse de n'avoir pas été invitée, arrive la méchante fée. Elle jette un sort terrible : la princesse mourra en se piquant le doigt avec un fuseau. La méchante fée disparaît, et un chœur d'étoiles tranquillise les animaux apeurés. Mais la prophétie se réalise. Un jour, la princesse rencontre un vieillard qui file avec un fuseau ; curieuse, elle touche cet instrument inconnu, et tombe profondément endormie ; la vie s'arrête autour d'elle. Les médecins essaient en vain de la réveiller. Pour apaiser la douleur du roi et de la reine, la fée bleue, d'un coup de baguette magique, plonge toute la cour dans un grand sommeil. Seules les araignées restent à tisser leur toile. Le prince Avril réveillera la princesse d'un baiser et, avec elle, ses parents et toute la cour. Le conte s'achève dans la joie générale, à laquelle participe la bonne fée bleue.

■ L'opéra, représenté pour la première fois en 1922, avait été composé entre 1907 et 1909. Ce fut un grand succès, suivi d'un grand nombre de représentations, et il fut ensuite repris sur toutes les scènes du monde. Lorsqu'en 1934, le Théâtre de Turin voulut reprendre *La belle au bois dormant*, le compositeur remania largement la partition, remplaça la danse des marionnettes par celle des enfants mais laissa les chanteurs dans la fosse d'orchestre, comme dans la première version. Ce fut à nouveau un très vif succès. RB

RENARD

Ballet burlesque en un acte avec chant d'Igor Stravinski (1882-1971). Livret du compositeur, traduit en français par Charles Ferdinand Ramuz (1878-1947). Première représentation : Paris, Opéra, 3 juin 1922. Direction : Ernest Ansermet.

L'INTRIGUE : Le coq, sur son perchoir, attend l'arrivée du renard. Celui-ci s'approche, déguisé en religieuse. Il demande au coq de confesser ses péchés. Mais son sermon reste sans effet. Il essaie alors d'émouvoir le coq, disant qu'il arrive du désert, qu'il a faim et soif ; le coq s'en moque. Le rusé animal reprend alors l'argument spirituel : le coq doit absolument se confesser car il est polygame — il a près de quarante femmes ! — et il se bat encore avec les autres coqs de la basse-cour pour en avoir de nouvelles. Les reproches du renard se font de plus en plus sévères, jusqu'au moment où il réussit à attraper le coq ; celui-ci se débat désespérément et pousse des cris perçants alors que le renard commence à le plumer. Le tapage attire un chat et un bouc, qui chassent le renard. Mais, dès que les deux sauveurs ont tourné le dos, le renard revient et recommence à plumer le coq. Le chat et le bouc reparaissent et étranglent le renard. L'opéra s'achève sur une procession de tous les animaux qui ont participé à l'action.

■ La première du ballet fut dirigée par Ernest Ansermet (1883-1969), alors chef d'orchestre attitré des célèbres ballets russes de Diaghilev, qui interprétèrent *Renard* avec une chorégraphie de la Bronislava Nijinska et des décors et costumes de M. Larionov. L'opéra est une œuvre de chambre, comportant un nombre restreint de parties vocales et instrumentales, contrairement aux opéras « à grand spectacle » du XIXe siècle. *Renard* est ouvertement dirigé contre ce genre de spectacle, et notamment contre les conceptions wagnériennes : ici, les divers éléments musicaux, littéraires et chorégraphiques existent de manière quasi indépendante, et l'unité du spectacle se réalise par-delà le jeu autonome des composantes. RB

MAVRA

Opéra bouffe en un acte d'Igor Stravinski (1882-1971). Livret de B. Kochno, d'après La petite maison de Kolomna, *d'Alexandre Pouchkine (1799-1837). Première représentation : Paris, Opéra, 3 juin 1922. Interprètes : O. Slobodskaïa, Sadovène, Z. Rosovska, B. Skoupevski. Direction : Gregor Fitelberg.*

LES PERSONNAGES : Paracha (soprano) ; la mère de Paracha (contralto) ; la voisine (mezzo-soprano) ; le hussard (Mavra) (ténor).

L'INTRIGUE : Paracha, à la fenêtre, est en tendre conversation avec le beau hussard Vassili ; ils cherchent un moyen de se rencontrer facilement. A ce moment, la mère de Paracha entre en se lamentant : sa vieille servante vient de mourir et il lui faut absolument trouver quelqu'un pour la remplacer. Paracha part à la recherche d'une nouvelle servante, tandis que sa mère reste à soupirer en pensant aux qualités de l'ancienne. Une voisine vient la voir, et elle recommence à se plaindre. Paracha revient en compagnie de Mavra, une grande et robuste personne chaudement recommandée par une connaissance et qui semble faire l'affaire. Paracha est chargée d'instruire la nouvelle cuisinière et reste pour cela avec elle à la maison : elle en est ravie, car Mavra n'est autre que son hussard, déguisé en femme. Leur joie est de courte durée, car la mère rentre bientôt. Elle ressort presque immédiatement en emmenant Paracha, et décide de revenir à l'improviste, pour voir comment se comporte la nouvelle servante. Quelle n'est pas sa surprise en découvrant l'avenante Mavra en train de se raser ! La mère tombe évanouie tandis que le hussard enjambe la fenêtre sans demander son reste et s'enfuit, poursuivi par la voisine. Paracha, sur le seuil, rappelle vainement son galant.

■ *Mavra* tient une place tout à fait particulière dans l'incessante recherche stylistique de Stravinski. Suivant de peu *Pulcinella*, qui reprenait des thèmes de Pergolèse et marquait le début d'un retour de Stravinski aux modèles de la musique classique, l'opéra intègre cependant des éléments hétérogènes, russes, tziganes et même des rythmes de jazz. Cela le distingue des ouvrages du même type qui se bornent à rendre hommage au mélodrame européen du XIXe siècle. Autre originalité, la composition inhabituelle de l'orchestre, dominé par les instruments à vent (tuba, clarinettes, trompettes et trombones). L'argument est caractéristique de la tradition des contes populaires russes. Outre l'inspiration pouchkinienne, la fin mouvementée avec l'histoire de la servante trouvée en train de se raser donne à l'œuvre une saveur populaire bien éloignée du ton des opéras bouffes des XVIIIe et XIXe siècles. A cet égard, on peut dire que *Mavra* clôt la période « russe » du compositeur. La partition est vive, truculente même selon certains critiques, bien adaptée au propos savoureux du livret. L'entrée des cuivres, par exemple, est parfois délibérément provocante. L'opéra procède aussi à une redécouverte des modèles traditionnels de l'art lyrique européen, manifeste surtout dans les passages sentimentaux, où l'on décèle très nettement l'influence des thèmes et des techniques du mélodrame italianisant d'un Glinka. Ceci explique aussi la structure de l'œuvre, entièrement composée d'arias, sans récitatif. *Mavra* n'eut pas grand succès lors de sa création, mais les défauts de la mise en scène et les conditions particulières de la première représentation y furent pour beaucoup. En effet, cet opéra à peu de personnages, plein de nuances subtiles, s'adaptait mal à l'immense scène de l'Opéra de Paris et les merveilleux décors de Larionov contrastaient peut-être trop avec les jeux chorégraphiques à effets spectaculaires de Diaghilev présentés en première partic *(Renard)*. *Mavra* avait au contraire besoin d'un public attentif, un public de concert plus que d'opéra traditionnel.

RB

ALCESTE
(Alkestis)

Opéra en deux actes de Ruthland Boughton (1868-1960). Livret tiré d'une traduction anglaise, par Gilbert Murray, de la tragédie d'Euripide, Alkestis. *Première représentation : Glastonbury, 26 août 1922.*

L'INTRIGUE : En Thessalie, au palais du roi de Phères, Admète, la douleur est grande car la reine Alkestis n'a plus que quelques heures à vivre. Le dieu Apollon a servi Admète pendant neuf ans, comme châtiment pour avoir tué les Cyclopes qui forgeaient les éclairs de Zeus. Le jeune roi avait traité Apollon avec bonté, si bien que le dieu avait obtenu des Parques que, lorsque l'heure d'Admète serait venue, quelqu'un de proche pourrait se substituer à lui dans la mort. Mais cet instant est arrivé plus tôt que prévu ; la reine Alkestis, pour ne pas laisser ses enfants sans père et le peuple sans son roi, bon et juste, a donc décidé de mourir à la place de son époux. Mais, tandis qu'approche l'heure fatidique, Admète est tourmenté par le remords et se désespère. Alkestis, vêtue pour ses propres funérailles, est portée devant le palais où elle repose, entourée de ses proches et de ses sujets éplorés. Elle supplie son mari de ne pas se remarier pour ne pas donner une belle-mère à ses enfants. Puis elle mcurt, ct son corps est transporté dans le palais. Un étranger de haute stature apparaît alors. C'est Hercule qui, passant par Phères, venait demander l'hospitalité à son ami Admète. Celui-ci, malgré son tourment, s'efforce de le recevoir le mieux possible et lui cache la mort de sa femme. Puis, le soir, lorsque le héros se repose, le cortège funèbre emporte Alkestis vers le tombeau. Hercule, cependant, apprend la vérité d'une esclave restée au palais pour le servir. Bouleversé, il décide de faire l'impossible pour récompenser à la fois l'hospitalité d'Admète et l'abnégation d'Alkestis, qui a donné sa vie pour sauver son seigneur. Il va donc se poster près de la tombe de la reine pour empêcher la Mort d'emporter son âme au royaume des ombres. Entre-temps, le cortège est rentré au palais et le désespoir du roi ne connaît plus de bornes. Mais Hercule revient, accompagné d'une mystérieuse femme voilée. C'est Alkestis, arrachée à la mort par le héros. MS

DÉBORAH ET JAHEL
(Debora e Jaele)

Opéra dramatique en trois actes d'Ildebrando Pizzetti (1880-1968). Livret du compositeur. Première représentation : Milan, théâtre de la Scala, 16 décembre 1922. Interprètes : Elvira Casazza, Giulio Tess, Anna Gramegna, Umberto di Lelio, Giovanni Azimonti. Direction : Arturo Toscanini.

LES PERSONNAGES : Deborah, prophétesse d'Israël (contralto) ; Jaele (soprano) ; Mara (mezzo-soprano) ; Hever (basse) ; Nabi, prince de Nephtali (basse) ; Barak, chef des armées israélites (basse) ; Azriel (ténor) ; Scillem (ténor) ; Jeber le fou (baryton) ; le roi Sisera (ténor) ; Talmai (basse) ; Adonisedek (basse) ; Piram (ténor) ; Jafia (ténor) ; l'aveugle de Kinnereth (basse) ; un berger (baryton) ; un esclave (ténor).

L'INTRIGUE : Le sujet est tiré de l'Ancien Testament, livre des Juges, chapitres IV et V.

Acte I. Les populations de Nephtali, Zebulun et Issachar sont réunies sur une place de Kedesh pour écouter parler la prophétesse Déborah. Il s'apprêtent à partir en guerre contre le cruel roi de Canaan, Sisera, et attendent de Déborah des conseils et des augures sur l'issue de la bataille. La prophétesse affirme qu'ils seront vainqueurs s'ils affrontent l'ennemi à terrain découvert. Entre-temps Jaele, femme de l'espion Hever, est accusée à tort d'avoir accepté l'amour du roi Sisera. Pour la mettre à l'épreuve, le peuple décide de l'envoyer auprès du roi ennemi pour le convaincre de descendre dans la plaine où Barak, chef des armées d'Israël, gagnera la bataille.

Acte II. La terrasse du palais de Sisera, à Harosheth. Le roi punit son capitaine Jafia, coupable d'avoir enlevé deux jeunes esclaves, et fait arrêter Hever, traître à son pays, qui a indiqué à Sisera un défilé où il pourra facilement vaincre les troupes ennemies. Une femme voilée arrive : c'est Jaele, que Sisera aime depuis longtemps. Elle lui dit de conduire ses troupes sur le mont Thabor, où, selon ses dires, il ne trouvera que quelques centaines d'Israélites. Mais le piège est éventé par un dignitaire et Jaele est amenée devant le roi pour qu'il décide de son sort. Or Sisera en profite pour lui avouer son amour. Jaele est troublée par ses paroles et incertaine de ses propres sentiments. Elle s'enfuit dans la nuit, angoissée.

Acte III. Les Juifs ont remporté la bataille, selon la prophétie de Déborah, et tous les ennemis ont été tués. Seul Sisera a survécu. Il se réfugie dans la tente de Jaele.

La prophétesse ordonne à Jaele de livrer le roi ennemi au peuple, mais celle-ci préfère le tuer de ses propres mains plutôt que de le remettre aux vainqueurs.

■ *Déborah et Jahel*, composé entre 1915 et 1921, est considéré de l'avis unanime comme le chef-d'œuvre de Pizzetti. S'opposant à la fois à l'opéra vériste et à l'opéra post-romantique, l'auteur a voulu affirmer sa propre conception, celle d'un drame musical parfaitement équilibré fondé sur un rapport rigoureux entre texte et musique. MSM

BELFAGOR

Comédie lyrique en un prologue, deux actes et un épilogue d'Ottorino Respighi (1879-1936). Livret de Claudio Guastalla, d'après la comédie de E. L. Morselli, inspirée d'un récit de Machiavel. Première représentation : Milan, théâtre de la Scala, 26 avril 1923. Interprètes : M. Stabile, M. Sheridan, F. Merli, G. Azzimonti, G. Azzolini, C. Ferrari, A. Gramegna. Direction : Antonio Guarnieri.

L'INTRIGUE : Prologue. La place centrale d'un petit bourg toscan avec l'église, la maison du prévôt et celle de l'apothicaire. Baldo (ténor) annonce son prochain départ à sa bien-aimée Candida (soprano). Leur entretien est interrompu par l'arrivée du père de la jeune fille, Mirocleto (basse). Le brave homme voit soudain apparaître devant lui Belfagor (baryton), un archidiable venu sur terre pour savoir si le mariage conduit vraiment les hommes à la perdition. L'archidiable persuade Mirocleto de lui donner sa fille en mariage, moyennant la coquette somme de cent mille ducats.

Acte I. Baldo et Candida ont passé ensemble une bonne partie de la nuit dans la boutique de Mirocleto, l'apothicaire du pays. Finalement, le jeune homme s'en va. Peu après, la mère de Candida, Olimpia (mezzo-soprano), et ses deux sœurs, Fidelia et Maddalena (sopranos), descendent pour aller à la messe. Belfagor arrive à cet instant et se présente comme Ipsilonne, riche marchand ami de l'apothicaire. Les femmes partent à la messe, mais les deux sœurs trouvent un prétexte pour revenir et entreprennent de faire la conquête d'Ipsilonne. Mirocleto les surprend en train d'embrasser l'étranger. Celui-ci choisit cependant Candida, au grand dépit de ses sœurs et au désespoir de l'élue.

Acte II. Un mois plus tard, après le mariage, la vie de l'archidiable n'est pas rose. Candida ne se laisse pas approcher, alors qu'il est tombé amoureux d'elle. Entre-temps, Baldo est rentré de voyage et, un soir de fête, vient demander aux parents des comptes pour leur ignoble marché. Candida, apprenant le retour de son bien-aimé, s'enfuit de la maison conjugale. Ipsilonne doit piteusement reprendre sa vie de diable, tandis que ses semblables démolissent la maison de Mirocleto, malgré les protestations de celui-ci.

Épilogue. Baldo et Candida vont demander l'aide du prévôt. Belfagor, déguisé en voyageur, fait semblant de dormir sur les marches de l'église. Il déclare à haute voix qu'Ipsilonne est parti, n'ayant plus rien à faire avec la fille d'un apothicaire une fois ses désirs satisfaits. Baldo se jette sur lui et le met en fuite, mais le doute reste dans son esprit. Le prévôt cherche en vain à le consoler. Candida, désespérée, tombe à genoux et prie pour que se produise un miracle qui persuade Baldo de son innocence. Et soudain, les cloches de la petite église se mettent à sonner toutes seules. Candida est sauvée et Belfagor, ayant définitivement perdu la partie, n'a plus qu'à retourner en enfer.

■ Le livret, commencé par Ercole Luigi Morselli, fut achevé par Claudio Guastalla. Quant à la musique, Ottorino Respighi y mit la première main en mai 1921 et la termina un an plus tard. Beaucoup d'auteurs s'étaient essayés avant lui à illustrer l'histoire du diable faisant l'expérience du mariage, mais la version de Guastalla a fourni à Respighi un sujet idéal pour sa personnalité musicale multiforme. En effet, le compositeur peut déployer ses dons tantôt dans des visions fantastiques, tantôt dans des situations réalistes, à la fois dans des scènes purement burlesques et dans des moments délicieusement sentimentaux. La critique considère *Belfagor* comme l'opéra le plus spontané de Respighi ; les causes de cette réussite sont multiples : d'une part, la collaboration toujours fructueuse avec Guastalla y est certainement pour beaucoup ; d'autre part Respighi, amateur passionné d'astrologie et d'occultisme, recueillait toutes les légendes diaboliques qu'il pouvait trouver.

RB

LE PARFAIT INGÉNU
(The Perfect Fool)

Opéra-comique en un acte de Gustave Holst (1874-1934). Livret du compositeur. Première représentation : Londres, Covent Garden, 14 mai 1923. Direction : Eugène Goossens.

L'INTRIGUE : Dans un pays enchanté, à une époque imprécise. Une belle princesse annonce qu'elle épousera l'homme capable d'accomplir un exploit unique en son genre. Parmi les nombreux prétendants se trouve un magicien qui s'apprête à remporter l'épreuve : il a confectionné un philtre magique qui le fera rajeunir sous les yeux de la princesse. Mais le parfait ingénu est là avec sa mère qui remplace le philtre du magicien par de l'eau. Les plans du vieillard échouent. On avait un jour prédit au parfait ingénu que « d'un coup d'œil il gagnerait une épouse, d'un coup d'œil il tuerait son ennemi et d'une parole il ferait ce que personne n'a jamais fait ». L'ingénu ne participe pas à l'épreuve, mais la princesse l'a remarqué et, rencontrant son regard, elle se dirige vers lui. Pour se venger et montrer sa puissance, le magicien met le feu à une forêt, mais la princesse soulève la tête de l'ingénu endormi ; le magicien, à cette vue, recule, et tombe dans les flammes. La jeune fille n'a plus d'yeux que pour l'ingénu et lui demande de devenir son époux ; et le parfait ingénu répond ce qu'aucun homme au monde n'aurait répondu : non. Et il se rendort.

■ Cet opéra, inspiré de la littérature populaire, est un pastiche de l'opéra français, italien et allemand. Ainsi, les prétendants à la main de la princesse chantent *La Traviata*, se disputent à coups de citations tirées des opéras de Wagner, et reproduisent des scènes du *Faust* de Gounod. Le compositeur a écrit une musique agréable, souvent originale, qui sied au livret à la fois gracieux et drôle. A la première londonienne, l'opéra obtint un chaleureux succès, mais fut par la suite retiré du répertoire ordinaire. GP

PADMÂVATI

Opéra-ballet en deux actes d'Albert Roussel (1869-1937). Livret de Louis Laloy (1874-1944) inspiré de poèmes orientaux. Première représentation : Paris, Opéra, 1er juin 1923.

L'INTRIGUE : Ratan Sen, roi de Tchitor, est l'époux de la vertueuse Padmâvati. La reine est d'une beauté merveilleuse et un brahmane, tombé amoureux d'elle, essaie de la séduire. Mais la vertu de Padmâvati est aussi grande que sa beauté, et le soupirant éconduit est chassé du royaume. Pour se venger, il demande l'aide du roi de Delhi, Alaouddin, et l'amène au palais du roi Ratan Sen. Lui non plus ne peut résister à la beauté de la reine et s'en éprend. Il réclame Padmâvati pour prix de l'alliance avec le royaume de Tchitor. Ratan Sen refuse. Le peuple, indigné de la conduite du brahmane, le condamne à mort. La guerre, devenue inévitable, éclate. La ville est assiégée et Ratan Sen est mortellement blessé au combat. L'armée ennemie avance inexorablement. Alors Padmâvati fait tuer d'un coup de couteau dans le cœur le roi agonisant. Puis elle se jette elle-même sur le bûcher funéraire de son époux tandis que l'ennemi triomphant entre dans la ville.

■ Roussel choisit le sujet de son opéra au cours de ses pérégrinations en Orient. Il sut échapper à l'orientalisme de pacotille et enrichit sa musique de nouveautés singulières et d'une liberté modale d'une rare harmonie. Il renouait en outre avec la tradition française de l'opéra-ballet, dans laquelle danse et chant sont placés sur un pied d'égalité. RB

LES TRÉTEAUX DE MAÎTRE PIERRE (El retablo de Maese Pedro)

Opéra en un acte de Manuel de Falla (1876-1946). Livret du compositeur d'après un épisode de Don Quichotte *de Cervantès (chapitre XXV et XXVI, IIe partie). Première exécution (en concert) : Séville, Teatro San Fernando, 23 mars 1923. Première représentation : Paris, chez la princesse Edmond de Polignac, 25 juin 1923. Interprètes : H. Dufranne, T. Salignac, M. Garcia, A. Periso. Direction : Wladimir Golschmann. Marionnettes de H. Lanz. Au clavecin : Wanda Landowska.*

LES PERSONNAGES : Maître Pierre (ténor) ; (le Truchement » (Trujaman), un jeune garçon (mezzo-soprano) ; Don Quichotte (basse).

L'INTRIGUE : Don Quichotte assiste à un spectacle de marionnettes dans une auberge. Maître Pierre manœuvre les pantins tandis que la voix du gamin Trujaman commente l'histoire : dans le palais de Charlemagne, Don Gafeiro joue tranquillement aux cartes, oubliant sa femme Melisendra, prisonnière des Maures à Saragosse. L'empereur, qui a élevé Melisendra comme sa fille, est irrité de cette indifférence et, après avec tancé sévèrement le mauvais mari il l'envoie libérer sa femme. Gafeiro part pour Saragosse. Dans le palais de Marsilio, roi des Maures, Melisendra attend anxieusement l'arrivée de son mari. Marsilio punit impitoyablement un ministre qui a tenté de profiter de la faiblesse de la jeune femme. Don Gafeiro aperçoit sa femme à son balcon ; comme il n'y a pas de gardes en vue, il la fait descendre et ils s'enfuient. L'alarme est donnée et Marsilio prend la tête d'une troupe de chevaliers et se lance à leur poursuite. Don Quichotte, qui s'est identifié aux héros de l'histoire, s'est d'abord indigné de la captivité de Melisendra et de la lâcheté de son mari qui l'abandonnait aux mains de l'ennemi ; enfin, pour sauver les fugitifs, il se jette, l'épée à la main, sur les marionnettes représentant les Maures, et les réduit en miettes. Puis, satisfait, il explique que son devoir de chevalier errant était de sauver les deux innocents.

■ L'idée originelle de De Falla était de faire représenter même les personnages « humains » par des pantins, ce qui fut fait quelquefois ; mais, par la suite, le compositeur admit qu'ils soient joués par des chanteurs et des mimes, masqués. L'œuvre est assez courte, et la partie du clavecin y tient une place importante. MS

HOLOPHERNE
(Holofernes)

Opéra en trois actes d'Emil Nikolaus Rezniček (1860-1945). Livret du compositeur d'après la pièce Judith *de C. F. Hebbel (1813-1863). Première représentation : Charlottenburg (Berlin), Hoftheater, 27 octobre 1923.*

L'INTRIGUE : Nabuchodonosor, encouragé par ses victoires, envoie son fidèle général Holopherne assiéger la ville de Béthulie. Le peuple, affamé et épuisé par le siège, est prêt à se rendre. La belle veuve Judith reproche à ses concitoyens leur peu de foi et les supplie d'attendre encore un jour avant de se soumettre. Puis, vêtue de ses plus beaux atours, elle part pour le camp ennemi accompagnée d'une servante. Holopherne est séduit par le charme de Judith. Celle-ci, comme pour le provoquer, lui dit qu'elle le hait ; en réalité, elle est émue et confie son trouble à sa servante. Puis, fidèle à sa résolution, elle entre dans la tente d'Holopherne et se donne à lui. Lorsqu'il est endormi, elle lui coupe la tête. Judith est accueillie triomphalement par son peuple, à qui elle montre la tête de l'ennemi redouté. Mais l'héroïne ne partage pas la joie générale et se tue plutôt que de voir naître un enfant de l'ennemi.

■ Cet épisode célèbre de l'Ancien Testament (livre de Judith) avait inspiré la tragédie de Hebbel, dont a été tiré le livret. Le compositeur a su restituer l'esprit de la tragédie en exaltant le caractère dramatique de l'action par une musique d'une telle intensité qu'elle évoque le style de Richard Strauss. Grâce, aussi, à la qualité du livret, *Holopherne* est une œuvre cohérente et convaincante. RB

NÉRON
(Nerone)

Opéra tragique en quatre actes d'Arrigo Boito (1842-1918). Livret du compositeur. Première représentation (posthume) : Milan, théâtre de la Scala, 1er mai 1924. Interprètes : Aureliano Pertile, Rosa Raisa, Luisa Bertana, Carlo Galeffi, Marcel Journet. Direction : Arturo Toscanini.

LES PERSONNAGES : Néron (ténor) ; Simon-le-Mage (baryton) ; Fanuel (baryton) ; Astéria (soprano) ; Rubria (mezzo-soprano) ; Tigellinus (basse) ; Gobrias (ténor) ; Dositheus (baryton) ; Persis (soprano) ; Cerinto (contralto) ; le gardien du temple (ténor) ; premier et second voyageurs (ténor et baryton) ; un esclave (baryton). Affranchis, peuple, esclaves, sénateurs, soldats, prêtres, etc.

L'INTRIGUE :
Acte I. Un cimetière de la via Appia, la nuit. Simon-le-Mage et Tigellinus creusent une fosse où Néron doit déposer l'urne funéraire contenant les cendres de sa mère Agrippine, qu'il a assassinée. Simon fait croire à l'empereur que son âme tourmentée par le remords trouvera la paix s'il donne une digne sépulture aux restes de sa mère. Néron redoute les réactions du peuple. Astéria, une figure spectrale portant un collier de serpents, apparaît, brandissant une torche. Amoureuse de Néron, elle le suit partout, espérant attirer son attention. Simon promet de l'aider, dans l'espoir de pouvoir se servir de sa folie. Il découvre le cimetière des chrétiens et Fanuel, un de leurs chefs, l'arrête tandis que Rubria court prévenir ses coreligionnaires que leurs tombes ont été découvertes.
Acte II. Le temple de Simon. Le prêtre et ses acolytes préparent le temple pour l'arrivée de Néron, avec toute une mise en scène dans laquelle Astéria apparaîtra comme la divinité protectrice des morts. Néron, superstitieux et crédule, devrait tomber dans le piège, et être ensuite au pouvoir de Simon. Mais l'empereur découvre la supercherie. Avec ses prétoriens, il détruit l'autel du temple ; puis, avec une ironie cruelle, il condamne Simon à se jeter du haut de la tribune du cirque lors de la prochaine fête pour amuser le peuple en volant. Le prêtre accepte pour gagner du temps mais ourdit un complot pour sauver sa vie.
Acte III. Un jardin devant une maison isolée. Fanuel parle à un groupe de fidèles. Une ombre s'approche. Tous prennent la fuite, sauf Fanuel et Rubria. C'est Astéria, blessée et couverte de sang, qui leur crie de fuir car Simon-le-Mage est sur leurs traces. Mais celui-ci surgit avec les gardes et fait arrêter Fanuel. Rubria, restée libre, se jure de le sauver.
Acte IV. L'atrium du cirque. Il y règne un grand tumulte, entre deux spectacles. Tout est prêt

pour faire éclater dans la ville un gigantesque incendie qui distraira l'attention du peuple et de l'empereur pendant que Simon-le-Mage prendra la fuite. Astéria est chargée d'allumer le feu ; elle a accepté, espérant sauver, en même temps que le mage, de nombreux chrétiens. Tigellinus dévoile à Néron la conjuration, mais l'empereur, avec une indifférence hautaine, déclare que si Rome brûle, c'est à lui que reviendra la gloire de sa reconstruction. Une vestale voilée vient demander à l'empereur, au nom de la déesse Vesta, d'épargner les chrétiens. C'est Rubria, qui tente le tout pour le tout pour sauver ses amis. Mais elle est condamnée à subir le même sort qu'eux. Néron ordonne alors que Simon soit jeté du haut de la tour. Au même instant, des volutes de fumée et des cris d'horreur annoncent le début de l'incendie. Le peuple s'enfuit dans une panique générale. Les morts ont été déposés dans les souterrains du cirque. Astéria et Fanuel découvrent le cadavre de Simon-le-Mage et Rubria, blessée. Elle confesse son crime : elle est vestale et pratiquait la religion chrétienne sans avoir renoncé au culte de Vesta. Fanuel lui pardonne. A ce moment, le cirque dévoré par les flammes s'effondre, ensevelissant Rubria et les autres chrétiens.

■ L'élaboration de l'opéra dura très longtemps, avec des interruptions de dix ans. L'idée en était venue à Boito alors qu'il travaillait à *Mefistofele*. Le livret fut finalement publié en 1901, mais la partition n'était toujours pas achevée à la mort du compositeur, et dut être terminée par Tommasini et Smareglia, sur les instructions de Toscanini. Comme dans *Mefistofele*, le texte est plus réussi que la musique, qui ne manque cependant pas d'intensité dramatique. Là encore, Boito s'efforce de donner une expression artistique et lyrique à l'opposition entre bien et mal, en l'occurrence entre le christianisme naissant et le monde païen. MS

ATTENTE (Erwartung)

Monodrame en quatre scènes pour soprano et orchestre d'Arnold Schönberg (1874-1951). Texte de Marie Pappenheim. Première représentation : Prague, Neues Deutsches Theater, 6 juin 1924. Interprète : Marie Gutheil-Schoder. Direction : Alexander von Zemlinsky.

L'INTRIGUE :

Première scène. A l'orée d'un bois, au clair de lune. Une femme (soprano) vient à un rendez-vous avec son amant. Dans l'air immobile de la nuit, elle sent planer une obscure menace, mais elle surmonte sa frayeur et entre dans la forêt.

Deuxième scène. Une route bordée de grands arbres. La femme croit sentir dans le noir des êtres mystérieux qui la frôlent, la retiennent. Il lui semble entendre des pleurs. Des bruissements et le cri d'un oiseau nocturne la terrorisent. Elle se met à courir et trébuche sur ce qu'elle prend pour un corps inanimé. Mais ce n'est qu'un tronc d'arbre.

Troisième scène. Une clairière éclairée par la lune, avec de hautes herbes, des fougères, de gros champignons jaunes. La femme reprend son souffle, essaie de se dominer, tend l'oreille et croit distinguer l'appel de son amant ; elle regrette déjà que la nuit soit si courte. Mais la peur la reprend, il lui semble que cent mains l'agrippent, que des grands yeux la fixent dans l'obscurité. Quatrième scène. Un chemin illuminé par la lune. Un sentier conduit à la maison de sa rivale. La femme est épuisée, déchirée par les ronces. Pour se reposer, elle s'approche des arbres et bute contre quelque chose : c'est le corps ensanglanté de son amant, assassiné. Elle refuse de croire à cette vision. Puis, dans un délire, elle couvre de baisers le corps sans vie, lui reproche de l'avoir trahie, et est envahie de souvenirs incohérents, indicibles. Le matin séparera les amants, cette fois pour toujours.

■ *Erwartung* est la première composition de Schönberg pour la scène. Transporté par le texte qu'il avait lui-même demandé à la jeune poétesse Marie Pappenheim, le musicien écrivit la partition dans un état d'exaltation fébrile, en quinze jours. Lors de la création de l'œuvre, un critique la définit comme « la somme hautement concentrée de tout ce qui a été produit depuis Wagner, presque un essai critique écrit en sons et non en mots, qui, par la force de son intention, de sa vision créatrice, n'admet aucune explication rationnelle ». La musique, composée pendant la période « atonale » de Schönberg, forme un flux ininterrompu, où jaillissent des explosions sonores, des phénomènes instantanés qui disparaissent sans continuité ni développement. La seule pause survient au moment de la macabre découverte. La partie vocale est un récitatif, parcouru çà et là de sursauts mélodiques. Dans *Erwartung*, comme dans toute la phase expressionniste de Schönberg, selon Theodor Adorno « l'enregistrement sismographique de chocs traumatiques devient la loi technique de la forme, le langage musical se polarise : à un extrême, il produit des sensations de chocs presque physiques ; tandis qu'à l'autre, il retient, comme pétrifié, tout ce que l'angoisse immobilise ». RB

HUGH LE BERGER
(Hugh the drover or
Love in the stocks)

Opéra ballade en deux actes de Ralph Vaughan Williams (1872-1958). Livret de Harold Child (1869-1945). Première représentation : Londres, Perry Memorial Theatre, Royal College of Music, 4 juillet 1924. Première représentation publique : Her Majesty's Theatre, 14 juillet 1924, interprétation de la British National Opera Company, avec Tudor Davis et Mary Lewis.

L'INTRIGUE : L'action se déroule en Angleterre, au début du XIXe siècle. Le père de la jeune Mary veut la marier à un riche boucher, John. Mais elle tombe amoureuse de Hugh, le berger, regardé avec méfiance par les gens de la ville parce qu'il aime la liberté des champs, les bêtes et la grand-route. John, un être grossier, insiste pesamment auprès du père de la jeune fille, persuadé que sa fortune est le meilleur argument possible. Finalement, les deux hommes se livrent à un combat de boxe pour savoir qui épousera Mary, et Hugh l'emporte. Mais John l'accuse d'être un espion à la solde de Napoléon. Hugh est arrêté, mais l'officier le reconnaît et le libère, préférant emmener John à sa place. Hugh et Mary, heureux, partent ensemble sur la route.

■ On a reproché au personnage de John le boucher son peu d'intérêt, qui ne suscite ni l'antipathie ni la sympathie. Mais l'opéra dans son ensemble est d'une grande délicatesse, qui ne lui a cependant valu aucun succès. Peut-être est-ce dû au caractère passionné du personnage de Mary, type assez inhabituel dans l'art lyrique anglais. L'œuvre fut composée entre 1911 et 1914.

EP

LA MAIN HEUREUSE (Die glückliche Hand)

Drame avec musique en quatre tableaux pour baryton, chœur mixte (douze chanteurs) et orchestre d'Arnold Schönberg (1874-1951). Texte du compositeur. Première représentation : Vienne, Volksoper, 14 octobre 1924. Direction : Fritz Stiedry.

LES PERSONNAGES : L'Homme (baryton) ; la Femme (mime) ; le Monsieur (mime) ; ouvriers (mimes).

L'INTRIGUE :
Premier tableau. Un monstre fantastique a les dents plantées dans la nuque de l'Homme. Le chœur (six hommes et six femmes dont on distingue les faces verdâtres dans la pénombre) conjure l'Homme de croire à la réalité et non aux rêves, de renoncer à l'inaccessible et de se méfier de l'appel des sens. Le monstre disparaît dans l'obscurité.
Deuxième tableau. Sous un soleil radieux, l'Homme et la Femme s'aiment. L'Homme caresse la main de la Femme pour exprimer son bonheur. Le Monsieur — symbole de la froide réalité — apparaît. La Femme le suit, abandonnant l'Homme qui, sans s'apercevoir de rien, s'écrie : « Maintenant tu m'appartiens pour toujours. »
Troisième tableau. L'Homme, une épée à la main, escalade un rocher où s'ouvrent deux cavernes. Dans l'une d'elles se trouve un atelier où travaillent des ouvriers. Sans prêter attention à leur attitude menaçante, il fend l'enclume d'un coup de maillet et en retire un diadème orné de pierres précieuses. Indifférent à l'hostilité des ouvriers, il leur jette le bijou en riant. Dans l'autre caverne, la Femme supplie le Monsieur de lui rendre un morceau d'étoffe arraché à sa robe. Quand le Monsieur s'en va, l'Homme essaie de reconquérir la Femme, mais elle s'enfuit, faisant s'ébouler sur lui des rochers qui prennent la forme du monstre du début.
Quatrième tableau. L'Homme est à nouveau prisonnier du monstre (l'angoisse), tandis que le chœur chante sa quête tourmentée et sans relâche.

■ Le texte extrêmement court de *Die glückliche Hand* remonte à 1910. C'est une œuvre importante (pour Theodor Adorno, peut-être l'ouvrage le plus significatif de Schönberg), tant du point de vue musical que théâtral. Il s'agit d'une allégorie compliquée de l'isolement de l'individu (l'artiste) dans la société industrielle. Musicalement parlant, on peut la décrire comme une « superposition insatiable » de plans sonores différents mais simultanés, qui ouvrent des perspectives entièrement nouvelles de timbres et de sonorités. L'emploi alterné du *Sprechgesang* et du chant produit aussi un effet hautement original. Sur le plan théâtral, comme le prouvent les minutieuses indications de mise en scène données par l'auteur, *Die glückliche Hand* tend à établir entre les divers éléments (paroles, gestes, couleurs) des rapports nécessaires et essentiels, mesurables dans la durée, l'ampleur et l'intensité, comme les sons. Schönberg insiste tout particulièrement sur le symbolisme des couleurs (suivant les théories de Kandinsky) et leur alternance en relation avec la musique. RB

INTERMEZZO

Comédie bourgeoise en deux actes avec interludes symphoniques de Richard Strauss (1864-1949). Livret du compositeur. Première représentation : Dresde, Staatsoper, 4 novembre 1924. Interprètes : Lotte Lehmann, Joseph Correk. Direction : Fritz Busch.

L'INTRIGUE :
Acte I. Le chef d'orchestre Robert Storch (baryton) doit partir pour Vienne, et sa femme Christina (soprano) se plaint d'être délaissée. Restée seule, Christina ne dédaigne pas la cour du jeune baron Lummer (ténor) et sort danser avec lui. Elle s'aperçoit vite qu'il en veut surtout à son argent. Une lettre adressée à Robert Storch arrive, et Christina la lit ; le ton révèle sans équivoque possible l'intimité entre la correspondante, une certaine Mieze Meier, et le destinataire de la lettre. Christina, furieuse, envoie un télégramme à son mari en lui disant qu'elle ne veut plus jamais le revoir.
Acte II. Storch reçoit le télégramme alors qu'il joue au « skat » avec ses amis, parmi lesquels se trouve le chef d'orchestre Stroh (ténor) à qui la lettre était en réalité destinée. Storch envoie Stroh en ambassadeur auprès de sa femme pour lui expliquer la méprise. Christina, bien que convaincue de son innocence, le reçoit froidement lorsqu'il rentre à son tour : elle est sûre que cela finira ainsi un jour ou l'autre. Robert perd son calme et elle réalise soudain qu'elle ne pourrait vivre sans lui. Les époux se réconcilient et Christina conclut en affirmant que leur mariage est vraiment heureux.

■ *Intermezzo* est inspiré, au détail près, d'un épisode de la vie conjugale de Strauss et de sa femme Pauline. Le compositeur, après avoir vainement demandé la collaboration de Hofmannsthal et de Bahr pour le livret, finit, sur les conseils de ce dernier, par l'écrire lui-même. Cet ensemble de circonstances fait d'*Intermezzo*, avec sa richesse musicale et sa justesse psychologique, une œuvre parfaite. La « conversation en musique » avec l'emploi virtuose du *par-*

lando rend idéalement les rebondissements tragi-comiques de l'intrigue ; les interludes approfondissent la psychologie des personnages et leurs sentiments véritables. RB

LE PETIT RENARD RUSÉ (Prihody lišky bystrouška)

Opéra en deux actes et neuf tableaux de Leòš Janáček (1854-1928). Livret du compositeur, tiré d'un conte de R. Tesnohlidek. Première représentation : Brno, 6 novembre 1924.

L'INTRIGUE : Un garde-chasse (baryton), après avoir capturé la renarde Briscola (soprano), tente en vain de l'apprivoiser : elle met la pagaille dans le poulailler, rompt ses liens et s'enfuit dans la forêt, où elle retrouve la liberté. Le garde-chasse tente sans succès de la reprendre, avec la rancœur d'un amant abandonné. L'animal représente pour lui l'image de Térynka, une « créature belle et sauvage » qu'il a aimée dans sa jeunesse, et qui a ensuite été courtisée, vainement, par un maître d'école (ténor). Lorsque Térynka épousera Haraseta (baryton), un vagabond libre comme elle, la renarde mourra de la main du même homme, qui souhaite offrir la fourrure à sa femme. Mais la mort de la renarde coïncide avec la fin de Térynka. Le cercle semble ainsi se refermer ; mais au printemps, le garde-chasse rencontre, dans la clairière où il avait capturé Briscola, une petite renarde dont les yeux, semblables à ceux de sa mère, le regardent fixement avec le même désir de vivre.

■ L'opéra est une des œuvres les plus représentatives du théâtre musical tchécoslovaque de ce siècle. La musique est inspirée de chants populaires tchèques, et le compositeur s'exprime dans un style personnel d'une grande force. Il s'agit sans aucun doute d'une de ses compositions les plus lyriques et les plus mélodieuses. AB

LES CAVALIERS D'EKEBU

Drame lyrique en quatre actes de Riccardo Zandonai (1883-1944). Livret d'Arturo Rossato, tiré d'un roman de Selma Lagerlöf (1858-1940), La saga de Gösta Berling. *Première représentation : Milan, théâtre de la Scala, 7 mars 1925. Interprètes : Franco Lo Giudice, Elvira Casazza, M. J. Fanelli, F. Autori, B. Franci, C. Walter, A. Tedeschi, L. Laura. Direction : Arturo Toscanini.*

LES PERSONNAGES : Gösta Berling (ténor), la commandante (mezzo-soprano), Anna (soprano), Sintram (basse), Christian (baryton), Samzelius (basse), Liliecrona (ténor), l'aubergiste (mezzo-soprano).

L'INTRIGUE : Ekebu, en Suède. Le prêtre Gösta Berling a été démis de ses fonctions et éloigné du presbytère parce qu'il s'adonnait à la boisson. Chassé d'une hôtellerie, et repoussé par la jeune fille qu'il aime, Anna, il voudrait mourir. La « commandante », patronne des forges et châtelaine d'Ekebu, lui offre un travail parmi les « cavaliers », d'anciens soldats, mi-aventuriers, mi-bohémiens, qu'elle a recueillis. Gösta déclare publiquement à Anna qu'il l'aime pendant un spectacle de Noël. Ils s'embrassent. Sintram insinue que la commandante a vendu au diable les âmes des cavaliers, et elle est chassée. Elle revient un peu plus tard, malade, alors que les cavaliers avaient décidé de la rappeler. Elle pardonne à tous et, avant de mourir, laisse ses propriétés à Gösta et Anna. Les cavaliers retournent à leur travail habituel.

■ C'est peut-être la partition la plus intéressante de Zandonai. L'opéra obtint un succès triomphal à Stockholm, où il fut représenté en 1928 pour le soixante-dixième anniversaire de Selma Lagerlöf, l'auteur du roman dont a été tiré le livret. EP

L'ENFANT ET LES SORTILÈGES

Fantaisie lyrique en deux actes de Maurice Ravel (1875-1937). Livret de Colette (1873-1954). Première représentation : Monte-Carlo, théâtre du Casino, 21 mars 1925. Interprètes : Gauley, Orsoni, Dubois-Lauger, Bilhon, Lafont, Warnery, Mathilde, Baidarott. Direction : Victor de Sabata.

LES PERSONNAGES : L'enfant (mezzo-soprano) ; la mère (contralto) ; la chaise Louis XV (soprano) ; le fauteuil (basse) ; l'horloge (baryton) ; le feu (soprano léger) ; la princesse (soprano léger) ; la chatte (mezzo-soprano) ; l'arithmétique, l'arbre, le chat, l'écureuil, etc. Chœur (dont chœur d'enfants).

L'INTRIGUE :
Acte I. Dans une vieille demeure normande, à l'atmosphère chaude et accueillante. Le héros de l'histoire, un enfant de six ou sept ans, essaie désespérément de faire ses devoirs. Mais son esprit vagabonde, rêvant à toutes les choses défendues — tirer la queue du chat, mettre maman au piquet... La mère entre et découvre que les devoirs ne sont même pas commencés. Pour sa punition, l'enfant n'aura droit qu'à une tasse de thé sans sucre avec du pain sec. Resté seul, l'enfant passe sa colère sur les objets qui l'entourent ; il déchire le papier peint, casse tout ce qu'il peut trouver, tire la queue du chat et fait mal à l'écureuil dans sa cage. Puis, épuisé, il tombe dans un fauteuil. Et c'est le début des sortilèges. Le fauteuil entame une danse d'autrefois avec une chaise Louis XV. Les autres meubles, comme le fauteuil, se mettent à bouger et montrent leur mépris pour l'enfant. L'horloge se plaint d'avoir perdu l'équilibre, et les autres objets aussi. L'enfant effrayé, s'approche de la cheminée, et le feu saute sur lui puis, étouffé par la cendre, s'éteint, jetant la pièce dans l'obscurité. Des personnages de conte de fées descendent du papier peint déchiré : des bergers et des bergères avec leurs moutons dansent au son de jolies mélodies, pleurant parce qu'ils ne se retrouveront plus jamais. L'enfant se met à pleurer. Des pages du livre déchiré sort une belle princesse qui le console doucement, non sans lui faire quelques reproches. Comme il l'écoute bouche bée, elle disparaît et est remplacée par un inquiétant vieux bonhomme avec

un Pi grec sur la tête et toute une série de problèmes à résoudre : c'est l'arithmétique. Pendant ce temps, la lune s'est levée et le chat a rendez-vous avec la chatte. Ils chantent ensemble un duo d'amour pathétique.
Acte II. Dans le jardin, la nuit. Tous les animaux ont quelque chose à reprocher au méchant petit garçon qui les a tourmentés. Ils le grondent et le menacent, avant de le laisser tranquille pour se lancer dans des conversations bizarres et des danses endiablées très compliquées ; ils font tant et si bien que le petit écureuil est blessé. L'enfant s'en occupe alors très gentiment, le soignant et le consolant de son mieux, après lui avoir bandé la patte. Les animaux sont stupéfaits de voir l'enfant enfin gentil. Ils le raccompagnent jusqu'à la maison et le laissent en sécurité chez sa maman. Il n'y a plus de sortilèges, l'enfant retrouve la réalité. L'opéra s'achève alors qu'il appelle sa mère de toutes ses forces.

■ Colette cherchait depuis longtemps un musicien pour sa pièce ; elle s'adressa à Ravel sur le conseil d'un ami commun. Leur collaboration fut difficile, car Ravel se heurta à de nombreuses difficultés, tant pour la mise en scène que dans le texte lui-même, et exigea plusieurs modifications. L'ouvrage, qui devait à l'origine s'appeler *Ballet pour ma fille*, n'aurait peut-être jamais vu le jour sans l'intervention de Raoul Gunsbourg, alors directeur du Théâtre de Monte-Carlo, qui imposa au compositeur des délais très stricts. La première déchaîna une vague de polémiques parmi les critiques, et le débat rebondit à la reprise de l'opéra en 1926 à Paris. Ce n'est que sur les scènes étrangères, à New York, Londres et Bruxelles, que la valeur de l'ouvrage fut finalement reconnue. Depuis, il a été joué dans tous les pays. Cependant, les craintes de Ravel concernant les difficultés de réalisation se sont révélées fondées : le rôle de l'enfant doit être tenu par un adulte et les câbles nécessaires pour faire se mouvoir le mobilier et les bibelots ne contribuent pas à l'illusion féerique. Mais la musique de Ravel garde toute sa fantaisie et fait de *L'enfant et les sortilèges* une œuvre unique en son genre, qui bouleverse les canons de l'opéra traditionnel. L'inspiration de Ravel s'exprime dans la succession constante de la tendresse et de l'ironie, dans l'abondance des scènes qui sont de véritables sketches, soignés dans les moindres détails comme des miniatures. Ravel, qui vécut célibataire chez ses parents jusqu'à leur disparition, démontre ici une attention attendrie à l'égard des choses de la maison. Son opéra est plein de naturel, car le compositeur a su y décrire avec sympathie les personnages imaginaires de Colette, en employant les plus fines nuances de son art. RB

LE DIABLE DANS LE CLOCHER
(Il diavolo nel campanile)

Opéra en un acte d'Adriano Lualdi (1887-1971). Livret du compositeur, inspiré par la nouvelle d'Edgar Allan Poe The devil in the belfry. *Première représentation : Milan, théâtre de la Sca-*

la, 22 avril 1925. Interprètes : Elvira Casazza, Gaetano Arsolini, R. Borri, A. Baracchi, le mime J. de Oliveira dans le rôle du diable, P. Menescaldi. Direction : Vittorio Gui.

LES PERSONNAGES : Eunomia (soprano) ; Irène (contralto) ; Tallio (ténor) ; Carpofonte (basse) ; le diable (rôle muet) ; le gardien de l'horloge.

L'INTRIGUE : A une époque indéterminée, dans une ville imaginaire régie par le rythme inexorable d'innombrables horloges. La principale est celle du clocher, sur la place centrale, surmontée d'un grand écriteau : « L'infaillible ». Les intrigues entre jeunes amants et femmes de vieux barbons sont également rythmées par les horloges. Mais un jour, le diable s'introduit dans le clocher et déchaîne la révolution du temps. La petite ville semble alors prise de folie. Les événements se précipitent, à un rythme vertigineux. Les vieux découvrent les aventures de leurs jeunes épouses ; d'où des fuites, des poursuites et des corrections. A la fin, le diable s'en va, mais les habitants ont désormais appris à vivre irrégulièrement.

■ Lualdi a toujours montré une nette préférence pour les sujets comiques et parodiques, et s'est également inspiré des formes et du style du théâtre italien du XVIIIe siècle, adapté au goût de l'époque sous l'influence de Wolf-Ferrari et grâce à quelques acquisitions techniques. La partition pleine d'imagination du *Diavolo nel campanile* est un des exemples les plus caractéristiques de sa musique. MSM

LE DOCTEUR FAUST
(Doktor Faust)

Opéra inachevé en deux préludes, un intermède et trois tableaux de Ferruccio Busoni (1866-1924). Livret du compositeur, tiré des anciennes légendes populaires sur le mythe de Faust, et de l'œuvre de Marlowe, The tragical history of doctor Faustus. *Première représentation : 21 mai 1925, Dresde. Direction : Fritz Busch.*

LES PERSONNAGES : Docteur Faust (baryton) ; Wagner (basse) ; Méphistophélès, un homme vêtu de noir, le chapelain de la cour, le héraut, le messager, le gardien de nuit (ténor) ; le duc de Parme (baryton) ; la duchesse de Parme (soprano) ; le maître de cérémonies, Levis, un théologien (basses) ; un soldat (baryton) ; le premier étudiant, une voix d'étudiant (ténors) ; le deuxième étudiant (baryton) ; le troisième étudiant, une voix d'étudiant (barytons) ; un officier, le quatrième étudiant, Belzébuth (ténors) ; le cinquième étudiant, une voix d'étudiant, Megaros (ténors) ; un juriste, Gravis (basses) ; un naturaliste, le timide, Asmodée (barytons) ; une voix de soprano, une voix de contralto, une voix de mezzo-soprano. Le chœur des gens qui vont à l'église, les soldats, les gens de la cour, chasseurs, étudiants catholiques et luthériens, paysans.

L'INTRIGUE : Dans la première moitié du XVIe siècle.
Premier prélude. A Wittemberg, dans le bureau du docteur Faust. Le docteur reçoit la visite de trois étudiants inconnus, qui lui offrent un livre et une clef avec lesquels il pourra tenir en

son pouvoir les forces infernales.
Deuxième prélude. Selon leurs indications, à minuit, Faust accomplit les gestes rituels ; il enlève sa ceinture, dessine par terre un cercle magique, et y entre avec la clef et le livre. Faust interroge les esprits infernaux qui se présentent sous la forme de langues de feu, mais les cinq premiers déçoivent son attente. Le sixième promet de lui accorder tout ce qu'il désire depuis très longtemps, et se présente sous une forme plus explicite : c'est Méphistophélès. Il donnera à Faust tout ce qu'il veut jusqu'à sa mort : alors Faust deviendra son esclave pour l'éternité. Faust refuse de signer le pacte ; mais Méphistophélès lui rappelle ses nombreuses dettes, le fait que le frère d'une jeune fille qu'il a séduite le cherche pour le tuer, et qu'il est soupçonné de sorcellerie par l'Église à cause de ses activités d'alchimiste. Faust signe.
Intermède. Dans la cathédrale. Le frère de Marguerite, qui a juré de tuer Faust, est agenouillé, en prière : il demande à Dieu de le mettre en présence de celui qui a séduit sa sœur. Méphistophélès le dénonce aux soldats comme un bandit recherché depuis longtemps. Ils se battent avec lui et le tuent.
Premier tableau. Une fête dans le parc du palais ducal de Parme. Faust arrive, précédé de sa réputation d'homme à prodiges ; il stupéfie les courtisans, et la duchesse tombe amoureuse de lui. Le duc, jaloux, tente de l'empoisonner, mais Méphistophélès l'avertit à temps. Faust s'enfuit, et la duchesse le suit, en transes.
Deuxième tableau. Dans une taverne, à Wittemberg. Faust parle avec des étudiants. Il fait allusion à son aventure avec la duchesse de Parme. Survient Méphistophélès, qui annonce la mort de la duchesse, et jette par terre le cadavre d'un nouveau-né comme preuve de la faute de Faust. Il le transforme alors en un tas de paille et y met le feu. La fumée laisse apparaître le visage d'une femme : c'est la belle Hélène. Mais l'apparition s'évanouit quand Faust approche. Les étudiants inconnus, ceux qui lui avaient fait cadeau du livre et de la clef, reviennent les reprendre. Faust ne les a plus : il les a détruits. Ils lui annoncent alors que sa mort est proche.
Troisième tableau. Une rue de Wittemberg, sous la neige. Faust voit passer un de ses anciens élèves, Wagner, à présent recteur estimé de ses étudiants. Puis il revoit sa maison, et entend des voix qui lui parlent de son prochain jugement. Il cherche désespérément à accomplir un geste qui le rachète. Sur les marches d'une église. Une mendiante avec un bébé dans les bras. Le cauchemar final commence : la mendiante est la duchesse de Parme, l'enfant, le nouveau-né décédé. Sur la porte de l'église, apparaissent le fantôme du frère de Marguerite, le visage du Christ et celui d'Hélène. Faust fait une tentative désespérée. Il enveloppe le nouveau-né dans son manteau, dessine un cercle avec sa ceinture, y entre et prononce la formule magique. Faust meurt, mais de son manteau sort un adolescent qui tient à la main une branche fleurie. L'adolescent s'éloigne.

■ L'opéra était inachevé à la mort de l'auteur. Il fut terminé par Philipp Jarnach. Le livret n'est pas tiré de l'œuvre de Goethe, mais des sources mêmes dont s'était inspiré le poète : le célèbre spectacle de marionnettes, et le *Faust* du XVIe siècle de Marlowe. C'est le dernier opéra de Busoni. C'est aussi le sommet de son œuvre. Busoni, comme l'ont indiqué plusieurs témoignages, avait pensé toute sa vie à la composition de ce *Faust*. MS

L'ORPHÉIDE (L'Orfeide)

Trilogie de Gian Francesco Malipiero (1882-1973). Livret du compositeur. Les trois parties sont indépendantes : **La morte delle maschere (La mort des masques)**, *prélude ;* **Sette Canzoni (Sept chansons)**, *sept expressions dramatiques ;* **Orfeo** ovvero **L'ottava canzone (Orphée** ou **La huitième chanson)**, *épilogue. Première représentation : Düsseldorf, Stadttheater, 30 octobre 1925. Interprètes : H.Q. Stock, C. Walmeier, H. Bouquoi, C. Bara, K. Ludwik, J. Redensbeck, B. Backstein, H. Faber, L. Roffmann, P. Barleben, M. L. Schilp, W. Fassbaender, C. Ulrich, E. Senff-Thiess, J. Grahl, E. Thiess, J. Dobski, M. Bruggermann, J. Schoemmer, B. Putz, C. Nettesheim, W. Ries. Direction : E. Harthmann.*

LES PERSONNAGES : **La mort des masques :** L'imprésario ; sept masques : Arlequin (ténor) ; Brighella (baryton) ; le docteur Balanzon (baryton) ; le capitan Spaventa di Valle Inferna (basse) ; Pantalone (baryton) ; Tartaglia (ténor) ; Pulcinella (ténor) ; Orphée (ténor). **Sept chansons :** Les vagabonds : l'aveugle, le chanteur ambulant (baryton) ; une jeune femme, des passants. Aux vêpres : une femme ; un moine ; des voix. Le retour : la vieille mère (soprano) ; le fils ; des voix. L'ivrogne : l'amoureux ; une femme ; l'ivrogne (baryton) ; un vieillard. La sérénade : une jeune fille ; l'amoureux (ténor) ; des voix. Le sonneur : le sonneur (baryton) ; des voix. Le matin des Cendres : l'allumeur de réverbères (baryton) ; les béguines ; la compagnie du corbillard ; les clowns ; un masque.
Orphée ou **La huitième chanson.** Dans le premier théâtre : le roi ; la reine ; leur suite, un chevalier (ténor) ; une dame, un marchand de boissons (ténor) ; le public : dames et chevaliers. Dans le théâtre de gauche : les vieux barbons avec leurs femmes. Dans le théâtre de droite : les jeunes gens. Au milieu : Néron (baryton) ; son serviteur ; Agrippine (soprano) ; le bourreau ; Orphée (ténor).

L'INTRIGUE :
La mort des masques. Un imprésario présente au public les masques de la *commedia dell'arte.* Soudain, un homme masqué surgit, met en fuite l'imprésario et enferme les masques dans une armoire ; il a décrété la mort des types caricaturaux. A leur place, il introduit les nouveaux personnages de l'opéra, réels, quotidiens, humains. Un à un défilent les personnages des **Sept chansons**, présentés par l'homme masqué, qui n'est autre qu'Orphée. *Les vagabonds :* une femme qui guide un aveugle est fascinée par un chanteur ambulant et le suit, oubliant l'infirme. L'aveugle, dé-

sespéré, s'en va à tâtons. *Aux vêpres* : un moine s'apprête à fermer l'église pour la nuit, lorsqu'il remarque une femme absorbée en prière. Sans se soucier de ce qui peut tourmenter son âme, il la met à la porte. *Le retour* : une vieille mère, folle de douleur, pleure son fils qu'elle croit mort. Mais le jeune homme revient ; la pauvre femme ne le reconnaît pas et le repousse, à son profond désespoir. *L'ivrogne* : un jeune homme, s'enfuyant de chez sa maîtresse où il a été surpris par le mari, renverse un ivrogne ; le mari, qui prend l'ivrogne pour l'amant en fuite, le rosse sans pitié. *La sérénade* : une jeune fille qui pleure devant la dépouille mortelle d'un parent, ne prête pas attention à la sérénade chantée par son amoureux ; le jeune homme ne comprendra le drame qu'en entrant dans la maison. *Le sonneur* : un sonneur de cloches, tout en sonnant à toute volée pour avertir la population d'un terrible incendie, chante une chanson guillerette, indifférent à la catastrophe. *Le matin des Cendres* : passe un corbillard, suivi d'une compagnie de pénitents, qui invitent les gens à la prière ; un groupe de masques arrive en dansant, mais une figure symbolique représentant la Mort les met en fuite. Lorsque le cortège funèbre s'éloigne, deux jeunes filles masquées rejoignent la joyeuse troupe des danseurs. **Orphée** ou **La huitième chanson** : L'épilogue montre un théâtre comble, le roi et la reine sont présents. Un acteur joue Néron, l'empereur cruel. Les vieux sont indignés, les jeunes, au contraire, s'amusent beaucoup et applaudissent à tout rompre. Orphée apparaît et chante une chanson si douce que le public, bercé, s'endort. Seule la reine reste éveillée et, fascinée par le chanteur, part avec lui,

■ Dans la première partie de l'ouvrage, Malipiero prône l'abandon des vieux modèles théâtraux et le retour à la réalité. Les sept épisodes qui forment la deuxième partie sont intitulés chansons parce qu'ils sont fondés sur des mélodies (*ariose*) simples, sans développements et sans récitatifs. Les textes sont tirés de vieux textes italiens, notamment de la Renaissance. La troisième partie présente à nouveau l'opposition entre le théâtre et la réalité, pour mettre en évidence, sur le mode ironique, les difficultés d'arracher le théâtre aux schémas traditionnels : après avoir joué les novateurs dans la première partie, Orphée revient lui aussi aux conventions et tant pis si le public s'endort. L'opéra suscita des scandales et des polémiques à n'en plus finir. MSM

WOZZECK

Opéra en trois actes et quinze scènes d'Alban Berg (1885-1935). Livret de l'auteur, d'après la pièce de Georg Büchner (1813-1837). Première représentation : Berlin, Staatsoper, 14 décembre 1925. Interprètes : Leo Schnitzendorf (Wozzeck), Sigrid Johannson (Marie), Fritz Soot (le tambour-major), Marni Abendorf (le docteur), Gregor Witting (Andrès), Waldemar Henke (le capitaine). Direction : Erich Kleiber.

LES PERSONNAGES : Wozzeck (baryton et récitant) ; le tambour-major (ténor dramatique) ; Andrès, compagnon de Wozzeck (ténor lyrique) ; le capitaine (ténor bouffe) ; le docteur (basse bouffe) ; le fou (ténor léger) ; premier apprenti (basse profonde) ; deuxième garçon (baryton léger, éventuellement ténor) ; Marie (soprano) ; Margret (contralto) ; l'enfant de Marie (voix d'enfant) ; soldats et jeunes gens (un ténor soliste, deux ténors, deux barytons, deux basses) ; jeunes filles et prostituées (sopranos et contraltos) ; enfants.

L'INTRIGUE : En Allemagne, vers 1836.
Acte I, première scène. La chambre du capitaine. Le capitaine, comme tous les jours, se fait faire la barbe par son ordonnance, Wozzeck. Il discute avec lui sur le sens de la vie et en profite pour lui faire la morale parce qu'il vit maritalement avec Marie et qu'ils ont un enfant illégitime. Wozzeck écoute d'abord en silence puis rétorque qu'il n'a pas le temps de s'occuper de morale alors qu'il n'a même pas de quoi manger.
Deuxième scène. Dans les champs, la ville dans le lointain. Wozzeck et son camarade Andrès, un autre soldat, coupent du bois. Wozzeck est soudain pris d'hallucinations et le paysage se transforme devant ses yeux en images d'épouvante. Au loin, on entend les tambours battre le rappel.
Troisième scène. La chambre de Marie. Marie, à sa fenêtre, regarde défiler les soldats et l'avantageux tambour-major. Une dispute éclate entre elle et sa voisine, qui lui reproche sa vie avec Wozzeck. Marie berce son bébé lorsque arrive Wozzeck, encore sous le coup de ses visions de cauchemar. Il lui crie des phrases méchantes et sort en courant.
Quatrième scène. Le bureau du docteur. Wozzeck, toujours très agité, arrive chez le docteur en sortant de chez Marie. Il a accepté pour quelques sous de servir de cobaye aux étranges expériences du docteur, qui le soumet à des régimes spéciaux. Sa folie naissante commence à se manifester.
Cinquième scène. Devant la maison de Marie. Le tambour-major, qui courtise Marie depuis quelque temps, lui fait des propositions plus directes. La jeune femme cède avec fatalisme.
Acte II, première scène. La chambre de Marie. Marie est en train d'essayer ses nouvelles boucles d'oreille lorsque Wozzeck entre. Jaloux, il exige des explications. Marie prétend avoir trouvé les boucles d'oreille. Wozzeck, tranquillisé, lui remet sa solde et s'en va. Marie, restée seule, pense tristement à son infidélité, mais se console en songeant que, de toute façon, Wozzeck et elle sont promis à la damnation.
Deuxième scène. Dans la rue, Wozzeck rencontre le docteur et le capitaine, qui font allusion à la conduite légère de Marie. Wozzeck devient de plus en plus soupçonneux.
Troisième scène. Devant la maison de Marie. Wozzeck fait une violente scène de jalousie à Marie.
Quatrième scène. Le jardin d'une auberge. Wozzeck voit Marie danser avec le tambour-major au milieu d'un groupe de soldats et de jeunes gens. Andrès et deux apprentis ivres entonnent des

chansons populaires. Wozzeck est soudain pris d'envies de meurtre. Quand le fou s'approche de lui et lui murmure à l'oreille : « Je sens l'odeur du sang », Wozzeck répète, hagard : « Sang, sang ».
Cinquième scène. Le corps de garde de la caserne. Wozzeck confie son tourment à Andrès. Le tambour-major entre et provoque Wozzeck grossièrement en lui parlant de Marie. Ils se battent.
Acte III, première scène. La chambre de Marie. Marie endort son enfant. Pleine de remords, elle ouvre ensuite l'Évangile et lit l'histoire de la femme adultère. Elle adresse au ciel une ardente prière.
Deuxième scène. Wozzeck et Marie marchent dans le bois près d'un étang. Marie voudrait rentrer, mais il la retient. D'abord calmement, puis avec une agitation croissante, il l'accuse de l'avoir trahi, et finit par lui donner un coup de couteau.
Troisième scène. A l'auberge, Wozzeck fait des avances à Margret au milieu des couples qui dansent la polka. La jeune femme aperçoit des taches de sang sur sa manche et recule, épouvantée. Wozzeck s'enfuit.
Quatrième scène. Wozzeck, en proie au délire, cherche fébrilement le couteau abandonné près de l'étang. Il le découvre et le jette dans l'étang, mais il lui semble qu'il est tombé trop près ; il entre dans la vase, et l'eau lui paraît rouge de sang ; alors, affolé, il s'enlise et meurt noyé. Le docteur et le capitaine, passant à proximité, entendent des gémissements et s'enfuient.
Cinquième scène. Devant la maison de Marie. L'enfant joue avec son cheval de bois. Les autres enfants lui crient que sa mère est morte. Mais, sans comprendre, il continue à jouer.

■ La genèse de *Wozzeck* fut longue et difficile. En effet, la première représentation eut lieu le 14 décembre 1925, mais l'idée initiale de l'opéra avait été inspirée à Berg en mai 1914, lorsqu'il avait assisté au drame de Georg Büchner *Woyzeck*, qui l'avait profondément impressionné. Le premier et difficile travail fut de réduire la pièce à quinze scènes, alors qu'elle en comportait vingt-cinq, avant de passer à la composition. La partition fut achevée en 1921, orchestration comprise, mais il fallut attendre 1925 pour la création de l'opéra. Même alors, l'œuvre connut une existence difficile. Elle fut condamnée et interdite sous le nazisme pour décadence. Par la suite, cependant, *Wozzeck* a été repris dans toutes les grandes capitales. A l'écoute de la partition, on constate que Berg a complètement abandonné le modèle traditionnel de l'opéra formé de récitatifs, d'arias, etc., pour donner à chaque scène un schéma instrumental spécifique. La partition présente la structure suivante : Acte I, première scène, suite ; deuxième scène, rhapsodie et chanson de chasse ; troisième scène, marche militaire et berceuse ; quatrième scène, passacaille ; cinquième scène, *andante affectuoso (quasi rondo) ;* acte II, première scène, sonate ; deuxième scène, fantaisie et fugue ; troisième scène, largo ; quatrième scène, scherzo ; cinquième scène, *rondo marziale* (les cinq scènes sont conçues comme les mouvements d'une symphonie) ; acte

III, première scène, invention sur un thème ; deuxième scène, invention sur une note ; troisième scène, invention sur un rythme ; quatrième scène, invention sur un accord de six notes (interlude orchestral ; invention sur une tonalité) ; cinquième scène, invention sur un mouvement perpétuel. L'orchestre est rarement utilisé dans toute son ampleur, sauf dans les interludes symphoniques joués à rideau baissé. Cependant, on estime que l'écoute de *Wozzeck* ne doit pas être décomposée scène par scène ; il faut au contraire se laisser porter par l'action, suivre l'évolution psychologique des personnages, que la musique reflète fidèlement dans toute leur morbidité et leur irrationalité. FP

PAUL ET VIRGINIE

Opéra (incomplet) d'Erik Satie (1866-1925). Texte de Raymond Radiguet (1920-1923) et Jean Cocteau (1889-1963).

■ L'opéra s'inspire du célèbre roman de Bernardin de Saint-Pierre, qui eut tant de succès en Europe au début du siècle. RB

JUDITH

Opéra en trois actes d'Arthur Honegger (1892-1955). Livret de René Morax (1873-1963). Première représentation : Monte-Carlo, théâtre du Casino, 13 février 1926. Direction : Arthur Honegger.

L'INTRIGUE : L'argument s'inspire de l'épisode biblique de Judith. Pour sauver sa ville assiégée et prête à se rendre, Judith se présente au camp assyrien et séduit le chef ennemi, Holopherne. Puis elle lui coupe la tête qu'elle rapporte triomphalement à Béthulie. Le peuple reprend alors courage et remporte la victoire.

■ Cette version scénique de l'histoire de Judith vient après d'innombrables œuvres inspirées par ce célèbre épisode biblique depuis le Moyen Age, et reflète l'intérêt particulier de Morax pour l'Ancien Testament et l'Antiquité en général. Son intention première était d'en faire une comédie ; l'œuvre fut même représentée sous forme de comédie avec musique de scène, le 13 juin 1925, au théâtre de Mézières, en Suisse. Par la suite, la musique fut développée et le texte adapté aux exigences du chant. La première représentation sous forme d'opéra, à Monte-Carlo, fut accueillie très chaleureusement. Le succès se confirma lors des représentations suivantes, et l'opéra fut joué dans de nombreux pays et traduit en plusieurs langues. GP

TROIS COMÉDIES DE GOLDONI
(Tre commedie goldoniane)

Trois actes uniques de Gian Francesco Malipiero (1882-1973). Livret du compositeur d'après des comédies de Carlo Goldoni (1707-1793). Première représentation : Darmstadt, Hessisches Landestheater, 24 mars 1926. Interprètes : E. Stephanova, M. Albrecht, M. Liebel, P. Kap-

per, G. Calloni, H. Holzin, R. Etzel, E. Wogt, R. Hoffmann, A. Röhrig, I. Lahn, H. Kuhn, G. Delalarde, L. Barczinsky, J. Bischoff, W. Schumacher, S. Müller-Wischin. Direction : J. Rosenstock.

Le café (La bottega del caffè)

LES PERSONNAGES : Don Marzio (baryton) ; Eugenio (ténor) ; Vittoria (mime) ; le faux comte Léandre (baryton) ; Placida (mezzo-soprano) ; Lisaura (mime) ; Pandolfo (basse) ; Ridolfo (ténor) ; trois garçons de café (ténor) ; le coiffeur (ténor) ; un serviteur de l'auberge (baryton).

L'INTRIGUE : La scène se passe à Venise, au XVIIIe siècle. Don Marzio, redoutable mauvaise langue, est assis à la terrasse du café de Ridolfo, sur une petite place. Eugenio sort du tripot d'en face, tenu par Pandolfo, et vient demander à son ami Ridolfo de lui prêter de l'argent pour payer des dettes de jeu au faux comte Léandre (qui est en réalité un escroc nommé Flaminio). Entretemps arrive, déguisée en mendiante, Placida, femme du faux comte Léandre, qu'elle soupçonne de fréquenter une danseuse, Lisaura, qui fait l'objet de bien des médisances. Le comte, sortant de chez la danseuse, propose à Eugenio de lui prêter encore de l'argent pour pouvoir continuer à jouer ; Eugenio, déjà un peu éméché et doutant de sa chance, accepte cependant. Pandolfo, pendant ce temps, confie à Don Marzio qu'il possède un paquet de cartes truquées qui lui permet de gagner à chaque fois. Mais voici qu'Eugenio, qui a fini par gagner, sort triomphalement et invite tout le monde à dîner pour fêter l'événement. A ce moment Placida, furieuse de voir son mari avec la danseuse, l'agresse violemment, et il la repousse sans ménagements. Eugenio veut prendre la défense de Placida, mais sa femme Vittoria, qui a cru les insinuations de Don Marzio, se met à lui reprocher sa vie dissolue. La police fait irruption, avertie par Don Marzio de l'existence d'une maison de jeu et de cartes truquées. Les deux couples, Eugenio et Vittoria, Léandre et Placida se réconcilient, tandis que Pandolfo est arrêté et que Don Marzio est chassé du café pour méchanceté et délation.

Sior Todero le grincheux (Sior Todero brontolon)

LES PERSONNAGES : Sior Todero (baryton) ; Pellegrin, son fils ; Marcolina (soprano) ; Zanetta, fille de Pellegrin et de Marcolina ; Meneghetto Ramponzoli ; Desiderio (baryton) ; Nicoletto, son fils (baryton) ; Cecilia (soprano) ; Gregorio ; quatre invités ; les musiciens.

L'INTRIGUE : La scène se déroule dans la région de Venise, au XVIIIe siècle. Une chambre à coucher. Todero, vieil avare grincheux, découvre sa servante Cecilia en tendre conversation avec Nicoletto, le fils de son fermier Desiderio. Furieux, il chasse la servante et met le jeune homme à la porte. Puis il fait appeler Desiderio et lui annonce qu'il a l'intention de donner sa petite-fille Zanetta pour épouse à Nicoletto, pour faire des économies sur la dot. Il n'en informe qu'ensuite son fils, le faible Pellegrin, père de l'intéressée, en lui rappelant que c'est lui le maître dans sa maison. Mais ce n'est pas l'avis de sa bru, Marcolina, qui rétorque que Zanetta épousera qui bon lui semblera et non la personne choisie par son grand-père. Puis, ayant appris l'amour de Nicoletto et Cecilia, elle arrange leur mariage sans rien dire au vieil homme. De son côté, Zanetta épouse le riche Meneghetto, qui ne réclame aucune dot et offre même une bourse de pièces d'or à l'avare Sior Todero qui, sensible à cet argument, accepte le fait accompli.

Barouf à Chioggia (Le baruffe chiozzotte)

LES PERSONNAGES : Toni (basse) ; Pasqua (mezzo-soprano) ; Lucietta (soprano) ; Fortunato (basse) ; Libera (mezzo-soprano) ; Checca et Orsetta (sopranos) ; Titta-Nane (ténor) ; Beppe (ténor) ; Toffolo, dit Marmottina (ténor) ; Isidoro (baryton) ; Canocchia (soprano) ; le marchand de poisson (baryton) ; chœur de femmes.

L'INTRIGUE : La comédie a pour cadre la ville de Chioggia, au XVIIIe siècle. Pasqua et sa fille Lucietta, Libera et ses deux filles, Checca et Orsetta, font de la dentelle devant leur maison, sur une petite place. Toffolo, dit Marmottina, fiancé de Checca, arrive et, ignorant complètement sa promise, fait la cour à Lucietta. Checca, furieuse, rappelle à Lucietta qu'elle est fiancée à Titta-Nane. La prise de bec va dégénérer lorsque les mères interviennent pour rétablir le calme. Mais Checca a décidé de tout raconter à Titta-Nane et à son frère Beppe, fiancé d'Orsetta. Une bagarre éclate alors entre les deux jeunes gens et Toffolo, à couteaux tirés et à coups de pierre. L'innocent Toni, père de Lucietta, reçoit un caillou lancé par les combattants. La rixe devient générale et n'est interrompue que par l'arrivée de la justice en la personne d'Isidoro, qui menace de mettre tout le monde en prison. Pourtant, ému par les larmes des trois jeunes filles, il promet un pardon général si le calme revient. Lucietta, Checca et Orsetta embrassent chacune leur fiancé et conduisent Isidoro chez Toni pour lui offrir à boire. Mais tout à coup, une dispute éclate entre les femmes, et elles se mettent à crier et gesticuler, pour un motif futile, tandis que le représentant de la justice, découragé, observe la scène.

■ La trilogie, centrée sur les personnages de Don Marzio, Sior Todero et Isidoro, entourés d'une foule de personnages colorés, cherche à recréer l'atmosphère typique de la Vénétie du XVIIIe siècle. Les trois actes sont des adaptations libres des comédies homonymes de Goldoni, avec quelques éléments issus d'autres ouvrages du même auteur ; en outre, la chanson de Toffolo dans *Le baruffe chiozzotte* est un fragment d'un poème vénitien du XVIe siècle. Les dialogues sont en partie italiens, en partie en dialecte vénitien. Malipiero a été obligé de réduire à l'essentiel les comédies de Goldoni ; il a illustré l'action par une musique continue et fluide, d'une structure symphonique souple, dans laquelle le récitatif parlé est très bien mis en valeur. Le compositeur ne se livre pas à une description colorée du cadre, concentrant son attention sur les personnages qu'il s'efforce de rendre dans toute leur vérité, avec un intérêt quasi ethnologique. Il nous montre ainsi, dans chacun des épisodes, différents tableaux de la vie vénitienne de l'époque, la vie de la rue, la vie familiale et la vie populaire. FP

TURANDOT

Opéra en trois actes de Giacomo Puccini (1858-1924). Livret de Giuseppe Adami (1878-1946) et Renato Simoni (1875-1952), d'après le conte de Carlo Gozzi (1762). Première représentation : Milan, théâtre de la Scala, 25 avril 1926. Interprètes : Rosa Raisa, Maria Zamboni, Michele Fleta. Direction : Arturo Toscanini.

Les personnages : La princesse Turandot (soprano) ; le prince inconnu, Calaf (ténor) ; Liu, une jeune esclave (soprano) ; Timour, père de Calaf (basse) ; Ping, grand Chancelier (baryton) ; Pang, grand Pourvoyeur (ténor) ; Pong, grand Cuisinier (ténor) ; l'empereur Altoum (ténor) ; un mandarin (baryton).

L'intrigue : Pékin, en des temps légendaires.
Acte I. Une place devant le palais impérial. Devant la foule rassemblée, un mandarin prononce la sentence de mort d'un prince persan qui n'a pas réussi à résoudre les trois énigmes proposées par la princesse Turandot à chacun de ses prétendants. La fille de l'empereur Altoum a juré de n'épouser que celui qui saurait résoudre ces énigmes, les candidats malheureux étant décapités. Mêlé à la foule, se trouvent l'ex-roi de Tartarie, Timour, et sa fidèle esclave Liu. Ils ont la joie de retrouver Calaf, fils de Timour, qu'ils croyaient mort au combat. Tandis qu'on traîne le prétendant éconduit à l'échafaud, la foule, apitoyée, demande grâce pour lui. Calaf est horrifié par la cruauté de la princesse, mais, lorsqu'il la voit paraître au balcon, et, d'un signe, envoyer à la mort le Persan, il en tombe éperdument amoureux et ne songe plus qu'à la conquérir. Trois courtisans, Ping, Pang et Pong, tentent de l'en dissuader. Timour et Liu, secrètement amoureuse du jeune prince, essaient à leur tour de le raisonner. Calaf console Liu *(Non pianger Liù)* puis, sans hésiter, il frappe le gong par lequel chaque prétendant annonce qu'il veut se soumettre à l'épreuve.
Acte II, première scène. Devant un rideau représentant un somptueux pavillon du palais impérial, Ping, Pang et Pong se lamentent du triste état où la Chine est réduite à cause du caprice inhumain de Turandot. Ils rêvent de se retirer à la campagne, loin de la princesse. Ils émettent le souhait qu'elle trouve enfin le véritable amour *(Trio des masques)*.
Deuxième scène. Une place dans l'enceinte du palais. En présence de l'empereur, assis sur son trône au sommet d'un escalier monumental, et de toute la cour, Turandot raconte pourquoi elle a été amenée à faire ce vœu terrible. Des milliers d'années auparavant, son ancêtre Lo-u-ling fut violée par un roi barbare.

L'épreuve fatale à laquelle elle soumet les prétendants n'est autre qu'une vengeance pour ce crime lointain. On conseille à Calaf de se retirer, mais il refuse, et l'épreuve commence. Le prince résout une à une les trois énigmes (en donnant les solutions : espoir, sang, Turandot) ; il est vainqueur. Turandot, humiliée, supplie son père de ne pas la faire esclave d'un étranger, mais l'empereur lui rappelle que son vœu est sacré. Calaf lui offre alors généreusement de la délier de son engagement si elle parvient à connaître son nom avant l'aube.
Acte III, première scène. Un jardin du palais impérial. Dans le silence de la nuit retentissent les voix des hérauts qui annoncent le décret de la princesse Turandot : nul ne devra dormir avant que le nom du prince inconnu n'ait été découvert. Calaf est sûr de sa victoire et pense déjà au baiser qui éveillera l'amour de la princesse. Les trois courtisans tentent en vain de lui arracher son secret par les flatteries et les menaces. Entre-temps, Timour et Liu, qui ont été vus en compagnie de Calaf, sont amenés devant Turandot. Liu crie qu'elle est la seule à connaître le nom du prince puis, pour ne pas risquer de le révéler sous la torture, elle se poignarde. Resté seul avec Turandot, Calaf lui reproche tant de dureté et de cruauté, et l'embrasse sur la bouche. Le baiser semble rompre un enchantement et Turandot avoue qu'elle a aimé Calaf depuis le premier instant. Alors, seulement, le prince lui dit qui il est.
Deuxième scène. Devant la cour réunie, Turandot déclare qu'elle a découvert le nom du prince inconnu, et ce nom est : Amour.

■ Mort le 29 novembre 1924, Puccini laissa *Turandot* inachevé. Toscanini chargea alors Franco Alfano (1876-1954), déjà connu pour ses opéras *Risurrezione* (1904) et *La leggenda di Sakuntala* (1921), de terminer la partition, qui s'arrêtait à la mort de Liu. Mais, lors de la première à la Scala de Milan, comme Puccini lui-même l'avait pressenti avant sa mort, la représentation s'acheva avec l'aria de Liu *Tu che di gel sei cinta*. Toscanini, se tournant vers le public, dit : « Ici finit l'opéra, car à ce moment, le compositeur est mort. » Le choix du sujet, suggéré par Renato Simoni, grand connaisseur de l'œuvre de Gozzi, fut presque un hasard. Il s'agissait d'un conte très connu et déjà utilisé par de nombreux auteurs. Quelques années auparavant, en 1917, la *Turandot* de Busoni avait été créée à Zurich. Au fur et à mesure qu'il progressait dans son travail, Puccini sentait croître en lui la conviction qu'une « œuvre originale et peut-être unique » était en train de naître. Six mois avant de mourir, il confiait à Adami : « Je pense à *Turandot* à chaque heure, à chaque minute, et toute la musique que j'ai écrite jusqu'à maintenant me paraît une plaisanterie et ne me plaît plus. » Effectivement, *Turandot* est l'ouvrage le plus mûr et le plus achevé de toute la production de Puccini, et reflète en même temps tout son itinéraire artistique, car on y retrouve les quatre éléments fondamentaux de la poétique puccinienne : l'élément lyrico-sentimental, incarné par la douce et fidèle Liu, le personnage le plus émouvant et sans doute le plus puccinien ; l'élément héroïque, identifié au couple Calaf-Turandot ; l'élément burlesque, avec les trois masques (Ping, Pang, Pong) qui sont le trait d'union entre l'*opera seria* et la *commedia dell'arte*, un peu comme dans *Ariane à Naxos* de Richard Strauss ; enfin, l'élément exotique, caractérisé d'un côté par l'absence de référence historique ou réaliste, et de l'autre par l'introduction de thèmes musicaux chinois authentiques. L'usage de la gamme orientale pentatonique est ici plus développé que, par exemple, dans *Madame Butterfly*. Le langage harmonique, par rapport aux autres opéras de Puccini, semble plus imprégné de sonorités modernes, avec des dissonances, la polytonalité, et des effets vocaux et orchestraux déroutants. Quant à la dramaturgie, on doit noter que la sympathie de Puccini pour le personnage de Liu est la cause d'une grave incohérence. La mort de Liu et la procession qui emporte sa frêle dépouille constituent le passage le plus intense de l'opéra, ce qui rend incongru le dénouement heureux. Puccini se posa le problème de la transition entre le sacrifice de Liu et l'humanisation de Turandot, mais la mort l'empêcha de trouver une solution. RB

LES MALHEURS D'ORPHÉE

Opéra en trois actes de Darius Milhaud (1892-1974). Livret d'Armand Lunel. Première représentation : Bruxelles, théâtre de la Monnaie, 7 mai 1926. Interprètes : J. C. Thomas, L. Bianchini. Direction : M. C. de Thoran.

Les personnages : Orphée (baryton) ; Eurydice (soprano) ; chœur des métiers ; chœur des animaux ; chœur des bohémiens.

L'intrigue : Le mythe d'Orphée et Eurydice, actualisé, dans une atmosphère fantastique d'un lyrisme intense. L'action se déroule en Camargue. Orphée est un paysan et Eurydice, une gitane.

Acte I. Orphée, bon et innocent, aime la nature sauvage de son pays et est l'ami des animaux qu'il découvre et soigne dans les tanières les plus secrètes. Ses amis le charron, le vannier et le forgeron, se font du souci pour lui et lui font d'affectueux reproches. Orphée les rassure sur son sort : tout va bien, et il va bientôt épouser la gitane Eurydice, arrivée dans le pays peu de temps auparavant avec sa famille. Eurydice apparaît. Elle s'est enfuie parce que ses parents désapprouvaient son projet de mariage avec Orphée.

Acte II. Eurydice est atteinte d'un mal mystérieux et les soins d'Orphée restent sans effet. Ses amis le renard, l'ours et le sanglier l'aident de leur mieux ; mais Eurydice meurt, recommandant Orphée à ses amis les animaux. Ceux-ci, suivis par Orphée, l'emmènent vers sa dernière demeure.

Acte III. Les sœurs d'Eurydice viennent trouver Orphée pour venger la mort de leur sœur ; l'une est armée de ciseaux, la deuxième d'un bâton, la dernière d'un fouet. Orphée ne cherche même pas à se défendre, car il veut mourir. Mais, alors qu'il agonise, les sœurs d'Eurydice comprennent qu'il était innocent et leur chœur s'achève sur ces mots : « Il l'aimait trop. »

■ Cette œuvre, écrite pour quinze instruments, appartient à la série des « opéras-minute », ces petits opéras de chambre caractéristiques de Milhaud. Dédiée à la princesse de Polignac, pianiste et organiste, elle fut jouée dans de nombreux théâtres européens et américains. Elle est considérée, de l'avis unanime, comme un petit chef-d'œuvre, dans lequel le style le plus lyrique de Milhaud s'allie à des moments d'inspiration sublime. SC

LE ROI ROGER
(Król Roger)

Opéra en trois actes de Karol Szymanowsky (1882-1937). Livret du compositeur, en collaboration avec Jaroslaw Iwaszkiewicz. Première représentation : Varsovie, 19 juin 1926.

L'INTRIGUE : Elle s'inspire de l'histoire du roi Roger II de Sicile qui, au XIIe siècle, se convertit au culte de Dionysos sous l'influence d'un berger-prophète venu d'Orient. Une vieille église byzantine. Un office solennel chanté par les chœurs, conduits par l'archevêque (basse). Tandis que les chants grégoriens atteignent une intensité spirituelle sublime, le roi Roger (baryton) entre dans l'église avec la reine Roxane (soprano). Edrisi (ténor), un érudit arabe, parle au roi d'un mystérieux berger qui prêche dans les campagnes, et que les croyants veulent condamner pour hérésie. Mais le berger (ténor) apparaît à ce moment, et le roi est tellement impressionné qu'il lui demande de venir à son palais.
Acte II. Le palais. Le roi est charmé par la musique et la danse du berger, tandis que la reine Roxane est comme fascinée. Le berger dit alors qu'il est l'envoyé de Dieu. Le roi le fait arrêter pour ce blasphème. Mais les chaînes se brisent et le berger conduit en riant ses fidèles, dont Roxane, vers les collines. Le roi jette alors sa couronne et le suit.
Acte II. Edrisi et le roi approchent d'un temple grec en ruine. Roxane accueille son mari et tente de lui expliquer les mystères de la foi du berger : il est la force de vie présente dans tous les êtres. Le berger apparaît, réincarnation de Dionysos, et entraîne ses fidèles dans une danse bacchique échevelée. Roxane disparaît avec la foule, en transe. Le roi regarde le soleil se lever, transfiguré par son expérience mystique.

■ L'opéra, dont le livret fut écrit par le compositeur et son cousin, Jaroslaw Iwaszkiewicz, fut composé entre 1920 et 1924. Il s'inspire de la geste du roi Roger, chantée par un poème allemand anonyme du XIIe siècle, et recrée avec bonheur l'atmosphère mystique du Moyen Age en reprenant des musiques médiévales authentiques. Le premier acte, dans l'église, est le plus réussi. Les autres thèmes évoquent un mysticisme sensuel dont ne sont pas absentes les références au monde païen. RB

HARY JANOS

Opéra en deux actes de Zoltán Kodaly (1882-1967). Livret de B. Paulini et Z. Harsanyi, d'après un poème de J. Garay. Première représentation : Budapest, Opéra royal, 16 octobre 1926.

■ Il s'agit de la première œuvre de Kodaly, une sorte de conte militaire inspiré de mélodies populaires hongroises. Hary Janos est le nom d'un vieux soldat des guerres napoléoniennes. L'œuvre obtint un succès considérable en Hongrie. MSM

CARDILLAC

Drame en quatre actes de Paul Hindemith (1895-1963). Livret de F. Lion tiré du conte de E. T. A. Hoffmann Das Fräulein von Scuderi. *Première représentation : Dresde, 9 novembre 1926 (avec le même titre que le conte d'Hoffmann). Première représentation de l'opéra, entièrement revu : Zurich, Stadttheater, 20 juin 1952. Interprètes : H. Brauen, F. Lechleitner, M. Jungwirth, M. Hillenbrecht. Direction : Hans Zimmermann.*

LES PERSONNAGES : Cardillac (baryton) ; sa fille (soprano) ; son apprenti (ténor) ; la Prima Donna de l'Opéra (soprano) ; l'officier (basse) ; le jeune chevalier (ténor) ; Climène (contralto) ; Phaéton (ténor) ; Apollon (basse) ; les personnages de l'opéra *Phaéton* de Lully ; le riche marquis (rôle muet). Chœurs et ballerines ; les gardes, le peuple, le personnel du théâtre.

L'INTRIGUE :
Acte I, première scène. A Paris, dans la dernière décennie du XVIIe siècle. Une place devant la boutique du bijoutier Cardillac, la nuit. Les gardes accourent : un homme a été tué. Un attroupement se forme. Les gens sont excités et épouvantés par le nouveau crime de l'assassin qui terrorise la cité. A l'aube. L'orfèvre ouvre sa boutique. La Prima Donna de l'Opéra apparaît avec le jeune chevalier, qui lui fait une cour passionnée, tandis qu'elle préfère parler des récents événements. Il paraît que toutes les victimes avaient sur elles des bijoux que l'on n'a jamais retrouvés. Le jeune homme se faisant plus pressant, la cantatrice, avant de s'éloigner, lui répond que son amour ira à celui qui sera capable de lui donner quelque chose de vraiment différent des autres. Le jeune homme se confie à Cardillac, et admire ses œuvres : il y a parmi celles-ci un diadème merveilleux, qu'il voudrait acheter. Le bijoutier refuse, mais le chevalier s'en empare et s'enfuit.
Deuxième scène. La chambre de la Prima Donna. Le marquis prend congé. Le chevalier entre et gagne le cœur de la dame avec son merveilleux cadeau. Mais un homme masqué s'introduit par la fenêtre, tue le jeune homme et s'enfuit avec le diadème.
Acte II. Dans la boutique du bijoutier. L'apprenti sait que l'assassin est Cardillac lui-même, mais il a donné de fausses indications à la police par amour pour sa fille. L'officier entre et arrête l'apprenti, sur qui convergent les soupçons. L'orfèvre reste seul avec sa fille. Il lui révèle qu'il a refusé sa main à cet apprenti trop audacieux. La scène

s'assombrit. Les pensées des deux personnages se concrétisent : la chambre de la Prima Donna apparaît, au moment du crime, pleine d'ombres de morts parés de splendides joyaux. La scène s'éclaire, et les pensées s'évanouissent. Entrent le marquis, la cantatrice et un groupe d'artistes de l'Opéra. La Prima Donna aperçoit le diadème et s'évanouit. Mais elle revient à elle ; tous sortent. Le marquis a acheté le bijou. L'apprenti entre alors précipitamment. Il a réussi à s'enfuir, mais on le recherche. Il menace de révéler que le diadème volé lors du meurtre du chevalier se trouvait dans la boutique et a été vendu au marquis. Puis il prie la jeune fille de le suivre. Cardillac, quoique troublé, le chasse, sans que sa fille le suive. Et l'orfèvre, bouleversé, enfile un manteau et part à la recherche du diadème.

Acte III. La scène de l'Académie royale. A droite, les coulisses, à gauche, la scène. On joue *Phaéton* de Lully. Tandis que la cantatrice, sur scène, avoue son amour pour Phaéton, l'apprenti entre dans les coulisses. Il avertit la chanteuse du danger qu'elle court en portant le diadème ; mais elle est fascinée par cette étrange situation. Entrent alors l'officier et Cardillac, qui passe inaperçu. L'opéra s'achève sous les applaudissements du public. La cantatrice aperçoit le bijoutier et le regarde fixement, captivée. Elle comprend le drame de cet artiste, s'approche de lui, lui tend le bijou et l'embrasse. Mais l'officier, qui a assisté, sans être vu, à la scène, s'empare du diadème et s'enfuit. Cardillac, que la cantatrice rappelle en vain, se jette comme un fou à sa poursuite.

Acte IV. Une place avec la terrasse d'un café. Le marquis et les artistes sortent du théâtre. L'apprenti réfléchit : comment va-t-il se laver de cette accusation d'homicide ? Arrive l'officier, avec le diadème. Il est poursuivi par Cardillac, qui le rejoint et se jette sur lui. Une furieuse bagarre éclate. A la fin, Cardillac s'éloigne. L'officier est blessé à un bras, et l'apprenti, qui s'était interposé, se retrouve avec le diadème dans une main et le couteau dans l'autre. Cardillac revient, accompagné de sa fille. Le jeune homme, injustement accusé, finit par avouer la vérité et révèle que le bijoutier est l'assassin. L'officier le croit, et la cantatrice offre le joyau à la jeune fille, que l'apprenti emmène avec lui. Mais Cardillac ne veut pas perdre ce qu'il a de plus précieux : sa fille et le diadème. Les clients et les passants le font avouer et le tuent. La cantatrice, la jeune fille et l'apprenti le pleurent, bien qu'il se soit laissé entraîner par une folie morbide, fasciné par ses propres créations.

■ L'adaptation du conte d'Hoffmann fut terminée et mise en musique en 1926. Mais en 1952, Hindemith reprit l'opéra et le modifia profondément. Il y ajouta divers personnages et de nouvelles scènes, jusqu'à ce qu'il aboutisse à la forme définitive en quatre actes au lieu des trois originaux. Parmi les scènes ajoutées, on doit signaler la représentation d'un extrait du *Phaéton* de Lully. Dans *Cardillac*, la musique n'est pas liée à la situation psychologique des personnages, et n'y participe pas. Autonome à l'égard d'un texte très dramatique, elle suit son propre cours, détachée du contenu même des paroles, et se développe sans interruption dans une polyphonie de forme néo-classique. La séparation des deux niveaux de l'opéra, le « musical » — dominant —, et le « littéraire » — subordonné —, a reçu le nom de *Musikoper*, terme créé précisément pour ce travail, qui reflète bien cette phase de la recherche du compositeur. Hindemith s'astreignait alors à une objectivité impersonnelle, s'appuyant surtout sur des effets immédiats et mécaniques. Malgré cela, la musique de *Cardillac* et d'autres compositions de la même période est loin d'être inexpressive. Lorsqu'il reprit la partition, le compositeur crut bon toutefois de la modifier en fonction de ses nouvelles conceptions esthétiques. LB

L'AFFAIRE MAKROPOULOS
(Ve Makropulos)

Opéra en trois actes de Leóš Janáček (1854-1928). *Livret du compositeur, tiré d'une comédie de Karel Čapek (1890-1938). Première représentation : Brno, 18 décembre 1926.*

L'INTRIGUE : L'héroïne, Emilia Marty, cantatrice à l'Opéra de Vienne (alias Éliane Mac Gregor, Elsa Müller, Ekaterina Myskin, Elina Makropoulos) a en réalité trois cent cinquante-six ans. Elle est née en 1566, et un alchimiste lui a donné un élixir de longue vie. Auréolée d'une lumière mystérieuse, elle apparaît dans un bureau d'avocat, sur la scène d'un théâtre, dans une chambre d'hôtel. Elle continue à approcher des créatures réelles, qui ne s'étonnent pas de parler avec une apparition et ne lui demandent pas d'explication. Mais à la fin, fatiguée de l'existence, et maudissant l'ennui qu'elle éprouve à vivre de cette façon, elle accepte consciemment de mourir.

■ Défini par l'auteur comme un « opéra historique », *L'affaire Makropoulos* est en fait un conte fantastique. Il fut composé au lendemain de la première guerre mondiale, alors que Janáček s'attachait à créer dans ses ouvrages de violents contrastes dramatiques, pour atteindre un ton décidément expressionniste. AB

JONNY JOUE
(Jonny spielt auf)

Opéra jazz en deux actes d'Ernst Krenek. Livret du compositeur. Première représentation : Leipzig, Opernhaus, 11 février 1927.

LES PERSONNAGES : Max (ténor) ; Anita (soprano) ; l'imprésario (basse) ; Yvonne (soprano) ; Daniel (baryton) ; le directeur de l'hôtel (ténor) ; premier policier (ténor) ; deuxième policier (baryton) ; troisième policier (basse) ; un employé des chemins de fer (ténor). Chœur des clients de l'hôtel.

L'INTRIGUE : L'action se passe à l'époque actuelle. Dans la montagne, un plateau dominant un glacier. Max, excellent musicien, mais d'un caractère difficile et renfermé, rencontre Anita, une ravissante cantatrice. Ils vivent ensemble quelques jours d'amour et de bonheur sans nuage, mais Anita doit rentrer à Paris pour chanter dans un opéra de Max. Il suit tristement les préparatifs du départ. A Paris, Anita habite dans le même hôtel que Daniello, un charmant violoniste qui possède un violon de grande valeur. L'instrument fascine Jonny, jeune musicien noir de l'orchestre de l'hôtel. Alors qu'Anita rentre du théâtre, après le spectacle, Jonny tente de la séduire, mais Daniello intervient et cherche à se débarrasser du jeune homme en lui offrant mille francs. Ulcéré, Jonny vole le violon de Daniello et le cache dans l'étui du banjo d'Anita. Yvonne, fiancée de Jonny, se dispute avec le directeur de l'hôtel à propos de la conduite de son fiancé, et se fait mettre à la porte. Anita la prend immédiatement à son service et s'apprête à partir, malgré les prières de Daniello, qui est devenu son amant. Mais, pour Anita, il ne s'agissait que d'une affaire sans lendemain, et elle le quitte. Lorsque le violoniste constate la disparition de son instrument, il fait fouiller l'hôtel de fond en comble. Puis, voyant qu'Anita ne veut plus de lui, il confie à Yvonne une bague qu'Anita lui a donnée, en lui disant de la remettre à Max. De son côté, Jonny doit quitter son travail et partir avec les deux femmes pour ne pas perdre le violon.

Acte II. Max attend anxieusement le retour d'Anita. Elle arrive en retard et semble distraite, indifférente à ses états d'âme. Yvonne donne la bague à Max, et celui-ci, croyant comprendre la vérité, s'enfuit. Peu après, Jonny entre par la fenêtre et avoue à Yvonne que c'est lui qui a volé le violon. Bouleversée, incertaine de ses propres sentiments, Yvonne parle à Anita de l'histoire de la bague, qui explique le brusque départ de Max. Ce dernier est monté sur le plateau avec l'intention de se suicider ; mais il entend soudain un chœur invisible, une voix mystérieuse qui semble venir du glacier et qui lui insuffle une confiance et une joie de vivre telles qu'il renonce à mourir. Il entend Anita chanter sa chanson et se sent soudain pénétré d'une sensation de paix infinie. Il décide de retourner vers sa bien-aimée. Pendant ce temps, Daniello est arrivé à l'hôtel et a immédiatement reconnu le son de son violon dont Jonny était en train de jouer. Il appelle la police et Jonny s'enfuit vers la gare, espérant prendre un train pour Amsterdam. Il y retrouve Anita et Max, qui partent en voyage pour l'Amérique. Se sentant traqué, Jonny met le violon dans les bagages de Max. La police découvre l'instrument et Max, accusé de vol, est arrêté. Seule Yvonne, qui sait la vérité, peut le tirer d'affaire. Daniello tente de l'en empêcher, mais il tombe sur les rails et est tué par un train. Jonny avoue finalement que c'est lui le coupable, Max, libéré, rejoint Anita et ils partent pour l'Amérique, ce voyage pour le Nouveau Monde symbolisant leur foi en l'avenir. Jonny, avec son violon, monte sur le toit de la gare ; l'horloge se transforme en globe et, dominant le monde, Jonny joue passionnément. A ses pieds toute la compagnie se met à danser le charleston.

■ Avec cet opéra, Krenek obtint

un succès international. Le critique Porena écrivit à ce propos : « Les techniques musicales marquent une transition entre le style juvénile fougueux du compositeur et la correction un peu fade des opéras des années 1930. Des éléments de jazz se mêlent à des réminiscences pucciniennes dans un ensemble piquant et agréable à la fois. » L'opéra fut joué, toujours avec grand succès, dans quinze villes d'Europe et des États-Unis, dont Moscou et New York. MSM

LE PALEFRENIER DU ROI (The king's henchman)

Opéra en trois actes de Deems Taylor (1885-1942). Livret d'Edna Saint Vincent Millay. Première représentation : New York, Metropolitan Opera, 17 février 1927.

L'INTRIGUE : La scène est située en Angleterre, au Moyen Age. Le roi Edgar veut épouser la princesse Ælfrida ; mais il ne l'a jamais vue et envoie Æthelvold auprès d'elle avec mission de la demander en mariage en son nom si elle est belle. Æthelvold tombe amoureux de la princesse et l'épouse. Il dit au roi qu'elle est laide et indigne de son amour. Lorsque le roi arrive en personne, il comprend qu'il a été trompé et en demande la raison à Æthelvold. Tourmenté par le remords, le chevalier se tue.

■ Quand le Metropolitan Opera de New York lui commanda une œuvre lyrique, Deems Taylor se rendit à Paris, il y passa toute l'année 1926, travaillant avec Edna Saint Vincent Millay à la rédaction du livret. L'opéra fut accueilli avec enthousiasme et valut au compositeur une nouvelle commande du Metropolitan (*Peter Ibbetson*, 1931). Aujourd'hui, *Le palefrenier du roi* ne fait pas partie du répertoire permanent, bien qu'il s'agisse d'une œuvre intéressante, dont la musique est mélodieuse et pittoresque. GP

BASI E BOTE

Opéra en deux actes et trois tableaux de Riccardo Pick-Mangiagalli (1882-1949). Livret d'Arrigo Boito (1842-1918). Première représentation : Rome, Teatro Argentina, 3 mars 1927. Interprètes : Mariano Stabile, Ada Sassone-Soster, Amalia Bertola, Alessio de Paolis, Fernando Autori.

L'INTRIGUE : L'action se déroule à Venise et met en scène les masques habituels de la *commedia dell'arte.* Pantalon dei Bisognosi (basse) veut épouser sa jeune pupille Rosaura (mezzo-soprano) pour s'approprier sa dot. Mais Rosaura aime le beau Florindo (ténor). Colombine (soprano) et Arlequin (baryton), serviteurs de Rosaura et Florindo, sont également amoureux l'un de l'autre et aident leurs maîtres à déjouer la vigilance du barbon. Leurs stratagèmes finissent par être découverts et les quatre jeunes gens prennent la fuite dans une confusion générale où chacun a donné et reçu son compte de gifles. Le pauvre Pierrot (mime), serviteur de Pantalon, fait les frais de l'affaire, car il est arrêté pour vol.

Le vieux Pantalon, tout meurtri, se fait porter malade. Arlequin prétend appeler un médecin mais revient en personne, déguisé. Il enlève ses lunettes au vieillard et lui bouche les oreilles avec du coton. La vue basse, et n'entendant rien, Pantalon ne s'aperçoit pas de ce qui se passe. Le mariage de Rosaura et Florindo est célébré avec l'aide du notaire Tartaglia et Pantalon contresigne l'acte, croyant qu'il s'agit de son propre contrat de mariage. Par la même occasion, Arlequin épouse Colombine. Quand Pantalon découvre qu'il a été berné, il entre dans une rage folle, mais un coffret plein de ducats, offert par Florindo, lui rend sa bonne humeur. On apprend que Pierrot s'est évadé de prison, déguisé en ramoneur. L'opéra s'achève dans la joie générale.

■ C'est le premier opéra de Mangiagalli, qui avait auparavant composé quelques musiques de ballet. Sa musique, élégante et inspirée, témoigne de diverses influences, de l'impressionnisme au symphonisme allemand. Le compositeur, qui fait preuve d'une grande maîtrise technique, n'a cependant jamais su exprimer quoi que ce soit de vraiment personnel. MSM

SVANDA LE FIFRE (Švanda dudák)

Opéra en deux actes de Jaromir Weinberger (1896-1967). Livret de Miloš Kareš et Max Brod (1884-1968), tiré du conte de J. K. Tyl (1808-1856). Première représentation : Prague, Théâtre national tchèque, 27 avril 1927.

L'INTRIGUE : Bobinsky réussit à convaincre le joueur de fifre Švanda de séduire la reine Cœur-de-glace par ses mélodies. Il y parvient, mais la jeune souveraine apprend qu'il est marié et le condamne à mort. Svanda réussit à sauver sa tête en exécutant un nouveau morceau. Il devra toutefois aller racheter sa faute en enfer. Bobinsky le tire de ce mauvais pas : il défie le diable aux cartes et gagne. Svanda revient parmi les vivants.

■ L'opéra de Weinberger est la seule œuvre lyrique tchèque importante de la tradition de Smetana représentée entre les deux guerres mondiales. La critique l'a accueilli favorablement, tout en critiquant certains effets un peu forcés. EP

ANGÉLIQUE

Farce en un acte de Jacques Ibert (1890-1962). Livret de Nino. Première représentation : Paris, théâtre Bériza, 28 avril 1927. Interprètes : Bériza, Ducroz, Warnery, Marvini.

LES PERSONNAGES : Boniface (baryton) ; Charlot (baryton) ; un Italien (ténor) ; un Anglais (ténor) ; un Noir (basse) ; le diable (ténor) ; Angélique (soprano) ; première commère ; deuxième commère ; voisins et voisines.

L'INTRIGUE : En France, à une époque indéterminée. Angélique, une femme violente (en dépit de son nom) est mariée au marchand de porcelaine Boniface, un homme tranquille et soumis qui, au cours d'incessants conflits, doit toujours céder devant la puissante personnalité de sa femme. Mais à la fin le mari, las de la supporter, demande conseil à son ami Charlot et la met en vente en espérant qu'un passant qui ne connaît pas son mauvais caractère s'en éprendra. Il affiche aussitôt à la porte un écriteau avec l'inscription « femme à vendre ». Angélique, à qui l'on a promis un avenir brillant, a accepté. Immédiatement, trois compères se présentent : un Italien, un Anglais et un Noir. Tous trois tombent sur-le-champ amoureux de la jeune femme ; mais tous trois sont obligés de la rendre bien vite après une brève expérience, déjà courbatus et endoloris des coups qu'ils ont reçus. A la suite de ces échecs, le pauvre Boniface défaille. Désespéré, il invoque le diable pour qu'il le débarrasse de sa femme. Miraculeusement, le diable apparaît, s'empare d'Angélique et l'emmène. Heureux d'être libres, Boniface et Charlot fêtent la disparition d'Angélique avec des voisins, leurs amis, et les trois acheteurs qui, venus pour se faire rendre leur argent, participent aussi à l'allégresse générale. Mais voici que le diable revient. Il ne veut plus d'une femme qui lui a transformé l'enfer en un véritable enfer et, en colère, il les damne tous. Boniface, hors de lui à la vue de sa femme, tente de se pendre. Mais il en est empêché par Angélique elle-même qui se montre alors bonne, serviable et soumise, et lui promet de l'aimer éternellement. Boniface, un peu méfiant, finit par croire aux promesses de sa femme, et l'embrasse, à la grande joie de tous. Mais le rideau est à peine tombé que Boniface revient et annonce que sa femme est toujours « à vendre ».

■ *Angélique* est un des succès majeurs, et sans aucun doute durables, du mélodrame français de la première moitié du siècle. L'intrigue, de type burlesque, s'inspire de la légende populaire du diable Belfagor, très connue au Moyen Age. Le compositeur a su brillamment s'adapter à ce type de farce en évoquant, selon des formes et des intuitions toutes nouvelles, les thèmes de l'opéra bouffe de type rossinien. Certains critiques ont décelé d'autre part l'influence d'Offenbach dans l'utilisation de certaines techniques théâtrales (refrains, ensembles comiques, duos, etc.), et des analogies avec un type d'opérette française (on a cité en particulier le compositeur Lecocq). Le livret fut traduit en plusieurs langues, et l'opéra obtint un succès immédiat. Il fut joué ensuite dans tous les pays du monde (en Italie, par exemple, lors du Mai musical florentin dans les années cinquante), et est encore inscrit au répertoire, en raison notamment de son extraordinaire drôlerie et de son inépuisable richesse en effets scéniques. GP

ŒDIPUS REX

Opéra oratorio d'Igor Stravinski (1882-1971). Texte de Jean Cocteau (1889-1963) inspiré de Sophocle et traduit en latin par Jean Daniélou (1908-1974). Première représentation : Paris, théâtre Sarah-Bernhardt, 30 mai 1927. Direction : Igor Stravinski.

Les personnages : Œdipus (ténor) ; Jocaste, sa mère (mezzo-soprano) ; Créon, frère de Jocaste (baryton) ; le messager (baryton récitant) ; Tirésias, devin (basse) ; le berger (ténor).

L'intrigue :
Première partie. La population de Thèbes est décimée par la peste. Le chœur implore Œdipus qui règne sur la cité, de sauver son peuple. Créon, beau-frère du roi, revient porteur de l'oracle d'Apollon. Thèbes sera épargnée si le roi Laïos, assassiné des années auparavant, est enfin vengé. Œdipus jure que le coupable sera retrouvé et châtié. Il fait appeler le devin Tirésias, qui hésite avant de lui répondre que l'assassin est un membre de la famille royale. Œdipus accuse Créon. Celui-ci envisage, avec l'aide de Tirésias, de déposer le roi.
Deuxième partie. La reine Jocaste, veuve de Laïos remariée à Œdipus, tranquillise le peuple. Les oracles se trompent parfois, dit-elle : on avait prédit à Laïos qu'il mourrait de la main de son propre fils, alors qu'il a été tué par un étranger de passage. Œdipus est troublé par les paroles de la reine. Il se souvient avoir lui-même tué un vieil homme au cours d'un voyage. A cet instant arrivent un messager et un berger, qui annoncent la mort du père d'Œdipus, Polybus. Le messager révèle alors qu'Œdipus avait été trouvé enfant par le berger, et adopté par Polybus. Œdipus et la reine viennent de comprendre la vérité. Œdipus était le fils de Laïos et l'a tué sans le connaître ; puis il a épousé sa veuve, et donc sa propre mère. Jocaste, horrifiée, s'enfuit. Le chœur crie à Œdipus qu'il est parricide et incestueux. Le messager vient annoncer que la reine s'est pendue. Œdipus se crève les yeux pour ne plus voir la lumière du jour, et se présente devant le peuple. Le chœur le chasse de la cité mais avec des paroles de pitié devant tant de douleur.

■ Stravinski écrivit, à propos du texte latin d'*Œdipus Rex,* qu'il avait éprouvé beaucoup de joie à « écrire de la musique sur un langage conventionnel, presque rituel, d'un niveau tellement élevé qu'il s'impose par lui-même. On ne se sent plus dominé par la phrase, par la parole dans son sens étroit. » Et l'opéra est en effet le chef-d'œuvre de la période néo-classique de Stravinski, qui culminera des années plus tard avec *The rake's progress.* Déjà, dans *Œdipus Rex,* la conception formelle symétrique, divisée selon les schémas classiques en morceaux « fermés », rappelle les modèles en usage aux XVIIIe et XIXe siècles. L'opéra oratorio est riche de contenu symbolique intellectualisé, au point que les personnages atteignent leur dimension tragique dans une sorte d'immobilité devant le destin. La thématique est soulignée par la structure de la partition, organisée avec une continuité de style qui contredit la « barbarie » des œuvres antérieures du compositeur. Les différents groupes d'instruments jouent sans se fondre complètement, produisant ainsi une sonorité raffinée de musique de chambre. En fait, les solutions qu'apporte ici Stravinski au problème de l'art lyrique contemporain, reculant devant les expériences courageuses d'un Prokofiev d'une part, et les recherches infatigables et fécondes d'un Schönberg d'autre part, sont en elles-mêmes sans grande portée : Adorno parlait non sans raison de « contradiction entre la prétention de grandeur et d'élévation d'un côté, et le contenu musical [...] d'une faiblesse constante de l'autre ». Seuls les dons réels de Stravinski parviennent à donner au personnage tragique d'Œdipus une dimension humaine. RB

ALLER ET RETOUR
(Hin und Zurück)

Action musicale en un acte de Paul Hindemith (1895-1963). Livret de Marcellus Schiffer. Première représentation : Baden-Baden, 15 juillet 1927.

L'INTRIGUE : Dans la salle de séjour. Emma, complètement sourde, est occupée à broder. Hélène, sa nièce, vient prendre son petit déjeuner. Peu après arrive Robert, le mari d'Hélène, qui a momentanément abandonné son travail pour venir souhaiter son anniversaire à sa femme et lui offrir un cadeau. La femme de chambre apporte une lettre à Hélène. La jeune femme, un peu embarrassée, affirme à son mari qu'il s'agit d'une lettre de sa couturière. Mais les soupçons de Robert se faisant plus précis, elle finit par lui avouer que c'est une lettre de son amant. Robert, furieux, empoigne un pistolet et tire sur sa femme. Le médecin, suivi d'une infirmière qui énumère sans arrêt des noms de médicaments, déclare qu'il n'y a plus rien à faire pour la jeune femme. Robert, désespéré, se jette par la fenêtre. Apparaît alors un sage qui porte une longue barbe blanche. Il énonce la sentence suivante : « Si l'on regarde les choses de haut, peu importe que la vie humaine se déroule du berceau à la mort, ou que l'homme meure et renaisse. Renversons donc le destin. Vous verrez que la logique est tout aussi rigoureuse, et que tout reprendra sa place comme avant. » L'action reprend alors, et les mêmes événements se déroulent, rigoureusement en sens inverse. Robert rentre par le fenêtre, le médecin et l'infirmière disparaissent. Hélène se relève, et le dialogue de la lettre reprend, à l'envers (Hélène affirme d'abord qu'il s'agit de son amant, puis de la couturière), et Robert, à la fin, donne à sa femme, qui va prendre son petit déjeuner, son cadeau d'anniversaire. L'histoire se termine sur un éternuement de la tante, constamment présente, mais totalement étrangère à ce qui se passe autour d'elle.

■ Cet opéra, défini comme un sketch, fut composé par Hindemith entre *Cardillac* et *Neues vom Tage,* et appartient à la période de la « neue Sachlichkeit », qui préconisait un retour à la musique d'usage (« Gebrauchsmusik »), en réaction à certains problèmes posés par l'expressionnisme. Le librettiste, Marcellus Schiffer, était auteur de variétés et chansonnier, et l'opéra a ce brillant ironique et provocant caractéristique des cabarets berlinois de l'époque. L'idée en est extrêmement simple : arrivée à son point culminant, l'intrigue revient à la scène initiale selon une symétrie géométrique. L'œuvre, brève, que l'on dirait influencée par la technique cinématographique du montage, notamment dans la deuxième partie, semble viser exclusivement à un divertissement grotesque qui parodie le théâtre dramatique. La polémique est en réalité plus sérieuse et pénétrante, et tend à mettre en accusation la société allemande de l'immédiat après-guerre et ses institutions, y compris la famille et le couple dont Hélène et Robert représentent le modèle. La structure géométrique du texte devait stimuler la riche invention contrapuntique d'Hindemith. Il a réussi à mettre en musique cette séquence circulaire en utilisant un orchestre de cabaret qui comprend, outre un harmonium placé derrière la scène pour le monologue du sage, deux pianos à quatre mains et six instruments à vent (trombone, trompette, basson, saxophone contralto, clarinette et flûte). La musique est ainsi en parfait accord avec le texte de Schiffer : volontairement fuyante, parfois dure mais toujours contrôlée, elle fait un usage savamment sarcastique de la voix. LB

LA CLOCHE ENGLOUTIE
(La campana sommersa)

Opéra en quatre actes d'Ottorino Respighi (1879-1936). Livret de Claudio Guastalla d'après l'œuvre de Gerhard Hauptmann (1862-1946), Die versunkene Glocke. *Première représentation : Hambourg, Stadtheater, 18 novembre 1927.*

L'INTRIGUE : Le « pré d'argent », où vivent la bonne sorcière des bois (mezzo-soprano), l'elfe Rautendelein (soprano), le faune Ondin (baryton), les nymphes et les gnomes, est menacé de tous côtés par l'invasion de l'homme. Les habitants de la vallée fabriquent une cloche. Le faune brise une roue de la charrette qui la transporte, attirant toutes sortes d'ennuis au forgeron Enrico (ténor), blessé alors qu'il tentait d'empêcher la cloche de tomber au fond du lac. Rautendelein tombe amoureuse du forgeron, et veut le rejoindre au pays des hommes. Magda, la femme d'Enrico (soprano), et ses deux fils, apprennent l'accident et vont chercher de l'aide. Mais l'amour tranquille de sa femme ne suffit pas à l'artiste. Et lorsque l'elfe lui embrasse les yeux, Enrico découvre un monde nouveau et fantastique. Retiré sur une montagne, le forgeron, qui vit désormais avec Rautendelein, entreprend la construction d'une œuvre titanesque : un temple pour une humanité meilleure. Le curé (basse) veut faire revenir Enrico : ses enfants sont restés seuls. Magda s'est tuée en se jetant dans le lac. On entend sonner la cloche engloutie, et Enrico, fou de douleur, renvoie Rautendelein. Pourtant, il ne peut se passer d'elle, et une sorcière accepte de la lui faire voir une dernière fois avant sa mort. L'elfe apparaît, lui reproche de l'avoir abandonné, l'embrasse et l'assiste tandis qu'il meurt en invoquant le soleil.

■ *La campana sommersa* obtint un énorme succès dans le monde entier, bien que le fantastique du thème nuise peut-être à la rigueur de l'opéra. Dans un premier temps, Respighi avait pensé utiliser un texte allemand. L'éditeur qui avait servi d'intermédiaire avec Hauptmann voulait en effet que la première ait lieu en Allemagne, ce qui advint d'ailleurs. RB

LE PAUVRE MATELOT

Opéra en trois actes de Darius Milhaud (1892-1974). Livret de Jean Cocteau (1889-1963). Première représentation : Paris, Opéra-Comique, 16 décembre 1927.

LES PERSONNAGES : L'Épouse (soprano) ; le Matelot (ténor) ; l'Ami (baryton) ; le Père (basse).

L'INTRIGUE : De nos jours, au bord de la mer.
Acte I. On entend une java jouée sur un piano mécanique. Un port, avec de pauvres masures, des ruelles étroites et animées, des boutiques fréquentées par les gens de mer. L'Épouse attend fidèlement le retour du Matelot, parti quinze ans plus tôt. Elle tient un magasin d'alcools, non loin de la taverne de l'Ami, qui l'aime et voudrait l'épouser. Le vieux Père du Matelot ne parvient pas à la convaincre d'accepter la cour de l'Ami. La nuit. Le Matelot apparaît au bout de la rue. Il se rend d'abord chez l'Ami : il veut savoir si sa femme l'a attendu. L'Ami voudrait courir avertir l'Épouse. Il s'imagine déjà son bonheur. Mais le Matelot refuse : il n'ira la rejoindre que le lendemain matin et, sans se faire reconnaître, mettra à l'épreuve son amour et sa fidélité.
Acte II. Le Matelot est chez sa femme, qui ne l'a pas reconnu. Il lui raconte qu'il a des nouvelles de son mari, qui serait sur le chemin du retour, pauvre et couvert de dettes... qu'il faudra payer... peut-être devra-t-elle se donner à des clients... L'Épouse ne l'écoute pas, elle est heureuse. Le Matelot raconte alors une incroyable histoire de reine d'Amérique qui se serait éprise du Matelot, mais celui-ci l'aurait repoussée pour rester fidèle à son épouse... L'Ami arrive alors pour rendre un marteau qu'il avait emprunté, et feint de ne pas reconnaître le Matelot.
Acte III. La nuit. Séquence muette. L'Épouse se lève, s'approche du Matelot et le frappe à deux reprises avec le marteau. Puis elle s'empare d'un collier de perles qu'il avait sur lui, et avec lequel elle va payer les dettes de son mari. Elle réveille le vieux Père et ensemble, tandis que le piano mécanique recommence à jouer sa java mélancolique, ils jettent le cadavre dans une citerne.

■ L'opéra est né de la collaboration de Darius Milhaud avec Cocteau. Entre 1918 et 1920 se réunissait autour de Jean Cocteau et Erik Satie le « groupe des Six » dont faisaient partie Milhaud, Louis Durey, Germaine Tailleferre, Georges Auric, Arthur Honegger et Francis Poulenc. Ce groupe s'était donné pour but de renouveler la musique en revenant à l'expression musicale pure, ouverte aux avant-gardes, en refusant d'un côté l'expérience wagnérienne, avec ses implications post-romantiques philosophico-littéraires, et de l'autre l'impressionnisme de Debussy. Ces trois

actes, brefs, inspirés de romances populaires et construits selon la vieille tradition des complaintes, forment une des œuvres les plus vivantes et les plus spontanées de la très abondante production du compositeur. Chaleureusement accueillie, l'œuvre a été représentée dans le monde entier.
SC

ANTIGONE

Opéra en trois actes d'Arthur Honegger (1892-1955). Livret de Jean Cocteau (1889-1963). Première représentation : Bruxelles, théâtre de la Monnaie, 28 décembre 1927.

L'INTRIGUE : C'est l'histoire d'Antigone, fille d'Œdipe et de Jocaste, souverains de Thèbes. Née des amours incestueuses d'Œdipe avec sa mère, lorsque son père est chassé de la cité après s'être crevé les yeux, Antigone l'accompagne jusqu'à Colone. Elle revient ensuite à Thèbes pour donner une sépulture à son frère Polynice, dont le corps a été abandonné hors des murs de la cité sur ordre de Créon, nouveau roi de Thèbes, après qu'il eut tenté de s'emparer du pouvoir. La jeune fille brave ouvertement l'interdiction du tyran et est emmurée vivante. Elle se tue, suivie dans la mort par le fils de Créon, Hémon.

■ Le texte, écrit en 1922, s'inspire assez fidèlement de la grande tragédie de Sophocle ; la même année, Honegger composa les musiques de scène. Mais ce n'est qu'en 1927 que l'ouvrage fut transformé en opéra. *Antigone* n'est pas une des œuvres les plus connues d'Honegger, et ne fait pas partie du répertoire régulier.

LE TSAR SE FAIT PHOTOGRAPHIER (Der Zar lässt sich photographieren)

Opéra-bouffe en un acte de Kurt Weill (1900-1950). Livret de Georg Kaiser. Première représentation : Leipzig, Neues Theater, 18 février 1928.

LES PERSONNAGES : Le Tsar (baryton) ; Angèle (soprano) ; la fausse Angèle (soprano).

L'INTRIGUE : Le Tsar est en visite à Paris, et un vieil anarchiste décide de l'assassiner. Pour cela, il s'arrange pour l'attirer dans le studio d'une photographe renommée, Angèle. Il sera reçu par un membre du groupe anarchiste, la fausse Angèle. Mais le Tsar, redoutable séducteur, accable la fausse Angèle de galanteries et tient absolument à la photographier. Les conspirateurs se trouvent vite dans une situation tellement paradoxale qu'ils doivent renoncer à leur projet et prendre la fuite pour ne pas être arrêtés.

■ L'œuvre de Weill est une satire qui vise à la fois le pouvoir et les conjurations anarchistes. Elle suit les canons du *Zeitoper* mais rappelle plus directement les films muets, avec des situations invraisemblables et des gags en chaîne.
EP

L'ABANDON D'ARIANE

Opéra-minute en cinq scènes de Darius Milhaud (1892-1974). Texte d'Henri Hoppenot. Première représentation : Wiesbaden, 20 avril 1928.

Les personnages : Ariane (soprano) ; Phèdre (soprano) ; Thésée (ténor) ; Dionysos (baryton) ; chœur de naufragés ; chœur de bacchantes.

L'intrigue : L'opéra est une adaptation libre et ironique de la légende d'Ariane, abandonnée par Thésée sur l'île de Naxos, et consolée par Dionysos, qui l'épouse.

■ Cette œuvre est la deuxième d'un groupe d'« opéras-minute » de Milhaud qui comprend aussi *L'enlèvement d'Europe* (un acte, créé à Baden-Baden en 1927) et *La délivrance de Thésée* (un acte et vingt-sept scènes, créé à Wiesbaden en 1928). Dans ces courts opéras, le compositeur a utilisé de manière très cohérente le langage bitonal, le chœur parlé et les percussions pour exprimer à la fois le lyrisme et l'ironie. SC

FRA GHERARDO

Opéra dramatique en trois actes d'Ildebrando Pizzetti (1880-1968). Livret du compositeur. Première représentation : Milan, théâtre de la Scala, 16 mai 1928. Interprètes : Antonin Trantoul, Florica Cristoforeanu, Aristide Baracchi, Edoardo Faticanti, Salvatore Baccaloni, Giuseppe Nessi, Ines Minghini-Cattaneo. Direction : Arturo Toscanini.

Les personnages : Gherardo (ténor) ; Mariola (soprano) ; frère Guido Putagio (baryton) ; frère Simone (ténor) ; un moinillon (ténor) ; le maire (baryton) ; l'adjoint du maire (baryton) ; l'évêque (baryton) ; un gentilhomme (baryton) ; une femme blonde (soprano) ; le notaire (ténor) ; le bigle (baryton) ; l'aveugle (basse) ; une vieille (mezzo-soprano) ; un soldat (baryton) ; un autre soldat (basse) ; un homme (baryton) ; une femme (soprano) ; voix de femmes (sopranos, contraltos et mezzo-sopranos) ; un vieux (baryton) ; un incrédule (ténor) ; le roux (baryton) ; un jeune homme (baryton).

L'intrigue : Parme, au XIIe siècle. Gherardo, un riche tisserand qui a donné ses biens aux pauvres pour l'amour de Dieu, ne sait pas résister à Mariola, une orpheline amoureuse de lui, et passe une nuit avec elle. Le matin, il chasse la jeune fille qui l'a tenté et quitte la ville pour expier sa faute. Neuf ans plus tard, Gherardo, devenu moine, revient à Parme et incite le peuple à se soulever contre ses dirigeants corrompus. Il rencontre Mariola, défaite et misérablement vêtue, mais toujours éprise de lui. Elle lui raconte que de leurs brèves amours est né un fils, mort en bas âge. Rongé de remords, Gherardo demande à Mariola de lui pardonner tout le mal qu'il lui a fait. Il est arrêté et accusé d'hérésie, sur ordre de l'évêque et du maire ; on lui fait croire qu'il pourra sauver sa vie et celle de Mariola en confessant publiquement ses péchés. Mariola tente le tout pour le tout et rassemble ses partisans, décidée à le libérer. Sur la grand-place de Parme, le peuple s'agite. Le moine est amené devant la foule et confesse ses fautes, reniant publiquement sa doctrine. Mais soudain, sa conscience l'emporte et il se rétracte, criant à la face des dignitaires leur corruption. Mariola, qui avait écouté, consternée, sa confession forcée, accourt vers lui lorsqu'il retrouve sa dignité. Le maire ordonne son arrestation, mais une femme, folle de douleur parce que son fils a été tué pendant l'émeute, la poignarde dans le dos. Frère Gherardo est conduit à l'échafaud.

■ L'opéra, composé entre 1925 et 1927, est tiré d'un épisode des *Chroniques* de Fra Salimbene da Parma (1221-1287). Pizzetti y affirme son style, fondé sur le récitatif chanté. Déjà, dans *Fra Gherardo,* Pizzetti exprime le tourment psychologique, moral et religieux qu'il portera à son véritable sommet dans *Assassinio nella cattedrale,* le grand opéra de sa maturité. MSM

HÉLÈNE ÉGYPTIENNE (Die Ægyptische Helena)

Opéra en deux actes de Richard Strauss (1864-1949). Livret de Hugo von Hofmannsthal (1874-1929). Première représentaion : Dresde, Staatsoper, 6 juin 1928. Interprètes : Elisabeth Rethberg, Curt Taucher. Direction : Fritz Busch.

L'INTRIGUE :
Acte I. Ménélas et Hélène, de retour de la guerre de Troie, abordent dans l'île de la magicienne Aithra, en Égypte. Ménélas a décidé de tuer Hélène, mais Aithra l'éloigne par la fausse nouvelle d'une attaque ennemie. Lorsqu'il revient, elle lui fait croire que la femme qu'il a ramenée de Troie n'est qu'une illusion, et que la véritable Hélène l'a attendu fidèlement dans cette île égyptienne depuis dix ans. Ménélas, ensorcelé, la croit, mais n'éprouve soudain plus aucun intérêt pour la « vraie » Hélène, vertueuse et parfaite ; la femme qu'il aime est celle qui l'a trahi et fait souffrir.
Acte II. Une troupe de cavaliers sauvages, conduits par Altair et son fils Da-Ud arrivent dans l'oasis où vivent, pour quelque temps, Hélène et Ménélas. Ils sont fascinés par la beauté d'Hélène, et Ménélas sent renaître en lui la jalousie. Il tue Da-Ud au cours d'une partie de chasse. Hélène finit par avouer à son mari le stratagème d'Aithra. Ménélas comprend alors qu'Hélène incarne une force supérieure : c'est la femme idéale, à qui nul homme ne peut résister. Mais c'est aussi son épouse, et il l'aime. L'opéra s'achève sur la réconciliation des deux époux.

■ *Hélène égyptienne* traite avec une grande noblesse un thème cher à Strauss : la fidélité et les illusions conjugales. Signalons le très beau solo d'Hélène *Seconde lune de miel,* au début du deuxième acte. Strauss écrivit une nouvelle version de l'opéra qui fut créée à Salzbourg en 1933. RB

L'OPÉRA DE QUAT' SOUS (Die Dreigroschenoper)

Opéra en un prologue et trois actes de Kurt Weill (1900-1950).

Livret de Bertolt Brecht (1898-1956), libre transposition du mélodrame anglais du XVIIIe siècle, The beggar's opera, *de John Gay, mis en musique par John Christopher Pepusch. Première représentation : Berlin, Theater am Schiffbauerdamm, 31 août 1928. Interprète principale : Lotte Lenya.*

LES PERSONNAGES : Macheath, dit Mackie-le-Surineur, Mackie Messer (ténor) ; Jonathan Jeremiah Peachum (basse) ; Madame Peachum (soprano) ; Polly Peachum (soprano) ; Brown (basse) ; Jenny (mezzo-soprano) ; Lucy Brown (soprano).

L'INTRIGUE : Londres, aux environs de 1900.
Prologue. C'est la foire annuelle de Soho, aubaine des mendiants, des voleurs et des prostituées. Un chanteur des rues pousse sa rengaine.
Acte I. Le commerçant Peachum vend ou loue aux mendiants les costumes et les accessoires propres à inspirer la pitié des passants. Sa fille Polly épouse Mackie-le-Surineur, dont la bande a volé tout un mobilier pour installer les jeunes mariés. Le pasteur arrive. Le chef de la police, Brown, dit Brown-le-Tigre, est parmi les invités. Polly va annoncer à sa famille qu'elle vient de se marier ; ses parents sont furieux car Mackie est un truand ; ils décident de le livrer à la police, en indiquant le bordel de Tonbridge où on est sûr de le trouver.
Acte II. Pour échapper à la colère de Peachum, Mackie se réfugie dans les marais de Highgate. Il dit adieu à Polly et lui laisse des instructions pour diriger la bande en son absence. Pendant ce temps, Madame Peachum a acheté la complicité des prostituées, qui acceptent de dénoncer Mackie quand il viendra les voir. Ce qui arrive : Jenny appelle Madame Peachum et le policier Smith, et Mackie, qui essaie de s'enfuir, est arrêté. On le conduit à la prison d'Old Bailey, mais il obtient, moyennant 50 guinées, qu'on ne lui passe pas les menottes. Lucy, la fille de Brown, que Mackie avait promis d'épouser, arrive, furieuse, car elle vient d'apprendre son mariage avec Polly. Celle-ci vient voir Mackie à la prison et les deux jeunes femmes se font une scène de jalousie. Mackie nie avoir épousé Polly qui, indignée, est entraînée par sa mère. Mackie s'évade avec la complicité de Lucy. Quand Peachum arrive à la prison pour toucher la récompense promise pour l'arrestation du bandit, il apprend que Mackie s'est enfui et en rend Brown responsable. Il menace de causer des troubles avec son armée de mendiants le jour du couronnement du roi si le chef de la police ne fait pas tout ce qu'il faut pour mettre Mackie hors d'état de nuire.
Acte III. Jenny sert une nouvelle fois d'indicateur. Elle révèle aux Peachum que Mackie se trouve chez une autre prostituée, Suky Tawdry. Madame Peachum court le dénoncer tandis que Peachum organise la manifestation des mendiants. Brown essaie de faire arrêter tout le monde, mais les mendiants sont trop nombreux, et l'arrestation de Peachum ne ferait qu'aggraver les choses. Polly se rend chez Lucy Brown. Comme elles se lamentent ensemble de la conduite de Mackie, la mère de Polly vient

leur annoncer que le bandit a été arrêté et va être pendu. Polly se précipite à la prison pour un dernier adieu. Mackie-le-Surineur tente en vain de rassembler assez d'argent pour corrompre un policier et s'échapper. Il n'y a plus rien à faire : Mackie demande pardon à tout le monde et s'avance vers le gibet. Au dernier moment, un messager arrive au grand galop, porteur de la grâce royale. Mackie est libéré, et la reine lui octroie un château et la pairie ; elle adresse ses meilleurs vœux aux jeunes mariés. Peachum, se tournant vers le public, commente l'événement : « Malheureusement, dit-il, la réalité est assez différente, comme on sait. Les messagers à cheval arrivent rarement quand les opprimés osent se rebeller. »

■ Cette œuvre au contenu social et politique évident reprend les thèses déjà exposées dans *Mahagonny.* Elle interpelle le public et l'oblige à réfléchir aux injustices de la société. La musique tient à la fois du jazz et du cabaret, du mélodrame lyrique et du chant populaire. Elle n'accompagne pas, mais prend ouvertement parti. Malgré la présence du violoncelle et de la flûte, l'orchestre est essentiellement constitué d'instruments de jazz. L'opéra est divisé en vingt-deux morceaux séparés (et semble donc être un retour en arrière sur le plan formel) ; il s'agit en fait d'un véritable *singspiel* avec des parties parlées et d'autres chantées : ballades, récitatifs, chansons, rythmes de fox-trot, shimmy. La musique rehausse nettement la qualité du texte, qui n'est pas l'un des plus réussis de Brecht. *L'opéra de quat'sous* a suscité beaucoup d'enthousiasme et non moins d'opposition violente. EP

LES PRÉCIEUSES RIDICULES
(Le preziose ridicole)

Opéra en un acte de Felice Lattuada (1882-1962). Livret d'Arturo Rossato (1882-1942), d'après la comédie de Molière. Première représentation : Milan, théâtre de la Scala, 9 février 1929. Interprètes : Mafalda Favero, Ebe Stignani, Ian Kiepura, Salvatore Baccaloni, Faticanti. Direction : Gabriele Santini.

L'INTRIGUE : L'action se passe près de Paris, en 1650. La Grange (ténor) et Croissy (baryton), jeunes gentilshommes amoureux respectivement de Madelon (soprano), fille de Gorgibus, et de Cathos (mezzo-soprano), sa nièce, sont exaspérés par l'attitude des jeunes filles, qui les repoussent dédaigneusement. Madelon et Cathos sont deux sottes vaniteuses, uniquement préoccupées de leur beauté et de divertissements futiles. Pour se venger, La Grange décide de leur envoyer, sous un déguisement, son valet Mascarille (ténor), qui se moquera d'elles et leur donnera une bonne leçon. Entre-temps, Gorgibus (basse), très favorable aux deux prétendants, gronde les jeunes filles pour leur légèreté et menace de les mettre au couvent. Mascarille arrive peu après, en grand équipage, entouré d'une armée de serviteurs. Flattées par toute cette mise en scène, les demoiselles font de leur mieux pour lui plaire, réussissant seulement à se rendre ridicules. A ce moment arrive un autre chevalier, le « Vicomte de Jodelet » (baryton, en réalité le valet de Croissy), qui se fait passer pour un foudre de guerre. Madelon et Cathos, comblées, appellent tout le voisinage et présentent les deux visiteurs comme leurs fiancés. Au beau milieu de la fête, La Grange et Croissy font irruption et démasquent leurs serviteurs, couvrant de honte Madelon et Cathos. Mortifiées, elles vont s'enfermer dans leur chambre après avoir subi les reproches de Gorgibus. Seule la brave Marotte (soprano), servante des précieuses ridicules, sourit de l'aventure.

■ Cet opéra fut un grand succès en Italie. Les œuvres de Lattuada, y compris celle-ci, restent dans la mouvance du vérisme romantique post-verdien, avec cependant des pointes plus modernes dans le traitement des détails, notamment d'ordre descriptif. MSM

SIR JOHN AMOUREUX
(Sir John in love)

Opéra en quatre actes de Ralph Vaughan Williams (1872-1958). Livret du compositeur d'après Les joyeuses commères de Windsor *de William Shakespeare (1564-1616). Première représentation : Londres, Perry Memorial Theater of the Royal College of Music, 21 mars 1929. Direction : Malcolm Sargent.*

■ Énième adaptation des aventures de John Falstaff, l'opéra, en forme de comédie romantique, obtint un honnête succès, mais ne compte pas parmi les meilleurs du compositeur. Il n'était de toute façon pas facile de traiter ce thème après la « leçon » de Verdi. Et Vaughan Williams ne possédait pas, parmi ses nombreuses qualités, le rythme rapide et changeant qui aurait été nécessaire. Falstaff, doté dans l'opéra d'un caractère lyrique, est à mi-chemin entre le goujat et, d'une certaine façon, le héros malheureux. EP

LE JOUEUR
(Igrok)

Opéra en quatre actes de Sergueï Prokofiev (1891-1953). Livret du compositeur, d'après le roman de Dostoïevski. Première représentation : Bruxelles, théâtre de la Monnaie, 29 avril 1929 (avec un texte français). L'opéra, composé en 1915-1916, fut revu en 1927.

L'INTRIGUE : Loin de sa patrie, Alexeï Ivanovitch est devenu précepteur chez un général stupide et incapable. Il tombe amoureux de sa belle-fille, Pauline. La jeune femme demande un jour à Alexeï de jouer à la roulette à sa place. Expérience déterminante : il gagne une somme importante, mais perd tout en tentant de nouveau la fortune. Son retour à la maison est un cauchemar. Deux aventuriers, Blanche et Degrieux, fréquentent le général. Ils attendent qu'il fasse un important héritage d'une vieille tante pour s'en emparer. Or voici qu'arrive la tante en personne, avec l'intention de mettre de l'ordre dans le milieu corrompu des joueurs. Mais elle est elle-même saisie par la passion du jeu et perd toute sa fortune sur le tapis vert. Blanche et Degrieux disparaissent, tandis qu'Alexeï retourne à son vice. Blanche use de toutes sortes de manigances et de tromperies pour le faire devenir un joueur de profession, l'amenant à la ruine. Pauline, amoureuse du jeune homme, tente de le sauver, mais trop tard. Alexeï ne peut plus renoncer à la roulette.

■ Prokofiev composa cet opéra en cinq mois et demi seulement, d'octobre 1915 à mars 1916. En écrivant lui-même le livret, il tenta de rester le plus fidèle possible aux dialogues et à l'esprit de Dostoïevski. Il s'efforça d'autre part de composer pour cet opéra, vivant et dynamique, une partition efficace, qui fut parfois qualifiée de futuriste. Onze ans plus tard, en reprenant le manuscrit du *Joueur*, Prokofiev le trouva trop long et le réduisit. C'est cette version abrégée qui fut représentée pour la première fois à Bruxelles. RB

NOUVELLES DU JOUR
(Neues vom Tage)

Opéra-comique en deux actes et dix tableaux de Paul Hindemith (1895-1963). Livret de Marcellus Schiffer. Première représentation : Berlin, Kroll's Theater, 8 juin 1929. Direction : Otto Klemperer. Première représentation de la nouvelle version en deux actes : Naples, théâtre San Carlo, 7 avril 1954.

Les personnages : Laura (soprano) ; Édouard (baryton) ; le baron d'Houdoux, président de l'agence Univers (basse) ; Madame Pick, employée de l'agence (contralto) ; Monsieur Hermann, employé du baron (ténor) ; deux couples mécontents : Elli (soprano), Ali (ténor), Olli (contralto), Uli (basse) ; un guide (basse) ; un directeur d'hôtel (basse) ; le majordome (baryton) ; la femme de chambre (soprano) ; l'employé de l'état civil. Chœur.

L'intrigue :
Acte I. Un salon, dans la maison d'Édouard et Laura. A peine rentrés de voyage de noces, un banal incident fait éclater une furieuse dispute entre Édouard et Laura, au point qu'ils décident de divorcer. Madame Pick arrive à l'improviste ; elle est d'accord avec la décision des deux époux. Un bureau de l'état civil. Les problèmes de paperasserie sont tels qu'ils décident de suivre les conseils de Elli et Ali, et Olli et Uli, qui ont rapidement divorcé et peuvent maintenant se remarier en inversant les couples. Édouard et Laura se rendent à l'agence Univers. Les bureaux de l'agence. Les dactylos sont toutes amoureuses du bel Hermann. C'est lui qui a été choisi par le baron (président de l'agence), pour résoudre les problèmes d'Édouard et de sa femme. Un musée. Une salle avec une statue de Vénus. Laura et Hermann ont rendez-vous pour feindre une scène d'amour, afin de faciliter le divorce. Édouard entre et trouve que le jeune homme joue son rôle avec trop de zèle. Pour l'interrompre, il jette la statue par terre. Une salle de bain dans un hôtel. Laura, qui vit désormais à l'hôtel, loin de son mari, vient prendre un bain. Elle trouve Hermann qui l'attend, et en est

scandalisée. Madame Pick photographie la scène, et appelle des témoins. Laura pleure, embarrassée. Le baron arrive, et licencie le trop zélé Hermann. Tous s'en vont, et Laura peut prendre son bain tranquillement.

Acte II. A droite, la chambre d'hôtel de Laura. A gauche : la prison dans laquelle Édouard est enfermé pour son acte de vandalisme. Ils regrettent tous deux ce qui s'est passé et, à la fin, la jeune femme va embrasser son mari dans sa cellule. Le baron pense profiter de la situation : ils vont raconter leur aventure dans son théâtre. Les bureaux de l'agence Univers. Hermann, découragé, a fini par accepter de prendre en charge les deux couples habituels de mécontents, qui veulent à nouveau divorcer. Puis ils vont tous voir le spectacle. La loge de Laura et Édouard. Une nouvelle dispute éclate tandis qu'ils se préparent. Ils se dirigent pourtant vers la scène. La salle du théâtre Univers. Les deux époux répètent leur dispute devant les spectateurs en se parodiant eux-mêmes. Le contrat prend fin. Laura et Édouard, seuls et tranquilles, ne veulent plus jouer. Le baron devra chercher un nouvel Édouard et une nouvelle Laura. Des réclames et des journaux lumineux s'allument : les présents lisent à haute voix les *Nouvelles du jour*.

■ Cet opéra est une satire de la vie quotidienne dans l'esprit de Weill *(Dreigroschenoper)* et de Schönberg *(Von Heute auf Morgen)*. La musique de *Neues vom Tage* est une synthèse réussie entre thèmes de jazz et néo-classicisme ; cependant, l'adoption du *Musikoper* (discordance entre la musique et l'action) limite l'intelligibilité et l'homogénéité de l'opéra. Celui-ci fut composé peu après *Cardillac*, dont le style est encore très sensible, même si Hindemith exprime avec moins de détermination dans le langage musical ses convictions théoriques. La musique est en quelque sorte juxtaposée aux paroles de façon purement ornementale, sans aucun rapport avec elles, surtout dans certains passages lyriques, pour souligner que la beauté est indépendante de l'émotion. Quand ce procédé n'est pas employé exagérément, il en naît des pages intenses et, malgré les intentions de l'auteur, passionnées. LB

LE NEZ
(Nos)

Opéra en trois actes de Dimitri Chostakovitch (1906-1975). Livret de J. Preis d'après la nouvelle de Nikolaï Gogol. Première représentation : Leningrad, Petit Théâtre, 12 janvier 1930.

L'INTRIGUE : Le fonctionnaire Kovalev, en se réveillant un matin, a la mauvaise surprise de constater que son nez a disparu. Tandis que le malheureux se désespère, son barbier, en déjeunant, découvre avec stupéfaction dans son pain le nez fugitif. Effrayé, il va jeter l'objet compromettant dans la Néva pour s'en débarrasser. Kovalev, pendant ce temps, s'est mis à la recherche de son nez. Il le rencontre dans la rue, habillé en haut fonctionnaire, mais le perd vite de vue. La police elle-même s'intéresse à ce nez impertinent. Des avis de recherches sont publiés dans les journaux, mais en vain. Finalement, un beau jour, on le rapporte à son propriétaire. On appelle d'urgence un chirurgien mais l'opération s'avère compliquée. Kovalev désespère de revoir jamais son nez à la bonne place. Un matin toutefois, de façon aussi inattendue que lors de sa disparition, le nez revient de lui-même à sa place.

■ L'œuvre drôle et satirique de Gogol regorgeait déjà de petits épisodes séparés et de coups de théâtre. Une fois condensé, le livret contenait encore près de soixante-dix personnages ! Ce qui explique que l'auteur n'ait pas réussi à leur donner un caractère musical suffisamment marqué. *Le nez*, composé entre 1927 et 1928, alors que Chostakovitch avait à peine vingt et un ans, est indiscutablement une œuvre de jeunesse. Le compositeur l'a écrite dans un élan immédiat, presque comme une plaisanterie musicale, et la recherche de la caricature y est peut-être excessive. RB

D'AUJOURD'HUI A DEMAIN (Von Heute auf Morgen)

Opéra en un acte d'Arnold Schönberg (1874-1951). Livret de Max Blonda (pseudonyme de Gertrud Kolisch-Schönberg). Première représentation : Francfort, Städtische Bühnen, 1er février 1930.

LES PERSONNAGES : Mari (baryton) ; femme (soprano) ; amie (soprano) ; chanteur (ténor) ; enfant (rôle récité).

L'INTRIGUE : Mari et femme rentrent après une soirée. L'homme, qui a encore présente à l'esprit l'image fascinante de l'amie de sa femme, laisse vagabonder son imagination et répond avec une certaine irritation aux sollicitudes de sa femme. Elle s'occupe de l'enfant et dit à son mari de se coucher et de se reposer, lui rappelant qu'il doit travailler le lendemain. Il ramène obstinément la conversation à l'amie, dont il vante l'esprit, le charme, la modernité. En lui-même, il compare le prosaïque des étreintes conjugales à l'ivresse coupable que lui procurerait un seul baiser de ces lèvres. Sa femme lui fait remarquer sèchement qu'il n'est pas difficile de garder tout son charme quand on n'a pas à s'occuper d'un mari, des enfants, du ménage et de la cuisine. En tout cas, elle-même ne doit pas être si insignifiante, puisque le chanteur, vedette de la soirée, est resté assis à côté d'elle en la regardant avec des yeux brillants et en lui disant des choses pleines d'esprit et de galanterie. La femme reproche à son mari de se laisser impressionner par n'importe quelle créature un peu à la mode. Le mari trouve absurde toute comparaison entre l'amie — une vraie femme du monde — et sa femme — une parfaite maîtresse de maison. Chacun accuse l'autre de le décourager, de le déprécier, de l'enchaîner à la routine domestique. La femme, sans rien dire à son mari, opère une transformation de sa personne : elle change de coiffure, de robe, de maquillage et apparaît soudain dans un négligé savant. Le mari redécouvre alors son charme et sa beauté, lui fait la cour, se montre jaloux du chanteur trop galant. Mais à présent, c'est elle qui ne lui prête plus attention. Elle veut danser, boire, s'amuser ; elle lui parle de ses admirateurs, de ses toilettes. Dans son excitation (feinte), elle réveille l'enfant mais refuse de s'en occuper et le mari est obligé de le calmer et de lui préparer à manger. Il devra aussi penser à payer la note du gaz. Le téléphone sonne : c'est le chanteur qui est avec l'amie dans une boîte de nuit et demande à la femme de les rejoindre. Le mari est au comble du chagrin et de la jalousie. Il craint tout à coup qu'un caprice d'un jour lui ait fait perdre la femme de sa vie. Sa femme se change à nouveau et revient, habillée comme avant : elle est redevenue la tranquille et efficace maîtresse de maison. Le chanteur et l'amie arrivent à ce moment, mais leur charme et leurs mots d'esprit n'ont plus de prise sur la nouvelle entente qui s'est établie entre mari et femme. Déçus, ils s'en vont en déclarant qu'ils s'attendaient à trouver un couple moderne et libéré. Leur principale motivation est la mode, conclut le mari, alors que la nôtre est l'amour. L'opéra s'achève sur un mot d'enfant : « Maman, c'est quoi les hommes modernes ? »

■ Le choix d'un opéra-comique (le texte ayant été écrit, sous un pseudonyme, par la femme de Schönberg) a été expliqué par l'influence du climat culturel berlinois des années vingt. Toutefois, *Von Heute auf Morgen*, qui occupa Schönberg entre 1928 et 1929, présente une certaine cohérence avec les autres œuvres du compositeur. Au-delà de l'aimable ironie sur la modernité, le thème de l'opéra est en fait le rapport entre la substance et les apparences, entre l'intérieur et l'extérieur, problème qui se trouve au centre d'œuvres aussi importantes que *Moïse et Aaron.* La partition, d'une grande richesse, qui contient des pastiches de genres musicaux populaires comme les valses et le jazz, et d'habiles citations wagnériennes, applique complètement la technique dodécaphonique. C'est un exemple de l'attitude plus conciliante de Schönberg envers le public à l'époque de sa pleine maturité, mais l'opéra n'eut cependant pas grand succès et n'est presque jamais joué. RB

GRANDEUR ET DÉCADENCE DE LA VILLE DE MAHAGONNY
(Aufstieg und Fall der Stadt Mahagonny)

Opéra en trois actes de Kurt Weill (1900-1950). Texte de Bertolt Brecht (1898-1956). Première représentation : Leipzig, Neues Theater, 9 mars 1930.

LES PERSONNAGES : Leokadia (mezzo-soprano) ; Jim (ténor) ; Jenny (soprano) ; Trinity Moses (baryton) ; Fatty (ténor) ; Joe (basse) ; Begbick (baryton) ; Bill (baryton) ; Jack (ténor).

L'INTRIGUE :
Acte I. Leokadia, Begbick, Fatty et Trinity Moses sont poursuivis par la police pour banqueroute frauduleuse. Ils partent pour la Côte-de-l'Or Coast, dans un vieux camion, espérant y faire fortune.

Mais leur véhicule tombe en panne en plein désert. Ils se demandent s'il faut continuer à pied lorsque Leokadia propose de s'installer sur place et de construire une nouvelle ville. Et c'est ainsi que naît Mahagonny, le paradis des chercheurs d'or. Jenny et six autres filles arrivent bientôt pour la distraction des citoyens. Fatty et Trinity Moses sont chargés de faire de la publicité pour Mahagonny. Les gens commencent immédiatement à affluer. Parmi les arrivants se trouvent quatre amis, Bill, Jack, Joe et Jim, qui ont gagné beaucoup d'argent en Alaska en travaillant dur comme bûcherons. Leokadia leur propose les filles et Jim choisit Jenny. Mais Mahagonny, la ville de l'or, connaît sa première crise. Leokadia songe déjà à faire ses valises lorsque Fatty lui rappelle qu'ils sont toujours recherchés et que la police se rapproche dangereusement. Leokadia est obligée de rester. Pendant ce temps, Jim se montre de plus en plus agacé par toutes les interdictions qui régissent la vie à Mahagonny. La menace d'un violent ouragan crée la panique dans la ville. Jim en profite pour dicter sa volonté : désormais, tout sera permis à Mahagonny.
Acte II. Tout le monde attend la catastrophe dans l'angoisse lorsque, brusquement, le vent tourne et le danger s'éloigne. Mais les lois de Jim restent en vigueur, et les gens de la ville laissent éclater leur joie (au point que Jack manque mourir d'indigestion). On annonce un grand match de boxe, Joe contre Trinity Moses. Jim est le seul à parier sur son ami mais il perd et se retrouve sans un sou. La ville a sombré dans la débauche la plus effrénée et Jim, qui s'est mis à boire, ne peut pas payer ses dettes et est jeté en prison. Jenny le quitte.
Acte III. Le procès de Jim est en cours. Le juge, tout disposé à se laisser corrompre, est Leokadia elle-même. Trinity Moses est le procureur, tandis que la défense est assurée par Fatty. Le chef d'accusation est le plus grave qui soit à Mahagonny : l'accusé n'a pas payé l'addition ! Mais s'y ajoute toute une série de circonstances aggravantes : Jim a séduit la prostituée Jenny, a troublé la tranquillité publique et a causé la mort de son ami Joe en le poussant à se battre avec Trinity Moses. On l'amène à la chaise électrique et il invite tout le monde à réfléchir sur ce qui s'est passé à Mahagonny. Un incendie éclate et les gens courent en tous sens, comme fous, portant des pancartes contradictoires. En attendant la destruction finale, ils chantent ensemble l'histoire de la mort de Jim et de la mort de Mahagonny.

■ Une première version de *Mahagonny*, sous forme de *singspiel* en un acte, avait été jouée à Baden-Baden en 1927. Puis Brecht et Weill décidèrent de développer l'opéra. A la première de Leipzig, ce fut un tollé général : la public trouva la morale de l'histoire totalement subversive. De fait, les représentations furent régulièrement perturbées par les nazis. Lors de leur arrivée au pouvoir, l'œuvre fut interdite et, en 1938, toutes les partitions en furent détruites, y compris, après l'Anschluss, celle conservée à Vienne. Seul l'original fut sauvé, et ne fut retrouvé qu'après la guerre.
EP

NOUS CONSTRUISONS UNE VILLE
(Wir bauen eine Stadt)

Opéra pour enfants en un acte de Paul Hindemith (1895-1963). Texte de Robert Seitz (1930).

L'INTRIGUE : Un groupe d'enfants construit une ville qui devra être « la plus belle de toutes ». Ils se mettent au travail tous ensemble, avec ferveur, car si chacun y met du sien, la ville sera prête plus vite. Chaque enfant apporte sa propre contribution, ses propres outils, transporte la terre et les cailloux. Des quatre coins du monde, les gens viennent habiter la ville : un forgeron, un dentiste, un boulanger, Monsieur Fränkl avec son chien, Madame Mayer avec son perroquet, et bien d'autres « dont on ne connaît pas le nom ». « Et vous, qu'est-ce que vous ferez dans la ville ? » demande le maître. Et les enfants se mettent à jouer au marchand, au contrôleur de billets, à se rendre visite. La nuit tombe, les enfants s'endorment ; des voleurs arrivent mais ils sont arrêtés par le policier. La ville est bien organisée, le trafic contrôlé. Même le maire et les conseillers municipaux sont des enfants « car les adultes n'ont rien à dire ».

■ Ce petit opéra pour enfants a été conçu par Hindemith dans l'esprit de la *Gebrauchtmusik* (musique d'usage), c'est-à-dire une musique à la disposition de tous, permettant même la participation du public. L'auteur a voulu que la musique puisse être jouée librement par des enfants, comme moyen d'éducation musicale. Suivant les nécessités, on peut y ajouter des morceaux chantés ou instrumentaux, ou des danses. Composé en 1930, l'opéra reflète bien la conviction de l'époque selon laquelle la civilisation des machines permettrait l'avènement d'un monde meilleur, fondé sur la raison et la technique. RM

SOUVENIRS DE LA MAISON DES MORTS
(Z mrtvého domu)

Opéra en trois actes de Leóš Janáček (1854-1928). Livret du compositeur d'après le roman de Dostoïevski. Première représentation : Brno, 12 avril 1930.

L'INTRIGUE :
Acte I. La cour d'une prison, en Sibérie, au bord du fleuve Irtych. Par une aube glaciale d'hiver, les détenus sortent de leurs cellules. Le prisonnier politique Alexandre Petrovitch Gorianchikov (baryton) irrite le commandant par son aspect et ses manières ; il lui inflige une punition. Pendant ce temps, les gardes emmènent les forçats au travail. Certains se racontent leur vie et entonnent des chants populaires. Gorianchikov, qui a été battu, décide de s'évader, mais sa tentative échoue. Il est capturé et se laisse entraîner par les gardes.
Acte II. La prisonniers sont au travail sur les rives de l'Irtych. Gorianchikov apprend à lire à Aliéïa, un jeune Tartare, devenu son ami. C'est le jour de Pâques. Après le travail, les forçats font du théâtre ; ils jouent des pièces, *Kedril* et *Don Juan*, suivies d'une pantomime, *La belle meunière*. Puis la morne vie du camp re-

prend son cours. Aliéïa est blessé par un prisonnier.
Acte III. L'infirmerie de la prison. Gorianchikov rend visite à Aliéïa. Un autre prisonnier, Chapkine, raconte comment il a été arrêté par un stratagème et son voisin, Chichkov, qu'il a tué sa femme dans une crise de jalousie. Il reconnaît son ancien rival dans un malade qui vient de mourir. Le commandant fait appeler Gorianchikov et lui annonce qu'il est libéré. Il dit adieu avec émotion à Aliéïa et s'en va, tandis que les prisonniers laissent s'envoler un aigle qu'ils avaient recueilli, symbole de la liberté imprescriptible de l'esprit humain.

■ Le livret était écrit, à l'origine, dans un mélange de tchèque, de russe et d'autres langues slaves. Il fut ensuite traduit en tchèque par le metteur en scène O. Zitek. C'est le dernier opéra de Janáček, composé entre 1927 et 1928, et qui ne fut créé qu'après sa mort, complété par O. Zitek (texte) et B. Bakala (musique). Les *Souvenirs de la maison des morts,* où la foule des prisonniers est vraiment au centre de l'histoire, représente le sommet de l'art dramatique de Janáček, exprimé avec toute la véhémence de son langage expressionniste. AB

CHRISTOPHE COLOMB

Opéra en deux parties et vingt-sept tableaux de Darius Milhaud (1892-1974). Livret de Paul Claudel (1868-1955). Première exécution : Berlin, Staatsoper, 5 mai 1930 (texte allemand de R. F. Hoffmann).

Les personnages : Christophe Colomb (baryton) ; le présentateur (acteur) ; Christophe Colomb II (baryton) ; l'ombre de Christophe Colomb (basse) ; Isabelle (soprano) ; le roi d'Espagne (basse) ; la femme de Colomb (soprano) ; la mère de Colomb (mezzo-soprano) ; le majordome (ténor) ; le maître de cérémonie (ténor) ; le cuisinier (ténor) ; le messager (baryton) ; le commandant (basse) ; un officier (baryton) ; le délégué des marins (ténor) ; le procureur (ténor) ; les défenseurs (baryton, ténor, basse) ; l'officier enrôleur (ténor) ; le receveur (baryton) ; le bourreau (baryton) ; une voix de la hune (ténor) ; les trois guitaristes (ténor, baryton, basse) ; les trois créanciers (ténor, baryton, basse) ; les trois sages (ténor, baryton, basse) ; un des savants (baryton) ; le patron de l'auberge (basse) ; le garçon d'auberge (ténor) ; quatre officiers (deux basses, ténor, baryton) ; trois divinités (ténor, baryton, basse) ; la duchesse de Medina Sidonia (soprano) ; le sultan Mirandolin (ténor). Chœur.

L'intrigue : L'action se déroule entre le milieu du xve siècle et les premières années du xvie.
Première partie. Le présentateur commence à lire la vie de Christophe Colomb ; le chœur commente ; sur un écran apparaît une auberge de Valladolid, où Christophe Colomb, vieux et pauvre, arrive juché sur sa mule. Sur la scène se déroule une sorte de procès de la découverte de l'Amérique. Le procureur et les défenseurs exposent leurs arguments. Quatre dames représentant l'Envie, l'Ignorance, la Vanité et l'Avarice, mènent quatre quadrilles de danseurs qui sont

dispersés par un vol de colombes. Sur l'écran apparaît Isabelle de Castille enfant, dans son jardin, entourée de demoiselles de compagnie ; le sultan Mirandolin lui offre une colombe ; elle passe sa bague à la patte de l'oiseau et lui rend la liberté. Maintenant, Colomb est jeune, à Gênes, et rêve des voyages de Marco Polo ; une voix lui souffle de se tourner vers la mer. Le présentateur poursuit son récit. Colomb est arrivé aux Açores. On voit, sur l'écran, Christophe Colomb à Lisbonne : il s'est marié et fait du commerce, mais n'a pas renoncé à son rêve. Il expose son projet au roi ; un savant et un sage réfutent ses affirmations : la Terre n'est pas ronde et l'on ne peut chercher l'Orient vers l'ouest. Isabelle est dans son oratoire. Sur l'écran défilent les épisodes glorieux de son règne. La reine reçoit Colomb. Dans le port de Cadix, la *Pinta*, la *Niña* et la *Santa Maria* s'apprêtent à larguer les amarres. Le présentateur décrit les démons de l'Amérique précolombienne qui se déchaînent, sentant venir la fin de leur domination. Colomb navigue et l'équipage se rebelle ; le commandant demande encore trois jours avant de rebrousser chemin ; une colombe apparaît et l'on distingue la terre dans le lointain.

Deuxième partie. Le présentateur reprend sa narration. Colomb est accueilli triomphalement en Espagne, mais le roi et ses conseillers se méfient de lui ; ils demandent l'avis de trois sages qui répondent que lorsque le serviteur fait parler de lui plus que le maître, il est temps de s'en débarrasser. Colomb est enchaîné à fond de cale sur un navire ; une violente tempête éclate et le capitaine demande l'aide de Christophe Colomb. Celui-ci prononce les paroles qui calment les éléments, mais il empiète ainsi sur le pouvoir des divinités. La scène s'obscurcit. Colomb est au centre de sa propre conscience. Sur l'écran se succèdent des images terribles : des tribus entières d'Indiens exterminées, des esclaves noirs enchaînés, des marins qui demandent raison pour leur vie sacrifiée, la mère et l'épouse de Colomb abandonnées, l'*alter ego* de Colomb qui lui reproche de n'avoir pas achevé la mission que Dieu lui avait confiée. Le présentateur reprend : Colomb est en Espagne. Un messager lui annonce qu'Isabelle est guérie ; elle souhaite qu'il oublie ses souffrances passées et reçoive enfin la récompense de ses exploits. Puis, le cortège funèbre de la reine traverse la scène. Sur l'écran réapparaissent Isabelle enfant, le jardin, les demoiselles d'honneur, Mirandolin, baignant dans une lumière argentée. Isabelle pense à la colombe qui n'est jamais revenue, et fait appeler son ami Colomb. Colomb n'est ni dans un palais ni dans les riches demeures des puissants ; il est dans la misérable auberge de Valladolid et envoie en présent à la reine sa vieille mule, tout ce qui lui reste. Avec l'animal splendidement harnaché, la reine entrera au Royaume des Cieux, foulant un immense tapis représentant l'Amérique. Au fond, tourne le globe terrestre, d'où s'échappe une colombe.

■ C'est le premier opéra de la trilogie sud-américaine dont font également partie *Maximilien*

(1932) et *Bolivar* (1950). Il s'agit d'une allégorie religieuse qui s'exprime en une succession de scènes sans liens dans le temps ou l'espace ; la musique est écrite sur plusieurs plans tonaux pour mieux refléter la contemporanéité des événements. Le musicien a fait appel à des auxiliaires scéniques : le présentateur, la projection cinématographique, le chœur. C'est certainement la plus importante de ses œuvres *chorales*. « Dans *Christophe Colomb*, écrit Paul Collaer, il y a tout Milhaud. C'est la synthèse de tout ce qu'il a élaboré précédemment et de toute la sensibilité exprimée dans ses autres drames. *Christophe Colomb* représente une somme musicale. » SC

CELUI QUI DIT OUI
(Der Jasager)

Opéra didactique en deux actes de Kurt Weill (1900-1950). Livret de Bertolt Brecht (1898-1956), tiré du nô *japonais* Taniko, *du* XV*e siècle. Première représentation : Berlin, 24 juin 1930.*

LES PERSONNAGES : Le garçon, la mère veuve, le maître d'école, trois étudiants.

L'INTRIGUE : « Pour étudier, dit l'exorde, la chose la plus importante de toutes est l'accord. Beaucoup disent oui sans savoir ce qu'ils disent. A beaucoup d'autres, on ne demande pas leur avis. Et beaucoup sont d'accord avec des choses fausses. »
Acte I. Le garçon manque l'école. Le maître passe chez lui pour en savoir la raison. Dans le même temps, il prépare une expédition pour traverser une chaîne de montagnes et rencontrer un savant. Arrivé à la maison du garçon, il apprend que celui-ci ne va pas à l'école parce que sa mère est malade. Celle-ci promet de se soigner, mais veut que son fils parte avec le maître, qui refuse en raison du danger. Le garçon insiste : il pourra trouver auprès du sage les remèdes pour soigner sa mère.
Acte II. Le garçon, le maître et trois étudiants plus âgés sont en chemin. Le garçon ne se sent pas bien. Or, selon la tradition, celui qui ne peut pas achever ce voyage doit être précipité dans la vallée. Devront-ils tous faire demi-tour, ou le jeune garçon se soumettra-t-il à son destin ? Le garçon dit oui, à condition que le maître rapporte les médicaments à sa mère. Il accomplit ainsi son devoir envers la communauté.

■ « Un opéra écrit pour les écoles ne doit pas être seulement un ouvrage musical, mais aussi intellectuel et moral », avait estimé Kurt Weill. Et c'est justement la morale de l'histoire, dirigée contre la discipline prussienne, qui déchaîna les critiques et le public contre cet opéra, d'autant plus que son but affiché était didactique. Dans un autre finale prévu, l'enfant disait non, mais cette version ne fut jamais mise en musique. Weill avait déjà écrit pour les jeunes *Zaubernacht* (1921) et *Recordare* (1924) et, avec Hindemith, la cantate *Der Lindbergflug* (1929). L'opéra devait être créé au Festival de Baden-Baden mais, à cause de divergences entre Bertolt Brecht et le comité organisateur, il fut retiré du programme. Son objectif était triple : éducation des jeunes compositeurs, des jeunes interprètes et enseignement proprement dit. Albert Einstein fut parmi les admirateurs de *Der Jasager*. En revanche l'opéra fit l'objet de violentes attaques des nazis qui troublèrent plusieurs fois la représentation. La première eut lieu à l'Académie prussienne de musique d'église et de synagogue, sous la direction — à la demande expresse de Weill — de l'étudiant Kurt Drabeck. EP

LA VEUVE RUSÉE
(La vedova scaltra)

Comédie lyrique en trois actes d'Ermanno Wolf-Ferrari (1876-1948). Livret de Mario Ghisalberti (né en 1902) d'après la comédie de Carlo Goldoni (1707-1793). Première représentation : Rome, Opéra, 5 mars 1931.

LES PERSONNAGES : Rosaura, la veuve (soprano) ; milord Rubenif (basse) ; Monsieur Le Bleau (ténor) ; Don Alvaro (basse) ; le comte de Bosconero (ténor) ; Marionette (soprano) ; Arlequin (baryton) ; Folletto (ténor) ; Birif (basse).

L'INTRIGUE : Venise, au XVIIIe siècle. Il s'agit en premier lieu d'une description des caractères nationaux des quatre gentilshommes qui se disputent l'amour de la jolie veuve Rosaura. Celle-ci joue les prétendants l'un contre l'autre au mieux de ses intérêts (imitée en cela par le valet Arlequin), mais ne peut se décider. Finalement, elle déclare qu'elle accordera sa main à celui qui se montrera le plus constant. Pour les mettre à l'épreuve, elle se présente sous un déguisement et se laisse facilement courtiser. Elle obtient ainsi des « gages d'amour » du gentilhomme français, du fougueux Espagnol, et même de l'Anglais compassé. Seul le comte de Bosconero repousse ses avances : il est amoureux de Rosaura et entend lui rester fidèle. La veuve peut ainsi choisir entre les soupirants : elle restitue aux trois premiers les gages obtenus par son stratagème et promet sa main à l'Italien.

■ Le sujet, savoureux et léger, se prêtait particulièrement bien à l'esprit raffiné de Wolf-Ferrari. Il composa donc quelques très bons passages, qui sont souvent joués séparément. EP

TOURNOI NOCTURNE
(Torneo notturno)

Sept nocturnes pour la scène de Gian Francesco Malipiero (1882-1973). Livret du compositeur. Première représentation : Munich, Nationaltheater, 15 mai 1931. Interprètes : J. Bölzer, H. Rehkemper, A. Gerzer, J. Tornau, E. Feuge, W. Härtl, G. Langer, C. Sendel, H. Fichtmüller, A. Wagenpfeil, J. Betetto. Direction : K. Elmendorff.

LES PERSONNAGES : Madonna Aurora (rôle muet) ; trois amoureux (ténor, baryton et basse) ; le Désespéré (ténor) ; l'Insouciant (baryton) ; la mère (mezzo-soprano) ; la fille (soprano) ; deux jeunes femmes (rôles muets) ; l'aubergiste (baryton) ; une courtisane (soprano) ; le bouffon (baryton) ; le trompette, le fifre, les tambours (ténors) ; divers rôles muets.

L'INTRIGUE : L'opéra est composé de sept scènes appelées *Nocturnes,* chacune ayant son propre titre. A travers ces brefs tableaux, on assiste à la lutte perpétuelle entre le Désespéré, triste et voué à l'échec, et l'Insouciant, qui jouit sans scrupules des bons moments de la vie.
Premier nocturne : *La sérénade.* La belle Aurora écoute la joyeuse chanson de l'Insouciant et, charmée, s'abandonne entre ses bras. Dans un sursaut de honte, elle s'enfuit ; l'Insouciant essaie de la retenir et, après une brève lutte, la jeune fille tombe à terre, sans vie. Le Désespéré, qui avait vainement tenté de la défendre, se jette, malheureux et impuissant, sur son corps.
Deuxième nocturne : *La tourmente.* Pendant une tempête, l'Insouciant séduit une jeune ingénue et la persuade de quitter sa vieille mère pour partir avec lui. Le Désespéré assiste, désarmé, à cette mauvaise action.
Troisième nocturne : *La forêt.* Le Désespéré retrouve dans la forêt la jeune fille séduite par l'Insouciant et cherche inutilement à l'arracher au charme de l'homme qui l'entraîne avec lui.
Quatrième nocturne : *La taverne du bon temps.* Dans une taverne, deux courtisanes tentent de consoler le Désespéré. Mais l'Insouciant arrive et captive les deux femmes par ses chansons. Dans un sursaut de révolte, le Désespéré se jette sur lui, mais l'Insouciant l'envoie rouler à terre dans l'hilarité générale.
Cinquième nocturne : *Le foyer éteint.* Le Désespéré se réfugie dans sa maison, sombre et désolée. Il trouve sa propre sœur, séduite par l'Insouciant, qui s'accroche à lui pour le retenir ; mais l'autre la repousse et s'en va en lui jetant quelques pièces.
Sixième nocturne : *Le château de l'ennui.* Le jongleur et le bouffon font de leur mieux pour divertir le vieux châtelain et sa femme, qui s'ennuient à mourir. Arrive l'Insouciant qui met tout de suite de l'animation et conquiert la châtelaine. Le Désespéré l'agresse mais est retenu par des serviteurs et jeté en prison.
Septième nocturne : *La prison.* L'Insouciant rejoint le Désespéré dans sa prison, coupable d'avoir séduit la châtelaine. Profitant de l'obscurité, le Désespéré le tue. Peu après, la châtelaine arrive pour délivrer son amant, mais le Désespéré, par un stratagème, l'enferme dans la cellule et prend la fuite. Le Narrateur se présente alors au public et explique que ni la mort de son rival ni sa liberté retrouvée n'ont apaisé l'âme du Désespéré : les hommes sont dominés par des passions que rien ne peut guérir.

■ *Torneo notturno* est le chef-d'œuvre de Malipiero. L'œuvre reste dans la ligne des *Sette canzoni* (deuxième partie de la trilogie *L'Orfeide*) : abolition presque totale du récitatif et insertion de chansons. L'opéra, unique dans son essence et sa perfection formelle, est le sommet de l'art théâtral du compositeur. MSM

AMPHION

Mélodrame en un acte d'Arthur Honegger (1892-1955). Texte de Paul Valéry (1871-1945). Pre-

mière représentation : Paris, Opéra, 23 juin 1931.

L'INTRIGUE : Amphion, fils de Jupiter et Antiope, est aimé des dieux, en particulier d'Apollon, qui lui donne sa lyre. Amphion touche d'abord trop brutalement les cordes divines puis, la deuxième fois, en fait jaillir une musique si belle que les pierres, comme par enchantement, viennent d'elles-mêmes se ranger en constructions harmonieuses. C'est ainsi, selon la légende, que naquit l'architecture.

■ Le texte est un ouvrage original de Paul Valéry qui, en 1932, expliqua dans une conférence sur l'opéra qu'il avait voulu créer une œuvre dans laquelle littérature et musique seraient indissolublement liées. Il avait volontairement évité le mélange chaotique de danses, de mimes, de chants et de morceaux symphoniques qui aurait détruit l'unité dramatique. Il affirma avoir trouvé en Honegger un collaborateur de grande valeur. En effet, la musique de Honegger s'adapte parfaitement à l'austérité classique du texte, qu'elle exprime dans un langage moderne avec un équilibre rarement atteint dans ses autres opéras. Amphion n'eut cependant pas grand succès et n'est toujours pas inscrit aujourd'hui au répertoire courant. GP

LE FAVORI DU ROI
(Il favorito del re)

Burlesque en trois actes d'Antonio Veretti. Livret d'Arturo Rossato (1882-1942). Première représentation : Milan, théâtre de la Scala, 17 mars 1932. Interprètes : P. Tassinari, M. Falliani, Menescaldi, U. Di Lelio. Direction : Franco Ghione.

LES PERSONNAGES : Argirolfo (ténor) ; Lalla (soprano) ; le roi (basse) ; la reine (mezzo-soprano) ; Gabriele (soprano) ; Anastasia (soprano) ; Dolly (soprano) ; Geltrude (mezzo-soprano) ; la meneuse de jeu (mezzo-soprano) ; la couturière (soprano) ; le boucher (baryton) ; le marchand de vin (basse) ; le bijoutier (ténor) ; le ministre du Trésor (ténor) ; le ministre de l'Instruction (baryton) ; un serviteur (ténor) ; le meneur de jeu (basse).

L'INTRIGUE : Un royaume et une époque imaginaires. Tandis que le favori du roi, Argirolfo, festoie joyeusement, une file de créanciers se présentent chez lui. Les invités s'esquivent et les créanciers impayés emportent la moitié du mobilier. Le favori et sa femme Lalla inventent un stratagème : chacun va voir un des souverains en lui annonçant la mort de son conjoint et en demandant de l'argent pour les obsèques. Dans l'embrouillamini ainsi créé, le roi et la reine se disputent, et finalement, Argirolfo et Lalla doivent tous deux se faire passer pour morts. Le roi offre alors mille dinars à qui saura lui dire lequel est mort le premier. Argirolfo « ressuscite » miraculeusement et explique toute l'affaire. Le roi accorde son pardon.

■ L'intrigue, identique à celle d'*Abu Hassan* de Weber, est tirée des *Mille et une nuits*. Veretti composa cet opéra sous l'influence encore très nette de Pizzetti qui caractérise ses œuvres de jeunesse, mais avec certains éléments musicaux résolument modernes. EP

LA FEMME SERPENT
(La donna serpente)

Opéra conte de fées en un prologue et trois actes d'Alfredo Casella (1883-1947). Livret de C. Lodovici, d'après le conte de C. Gozzi (1762). Première représentation : Rome, Opéra, 17 mars 1932. Interprètes : Laura Pasini, Antonio Melandri, Giovanni Inghilleri. Direction : Alfredo Casella.

Les personnages : Altidor, roi de Tiflis (ténor) ; Miranda, fée, reine d'Eldorado, son épouse (soprano) ; Armilla, sœur d'Altidor, guerrière, épouse de Togrul (soprano) ; Farzana, fée (soprano) ; Canzade, amazone (mezzo-soprano) ; Alditruf, archer d'Altidor (masque, ténor) ; Albrigor, valet de Togrul (masque, baryton) ; Pantul, précepteur d'Altidor (masque, baryton) ; Tartagil, ministre de Togrul (masque, ténor) ; Togrul, ministre fidèle (basse) ; Demogorgon, roi des fées (baryton) ; la petite fée Smeraldina (soprano) ; Badur, ministre traître (baryton) ; deux messagers (ténor et baryton) ; le coryphée (baryton) ; voix du mage Geonca (basse) ; chœur : fées, esprits, gnomes, soldats, peuple, nourrices.

L'intrigue : Dans le Caucase, au temps des fées.
Prologue. Le jardin des fées. Une grande agitation règne au royaume des fées, car Miranda, fille chérie du roi Demogorgon, a demandé à descendre parmi les humains pour épouser le roi Altidor. Demogorgon ne peut pas la retenir, car Miranda a deux alliés puissants, le magicien Geonca et le grand prêtre Checsaia, mais il lui impose certaines conditions. Miranda devra vivre neuf ans et un jour auprès de son mari sans jamais lui révéler sa véritable identité. Après ce délai, Altidor devra jurer de ne jamais la maudire, quoi qu'il arrive. Miranda devra le mettre à l'épreuve en commettant des actions épouvantables ; s'il résiste, Miranda deviendra mortelle et pourra rester avec lui ; s'il ne sait pas tenir sa promesse, elle sera transformée en serpent et demeurera sous cette forme pendant deux cents ans, avant de regagner le royaume des fées. Miranda accepte le marché et s'en va.
Acte I. Un désert rocailleux. Après neuf ans et un jour de bonheur couronné par la naissance de deux enfants, Altidor apprend la véritable identité de Miranda. Le palais, la reine et les enfants disparaissent alors. Altidor les cherche désespérément dans le désert, accompagné par son vieux tuteur Pantul. Tous le supplient de retourner dans son pays, Tiflis, menacé par une invasion tartare. On essaie même de lui faire croire que sa femme est une méchante magicienne, mais en vain. Pantul, fatigué, s'endort. Alors, le désert se transforme en un beau jardin. Miranda apparaît et annonce à Altidor que, pour qu'ils soient à nouveau réunis, il devra rester dans le désert et supporter de terribles épreuves sans jamais la maudire.

Acte II, première scène. Le désert. Togrul, le ministre fidèle, insiste auprès du roi pour qu'il retourne à Tiflis. Des nourrices envoyées par Miranda viennent lui apporter des nouvelles de ses enfants et les recommandations de la reine pour qu'il soit fort et ne cède pas. Soudain, dans un violent tremblement de terre, Miranda apparaît au sommet d'un rocher, avec ses enfants. Des soldats empêchent Altidor de les rejoindre. Un bûcher est dressé et Miranda ordonne aux soldats d'y jeter les enfants. Altidor et Togrul veulent se précipiter, mais restent comme pétrifiés. Le roi, bouleversé, garde cependant le silence.
Deuxième scène : Un salon du palais royal de Tiflis. Armilla, sœur d'Altidor, a repoussé les armées du roi Margone avec les amazones et les guerriers. Mais on annonce que les Tartares sont aux portes de la ville, qui commence à souffrir de la faim. Le ministre Badur tarde à arriver avec les renforts attendus. Altidor revient au moment où le sort du pays semble scellé. Alors, Badur réapparaît, porteur d'une terrible nouvelle : les armées ennemies sont commandées par Miranda. Altidor, fou de douleur, maudit l'épouse qui lui a fait trahir tous ses devoirs de roi. Miranda apparaît et, tristement, explique au roi sa condamnation. Seul un acte de courage exceptionnel permettra peut-être encore de la révoquer. Entre-temps elle a sauvé la population de Tiflis, trahie par Badur, qui a mis les renforts hors de combat. Miranda, transformée en serpent, glisse silencieusement et disparaît.
Acte III, première scène. Le palais royal. On fête le retour du roi, vainqueur des Tartares. Tiflis est en liesse, mais Altidor reste sombre. La fée Farzana lui dit que Miranda se trouve sur un des sommets du Caucase. Pour la libérer, il devra surmonter de terribles épreuves. Altidor veut partir sur-le-champ, mais le peuple et les ministres y sont opposés. Finalement, ils partent tous avec lui.
Deuxième scène. Parmi les rochers, une plate-forme où se dresse un sépulcre. La fée Farzana, qui a guidé Altidor jusque-là, lui fait signe de sonner le gong qui se trouve à l'entrée du tombeau. Trois monstres surgissent l'un après l'autre et le roi les terrasse. Miranda l'appelle du fond du tombeau mais, comme il se précipite, un mur de feu s'élève devant lui. Altidor, sans hésitation, se jette dans les flammes. Il a triomphé. Le tombeau disparaît pour laisser la place au château de Miranda où Altidor retrouve enfin sa femme et ses enfants.

■ « Fuyant toute tentation vériste et somme toute moins préoccupé du drame que de la musique, Casella donne dans *La donna serpente* une sorte d'anthologie de ses meilleurs travaux, se référant non seulement à la tradition comique de *Falstaff*, mais aussi au goût de l'opéra à grand spectacle du XVIIIe siècle, et à tous ses grands ancêtres de la musique italienne » (M. Mila). MS

LA FILATURE DES SZEKELY (Székely-fonó)

Opéra en un acte de Zoltán Kodály (1882-1967). Livret de

B. Szabolsic. Première représentation : Budapest, Opéra hongrois, 24 avril 1932.

LES PERSONNAGES : La maîtresse de maison (contralto) ; le prétendant (baryton) ; une voisine (contralto) ; un jeune homme (ténor) ; une jeune fille (soprano) ; la « puce au gros nez » (baryton) ; deux gendarmes, une vieille femme ; chœur des fileuses, chœur des jeunes gens ; corps de ballet.

L'INTRIGUE : Un soir d'hiver, dans la filature d'un village magyar. La maîtresse de maison, une jeune veuve, dit adieu en pleurant à son amant qui doit quitter le pays après on ne sait quel délit. Une petite fille vient le prévenir que la police le cherche, et il doit s'enfuir. Un groupe de jeunes filles et la voisine essaient de consoler la jeune femme en chantant ; celle-ci répond par une complainte mélancolique. La petite fille annonce que son amant est en sécurité et la bonne humeur revient. Les femmes chantent joyeusement « l'histoire de Coccodè » lorsqu'une troupe bruyante de jeunes garçons fait irruption. La maîtresse de maison propose qu'ils jouent à « Ilona Görög », petite mise en scène de l'histoire d'amour du jeune Laszlo, qui dit à sa mère qu'il veut mourir pour la belle Ilona. La maîtresse de maison joue le rôle de la mère et deux amoureux, choisis parmi la compagnie, ceux d'Ilona et Laszlo. L'arrivée d'un personnage masqué, la « puce au gros nez », met un terme aux réjouissances : tout le monde le déteste et se méfie de lui. On entend soudain la voix de l'amant qui entre, escorté de la police et d'une vieille femme. Confrontée avec plusieurs hommes, elle identifie la « puce au gros nez » comme le coupable. On emmène les prisonniers. La maîtresse de maison reste seule à pleurer lorsque son amoureux revient, libre ; l'équivoque a été levée et il ne risque plus rien. Ils s'échangent tendrement des promesses d'amour.

■ L'opéra est un amalgame de chants, de chœurs et de danses nationales : la trame ne revêt pas une importance fondamentale. L'histoire est plutôt un canevas suggéré par les thèmes des chansons elles-mêmes, et la partition comporte des passages purement chorégraphiques. Le folklore prend à tout instant le pas sur le livret. AB

MARIE L'ÉGYPTIENNE (Maria Egiziaca)

Mystère en trois épisodes d'Ottorino Respighi (1879-1936). Livret de Claudio Guastalla. Première représentation : Venise, théâtre La Fenice, 10 août 1932.

L'INTRIGUE : Dans le port d'Alexandrie. Maria (soprano) regarde la mer. Un matelot (ténor) chante une chanson nostalgique. Elle le supplie de l'emmener avec lui. Elle demande aussi à un pèlerin, qui lui a appris que le but du voyage est la terre sainte de Soria, de convaincre le marin de la prendre à bord. Maria n'a pas d'argent. Elle paiera de son corps. Le pèlerin est scandalisé. Mais les marins la font monter sur le bateau. Arrivée à Soria, Maria veut entrer dans le temple avec tous les délaissés. Le pèlerin s'y oppose : si Maria veut entrer, elle devra d'abord purifier son corps, qui a trop péché. Un ange apparaît alors à la jeune femme, prête à se révolter. Elle se reprend, et l'ange l'invite à se retirer dans un ermitage, dans le désert. Dans la dernière scène, l'abbé Zosimo (baryton), qui passe le carême dans la solitude du désert, trouve une fosse creusée pendant la nuit par un lion. Il y voit un signe divin. Maria est vieille, désormais. La fosse, ultime épreuve, lui est destinée. Réconfortée par Zosimo, après une dernière et confiante prière, elle s'abandonne à la Vierge.

■ L'intrigue très simple de cet opéra fut inspirée à Respighi par la lecture des *Vite dei Santi Padri* de D. Cavalca. Cette simplicité s'explique aussi par le fait que le compositeur n'avait pas destiné l'opéra à la scène, mais aux salles de concert. La première exécution, sous forme de concert, eut lieu au Carnegie Hall de New York, le 16 mars 1932. RB

LA LÉGENDE D'ORPHÉE
(La favola d'Orfeo)

Opéra de chambre en un acte d'Alfredo Casella (1883-1947). Livret de Corrado Pavolini, tiré de l'œuvre de Politien. Première représentation : Venise, théâtre Goldoni, 6 septembre 1932.

■ L'opéra s'inspire de la légende d'Orphée, qui parvient à descendre aux Enfers pour y chercher son épouse. C'est une manifestation équilibrée et harmonieuse d'un style vocal typiquement italien, qui puise aux sources de la musique du XVIIe siècle, et « n'offense jamais la sobriété, la mesure et la retenue de l'expression » (M. Mila). Des musiques de Germi, présentées à la cour ducale de Mantoue le 18 juillet 1472, sont insérées dans l'ouvrage. MS

LES SEPT PÉCHÉS CAPITAUX DES PETITS BOURGEOIS
(Die sieben Todsünden der Kleinbürger)

Ballet avec chant en un prologue et sept tableaux de Kurt Weill (1900-1950). Texte de Bertolt Brecht (1898-1956). Première exécution : Paris, théâtre des Champs-Élysées, 7 juin 1933.

LES PERSONNAGES : Anna I (soprano) ; Anna II (ballerine) ; la famille (deux ténors, baryton, basse).

L'INTRIGUE :
Prologue. Anna I, la vendeuse, et Anna II, la marchande, veulent gagner assez d'argent pour acheter une maison en Louisiane. Elles quittent leur famille et se lancent dans leur entreprise.
Les sept tableaux : chaque tableau représente un des péchés capitaux : la paresse, l'orgueil, la colère, la gourmandise, la luxure, l'avarice et l'envie. Dans la société bourgeoise, les péchés ont une signification inverse de celle qu'ils avaient à l'origine. La paresse empêche l'ascension sociale, l'orgueil empêche une femme de se déshabiller, la colère l'oblige à s'opposer à l'injustice,

ce qui est contraire à ses propres intérêts, la luxure l'incite à se donner à un homme qui lui plaît de préférence à un homme qui lui apporterait de l'argent, etc. Anna I, qui symbolise la raison, incite Anna II, l'instinct, à se soumettre à cette loi. Une fois leurs scrupules moraux vaincus, et après avoir accepté les règles du jeu imposées par la société bourgeoise, les deux jeunes filles réussissent à trouver l'argent nécessaire pour réaliser leur projet, et peuvent ainsi construire la maison pour leurs parents.

■ Condamnation des aliénations de la société bourgeoise, *Les sept péchés capitaux* est la dernière œuvre commune de Kurt Weill et Bertolt Brecht, et certainement une des plus réussies. Ce ballet, où l'on peut reconnaître certaines références à des œuvres antérieures, alterne des passages violents et mélancoliques. La musique met en relief les moments les plus importants, si bien qu'une exécution en concert (avec le seul rôle d'Anna II en récitatif) peut être suivie avec intérêt et attention. EP

ARABELLA

Comédie lyrique en trois actes de Richard Strauss (1864-1949). Livret de Hugo von Hofmannsthal (1874-1929). Première représentation : Dresde, Staatsoper, 1er juillet 1933. Interprètes : Viorica Ursuleac, Alfred Jerger, Margit Bokor. Direction : Clemens Krauss.

L'INTRIGUE : Le Carnaval 1860 à Vienne.

Acte I. Le comte Waldner (basse), officier en retraite couvert de dettes, vit dans un hôtel élégant de Vienne avec sa femme et ses deux filles, Arabella (soprano) et Zdenka (soprano). Son seul espoir est de trouver un mari fortuné pour ses filles. Mais comme il n'a pas assez d'argent pour permettre à ses deux filles de fréquenter la bonne société, il fait passer Zdenka pour un garçon. Arabella a plusieurs soupirants, mais espère le « grand amour » et repousse Matteo (ténor). Celui-ci est en revanche aimé de Zdenka qui donne libre cours à ses sentiments en écrivant à Matteo des lettres enflammées qu'elle signe du nom de sa sœur. Le comte, poursuivi par ses créanciers, traité avec mépris par le personnel de l'hôtel, envoie un portrait d'Arabella à son vieil ami Mandryka, un petit hobereau. Or la personne qui se présente n'est pas son ami, qui est décédé, mais son neveu et héritier, qui porte le même nom que lui, et est tombé éperdument amoureux de la jeune fille du portrait.
Acte II. Arabella et Mandryka (baryton) se rencontrent au bal des cochers, et sentent aussitôt qu'ils sont faits l'un pour l'autre. Arabella prie Mandryka de la laisser seule : elle veut danser et s'amuser une dernière fois avec ses soupirants. Mandryka surprend alors Zdenka en train de remettre à Matteo une lettre et une clef, qu'elle lui dit être de la chambre d'Arabella. Entretemps, Arabella a quitté le bal. Fou de rage, Mandryka fait une scène terrible à Waldner.
Acte III. Matteo sort de la chambre où il est allé retrouver Zdenka, en croyant que c'était Arabella. Mandryka, Matteo, Arabella

et Waldner se rencontrent dans le hall de l'hôtel. Calme, Arabella repousse avec fermeté les soupçons de Mandryka. Celui-ci se prépare à un duel. L'apparition de Zdenka met fin à l'équivoque : on célébrera deux mariages.

■ Alourdi, du point de vue dramatique, par trop d'intrigues entrecroisées, *Arabella* atteint les sommets de l'art de Strauss dans les duos entre Arabella et Zdenka, Arabella et Mandryka, et dans les airs d'Arabella et de Mandryka, d'une volupté presque insupportable. Ces personnages n'ont d'autre réalité que celle de leur chair, d'autre certitude que celle de leurs désirs, dans un monde voué à la décadence et à la destruction. Et pourtant, la musique de Strauss fait ressortir en eux quelque chose de vrai et d'absolu. RB

LE FILS CHANGÉ
(La favola del figlio cambiato)

Opéra en trois actes et cinq tableaux de Gian Francesco Malipiero (1882-1973). Livret de Luigi Pirandello (1867-1936). Première représentation : Braunschweig, Landestheater, 13 janvier 1934. Interprètes : Lotte Schrader, Gusta Hammer, Albert Weikenmeier. Direction : Hans Simon.

Les personnages : La mère (soprano) ; le chœur des mères (sopranos) ; le pédant ; des voix (chœur mixte) ; Vanna Scoma (contralto) ; le premier paysan (baryton) ; le second paysan (baryton) ; le client (baryton) ; la patronne du café (soprano) ; trois garces (sopranos) ; la reine et le pianiste (rôles muets) ; le chœur des gamins ; Fils de roi (ténor) ; le prince (ténor) ; le premier ministre (baryton) ; un autre ministre ; le maire ; les femmes (sopranos) ; la foule.

L'intrigue : Dans un village, une femme pleure : les sorcières ont enlevé son fils, et l'ont transformé en un petit être difforme. Ses amies la réconfortent, et la conduisent auprès de Vanna Scoma, une magicienne qui lui assure que son fils a été transporté dans un palais royal, et lui conseille de ne pas le chercher. Quelques années plus tard, les clients d'un café du village parlent de l'arrivée d'un prince, venu là pour retrouver la santé. Tandis que les hommes discutent, entre un jeune homme stupide et difforme, appelé Fils de roi : c'est le jeune homme que les sorcières ont laissé dans le village. Au milieu des quolibets, le jeune garçon affirme qu'il est d'une ascendance royale. Mais la mère entre : elle est sûre de reconnaître son fils dans le prince qui vient d'arriver. Pendant ce temps, les ministres qui ont accompagné le prince commentent les mauvaises nouvelles qui arrivent de la cour : le roi est malade, et le peuple s'est révolté. Vanna Scoma arrive, et annonce que le roi est mort. Le prince doit tout de suite retourner dans sa patrie. Le prince se rend compte qu'il est épié par la pauvre femme, et lui demande son nom : elle lui répond seulement qu'elle avait un fils qui lui ressemblait, et que celui-ci lui a ensuite été enlevé. Fils de roi surgit, et se jette sur le prince, qu'il tente de tuer. Mais celui-ci réussit à éviter le coup. Les ministres accourent et insistent pour que le prince regagne tout de suite sa patrie. La mère déclare alors que le garçon difforme est le véritable héritier du trône, et le prince, fatigué de la vie de la cour, invite les ministres à accepter Fils de roi comme leur souverain : quand le petit monstre aura une couronne sur la tête, il ressemblera à un vrai roi. Lui restera pauvre, mais heureux, auprès de la malheureuse qui croit qu'il est son fils.

■ Dans l'importante production de Malipiero, *La favola del figlio cambiato* occupe une place particulière : elle est le début d'une nouvelle expérience, qui repose essentiellement sur la redécouverte d'un « recitar cantando » qui aura d'autres développements dans des œuvres théâtrales postérieures. L'expression musicale est concise, mais aérée. Les chants et les lamentations de la mère animent la musique. Leur authenticité et leur intensité font oublier le caractère statique de l'action. MSM

LADY MACBETH DE MTSZENSK ou KATERINA ISMAÏLOVA (Ledi Makbet Mcenskogo Uezda)

Opéra en quatre actes de Dimitri Chostakovitch (1906-1975). Livret du compositeur et de J. Preis, tiré d'une nouvelle de N. S. Leskov. Première représentation : Leningrad, Maly Teatr, 22 janvier 1934.

LES PERSONNAGES : Katerina (soprano) ; Zinovy (ténor) ; Boris (basse) ; Sergueï (ténor).

L'INTRIGUE :
Acte I. L'action se passe dans le monde des riches commerçants de province. Zinovy Ismaïlov, le fils de Boris, un marchand très aisé, épouse Katerina, jeune et belle, mais sans dot. Katerina n'aime pas son mari, et elle s'ennuie profondément à la maison Ismaïlov, où elle doit supporter la présence de Boris, une espèce de tyran domestique au caractère intolérant. On embauche un nouveau commis : c'est Sergueï, beau et insolent, précédé d'une réputation de bourreau des cœurs. Zinovy part en voyage d'affaires : pendant son absence, Sergueï devient l'amant de Katerina.
Acte II. Un matin, le vieux Boris découvre leur liaison. Sur son ordre, le commis est durement flagellé par ses compagnons de travail. Pour se venger, la jeune femme empoisonne son beau-père. Puis, afin de pouvoir s'emparer de la fortune des Ismaïlov et épouser le beau Sergueï, elle tue son mari lorsqu'il revient et cache le cadavre avec l'aide de son amant.
Acte III. Plus rien ne s'oppose aux deux amants. Mais, pendant qu'ils célèbrent fastueusement leur mariage, on découvre le cadavre et la police est avertie. Des policiers font irruption, et arrêtent les deux criminels, qui sont condamnés aux travaux forcés en Sibérie.
Acte IV. Sur une route de Sibérie, Sergueï et Katerina suivent un convoi de déportés. Mais le jeune homme commence à être las de l'amour de Katerina, qui

lui a gâché l'existence. Il tourne ses regards vers une jeune condamnée, Sonetka. Katerina, qui l'aime comme au premier jour, est folle de douleur : elle se jette dans une rivière, en noyant sa rivale avec elle. Les autres forçats, impassibles et indifférents, poursuivent leur chemin vers le camp de travail.

■ Le public fit à l'opéra un accueil mitigé, mais sa valeur ne fut jamais mise en doute. Les critiques qui lui furent adressées étaient surtout de caractère idéologique et politique. Chostakovitch a adapté assez librement la nouvelle de Leskov : tandis que l'écrivain avait fait de Katerina une femme cruelle sans raison, une meurtrière assoiffée de richesse et de vengeance, le musicien a tenté de situer le drame dans son contexte social pour pouvoir l'interpréter socialement. Selon Chostakovitch, « Katerina est une jeune femme belle et intelligente, qui étouffe dans un monde de vulgaires marchands... Elle a un mari avec lequel elle ne connaît aucune joie... Les assassinats qu'elle commet ne sont pas de véritables crimes, mais une révolte contre un milieu, une atmosphère sordide et nauséabonde dans laquelle vivent les marchands embourgeoisés du XIXe siècle... » Pour Chostakovitch, communiste convaincu, l'histoire de Katerina est une occasion de se livrer à un réquisitoire antibourgeois. Ses efforts ne furent toutefois guère appréciés. Le succès initial de l'opéra, repris pendant presque une année, fut interrompu par un article de la *Pravda* du 26 janvier 1936. *Lady Macbeth* se voyait accuser de n'avoir pas pris la défense de la simplicité et du langage concret, et qualifier de « négation de l'opéra ». La réhabilitation de l'opéra eut lieu après la mort de Staline et la disparition de la scène politique de Jdanov, à qui l'on peut attribuer la paternité de l'article de la *Pravda,* paru sans signature. RB

LA FLAMME
(La fiamma)

Mélodrame en trois actes d'Ottorino Respighi (1879-1936). Livret de Claudio Guastalla, tiré de la pièce The Witch *de G. Wiers Jenssen. Première représentation : Rome, Opéra, 23 janvier 1934. Interprètes : Giuseppina Cobelli (Silvana), Aurora Beradia (Eudossia), Angelo Minghetti (Donello), Carlo Tagliabue (Basile), A. Martucci (la mère), A. Cravcenco (Agnès), L. Parini (Monica), M. Sassanelli (l'évêque), A. Prodi (l'exorciste). Direction : Ottorino Respighi.*

L'INTRIGUE :
Acte I. La villa de l'exarque Basile, près de Ravenne, à la fin du VIIe siècle, entre la mer et la pinède. Eudossia (mezzo-soprano), mère de Basile (baryton), et Silvana (soprano), sa seconde épouse, travaillent avec les servantes. Silvana est persécutée par sa belle-mère, et ne supporte pas la vie de la cour. Au cours d'une discussion avec une servante, elle lui révèle son désir de quitter le palais. On entend des cris : Agnès, la sorcière, poursuivie par une foule excitée, appelle Silvana à l'aide en protestant de son innocence. Elle fait même allusion

à la mère de la jeune femme. On cache la sorcière. Les servantes annoncent le retour du fils de l'exarque. Le jeune Donello (ténor) reconnaît en Silvana la femme qui l'a un jour secouru en le conduisant auprès d'Agnès. Eudossia entre : elle salue son petit-fils quand tout à coup, les poursuivants de la sorcière font irruption, l'exorciste à leur tête. Agnès est découverte et meurt sur le bûcher en les maudissant tous.

Acte II. Dans l'antique palais de Théodoric, à Ravenne. Donello parle avec des servantes. Parmi celles-ci se trouve Monica (soprano) qui lui avoue son amour et est chassée. Basile, resté seul avec sa femme, lui révèle qu'il a été attiré vers elle par un acte de sorcellerie accompli par la mère de Silvana. Après le départ de son mari, Silvana, à contrecœur, utilise une formule magique de sa mère et fait apparaître Donello. Ils s'abandonnent à leur amour.

Acte III, première scène. Dans la chambre de Donello. Eudossia surprend les deux amants. Basile survient ; sa femme lui avoue son amour pour Donello. A ces mots, l'exarque tombe mort, et sa mère, accourue, accuse la jeune femme de sorcellerie. Deuxième scène. Dans la basilique de San Vitale, la foule attend le procès. Silvana se défend contre l'accusation de sorcellerie, soutenue par Donello. Mais Eudossia s'obstine. Donello demande à sa bien-aimée de jurer sur la croix. Silvana comprend alors que Donello n'a plus confiance en elle, et refuse. Elle est condamnée à être brûlée vive.

■ L'opéra est né du désir de Respighi, dont il avait fait part au librettiste Guastalla, de faire revivre le monde byzantin. Il lui conseilla de consulter à ce sujet les *Figures byzantines* de Diehl. Mais le premier projet de Guastalla, inspiré du personnage de l'impératrice Théodora, n'eut pas de suite, et il fallut le remplacer par cette histoire, située à Ravenne, dans laquelle l'église de San Vitale, avec ses mosaïques, a remplacé Sainte-Sophie. La composition en fut particulièrement laborieuse. Respighi se montra extrêmement exigeant avec lui-même, jamais satisfait de son travail, au point d'apporter des modifications à la partition après le début des répétitions. Selon sa femme Elsa, le compositeur travailla à *La fiamma* avec enthousiasme, s'intéressant au moindre détail, suggérant à Guastalla le découpage en actes, en scènes, le texte des chœurs et la versification à utiliser. Le résultat fut à la mesure du soin apporté à la composition de l'ouvrage : l'opéra se distingue par la force dramatique du sujet, par un savant dosage d'éléments humains et sentimentaux et de surnaturel. La première représentation à Rome fut un succès immédiat, aussi bien auprès du public que de la critique. L'opéra fut ensuite représenté sur les scènes du monde entier. RB

CECILIA

Mystère en trois épisodes et quatre tableaux de don Licinio Refice (1883-1954). Livret d'Emilio Mucci. Première représentation : Rome, Opéra, 15 février 1934.

L'INTRIGUE : Chez la noble famille des Valerii, on se prépare à recevoir Cecilia (soprano), fiancée de Valeriano (ténor). Le bruit court parmi les esclaves que la jeune fille est chrétienne. Triburzio (baryton), frère de Valeriano, arrive le premier, suivi du fiancé et enfin du cortège nuptial de Cecilia. Les époux restent enfin seuls, et Valeriano exprime à Cecilia son amour et le désir qu'il a d'elle. Cecilia, bien qu'elle aime aussi Valeriano, a dans le cœur un amour plus grand et plus pur et, au nom de cet amour divin, refuse l'amour charnel. Valeriano ne la comprend pas. Un ange apparaît pour défendre la chasteté de Cecilia. La jeune fille amène Valeriano dans les catacombes, où il assiste à des miracles qui détruisent ses dernières hésitations : il s'agenouille et l'évêque Urbain (basse) lui donne le baptême. Le bonheur des époux, après la bénédiction divine, est parfait. La dernière scène montre le procès de Cecilia — Valeriano et Triburzio ont été tués. Amachio (baryton), préfet de Rome, essaie de lui faire abjurer sa foi sous la torture, mais une pluie de roses vient calmer la douleur. Finalement, elle est brutalement tuée par un soldat et sa maison est transformée en temple.

■ Cet opéra n'a pas grande valeur musicale ou littéraire. La partition, surtout dans le deuxième épisode, est souvent emphatique et confuse ; le finale est également trop long. Le succès de *Cecilia* lors de sa création est à attribuer à la magnifique interprétation de Claudia Muzio. L'œuvre fut aussi jouée à l'étranger et Refice mourut alors qu'il la dirigeait à Rio de Janeiro.

LE DIBOUK
(Il dibuk)

Légende dramatique en un prologue et trois actes de Lodovico Rocca (né en 1895). Livret de Renato Simoni, d'après l'œuvre de S. Anski. Première représentation : Milan, théâtre de la Scala, 24 mars 1934. Interprètes : A. Oltrabella, S. Costa Lo Giudice, L. Paci, V. Bettoni, A. Wesselowsky, V. Palombini. Direction : Franco Ghione.

L'INTRIGUE : En Pologne, à la fin du XIXe siècle. Dans le prologue, on assiste à un pacte étrange entre le juif Sender (baryton) et son ami Nissen (basse) : s'ils ont l'un une fille et l'autre un fils, ils les marieront. Bien des années plus tard, Hanan (ténor), fils de Nissen, et Léah (soprano), fille de Sender, s'aiment et comptent se marier. Mais Sender, hostile au jeune homme, trouve un autre mari pour sa fille. Hanan en meurt de chagrin et Léah ne parvient pas à l'oublier. Le jour de son mariage, un messager mêlé à la foule raconte l'histoire du dibouk : l'âme de ceux qui sont morts d'amour, ne trouvant pas le repos, entre dans le corps de l'être aimé. Au cours du banquet, Léah se met à crier des phrases incohérentes et repousse son mari avec horreur. Le messager annonce que le dibouk se manifeste ainsi : l'âme de Hanan a pris possession de Léah. Le lendemain, Sender conduit sa fille chez le rabbin pour qu'il la libère du dibouk. Mais la tentative échoue. Sender éprouve un repentir sincère et l'âme de Hanan quitte le corps de le jeune femme. Restée seule, Léah épuisée voit apparaître le fantôme de son bien-aimé : elle lui tend les bras en l'implorant et meurt. Le chœur annonce que les amants sont enfin réunis.

■ *Le dibouk* fut composé entre 1929 et 1930, mais ne connut le succès qu'en 1933, grâce à un concours organisé par la Scala, où l'œuvre se distingua parmi 180 opéras proposés. Les lois raciales de 1938 n'empêchèrent pas le succès de l'opéra, qui continua à être repris en Italie. RB

PERSÉPHONE

Mélodrame en trois parties d'Igor Stravinski (1882-1971). Livret d'André Gide (1869-1951). Première représentation : Paris, Opéra, 30 avril 1934. Direction : Igor Stravinski.

L'INTRIGUE : Eumolpe, prêtre du temple d'Éleusis, invoque Déméter et se prépare à accompagner Perséphone, fille de la déesse, dans un douloureux voyage, inscrit dans son destin. Perséphone a le don de faire naître autour d'elle un éternel printemps. Mais le prêtre a remarqué, parmi les fleurs qui s'épanouissaient autour de la jeune fille, des narcisses, symboles du royaume des morts ; Perséphone, en les voyant, a eu la prémonition de l'au-delà. Les nymphes l'exhortent à chasser de telles pensées, mais Perséphone décide de descendre aux Enfers pour apporter le réconfort aux âmes des morts. Celles-ci lui expliquent que leur vie n'est qu'une apparence. Eumolpe dit à Perséphone que la mort est sans remède et qu'il lui faut maintenant rester dans le sombre royaume, dont elle sera la souveraine. Perséphone, qui ignorait que tel était son destin, pleure l'éternel printemps de la terre. Eumolpe alors lui annonce que, depuis son départ, un froid glacial s'est abattu sur la terre ; désormais, seul le travail des hommes pourra la rendre féconde, mais Perséphone reviendra chaque année apporter le printemps, comme les graines enfouies germent à la saison nouvelle.

■ Cet opéra, composé à la demande d'Ida Rubinstein, fut dirigé par Stravinski lui-même lors de sa création, dans une chorégraphie de K. Joos. Le texte de Gide s'inspire de l'*Hymne à Déméter* d'Homère. *Perséphone* est essentiellement un oratorio profane avec des intermèdes chorégraphiques. Le récitatif accompagné est à la base de la composition, qui comporte aussi des parties chantées et mimées. Perséphone est un rôle parlé, chanté et mimé. Le seul rôle soliste chanté est celui d'Eumolpe, qui explique l'action, commentée par le chœur. Cet aspect de la composition est révélateur de la recherche par Stravinski d'une forme originale et moderne dans une structure classique. RB

NÉRON
(Nerone)

Opéra en trois actes et quatre tableaux de Pietro Mascagni (1863-1945). Livret de Giovanni Targioni-Tozzetti (1863-1934) d'après la comédie de Pietro Cossa (1830-1881). Première représentation : Milan, théâtre de la Scala, 16 janvier 1935. Interprètes :

Lina Bruna Rasa, Margherita Carosio, Aureliano Pertile. Direction : Pietro Mascagni.

LES PERSONNAGES : Atte (soprano) ; Egloge (soprano) ; Néron (ténor) ; Ménécrate (basse).

L'INTRIGUE : Rome, au premier siècle de notre ère. Dans une taverne du quartier de Suburra, l'aubergiste Murone discute avec des clients — Petronius, un gladiateur, Nevius, un mime, et Eulogius, un marchand d'esclaves — des faits marquants du moment : la vie corrompue de l'empereur Néron et l'expansion de la nouvelle secte des chrétiens. Néron en personne entre dans la taverne, déguisé, en compagnie de son ami Ménécrate. Il est à la recherche d'une belle danseuse — esclave grecque nommée Egloge dont il s'est épris. Resté seul, Néron s'enivre. Atte, une affranchie qui est sa concubine, le rejoint et lui reproche sa vie débauchée. Elle l'aime sincèrement et, apprenant l'amour de l'empereur pour Egloge, menace de la tuer. Néron passe outre et la femme, jalouse, se débarrasse de sa rivale au cours d'un banquet en l'empoisonnant. Pendant que Néron s'abandonne au désespoir, la révolte éclate dans Rome et l'empereur doit fuir en compagnie d'Atte et de quelques affranchis. L'un d'eux, Phaon, lui offre refuge dans sa maison. Ils sont découverts par le centurion Icelus, qui veut livrer l'empereur au Sénat. Mais Néron se poignarde, précédé dans la mort par la fidèle Atte.

■ L'opéra, paru en 1934, après quatorze ans de silence, fut attendu comme un événement. Mascagni le composa en quelques mois ; il avait eu l'idée de mettre en musique la « comédie » de Cossa dès 1895, au moment de *Guglielmo Ratcliff.* Malgré l'intention affichée par le musicien de rester fidèle au texte de Cossa, la version de Targioni-Tozzetti présente un Néron assez différent du personnage de la pièce originale, soulignant son cynisme et sa sensualité plus que ses aspirations artistiques. Malgré une orchestration moins soignée que dans les œuvres précédentes du compositeur, l'opéra comporte de bonnes pages, essentiellement vocales. AB

ORSÉOLO

Opéra dramatique en trois actes d'Ildebrando Pizzetti (1880-1968). Livret du compositeur. Première représentation : Florence, Théâtre municipal, 4 mai 1935. Interprètes : Franca Somigli, Bergamini, Augusto Beuf, Luigi Fort, Giulietta Simionato. Direction : Tullio Serafin.

LES PERSONNAGES : Marco Orséolo, inquisiteur, chef des Dix (basse) ; Contarina Orséolo (soprano) ; Marino Orséolo (ténor) ; le sénateur Michele Soranzo (baryton) ; Rinieri Fusiner (ténor) ; le doge (basse) ; Andrea Grimani (baryton ou basse) ; Alvise Fusiner (baryton) ; Delfino Fusiner (ténor) ; Luda (baryton ou basse) ; Lazaro et Nicolo (ténors) ; la mère supérieure (mezzo-soprano) ; le Roux (ténor) ; Toni (baryton ou basse) ; la nourrice levantine (mezzo-soprano) ; un serviteur de Ca' Orséolo (ténor ou baryton) ; la voix d'un gondolier (ténor) ; un jeune homme masqué (ténor) ; une jeune fille (soprano ou mezzo-soprano) ; deux vieilles femmes (mezzo-sopranos ou contraltos) ; un vieillard (basse) ; une jeune femme (soprano ou mezzo-soprano) ; la Levantine (contralto) ; vieillards, serviteurs, chœurs de soldats, de masques et de gens du peuple.

L'INTRIGUE : Venise, vers le milieu du XVIIe siècle. Marco Orséolo apprend que son ennemi Rinieri Fusiner l'accuse d'avoir enlevé sa sœur, Cecilia. Il se défend avec indignation, mais son fils Marino avoue qu'il est le coupable et que Cecilia s'est noyée en essayant de s'enfuir. Furieux, son père lui ordonne de quitter la ville. Le soir même, Orséolo, qui assiste à un bal avec sa fille Contarina, est publiquement injurié par Rinieri, qui prend la fuite. Au cours de la fête, les frères Fusiner enlèvent Contarina à l'insu de Rinieri, et l'emmènent dans une cabane de pêcheurs. Rinieri, l'apprenant, retrouve ses frères et leur ordonne de libérer la jeune fille. Marco a lui aussi découvert l'endroit où sa fille est séquestrée, et menace de faire arrêter les ravisseurs. Mais Contarina, admirant le noble comportement de Rinieri, déclare à son père que, s'il est arrêté, elle dira l'avoir suivi de son plein gré. Le père renie la jeune fille, qui se retirera dans un couvent. Rinieri, partant pour la guerre contre les Turcs, avoue son amour à Contarina ; mais elle se montre ferme dans sa décision de consacrer sa vie à l'expiation et au sacrifice. Peu de temps après, une délégation apporte à Marco l'épée de son fils Marino, mort en combattant contre les Turcs. Rinieri, membre de la délégation, veut donner au vieillard un objet personnel ayant appartenu à son fils, mais celui-ci refuse dignement : il ne peut rien accepter d'un ennemi. A cet instant, inexplicablement, l'épée se brise : selon une vieille légende, c'est le signe que Dieu impose la paix. Marco renonce alors à toute idée de vengeance et Rinieri prie Contarina, revenue dans la maison paternelle, d'accepter son amour. Mais la jeune femme refuse, malgré son amour pour lui.

■ *Orséolo* est, avec *Vanna Lupa* et *Cagliostro*, l'un des opéras profanes de Pizzetti, mais, comme l'ensemble de ses œuvres, il s'agit d'une réflexion d'ordre moral. MSM

LA FEMME SILENCIEUSE (Die schweigsame Frau)

Opéra-comique en trois actes de Richard Strauss (1864-1949). Livret de Stefan Zweig (1881-1942), d'après la comédie de Ben Jonson (1572-1637) Epicoene. *Première représentation : Dresde, Staatsoper, 24 juin 1935.*

L'INTRIGUE : Sir Morosus (basse), vieux loup de mer mis à la retraite après avoir échappé miraculeusement à l'explosion de son bateau, ne supporte pas les bruits. Henry (ténor), son neveu et héritier, s'installe chez lui avec un groupe d'amis membres d'une troupe d'opéra. Ils bouleversent la vie tranquille de la maison. Morosus, qui méprise les gens de théâtre, chasse les importuns, déshérite son neveu et charge son barbier (baryton) de lui trouver une épouse. Ce dernier, de mèche avec Henry, lui présente une femme sage et silencieuse, Timida. En réalité, il s'agit de la cantatrice Aminta (soprano), femme d'Henry. Après un faux mariage, Timida se transforme en un véritable moulin à paroles. Morosus, exaspéré, demande le divorce, mais un faux tribunal, improvisé par les acteurs, le lui refuse. Finalement, Henry et Aminta avouent à l'oncle que tout n'était qu'une plaisanterie. Morosus, après une crise de rage tonitruante, pardonne aux deux jeunes gens et retrouve la tranquillité.

■ *Die schweigsame Frau* est, parmi les opéras de Strauss, l'un des plus riches musicalement et des plus élaborés sur le plan formel. Des dialogues vifs et brillants, qui rappellent l'opéra bouffe du XVIIIe siècle, animent les scènes d'ensemble sans une pause. Les cuivres et les percussions déchaînés expriment de façon saisissante l'atmosphère délirante de la maison de Morosus. Accueillie triomphalement par le public et la critique, *Die schweigsame Frau* fut interdite par Hitler à la troisième représentation parce que Zweig, l'auteur du livret, était juif. RB

PORGY AND BESS

Opéra en trois actes de George Gershwin (1898-1937). Livret de Du Bose Heyward et Ira Gershwin d'après le roman de Du Bose Heyward Porgy *(dont l'auteur et sa femme Dorothy avaient déjà tiré une pièce de théâtre). Première représentation : Boston, 30 septembre 1935. Interprètes : Anne Brown (Bess) ; Todd Duncan (Porgy) ; W. Coleman (Crown) ; E. Matthews (Jake) ; A. Mitchell (Clara) ; J. Bubbles (Sporting Life).*

LES PERSONNAGES : Porgy (baryton) ; Bess (soprano) ; Crown (basse) ; Sporting Life (ténor) ; les habitants de Catfish Row : Clara, Mingo, Serena, Jake, Robins, Pim, Peter, Lily, Maria, Annie. Un policier, un agent, l'entrepreneur de pompes funèbres, l'avocat, le coroner, vendeurs, chœurs.

L'INTRIGUE : L'action se déroule à Catfish Row, le quartier noir de Charleston, en Caroline du Sud, dans un passé récent.
Acte I. Au cours d'une partie de dés une querelle éclate et Crown, un docker fort et brutal, tue son ami Robbins. Il doit s'enfuir. La femme avec qui il vivait, Bess, reste seule et trouve protection auprès de Porgy, un mendiant boiteux amoureux d'elle depuis toujours. Le soir, les gens de Catfish pleurent Robbins et font la quête pour payer ses obsèques.
Acte II. Bess vit heureuse avec Porgy mais un jour, tandis que les gens de Catfish sont allés faire un pique-nique à l'île de Kitiwah, Crown revient et oblige Bess à le suivre. Quelque temps après, Bess rentre chez Porgy, malade et terrorisée. Porgy l'accueille une nouvelle fois, la soigne et promet de la protéger. Un terrible ouragan s'abat sur la région et les femmes prient pour leurs hommes partis pêcher en mer.
Acte III. La nuit, les femmes pleurent leurs morts. Crown apparaît ; il se dirige vers la mai-

son de Porgy et appelle Bess, mais Porgy le tue d'un coup de couteau dans le cœur. Puis il crie sa joie de pauvre éclopé si souvent humilié et raillé. Porgy est arrêté et reste en prison plusieurs jours ; mais il n'avoue pas et finit par être relâché en l'absence de preuves. Pendant son absence, Bess est restée seule et un petit trafiquant de drogue, Sporting Life, la persuade de venir avec lui à New York en lui faisant miroiter une vie meilleure. Quand Porgy, en rentrant chez lui, apprend ce qui s'est passé, il ne se laisse pas décourager et part pour New York avec les moyens du bord pour retrouver son amie.

■ La pièce tirée du roman de Du Bose Heyward avait battu tous les records de popularité au théâtre Guild de New York avec plus de quatre cents représentations. Gershwin décida d'en faire un opéra pour sortir un peu du monde de la chanson. Le spectacle déconcerta les premiers spectateurs puis obtint un grand succès, d'abord aux États-Unis puis dans les autres pays. *Porgy and Bess* a été joué en Union soviétique le 26 décembre 1955, à Leningrad, par la première troupe américaine admise en U.R.S.S. en pleine « guerre froide ». La structure de l'orchestre est classique, avec l'adjonction d'instruments du folklore noir américain ; à noter en particulier l'emploi des percussions et du banjo. L'opéra a été écrit pour des chanteurs noirs et utilise les rythmes et les mélodies des Noirs du Sud, notamment les « negro-spirituals ». *Porgy and Bess* ne doit rien aux modèles européens et est considéré à juste titre comme l'œuvre lyrique américaine par excellence. MS

CYRANO DE BERGERAC

Opéra en quatre actes et cinq tableaux de Franco Alfano (1876-1954). Texte d'Henri Cain (1859-1937) d'après le drame (1897) d'Edmond Rostand (1868-1918). Première représentation : Rome, Opéra, 22 janvier 1936. Interprètes : Maria Caniglia, J. Luccioni, A. De Paolis.

L'INTRIGUE : L'action se déroule à Paris, vers 1640. Cyrano de Bergerac, noble gascon sans le sou, poète batailleur enlaidi par un nez démesuré, aime en secret sa cousine Roxane. Mais il apprend qu'un de ses compagnons d'armes, Christian, aime Roxane, qui est de son côté séduite par sa beauté. N'osant pas se déclarer, Cyrano se sacrifie pour le bonheur des deux jeunes gens. Imitant la voix de Christian, un soir, sous le balcon de Roxane, il la charme par la richesse de son langage, l'ardeur de sa flamme, son génie poétique ; mais c'est Christian qui va cueillir le baiser de Roxane. Ils se marient et, presque aussitôt, Cyrano et Christian partent pour la guerre. Cyrano écrit les lettres d'amour de Christian à sa femme, y exprimant une telle passion que Roxane fait l'impossible pour venir, en pleine bataille, embrasser son mari. Mais Christian est mortellement blessé. Agonisant, il supplie Cyrano de tout révéler à Roxane. Mais Cyrano refuse de souiller l'image que Roxane garde de Christian, et il se tait.

Quinze ans plus tard, Cyrano est victime d'un attentat en allant, comme chaque semaine, voir Roxane dans le couvent où elle s'est retirée après la mort de Christian. Mourant, il parle à Roxane avec un tel amour qu'elle comprend soudain la vérité : elle n'a aimé en Christian que l'esprit de Cyrano. Mais le héros meurt entre ses bras.

■ Il s'agit d'une œuvre de la dernière période du compositeur, écrite après *L'ultimo lord* et juste avant la nouvelle version de *L'ombra di Don Giovanni*. À la première représentation, à Rome, l'opéra fut joué en italien, dans une traduction de C. Meano et F. Brusa. La première en français eut lieu à l'Opéra de Paris le 29 mai de la même année. Les deux spectacles eurent du succès, mais l'opéra ne fut pas inscrit au répertoire. L'auteur, souvent accusé de « franciser » l'opéra italien, a tenté avec cette œuvre une synthèse, adoptant un style plus typiquement italien tout en portant une grande attention à l'orchestration. GP

JULES CÉSAR
(Giulio Cesare)

Opéra en trois actes et sept tableaux de Gian Francesco Malipiero (1882-1973). Livret du compositeur, d'après la pièce de Shakespeare. Première représentation : Gênes, théâtre Carlo Felice, 8 février 1936. Interprètes : Giovanni Inghilleri, Ettore Parmeggiani, Alessandro Dolci, Appollo Granforte, Gino Vanelli, Sara Scuderi, Maria Pedrini. Direction : Angelo Questa.

Les personnages : Jules César (baryton) ; Calpurnia (soprano) ; Marc-Antoine (ténor) ; Brutus (baryton) ; Cassius (ténor) ; Casca (ténor) ; Decius (basse) ; Cinna le conspirateur (ténor) ; Cinna le poète (ténor) ; le devin (baryton) ; un tribun (baryton) ; Lucius, serviteur de Brutus (ténor) ; Portia, femme de Brutus (soprano) ; Ligarius (ténor) ; un serviteur de César (baryton) ; Metellus Cimbrus (baryton) ; Octavien (ténor) ; trois citoyens (barytons et ténor) ; le messager (baryton) ; Pindare (ténor) ; Volumnius (baryton) ; Straton (basse) ; citoyens, peuple, soldats (chœurs).

L'intrigue :
Acte I. Dans une rue de Rome, César se rend en grande pompe à la célébration des Lupercales. Un devin s'approche de lui et lui dit de se méfier des Ides de Mars. Brutus, Cassius et Casca, entendant les acclamations de la foule, craignent que César ne reçoive la couronne impériale. La nuit, les conjurés se réunissent dans le jardin de Brutus. La popularité de César leur inspire de vives inquiétudes pour la sécurité de la République. Portia, femme de Brutus, supplie son mari de lui dire ce qui se prépare.
Acte II, première scène. Le palais de César. Sa femme, Calpurnia, a fait des rêves prémonitoires qui l'ont profondément angoissée. Elle conjure son époux de ne pas sortir, d'autant plus que les auspices révélés par le sacrifice ont été défavorables. César accepte de rester chez lui mais quand Brutus, Cassius et leurs compagnons viennent le trouver, il ne

veut pas être accusé de lâcheté et part avec eux. Deuxième scène. Le Sénat, au Capitole. Les conjurés ont décidé que Casca frapperait le premier. Metellus Cimbrus se prosterne devant César pour demander la grâce de son frère exilé, mais César reste impassible. A ce moment, Casca lui donne un coup de couteau au cou et les autres conjurés se jettent sur lui à leur tour. Brutus frappe le dernier. César s'écroule au pied de la statue de Pompée. Antoine tombe aux mains des conjurés mais ils lui promettent la vie sauve. Il leur serre la main, puis demande pardon à la mémoire de César d'avoir dû pactiser avec ses assassins. Il demande à Brutus la permission de donner à César une sépulture digne de lui, et de s'adresser au peuple.

Acte III, première scène. Les funérailles de César se déroulent sur le Forum. Brutus prend la parole le premier et explique au peuple les raisons qui l'ont contraint à tuer César. Lorsque Antoine prend la parole à son tour, il joue habilement des sentiments de la foule. Quand il révèle le contenu du testament de César, qui donne tous ses biens au peuple, une tempête d'invectives se déchaîne contre les conjurés. Entre-temps, quelques citoyens rencontrent dans la rue le poète Cinna et, le prenant pour son homonyme membre de la conjuration, ils veulent le tuer. Deuxième scène. Sur le champ de bataille, deux armées vont s'affronter : d'un côté, Octave et Antoine, de l'autre, Brutus et Cassius. La bataille s'engage. Cassius apparaît, suivi de Pindare ; il demande à son compagnon de monter sur la colline pour mieux observer la situation et le renseigner. Pindare, voyant Brutus encerclé, le croit prisonnier ; Cassius, ne supportant pas l'idée de la défaite, se tue. Brutus fera de même. Les troupes d'Antoine et Octave, victorieuses, célèbrent la grandeur de Rome.

■ Malipiero a découvert avec *Giulio Cesare* de nouvelles formes musicales différentes des compositions en « panneaux » et susceptibles de développer un discours continu, varié et pourtant logique dans son déroulement ininterrompu. C'est la période que Malipiero lui-même a appelée « une parenthèse lyrique ». Elle va de 1935 à 1941 et correspond à une phase d'obscurantisme culturel de la société italienne. Il est probable que le compositeur voulait s'exposer le moins possible aux critiques.

MSM

LA PETITE PLACE (Il campiello)

Comédie musicale en trois actes d'Ermanno Wolf-Ferrari (1876-1948). Livret de Marco Ghisalberti, d'après la comédie de Carlo Goldoni (1707-1793). Première représentation : Milan, théâtre de la Scala, 12 février 1936. Interprètes : Mafalda Favero (Gasparina) ; Ines Adami Corradetti (Lucieta) ; L. Nardi (Donna Cate Panciana) ; Giuseppa Nessi (Pasqua) ; Margherita Carosio (Gnese) ; G. Tess (Orsola) ; Luigi Fort (Zorzeto) ; F. Antori (Anzoleto) ; Salvatore Baccaloni (le chevalier Astolfi) ; F. Zaccarini (Fabrizio). Direction : Gino Marinuzzi.

Les personnages : Gasparina (soprano) ; Astolfi (baryton) ; Fabrizio (basse) ; Lucieta (soprano) ; Anzoleto (basse) ; Gnese (soprano) ; Zorzeto (ténor) ; Cate (mezzo-soprano) ; Pasqua (ténor) ; Orsola (mezzo-soprano).

L'intrigue : L'action se déroule à Venise vers le milieu du XVIIIe siècle.
Acte I. Sur une place entourée de maisons particulières et d'une auberge. Le chevalier napolitain Astolfi, noble sans le sou, courtise une précieuse nommée Gasparina mais s'intéresse aussi à Lucieta, amoureuse d'un marchand ambulant, Anzoleto, et à Gnese, amoureuse de Zorzeto. Les vieux de la place se mêlent des intrigues amoureuses des jeunes gens : Orsola, mère de Zorzeto, Pasqua et Cate. Astolfi offre une bague à Lucieta, qui, pour ne pas trahir Anzoleto, la refuse. Mais sa mère, Donna Cate, l'accepte à sa place. L'inconstant Napolitain retourne entre-temps à Gasparina.
Acte II. Astolfi invite à dîner toute la compagnie. Gasparina, trop fière pour se mêler « au peuple », reste à la maison avec son oncle Fabrizio, exaspéré par le bruit et les querelles continuelles de la place. Fabrizio voit d'un bon œil le prétendant Astolfi, car il est aussi d'origine napolitaine ; peu lui importe qu'il soit désargenté du moment qu'il le débarrasse de sa nièce. Entre-temps, une nouvelle bagarre éclate sur la place, qui s'achève heureusement par un grand bal de réconciliation auquel prennent part tous les personnages.
Acte III. Fabrizio ne peut plus supporter ses voisins turbulents et décide de déménager. Pendant ce temps, une série de malentendus a causé un affrontement violent entre Zorzeto et Anzoleto. Astolfi rétablit une nouvelle fois la paix en invitant tout le monde à faire un bon repas à l'auberge. Il profite de l'occasion pour annoncer son prochain mariage avec Gasparina. La jeune fille adresse un dernier adieu ému à la petite place et à sa ville bien-aimée avant de partir avec son mari pour la lointaine Naples.

■ Pour composer *Il campiello*, Ermanno Wolf-Ferrari se retira dans une maison de la périphérie de Rome où même ses amis les plus chers ne pouvaient aller le déranger. Le printemps romain l'inspirait agréablement et le compositeur était ravi de travailler enfin pour un théâtre italien, la Scala. C'est peut-être de cet ensemble de circonstances favorables que naquit l'équilibre parfait entre drôlerie et mélancolie qui caractérise cet opéra, l'un des plus réussis du musicien. Wolf-Ferrari lui-même garda de cette période le souvenir d'une inspiration particulièrement heureuse : « J'avais vingt-sept ans et pour *Le donne curiose* je suis redevenu enfant ; la même chose m'est arrivée pour *Il campiello*, à soixante ans. Oui, un enfant : je l'ai été, je le suis et je le serai toujours. » Effectivement, c'est avec une fraîcheur juvénile que Wolf-Ferrari restitue, en adaptant très habilement sa musique au texte, l'atmosphère échevelée et bruyante de la comédie de Goldoni à la trame simple et linéaire dont toute la vivacité vient des querelles incessantes et des paix précaires qui se succèdent à un rythme endiablé. EP

NOCTURNE ROMANTIQUE
(Notturno romantico)

Opéra en un acte et deux tableaux de Riccardo Pick-Mangiagalli (1882-1949). Livret d'Arturo Rossato (1882-1942). Première représentation : Rome, Opéra, 25 avril 1936. Interprètes : Aurelio Marcato, Pia Tassinari, Nini Giani, Giuseppe Monacchini, Saturno Meletti. Direction : Tullio Serafin.

Les personnages : Le comte Aurelio Fadda (ténor) ; la jeune comtesse Elisa (soprano) ; Donna Clotilde (mezzo-soprano) ; le comte Zeno (baryton) ; un majordome (baryton) ; dames et gentilshommes.

L'intrigue : L'action se déroule dans une villa sur le lac de Côme, en 1825. La comtesse Clotilde donne une grande réception. Elisa, sa nièce, est amoureuse du patriote Aurelio Fadda, ancien amant de Clotilde. Le comte Zeno, apprenant l'idylle d'Elisa et Aurelio, va tout raconter à Clotilde qui, jalouse, décide de se venger. Aurelio s'est mêlé à la foule des invités et donne à Elisa, en gage d'amour, un médaillon contenant un portrait de sa mère. Leur tendre entretien est interrompu par Clotilde, qui ordonne à sa nièce de sortir. Restée seule avec Aurelio, elle lui reproche sa trahison. Elle feint d'accepter ses explications et, après lui avoir promis de favoriser sa fuite, le dénonce à Zeno. Elisa, se doutant de quelque chose, tente vainement de dissuader Zeno d'entreprendre quoi que ce soit contre Aurelio. Le comte se dissimule derrière la grille du jardin et tire sur Aurelio par traîtrise. En entendant les coups de feu, Elisa s'évanouit.

■ En 1936, année de la création de *Notturno romantico*, Pick-Mangiagalli dirigeait le Conservatoire de Milan, fonction qu'il occupa jusqu'à sa mort. Né en Bohême, il avait pris la nationalité italienne. Il avait commencé sa carrière comme pianiste mais, malgré ses succès de concertiste, il finit par se consacrer entièrement à l'enseignement et à la composition. MSM

LE BAISER EMPOISONNÉ
(The Poisoned Kiss or The Empress and the Necromancer)

Romantic extravaganza *en trois actes de Ralph Vaughan Williams (1872-1958). Livret d'Evelyn Sharp, d'après le conte* The Poison Maid *issu du recueil* The Twilight of the Gods *de Richard Garrett. Première représentation : Cambridge, 12 mai 1936.*

L'intrigue : L'amour naissant entre le magicien Dipsacus et l'impératrice ne tarde pas à se transformer en rancœur profonde. Les années passent et leur haine s'est étendue à leurs enfants respectifs, pourtant innocents. Le magicien habitue sa fille Tormentilla à supporter des doses de plus en plus importantes de poison, de façon à rendre son baiser mortel. Pendant ce temps, l'impératrice fait en sorte que son fils, Amaryllus, soit immunisé contre le poison. Les deux jeunes gens se rencontrent un jour sans se connaître et tombent éperdument amoureux l'un de l'autre. L'idylle compliquée entre les jeunes gens donne lieu à une rencontre orageuse entre leurs parents. Mais finalement, leur amour d'autrefois reprend le dessus sur les rancunes accumulées. L'histoire s'achève par le mariage des jeunes gens, de leurs parents et du bouffon d'Amaryllus avec la servante de Tormentilla.

■ Malgré la beauté des *lyrical songs* et des ensembles, cet opéra fut un échec, car il est à mi-chemin entre l'opérette et la comédie musicale sans avoir les qualités de l'un ou l'autre genre. EP

LA FILLE SOTTE
(Das dumme Mädchen)

Comédie lyrique en trois actes d'Ermanno Wolf-Ferrari (1876-1948). Livret de M. Ghisalberti d'après la comédie de Lope de Vega (1562-1635).

LES PERSONNAGES : Finea (soprano) ; Nise (soprano) ; Ottavio (baryton) ; Lorenzo (ténor) ; Liseo (basse) ; Duardo (basse) ; Clara (soprano) ; Celia (soprano) ; Pedro (baryton) ; Turin (ténor) ; le maître (ténor) ; Miseno (basse) ; le médecin (basse).

L'INTRIGUE : La maison d'Ottavio, à Madrid, dans la première moitié du XVIIe siècle. Ottavio a deux filles à marier, Nise et Finea. Nise est très douée, tandis que Finea est une innocente, incapable de lire à vingt ans. Le jeune Liseo, qui songeait à l'épouser, y renonce lorsqu'il apprend ce retard intellectuel ; il se tourne alors vers Nise, qui est aimée de Lorenzo. Ce dernier, entre-temps, se rend compte que la dot de Finea est plus substantielle que celle de Nise, et commence à s'intéresser à l'innocente. Celle-ci, éveillée par l'amour, surmonte son handicap. Liseo lui revient alors, mais elle sait désormais comment le décourager et feint d'être restée sotte. Tout finit par une série de mariages, les serviteurs suivant l'exemple de leurs maîtres.

■ La première représentation de l'opéra eut lieu à la Scala de Milan, pour la saison 1938-1939, sous la direction d'Umberto Berrettoni. EP

LUCRÈCE
(Lucrezia)

Drame en un acte et trois tableaux d'Ottorino Respighi (1879-1936). Livret de Claudio Guastalla. Première représentation : Milan, théâtre de la Scala, 24 février 1937. Interprètes : Maria Caniglia, Ebbe Stignani, Ettore Parmeggiani. Direction : Gino Marinuzzi.

L'INTRIGUE : En 509 avant notre ère. Un camp romain sous les murs d'Ardea, petite ville des environs de Rome. Des patriciens discutent de la vertu de leurs épouses, chacun étant persuadé que la sienne est plus fidèle. Collatinus (ténor) propose alors un pari : chacun mettra sa femme à l'épreuve, et lui-même est sûr de sortir vainqueur. Collatinus remportera effectivement le pari, explique le narrateur, mais sa victoire lui coûtera bien du chagrin. Sextus Tarquinius (baryton), apercevant la femme de Collatinus, Lucrèce (soprano), s'en éprend. Le lendemain, il se présente chez elle en l'absence de son mari et se fait passer pour un ami de passage. Elle lui offre l'hospitalité. La nuit, il s'introduit dans sa chambre sous un prétexte et lui déclare son amour ; il finit par vaincre sa résistance et abuse d'elle. Lucrèce, après avoir tout raconté à son mari, à son père et à son ami Brutus, et demandé vengeance, se poignarde pour ne pas survivre à son déshonneur. Brutus arrache le poignard et jure de faire justice avec cette même arme. Ils partent vers Rome pour soulever le peuple contre la lignée des Tarquins et tuer Sextus Tarquinius.

■ L'opéra est inachevé et l'auteur n'a pas eu le temps de le réviser, ayant entrepris la composition un an avant sa mort. Sa femme Elsa rassembla les fragments écrits et compléta la partition. Il est cependant difficile dans ces conditions d'apprécier la valeur réelle de cette œuvre. RB

AMELIA VA AU BAL
(Amelia goes to the ball)

Opéra bouffe en un acte de Gian Carlo Menotti (né en 1911). Livret du compositeur, version anglaise de G. Mead. Avant-première : Philadelphie, Academy of Music, 3 mars 1937. Première représentation : New York, Metropolitan Opera, 1er avril 1937. Interprètes : Muriel Dickson, John Brownlee.

LES PERSONNAGES : Amelia (soprano) ; le mari (baryton) ; l'amant (ténor) ; l'amie (contralto) ; le commissaire de police (basse) ; première femme de chambre (mezzo-soprano) ; deuxième femme de chambre (mezzo-soprano) ; policiers.

L'INTRIGUE : L'opéra commence avec une ouverture brillante qui annonce l'humour et la subtile ironie dont l'œuvre est imprégnée. La chambre d'Amelia, où règne une agitation fébrile. La jeune femme, aidée de deux femmes de chambre, se prépare à aller au bal. Pour augmenter la confusion, une amie attend impatiemment Amelia et finit par partir avant elle, exaspérée. Au moment où Amelia, enfin prête, s'en va, son mari fait irruption, furieux. Il a trouvé une lettre sans équivoque : Amelia a un amant. La jeune femme nie mollement, presque distraitement, ne pensant qu'à partir au plus vite. Finalement, pour clore la discussion et contre la promesse qu'elle pourra ensuite aller au bal, Amelia révèle le nom de l'auteur de la lettre : c'est Bubi, l'homme aux moustaches, le locataire du troisième. Cette fois, Amelia pense enfin pouvoir sortir, mais son mari n'est pas de cet avis et il monte l'escalier quatre à quatre. Après un moment de désarroi, Amelia pense à prévenir son amant qui, peu après, descend avec une corde dans la chambre de la jeune femme. Il l'embrasse, mais Amelia n'a pas de temps à perdre en effusions ; il lui propose de fuir avec lui, mais, vraiment, ce soir, elle ne peut pas... Le dialogue est interrompu par le mari qui revient, fou de rage de n'avoir pas trouvé son rival. Ce dernier se cache alors dans la penderie, où le mari ne tarde pas à le découvrir. Il essaie de le tuer, mais son pistolet s'enraie. Une discussion s'engage alors entre les deux hommes, qui se transforme peu à peu en échange d'explications, puis en confidences amicales, l'amant parlant de son amour fou et le mari de son amour perdu. Pendant ce temps, Amelia trépigne en voyant le temps passer et finalement, n'y tenant plus, prend un vase et le casse sur la tête de son mari. Il tombe à terre, assommé. Amelia pousse un grand cri, ameute les voisins. La police arrive et le commissaire entreprend l'interrogatoire des témoins. La version des faits présentée par Amelia est des plus imprévisibles : l'amant serait un inconnu entré par la fenêtre pour cambrioler l'appartement et qui, découvert par le mari, l'aurait frappé, Bubi, bouche bée, essaie de se défendre, mais personne ne le croit et la police l'emmène. Le blessé est conduit à l'hôpital et Amelia, enfin libérée, peut partir pour le bal, acceptant avec joie la compagnie du commissaire.

■ *Amelia va au bal* est le premier opéra à succès de Menotti. Les aspects marquants de la personnalité de l'artiste y sont déjà présents : un grand talent lyrique, une écriture musicale qui utilise intelligemment l'expérience américaine et la musique moderne, sinon d'avant-garde, ainsi que des motifs issus de la tradition des XVIIIe et XIXe siècles ; un livret bien agencé offrant beaucoup de possibilités à la musique, une mise en scène très habile. L'opéra fut un succès immédiat et considérable, donnant à son auteur une renommée internationale. La critique est assez divisée sur la valeur musicale de l'œuvre, la seule écrite par Menotti en italien jusqu'à présent. SC

LE SECOND OURAGAN
(The second Hurricane)

Opéra d'Aaron Copland (né en 1900). Livret d'E. Denby. Première représentation : New York, Henry Street Music School, 21 avril 1937.

■ Opéra divertissement destiné aux écoles de musique. MS

LE DÉSERT
(Il deserto tentato)

Mystère en un acte d'Alfredo Casella (1883-1947). Texte de Corrado Pavolini. Première représentation : Florence, théâtre Vittorio Emanuele, 6 mai 1937. Interprètes : Maria Meloni, Gabriella Gatti, Carmela Maugeri. Direction : Antonio Guarnieri.

■ Une rencontre symbolique entre aviateurs (les purs héros) et guerriers indigènes (les barbares) est l'occasion d'une célébration triomphale de l'aventure coloniale italienne en Éthiopie. MS

L'HOMME SANS PATRIE
(The man without a country)

Opéra en deux actes de Walter Damrosch (1862-1950). Livret d'Arthur Guiterman, tiré d'une nouvelle d'Edward Everett Hale (1863). Première représentation : New York, Metropolitan Opera,

12 mai 1937. Interprètes : Traubel et Carron. Direction : Walter Damrosch.

L'INTRIGUE : Philip Nolan est un jeune officier de l'armée américaine, originaire de La Nouvelle-Orléans. Il est un jour impliqué à tort dans une procédure judiciaire. Alors qu'il est sur le point d'être acquitté, las d'un interrogatoire long et fastidieux, il s'exclame imprudemment : « Au diable les États-Unis d'Amérique ! Je voudrais ne plus jamais en entendre parler. » Le tribunal le condamne aussitôt à la « satisfaction immédiate de son désir ». Nolan est embarqué à bord d'un navire de guerre, et entreprend une longue croisière. En sa présence, personne n'a le droit de parler des États-Unis. Il ne peut lire aucun livre ou journal qui fasse allusion à son pays. Ainsi, pendant cinquante ans, « l'homme sans patrie » passe d'un navire à l'autre, et voyage continuellement loin de sa patrie. Cette punition finit par le transformer en un ardent patriote. Au cours d'unc bataille, il prend la place d'un commandant de batterie blessé, et parvient à arracher la victoire alors que tout espoir semblait perdu. Il est réhabilité, mais l'ordre de sa libération n'arrive jamais. Nolan meurt en embrassant le drapeau des États-Unis, tandis qu'un officier apitoyé lui raconte l'histoire américaine du demi-siècle écoulé (1810-1860), une période particulièrement mouvementée dans l'histoire de la jeune nation.

■ C'est le quatrième des cinq opéras écrits par Damrosch, à qui l'on doit l'introduction en Amérique de nombreux musiciens européens, de Brahms à Tchaïkovski et à Sibelius. MS

LULU

Opéra en un prologue et trois actes d'Alban Berg (1885-1935). Livret de l'auteur d'après deux pièces de Frank Wedekind (1864-1918). Erdgeist *et* Die Büchse der Pandora. *Première représentation : Zurich, Stadttheater, 2 juin 1937. Interprète : Nuri Hadzič. Direction : R. F. Denzel. Première représentation de la version intégrale complétée par Friedrich Cerha : 24 février 1979 à l'Opéra de Paris. Interprète : Teresa Stratas. Direction : Pierre Boulez.*

LES PERSONNAGES : Lulu (soprano léger) ; la comtesse Geschwitz (mezzo-soprano dramatique) ; la dame du vestiaire du théâtre (contralto) ; un lycéen (contralto) ; un médecin (baryton) ; un peintre (ténor lyrique) ; Schön, directeur de journal (baryton) ; Alwa, son fils (ténor dramatique) ; un dompteur (basse bouffe) ; Rodrigo (basse bouffe) ; Schigolch-le-mendiant (basse) ; le prince, voyageur africain (ténor) ; le directeur de théâtre (basse bouffe).

L'INTRIGUE : L'action se déroule vers la fin du XIXe siècle.
Prologue. Devant le rideau fermé, un dompteur vient annoncer le spectacle au public. Le plus beau numéro et le plus dangereux est celui de « Lulu, la vraie, sauvage et belle bête domptée par le genre humain ».
Acte I, première scène. Le studio du peintre. Lulu pose pour son

portrait, en présence de Ludwig Schön, un directeur de journal, et de son fils Alwa. Lulu a été la maîtresse du docteur Schön, qui l'a arrachée à la rue et a réussi à la marier à un vieux médecin, le docteur Goll. Quand Schön et son fils s'en vont, le peintre, pris de désir pour Lulu, s'approche d'elle et l'embrasse. Le mari de la jeune femme, entrant à l'improviste au moment même, meurt de saisissement. Tandis que le peintre court chercher un médecin, Lulu, d'abord désolée, prend soudain conscience qu'elle est désormais libre et riche.

Deuxième scène. La maison de Lulu. La jeune femme, qui a épousé le peintre, est très irritée par une lettre de Schön lui annonçant son mariage avec une femme « bien ». Peu après, un vieil escroc nommé Schigolch, musicien ambulant, vient extorquer de l'argent à Lulu en se faisant passer pour son père. Il s'éclipse prudemment à l'arrivée de Schön, venu dire adieu à Lulu. Celle-ci lui fait une violente scène de jalousie et leur dispute est interrompue par le retour du peintre. Schön, furieux, profite de l'absence de Lulu pour révéler au peintre le passé dissolu de la jeune femme et lui apprendre que, depuis des années, c'est lui qui achète tous ses tableaux pour assurer l'aisance matérielle à Lulu. Le peintre sort et, peu après, on entend un bruit sourd ; il vient de se tuer avec un rasoir dans la salle de bain.

Troisième scène. Une loge de théâtre. Lulu est devenue danseuse étoile ; elle se prépare pour l'entrée en scène lorsque entrent dans sa loge Alwa et un prince, tous deux fous amoureux d'elle. Lulu sort pour le spectacle mais revient presque immédiatement, feignant un malaise : elle a aperçu la fiancée de Schön dans la salle et ne veut pas danser et chanter pour elle. Schön lui-même apparaît et, à la vue de Lulu, sent renaître l'amour en lui ; comme elle menace de s'enfuir avec le prince, il est obligé de rompre ses fiançailles.

Acte II, première scène. Un grand salon chez Schön. Lulu est devenue madame Schön mais n'a pas renoncé à voir ses amis, si bien que son mari vit dans un état de jalousie perpétuelle. Lulu reçoit la visite de Schigolch, du dompteur Rodrigo, d'un lycéen et de la comtesse Geschwitz, tous fous d'amour pour elle. Mais, à l'arrivée d'Alwa, ils disparaissent. Pensant être seul avec sa belle-mère, Alwa se jette à ses pieds. Schön a assisté à la scène sans être vu et, désespéré de voir son fils tomber à son tour sous la coupe de Lulu, il s'avance vers sa femme, armé d'un pistolet. Lulu réagit violemment, lui reprochant d'avoir gâché sa jeunesse ; au cours de la dispute, elle lui arrache son pistolet et le tue. Intermède cinématographique. On projette sur l'écran le film du procès de Lulu et de sa condamnation pour le meurtre de son troisième mari. On la voit ensuite, malade du choléra, dans un hôpital dont elle parviendra à s'enfuir avec l'aide de la comtesse Geschwitz.

Deuxième scène. Même décor que pour la scène précédente, mais plusieurs années plus tard. Lulu entre, accompagnée de ses amis : Alwa, Schigolch, l'ex-lycéen et Rodrigo. Tous s'éclipsent au bout d'un moment. sauf Alwa qui, resté seul avec Lulu, lui déclare à nouveau son amour.

Lulu, assise sur le divan, observe cyniquement que c'est sur ce même divan que son père s'est vidé de son sang.
Acte III, première scène (inachevée à la mort de Berg). Paris. Lulu est devenue une prostituée « protégée » par le marquis Casti-Piani, qui songe à la vendre à un riche Égyptien. Pour lui échapper, Lulu s'enfuit à Londres avec Schigolch, Alwa et la comtesse.
Deuxième scène (entièrement écrite par Berg). Une soupente misérable, à Londres. Lulu en est réduite à tout accepter pour survivre et nourrir ses amis. La nuit de Noël, tandis qu'Alwa se meurt, elle se retire avec un client. C'est Jack l'Éventreur. On entend un hurlement et Jack l'Éventreur sort, inondé du sang de Lulu. Il s'approche de la comtesse Geschwitz et la tue à son tour ; en mourant, elle crie une dernière fois le nom de Lulu.

■ Alban Berg se consacra entièrement à *Lulu* entre 1928 et sa mort, en 1935. Pendant ces années, il n'écrivit rien d'autre à l'exception de l'air de concert *Der Wein (Le Vin)*, en 1929 et, en 1935, peu avant sa mort, le *Concerto pour violon*. Le troisième acte de *Lulu* resta cependant inachevé. En 1934, Berg tira de l'opéra une suite composée de cinq mouvements réunis pour former la *Lulu Symphonie*. Cette version symphonique des thèmes de l'opéra fut écrite en très peu de temps : la première exécution eut lieu à Vienne le 11 décembre 1935, quelques jours avant la mort de Berg, la veille de Noël (elle avait été précédée d'une avant-première à Berlin). Le thème central de l'opéra est le personnage ambigu de Lulu, personnification du mal, qui gouverne le monde par le sexe, force infernale et sauvage. Mais si, dans les pièces de Wedekind, les situations débouchent sur l'angoisse et le désespoir, l'œuvre de Berg laisse apparaître çà et là des lueurs de vie et d'espérance. La musique reflète elle aussi cette opposition : amère et hallucinée dans l'ensemble, elle s'ouvre parfois sur un lyrisme grandiose, notamment chez le personnage de Lulu. Du point de vue musical, *Lulu* peut être analysé comme l'approfondissement de *Wozzek*. Les formes orchestrales renvoient directement au premier opéra de Berg ; l'orchestre exprime une infinie richesse de nuances et le langage dodécaphonique est employé avec plus de discernement et de constance que dans *Wozzek*. La dodécaphonie de *Lulu* se distingue toutefois de la dureté de Schönberg par les accents lyriques propres à la musique de Berg. GP

CARMINA BURANA

Cantate scénique en trois parties de Carl Orff (1895-1982), soustitrée Cantiones profanae cantoribus et choris cantandae, *sur des textes médiévaux (première moitié du* XIII*e siècle) tirés du recueil du monastère de Benediktbeuren de Bavière (*Codex Latinus *4660 de Beuren). Première représentation : Francfort, Staatsoper, 8 juin 1937.*

LES PERSONNAGES : Baryton, ténor, soprano, grand et petit chœur.

L'INTRIGUE : La représentation commence par un prologue constitué d'un hymne à la Fortune, qui tient dans ses mains le genre humain et distribue les dons et les disgrâces de la même façon que se succèdent les phases de la lune. On plaint celui qui souffre tandis qu'une mise en garde est adressée à celui qui est sur le trône et dont, tôt ou tard, le tour viendra.
Première partie : *Veris laeta facies (L'heureux visage du printemps)*. Des chœurs chantent la venue du printemps et ses bienfaits. Le soliste (baryton) incite sa compagne à l'amour et à la fidélité, et l'invite à se réjouir, comme le veulent le printemps et la jeunesse. Cette partie s'achève par une danse et des chœurs, sur le thème des jeux amoureux entre garçons et filles.
Deuxième partie : *In taberna (Dans la taverne)*. Le baryton réfléchit amèrement sur son destin terrestre, fragile comme une feuille. L'homme aime le jeu, accepte volontiers les fatigues de l'amour et se perd dans le vice. Le chœur intervient, et raconte comment, à la taverne, tous ne jouent qu'en espérant trouver un malheureux « pigeon à plumer ».
Troisième partie : *Amor volat undique (L'amour vole partout)*. Une jeune fille pleure quand elle est seule, affirme la soliste (soprano), tout comme un jeune garçon que sa bien-aimée n'embrasse pas. Tout change en revanche s'ils sont seuls dans une chambre ! L'aimée finit par se donner à son amoureux, même si la pudeur la rend d'abord incertaine et hésitante. L'œuvre s'achève par un chœur en l'honneur de Vénus, et une reprise de l'hymne initial à la Fortune.

■ La cantate comprend également des parties dansées et mimées. Avec cet ouvrage, Orff a entamé une nouvelle période de sa production, au point de renier, voire de détruire, ses compositions précédentes. Un peu plus tard, les *Carmina Burana* furent intégrés à la trilogie *Les triomphes*, qui comprenait *Catulli Carmina* (Leipzig, 1943), et *Le triomphe d'Aphrodite* (Milan, 1953). ABe

MARIE D'ALEXANDRIE (Maria d'Alessandria)

Opéra en trois actes et quatre tableaux de Giorgio Federico Ghedini (1892-1965). Livret de Cesare Meano. Première représentation : Bergame, théâtre des Nouveautés (Donizetti), 9 septembre 1937. Interprètes : Serafina di Leo (Maria) ; Antenore Reali (le père) ; Nino Bertelli (le fils) ; Andrea Mongelli (Dimo) ; A. Baracchi (le gardien du feu et le quatrième berger) ; E. Coda (le geôlier Bebro) ; A. Pozzoli (Euno et le troisième berger) ; A. Mercuriali (Nemesio, le diacre Silverio et Mahat) ; M. Arbuffo (Misuride et le premier berger) ; E. Ticozzi (l'aveugle et le deuxième berger). Direction : Giuseppe Del Campo.

LES PERSONNAGES : Marie (soprano) ; le père (baryton) ; le fils (ténor) ; Zozimo (baryton) ; Dimo (basse) ; Misuride (soprano) ; l'aveugle (contralto) ; Silverius (ténor) ; Mahat (ténor) ; le gardien du feu (baryton) ; le geôlier Bebro (basse) ; le geôlier Eunus (ténor) ; Antimus (basse) ; un pénitent (ténor) ; cinq bergers (soprano, contralto, ténor, baryton, basse). Les pénitents, les esclaves.

L'INTRIGUE : Au IVe siècle de notre ère. Un navire part d'Alexandrie chargé de pèlerins se rendant en Palestine. Parmi eux s'est glissée clandestinement Marie, une courtisane fameuse qui espère trouver une vie meilleure dans un autre pays. Misuride, une ancienne courtisane convertie se trouve aussi sur le bateau avec son père et son fils. Levant les yeux, le fils aperçoit Marie à la lueur du phare et est ébloui de sa beauté. Quelque temps après le départ, le navire s'arrête : les rameurs et de nombreux pèlerins sont en train de s'amuser avec Marie. Le fils a l'air si malheureux que le père veut protester contre la conduite de la pécheresse, mais il est arrêté et enfermé dans la cale. Marie ordonne alors aux rameurs de reprendre leur place et de mettre le cap sur Byzance. Une violente tempête éclate. Au milieu de la confusion, le père, qui s'est échappé de la cale, tend son arc pour tuer Marie ; mais le fils le voit, se jette devant la jeune femme et reçoit la flèche à sa place. Bouleversée, Marie s'agenouille et prend le jeune homme dans ses bras en invoquant Dieu. La scène suivante montre un désert rocailleux au bord de la mer. Des bergers parlent de la tempête qui a causé le naufrage d'un navire au large, la nuit précédente. A ce moment, Marie apparaît, épuisée, traînant un corps inanimé : c'est celui du fils, qui lui a sauvé la vie, et à qui elle a juré de donner une digne sépulture. Dans son désespoir, elle entend la voix du jeune homme qui la réconforte et lui dit qu'ils seront bientôt réunis. Il l'invite à se retirer dans le désert et à vivre en pénitence jusqu'à l'heure du salut. Marie, pleine d'espoir, accepte ce destin et s'éloigne vers le désert.

■ Il s'agit des débuts de Ghedini dans l'art lyrique (après *Gringoire* qui ne fut jamais représenté) et les influences de Wagner et Pizzetti y sont encore très sensibles. Mais *Maria d'Alessandria* comporte déjà une version poétique et dramatique originale qui s'affirmera dans les œuvres ultérieures du compositeur, libérées de ces modèles. MS

CHEVAUCHÉE VERS LA MER (Riders to the Sea)

Opéra en un acte de Ralph Vaughan Williams (1872-1958). Texte de John Millington Synge (1871-1909). Première exécution : Londres, Royal College of Music, 30 novembre 1937.

L'INTRIGUE : La vieille Maurya lutte contre la mer hostile qui bat les côtes occidentales de l'Irlande, et qui lui a pris ses six fils. Digne dans le malheur, elle continue à vivre, à aimer et à lutter. La mer lui a tout pris, sauf son âme.

■ *Riders to the Sea* est l'opéra le plus réussi du compositeur anglais. Il utilise beaucoup de chants populaires pour leur couleur et leur spontanéité, mais parvient à donner à l'œuvre un souffle dramatique unique. Williams emploie admirablement le chœur féminin *a cappella* et réduit l'orchestration à l'essentiel. EP

MARGHERITA DA CORTONA

Légende en un prologue et trois actes de Don Licinio Refice (1883-1954). Livret d'Emilio Mucci. Première représentation : Milan, théâtre de la Scala, 1er janvier 1938. Interprètes : Augusta Oltrabella, Giovanni Voyer, Tancredi Pasero, Tatiana Menotti. Direction : Franco Capuana.

L'INTRIGUE : Margherita (soprano), une belle jeune fille très pauvre, quitte la maison paternelle où elle est maltraitée par sa marâtre. Elle est recueillie par Arsenio (baryton), un homme riche, de famille noble, et devient sa maîtresse. Mais Arsenio est tué au cours d'une partie de chasse. La faute en est attribuée aux deux frères de Chiarella (soprano), une jeune bergère séduite par Arsenio et qu'il a quittée pour Margherita. Celle-ci, restée seule, retourne chez son père, mais sa marâtre la met à la porte. Elle reçoit l'aide du noble Uberto (ténor), qui la conduit à Cortona où Margherita vit retirée dans la pénitence et les privations. Sa conduite est tellement exemplaire qu'on commence à la considérer comme une sainte. Mais un jour, elle apprend la terrible vérité : c'est Uberto qui a tué Arsenio. Comme on conduit Chiarella et ses frères à la potence, Margherita s'interpose et offre sa vie pour les sauver. Uberto veut la faire passer pour folle mais le juge (basse) libère les prisonniers. La foule acclame la sainte tandis que les nobles font bloc autour d'Uberto : c'est le début de la guerre civile. Mais Margherita arrête les combattants : elle sort, transfigurée, de l'église en brandissant la croix. La sainte reçoit le pardon de son père et se retire dans la solitude et la prière. Chiarella reprend son œuvre secourable auprès des pauvres gens.

■ *Margherita da Cortona* est certainement le meilleur opéra de Refice. Malheureusement, l'influence d'un d'Annunzio sur le déclin ne permet pas à l'opéra d'éviter des lourdeurs et un esthétisme dépassé. L'œuvre, estimable par bien des traits, ne se distingue pas de la masse des productions culturelles italiennes de l'époque. RB

JEANNE AU BÛCHER

Oratorio dramatique en un prologue et onze scènes d'Arthur Honegger (1892-1955). Livret de Paul Claudel (1868-1955). Première représentation : Bâle, Basel Kammerorchester, 12 mai 1938. Interprètes : Ida Rubinstein, Jean Périer, Serge Sandoz, Charles Vaucher, Ginevra Vivante, Berthe de Vigier.

LES PERSONNAGES : Récitants : Jeanne d'Arc ; frère Dominique ; le troisième héraut ; l'âne ; Bedford ; Jean de Luxembourg ; Heurtebise ; un paysan ; l'huissier de justice ; Regnault de Chartres ; Guillaume de Flavy ; un prêtre ; madame Botti.

Chanteurs : la Vierge (soprano) ; sainte Marguerite (soprano) ; sainte Catherine (contralto) ; une voix (ténor) ; Porcus (ténor) ; premier héraut (ténor) ; un clerc (ténor) ; une voix (basse) ; second héraut (basse) ; une voix de baryton ; une voix d'enfant ; chœur d'hommes et d'enfants.

L'INTRIGUE : En France, pendant la guerre de Cent Ans.
Prologue. Un chœur déplore la triste situation de la France, soumise à l'envahisseur étranger. Une voix annonce la venue d'une jeune fille qui va libérer le pays.
Acte unique. Jeanne apparaît sur la scène. Le bûcher brûle sous ses pieds. Saint Dominique, descendu du ciel, lui montre le livre sur lequel les anges ont noté les accusations que les hommes ont portées contre elle, et la réconforte. Jeanne revit la scène de son procès : les juges portent des masques d'animaux ; le président est un porc, le chancelier un âne, et les juges des brebis. La jeune fille est condamnée au bûcher pour hérésie et sorcellerie. Dominique lui explique que tous ont obéi au démon. Il lui explique aussi en vertu de quel jeu elle a été mise à mort ; les rois de France, de Bourgogne et d'Angleterre ont joué aux cartes avec la Mort, assistés de leurs épouses (la Sottise, la Suffisance, l'Avarice et la Luxure) et de leurs valets. Ceux-ci, arbitres de la partie, se sont partagé l'argent qu'ils avaient gagné en livrant Jeanne au duc de Bedford. On entend le son du glas, et Jeanne écoute à nouveau les voix de sainte Marguerite et sainte Catherine, tandis que le peuple fête le mariage du géant Heurtebise (le bon pain français) avec madame Botti (le bon vin de France) avant de se rendre en masse voir passer le roi de France, qui va se faire couronner à Reims. La jeune fille se rappelle son enfance, lorsque les « voix » l'exhortaient à venir en aide à son pays. Elle se lança alors dans l'entreprise qui permit au roi de reconquérir le trône. Jeanne craint le bûcher, mais la Vierge la réconforte. Elle supportera les tourments des flammes, car elle est elle-même la flamme de la France. Elle monte au ciel, reconnue innocente par la foule qui l'acclame, tandis que ses chaînes se brisent.

■ Le texte de Claudel donne du monde médiéval une image essentiellement mystérieuse et magique. Une grande place est laissée à l'allégorie et le surnaturel apparaît dans la forme rétrospective du récit : Jeanne est sur le bûcher et revit son enfance, la lutte contre les Anglais, son procès et sa condamnation. Honegger réalise dans cet opéra, de l'avis unanime, une synthèse de toutes ses expériences musicales antérieures, et restitue admirablement les aspects mystiques, lyriques et dramatiques du poème claudélien. Notons qu'il ne s'agit pas d'un opéra de type traditionnel ; les parties chantées côtoient des rôles uniquement récités (dont celui de l'héroïne) ; en général, seuls les personnages célestes, mystérieux et allégoriques sont des rôles chantés. GP

MATHIS LE PEINTRE (Mathis der Maler)

Opéra en sept tableaux de Paul Hindemith (1895-1963). Livret

du compositeur. Première représentation : Zurich, Stadttheater, 28 mai 1938. Interprètes : A. Stig, J. Hellvig, L. Funk, P. Baxevanos, E. Mosbacher. Direction : R. F. Denzel.

LES PERSONNAGES : Albert de Brandebourg, cardinal-archevêque de Mayence (ténor) ; Mathis, peintre à son service (baryton) ; Laurent de Pommersfelden, doyen de la cathédrale (basse) ; Wolfgang Capito, conseiller du cardinal (ténor) ; Riedinger, riche marchand de Mayence (basse) ; Hans Schwalb, chef des paysans révoltés (ténor) ; Waldbourg, commandant de l'armée confédérale (basse) ; Schaumberg, un de ses officiers (ténor) ; le comte d'Helfenstein (ténor) ; le fifre (ténor) ; Ursula, fille de Riedinger (soprano) ; Regina, fille de Schwalb (soprano) ; la comtesse d'Helfenstein (contralto).

L'INTRIGUE :
Premier tableau. Un couvent de moines sur le Main. Mathis peint dans le cloître du couvent, en se demandant si ses fresques expriment vraiment la volonté divine. Soudain, Schwalb, le chef des paysans révoltés, entre avec sa fille Regina. Ils sont poursuivis et supplient le peintre de les aider ; Schwalb s'étonne que dans un monde agité, plein de luttes et d'injustices, des gens puissent encore se retirer pour se consacrer à l'art. Mathis dit qu'il réprouve la violence et Schwalb lui rétorque que la rébellion contre l'oppression est une juste cause. Mathis offre son cheval aux fugitifs et, peu après, une troupe de cavaliers dirigés par Schaumberg arrive, à la recherche du chef rebelle. Mathis avoue qu'il l'a aidé à s'enfuir et déclare à l'officier qu'il est sous la protection du cardinal-archevêque de Mayence : il se rendra lui-même chez le cardinal pour se soumetre à son jugement.
Deuxième tableau. Mayence, une salle de la forteresse Saint-Martin. Le cardinal Albert de Brandebourg est l'objet de pressions des communautés catholique et protestante ; parmi les catholiques se trouvent Laurent de Pommersfelden et Wolfgang Capito et, parmi les protestants, le riche négociant Riedinger et sa fille Ursula. Mathis apparaît et la jeune fille, qui l'aime, lui reproche sa longue absence. Schaumberg, reconnaissant le peintre, l'accuse publiquement d'avoir aidé Schwalb à s'enfuir. Mathis affirme qu'il est du côté des opprimés et Pommersfelden réclame son arrestation, mais le cardinal décide de le laisser en liberté.
Troisième tableau. La maison de Riedinger. Wolfgang Capito, conseiller du cardinal, est venu saisir les livres réformés que possède le marchand. Pour apaiser Riedinger, il lui lit une lettre de Martin Luther adressée au cardinal, l'exhortant à se marier et à transformer l'archevêché en principauté. Capito pense qu'Ursula serait une bonne épouse pour son maître et Riedinger convoque sa fille en lui demandant d'accepter docilement le mari qu'on lui proposera. La jeune fille est troublée. Lorsque Mathis arrive, peu après, elle lui dit qu'elle l'aime mais le peintre, bien qu'il partage son sentiment, lui explique qu'il doit partir se battre en faveur des opprimés : en ces temps de troubles, il faut savoir renoncer à l'amour et à l'art.

Quatrième tableau. Une place, à Königshofen. Les paysans révoltés ont occupé la ville et la mettent à sac. Ils capturent le comte et la comtesse d'Helfenstein ; le comte est tué sur-le-champ, tandis que sa femme se réfugie dans une chapelle, devant une image de la Vierge. Mathis, qui prend sa défense, est brutalement jeté à terre. Schwalb entre à ce moment avec sa fille et reproche aux siens de se livrer à des violences inutiles alors que l'armée ennemie avance. La bataille a lieu. Les rebelles sont écrasés et Schwalb est tué. Waldbourg, commandant des armées confédérées, veut capturer Mathis, mais la comtesse intervient en faveur du peintre. Mathis reste seul avec Regina, qui pleure sur le corps de son père.

Cinquième tableau. Le bureau du cardinal, à Mayence. Capito essaie de gagner le cardinal à la cause luthérienne, et de lui faire épouser Ursula. Le cardinal accepte de voir le jeune fille. Il lui demande sévèrement comment elle accepte de faire l'objet d'un tel marché ; Ursula implore son pardon et le conjure de se convertir et de prendre la tête des partisans de la nouvelle foi. Le cardinal décide de se convertir ; il renonce au luxe et se retire dans un ermitage. Ursula prend aussi la résolution de consacrer sa vie au service de Dieu.

Sixième tableau. Une forêt de l'Odenwald. Mathis réconforte Régina, encore bouleversée par la mort de son père, et qui se croit toujours poursuivie. Elle s'endort et Mathis a une vision : il se voit, sous l'apparence de saint Antoine, tenté par la richesse, la puissance, la luxure, la science et la force. Puis cette image disparaît, et il voit saint Paul, sous les traits du cardinal, qui l'exhorte à se consacrer à nouveau à son art, le domaine où il pourra le mieux servir Dieu.

Septième tableau. L'atelier de Mathis à Mayence. Mathis dort, épuisé après un long travail, tandis que Regina délire, veillée par Ursula. La jeune fille est à la dernière extrémité et Ursula réveille Mathis ; ils se penchent sur le lit de l'agonisante. C'est le petit matin. Albert de Brandebourg vient trouver Mathis et lui offre sa maison, mais le peintre refuse : son œuvre est terminée, il vivra désormais seul avec le souvenir de son art.

■ Il s'agit peut-être de l'opéra le plus important de Hindemith, qui s'inspire de la vie du peintre Mathis Grünewald et rend hommage à son chef-d'œuvre, le retable d'Issenheim (conservé à Colmar). Sur un fond de guerre civile, les personnages de l'opéra semblent errer, troublés ou exaltés, mais toujours seuls. Mathis est le plus solitaire de tous ; la sérénité de l'artiste a été bouleversée par les troubles du monde extérieur et il contemple le beau sans plus savoir s'il doit ou peut encore l'exprimer. D'où la confrontation symbolique du premier tableau entre le peintre et Schwalb. L'opposition fondamentale entre l'artiste et le monde est soulignée par une structure musicale très habile, homogène dans la souplesse contrapuntique et l'intensité expressive. Hindemith abandonne désormais l'inspiration expressionniste de ses premières œuvres et prend également ses distances avec la phase de la *Neue Sachlichkeit*, retournant à la théma-

tique du contrepoint issue de Bach. Dans sa récupération harmonique et mélodique du système modal, Hindemith, bien que faisant figure d'adversaire principal de la dodécaphonie, élabore une théorie tout aussi intransigeante.
Désormais, la musique apparaît comme un système planétaire comportant une infinité de sons. « Nous ne pouvons pas nous soustraire à la sphère créée pour nous, quelle que soit la voie que nous empruntions », déclare ainsi Mathis au cardinal à la fin du sixième tableau. Ces paroles révèlent la conviction d'Hindemith que la musique reflète l'harmonie universelle entre l'homme et le cosmos ; elle est perçue comme une pulsation keplérienne du monde (l'opéra *Die Harmonie der Welt*, créé en 1957, développera ce thème) suivant des ellipses et de célestes sentiers géométriques. *Mathis le peintre* fut accueilli triomphalement à Zurich lors de la première et fut interprété comme une prise de position intellectuelle et politique contre le national-socialisme, qui avait contraint Hindemith à l'exil. LB

JOUR DE PAIX (Friedenstag)

Opéra en un acte de Richard Strauss (1864-1949). Livret de Joseph Gregor (1888-1960). Première représentation : Munich, Nationaltheater, 24 juillet 1938. Interprètes : Viorica Ursuleac, Hans Hotter, Ludwig Weber. Direction : Clemens Krauss.

L'INTRIGUE : L'action se déroule dans une ville assiégée, en 1648. La population, épuisée, veut se rendre, mais un message de l'empereur ordonne la résistance à outrance. Le commandant décide de faire sauter la citadelle ; sa femme Maria reste à ses côtés pour périr avec lui. Déjà, la poudre qui doit faire exploser le château est prête, lorsqu'on entend trois coups de canon : c'est la paix, la guerre de Trente Ans est finie. Le commandant, soupçonnant une ruse, accueille le chef de l'armée ennemie l'épée à la main. L'intervention de Marie évite la tragédie.

■ *Friedenstag* est la représentation abstraite du sort de l'homme face à la guerre. L'œuvre souffre de la médiocrité du livret, malgré la collaboration de Stefan Zweig, qui réécrivit la scène principale. Le sujet est manifestement étranger à l'esprit de Strauss, et la partition est l'une des moins vivantes et des plus conventionnelles du compositeur. Favorablement accueillie par la presse allemande, l'œuvre fut rarement reprise par la suite. RB

DAPHNÉ

Opéra en un acte de Richard Strauss (1864-1949). Livret de Joseph Gregor (1888-1960). Première représentation : Dresde, Straatsoper, 15 octobre 1938. Interprète : Margarete Teschemacher. Direction : Karl Böhm.

L'INTRIGUE : Tandis que se prépare la fête de Dionysos, Daphné (soprano), fille de Gaia et de Peneios, perdue dans la contemplation de la nature, prie le soleil couchant d'interrompre sa course pour qu'elle puisse continuer à admirer les arbres, les fleurs, la source. La jeune fille repousse l'amour du berger Leucippe (ténor), et sa mère Gaia (contralto) réprouve cette attitude. Apollon (ténor) se présente sous une apparence humaine ; Daphné est chargée de recevoir l'étranger et elle est frappée par sa noblesse ; elle l'appelle « mon frère » et s'approche de lui, confiante. Apollon qui, pour elle, a arrêté le char du soleil, l'embrasse. Elle s'enfuit. Les bergers sont réunis pour la fête. Leucippe, déguisé, offre à Daphné un breuvage dionysiaque et la fait danser. Apollon, jaloux, se montre alors dans sa divinité. Leucippe le maudit et le dieu le transperce d'une flèche. Devant le désespoir de Daphné, qui se sent responsable de la mort du jeune homme, Apollon avoue qu'il a usurpé les droits de Dionysos et demande à Zeus de transformer Daphné en laurier.

■ Rarement représenté, *Daphné* est caractéristique de la dernière production lyrique de Strauss, empreinte d'un olympisme qui se veut hors de l'espace et du temps. Les plus belles pages sont l'interlude symphonique accompagnant le baiser d'Apollon et le chant final de Daphné se transformant en laurier. RB

LE ROI HASSAN
(Re Hassan)

Opéra en trois actes et quatre tableaux de Giorgio Federico Ghedini (1892-1965). Livret de Tullio Pinelli. Première représentation : Venise, théâtre La Fenice, 26 janvier 1939. Interprètes : Tancredi Pasero (le roi Hassan) ; Cloe Elmo (Moraima) ; Giovanni Voyer (Hussein) ; Irène Minghini Cattaneo (Thoreya). Direction : Fernando Previtali.

LES PERSONNAGES : Le roi Hassan (basse) ; Hussein (ténor) ; Moraima (mezzo-soprano) ; Jarifa (mezzo-soprano ou contralto) ; Thoreya (soprano) ; le comte Fernan Gonzales (ténor) ; Zachir (baryton) ; une voix (ténor) ; l'alcalde de l'Alhambra (ténor) ; Don Alvaro (baryton) ; guerriers, courtisans, chevaliers arabes et chrétiens, officiers du roi Hassan, officiers d'Hussein, soldats, le chœur des prisonniers.

L'INTRIGUE : En Espagne, au XVe siècle. Dans le palais royal de l'Alhambra, à Grenade, le prince Hussein reproche à son père d'être trop vieux pour guider son peuple avec toute l'énergie nécessaire en des temps aussi difficiles. Hassan pense que son fils est uniquement soucieux de s'emparer du trône. Hussein est effectivement assez étranger à son père ; il lui reproche de ne l'avoir jamais aimé et sa mère Jarifa, répudiée par le roi, le pousse depuis toujours à chercher à monter sur le trône. L'Espagne chrétienne envoie à Hassan l'ambassadeur Don Fernan Gonzales qui réclame, au nom du roi Ferdinand, le paiement d'un tribut destiné à effacer l'outrage fait au roi d'Espagne par les Arabes. Hassan, indigné, refuse de payer : c'est la guerre, le premier affrontement entre chrétiens et musulmans depuis deux cents ans. La foule manifeste devant le palais son hostilité à la guerre.

Quelque temps plus tard, on amène au palais l'alcalde blessé. La ville est tombée et le prince Hussein a été fait prisonnier, ainsi que sa femme Moraima et sa mère Jarifa. Hassan accuse l'alcalde de trahison et le condamne à mort. Pendant ce temps, Hussein est amené au palais du roi catholique. Don Alvaro lui transmet une proposition de Ferdinand : la liberté lui sera rendue s'il accepte de combattre le roi Hassan ; on lui fournira des hommes et des armes et il pourra succéder à son père, à condition de laisser Grenade à l'Espagne. Le roi exige de garder le fils de Hussein en otage. Hussein refuse d'abord pour ne pas arracher son enfant à sa mère, mais Jarifa flatte habilement son ambition et il finit par accepter les conditions du roi Ferdinand. Dans une plaine aride, on voit arriver le roi Hassan avec sa suite ; ses chevaliers les plus fidèles sont morts et il a décidé de faire appeler son fils. Quand Hussein arrive, épuisé par la longue course, il lui annonce qu'il abdique en sa faveur. Mais Hussein ne peut se réjouir de cette nouvelle, car, entre-temps, son épouse Moraima est morte de chagrin d'être séparée de son fils. Un messager annonce l'arrivée du roi Ferdinand.

■ L'opéra, écrit en 1937-1938, fut présenté dans une nouvelle version au théâtre San Carlo de Naples, le 20 mai 1961. MS

LA LUNE
(Der Mond)

Opéra en deux actes de Carl Orff (1895-1982). Livret du compositeur, d'après un conte des frères Grimm. Première représentation : Munich, Nationaltheater, 5 février 1939. Une nouvelle version de l'opéra fut présentée dans le même théâtre en 1950.

LA PUCE D'OR
(La pulce d'oro)

Opéra en un acte et trois tableaux de Giorgio Federico Ghedini (1892-1965). Livret de Tullio Pinelli. Première représentation : Gênes, théâtre Carlo Felice, 15 février 1940. Interprètes : Iris Adami-Corradetti, Irma Colasanti, Alessandro Grande, Afro Poli, Mattia Sassanelli, Ubaldo Toffanetti. Direction : Franco Capuana.

LES PERSONNAGES : Lucilla (soprano) ; Fortuna (contralto) ; Lupo Fiorino (ténor) ; Olimpio (baryton) ; Daghe (ténor) ; Mirtillo (basse) ; Verna (basse).

L'INTRIGUE : Dans une auberge de campagne, entre un jeune vagabond, grand bonimenteur et sûr de soi. Il montre à l'assistance — le patron Olimpio et sa femme Fortuna, leur fille Lucilla et quelques clients — une minuscule cage en or. Lupo Fiorino — c'est son nom — prétend que la cage contient une puce d'or venue d'un pays lointain et mystérieux, et qui possède le don de transformer en or tout ce qu'elle mord, sauf la nourriture. Le vieux Verna se montre tout à fait incrédule, alors que les autres écarquillent les yeux pour voir l'animal merveilleux. Pour faire une démonstration, Lupo Fiorino ouvre la cage ; mais la puce s'échappe et, peu après, Lucilla pousse un cri, car elle vient d'être piquée. Après une série de tractations, on décide que la jeune fille, devenue précieuse, sera enfermée dans un sac pour que la puce ne puisse s'échapper et que Lupo la surveillera toute la nuit. Olimpio se poste devant la porte pour être sûr qu'il n'arrivera rien à sa fille et que le jeune homme ne tentera pas de s'enfuir avec la précieuse puce. Pendant la nuit, tous élaborent des projets grandioses et rêvent de s'emparer de la puce prodigieuse. Lupo Fiorino descend l'escalier dans le noir et va sortir lorsque Olimpio l'assomme d'un coup de matraque. Il tombe comme une masse et Olimpio, le croyant mort, le transporte avec ses amis dans la rue. Le vieux Verna veut aller dénoncer le forfait à la police, mais Olimpio le ligote à la table. A ce moment, Lupo Fiorino entre, chancelant et ensanglanté ; il croit qu'il a été assommé parce qu'il a séduit la jeune fille et déclare qu'il est prêt à l'épouser. Lucilla paraît ravie de cette proposition et ils partent ensemble. L'histoire de la puce n'est pas élucidée : l'animal merveilleux existe-t-il ou a-t-il été inventé par Lupo Fiorino pour pouvoir approcher Lucilla ? MS

ROMÉO ET JULIETTE
(Romeo und Julia)

Opéra en deux actes et six tableaux de Heinrich Sutermeister (né en 1910). Livret du compositeur, tiré de la tragédie de Shakespeare (traduction de Schlegel). Première représentation : Dresde, Staatsoper, 13 avril 1940. Direction : Karl Böhm.

■ L'opéra marquait les débuts du compositeur suisse dans le domaine du théâtre lyrique. On y décèle l'influence des dernières compositions de Verdi. RB

VOL DE NUIT
(Volo di notte)

Opéra en un acte de Luigi Dallapiccola (1904-1975). Livret du compositeur, tiré du roman (1931) d'Antoine de Saint-Exupéry (1900-1944). Première représentation : Florence, Teatro della Pergola, à l'occasion du Mai musical florentin, 18 mai 1940. Interprètes : Maria Fiorenza (madame Fabien), Francesco Valentino (Rivière), Antonio Melandri (le radiotélégraphiste), P. Pauli (Pellerin), V. Baldini (Leroux), Vincenzo Guicciardi (Robineau). Direction : Fernando Previtali.

Les personnages : Rivière, directeur d'une compagnie d'aviation en Amérique du Sud (baryton basse) ; Robineau, inspecteur (basse) ; Pellerin, pilote (ténor) ; le radiotélégraphiste (ténor) ; Leroux, un vieux chef d'équipe (basse) ; madame Fabien (soprano) ; une voix lointaine (soprano) ; quatre fonctionnaires (deux ténors, un baryton, une basse). Chœur.

L'intrigue : Dans le bureau d'une compagnie d'aviation, à l'aéroport de Buenos Aires, vers 1930. Rivière, le directeur, à l'origine de vols de nuit dangereux, attend le retour de trois courriers. Il discute avec un vieux chef d'équipe, Leroux, et lui confie qu'il a renoncé aux plaisirs de l'existence pour contribuer au progrès des nouveaux moyens de communication. L'avion du Chili arrive sans dommage, en ayant réussi à se tirer d'une tempête. En revanche, les nouvelles du courrier de Patagonie sont mauvaises ; il a averti le radiotélégraphiste qu'il se trouvait dans une situation difficile, en raison du mauvais temps, et qu'il n'avait plus qu'une demi-heure de carburant. Arrive Simone Fabien, l'épouse du pilote en difficulté. Elle est inquiète du retard de son mari, et a une pénible discussion avec Rivière. Peu après, le radiotélégraphiste réussit à entrer une dernière fois en contact avec Fabien, pour capter un message de détresse, juste avant que l'avion ne tombe en mer. Pendant ce temps, le troisième avion, en provenance du Paraguay, est arrivé. La nouvelle de la mort de Fabien se répand dans l'aéroport. Effrayés, les ouvriers de l'aéroport se révoltent contre ces vols trop dangereux et en réclament la suspension. Un groupe se rend dans le bureau de Rivière. Calme et froid, le directeur ordonne le départ du courrier pour l'Europe. On ne peut s'arrêter pour un accident, si douloureux soit-il. C'est l'avenir de tous les autres vols qui est en jeu. Subjugués par la détermination de Rivière, tous se retirent alors en le saluant respectueusement. Rivière a gagné son amère bataille, et reprend son travail solitaire.

■ *Vol de nuit* est la première œuvre de Dallapiccola écrite pour le théâtre. Elle veut mettre en scène la dramatique situation de l'homme face à la technique et au progrès. La partition a subi l'influence de l'expressionnisme de Schönberg, tout en gardant un lien avec les précédentes compositions monodiques ou polyphoniques de Dallapiccola. Avant d'entreprendre cet opéra, le compositeur avait écrit une étude préliminaire intitulée *Tre laudi* (1936-1937). C'était la première fois que la musique dodécaphonique apparaissait dans un opéra italien. MS

SIMÉON KOTKO

Opéra en cinq actes de Sergueï Prokofiev (1891-1953). Livret du compositeur, en collaboration avec V. Kataev, d'après un conte de ce dernier. Première représentation : Moscou, Opernyi Teatr Stanislavski, 30 juin 1940.

L'INTRIGUE : A la fin de la Première Guerre mondiale, le jeune paysan Semion Kotko regagne son village natal, dans le sud de l'Ukraine. Après les bouleversements de la guerre, la situation a changé : les soviets ont pris le pouvoir et mettent en place l'ordre révolutionnaire. Les deux principaux responsables du soviet, Remeniouk et Tzariov, procèdent à la redistribution égalitaire des fermes et du bétail. Semion reçoit sa part comme tout le monde. Enhardi par ce nouveau bien-être, Semion demande au riche propriétaire Thatchenko la main de sa fille Sonia, dont il est amoureux. Mais le père, espérant pour elle un mariage plus prestigieux, n'accepte que du bout des lèvres. Pendant ce temps, un détachement allemand lance une opération punitive dans le village : Tzariov est pendu et la ferme de Semion est incendiée, à l'instigation de Thatchenko, qui espère ainsi se débarrasser du jeune homme. Mais celui-ci a échappé à la ruine et a mis sur pied, avec Remeniouk, un groupe de partisans qui lutte pour libérer le pays. Il arrive à temps pour empêcher le mariage de Sonia avec le riche Kemblovski, que le père de la jeune fille lui avait imposé.

■ La richesse de l'opéra est due en particulier au contraste très bien évoqué par Prokofiev entre la vie paisible de l'obscur village d'Ukraine et les événements extérieurs tragiques dont les échos arrivent comme assourdis. Toutefois, Prokofiev connut avec *Semion Kotko* le début des tracasseries qui devaient tant gêner son activité artistique. L'opéra fut en effet accusé de formalisme comme, auparavant, *Lady Macbeth de Mzensk* de Chostakovitch.

RB

L'OMBRE DE DON JUAN (L'ombra di Don Giovanni)

Opéra en trois actes et quatre tableaux de Franco Alfano (1876-1954). Livret de E. Moschino. Première représentation : Milan, théâtre de la Scala, 2 avril 1914. L'opéra remanié fut présenté le 28 mai 1941, à l'occasion du Mai musical florentin, sous le titre de Don Juan de Maraña.

■ Cet opéra marque le retour d'Alfano à la scène après une période consacrée entièrement à la musique symphonique. Son originalité vient de l'usage du chœur, qui joue par moments le rôle principal dans le développement dramatique de l'action. GP

LES CAPRICES DE CALLOT (I capricci di Callot)

Opéra en un prologue et trois actes de Gian Francesco Malipiero (1882-1973). Livret du compositeur. Première représentation : Rome, Opéra, 24 octobre 1942.

Les personnages : Giacinta (soprano) ; Giglio (ténor).

L'intrigue : Quatre couples de masques viennent en dansant annoncer le début du Carnaval. La couturière Giacinta s'est confectionné pour l'occasion une robe merveilleuse qui, espère-t-elle, éblouira son fiancé Giglio, un acteur sans le sou. A Rome, sur le *corso*, le Carnaval bat son plein. Un petit vieux et un charlatan s'amusent au milieu des masques. Ils font une farce aux deux amoureux, pour rire, puis célèbrent joyeusement leurs noces devant une table somptueusement garnie.

■ La critique apprécia beaucoup la rencontre heureuse de trois arts, réussie par cet opéra : la musique de Malipiero, dont la sensibilité s'adapte parfaitement à l'irréel et au fantastique contenus dans *La Princesse Brambilla* d'Hoffmann, et à la série de vingt-quatre gravures de Jacques Callot appelées *Danses de Sfessania.* « La musique est une mélodie irrésistible et ininterrompue qui passe des voix aux instruments, retourne aux voix, rebondit à l'orchestre, non sans affinité avec les "panneaux" de la première période, mais avec un contrepoint rigoureux de musique et d'action qui se conditionnent l'une l'autre tout en gardant leur autonomie » (Domenico De Paoli). La musique sert souvent à souligner l'action et surtout à donner un caractère aux personnages. MSM

CAPRICCIO

Conversation musicale en un acte de Richard Strauss (1864-1949). Livret de Clemens Krauss (1893-1954). Première représentation : Munich, Nationaltheater, 28 octobre 1942. Interprètes : Viorica Ursuleac, Horst Taubmann, Hans Hotter, Georg Hann, Walter Höfermayer, Hildegarde Ranczak. Direction : Clemens Krauss.

L'INTRIGUE : Un château des environs de Paris. La comtesse Madeleine écoute un sextuor pour cordes (qui sert aussi d'ouverture à l'opéra) que lui a dédié son protégé, le compositeur Flamand. Par la fenêtre, Flamand et le poète Olivier, son rival, épient les réactions de la comtesse. L'imprésario La Roche somnole dans un fauteuil ; il doit monter, à l'occasion de l'anniversaire de la comtesse, la tragédie d'Olivier au théâtre du château. Le musicien et le poète discutent aimablement, chacun prenant la défense de son art à partir de l'exemple d'une œuvre de l'abbé Casti *(Prima la musica, poi le parole)*. La Roche intervient pour soutenir les droits du spectacle. Le comte, frère de la comtesse, qui joue un rôle dans la tragédie, répète la scène principale avec la célèbre Clairon, qu'il aime d'un amour sensuel (la déclaration d'amour du personnage interprété par le comte est en fait la traduction d'un sonnet de Ronsard : *« Je ne sçaurois aimer autre que vous »*). Flamand, pris d'inspiration, met le sonnet en musique. Olivier en profite pour déclarer son amour à Madeleine. Flamand revient et chante le sonnet en s'accompagnant au clavecin. Dès qu'Olivier, appelé pour les répétitions, a tourné le dos, il déclare sa flamme à son tour. La comtesse est troublée, mais reste évasive. Un numéro de danse offre l'occasion de reprendre la discussion sur les priorités dans le domaine artistique. L'imprésario présente deux chanteurs italiens qui interprètent un duo sur un texte de Métastase. La conversation reprend. Les déclarations de La Roche sur « l'action théâtrale » en préparation amusent tout le monde (octuor des rires). L'imprésario met alors au défi les auteurs d'écrire des œuvres nouvelles peuplées non pas de pâles fantômes mais d'êtres vivants de chair et de sang. Le comte propose à Flamand et Olivier un opéra ayant pour thème les conflits qu'ils ont vécus tous ensemble et dont ils seraient les personnages. C'est un moment d'intense émotion : les frontières entre la vie et le théâtre sont effacées. Tous les invités repartent pour Paris. Madeleine, vêtue d'une robe du soir, entre dans la salle vide, accompagnée d'un vibrant interlude orchestral. Elle a donné rendez-vous à Flamand et à Olivier pour le lendemain matin, même heure, même endroit, mais elle n'a pas encore décidé quelle sera sa réponse :

« Si je choisis l'un, je perds l'autre. Mais peut-on vaincre sans perdre aussi ? »

■ L'idée de départ de *Capriccio*, le dernier opéra de Richard Strauss, fut suggérée par Stefan Zweig qui, en janvier 1934, lui avait fait connaître le curieux livret écrit par l'abbé Casti pour un opéra de Salieri, le rival de Mozart *(Prima la musica, poi le parole)*. Reprise et abandonnée plusieurs fois, l'idée fut finalement réalisée en collaboration avec le chef d'orchestre Clemens Krauss, comme un simple divertissement privé du compositeur. L'œuvre est remarquable avant tout par la pleine audibilité du texte — très réussi — écrit en partie par Strauss. L'intelligibilité des paroles dans l'opéra est un problème qui obséda Strauss pendant une grande partie de sa carrière. Au centre de l'œuvre se trouve le personnage de la comtesse, personnification de l'opéra, inspiratrice de la poésie et de la musique. Le dilemme de Madeleine est, dans ce sens, celui de Strauss lui-même, qui a réuni dans cet opéra des fragments des œuvres qu'il aimait le plus. RB

CATULLI CARMINA

Cantate scénique en trois actes de Carl Orff (1895-1982), sur un texte tiré des poèmes de Catulle (87-54 av. J.-C.). Première représentation : Leipzig, Stadttheater, 6 novembre 1943.

L'intrigue : Trois groupes de personnes discutent. Des jeunes gens et des jeunes filles se jurent une fidélité éternelle. Les vieux ne les approuvent pas : ils ne croient guère à l'immutabilité des sentiments. Ils les invitent à réfléchir en leur faisant écouter les poèmes de Catulle. La représentation commence.

Acte I. Catulle et Lesbie chantent la vie et l'amour. Catulle pose la tête sur le sein de Lesbie et s'endort. Peu après, apparaissent les amoureux. Lesbie se lève, s'éloigne de Catulle, et se met à danser avec eux. Le poète se réveille ; il se désespère de la trahison de Lesbie, qui venait de jurer qu'elle ne l'abandonnerait jamais. Il sort avec son ami Celius.

Acte II. Le poète dort près de la maison de Lesbie. Il rêve que Lesbie l'embrasse, et se rappelle ses promesses d'amour, en espérant qu'elle ne les aura pas oubliées. Tandis qu'il pense à tout cela, il aperçoit Celius en train de faire la cour à Lesbie. Catulle est à nouveau dépité, et maudit l'ingratitude de Lesbie et de toutes les femmes.

Acte III. Catulle rencontre Ipsitilla, une belle jeune fille, et la prie de l'inviter chez elle. Ammiana lui demande alors dix mille sesterces pour la rencontre amoureuse. Il la chasse, et part à la recherche de Lesbie, parmi les amoureux et les prostituées. Lesbie l'aperçoit et l'appelle ; mais le poète s'efforce de ne pas l'écouter, et la renvoie, bien qu'il soit toujours amoureux d'elle ; il ne pourra jamais se détacher de Lesbie, malgré tous ses défauts, mais sa conduite lui interdit de s'unir à elle. Lesbie se réfugie chez elle, désespérée.

La représentation est terminée. Les garçons et les filles continuent à se jurer une fidélité et un amour éternels. Il y a longtemps qu'ils ne suivaient plus la représentation. Les vieux se désolent, découragés.

■ *Catulli Carmina* est la deuxième partie du triptyque *Les triomphes* qui comprend *Carmina Burana* (1937) et *Le triomphe d'Aphrodite* (1953). ABe

LE JOUEUR
(Igrok)

Opéra de Dimitri Chostakovitch (1906-1975), sur un livret inspiré de l'œuvre de Dostoïevski (1821-1881).

■ L'opéra date de 1943, mais est resté inachevé et n'a jamais été représenté. Cela est probablement dû au profond écœurement ressenti par le musicien après les critiques adressées à sa *Lady Macbeth*. RB

PETER GRIMES

Opéra en un prologue et trois actes de Benjamin Britten (1913-1976). Livret de Montagu Slater, d'après le poème de George Crabbe, The burrough *(*Le bourg, *1810). Première représentation : Londres, Sadler's Wells Theatre, 7 juin 1945. Interprètes : Peter Pears, Joan Cross. Direction : Reginald Goodall.*

LES PERSONNAGES : Peter Grimes, un pêcheur (ténor) ; John, son mousse (rôle muet) ; Ellen Orford, la maîtresse d'école (soprano) ; Balstrode, capitaine de la marine marchande en retraite (baryton) ; Auntie, patronne de l'auberge du Sanglier (contralto) ; la première et la seconde nièces (sopranos) ; Bob Boles, un pêcheur méthodiste (ténor) ; Swallow, le magistrat (basse) ; madame Sedley, une riche veuve (mezzo-soprano) ; le révérend Horace Adams (ténor) ; Ned Keene, l'apothicaire (baryton) ; le docteur Thorp (rôle muet) ; Hobson, le charretier (basse). Chœur : les habitants du bourg et les pêcheurs.

L'INTRIGUE : Dans un village de pêcheurs de la côte Est de l'Angleterre, vers 1830.
Prologue. Une salle de la mairie. Un pêcheur, Peter Grimes, est accusé d'avoir provoqué la mort de son mousse. Toutefois, l'enquête n'a pu fournir de preuves tangibles, et le juge Swallow l'acquitte. Les habitants du village sont mécontents de ce verdict, et le juge conseille au pêcheur de ne pas prendre d'autres apprentis. La maîtresse d'école, Ellen Orford, tente de le réconforter, et lui promet d'essayer de le réhabiliter aux yeux de ses concitoyens.
Acte I, première scène. Peter s'est rendu compte qu'il est dur de travailler seul sur une barque, et se désole de l'hostilité dont il est l'objet. Aussi, lorsque l'apothicaire Ned Keene lui propose un nouveau mousse — un orphelin de l'hospice —, il accepte aussitôt, ignorant la recommandation du juge. Une tempête éclate, et les pêcheurs courent mettre leurs barques et leurs filets à l'abri. Deuxième scène. A l'intérieur de l'auberge du Sanglier, le soir. La salle est pleine. La tempête fait rage. Quelqu'un annonce que la route côtière s'est effondrée sous la masure de Peter Grimes. Peter entre, hagard. Les gens croient qu'il est ivre. Le pêcheur Boles s'en prend à lui, et

le traite d'assassin d'enfants. En même temps arrive le nouveau mousse qui doit aider Peter. Celui-ci, sans tarder, l'entraîne au-dehors, dans la tempête, et se dirige vers leur maison.
Acte II, première scène. Sur la plage, quelques semaines plus tard. Ellen et le nouveau mousse sont assis sur la plage, tandis qu'on célèbre l'office à l'église paroissiale. Les vêtements du garçon sont déchirés, et son corps porte des traces de coups. Peter, qui a eu connaissance de l'arrivée d'un banc de poissons, veut partir. Ellen insiste pour qu'il laisse le pauvre garçon se reposer au moins le dimanche. Une dispute, à laquelle assistent quelques personnes, éclate entre eux. Tout le village est bientôt au courant, les commentaires vont bon train, et on décide finalement d'aller voir ce qui se passe dans la maison de Peter. Deuxième scène. L'intérieur de la masure, installée dans un vieux bateau renversé. Le garçon sanglote, et Grimes tente maladroitement de le consoler. Il entend alors approcher les habitants du village, et pousse le garçon, avec tout le matériel, vers la porte de derrière, qui ouvre à pic sur la falaise. Le mousse, épouvanté et gêné par son fardeau, glisse et se tue. Les villageois trouvent la maison déserte.
Acte III, première scène. La plage et une rue du village, la nuit. On donne un bal à la mairie. La disparition de Grimes et du mousse a été remarquée, mais les gens pensent qu'ils travaillent. Toutefois, Mme Ledley, une veuve qui a fait des potins et des scandales sa raison de vivre, laisse entendre qu'elle a appris que le chandail du garçon a été retrouvé, trempé, au bord de la mer. Il ne lui en faut pas plus pour accuser Peter d'un nouveau crime, et convaincre le juge Swallow de le faire rechercher. Deuxième scène. Le lendemain. Peter Grimes, épuisé, erre à demi fou dans le brouillard. Ellen et le capitaine Balstrode le retrouvent. Le capitaine lui conseille de partir en mer, et de couler avec son embarcation. Il l'aide à pousser sa barque vers le large, et emmène Ellen. A l'aube, le village se réveille. Les gens se rendent à leur travail. Quelqu'un annonce qu'une barque a coulé au large, mais la nouvelle tombe dans l'indifférence générale.

■ Cet opéra, où se confirmaient ses dons de compositeur, fut à l'origine de la célébrité de Britten. *Peter Grimes* fut accueilli à Londres avec enthousiasme. On était en 1945, et les mélomanes avaient le sentiment de retrouver des plaisirs qui leur avaient été interdits depuis plusieurs années. L'opéra, composé pour la Kussewitzky Music Foundation, est resté un des meilleurs ouvrages de Britten. Il a en outre « relancé » la musique anglaise dans le monde. La partie vocale y est prédominante, et le langage musical rassemble avec éclectisme des éléments de provenance diverse. Les préludes et les intermèdes sont parfois interprétés sous forme de suite, sous le titre : *Quatre intermèdes marins de* Peter Grimes. MS

IVAN LE TERRIBLE ou IVAN IV

Opéra en cinq actes de Georges Bizet (1838-1875). Livret

d'A. Leroy et M. Trianon. Première représentation : château de Nühringen (Allemagne), 1946.

■ Le livret avait été écrit pour Gounod, qui le mit partiellement en musique. Bizet le reprit, et ne parvint pas non plus à le terminer tout à fait. L'opéra, qui ne put être représenté à Baden-Baden, comme Bizet l'avait espéré, fut également refusé par l'Opéra, auquel l'auteur l'avait offert. MS

GUERRE ET PAIX (Voïna i mir)

Opéra en cinq actes et treize tableaux de Sergueï Prokofiev (1891-1953). Livret du compositeur et de Mira Mendelson, d'après le roman (1869) de Tolstoï (1828-1910). Première représentation : Leningrad, Maly Operny Teatr, 12 mai 1946.

L'INTRIGUE : Au début du XIXe siècle, en Russie. La belle Natacha, fille du comte Rostov, a de nombreux soupirants. L'un d'eux, le prince Andreï Bolkonsky, confie ses sentiments à la jeune fille pendant un bal. Mais, étant donné leur différence de rang, le père du prince traite le comte avec froideur. Les autres soupirants sont Pierre Bezukhov, qui aime Natacha secrètement, et Anatole, qui la trouble en lui proposant de l'épouser. Mais Pierre, qui a épousé la sœur d'Anatole, révèle que celui-ci est déjà marié, et le fait chasser de Moscou. Pendant ce temps arrive dans la capitale la nouvelle de la guerre avec les Français. Andreï et Pierre s'enrôlent pour oublier leurs déboires amoureux, et combattent en première ligne à Borodino. Mais le général Koutouzov se replie et donne l'ordre d'incendier Moscou. Andreï, blessé, avoue à Natacha qu'il l'aime encore. La jeune femme partage cet amour, mais le prince meurt peu après. Finalement, les Français se retirent, et de nombreux prisonniers russes, dont Pierre, sont libérés. Il apprend la mort de son épouse et du prince : plein d'espoir, il se rend alors à Moscou pour y retrouver Natacha. Le peuple célèbre la victoire.

■ L'opéra fut d'abord interprété en concert à Moscou, au Club des Auteurs, le 16 octobre 1944. Lors de ses débuts au théâtre, en 1946, seuls les sept premiers tableaux furent représentés. La version définitive de *Guerre et Paix*, longuement élaborée, ne fut jouée qu'après la mort de l'auteur en 1955. Cette œuvre au souffle épique respecte bien le projet de Tolstoï de mettre en scène la lutte du peuple russe contre l'envahisseur tout en faisant le récit de la vie privée des personnages principaux. RB

LE VIOL DE LUCRÈCE (The rape of Lucretia)

Opéra en quatre actes de Benjamin Britten (1913-1976). Livret de Ronald Duncan, tiré du Viol de Lucrèce *d'André Obey (1931), et de divers motifs littéraires de Tite-Live, Shakespeare, Nathaniel Lee, Thomas Heywood et F. Ponsard. Première représentation : Glyndebourne, 12 juillet 1946.*

L'INTRIGUE : Elle se noue au cours

de l'épisode légendaire rapporté par Tite-Live et à l'origine de la fin de la monarchie à Rome et du renvoi des Tarquins.
Acte I. La cité d'Ardea est en état de siège. Sous une tente, près des murs, des généraux romains et étrusques boivent et font ripaille pour tuer le temps. La conversation, confuse, aborde le sujet des femmes en général, puis de celles qu'ils ont laissées à Rome. Quelqu'un déclare qu'en l'absence de leurs époux, seule Lucrèce, épouse de Collatin, sera demeurée fidèle. Ces propos semblent avoir sinistrement troublé Tarquin. A l'insu de tous, il part pour Rome.
Acte II. Dans la demeure de Lucrèce, Tarquin trouve l'hospitalité pour la nuit. Quand tout le monde s'est retiré pour dormir, il pénètre dans la chambre de la jeune femme, et malgré sa résistance, lui fait violence.
Acte III. Au matin, Lucrèce, qui a fait revenir son époux à Rome, lui rapporte l'outrage subi. Ne pouvant supporter le déshonneur, elle se donne la mort. Brutus, au nom des Romains, jure de soulever le peuple contre les Tarquins.

■ *Le viol de Lucrèce* obtint un grand succès ; avant octobre 1946, il devait atteindre quatre-vingts représentations. Dans cette œuvre, pour la première fois Britten réduisit drastiquement le nombre des participants : huit personnages sur la scène et une formation orchestrale de quinze instruments. En s'engageant dans cette voie, l'auteur entendait résoudre les difficultés relatives à la mise en scène d'œuvres trop coûteuses.
MS

FIANÇAILLES AU COUVENT
(Obrucenie v monastyre)

Opéra en quatre actes de Sergueï Prokofiev (1891-1953). Livret de l'auteur, écrit en collaboration (pour la partie versifiée) avec Mira Mendelson et inspiré de The duenna *de Sheridan (1751-1816). Première représentation : Leningrad, Teatr Opery i Baleta, 3 novembre 1946.*

L'INTRIGUE : Don Gerolamo, homme riche et respecté, a deux enfants : Luisa et Ferdinando. Il conclut un marché avec le vieux Mendoza et, pour sceller l'accord, il lui promet sa fille en mariage. Or Luisa aime Antonio, un beau mais pauvre jeune homme, et c'est sa gouvernante, Margherita, qui s'intéresse à Mendoza. Ferdinando de son côté aime Clara, qui le lui rend bien. De ces sentiments naissent tous les rebondissements de l'opéra. Les femmes s'accordent entre elles et Luisa parvient par un subterfuge à s'échapper de la maison. Elle se rend alors chez Mendoza et, se faisant passer pour Clara, elle le prie d'aller quérir Antonio. Le vieillard s'en revient avec le jeune homme après être passé chez Don Gerolamo, où il a rencontré la gouvernante qu'il prend pour Luisa. Les rebondissements et les quiproquos se succèdent à un rythme effréné : tout le monde se rend au couvent où l'on réussit à éviter un duel entre Antonio et Ferdinando, eux aussi induits en erreur. Le soir, chez Don Gerolamo, tout s'éclaircit. Les quatre jeunes gens ont obtenu d'épouser qui bon leur semblait et le vieux père finit par bénir le double mariage de ses enfants.

■ C'est une des meilleures œuvres pour l'opéra de Prokofiev. Dans ces *Fiançailles au couvent*, le musicien exploite ses dons lyriques et humoristiques avec bonheur. Mendelson, la collaboratrice de Prokofiev pour le texte, devait épouser le compositeur après qu'il eut divorcé de Lina Ljubera. RB

L'OR
(L'oro)

Opéra en trois actes de Ildebrando Pizzetti (1880-1968). Livret de l'auteur. Première représentation : Milan, théâtre de la Scala, 2 janvier 1947. Interprètes : Antonio Annaloro, Mercedes Fortunati, Cesare Siepi, Eraldo Coda. Direction : Ildebrando Pizzetti.

LES PERSONNAGES : Giovanni dei Neri (ténor) ; Cristina (soprano) ; Innocenzo, le grand-père (basse) ; l'enfant de Giovanni et Cristina, âgé de quatre ou cinq ans ; Martino (basse ou baryton) ; Morello (ténor) ; Lazzaro le meunier (basse) ; Pietro le probe (basse) ; le docteur, premier étranger (baryton) ; le chauve, deuxième étranger (ténor) ; deux chercheurs d'or (ténor et basse).

L'INTRIGUE : L'époque est indéterminée, mais proche de la nôtre vraisemblablement. Giovanni dei Neri, riche propriétaire d'une exploitation agricole, a révolutionné l'organisation du travail, provoquant le mécontentement de ses paysans. Un groupe parmi les plus insatisfaits se rend chez Giovanni, mais celui-ci les apaise en leur déclarant agir dans l'intérêt de tous. Peu après, arrive Martino, un serviteur, qui rapporte la découverte de traces d'or dans une zone voisine. La nouvelle se répand rapidement et les paysans demandent l'aide de Giovanni pour entamer les recherches. Mais Cristina, la femme de Giovanni dont il a eu un fils muet, en proie à de sombres pressentiments, voudrait que son mari quitte le pays. Parmi les paysans, cependant, la mauvaise entente s'insinue : ils se méfient les uns des autres et ne croient pas à la collaboration loyale de leur maître. Cristina supplie Giovanni de renoncer au mythe de la richesse facile, mais il lui avoue avoir trouvé une grotte gorgée d'or et ne pas avoir le courage de faire sauter tout seul les mines, de peur de rester enseveli sous les éboulements. Martino est assailli par les paysans qui veulent savoir si leur maître a trouvé de l'or. Giovanni accourt à son secours, mais on entend bientôt un grondement assourdissant : Cristina a provoqué l'écroulement de la grotte pour éviter que la fièvre de l'or ne déchaîne des luttes sanguinaires parmi la population. Giovanni, désespéré, décide de quitter le pays : entre-temps des paysans apportent Cristina qu'ils ont retiré des éboulis, mourante. Le fils à la vue de sa mère est pris d'une violente émotion qui lui fait retrouver la parole. Cristina meurt sereine, car son sacrifice a ramené la concorde parmi les paysans, décidés à poursuivre le travail de la terre.

■ Pizzetti travailla à la composition de cet opéra de 1939 à 1942. Sa nouveauté réside dans le sujet — un drame social contemporain — qui, pourtant, se rattache, beaucoup plus qu'il n'y paraît à première vue, aux œuvres se situant dans le passé. On peut déjà trouver cet opéra en germe dans *Lena* (1905), lui aussi inspiré d'un thème paysan. MSM

LE MÉDIUM
(The medium)

Opéra en deux actes. Paroles et musique de Gian Carlo Menotti (né en 1911). Première représentation : en privé, New York, théâtre Barrymore, 8 mai 1946. Depuis le 18 février 1947, présenté au même programme que Le téléphone.

LES PERSONNAGES : Monica, fille de madame Flora (soprano) ; Toby, garçon muet ; madame Flora (contralto) ; monsieur Gobineau (baryton) ; madame Gobineau (soprano) ; madame Nolan (mezzo-soprano).

L'INTRIGUE :
Acte I. Madame Flora, aidée de sa fille Monica et de Toby, vit de la naïveté des pauvres gens qu'elle trompe en se faisant passer pour médium. Au cours d'une réunion de spiritisme, Flora feint la transe, pendant que Monica, revêtue de voiles blancs ondoyants apparaît dans une lumière bleutée à madame Nolan, qui a perdu sa fille ; à l'abri d'une tenture, elle imite ensuite le doux rire d'une fillette que les Gobineau prennent pour celui de leur enfant disparue. La séance s'achève quand Flora se lève brusquement en hurlant : une main glacée l'a saisie à la gorge. Les clients partis, elle accuse Toby de lui avoir fait une plaisanterie sinistre. Plus tard toutefois il lui semble également entendre des cris et des rires d'enfants. Monica la calme en lui chantant une berceuse.
Acte II. Monica et Toby jouent tranquillement : Flora fait irruption, ivre ; elle accuse encore Toby et le fouette cruellement. Arrivent les clients, mais Flora ne veut plus feindre davantage, elle leur dévoile la supercherie et les chasse. Elle voudrait chasser également Toby, mais Monica l'en empêche. Flora tombe dans une sorte de délire, voit une tenture flotter, charge un pistolet et tire : une tache rouge de sang s'étale sur la tenture et le corps de Toby tombe sans vie. Monica s'enfuit terrorisée ; Flora, qui est devenue folle, croit avoir tué le spectre.

■ Composé à la demande de l'Alice M. Found de l'université de Columbia, l'opéra connut un énorme succès et Menotti lui-même en dirigea une version cinématographique. SC

LE TÉLÉPHONE
(The telephone or **l'amour à trois)**

Opéra bouffe en un acte de Gian Carlo Menotti (né en 1911), sur un livret de l'auteur. Première représentation : New York, Heckscher Theatre, 18 février 1947.

LES PERSONNAGES : Lucy (soprano) ; Ben (baryton).

L'INTRIGUE : L'action a lieu dans

l'appartement de Lucy. Ben est sur le point de partir, mais il va avant chez Lucy lui offrir une sculpture abstraite. « Exactement ce que je voulais », commente Lucy, manifestement ignorante et inculte. Ben s'apprête à lui dire quelque chose de très important quand le téléphone sonne : c'est une amie avec laquelle Lucy entame une interminable série de cancans. Ben croit enfin pouvoir aborder le sujet de la conversation, mais une autre sonnerie l'interrompt. Cette fois c'est une erreur : quelqu'un qui a fait un faux numéro. Ben montre son anxiété devant l'heure qui passe et l'approche de son départ, mais Lucy ne trouve rien de mieux pour le tranquilliser que de téléphoner pour savoir l'heure exacte. Ben fait une nouvelle tentative pour reprendre la parole, mais le téléphone une fois encore l'interrompt : c'est George qui s'en prend à Lucy à propos d'un commérage. Lucy pleure et sort prendre un mouchoir. Ben, exaspéré, est sur le point de couper les fils, mais le téléphone, comme appelant au secours, sonne une fois de plus et Lucy accourt pour le sauver. Lucy qui a été trop blessée par les manières de George a besoin de s'épancher auprès de son amie Paméla. Prise par son propre discours, elle ne s'aperçoit pas que Ben est sorti, sinon à la fin de la communication. Mais le téléphone sonne encore : c'est Ben cette fois qui, ne voulant pas renoncer à faire sa demande en mariage, doit recourir au téléphone haï. « Note mon numéro et appelle-moi chaque jour », conclut Lucy.

■ Présenté avec *Le médium*, pour reprendre l'ancien usage voulant qu'on accompagne un drame d'un opéra bouffe, les deux œuvres obtinrent un succès retentissant qui se confirma à partir du mois de mai de la même année, à Broadway, au théâtre Barrymore, avec deux cent onze représentations en sept mois. SC

LES MAMELLES DE TIRÉSIAS

Opéra bouffe en un prologue et deux actes de Francis Poulenc (1899-1963), sur un livret de Guillaume Apollinaire (1880-1918). Première représentation : Paris, Opéra-Comique, 3 juin 1947. Interprètes : Denise Duval, Paul Sayen, Émile Rousseau, Robert Jeanbeat. Direction : M. Erté.

L'INTRIGUE : Un personnage dans le rôle du chef de troupe explique au public que, par cet opéra, l'auteur s'est proposé de changer les modernes mœurs familiales, en rappelant les femmes à leurs sacro-saints devoirs de soumission et de fécondité. Débute alors l'action qui se déroule à Zanzibar. Thérèse se lamente auprès de son mari sur la vie qu'elle mène : il lui faut continuellement vaquer aux soins de la maison et des enfants, qu'elle doit de surcroît continuer à mettre au monde : jamais son devoir ainsi n'aura de fin. Elle déclare vouloir accomplir des tâches plus importantes : être général ou ministre. Elle décide en conséquence de renier sa féminité, ouvre sa chemisette : deux petits ballons figurant les seins s'en échappent symboliquement. La femme se fixe également une barbe postiche, emprunte des attitudes masculines, et échange son nom contre celui plus masculin de Tirésias. A son tour, le mari se voit contraint de s'habiller en femme, et Tirésias le conduit parmi la foule qui s'est réunie pour assister à la dispute de deux ivrognes, qui finissent par s'entre-tuer. Mais les attitudes arrogantes de la femme ont vite fait de fatiguer le mari qui, perdant patience, arrache ses vêtements féminins et déclare que si sa femme n'est plus disposée à faire des enfants, lui, grâce à une méthode tout à lui, en accouchera tout seul d'autant qu'il lui plaira. La stupeur des assistants est extrême, et il n'est pas jusqu'aux deux ivrognes qui ne ressuscitent pour assister à l'étrange événement. En très peu de temps, le mari met au monde quarante mille enfants, dont certains déjà grands et en mesure de gagner leur vie. Un gendarme se fait pourtant du souci : s'il ne met pas fin aux pratiques magiques de cet homme, il y aura rapidement trop de bouches à rassasier et l'économie de Zanzibar connaîtra une très grave situation. En présence de toute la population, il demande donc conseil à une tireuse de cartes qui répond en des termes obscurs et impénétrables qui ne font qu'augmenter la colère du gendarme qui, bientôt en fureur, tente d'étrangler la femme. Celle-ci est sauvée par le mari de Tirésias, mais quand il se découvre de ses voiles apparaît Thérèse qui, repentie des inversions malheureuses, demande pardon à son époux tandis que quelques couples d'amoureux rappellent que, pour le bien de tous, il faut aimer, être aimé, et mettre au monde beaucoup d'enfants.

■ De ce drame surréaliste écrit par Apollinaire en 1903 (outre la création à Paris en 1947, il n'y eut qu'une reprise à Milan en 1963), Poulenc a créé un véritable opéra bouffe de goût typiquement français. L'agilité verbale du texte (plein d'équivoques et d'expressions argotiques) se marie heureusement à une musique délicatement sensuelle, reposant sur un langage harmonique de grand effet. MSM

ALBERT HERRING

Opéra en trois actes de Benjamin Britten (1913-1976). Livret d'Éric Crozier, tiré de la nouvelle de Guy de Maupassant : Le rosier de Madame Husson *(1888). Première représentation : Glyndebourne, 20 juin 1947. Interprètes : Joan Cross, Gladys Parr, Margaret Ritchie, William Parson, Norman Lumsden, Frederick Sharp, Peter Pears, Nancy Evans, Betsy de La Porte, Lesley Duff, Ann Sharp, David Spenser. Direction : Benjamin Britten.*

Les personnages : Lady Billows (soprano) ; Florence Pike, gouvernante (contralto) ; le révérend Gedge (baryton) ; monsieur Budd, commissaire de police (basse) ; monsieur Upfold, maire (ténor) ; mademoiselle Wordsworth (soprano) ; madame Herring (contralto) ; Albert Herring (ténor) ; Emmie, Cis, Harry, enfants du village (deux sopranos et une voix d'enfant).

L'intrigue : L'action a lieu à

Loxford, petite ville du Suffolk, au printemps 1900.
Acte I. La première scène représente la salle à manger de la maison de Lady Billows, une austère et vertueuse femme qui s'est érigée en gardienne des mœurs de ses concitoyens. Une réunion des notables locaux a lieu pour désigner le nom de la rosière qui remportera le concours doté par Lady Billows afin d'endiguer la dégradation des mœurs de la petite cité. Après de minutieuses recherches, il n'est pas de jeune fille du pays qui puisse prétendre à pareil honneur. On décide alors de désigner un « rosier », en la personne du jeune Albert Herring, un garçon « innocent comme l'agneau qui vient de naître » et élevé à la baguette par sa mère.
La deuxième scène se déroule dans la boutique de madame Herring. Le comité d'élection de la rosière vient annoncer la décision prise. La délégation partie, la mère exulte. Le jeune garçon préférerait refuser le prix, mais il est contraint d'obéir et regagne sa chambre, puni.
Acte II, première scène. Le jardin paroissial. La table pour le banquet qui doit conclure la fête de la « rosière » a été dressée. Sid, un ami d'Albert, pour lui jouer un tour, verse plusieurs fois du rhum dans la limonade de celui-ci. Suivent tous les discours de circonstance et la remise d'un prix de vingt-cinq sterling d'or au jeune Albert.
La deuxième scène représente le commerce de madame Herring. Albert revient, la tête qui tourne, en chantant. Invisible, il assiste à un dialogue entre Sid et Nancy : il apprend que tous deux le plaignent de sa soumission à sa mère. Il réagit en sortant avec tout l'argent du prix et part essayer tout ce qui lui avait été interdit jusqu'alors.
Acte III. Toujours le commerce de madame Herring. C'est l'après-midi du surlendemain et l'on commente la disparition d'Albert. Sur une route hors les murs, on retrouve la couronne de fleurs d'oranger dont on lui avait ceint la tête, piétinée et souillée. La mort du jeune garçon est tenue pour certaine quand Albert apparaît sale et échevelé. Il a bu trois sterling de bière, whisky, rhum et gin. Il dresse la tête sous une pluie de reproches pour accuser l'éducation étouffante de sa mère. Il est fêté par les jeunes tandis que le comité et les autorités s'éloignent indignés et que sa mère est prise d'une crise d'hystérie.

■ Le passage de la nouvelle au livret et la transposition de l'action de la Normandie au Suffolk de l'époque victorienne a fait perdre un peu de brillant et de verve à l'histoire. L'adaptation de Crozier reste cependant habile et on y apprécie le remarquable naturel d'expression et la musicalité des vers appropriés. Comme dans d'autres œuvres de Britten, l'orchestre prévu pour *Albert Herring* est très limité. Le montage fut préparé par l'English Opera Group, un groupe artistique animé par Britten, dans le but de venir à bout des problèmes d'organisation ou d'ordre financier rencontrés dans la mise en scène d'œuvres nouvelles ou classiques. Avec cette œuvre qui connut un grand succès public et critique, Britten affirmait une fois encore ses qualités de musicien pour la scène : à noter l'intelligente caractérisation des personnages dont la personnalité et le tempérament sont soulignés par l'intervention des différents instruments. A l'étranger également, et pas seulement dans sa version anglaise, *Albert Herring* a toujours été très apprécié. MS

LA MORT DE DANTON (Dantons Tod)

Opéra en deux actes de Gottfried von Einem (né en 1918). Livret de l'auteur et de B. Blacher, tiré du drame homonyme de Georg Büchner (1835). Première représentation : Festival de Salzbourg, 6 août 1947. Interprètes : Paul Schöffler, Joseph Witt, Maria Cebotari, Julius Patzak. Direction : Ferenc Fricsay.

LES PERSONNAGES : Georges Danton, député (baryton) ; Camille Desmoulins, député (ténor) ; Hérault de Séchelles, député (ténor) ; Robespierre, membre du Comité de salut public (ténor) ; Saint-Just, membre du Comité de salut public (ténor) ; Hermann, président du tribunal révolutionnaire (baryton) ; Simon (basse bouffe) ; un jeune homme (ténor) ; premier bourreau (ténor) ; second bourreau (basse) ; Juliette, femme de Danton (mezzo-soprano) ; Lucile, femme de Desmoulins (soprano) ; une femme, épouse de Simon (contralto).

L'INTRIGUE : L'action se déroule à Paris en 1794.
Première partie. La maison de Hérault de Séchelles. Le député joue aux cartes en compagnie de plusieurs dames. Il y a aussi Danton et sa femme, et le député Camille Desmoulins. Les trois hommes politiques sont préoccupés par la grave situation que le pays traverse : il faut en finir avec la destruction et réorganiser pour construire la République. Danton a la charge d'affronter la majorité à la Convention qui veut prolonger le moment révolutionnaire. Danton ne se fait pourtant aucune illusion sur les possibilités effectives de modifier le cours actuel des événements. Dans la rue, une dispute privée entre Simon et sa femme donne même le signal d'une manifestation contre les bourgeois et les intellectuels. Passe un jeune homme qui échappe de justesse à la pendaison pour s'être servi d'un mouchoir et avoir donné du monsieur à un homme du peuple. Robespierre harangue la foule en des discours démagogiques sur le pouvoir du peuple. Danton, qui l'a écouté, le rappelle à une vision plus réaliste des choses. Robespierre comprend alors qu'il doit se défaire de collaborateurs aussi idéalistes que Danton. Desmoulins lui-même est inscrit sur la liste de ceux qu'il faut éliminer.
Deuxième partie. La place devant la prison de la Conciergerie. Un groupe commente les derniers événements. Certains sont pour, d'autres contre les personnalités arrêtées. Camille Desmoulins hurle qu'il ne veut pas mourir et appelle sa femme Lucile. Celle-ci arrive et s'approche des barreaux, mais elle tient des discours insensés : elle est devenue folle.
Scène du procès. Danton et ses compagnons sont accusés de trahison par Hermann. Les accusés demandent la formation d'une

commission spéciale. Le public intervient en manifestant des opinions diverses. Danton dénonce devant la cour le risque d'une dictature. La Convention les condamne pour avoir tenté de subvertir l'autorité de la loi. Sur la place de la Révolution hommes et femmes attendent les condamnés. Danton et ses amis arrivent en chantant *la Marseillaise*, mais leur voix est couverte par les hurlements de la foule. Quand tout est fini et la place déserte, Lucile arrive et s'assied en pleurant sur les marches de la guillotine.

■ L'opéra eut beaucoup de succès au festival de Salzbourg, en raison des circonstances de sa présentation : la dictature hitlérienne venait d'être vaincue. Grâce à cette prestation, Gottfried von Einem obtint de faire partie du comité directeur du Festival. Le texte de Büchner, qui se composait de vingt-neuf scènes, fut ramené à six sans que l'original en fût trahi. En 1950, le compositeur prépara une nouvelle version de l'œuvre.
MS

LES BACCHANTES
(Le baccanti)

Opéra en un prologue, trois actes et cinq tableaux de Giorgio Federico Ghedini (1892-1965). Livret de Tullio Pinelli, inspiré de la tragédie homonyme d'Euripide. Première représentation : Milan, théâtre de la Scala, 21 février 1948. Interprètes : Augusta Oltrabella (Agavé), Piero Guelfi (Dionysos), Antonio Annaloro (Penthée), Nino Carboni (Cadmos). Direction : Fernando Previtali.

LES PERSONNAGES : Dionysos (baryton) ; Penthée (ténor) ; Agavé (soprano) ; Cadmos (basse) ; Tirésias (basse) ; un prêtre (basse) ; un Thébain (ténor) ; le coryphée du chœur bachique (ténor) ; premier jeune (ténor) ; deuxième jeune (ténor) ; troisième jeune (basse) ; quatrième jeune (acteur) ; le laboureur (basse) ; le coryphée des ménades (mezzo-soprano).

L'INTRIGUE : Thèbes est atteinte par l'esprit orgiaque qui anime la nouvelle religion des adorateurs de Dionysos. Même le devin Tirésias s'adonne au nouveau cours. Agavé, la reine, a abandonné le manteau royal pour suivre, en compagnie de ses enfants et serviteurs, les bacchantes et les ménades dans les rues de la cité. Certains demeurent, d'autres s'en vont. Penthée, fils d'Agavé, est conduit devant Dionysos lui-même à qui il arrache sa couronne de pampre. Le vieux roi Cadmos l'appelle à se modérer. Dionysos promet de se venger : le palais prend feu et le dieu sort en riant. Penthée veut rassembler l'armée pour arrêter les ménades qui s'en vont dévastant tout. Mais Dionysos l'exhorte à ne pas répandre le sang ; lui-même l'accompagnera chez les ménades pour les combattre au mont Cithéron. Mais quand ils arrivent sur place, Dionysos pousse les ménades à se venger de celui qui a outragé leur dieu. Penthée appelle sa mère qui ne le reconnaît pas. Au troisième acte, sur une place de Thèbes, Cadmos, soutenu par quelques anciens, annonce avoir réussi à recomposer les parties du corps de Penthée que les ménades avaient mis en lambeaux. Entrent sur la place bacchantes et ménades avec à leur tête Agavé qui tend un thyrse sur lequel est fichée la tête de Penthée. À un cri de Cadmos la danse orgiaque s'interrompt. Le vieux roi ordonne à Agavé de se maîtriser et de prendre conscience de ce qui est arrivé. Agavé, lentement, reprend contact avec la réalité et, horrifiée, s'évanouit. Apparaît Dionysos, qui ne s'estime pas encore satisfait de sa vengeance pour l'outrage subi. Il condamne Agavé à errer par le monde jusqu'à sa mort, Cadmos à se voir métamorphoser en dragon. En vain les Thébains imploreront-ils la pitié du dieu.

■ Écrit entre 1941 et 1943, *Les bacchantes* constituent une œuvre de la maturité de leur auteur : « L'esprit de la tragédie euripidienne revit dans la magie de la musique et des voix, l'exaltation dionysiaque naît du démon musical de Ghedini même, de la fureur de son timbre » (Pietro Santi). MS

DANS LA VALLÉE
(Down in the valley)

Opéra folk de Kurt Weill (1900-1950). Livret de A. Sungaard. Première représentation : Bloomington, théâtre de l'Indian University, 15 juillet 1948.

HISTOIRE D'UN HOMME AUTHENTIQUE
(Povest'o nastojachtchem ctcheloveke)

Opéra en quatre actes de Sergueï Prokofiev (1891-1953). Livret de Mira Menselson, tiré de B. Polevoj. Première représentation : Leningrad, Teatr Opery y Baleta, 3 décembre 1948.

■ C'est une des œuvres mineures du musicien.

LE CORDOUAN
(Il Cordovano)

Opéra en un acte de Goffredo Petrassi (né en 1904), sur un texte de Miguel de Cervantes, traduit par Eugenio Montale. Première représentation : Milan, théâtre de la Scala, 12 mai 1949. Interprètes : Emma Tegani, Dora Gatta, Jolanda Gardino, Fernando Corena. Direction : Nino Sanzono.

Les personnages : Donna Lorenza (soprano lyrique) ; Cristina, sa nièce (soprano léger) ; Hortigosa, voisine et entremetteuse (contralto) ; Cannizares, mari de Lorenza (basse) ; un compère (ténor) ; un jeune homme (figurant) ; le garde (baryton) ; un musicien (ténor).

L'intrigue : Lorenza, la belle et jeune femme de Cannizares, se plaint chez elle, devant sa nièce Cristina et la voisine Hortigosa, de l'exaspérante jalousie de son mari. Les deux femmes persuadent Lorenza de vaincre ses derniers scrupules et de prendre un amant. Hortigosa promet de penser à tout, en tenant compte des exigences de Cristina. Hortigosa introduit ainsi dans la maison un jeune homme, caché à l'intérieur d'un grand tapis (un tapis de Cordoue). Pendant que Cannizares regarde le tapis, le jeune homme se glisse dans la chambre de Lorenza où il accomplit ses devoirs d'amoureux. La femme, depuis l'autre côté, crie sa félicité et loue les dons du jeune homme. Cannizares pense au début à une farce, mais, soupçonneux, il pénètre ensuite dans la chambre de sa femme. Lorenza l'accueille en lui jetant au visage une cuvette. Dans la confusion, le jeune homme réussit à s'échapper. Au tintamarre accourt un garde, surviennent musiciens et danseurs qui, feignant de fêter la réconciliation des époux, célèbrent en fait la piquante liaison, destinée à se prolonger dans le bonheur. Cristina, en aparté, se plaint que Hortigosa n'ait pas à son égard aussi tenu ses promesses.

■ L'opéra suit fidèlement l'intermède de Cervantes intitulé *Le vieux jaloux* (1615), lui-même adaptation du *Jaloux de l'Estramadure*, une des *Nouvelles exemplaires* du même Cervantes. Il s'agit par ailleurs d'une des œuvres les plus complexes et significatives de Petrassi, riche d'observations et d'intuitions psychologiques traduites musicalement. MSM

FAISONS UN OPÉRA !
(Let's make an opera !)

Divertissement pour enfants en deux parties de Benjamin Britten (1913-1976). Livret d'Éric Crozier. Première représentation : Aldeburgh, 14 juin 1949.

■ L'argument de l'opéra est la mise en scène d'un spectacle par des adultes et des enfants. On discute de la bonne marche du travail et on répète les rôles. Le public est lui aussi appelé à mettre au point le sien. MS

LE PETIT RAMONEUR
(The little sweep)

Opéra inséré dans le divertissement pour enfants Faisons un opéra ! (Let's make an opera !) *de Benjamin Britten (1913-1976). Le texte est d'Éric Crozier.*

L'INTRIGUE : L'histoire, située en 1810, raconte la rencontre de Sam et d'un groupe d'enfants qui vivent à Iken Hale, dans le Suffolk. La rencontre a lieu au moment où Sam, apprenti ramoneur de huit ans, s'emploie à nettoyer une cheminée. Les enfants réussiront à le libérer de son chef-ramoneur, Black Bob.

■ L'opéra met en scène l'usage en vigueur en Angleterre jusqu'à la fin du XIXe siècle d'utiliser des enfants dans le dangereux métier de ramoneur. Les acteurs sont en tout au nombre de treize : sept enfants et six adultes, une combinaison de professionnels et d'amateurs. Britten et Crozier eurent l'audacieuse idée d'impliquer dans le spectacle tous les spectateurs. Le public doit en effet au cours de l'opéra chanter quatre airs : *The sweep's song* à l'ouverture, *Sammy's bath* et *The night song* en intermèdes aux scènes, et *Coaching song* au finale. Mais le public, pour ce faire, doit répéter un minimum, et ceci a lieu dans la première partie de la représentation. Plus tard Crozier a revu cette première partie : il l'a divisée en deux actes pour clairement montrer les moments de la naissance d'un ouvrage lyrique : la conception, la rédaction et la composition. Bien que tout le travail prenne la forme d'un jeu, il contient un certain nombre de morceaux de musique. L'orchestre est réduit à sa plus simple expression, comme pour d'autres œuvres de Britten : un seul quatuor à cordes, un piano et des percussions (un seul exécutant). MS

ANTIGONE
(Antigona)

Opéra en cinq actes de Carl Orff (1895-1982), tiré de la tragédie de Sophocle (497-406 avant J.-C.), dans une traduction de F. Hölderlin. Première représentation : Salzbourg, Felsenreischule, le 9 août 1949. Interprètes : Res Fischers, Hermann Uhde, Maria Llosvay, Lorenz Fehenberger, Ernst Haefliger, Helmut Krebs, Joseph Greindl, Benno Kusche. Direction : Ferenc Fricsay.

L'INTRIGUE : Créon (baryton), roi de Thèbes, a interdit sous peine de mort que son neveu Polynice, le fils d'Œdipe qui avait tenté de s'emparer de la cité, reçoive une sépulture. L'autre fils d'Œdipe, Étéocle, était au contraire demeuré à défendre la ville. Dans la lutte, les deux frères se sont tués. Leurs sœurs, Antigone (soprano) et Ismène (mezzo-soprano), pleurent sur les tragiques événements et sont désespérées de l'interdiction qui leur est faite d'ensevelir leur frère rebelle. Antigone se décide pourtant à défier la colère de Créon. Elle ensevelit Polynice, mais elle est surprise par un garde (ténor) et traînée par celui-ci devant le roi. Elle affirme qu'aucune loi humaine ne peut être supérieure à la loi de la charité et du cœur. Créon condamne Antigone à mort en dépit d'Hémon (ténor), son fils, fiancé de la jeune fille, et d'Ismène qui tentent de convaincre le roi de renoncer à l'impitoyable décision. Créon demeure inébranlable dans sa résolution jusqu'à ce que le devin Tirésias (ténor), qui annonce des massacres dans sa maison si devait continuer la persécution du corps de Polynice, le convainque de libérer Antigone. La décision arrive pourtant trop tard : un messager (basse) rapporte que Créon a trouvé Hémon serrant entre ses bras le corps d'Antigone qui s'est pendue de désespoir. Hémon suit Antigone dans le suicide et lorsque Créon revient de la prison d'Antigone avec le corps de son fils en se reprochant sa mort, un messager lui annonce le suicide de sa femme Eurydice (soprano).

■ L'opéra se caractérise par son fonds instrumental sombre et obsédant : l'orchestre ne dispose pas d'instruments à cordes (à l'exception de la contrebasse) mais de divers instruments à percussion. Les voix sont quant à elles utilisées de manière à adhérer parfaitement aux divisions et au rythme du vers. ABe

BILLY BUD

Opéra en un acte de Giorgio Federico Ghedini (1892-1965). Livret de Salvatore Quasimodo (1901-1968), tiré du roman homonyme de Melville (1891). Première représentation : Venise, théâtre La Fenice, 8 septembre 1949, pour le XIIe Festival international de musique contemporaine.

L'INTRIGUE : L'action a lieu à bord d'un navire de guerre, *l'Indomptable*, au cours de l'été 1797. Ce fut l'année des plus fameuses mutineries, comme celles du *Spithead* et du *Nore*. Les conditions de vie sur les bateaux de guerre britanniques étaient particulièrement dures pour les équipages, et le mécontentement des hommes était plus que justifié. Les autorités craignent les conséquences de la Révolution française et concentrent toute leur énergie à lutter sans quartier contre la France. *L'Indomptable* est en route pour rejoindre la flotte en Méditerranée. Comme cela arrivait souvent à l'époque, il manque des hommes à bord, et quand il croise un navire marchand (qui porte un nom significatif : *Les droits de l'homme*), une délégation y est envoyée : Billy Bud est l'un des hommes recrutés de plus ou moins bon gré par la marine de guerre britannique. Billy est un beau garçon, candide et sympathique à tous, sauf au maître d'armes John Claggart. Celui-ci se met à le persécuter sans pitié. Claggart est pervers et fait tout pour corrompre Billy et le perdre ; il le pousse à la mutinerie, puis l'accuse devant le capitaine Vere. Celui-ci est un honnête homme, très estimé tant des officiers que des hommes du bateau. Il comprend tout de suite la vérité, et invite les deux hommes à une confrontation dans sa cabine. Billy balbutie avec peine, comme il lui arrive lorsqu'il est embarrassé, car il se sent pris au piège et ignominieusement trahi. Puis ne parvenant pas à se contrôler, il envoie un coup de poing à Claggart. Celui-ci tombe à terre, sans vie. Le capitaine sait que Billy Bud n'est pas véritablement coupable, mais, selon les lois martiales en vigueur, il doit instituer un tribunal et Billy est condamné à mort. La sentence est exécutée au crépuscule, par pendaison.

■ Le sujet du dernier roman de Melville fut également mis en musique par Benjamin Britten, en 1951. Ghedini, quant à lui, l'avait conçu comme un « oratorio scénique » ; c'est ensuite qu'il fut représenté sous forme d'opéra en un acte. MS

LES OLYMPIENS
(The Olympians)

Opéra en trois actes de Arthur Bliss (1891-1975). Livret de J. B. Priestley (né en 1894). Première représentation : Londres, Covent Garden, 29 septembre 1949. Interprètes : Grandi, Coates, Johnston, Franklin. Direction : Rankl.

L'INTRIGUE : Elle nous conte l'histoire des dieux de l'Olympe désormais méconnus, réduits à la misère, et devenus musiciens ambulants. Une fois par an cependant, le temps d'une nuit, ils retrouvent leur glorieux passé.

MS

LE CONSUL
(The consul)

Drame musical en trois actes de Gian Carlo Menotti (né en 1911).

Livret de l'auteur. Première représentation : Philadelphie, Shubert Theatre, 1er mars 1950. Interprètes : Neway Powers, Lane, Marlo, Mac Neil, Lishner et McKinley. Direction : Engel.

LES PERSONNAGES : John Sorel (baryton) ; Magda Sorel (soprano) ; la mère (contralto) ; l'agent de la police secrète (basse) ; premier policier en civil (rôle muet) ; second policier en civil (rôle muet) ; la secrétaire (mezzo-soprano) ; monsieur Kofner (basse baryton) ; l'étrangère (mezzo-soprano) ; Vera Boronel (contralto) ; l'illusionniste Nika Magadoff (ténor) ; la voix du disque (soprano).

L'INTRIGUE :
Acte I. John Sorel est un patriote qui se bat pour libérer son pays du régime policier. Bien que blessé lors d'une irruption de la police pendant une réunion secrète, il réussit à s'enfuir. Il décide de s'expatrier : sa femme se rendra au consulat du pays où il voudrait se réfugier pour demander des passeports pour elle, son fils et sa mère. Quand John aura quelque chose à communiquer, il usera de la complicité de son ami Assan, le vitrier. Magda se trouve au consulat : de nombreuses personnes attendent de parler au consul. En dépit du caractère dramatique de leur situation, une secrétaire froide et inhumaine interpose des obstacles de papiers et documents entre le consul et tous ces pauvres gens. Il y a parmi eux un illusionniste qui, petit à petit, les entraîne tous dans l'atmosphère irréelle qu'il s'est employé à créer.
Acte II. Un mois a passé. Magda n'a pas de nouvelles de son mari et, malgré ses nombreuses tentatives, elle n'a toujours pas réussi à parler au consul. Elle est au comble de la tension, quand une pierre vient casser une vitre : c'est le signal convenu. Magda fait aussitôt appeler Assan, mais la police arrive en même temps que lui et le regarde avec soupçon. Seuls enfin, Assan apprend aux deux femmes que John se trouve encore dans la montagne, mais qu'il veut être sûr que sa famille pourra le rejoindre avant de traverser la frontière. Pour comble de douleur, le petit enfant meurt pendant que sa grand-mère lui chante une berceuse. Magda, sans une larme, pare le petit de soie et de fleurs blanches, puis tombe, brisée, près du berceau. Quelques jours plus tard, Magda est de nouveau au consulat : la scène est désolante. L'illusionniste a hypnotisé les gens qui se mettent à danser comme des automates, à la fureur de la secrétaire. Enfin vient le tour de Magda, mais la secrétaire lui demande encore d'autres documents. Magda exaspérée explose et s'en prend à la bureaucratie qui fait que les hommes souffrent et meurent en raison d'absurdes règles. La secrétaire s'émeut et décide de la laisser entrer dès que sortira le personnage important qui pour l'heure est chez le consul. Le personnage n'est autre que l'agent de la police secrète ; Magda, en le voyant, tombe évanouie.
Acte III. Magda est au consulat. Arrive Assan ; il lui dit que John a appris la mort de l'enfant et l'état moribond de sa mère et qu'il est décidé à revenir pour ne pas la laisser seule. Magda lui écrit un petit mot, le conjurant de ne pas le faire car il serait

assurément arrêté. Assan sort, suivi par Magda peu après. John arrive cependant et cherche sa femme mais il se voit traqué et, en dépit des protestations de la secrétaire contre la violation du consulat, il est arrêté par la police. Magda pendant ce temps est rentrée chez elle, elle est froidement déterminée à se donner la mort pour empêcher John de s'exposer à cause d'elle. Elle ferme les portes et les fenêtres et ouvre le robinet du gaz. Tandis que des visions de cauchemar se présentent à elle, en vain sonne le téléphone qui devrait lui apprendre l'arrestation de John et l'inutilité désormais de son geste.

■ L'opéra obtint un succès extraordinaire. Il resta huit mois à l'affiche du même théâtre. Il remporta le prix Pulitzer et le Drama Critica Award. Il fut traduit en douze langues et représenté dans vingt pays. SC

LA JOYEUSE BANDE
(L'allegra brigata)

Six nouvelles en un opéra en trois actes de Gian Francesco Malipiero (1882-1973). Livret de l'auteur. Première représentation : Milan, théâtre de la Scala, 4 mai 1950. Interprètes : Tatiana Menotti, Emma Tegani, Gino Penno, Renato Capecchi. Direction : Nino Sanzogno.

LES PERSONNAGES : *Joyeuse bande :* Dioneo (ténor) ; Beltramo (baryton) ; Filemio et Tibaldo (danseurs) ; Violante (soprano) ; Lauretta (soprano) ; Oretta (mezzo-soprano) ; Saturnina et Pampinea (danseuses) ; deux garçons, deux valets. *Première nouvelle :* Panfilia (soprano) ; le jeune chevalier (ténor) ; le père, la mère ; deux servantes. *Deuxième nouvelle :* le jeune peintre (ténor) ; la femme ; les moines. *Troisième nouvelle :* messer Alfonso da Toledo (ténor) ; le chevalier (baryton) ; Laura et la vieille domestique ; les acheteurs et les serviteurs de messer Alfonso. *Quatrième nouvelle :* Ferrantino degli Argenti (baryton) ; Caterina (mezzo-soprano) ; messer Francesco (baryton). *Cinquième nouvelle :* la dame (soprano) ; le jeune amoureux (ténor) ; le fou ; les serviteurs. *Sixième nouvelle :* Éléonore (soprano) ; Pompeo (ténor) ; le mari (baryton) ; madonna Barbara (mezzo-soprano) ; les quatre chevaliers amis de Pompeo.

L'INTRIGUE : L'histoire se développe sur deux plans. Dans un petit théâtre d'un parc, Dioneo et Violante s'expriment mutuellement leur amour. Ils sont surpris par leurs amis qui forment la joyeuse bande ; parmi eux, un ancien amoureux de Violante, Beltramo, qui, jaloux de Dioneo, lui cherche querelle. Son impétuosité est cependant modérée par ses amis et Lauretta, pour apaiser l'atmosphère, propose que chacun à tour de rôle narre une nouvelle. Violante commence et raconte l'histoire de Panfilia, une jeune fille amoureuse d'un jeune homme plein de qualités, mais contrainte par son père d'en épouser un autre. Elle en tombe malade de chagrin et est sur le point de mourir. Sur la scène du petit théâtre apparaît Panfilia sur son lit de mort ; son bien-aimé vient lui dire un dernier adieu, mais elle est déjà morte, et il tombe sans vie à ses côtés. La nouvelle s'achève et tous ont les yeux brillants d'émotion.

C'est le tour d'Oretta qui commence le second récit. Un jeune peintre, hôte d'un couvent, reçoit une femme dans sa cellule. Il s'éloigne un instant, et la laisse dans l'obscurité, emportant la chandelle avec lui ; il entend tout d'un coup un grand vacarme et retourne à la cellule : la visiteuse s'est cognée contre une étagère où étaient rangés des pots de peinture et s'en est couverte de la tête aux picds. Il ne la reconnaît pas et, la prenant pour le diable, il se met à hurler. Les moines accourent à ses cris et la femme est contrainte de prendre la fuite par la fenêtre. Le jeune homme s'évanouit et le petit rideau tombe à nouveau.

C'est Dioneo qui raconte maintenant son histoire. Il s'agit cette fois d'un gentilhomme, Alfonso da Toledo, qui obtient un rendez-vous d'une très belle femme rencontrée à Avignon sous le nom de Laura, non sans lui avoir d'abord donné tout l'argent qu'il possédait, soit mille florins. Resté sans un sou, il se voit obligé de vendre ses habits et ses armes. Intrigué par son comportement, un homme s'approche de lui et lui demande comment il a pu se laisser dépouiller de la sorte. Alfonso raconte sa mésaventure à l'inconnu, qui n'est autre que le mari de Laura. L'homme rentre chez lui, contraint sa femme à restituer toute la somme et la tue ensuite.

Vient le tour de Simplicio qui narre l'aventure de Ferrantino degli Argenti, de Spolète. Surpris par un orage, celui-ci cherche refuge dans la demeure du chanoine Francesco de Todi. Quand Francesco rentre chez lui et le trouve dans sa cuisine en compagnie de la jeune et jolie servante Caterina, il veut le chasser, mais Ferrantino n'entend pas s'en aller et, pour se défendre, il tire son épée. Francesco sort pour aller dénoncer le jeune homme à la Seigneurie ; Ferrantino l'enferme immédiatement hors de chez lui, de sorte qu'il ne puisse rentrer. Puis s'étant fait servir à manger par Caterina, il se retire avec elle dans la chambre à coucher. Quand surviennent des invités du chanoine, il leur crie qu'ils se sont trompés de maison. Francesco, sur le pas de la porte, frappe inutilement pour qu'on lui ouvre.

Pendant ce récit, Beltramo s'est éloigné, ennuyé ; quand il s'approche de Violante, c'est pour lui reprocher sa dureté. Simplicio, qui a compris la situation, le prend à part et le calme ; puis il invite Laura à raconter une histoire gaie. Il s'agit d'une très belle dame mariée. Celle-ci a un frère un peu étrange qui, la nuit, s'en va combattre sa propre ombre. Pendant que le mari de la dame est absent, un de ses soupirants décide d'aller la retrouver la nuit ; pour ne pas éveiller de soupçons, il se déguise comme le frère de la dame. Durant leur rencontre, le vrai fou s'introduit dans la maison et, prenant le jeune homme pour son ombre, il le frappe à coups de sabre. Les serviteurs accourent, tout étonnés de trouver une personne en chair et en os au lieu de l'ombre. Mais pendant que le fou éclate de rire et désoriente les domestiques, le jeune amant réussit à fuir.

La nouvelle de Lauretta termi-

née, les amis jouent à colin-maillard. Puis ils invitent Beltramo à raconter son histoire. Il est tout d'abord réticent, mais se laisse ensuite convaincre et choisit pour héroïne Éléonore, une jolie femme qui prend plaisir à se moquer des hommes. Un jour, elle reçoit la visite d'un de ses soupirants, Pompeo. Quand Éléonore entend la voix de son mari qui rentre, elle cache Pompeo dans un coffre, sous un tas de vêtements. Le mari montre à sa femme un achat qu'il vient de faire : une épée très belle et très affilée. Éléonore, émerveillée, l'invite à essayer la bonne qualité de la lame en taillant d'un seul coup les habits qui se trouvent sur la malle. Le mari est sur le point de s'exécuter, mais Éléonore l'arrête à temps. Une fois son mari parti, la jeune femme fait sortir Pompeo du coffre, plus mort que vif. Il décide de se venger d'Éléonore et fait courir le bruit qu'il est gravement malade. Le décor du petit théâtre change et Pompeo apparaît, couché dans un lit ; entre sa sœur Barbara qui accompagne Éléonore venue trouver le faux moribond. A peine Pompeo se retrouve-t-il seul avec la jeune femme qu'il relève ses couvertures et se jette sur la femme, lui arrachant son manteau. Celle-ci, qui est légèrement vêtue, tente de se défendre, mais Pompeo la force à se coucher près de lui ; il appelle ensuite Barbara qui introduit plusieurs visiteurs ; à ceux-ci Pompeo raconte avoir pris une prodigieuse médication qui l'a guéri d'un coup. Éléonore tente en vain de se cacher, en mettant son visage dans les coussins, mais tous les présents l'ont vue et la reconnaissent. La nouvelle arrive jusqu'au mari d'Éléonore qui tue Pompeo.
Quand le rideau tombe, Dioneo blâme le mari jaloux mais Beltramo se jette sur lui et le tue comme a été tué Pompeo. Le drame dans le drame s'achève dans l'effarement général.

■ L'opéra, composé en 1943, prend le contre-pied polémique, par sa forme dégagée des schémas conventionnels, des modèles du XIXe siècle : il se fonde entièrement sur le contraste entre l'indifférente représentation des nouvelles au second plan et un drame réel qui se développe au premier.

BOLIVAR

Opéra en trois actes de Darius Milhaud (1892-1974), tiré du drame homonyme de Jules Supervielle (1884-1960). Première représentation : Paris, Opéra, 10 mai 1950. Interprètes : Janine Micheau, André Bourdin, Hélène Bouvier, Marcelle Croisier. Direction : André Cluytens.

LES PERSONNAGES : Manuela (soprano) ; Précipitation (contralto) ; Maria Teresa (soprano) ; Missia (contralto) ; Bianca (mezzo-soprano) ; une femme du peuple (soprano) ; Bolivar (baryton) ; Bovès (basse) ; l'aveugle (basse) ; Nicator (ténor) ; le moine (baryton) ; l'évêque (basse) ; le délégué (baryton) ; le visiteur (ténor) ; le maire (baryton) ; un conjuré (baryton) ; Dominguez (ténor) ; trois paysans (ténor, baryton, basse) ; trois officiers (ténor, baryton, basse) ; Ibarra (ténor) ; le peintre (baryton) ; deux soldats (ténor, baryton) ; un musicien (ténor) ;

un homme du peuple (ténor).

L'INTRIGUE : L'action se déroule dans plusieurs localités du Venezuela, du Pérou et de la Colombie, pendant les trente premières années du XIXe siècle.

Acte I. Bolivar vit à San Mateo au Venezuela, avec sa jeune femme Maria Teresa, et ses esclaves Nicator et Précipitation. Au cours d'une promenade à cheval, Maria Teresa est prise d'un malaise et meurt. Bolivar, bouleversé, fait le serment de ne plus jamais trouver le repos, et pour honorer la mémoire de sa femme, il libère les deux esclaves. Il rejoint un groupe de colons qui dénoncent les violences et les abus des dominateurs espagnols. Bolivar tente de les défendre devant le gouverneur. Après avoir constaté l'inutilité de toute démarche pacifique, il prend la tête de leur révolte. Caracas. La ville est ravagée par un tremblement de terre. Un prêtre, exploitant la terreur de la population, tente de la reconquérir à la cause espagnole. Bolivar le chasse, secourt les blessés, encourage les rescapés à reconstruire leurs maisons. Parmi la foule se trouve Manuela qui admire le courage et l'abnégation de Bolivar. Palais communal. La nouvelle arrive que les indépendantistes conduits par Bolivar ont défait les Espagnols à Taguanes et sont sur le point d'arriver. La population les fête ; Manuela et d'autres jeunes filles guident le char triomphal de Bolivar. Bolivar est conquis par le charme de la jeune fille.

Acte II. La bataille de La Puerta a été défavorable à Bolivar, qui se prépare maintenant à défendre la capitale. Manuela voudrait le suivre mais il refuse et prie Nicator de la protéger. Le général Bovès, vainqueur de La Puerta, fait son entrée. Il interroge Manuela et la contraint à participer à un bal en compagnie des femmes parentes des insurgés. Les officiers espagnols dans leurs somptueux uniformes et les femmes portant le deuil font un macabre contraste. Dehors a lieu l'exécution des prisonniers. Les femmes ne supportent plus l'humiliation et la violence qui leur sont imposées et elles éclatent en pleurs en invoquant leurs morts. Bovès les fait chasser et elles vont se mettre en sûreté. Bolivar s'apprête à franchir les Andes ; les soldats sont fatigués et démoralisés. Manuela les rejoint. Arrivés au sommet de la montagne, à la vue de la grande plaine qui s'étend à leurs pieds, tous sont pris d'enthousiasme et croient en la prochaine victoire. Bolivar a réalisé son rêve de libérer l'Amérique du Sud de la domination espagnole. A Lima, au cours d'une réception officielle, il reçoit l'hommage des plus hautes personnalités du pays. Le haut Pérou, en son honneur, prend le nom de République Bolivar ; au héros on offre la couronne de la Grande Colombie, mais il la refuse en vertu de ses idées démocratiques. Il n'en manque pas pourtant pour comploter contre lui, l'accusant injustement d'être un dictateur. Au cours d'un énième attentat auquel Bolivar échappe de justesse, meurt le fidèle Nicator. Bolivar est désormais fatigué et malade. Il rédige son testament politique dans lequel il souhaite la création d'une fédération de tous les États libérés. Puis réconforté par la vision de sa bien-aimée Maria Teresa, il meurt.

■ L'opéra composé en 1943 est un hommage au héros sud-américain Simon Bolivar et dans le même temps un acte de foi en la liberté, avec une allusion particulière à cette Europe qui, douloureusement, cherchait son chemin entre les ruines de la guerre. Milhaud avait séjourné au Brésil dans les années 1917-1918, se consacrant à l'étude de la musique folklorique qu'il fera revivre, en un style cohérent et personnel, dans nombre de ses œuvres. *Bolivar* est le troisième opéra d'une trilogie, après *Christophe Colomb* (1939), *Maximilien* (1932), dédiée à des personnages liés à l'histoire sud-américaine. C'est l'œuvre la plus aboutie de la période que l'auteur a passée aux États-Unis (1940-1947) ; elle n'obtint à Paris toutefois qu'un succès d'estime. Le 25 avril 1953, elle fut représentée à Naples, au Theatro San Carlo, avec les interprètes de la première mondiale. SC

LA GRENOUILLE SAUTEUSE DU COMTÉ DE CALAVERAS
(The Jumping Frog of Calaveras County)

Opéra en un acte de Lucas Foss (né en 1922). Livret de Jean Karsavina, inspiré d'une nouvelle de Mark Twain (1835-1910). Première représentation : Bloomington, université de l'Indiana, 18 mai 1950.

L'INTRIGUE : Un étranger à grandes moustaches (basse) lance un défi à la grenouille sauteuse de Smiley (ténor), surnommée Daniel Webster. Pendant que les enfants commencent à parier, l'étranger remplit le gosier de Daniel de grenaille de plomb. Sur la place l'étranger fait la cour à Lulu (mezzo-soprano), provoquant la jalousie des garçons de l'endroit. Il va sans dire que Daniel perd la course. Mais après le départ de l'étranger avec tout l'argent, on découvre la filouterie. La grenouille est soulagée, tandis qu'on se lance à la poursuite de l'étranger qui est ramené : on lui fait restituer l'argent et on le dénonce. Lulu, alors, recommence à sourire à Smiley.

■ Cet opéra est le premier de Foss dont il révéla le brillant talent. MS

LE PRISONNIER
(Il prigioniero)

Opéra en un prologue, un acte et quatre tableaux de Luigi Dallapiccola (1904-1975). Livret de l'auteur, inspiré de La légende d'Ulenspiegel et de Lamme Goedzac *de Charles de Coster, et de l'un des* Contes cruels *d'Auguste Villiers de l'Isle-Adam (1838-1889)* (La torture par l'espérance). *Première exécution sous forme de concert à la RAI, 1er décembre 1949. Première représentation : Florence, Teatro Comunale, à l'occasion du XIIIe Mai musical florentin, 20 mai 1950. Interprètes : Magda Lazlò (la mère), Scipio Colombo (le prisonnier), Mario Binci (geôlier et grand inquisiteur), Mariano Caruso (un prêtre), Gian Giacomo Guelfi (un autre prêtre), Luciano Vela (frère Redemptor). Direction : Hermann Scherchen.*

LES PERSONNAGES : La mère (soprano dramatique), le prisonnier (baryton basse), le geôlier et le grand inquisiteur (ténor), deux prêtres (ténor et baryton), frère Redemptor (rôle muet).

L'INTRIGUE : L'action a lieu dans les années 1570 à Saragosse.
Prologue. Sur fond noir, éclairé par les projecteurs, se détache, très blanc, le seul visage de la mère. Elle fait part de ses tristes pressentiments et raconte un rêve qui chaque nuit vient l'obséder : c'est le spectre de Philippe II qui, terrible, s'avance et, petit à petit, prend les traits de la Mort.
Acte unique, scène première. Une horrible cellule dans les souterrains de l'Oficial de Saragosse. C'est le coucher du soleil. Le prisonnier est étendu sur sa couchette. Près de lui se tient sa mère. Il lui raconte les tortures endurées et comment il a reconquis l'espoir et la foi en entendant un soir le geôlier l'appeler « frère ». Le geôlier arrive et la mère s'éloigne.
Scène II. Le geôlier continue d'appeler le prisonnier « frère » et lui raconte qu'en Flandre la révolte a éclaté ; il rapporte les hauts faits de l'armée des Gueux (patriotes flamands). S'enflammant toujours plus à son propre discours, il réussit à secouer le prisonnier de sa torpeur au point de lui arracher des larmes et de l'entendre s'exclamer, ému : « Merci, frère, tu m'as encore fait espérer ! » Le geôlier parti, le prisonnier s'aperçoit que la porte est restée entrouverte : un long corridor s'étend au-delà, le prisonnier s'y avance en chancelant.
Scène III. Le souterrain de l'Oficial. Le prisonnier progresse avec peine, craignant d'être découvert à chaque pas. Il croise frère Redemptor qui tient à la main un instrument de torture et deux autres prêtres qui discutent de théologie : personne ne semble lui prêter attention. Il atteint un jardin sous un ciel étoilé. Un grand cèdre domine au centre du jardin : dans l'enthousiasme de se retrouver à l'air libre, le prisonnier l'étreint, mais deux grands bras s'en détachent et l'étreinte change. C'est l'inquisiteur qui était aussi son geôlier et qui avec douceur lui reproche d'avoir désiré se soustraire à sa juste peine. Le prisonnier comprend avoir subi l'ultime torture : l'illusion de la liberté. Il se laisse conduire au bûcher en riant comme un fou et en répétant le mot « liberté » presque pour lui-même.

■ L'idée d'un opéra ayant pour thème la liberté humaine était déjà venue à Dallapiccola en 1939, à l'entrée en vigueur des lois raciales du fascisme. L'année d'avant, il avait déjà commencé à travailler aux *Chants de captivité* comme « forme réalisable de protestation » contre les mesures racistes. Mais la composition du *Prisonnier* ne put commencer qu'en 1944, année de la libération de Florence. Le travail fut achevé au début de 1948. Tout en se situant dans le cadre historique de la guerre de libération des Flandres, l'œuvre se veut un hommage à la résistance contre le nazisme et une dénonciation de toutes les dictatures. La partition comprend, outre les quatre tableaux scéniques, deux intermèdes vocaux et un troisième, symphonique. Pour l'un des deux intermèdes vocaux (le second) l'auteur recommande de recourir à des moyens mécaniques, à des haut-parleurs, etc., pour atteindre à une « formidable sonorité ». Lors de la présentation à Florence, l'opéra obtint un bon accueil du public, alors que la critique italienne fut plutôt négative : ce fut une source de retentissantes polémiques. Les réserves n'étaient pas seulement de nature musicale, étant donné la technique dodécaphonique dont s'était servi l'auteur, mais concernait aussi les implications idéologiques du livret. L'opéra fut en revanche considéré comme un chef-d'œuvre à l'étranger, où il connut une ample et rapide diffusion. La première représentation hors d'Italie eut lieu à New York, au Julliard Theatre, en mars 1957.

MS

MORT DE L'AIR (Morte dell'aria)

Drame lyrique en un acte de Goffredo Petrassi (né en 1904). Livret de T. Scialoja. Première représentation : Rome, Teatro Eliseo, 24 octobre 1950. Direction : Fernando Previtali.

LES PERSONNAGES : L'Inventeur (ténor), l'Observateur du Collège des Inventeurs (baryton) ; le Photographe (ténor). Chœur et comparses.

L'INTRIGUE : L'Inventeur, au milieu de l'ahurissement et du scepticisme général, veut se lancer du haut d'une tour métallique pour faire la preuve de l'efficacité d'un vêtement-parachute qu'il a mis au point. Au moment de se jeter dans le vide, il hésite cependant et révèle aux spectateurs avoir compris que le vol ne peut réussir. Il n'entend pourtant pas renoncer à l'expérience ; il affirme devant tous être même décidé à mourir pour « croire en l'unique expérience de l'air ». Il se jette ainsi dans le vide et s'écrase au sol. Le Photographe et les chroniqueurs courent donner la nouvelle. L'Observateur jette depuis le haut des fleurs sur la victime. Le chœur chante un adieu plein de pitié.

■ L'opéra s'est inspiré d'un fait réel survenu à Paris au début du siècle et dont quelques photogrammes d'un ancien documentaire portent témoignage. L'action, sublimée par une trop évidente parenté avec le mythe d'Icare, trouve dans la musique de Petrassi une des réalisations les plus stupéfiantes et élevées du théâtre lyrique de ce siècle.

MSM

LA CONDAMNATION DE LUCULLUS (Die Verurteilung des Lukullus)

Opéra en deux époques et douze scènes de Paul Dessau (1894-1979). Livret de Bertolt Brecht (1898-1956). Première représentation : Berlin, Staatsoper, 17 mars 1951. Direction : Hermann Scherchen.

L'INTRIGUE : Il s'agit du procès imaginaire auquel est soumis le général romain après sa mort. Sous la toge des juges point de magistrats mais les ombres d'un boulanger, d'une prostituée, d'un maître d'école, d'une marchande de poisson : ce sont tous de pauvres gens qui, pendant leur vie terrestre, ont été emportés par les guerres de Lucullus. Tous les mérites que le général est en mesure de s'attribuer ne sont pas jugés suffisants pour couvrir et justifier les crimes qu'il a commis. Lucullus est pour cette raison condamné à retomber dans le néant.

■ Il s'agit de la seule œuvre lyrique de Dessau jamais représentée. Elle contient un bon nombre de passages parlés, et le texte est toujours parfaitement compréhensible. Le titre originaire *Das Verhör des Lukullus (Le procès de Lucullus)* fut par la suite changé pour devenir *Die Verurteilung des Lukullus (La condamnation de Lucullus).* Sa représentation fut très contestée pour des motifs politiques, en rapport avec les développements de la guerre froide. MS

LE VOYAGE DU PÈLERIN
(The pilgrim's progress)

Moralité en un prologue et divers épisodes de Ralph Vaughan Williams (1872-1958). Livret de l'auteur inspiré d'une allégorie homonyme de John Bunyan (1628-1688). Première exécution : Londres, Covent Garden, 26 avril 1951.

L'INTRIGUE : C'est la narration, en plusieurs épisodes, du voyage de l'âme (le « pèlerin ») de la Cité de la Perdition (le monde terrestre) à la Cité Céleste (l'au-delà). Bunyan avait été un prédicateur puritain, persécuté par Charles II pour avoir pratiqué sans la permission prescrite.

■ La musique suit l'action qui est plutôt discontinue, exprimant la sérénité, la menace, l'ironie ou la puissance selon les moments. Un des épisodes, *Les pasteurs des montagnes enchantées,* avait déjà fait l'objet d'une représentation à Londres, le 11 juillet 1922. Il devait par la suite être incorporé dans l'opéra que le compositeur dédia à l'ensemble de l'œuvre de l'écrivain puritain. EP

COMÉDIE SUR LE PONT
(Veslohra na moste)

Opéra radiophonique en un acte de Bohuslav Martinu (1890-1959). Livret de J. Kličpera. Première exécution : Radio Prague, 1937. Première représentation scénique : New York, 29 mai 1951.

L'INTRIGUE : L'action se déroule sur un pont à la limite de deux villages en guerre l'un contre l'autre, hors de toute référence chronologique précise. La jeune Popelka, de retour du territoire ennemi sur lequel elle s'est rendue pour donner une sépulture à son frère tombé dans la bataille, est arrêtée sur le pont par une sentinelle qui lui interdit d'entrer dans son propre village ; elle est désespérée à l'idée que son fiancé, Sykos, et sa mère, inquiets pour elle, sont à sa recherche. Bedron, un autre villageois, est également contraint, au retour d'une mission secrète, à faire halte. Il commence à courtiser la fille et l'embrasse juste au moment où survient Sykos qui reproche à Popelka sa frivolité. Au trio se joint la femme de Bedron, Eva, qui, mise au fait par Sykos et jalouse, s'en prend à son mari. Arrive enfin l'instituteur du village, tout absorbé par la résolution d'une énigme. Comme la trêve semble cesser, les cinq présents se confient l'un l'autre chacun son secret quand tombe à l'improviste l'annonce de la victoire des forces amies. Bedron est félicité pour la mission qu'il a accomplie. Popelka découvre avoir enseveli le corps d'un inconnu en voyant son frère sain et sauf. Et l'énigme de l'instituteur se trouve résolue.

■ Ce brillant acte unique, après avoir obtenu le prix Italia en 1949 et été retransmis par la RAI en 1950, fut représenté pour la première fois en Italie au théâtre La Fenice de Venise le 19 septembre 1951. On trouve ici des thèmes d'inspiration très variée, remontant au XVIIIe siècle ou puisant dans les mélodies et rythmes caractéristiques de la musique populaire tchèque. AB

LE LIBERTIN
(The rake's progress)

Opéra en trois actes d'Igor Stravinski (1882-1971). Livret de Wystan Hugh Auden (1907-1973), écrit en collaboration avec Chester Kallmann. Première représentation : Venise, théâtre La Fenice, 11 septembre 1951. Interprètes : E. Schwarzkopf, O. Kraus, R. Ariè, J. Tourel, H. Cuenod. Direction : Igor Stravinski.

LES PERSONNAGES : Corfido, père d'Anna (basse) ; Anna, fiancée de Tom Vaurien (soprano) ; Tom Vaurien, le libertin (ténor) ; Mère Loie, patronne de la maison close (mezzo-soprano) ; Encan, vendeur d'enchères (ténor) ; Nick Lombre, au service de Tom (baryton) ; Baba la Turque, femme monstrueuse(mezzo-soprano) ; un gardien de l'asile de fous (basse). Femmes de mauvaise vie, fêtards, domestiques, citadins, fous.

L'INTRIGUE :
Acte I. L'Angleterre au XVIIIe siècle. Dans le jardin de la maison de campagne de Corfido. Un personnage louche, nommé Nick Lombre, annonce au jeune Tom Vaurien qu'il a hérité d'une grosse fortune. Ayant salué et rassuré Anna, sa fiancée, Tom s'en va heureux à Londres, en compagnie de cet étrange Nick qui se met à son service sans demander de récompense ; les deux compères conviennent qu'ils régulariseront leurs comptes dans un an et un jour. Une maison équivoque de la capitale. Dans le lupanar de Mère Loie, Tom, au milieu des femmes de mauvaise vie et des jouisseurs, se laisse aller à une vie déréglée et de vices. Jardin de la maison de Corfido. Anna n'a plus de nouvelles de son fiancé ; sans que son père le sache, elle part pour Londres à la recherche de Tom, prête à lui porter secours.
Acte II. Londres, maison de Tom. Il est très ennuyé : il court d'une aventure galante à l'autre, dilapide son héritage sans y trouver le bonheur. Pour affirmer devant tous sa liberté en marge de toute morale, il se laisse séduire et convaincre par Nick Lombre d'épouser Baba la Turque. C'est

une femme très riche mais monstrueuse, à la barbe fleurie, qui s'expose dans une baraque foraine. Devant la maison de Tom. Le jeune homme et Baba, désormais son épouse légitime, passent en chaise à porteurs. Arrive Anna, angoissée de voir à quel point en est arrivé Tom : les paroles de la jeune fille troublent profondément le libertin même s'il se montre indifférent. Anna s'enfuit ; Baba descend de la chaise et exhibe sa barbe, au milieu des applaudissements des badauds. Maison de Tom. Rapidement le jeune homme se dégoûte de l'horrible femme qu'il a épousée. Il s'adonnera désormais aux affaires. Nick Lombre lui procure une étrange machine qui doit normalement transformer en pain toute pierre. Tom se jette la tête la première dans cette nouvelle folie.

Acte III. Maison de Tom. Comme il était à prévoir, le jeune libertin a dilapidé de cette manière tous ses biens. Il disparaît et sa maison part aux enchères. Encan, le commerçant, est en train de vendre tous ses biens. Baba l'arrête. A Anna qui est revenue, la Turque confie que Tom continue à l'aimer et qu'elle seule pourra le sauver de la vie ignominieuse qu'il mène. Baba, quant à elle, retourne au cirque, retrouver les applaudissements de la foule. Près d'une fosse dans un cimetière. Nuit. Tom apprend la terrible vérité : son serviteur n'est autre que le diable, qui maintenant veut son âme. Le libertin demande à jouer son immortalité aux cartes ; et finalement, c'est lui qui remporte l'étrange partie : grâce à de miraculeux hasards et au souvenir de sa fiancée, il réussit en effet à deviner la couleur de trois cartes tirées du jeu. Furieux, Nick lui ôte la raison et le précipite dans la fosse. Tom se réveille en se prenant pour Adonis et il invoque Vénus. Il est devenu fou. Chambre d'un asile d'aliénés. Anna, fidèle, vient apporter le réconfort au jeune homme. Elle feint d'être Vénus, le secondant dans sa folie, et doucement, en lui chantant une tendre berceuse, elle le fait s'endormir. Puis elle s'éloigne avec son père. Tom se réveille et au souvenir de la douce Vénus qui l'a bercé amoureusement, il l'appelle et invoque Orphée, puis s'abandonne sur son grabat et meurt. La morale de l'histoire est dite par tous les personnages, réunis en finale sur la scène.

■ La première mise en scène fut montée à Venise, par le théâtre de la Scala, à l'occasion de la biennale, au cours du XIVe Festival international de musique contemporaine. L'idée originale de l'opéra vint à Stravinski à la vue des gravures de Hogarth : l'artiste du XVIIIe siècle y représente les mésaventures d'un libertin, avec une moralité calligraphique très proche spirituellement du culte de la forme que professait alors le musicien. En se servant de l'expérience théâtrale de Kallmann, Auden sut transposer ces images en un texte raffiné, où il sut en rapporter fidèlement l'atmosphère, par l'emploi d'archaïsmes bien dissimulés et un usage savant de la strophe. Stravinski parle de « l'un des livrets les plus beaux jamais écrits ». L'imitation de certains modèles, tel le *Don Giovanni* de Mozart, est délibérée. Mais, tandis que le libertin de Da Ponte porte en lui des traits grandioses et démoniaques, Tom Vaurien n'est qu'un personnage passif, qui n'entraîne pas son serviteur, mais se laisse remorquer par lui. Pareille caractérisation, certes, correspond aux intentions didactiques de Stravinski, qui se meut ici dans un univers moral clos. Seule Anna est une figure active : le libertin ne réussit qu'à exprimer des intentions : *I wish I had money* (acte I), *I wish I were happy* (acte II), *I wish it were true* (acte III). Également sollicité par le matériau phonique du texte anglais, très rythmé, le musicien voulut dans cette œuvre allier les rapports tonaux aux accents du XVIIIe siècle. Auden lui-même parle de la « dimension sonore dans laquelle » il entendait « déployer l'œuvre lyrique » : un petit orchestre, peu de personnages, un petit chœur. En bref, de la « musique de chambre » comme par exemple dans *Cosi fan tutte.* D'où l'usage de techniques, tel le récitatif sec, et le recours fréquent à des arias où la voix est accompagnée par le petit orchestre et un instrument soliste, procédé tout droit venu de Bach (par exemple, l'air d'Anna à la troisième scène de l'acte I, soutenu par la mélodie du basson). Il est même surprenant que le compositeur de *Pétrouchka* et du *Sacre du printemps* fasse dans cet opéra un usage très limité des percussions : il emploie seulement les timbales avec une sobriété toute classique. Mais déjà en 1935, dans les *Chroniques de ma vie,* Stravinski écrivait : « J'ai l'exacte sensation que, dans les compositions que j'ai écrites ces quinze dernières années, je me suis plutôt éloigné de la grande masse de mon public. Il attendait autre chose de moi... étant habitué au langage de pareilles œuvres *(L'oiseau de feu,* les *Noces,* outre celles qui ont été citées)... il ne peut ou ne veut me suivre le long du cheminement de ma réflexion musicale. » Il est certes étonnant que le compositeur, qui avait l'habitude les premiers temps de subvertir à chacune de ses nouvelles œuvres le style et les normes de la précédente, se soit toujours plus dirigé, dès 1919 (où il écrivait *Pulcinella* à partir de thèmes de Pergolèse), dans des voies néo-classiques, lui qui, avec la polytonalité du *Sacre,* avait réussi à scandaliser Paris et toute la critique européenne par l'audace du rythme et la violence du son. En réalité, tandis qu'il s'en prenait à ceux qu'il aimait définir comme « les vieilles barbes de l'avant-garde », il ne sut pas ou ne voulut pas agréer la nouveauté et pour ainsi dire la nécessité du langage schönbergien, n'accostant aux rives de la sérialité atonale de l'école de Vienne qu'avec les années cinquante, après la création de *La carrière d'un libertin.* La cristallisation subie par le style du musicien s'adapte bien, de toute façon, à l'esprit de cet opéra : on le sent tout tendu à mesurer ses dons créatifs dans une confrontation constante et rigoureuse avec toute la tradition du drame lyrique. RB

L'HISTOIRE D'UNE MÈRE
(La storia di una mamma)

Conte musical en un acte de Roman Vlad (né en 1919). Livret de Gastone da Venezia, tiré du conte

homonyme de Hans Christian Andersen (1805-1875). Première exécution : Venise, 7 octobre 1951.

Les personnages : La maman (soprano), un récitant, mimes et danseurs.

L'intrigue : La maman cherche à arracher son fils à la mort qui l'a enlevé. Pour ce faire, elle se soumet à des sacrifices, mais elle doit à la fin s'assujettir à la volonté de Dieu. La mort emporte le petit au Pays inconnu et à la mère, il ne reste que la prière.

■ Conçu comme une œuvre radiophonique, cet opéra a également été écrit dans une version concerto, et dans une autre, pour voix et piano. EP

BILLY BUD

Opéra en quatre actes de Benjamin Britten (1913-1976). Livret de Edward Morgan Forster et d'Éric Crozier, tiré du roman homonyme de Melville (1891). Première représentation : Londres, Covent Garden, 1er décembre 1951. Interprètes : Pears, Uppman et Dalberg.

L'intrigue : A bord du bateau de guerre *Indomptable,* l'été de l'année 1797. Les navires britanniques, cette année, ont connu de graves mutineries en raison de la vie dure et brutale qui y était menée. La Révolution française était une réalité toute proche, et les autorités, lancées dans la lutte contre la France, redoutaient la diffusion des ferments révolutionnaires. L'*Indomptable* fait route vers la Méditerranée, mais son équipage est incomplet. C'est pourquoi, quand on croise un navire marchand (portant significativement le nom *Les droits de l'homme*), une délégation est envoyée à bord pour procéder, comme cela se faisait souvent à l'époque, au recrutement forcé de marins. Parmi les nouvelles recrues de la marine de guerre se trouve Billy Bud, un garçon naïf et loyal. Mais le maître d'armes John Claggart, un homme violent et pervers, le prend en haine et le soumet à des vexations sans fin. Il l'accuse ainsi injustement devant le capitaine Vere d'actes de mutinerie. Celui-ci saisit où se trouve la vérité et il invite les deux hommes dans sa cabine. Billy, angoissé de se sentir pris au piège et trahi, bafouille péniblement et ne parvient pas à exprimer ses motifs. Mais à la fin, il ne peut se contenir et il donne un coup de poing mortel à Claggart. Le capitaine sait que Billy n'est pas le vrai coupable dans l'affaire, mais, selon les lois martiales en vigueur, il doit instituer une cour devant laquelle Billy est condamné à mort. La sentence est exécutée à la tombée du jour, par pendaison.

■ Détail sans doute unique dans l'histoire du théâtre lyrique, cette œuvre n'a pas de rôle féminin. L'opéra fut commandé à Britten par le British Art Council et une version en deux actes seulement fut par la suite présentée à Covent Garden, à Londres, le 9 janvier 1964. Ce thème issu de la dernière œuvre de Melville avait également été mis en musique par Federico Ghedini, en 1949. MS

BOULEVARD SOLITUDE

Drame lyrique en sept actes de Hans Werner Henze (né en 1926). Livret de Grete Weill, tiré de Histoire du chevalier Des Grieux et de Manon Lescaut *de A. F. Prévost (1697-1763). Première représentation : Hanovre, Landestheater, 17 février 1952. Interprètes : Siegfried Claus, Walter Buchov, Theo Zilliken. Direction : Johannes Schler.*

LES PERSONNAGES : Manon Lescaut (soprano élevé) ; Armand Des Grieux, étudiant (ténor lyrique) ; Lescaut, frère de Manon (baryton giocoso) ; Francis, ami d'Armand (baryton) ; Lilaque père, riche seigneur (ténor élevé bouffe) ; Lilaque fils (baryton) ; femme de mauvaise vie (ballerine) ; serviteur de Lilaque fils (pantomime) ; deux cocaïnomanes (danseurs) ; garçon vendeur de cigarettes (danseur) ; fille fleuriste (ballerine).

L'INTRIGUE :
Premier tableau. Le hall d'une gare, aujourd'hui. Deux étudiants, Armand et Francis, sont assis à une table de café. Près d'eux, également assise, Manon, en compagnie de son frère Lescaut qui s'éloigne dans la direction du bar. Manon et Armand commencent à parler : la jeune fille doit être accompagnée par son frère jusque dans un collège à Lausanne, mais elle n'a pas envie de partir. Armand lui aussi se sent seul ; c'est ainsi que Manon décide de le suivre à Paris. Lescaut n'intervient pas pour retenir sa sœur.
Tableau II. Une mansarde à Paris. Armand et Manon sont en difficulté financière, depuis que le père de l'étudiant n'envoie plus d'argent. Armand demande à sa jeune amie d'emprunter quelque chose à Francis. Pendant qu'Armand s'habille, Lescaut entre. Il a trouvé un monsieur âgé mais riche qui pourrait prendre soin de Manon : il n'a qu'à se mettre à la fenêtre et faire le geste convenu. Armand réapparaît et dit au revoir à Manon, lui promettant de vite rentrer ; le frère presse Manon qui se décide à accepter la proposition.
Tableau III. Un salon dans la maison de Lilaque père. Manon écrit une lettre à Armand dans laquelle elle lui déclare vouloir le revoir. Mais Lescaut entre, lui arrache la lettre et demande de l'argent. Manon n'en a pas. Lescaut force alors le coffre-fort et le vide. Lilaque entre : pris de soupçon à la présence de Lescaut, il découvre le vol et chasse les deux jeunes gens.
Tableau IV. Bibliothèque de l'Université. Francis raconte à Armand qu'il a vu Manon avec un autre homme et qu'elle et son frère ont été chassés de la maison de Lilaque. Armand, qui tient Manon pour une victime de Lilaque, défend malgré tout la jeune fille devant Francis. Pendant qu'ils se récitent des vers de Catulle sur l'infidélité de Lesbie, Manon entre et s'assied près d'Armand.
Tableau V. Un bar malfamé. Armand s'est adonné à la drogue. Arrive Lescaut en compagnie de Lilaque fils à la recherche de Manon. Le jeune Lilaque est tombé amoureux de la jeune femme et le frère de celle-ci l'assure qu'il ne sera pas repoussé. Tandis qu'Armand, en proie à la cocaïne, se prend pour Or-

phée devant délivrer Eurydice, Manon qui est arrivée dans le bar, s'éloigne avec Lilaque. Un billet avertit Armand que Manon, en l'absence de Lilaque fils, le recevra le lendemain chez ce dernier.
Tableau VI. Une chambre dans la maison de Lilaque fils. Armand doit s'en aller parce que le jeune Lilaque peut s'en revenir d'un moment à l'autre ; triste, il se prépare à abandonner Manon. Lescaut, qui est venu obtenir d'Armand qu'il s'en aille, cherche un objet de valeur, et trouve une toile moderne qu'il détache du mur. Mais le père de Lilaque survient. Armand et Lescaut se cachent dans la chambre ; Manon se montre affable et demande à Lilaque père d'être encore courtois avec elle. L'homme ne demande pas mieux, et pour mieux faire encore il demande à entrer dans la chambre à coucher. Malgré le refus de Manon, il entre tout de même et découvre, en même temps que le vol du cadre, la présence d'Armand et de Lescaut. Il ordonne alors au domestique d'appeler la police et tente d'empêcher la sortie des trois fugitifs. Lescaut met à ce moment dans la main de sa sœur un pistolet ; Manon tire et tue Lilaque tandis que Lescaut s'échappe avec le tableau. Entre Lilaque fils qui trouve son père mort, ainsi que Manon et Armand, bouleversés.
Tableau VII. Devant une prison. Armand attend que Manon soit transférée vers une autre prison. Pour la jeune femme désormais, il n'y a plus aucun espoir de salut, et Manon, escortée par ses gardiens, évite de regarder Armand, qui demeure, seul, sur la place.

■ L'éclectisme musical qui se dévoilera encore plus explicite dans *Le roi cerf,* est déjà présent, sur un mode créatif et innovateur, dans *Boulevard Solitude,* qui est l'histoire de Manon Lescaut, resituée dans le Paris des années cinquante. S'il est vrai que la partition de Henze a réussi à rendre accessible à un vaste public la dodécaphonie, en montrant que celle-ci n'est pas qu'une simple spéculation intellectuelle, il est également vrai que l'ambiance musicale, les finesses de ton, l'habile utilisation de l'harmonie et des moyens vocaux (qui vont du parler jusqu'à la récupération d'airs de Puccini) emplissent cet opéra d'imagination et de beauté. *Boulevard Solitude,* composé à Paris, entre 1950 et 1951, rend bien l'atmosphère et le milieu culturels de ces années-là. L'histoire, qui n'est jamais abordée dans une perspective moralisante, offre à la musique l'occasion d'un commentaire et d'une description précis ; le résultat est aussi obtenu à partir d'un mélange des éléments les plus hétérogènes tirés de l'opéra et du ballet. L'œuvre, qui fut accueillie avec enthousiasme, parvient avec ses dissonances et ses douceurs à montrer le fossé qui s'est créé entre Armand et le monde, et à personnaliser en Manon la difficulté de vivre et d'aimer dans un monde dominé par l'argent, la cupidité et l'incompréhension. LB

AMAHL ET LES VISITEURS DE LA NUIT
(Amahl and the night visitors)

Opéra-fable religieux en un acte de Gian Carlo Menotti (né en

1911). Livret de l'auteur, inspiré de la célèbre Adoration des mages *de Hieronymus Bosch. Composé sur une commande de la National Broadcasting Company de New York, l'ouvrage fut télédiffusé le 24 décembre 1951. Première représentation théâtrale : université de l'Indiana, le 21 février 1952. Interprètes : Chet Allen, Rosemary Kuhlman.*

LES PERSONNAGES : Amahl, garçon boiteux d'environ douze ans (voix blanche) ; sa mère (soprano) ; Gaspard, légèrement sourd (ténor) ; Melchior (baryton) ; Balthazar (basse) ; un page (basse).

L'INTRIGUE : C'est la nuit. La mère sur le seuil de la cabane appelle Amahl qui s'attarde à jouer de la musette. L'enfant rentre et raconte avoir vu une comète avec une queue de feu ; la femme est triste et ne s'occupe pas des fantasmagories de son fils. Tous deux se couchent mais quelqu'un frappe à la porte. Amahl va ouvrir mais il n'ose dire qui est là ; la mère y va elle-même et elle se trouve face aux Rois Mages, splendidement vêtus et équipés. Les Mages parlent de leur voyage guidé par la comète et de leur recherche d'un enfant sur le point de naître. Quelques pasteurs arrivent des alentours et tous fêtent les hôtes. Durant la nuit, la mère cherche à voler un peu d'or. Découverte, la pauvre femme admet avoir cédé à son impulsion afin de pouvoir faire un présent à son malheureux fils. Les Mages comprennent et lui laissent l'or, tant il est vrai que l'Enfant à qui les cadeaux sont destinés fondera son royaume sur l'amour et non sur les richesses. Tandis que les pasteurs improvisent un délicat « pas de deux », Amahl qui ne possède rien d'autre que ses béquilles en fait don au petit roi qui est sur le point de naître. A ce moment il s'aperçoit qu'il peut s'en passer : Amahl est miraculeusement guéri. Tout le monde est heureux et Amahl suit les Mages pour connaître Jésus.

■ L'opéra, qui a rencontré un succès mérité, fut repris douze années de suite à la veille de Noël. La première représentation italienne eut lieu à Florence à l'occasion du Mai musical florentin, le 9 avril 1953, avec Leopold Stokowski au pupitre, Alvaro Cordova et Giulietta Simionato dans les principaux rôles. SC

PROSERPINE ET L'ÉTRANGER
(Proserpina y el extranjero)

Opéra en trois actes de Juan José Castro (1895-1968). Livret de Omar de Carlo. Première représentation : Milan, théâtre de la Scala, 13 mars 1952. Interprètes : Elisabetta Barbato, Giangiacomo Guelfi, Giulietta Simionato, Cloe Elmo, Rosanna Carteri, Mirto Picchi, Giacinto Prandelli. Direction : Juan José Castro.

LES PERSONNAGES : Proserpine, Demetria, Marfa, Cora Fuentes, Rita, Flora, l'étranger, Porfirio Sosa, Marcial Quiroga, Rosendo, l'agent de police Paolo Marcelo, l'émeute (chœur et ténor seul), un groupe de locataires.

L'INTRIGUE : Dans un quartier malfamé de Buenos Aires, Proserpine se voit, pour la énième fois, brutalisée par Porfirio Sosa, son amant qui l'a amenée là en l'arrachant à sa mère, qui vit dans une propriété agricole de la pampa. Porfirio est arrêté pour ce méfait, mais aussi pour tous les autres comptes qu'il doit régler avec la justice. Marcial Quiroga, un louche personnage du voisinage, a des vues sur Proserpine qui est demeurée seule ; elle ne lui déplairait pas comme maîtresse et comme source de revenus. Mais l'arrivée d'un étranger qui prend pension dans sa maison contrarie ses projets. Celui-ci protège Proserpine qui peut s'en aller avec sa mère venue la chercher. Proserpine s'en repart ainsi dans la pampa. La mère veut lui trouver un mari respectable. Mais Proserpine est hantée par le souvenir de l'étranger et elle s'enfuit à Buenos Aires pour se jeter dans ses bras. Brusquement l'étranger, qui se souvient de quelque chose, la repousse tandis que surgit l'ombre de sa femme morte. L'étranger vient d'un monde lointain que personne ne comprend. Il a beaucoup souffert, trop sans doute. Porfirio sort de prison, assoiffé de vengeance, car il a été mis au courant par Marcial de la liaison de Proserpine. Porfirio et Marcial tuent l'étranger. Proserpine recueille les rares objets de l'étranger et s'éloigne, tandis que Porfirio tente en vain de la retenir.

■ En 1952, *Proserpine et l'étranger* devait remporter le prix offert par la Scala de Milan à l'occasion du cinquantenaire de la mort de Giuseppe Verdi.

MS

LÉONORE 40/45
(Leonore 40/45)

Opéra tragi-comique en un prologue et deux actes de Rolf Liebermann (né en 1910). Livret de Heinrich Strobel. Première représentation : Basilea, Staadttheater, le 25 mars 1952. Interprètes : E. Schemionek, J. De Vries, D. Olsen. Direction : A. Krannhals.

LES PERSONNAGES : Huguette (soprano) ; Germaine, sa mère (contralto) ; Alfred (ténor) ; Hermann, son père (baryton basse) ; Lejeune (basse bouffe) ; monsieur Émile (baryton) ; un vieux mélomane (baryton) ; un mélomane aux cheveux longs (contralto) ; un monsieur cultivé (baryton) ; une jeune fanatique de Massenet (soprano) ; un soldat (ténor) ; un client (ténor) ; la patronne (soprano) ; un domestique (ténor) ; un camelot (ténor) ; le premier président du tribunal (ténor) ; le second président du tribunal (basse) ; un juge (ténor).

L'INTRIGUE : L'action se déroule entre 1939 et 1947 en France et en Allemagne. Au cours du prologue, Émile, un ange gardien vivant sur terre, informe qu'une histoire d'amour sera représentée, au cours de laquelle il n'interviendra que lorsque les protagonistes en auront besoin. En 1939 Alfred, un Allemand qui vit avec son père non loin de la frontière avec la France entend soudain s'interrompre l'exécution du *Fidelio* de Beethoven à la radio : on annonce la mobilisation. Lui aussi devra partir. Dans une maison, de l'autre côté de la frontière, une dame française, Germaine, demande à sa fille

Huguette des nouvelles de la situation politique. Elle, dont le mari est mort lors de la Première Guerre mondiale, affirme que seules la paix et la bonne volonté entre les hommes sont en mesure de résoudre les problèmes actuels. Huguette au contraire, convaincue que la France se trouve dans le camp du bon droit, est troublée par les événements. Deux années plus tard, à Paris, occupé par les Allemands, Huguette et Alfred se recontrent à un concert et après avoir fait connaissance, ils tombent amoureux l'un de l'autre. En août 1944 cependant, Alfred est contraint d'abandonner Paris avec les troupes allemandes en retraite. Huguette voudrait le cacher dans sa maison, mais Alfred se refuse à faire courir à la jeune fille un tel péril. Ils se quittent tandis que le peuple français fête la Libération. A ce moment apparaît Émile ; il dit qu'est arrivé pour lui le moment de s'employer, afin que l'histoire ait une fin heureuse. La guerre s'est entre-temps achevée, et Huguette qui a complètement perdu la piste de son fiancé erre désespérément à sa recherche. Émile la rencontre et pour mettre à l'épreuve son amour, il lui dit qu'Alfred doit être puni pour avoir pris part aux violences commises par les Allemands. Huguette défend le jeune homme et l'ange finalement la conduit jusque chez Alfred et réussit même à la faire engager dans l'usine où travaille le jeune homme. Quelque temps plus tard, Huguette et Alfred décident de se marier ; ils se présentent devant un tribunal qui symbolise les structures de la bureaucratie. Les juges déclarent qu'il est absolument impossible de célébrer des noces entre deux personnes appartenant à des peuples ennemis. Réapparaît alors l'ange gardien : tandis que l'on entend les notes de *Fidelio,* Émile affirme que, comme Léonore, l'héroïne de l'opéra de Beethoven, Huguette a conquis le droit d'aimer par sa fidélité, et lui-même unit ensuite les deux jeunes gens par les liens du mariage.

■ A sa sortie, l'opéra fut diversement accueilli par le public et la critique. S'y manifeste le goût de Liebermann pour les structures dramatiques à deux niveaux ; l'un réaliste, l'autre symbolique et surréaliste. L'histoire signifie d'un côté la condamnation de la guerre et de la tyrannie, de l'autre l'exaltation de la nouvelle musique, symbole d'une humanité libre et rénovée. MSM

L'AMOUR DE DANAÉ (Die Liebe der Danae)

Opéra en trois actes de Richard Strauss (1864-1949). Livret de Joseph Gregor (1888-1960). La partition fut terminée en 1940. Première exécution : Festival de Salzbourg, 14 août 1952. Interprètes : Annelles Kupper, Paul Schoeffler, Josef Gostic. Direction : Clemens Krauss.

L'INTRIGUE :
Acte I. Pollux, roi d'Éos, dont le Trésor est endetté, veut marier sa fille, Danaé, au roi de Lydie, Midas. Les quatre neveux de Pollux, époux respectifs de Sémélé, Europe, Alcmène et Léda, femmes très belles et aimées de Jupiter, partent pour la Lydie. Danaé reçoit en rêve la visite de

Jupiter qui a revêtu la forme d'une pluie d'or ; elle jure d'appartenir à qui lui saura donner, avec l'or, les jouissances de l'amour. Midas, sous l'habit du messager Chrysophore, annonce à Danaé l'arrivée de son prétendant et il l'accompagne le recevoir au port. C'est Jupiter qui descend en fait du navire. Danaé, éblouie, s'évanouit.
Acte II. Jupiter découvre que Midas aime Danaé et le maudit. Midas, dans son ardeur amoureuse, embrasse Danaé qu'il transforme en une statue d'or. Jupiter réapparaît et Midas lui propose de laisser à la statue le choix entre le maître des dieux et le pauvre muletier qu'il est en réalité. Danaé choisit l'homme et la vie recommence à battre dans ses veines.
Acte III. Midas, privé désormais de tout pouvoir, révèle à Danaé le pacte qui l'unit à Jupiter. Danaé bénit la pauvreté responsable de son union avec l'homme qu'elle aime. Jupiter voudrait reconquérir Danaé et il va la trouver sous les haillons d'un vagabond. Danaé est inébranlable et quand Midas rentre à la maison, elle se précipite dans ses bras.

■ La virtuosité de la partition, la splendeur orchestrale partout présente dans *L'amour de Danaé,* ne parviennent pas à masquer les longueurs et les incohérences d'un opéra qui n'est pas resté au répertoire. On y trouve pourtant des pages d'une grande beauté, au prélude du troisième acte notamment, quand Jupiter tente pour la dernière fois de reconquérir Danaé. Ces pages, qui reprennent un thème de la Maréchale dans *Le Chevalier à la rose,* expriment la mélancolique renonciation de Strauss lui-même aux douceurs de la vie que la jeunesse seule peut apporter. Le compositeur, âgé déjà de quatre-vingts ans, put assister à une représentation de l'opéra, monté spécialement pour lui à Salzbourg. RB

LE TRIOMPHE D'APHRODITE (Trionfo d'Afrodite)

Concerto scénique de Carl Orff (1895-1982), composé sur des textes de Catulle, Sapho et Euripide. Première représentation : Milan, théâtre de la Scala, 13 février 1953. Interprètes : Nicolaï Gedda, Élisabeth Schwarzkopf. Direction : Herbert von Karajan.

L'intrigue : Le thème commun aux pièces lyriques qui composent le texte de l'opéra est l'amour, et de fait, reviennent souvent dans les invocations des protagonistes les noms d'Hyménée et de Vénus, respectivement dieux du mariage et de la beauté. Sur la scène se succèdent les représentations des différents textes lyriques. Au lever du rideau, des garçons et des jeunes filles se lancent des plaisanteries au cours d'une cérémonie nuptiale, en échangeant des questions et des réponses. Le chœur incite la vierge à ne pas s'opposer à son mari et à la force de l'amour, invitation qui sera répétée plusieurs fois tout au long de la représentation. On passe ensuite à la célébration du bonheur qui suit les noces : le déroulement de la cérémonie et le dialogue des époux. L'amour jette dans un tourbillon celui qu'il frappe et le chœur invoque les Muses et Vénus pour qu'elles répandent à pleines mains sur eux la joie. Le chœur répète ensuite que l'homme et la femme sont consentants, car d'une telle union seuls naîtront des enfants qui formeront une société saine. Suit une autre louange à l'épouse : que, pour elle, l'époux ait toutes les attentions ; l'épouse, inversement, ne devra pas lui refuser ce qu'il lui demande sinon il ira le trouver ailleurs. Par une ultime louange aux époux, l'œuvre s'achève.

■ *Le triomphe d'Aphrodite* fait partie de la trilogie qui unit *Les triomphes* aux cantates scéniques *Carmina Burana* (Francfort, 1937) et *Catulli Carmina* (Leipzig, 1943). Dans les pièces lyriques mises en musique, il faut en signaler deux parmi les compositions les plus fameuses de Sapho : celle où l'épouse est comparée à la lune et celle dans laquelle est exaltée la prestance de l'époux. ABe

GLORIANA

Opéra en trois actes de Benjamin Britten (1913-1976). Livret de William Plomer, tiré de la biographie romancée de Lytton Strachey, Élisabeth et le comte d'Essex *(1929). Première représentation : Londres, Covent Garden, 8 juin 1953. Interprètes : Joan Cross et Peter Pears. Direction : John Pritchard.*

L'INTRIGUE :
Acte I. Le comte d'Essex se promène nerveusement, dans l'attente de savoir si son rival, Mountjoy, a été vaincu. Mais celui-ci fait son entrée en vainqueur, porteur de l'étendard de la réussite, Essex lui fait offense : « Chaque sot a son protecteur », et il en résulte un duel. Survient la reine Élisabeth avec sa suite. Elle réprimande les deux adversaires et les invite à se réconcilier. Dans ses appartements, la reine déclare à Lord Cecil qu'elle s'estime mariée à son royaume. Après son entretien avec Cecil, le comte d'Essex, s'accompagnant du luth d'Élisabeth, chante avec douceur pour la reine (un chant élisabethain selon la mode de l'époque). Il s'adresse ensuite à Élisabeth pour que celle-ci le nomme commandant de l'expédition qui combat en Irlande contre Tyrone. L'acte se conclut sur la reine en prière.
Acte II. Un voyage de la reine. Les habitants de Norwich offrent à Élisabeth un spectacle de danse. La scène se transporte ensuite dans un jardin où se trouve Mountjoy, le désormais dangereux ami d'Essex. Mountjoy et Lady Rich trament en effet un coup d'État. Un bal à la cour de Whitehall. Lady Essex redoute que son élégance ne déchaîne l'ire de la reine. Quand Élisabeth fait son entrée, l'atmosphère est glacée. Les dames se retirent pour changer de vêtements et la reine endosse celui dont Lady Essex vient à peine de se défaire. Elle l'utilise le temps de l'humilier publiquement puis disparaît. Quand elle rentre, elle intime l'ordre à Essex de se mettre devant elle et elle le nomme commandant de l'expédition d'Irlande.
Acte III. Essex est de retour de la campagne d'Irlande. Il se précipite dans la chambre à coucher de la reine où se tient la souve-

raine, sans perruque. Celle-ci l'admoneste avec déplaisir plus qu'avec rage, mais elle appelle ensuite Lord Cecil et fait déclarer Essex rebelle. Les partisans et les amis d'Essex tenteront en vain de provoquer la réaction de la population indifférente.

■ Commandé à Britten par l'Art Council pour la fête du couronnement d'Élisabeth II, et mise en scène à Covent Garden, lors d'une soirée de gala à laquelle participait la souveraine, cet opéra représente en quelque sorte la consécration officielle de Britten comme premier compositeur d'Angleterre. MS

LE PROCÈS
(Der Prozess)

Opéra en deux parties et neuf tableaux de Gottfried von Einem (né en 1918). Livret de B. Blacher et de H. von Cramer, tiré du roman de Franz Kafka (1883-1924). Première représentation : Festival de Salzbourg, 20 août 1953. Interprètes : Antonio Annaloro, Eleno Rizzieri, Fernando Piccinni. Direction : Artur Rodzinski.

LES PERSONNAGES : Joseph K. (ténor) ; l'étudiant (ténor) ; l'avocat (baryton) ; Titorelli (ténor) ; le juge d'instruction (baryton) ; l'inspecteur (baryton) ; le prêtre (baryton) ; Albert K. (basse) ; Willem (baryton) ; François (basse) ; le matraqueur (basse) ; l'huissier (basse) ; l'industriel (baryton) ; le substitut directeur (ténor) ; le directeur de la Chancellerie (basse) ; un passant (baryton) ; un gamin (ténor) ; trois jeunes (ténor, baryton, basse) ; trois messieurs (ténor, baryton, basse) ; premier monsieur (voix de récitant) ; mademoiselle Bürstner (soprano) ; la femme de l'huissier (soprano) ; Leni (soprano) ; madame Grubach (mezzo-soprano) ; une fille bossue (soprano). Public, soldats, filles et autres.

L'INTRIGUE :
Première partie. Nous sommes en 1919. Joseph K. dort dans sa chambre. Il se réveille et appelle avec la sonnette ; avec surprise, il voit entrer deux individus qui lui signifient son arrestation. Ils ne lui expliquent pourtant pas qui les envoie et quel crime lui est reproché. Peu après, l'inspecteur communique à Joseph que bien qu'en état d'arrestation, il pourra se rendre à son travail, à la banque. Dans la chambre de mademoiselle Bürstner, Joseph K. s'entretient d'abord avec la maîtresse de la pension auprès de laquelle il s'excuse pour le désordre causé le matin de l'arrivée de ces individus ; il parle ensuite à la demoiselle elle-même à laquelle il raconte ce qui lui est arrivé. La demoiselle se propose de l'aider pour le procès, car elle est sur le point d'être engagée par un avocat. La nuit, quand il rentre chez lui, Joseph fait d'étranges rencontres et il a l'impression que tout le monde le persécute. Le procès se déroule entièrement dans une atmosphère absurde : tant les questions que les réponses et les personnages présents. Joseph K. est abasourdi, il dénonce l'injustice et la corruption.
Deuxième partie. Sous le porche de la maison se trouve un débarras : à l'intérieur Willem et François qui doivent être bâton-

nés sur ordre du tribunal. Joseph K. tente en vain de s'interposer. Un passant dans l'escalier lui communique qu'il doit se présenter tout de suite à la Chancellerie du tribunal et il l'avertit qu'il vaudrait mieux obéir pour ne pas aggraver sa situation. L'oncle de Joseph veut lui présenter un avocat qui puisse l'aider. Mais l'avocat dit qu'il ne peut faire grand-chose, étant donné le comportement incorrect de Joseph devant le tribunal. Leni, la secrétaire de l'avocat, cherche à attirer l'attention de Joseph K. et elle lui propose même son aide. A la banque, Joseph K. ne réussit pas à travailler à cause du souci que lui donne le procès. L'industriel qui a entendu parler de son cas lui offre une recommandation auprès d'un peintre, Titorelli, qui exécute des portraits pour les juges du tribunal : il pourrait être la bonne personne pour obtenir une aide. Titorelli lui explique que son intervention ne lui gagnerait qu'une feinte absolution, parce que l'autre, la vraie, ne s'obtient jamais de personne. Et avec une fausse absolution, le procès pourrait se rouvrir à n'importe quel moment. Il vaut mieux demander un renvoi, ainsi on n'est jamais condamné, « mais ni absous », répond alors Joseph K. avant de s'en aller. Dans une cathédrale, Joseph attend quelqu'un, mais il s'entend appeler par l'aumônier de la prison : il l'avertit que son procès finira probablement mal. L'église reste dans le noir et Joseph K. ne retrouve pas son chemin pour sortir ; deux messieurs se mettent à ses côtés et le guident comme des automates. L'un d'eux sort un poignard, l'autre lui enlève la jaquette et lui ouvre la chemise. Tout se passe dans le silence et l'obscurité.

■ L'opéra fut bien accueilli au Festival de Salzbourg et fut loué par la critique. Quand à l'automne de la même année 1953 cependant, il fut présenté aux États-Unis, l'accueil fut plutôt froid. Le texte de Kafka se prête effectivement peu à la mise en scène théâtrale, musicale, et de toute façon, l'expression musicale d'Einem n'était pas, selon la critique, adaptée au texte. MS

PARTIE DE BOXE
(Partita a pugni)

Drame concerto en une introduction et trois rounds *de Vieri Tosatti (né en 1920). Livret de l'auteur. Première représentation : Venise, théâtre La Fenice, 8 septembre 1953. Interprètes principaux : Rolando Panerai, Agostina Lazzari. Direction : Nino Sanzogno.*

L'INTRIGUE : La scène représente un centre sportif de banlieue à l'époque moderne. Une importante rencontre de boxe est sur le point de commencer. Bouboule (baryton), appelé ainsi en raison de sa corpulence trapue, est le favori du public. Les deux adversaires sautent sur le ring, Bouboule arrogant, l'autre (ténor) au contraire embarrassé et intimidé. L'arbitre fait commencer le match. Bouboule attaque ; le public lui crie de ne pas épargner son adversaire, qui se voit acculé et pare les coups avec de plus en plus de difficulté. Au troisième round les deux boxeurs commettent des irrégularités et sont séparés ; mais voilà que le second boxeur profite d'un moment de distraction de Bouboule et lui porte un très mauvais coup qui l'abat sans connaissance. L'arbitre (récitant) déclare Bouboule vaincu au milieu des sifflets de la foule en fureur.

■ La *Partie de boxe* est une adaptation musicale du drame homonyme de L. Conosciani. Le musicien a voulu ici exprimer sa verve et donner cours à ses ressources inventives inclinant à la satire et au paradoxe, mais sans accepter entièrement la tradition du langage théâtral conventionnel. Cette œuvre est sans doute la réussite la plus durable de Tosatti, qui a toujours cherché à arracher la musique aux conditions de relatif isolement où elle avait été placée, en la liant à d'autres formes expressives (rôle de la parole). La *Partie de boxe* apparaît ainsi, au-delà du choix insolite du sujet, comme une farce amère, au développement strict et cohérent. FP

DAVID

Opéra en cinq actes et douze tableaux de Darius Milhaud (1892-1974). Livret d'Armand Lunel, tiré des livres I et II de Samuel, et du livre des Rois de la Bible. Première représentation : Milan, théâtre de la Scala, 2 janvier 1954. Interprètes : Anselmo Colzani, Italo Tajo, Carlo Badioli, Maria Amadini, Marcella Pobbe, Nicola Rossi Lemeni, Jolanda Gardino. Direction : Nino Sanzogno.

Les personnages : Samuel (basse) ; Jessé (baryton) ; la femme de Jessé (contralto) ; sept sœurs de David ; frères de David, Eliab (baryton), Abinadab (baryton), Shiamma (ténor) ; David (baryton) ; Abner (basse) ; Saül (baryton) ; Goliath (basse) ; Jonathas (ténor) ; Michol (soprano) ; Abissaï (ténor) ; le prêtre Abiathar (baryton) ; Abigaïl (mezzo-soprano) ; la servante Abincam (mezzo-soprano) ; la pythonisse d'Endor (contralto) ; Amalécite, messager (ténor) ; quatre gardes du trône de David (récitants) ; Gioab (baryton) ; les six femmes de David, chacune avec un enfant (rôles muets) ; les capitaines ; Benhaya (ténor) ; Isoboam (ténor) ; Éléazar (baryton) ; Sammah (baryton) ; la vedette soliste du chœur (baryton) ; Bethsabée (soprano dramatique) ; Nathan (baryton) ; le grand prêtre Zadok (basse) ; Ahimaaz, premier coureur (ténor) ; l'Étiope, second coureur (baryton) ; Simmei (ténor) ; la troupe de Ghibborim (personnages muets) ; Abisag (soprano léger) ; Salomon (enfant contralto) ; chœur des Israélites ; enfants israélites. La garde royale, les soldats hébreux, les soldats philistins, les jeunes paysannes, le peuple de Jérusalem, chantres et filles autour de l'Arche, les femmes de la maison de David. Chœurs intérieurs : la garde d'Absalon, les favorites de David, les partisans d'Adoniah.

L'intrigue :
Acte I. Le Seigneur ordonne au prophète Samuel de choisir parmi les fils de Jessé le successeur de Saül. L'élu est David, poète et guerrier : Samuel l'oint d'huile sacrée. Sous la tente du roi : Saül est triste et il invite David à chanter pour lui rasséréner l'âme. Du côté des Philistins on entend des bruits d'armes et

la voix de Goliath qui défie un homme valeureux à se mesurer avec lui. Saül promet sa fille Michol en mariage à qui relèvera le défi ; David, armé d'une fronde, affronte et tue le géant. Saül se réjouit de la victoire mais dans son cœur, la jalousie à l'égard de David fait son chemin : au cours des réjouissances il cherche à faire mourir le héros. Michol convainc David de s'enfuir.
Acte II. David s'est établi aux lisières de la forêt ; pendant la nuit, il s'introduit dans le camp de Saül et lui dérobe sa lance et sa massue. Le vieux roi est contraint de reconnaître la magnanimité de David qui aurait aussi bien pu le tuer. Il lui demande pardon et l'appelle à lui. L'ombre de Samuel, qui est mort entretemps, avertit Saül que Dieu l'a abandonné et qu'il a remis la couronne d'Israël à David. Peu de temps après en effet, Saül et son fils Jonathas meurent au cours d'une bataille.
Acte III. David est installé sur le trône d'Israël ; près de lui, ses six femmes, chacune avec un enfant. Survient Michol qui pleure la mort de son père et de son frère. David qui l'a toujours aimée la réconforte et la fait reine. Le royaume de David devient sans cesse plus fort, conformément à la volonté divine : il est temps qu'il ait une vraie capitale, et David choisit la citadelle de Jésus, d'où surgira Jérusalem, la « ville de la paix ».
Acte IV. Dans la citadelle de Sion, un cortège accompagne l'Arche au Tabernacle. David, pieds nus et pauvrement vêtu, danse devant le Tabernacle. Michol le désapprouve, mais Dieu punira son orgueil en la rendant stérile. David cependant a enlevé Bethsabée à son mari Urie et Dieu le punit en faisant mourir leur premier-né. Un second enfant naît pourtant, Salomon, qui sera le préféré de David. Absalon, autre fils de David, cède aux rebelles, mais Absalon, qui s'est laissé prendre la chevelure aux branches d'un arbre, meurt.
Acte V. David est vieux et la jeune esclave Abisag le réconforte. Le moment où doit s'accomplir la prophétie est arrivé et Salomon lui succède sur le trône d'Israël. Tandis que David se prépare à abandonner la vie terrestre, entouré par ses femmes qui pleurent, se déroule près de la fontaine de Gibon la cérémonie de l'onction sacrée : le peuple exalte l'enfant Salomon, roi d'Israël, et il exalte David, le fondateur de Jérusalem.

■ Composé pour le King David Festival, cet opéra fut exécuté pour la première fois en version concertante, à Jérusalem, le 1er juin 1954. C'est une des œuvres les plus abouties du compositeur français, qui a donné là une profusion de pages d'inégalable richesse lyrique et dramatique. Pour mieux souligner l'actualité de la Bible par rapport aux tragiques événements de notre époque, Milhaud a introduit, aux côtés du chœur des Hébreux qui commentent les péripéties sur la scène, un « chœur des Israéliens de 1954 » qui met en valeur l'analogie des situations actuelles et passées. SC

LA TENDRE TERRE
(The tender land)

Opéra en trois actes et quatre tableaux de Aaron Copland

(né en 1900). Livret de Horace Everett. Première représentation : New York, City Opera, 1er avril 1954.

L'INTRIGUE : L'action se déroule un mois de mai aux environs de 1930. Laurie Moss (soprano lyrique), toujours très protégée jusque-là par sa mère (contralto) et son grand-père (basse), est sur le point de passer ses examens supérieurs quand arrivent à la ferme Martin (ténor) et Top (baryton), deux journaliers vagabonds et de moralité douteuse. Laurie tombe immédiatement amoureuse de Martin. Les deux amants projettent de prendre la fuite le matin même qui suivra la remise du diplôme précédant elle même une fête en l'honneur de Laurie, chez les Moss. Top réussit pourtant à convaincre Martin que leur existence n'est pas faite pour Laurie ni même pour le mariage. Les deux garçons s'en vont dès avant l'aube. Désabusée et blessée, Laurie abandonne elle-même la maison pour se soustraire à la tutelle de sa mère. La mère reporte immédiatement sa protection sur la sœur cadette de Laurie, un nouveau cycle recommençant ainsi.

■ L'opéra fut commandé par Rodgers et Hammerstein pour le trentième anniversaire de la League of Composers. Copland n'a pas rencontré à l'étranger la même popularité que dans son pays, aux États-Unis. Chose assez étrange, car dans la crise musicale de notre époque, il est à considérer comme le musicien américain le plus représentatif.

MS

UNE INVITATION A DINER (A dinner engagement)

Opéra-comique en un acte de Lennox Berkeley (né en 1903). Livret de Paul Dehn. Première représentation : Aldeburgh, 17 juin 1954.

■ L'opéra, d'un comique assez moderne, raconte les manigances d'une famille noble déchue pour faire épouser un prince à leur fille, ce qui finit par arriver, mais pas du tout de la manière qu'ils avaient imaginée. GP

PÉNÉLOPE

Opera semi-seria *en deux actes de Rolf Liebermann (né en 1910). Livret de Heinrich Strobel. Première représentation : Salzbourg, Festspielhaus, 17 août 1954. Direction : Georg Szell.*

■ Il s'agit d'une adaptation moderne de la légende d'Ulysse et de Pénélope. L'action se déroule sur deux plans : les personnages d'Homère interviennent dans une histoire qui se passe pendant la Seconde Guerre mondiale ; une femme croit son mari mort et se remarie ; elle apprend par la suite qu'il était toujours vivant. Elle se rend à un rendez-vous avec son premier mari, qui à ce moment, meurt réellement. Elle retourne auprès de son deuxième époux pour découvrir qu'il s'est tué pendant son absence. La partition recèle des moments émouvants comme, par exemple, l'entrevue entre Ulysse et Pénélope.

MSM

LE TOUR D'ÉCROU
(The turn of the screw)

Opéra en un prologue et deux scènes de Benjamin Britten (1913-1976). Livret de Myfanwy Piper, d'après une nouvelle d'Henry James (1898). Première représentation : Venise, théâtre La Fenice, 14 septembre 1954. Interprètes : David Hemmings, Olive Dyer, Arda Mandikian, Peter Pears, Direction : Benjamin Britten.

Les personnages : Le narrateur (ténor) ; l'institutrice (soprano) ; Miles et Flora, deux enfants (voix blanches, soprano) ; Mrs. Grosc, domestique (soprano) ; Peter Quint, serviteur du temps passé (ténor) ; miss Jessel, l'institutrice précédente (soprano).

L'intrigue :
Prologue. Le narrateur raconte, accompagné au piano, l'histoire qui précède l'action de l'opéra. Elle a été écrite, sur un papier maintenant jauni, par une institutrice chargée de l'éducation de deux enfants orphelins, à Londres. Le tuteur des enfants était un homme très occupé par ses affaires, ses voyages, ses relations, et avait exigé de ne jamais être dérangé pour des problèmes concernant les enfants, dont l'entière responsabilité incombait à l'institutrice.
Acte I. Dans une maison de campagne à Bly, dans l'est de l'Angleterre, vers le milieu du siècle dernier. L'institutrice est accueillie par Mrs. Grose, la gouvernante, et les enfants Miles et Flora, qui lui montrent le parc et la maison. Quelque temps après, un soir, l'institutrice aperçoit un inconnu dans le parc. D'après sa description, la gouvernante lui dit qu'il s'agit de Peter Quint, un ancien serviteur qui avait eu une influence funeste sur les enfants et l'institutrice précédente, miss Jessel. Ils sont morts tous les deux à présent, mais l'institutrice et Mrs. Grose ne tardent pas à s'apercevoir que les enfants restent sous la coupe du personnage. Une nuit, les enfants, appelés par les esprits, descendent dans le jardin, sans opposer de résistance, et seule l'intervention de l'institutrice interrompt leur conversation avec les esprits maléfiques.
Acte II. Quint et miss Jessel signent un pacte pour la destruction morale des enfants. Suit une série d'épisodes où l'ascendant des deux fantômes sur Miles et Flora devient de plus en plus fort. Les enfants se montrent sans cesse plus difficiles, tandis que les deux femmes qui en ont la charge luttent pour les arracher aux influences malignes qui les menacent. Finalement, l'institutrice décide d'écrire au tuteur, malgré les consignes strictes qu'il lui a données, estimant qu'il doit être mis au courant. Miles, poussé par Quint, subtilise la lettre. Après une nuit où Flora a été la proie d'horribles cauchemars, Mrs. Grose part avec la petite fille pour l'arracher à ces tortures psychologiques en la ramenant chez son tuteur. L'institutrice reste à Bly avec Miles et cherche à le libérer. Elle finit par l'emporter sur l'esprit qui s'est emparé du petit garçon ; celui-ci avoue qu'il a volé la lettre et, dans un cri, révèle le nom de son persécuteur. Mais l'effort a été trop grand, et il meurt dans les bras de l'institutrice.

■ Par rapport à la nouvelle de

James, le livret comporte deux modifications importantes : les enfants apparaissent comme les figures centrales, alors que la nouvelle était axée sur le personnage de l'institutrice et, d'autre part, les fantômes sont ici matérialisés alors qu'ils n'étaient dans l'original que des ombres muettes. L'intrigue est divisée en seize scènes courtes mais percutantes. Toute l'action est fondée sur un thème qui donne naissance à quinze variations : chaque variation introduit une scène. Cette structure est issue de la tradition musicale de la Renaissance anglaise, comme le confirme la magistrale chaconne de la scène finale. Le titre est à double sens : d'une part, le fait que les victimes soient des enfants donne un « tour de vis » supplémentaire dans l'horreur ; d'autre part, il y a là une allusion à la structure en variations, le thème central « tournant » à travers les quinze interludes qui introduisent les scènes. Cet opéra, comme tous ceux composés par Britten à partir d'un certain moment, est exécuté par un orchestre de treize instruments, qui obtient cependant une rare richesse expressive, et par sept personnages. L'accueil lors de la création fut extrêmement favorable, et le succès s'est confirmé depuis. MS

TROÏLUS ET CRESSIDA
(Troilus and Cressida)

Opéra en trois actes de William Turner Walton (1902-1983), d'après Troylus and Criseide *de Geoffrey Chaucer (1340/45-1400), remanié par Christopher Hassall. Première représentation : Londres, Covent Garden, 3 décembre 1954.*

LES PERSONNAGES : Calchas (ténor) ; Anténor (baryton) ; Troïlus (ténor) ; Pandarus (ténor comique) ; Cressida (soprano) ; Evadné (mezzo-soprano) ; Horaste (baryton) ; Diomède (baryton).

L'INTRIGUE : A Troie, au XIIe siècle avant J.-C., pendant la guerre contre les Grecs. Le jeune Troyen Troïlus s'éprend de la veuve Cressida, fille du devin Calchas. Le Grec Diomède, émerveillé par la beauté de la jeune femme, propose de libérer le guerrier Anténor en échange de Cressida. Troïlus est au désespoir mais les besoins de la défense et le devoir patriotique l'emportent : il accepte l'échange. Cressida n'aime pas le Grec, qui tente de lui faire violence. Troïlus vole à son secours et défie le Grec en combat singulier. Calchas, traîtreusement, poignarde Troïlus dans le dos et Cressida se tue à son tour.

■ Dans l'opéra de Walton, Cressida n'apparaît pas comme l'héroïne de Chaucer, qui acceptait l'idée d'un nouvel amour, mais est au contraire fidèle jusqu'au sacrifice. Le livret de Hassall dépeint intelligemment la personnalité de Cressida et, dans l'ensemble, se caractérise par un ton d'ironie triste. *Troilus and Cressida*, avec ses thèmes récurrents, est un *music drama* plus proche de la sensibilité de Schubert que de celle de Wagner. Son lyrisme doux-amer a été décrit comme « un romantisme plus résiduel qu'affirmé », jugement qui s'applique à l'œuvre de Walton en général. EP

LA FILLE DE JORIO
(La figlia di Jorio)

Tragédie pastorale en trois actes d'Ildebrando Pizzetti (1880-1968). Livret du compositeur d'après la tragédie de Gabriele d'Annunzio (1863-1938). Première représentation : Naples, théâtre San Carlo, 4 décembre 1954. Interprètes : Clara Petrella, Mirto Picchi, Gian Giacomo Guelfi, Maria Luisa Malagrina, Maria Teresa Mandalari, Anna Maria Canali, Saturno Meletti, Gerardo Gaudiosi, Plinio Clabassi. Direction : Gianandrea Gavazzeni.

LES PERSONNAGES : Mila di Codro (soprano) ; Candia della Leonessa (mezzo-soprano) ; Ornella (soprano) ; Favetta (soprano) ; Vienda di Giave (rôle muet) ; Aligi (ténor) ; Lazaro di Roio (baryton) ; Teodula di Cinzio (mezzo-soprano) ; la vieille aux herbes (contralto) ; Iona di Midia (baryton) ; Cosma, le saint des montagnes (basse) ; un moissonneur (baryton). Chœur de la famille, des pleureuses, des moissonneurs.

L'INTRIGUE : L'histoire se passe dans les Abruzzes. Dans la maison de Lazaro di Roio. On prépare le mariage de son fils Aligi avec Vienda di Giave. Aligi apparaît, engourdi par un long sommeil, et tourmenté par de sombres pressentiments. Vienda laisse tomber le pain coupé que lui offre sa belle-mère et tout le monde y voit un mauvais présage. Soudain, Mila, fille du vieux sorcier Jorio, fait irruption au milieu des invités, demandant qu'on la protège des moissonneurs qui veulent lui faire violence, car elle a la réputation d'une fille facile. Aligi s'apprête à la chasser lorsqu'un ange apparaît derrière elle, semblant la protéger. Le jeune homme brandit alors une croix et fait reculer les poursuivants de Mila, stupéfaits. Dans la confusion, Lazaro di Roio a été blessé et tombe à genoux sur le seuil de la maison. Mais Aligi est tombé amoureux de Mila, et part vivre avec elle un amour chaste, dans une grotte de la montagne. Ornella vient trouver son frère Aligi pour le supplier de rentrer à la maison. Mila comprend que, pour le bien du jeune homme, elle doit renoncer à lui. Mais Lazaro di Roio arrive en personne et, trouvant Mila seule, tente de la prendre de force. Aligi vole au secours de sa bien-aimée, mais son père ordonne aux deux paysans qui l'accompagnent de le ligoter et de l'emmener. Il se jette à nouveau sur Mila et semble près de parvenir à ses fins lorsque Aligi, libéré par Ornella, surgit et, fou de rage, frappe son père à mort. Le lendemain, dans la maison de Lazaro, les pleureuses se lamentent sur la dépouille du défunt. Aligi a été condamné à un atroce supplice, et sa mère lui fait boire un soporifique pour qu'il ne voie pas venir la mort. Mila apparaît alors et se déclare seule responsable du crime : elle a envoûté Aligi pour lui faire commettre l'acte à sa place. Aligi, abruti par la potion, la croit et la maudit. La foule réclame la libération d'Aligi et prépare le bûcher pour brûler la sorcière. Mila marche au supplice sereine, heureuse d'avoir sauvé son bien-aimé. Seule Ornella a compris son sacrifice et pleure pour elle.

■ Il s'agit d'un des opéras les plus appréciés de Pizzetti, qui possède cette qualité particulière des meilleures œuvres du compositeur : une fusion parfaite entre texte et musique. L'usage du chœur fait de cet opéra une sorte de « madrigal dramatique ».

MSM

LA SAINTE DE BLEECKER STREET (The saint of Bleecker Street)

Drame musical en trois actes et cinq tableaux ; paroles et musique de Gian Carlo Menotti (né en 1911). Première représentation : New York, Broadway Theatre, 27 décembre 1954.

L'INTRIGUE : Dans le quartier italien de New York. Dans une pauvre maison de Bleecker Street, vit Annina, une jeune guérisseuse qui passe pour une sainte. Son frère Michele, sceptique, tente d'arracher sa sœur à ce qu'il considère comme une exaltation superstitieuse. Annina est soutenue par un prêtre, Don Marco, et par tout le quartier, qui afflue chaque jour dans la pauvre maison dans l'attente d'un miracle. Au cours d'un banquet de noces, Annina et Don Marco reprochent à Desideria, maîtresse de Michele, sa conduite immorale. Michele rétorque qu'ils ne sont que des bigots et Desideria, furieuse, s'écrie que si Michele ne l'épouse pas, c'est parce qu'il est inconsciemment amoureux de sa sœur. Michele la tue et prend la fuite. Quelques mois plus tard, Annina et Michele se rencontrent, et le jeune homme supplie sa sœur de partir avec lui. Annina refuse, et conseille à son frère de se constituer prisonnier. Peu après, Annina demande au prêtre de lui faire prononcer les vœux de religieuse. Pendant le rite, Michele fait irruption, espérant encore convaincre sa sœur de renoncer. Mais la jeune fille n'en a plus que pour quelques instants à vivre, et elle meurt avant même que Don Marco ait pu lui passer l'anneau consacré.

■ Comme *Le consul* et *Le médium*, cet opéra de Menotti est enraciné dans la réalité quotidienne d'une communauté bien particulière, la colonie des immigrants italiens, avec ses passions humaines parfois scabreuses, et sa religiosité fanatique et superstitieuse. Toutefois, le réalisme de l'œuvre suggère peut-être plus une chronique du quotidien colorée et violente qu'un véritable drame. L'opéra a pourtant connu un grand succès, le public s'étant rendu à Broadway près de cent soirs de suite.

SC

LE MARIAGE DE LA MI-ÉTÉ (The midsummer marriage)

Opéra en trois actes de Michael Tippett (né en 1905). Livret du compositeur. Première représentation : Londres, Covent Garden, 27 janvier 1955. Interprètes principaux : Joan Sutherland, Leigh, Dominguez, Lewis, Lanigan. Direction : John Pritchard.

■ C'est le premier opéra de Tippett. Inspiré de *La Flûte enchantée* de Mozart, il traite avec une grande richesse symbolique le thème de la quête philosophique. GP

LE CHAPEAU DE PAILLE D'ITALIE
(Il cappello di paglia di Firenze)

Farce musicale en deux actes et cinq tableaux de Nino Rota (1911-1979). Livret du compositeur et de sa mère Ernesta, d'après la comédie (1851) de Labiche (1815-1888). Œuvre composée en 1946.

L'INTRIGUE : Le jeune et riche Fadinard (ténor) s'apprête à épouser Hélène (soprano léger), fille de l'agriculteur Nonancourt (basse). Malheureusement, comme Fadinard rentre chez lui, son cheval le met dans une situation très embarrassante en mangeant le chapeau de paille d'Anaïs (soprano) qui se promenait avec son amant, un beau lieutenant nommé Émile. Le couple somme Fadinard de réparer les dégâts causés par son cheval, faute de quoi Anaïs aura tout à craindre de son mari, terriblement jaloux. Mais le chapeau est d'une paille de grande qualité, extrêmement rare dans le commerce, ce qui rend ardue la recherche d'un exemplaire identique. D'où une série de péripéties et de quiproquos, commençant chez les modistes et finissant chez le mari d'Anaïs, qui, sûr désormais d'être trompé, fait un scandale et empêche la célébration du mariage de Fadinard. Vézinet (ténor), un vieil oncle sourd, apporte sans le savoir la solution en offrant à Hélène un chapeau semblable à celui que Fadinard cherche désespérément. Anaïs, ayant récupéré son chapeau, peut se permettre de ridiculiser son mari jaloux, tandis que Fadinard obtient à nouveau le consentement du père de sa fiancée, et les noces peuvent finalement avoir lieu.

■ L'opéra a été joué un peu partout en Italie et à l'étranger ; à la Petite Scala de Milan, il fut même inscrit au programme deux saisons de suite en raison du succès rencontré. Ce divertissement de Labiche, déjà repris à l'écran par René Clair, est une mécanique parfaite qui donne naissance à une infinité de gags. La musique, gracieuse et spirituelle, suit avec entrain les nombreux rebondissements de l'histoire. RB

UNE LÉGENDE IRLANDAISE
(Irische Legende)

Opéra en cinq scènes de Werner Egk (1901-1983). Texte du compositeur, d'après la pièce de W. B. Yeats Countess Cathleen *(1892). Première représentation : Festival de Salzbourg, 17 août 1955. Interprètes : Borkh, Klose, Lorenz, Böhme, Frick. Direction : G. Szell.*

L'ANGE DE FEU
(Ognenny Angel)

Opéra en cinq actes et sept tableaux de Sergueï Prokofiev

(1891-1953). Livret du compositeur, d'après le roman de Valery Briussov. Première représentation : Venise, théâtre La Fenice, 14 septembre 1955. Interprètes : Dorothy Dow (Renata), R. Panerai, M. Borriello, A. Annaloro, E. Campi, G. Carturan. Direction : Nino Sanzogno.

LES PERSONNAGES : Renata (soprano) ; Ronald (basse) ; l'inquisiteur (basse) ; la supérieure (mezzo-soprano) ; la voyante (mezzo-soprano) ; Méphisto (ténor) ; Faust (basse) ; Agrippa (ténor) ; Jakob Glock (ténor) ; la patronne de l'auberge (mezzo-soprano) ; l'aubergiste (baryton) ; Mathias (baryton) ; un garçon d'auberge (baryton) ; le médecin (ténor) ; le comte Henri, un serviteur, rôles muets. Chœur des religieuses.

L'INTRIGUE :
Acte I. En Allemagne, au XVIe siècle. Dans une pauvre auberge, Ronald, rentrant d'un long voyage aux Amériques, entend des hurlements dans la chambre voisine. Il se précipite et découvre une jeune femme, Renata, terrorisée par un danger invisible. Une fois tranquillisée, elle lui raconte son histoire. Depuis son enfance, elle était visitée par un ange de feu, Madriel. Devenue grande, elle lui offrit son amour et il disparut, lui promettant toutefois de revenir sous une apparence humaine. Renata crut le reconnaître dans le comte Henri, dont elle devint la maîtresse. Désormais abandonnée, elle est la proie d'horribles visions. Ronald décide de l'aider à retrouver le comte Henri. Une voyante lui prédit un avenir placé sous le signe du sang.
Acte II. Une chambre chez Renata et Ronald. La jeune femme, aidée de Ronald, s'adonne à la sorcellerie pour retrouver l'ange de feu. Jakob Glock, le libraire juif qui lui fournit les textes occultes, lui propose de la conduire chez un mage. Agrippa de Nettelsheim, dans son laboratoire, se dérobe : il n'est qu'un chercheur et ne peut rien pour Renata.
Acte III. Renata a retrouvé Henri, mais celui-ci l'a repoussée. Elle pousse alors Ronald à le provoquer en duel pour le tuer. Henri lui apparaît sous l'apparence de l'ange, et elle regrette son geste de dépit, mais trop tard : le comte a accepté le défi. Au bord du Rhin. Ronald, blessé au cours du duel, est secouru par son ami Mathias. Renata, repentante, lui jure amour et fidélité, mais le jeune homme est en proie au délire. Un médecin promet de le sauver.
Acte IV. Une place de Cologne. Renata quitte Ronald pour se retirer dans un couvent. Le jeune homme entre dans une auberge où il rencontre Faust et Méphisto. Le diable se joue de l'aubergiste dans une scène macabre et grotesque puis demande à Ronald de lui servir de guide dans la ville. Ronald accepte.
Acte V. Les caves du couvent. Depuis l'arrivée de Renata, le couvent est comme possédé. La supérieure et l'inquisiteur interrogent la jeune femme qui raconte ses visions maléfiques. Toutes les sœurs sont prises de crises d'hystérie. Après une scène de folie collective, Renata finit par être condamnée au bûcher pour sorcellerie.

■ Après l'échec de *L'amour des trois oranges*, Prokofiev se consacra avec passion à *L'ange de feu.*

Malgré sa gêne matérielle, il se retira pendant dix-huit mois dans un petit village de Bavière, bannissant toute autre préoccupation. La composition de l'opéra dura de 1922 à 1925. Le contraste est d'autant plus frappant entre l'ardeur investie par le musicien et l'oubli complet dans lequel tomba l'opéra à peine achevé. En 1928, le deuxième acte fut exécuté en concert, puis la partition fut égarée pour être retrouvée longtemps après dans les archives d'une maison d'éditions musicales, à Paris. Lors de cette redécouverte, en 1952, Prokofiev était encore vivant, mais finalement, la création de l'opéra fut posthume. Il est vrai que le compositeur n'avait jamais rien fait pour faire jouer son œuvre, et un projet dans ce sens de l'Opéra de Berlin fut abandonné sans raison apparente. *L'ange de feu* fut d'abord joué en concert, le 25 novembre 1954, au théâtre des Champs-Élysées, à Paris (en français) avant d'être créé sur scène à l'occasion du Festival de Venise, en 1955. Cet opéra est aujourd'hui considéré, de l'avis unanime, comme l'un des chefs-d'œuvre de Prokofiev, qui a su traiter là, en opposition avec son caractère, un sujet complexe et tortueux. RB

LA GUERRE
(La guerra)

Drame musical en un acte de Renzo Rossellini (né en 1908). Livret du compositeur. Première représentation : Naples, théâtre San Carlo, 25 février 1956. Interprètes : M. Olivero, M. Pobbe, M. Gueli, P. Di Palma, S. Meletti, P. Clabassi. Direction : Oliviero De Fabritiis.

L'INTRIGUE : Époque moderne. Une ville occupée. Marta (mezzo-soprano), une vieille paralytique, vit avec sa fille Maria (soprano), dans un sous-sol. Les deux femmes attendent anxieusement le retour de Marco (récitant), le fils parti depuis trois ans pour échapper aux troupes d'invasion. Le facteur (basse) apporte à Marta les nouvelles de l'avance de l'armée de libération et la prévient du danger que court sa fille lorsque l'envahisseur aura été chassé. On connaît en effet ses relations avec Erik (ténor), un officier ennemi. Un soir, pendant que Marta dort, Erik s'introduit dans le logis et demande à Maria de partir avec lui avant qu'il ne soit trop tard. Maria, qui attend un enfant, est indécise. Erik doit s'en aller et Marta, qui a entendu leur conversation, supplie sa fille de ne pas l'abandonner. Soudain, c'est l'alerte aux bombardements et le sous-sol se remplit de gens qui viennent se mettre à l'abri. Le drame s'achève par le retour de Marco, devenu aveugle : dans un effort surhumain pour aller vers lui, sa mère meurt. Maria disparaît et va rejoindre Erik tandis que la foule en délire fête la libération.

■ Renzo Rossellini, auteur de plusieurs musiques de film, ne s'est intéressé à l'opéra que sur le tard. Avec ce drame très actuel, le frère du célèbre cinéaste néoréaliste Roberto Rossellini met les ressources de l'art lyrique au service des thèmes déjà traités par la caméra. RB

L'HYPOCRITE HEUREUX (L'ipocrita felice)

Opéra en un acte de Giorgio Federico Ghedini (1892-1965). Livret de F. Antonicelli, d'après la nouvelle de M. Beerbohm The happy hypocrite. *Première représentation : Milan, Piccola Scala, 10 mars 1956. Interprètes : Tito Gobbi, Giuseppina Arnaldi, Anna Maria Canali, Graziella Sciutti, Antonio Pirino. Direction : Antonino Votto.*

LES PERSONNAGES : Lord Enfer et Lord Paradis (baryton) ; Jenny Mere (soprano) ; la Gambogi (mezzo-soprano) ; le nain Garble (soprano) ; le conteur (ténor) ; mister Aeneas, le marchand de fleurs, le coryphée.

L'INTRIGUE : Londres, au XVIIIe siècle. L'humanité, triste et lasse, demande au conteur une jolie fable. Il raconte alors l'histoire de Lord Enfer. Dans un jardin de Londres, on donne un spectacle en plein air. Lord Enfer est là, avec sa maîtresse Gambogi. Sur la scène, Cupidon apparaît sous les traits d'un nain jongleur. Lorsque la ravissante Jenny Mere, interprète de la comédie, entre en scène, Cupidon décoche une flèche et s'enfuit en riant. Lord Enfer est atteint par la flèche et tombe éperdument amoureux de la belle actrice. Mais elle le repousse en disant qu'elle ne veut épouser qu'un homme au visage de saint, alors que les traits de Lord Enfer sont marqués par les vicissitudes de la vie. Lord Enfer se procure chez un fabricant de masques, Aeneas, un deuxième visage qui cache la laideur de ses traits, et se transforme en Lord Paradis. Jenny, qui entre-temps a elle aussi été frappée d'une flèche de Cupidon, tombe amoureuse de Lord Paradis. Ils se marient et sont très heureux. Mais la Gambogi, jalouse, arrache le masque de son ancien amant. Il est obligé d'avouer à Jenny son stratagème en lui demandant pardon. Mais, par un miracle de l'amour, Jenny trouve désormais charmants les véritables traits de Lord Enfer. Morale de l'histoire : il faut croire à l'amour, seule lueur d'espérance dans cette vie. MS

LA TEMPÊTE (Der Sturm)

Opéra en trois actes et neuf tableaux de Frank Martin (1890-1974), d'après la pièce (1611) de Shakespeare (1564-1616). Première représentation : Vienne, Staatsoper, 9 juin 1956.

L'INTRIGUE : Antonio, duc de Milan, Alonso, roi de Naples et son fils Ferdinand voyagent ensemble sur un navire lorsque éclate une violente tempête. Le vaisseau fait naufrage près d'une île. Les éléments ont en fait été déchaînés par la magie de Prosper, frère d'Antonio, dépossédé et exilé par lui douze ans auparavant avec la complicité d'Alonso, et qui a trouvé refuge sur l'île avec sa fille Miranda. L'île est aussi le repaire de la sorcière Sicorace. Prosper a libéré et réduit en son pouvoir des esprits emprisonnés par la sorcière, parmi lesquels Ariel et son fils Caliban, une créature monstrueuse. Ferdinand, que son père croit noyé, rencontre Miranda et, tombé amoureux d'elle, obtient sa main de Prosper. Entre-temps Ariel terrorise Antonio et Alonso jusqu'à ce qu'ils se repentent de leur infamie. Finalement, Prosper rend son fils à Alonso et se réconcilie avec son frère. Puis, abandonnant pour toujours la magie, il se prépare à quitter l'île avec les autres, la laissant au pouvoir de Caliban.

■ Dans cet opéra, qui suit fidèlement la version allemande, par Schlegel, de la comédie de Shakespeare, les parties lyriques alternent avec les dialogues parlés, selon l'usage du *singspiel*, et les scènes dramatiques côtoient des passages comiques ou élégiaques. Les apparitions d'Ariel sont commentées par le chœur et le rôle est confié à un danseur.
AB

LE ROI CERF
(König Hirsch)

Opéra en trois actes de Hans Werner Henze (né en 1926). Livret de Heinz von Cramer, d'après le conte de Carlo Gozzi Re Cervo *(1792). Première représentation : Berlin, Staatsoper, 25 septembre 1956. Interprètes : H. Pilarczyk, S. Konya, T. Neralis, N. Junwirt, H. Krebs. Direction : Hermann Scherchen.*

LES PERSONNAGES : Le roi (ténor) ; la jeune fille (soprano) ; le gouverneur (basse baryton) ; Scollatella I (soprano léger) ; Scollatella II (mezzo-soprano) ; Scollatella III (mezzo-soprano) ; Scollatella IV (contralto) ; Checco, musicien (ténor bouffe) ; une femme en noir (contralto) ; Coltellino, un meurtrier timide (ténor bouffe) ; les inventeurs (clowns) ; le cerf (rôle muet) ; le papillon (danseuse) ; les deux statues (sopranos enfants ou femmes) ; les femmes (chœur) ; les voix de la forêt (soprano, mezzo-soprano, contralto, ténor et basse) ; l'esprit du vent (danseur) ; voix d'hommes, courtisans (chœur).

L'INTRIGUE :
Acte I. Dans un royaume imaginaire du sud de l'Italie, le gouverneur tente d'usurper le trône en faisant abandonner le roi, encore enfant, dans une forêt. Mais le roi, élevé par les animaux, revient quelques années plus tard et retrouve sa couronne. Deux statues parlantes, la Vérité et la Sagesse, l'assistent. Il est temps pour lui de prendre femme et les deux statues énumèrent les qualités et les défauts de toutes les jeunes filles qui défilent devant lui ; amoureux de l'une d'elles, il brise les statues avant qu'elles ne disent quoi que ce soit à son sujet. Le gouverneur réussit toutefois à faire accuser la jeune fille de complot contre la vie du roi, et elle est condamnée à mort. Le roi comprend qu'il est de son devoir de sauver la jeune fille ; il la gracie puis, renonçant à la couronne, retourne dans la forêt, pour retrouver la paix de l'âme au contact de la nature.
Acte II. Espérant tuer le roi, le gouverneur organise une partie de chasse. Le papillon et la forêt tout entière défendent le roi, qui est transformé en cerf. Mais Checco, un serviteur du gouverneur, intercepte un message du papillon au roi et dévoile l'apparence sous laquelle se dissimule le souverain. La chasse se lance

donc à la poursuite du cerf. Mais les habitants de la forêt aident le cerf et finissent par repousser les chasseurs. Le roi, dont l'âme est toujours celle d'un homme, regrette au bout d'un certain temps le monde des humains. Comprenant qu'il ne parviendra plus à trouver la paix dans la nature, il quitte la forêt et retourne chez les hommes de la ville, décidé à reconquérir la femme qu'il aime.
Acte III. Le gouverneur a réussi à s'emparer du trône, mais il vit dans une appréhension perpétuelle de voir revenir le souverain légitime. Au retour de celui-ci, le gouverneur paie des sbires pour l'assassiner, mais il est lui-même tué par eux. Et le bonheur triomphe en même temps que la justice : le roi, qui a repris forme humaine, épouse la jeune fille, lavée de tout soupçon.

■ *Le roi cerf,* écrit par Henze en Italie, est un hommage à ce pays, à son peuple et, selon le musicien lui-même, « à la ville du Sud, Naples, magnifique et charmante, avec ses êtres si énigmatiques qu'on croit ne jamais parvenir à les comprendre ». Influencé par les expériences dodécaphonistes, de Schönberg à Webern, Henze, réservé à l'égard de la recherche, a toujours préféré récupérer les techniques avancées, dans un cadre musical issu de Berg et de Stravinski et qui parfois s'inspire de thèmes populaires ou de jazz. *Le roi cerf* répond assez bien à cette définition : la musique a une structure fondamentalement moderne, y compris sérielle, mais comporte aussi des concessions explicites à un langage étranger à l'opéra, issu des chansons et airs italiens folkloriques et traditionnels. L'opéra, qui risque ainsi de mécontenter aussi bien les traditionalistes que les avant-gardistes, a cependant été accueilli très favorablement, même si, lors de la première, acclamations et huées se sont répondu pendant plus d'une demi-heure. LB

DIALOGUE DES CARMÉLITES

Opéra en trois actes et douze tableaux de Francis Poulenc (1899-1963). Livret du compositeur d'après la pièce de Georges Bernanos (1888-1948). Première représentation : Milan, théâtre de la Scala, 26 janvier 1957. Interprètes : Virginia Zeani, Gianna Pederzini, Scipio Colombo, Nicola Filacuridi, Leilla Gencer, Gigliola Frazzoni, Eugenia Ratti, Vittoria Palombini, Fiorenza Cossotto, Alvinio Misciano, Antonio Pirino, Arturo La Porta, Michele Cazzato, Carlo Gasperini. Direction : Nino Sanzogno.

LES PERSONNAGES : Blanche de La Force (Sœur Blanche de l'Agonie du Christ) (soprano) ; la prieure (Mère Henriette de Jésus) (contralto) ; le marquis de La Force (baryton) ; le chevalier de La Force (ténor) ; la nouvelle prieure (soprano) ; mère Marie, vice-prieure (soprano) ; sœur Constance, une novice (soprano) ; mère Jeanne (contralto) ; sœur Mathilde (mezzo-soprano) ; le chapelain (ténor) ; premier commissaire (basse) ; deuxième commissaire (baryton) ; Javelinot, médecin (baryton). Les carmélites, la foule.

L'INTRIGUE : Paris, 1789. Le marquis de La Force, dans son hôtel, attend sa fille Blanche et essaie de tranquilliser son fils, qui craint que le tumulte de la foule en révolte n'achève de briser l'équilibre déjà précaire de Blanche. Celle-ci arrive, très agitée, et annonce sa résolution de se retirer dans un couvent pour retrouver la paix et la sérénité. Quelque temps plus tard, au couvent des carmélites où Blanche s'est réfugiée et a pris le voile, les échos de la révolution parviennent assourdis. Blanche est devenue amie avec Constance, dont elle réprouve cependant le caractère insouciant. Un jour, Constance révèle à Blanche qu'elle a eu l'intuition qu'elles mourraient ensemble. Blanche, bouleversée, interdit à Constance de parler de la mort. Pendant ce temps, la mère supérieure est tombée gravement malade et, incapable d'accepter sereinement l'idée de sa mort prochaine, elle confesse son angoisse à ses compagnes. Blanche retrouve chez la prieure le reflet de son drame intime, et en est profondément troublée. Sœur Constance, au contraire, affirme qu'il ne faut pas mourir muré dans son égoïsme. Quelques jours plus tard, le couvent est assailli par la foule hostile. Les sœurs décident de ne pas chercher à fuir et d'attendre ensemble le martyre. Blanche seule, qui avait, dans un premier temps, accepté le sacrifice, s'enfuit et retourne chez son père. Les religieuses sont arrêtées et condamnées à mort. Conduite au supplice, elles montent une à une sur l'échafaud en chantant le *Salve Regina*. Quand vient le tour de Constance, Blanche fend la foule qui entoure l'échafaud et gravit les marches à son tour, transfigurée par une joie mystérieuse, en chantant un hymne à la gloire de Dieu.

■ L'idée de composer cet opéra fut inspirée à Poulenc en 1953 par l'éditeur Ricordi. Il lui remit la partition en juin 1956. Poulenc a su restituer toute la finesse de l'analyse des âmes féminines contenue dans la pièce de Bernanos, tout en renonçant à pénétrer le dédale des argumentations philosophiques du drame. Le sujet est tiré du roman de Gertrud von Le Fort *Die Letzte am Schafott (La dernière à l'échafaud)*, datant de 1931, inspiré lui-même d'un épisode historique : l'exécution de seize carmélites de Compiègne, guillotinées le 17 juillet 1794 à Paris. MSM

UNE DEMANDE EN MARIAGE
(Una domanda di matrimonio)

Opéra bouffe en un acte de Luciano Chailly (né en 1920) sur un livret de Claudio Fino et Saverio Vertone, d'après la comédie du même nom d'Anton Tchekhov. Première représentation à la Piccola Scala de Milan, le 22 mai 1957. Interprètes : Luigi Alva, Renato Capecchi, Eugenia Ratti. Directeur : Nino Sanzogno.

L'INTRIGUE : Lomov (ténor bouffe), campagnard timide, gauche, et affecté d'un tic nerveux, décide de demander en mariage — non tant d'amour que de raison — Nathalie (soprano lyrique), la fille déjà avancée en âge du grand propriétaire Chabukov (baryton). Son entretien avec lui manque bien d'échouer : le propriétaire croit en effet que Lomov veut se faire prêter de l'argent. Mais à peine a-t-il enfin compris que ce qu'il désire, c'est en réalité la main de sa fille, qu'il s'en trouve enchanté et le laisse seul avec elle. Hélas, avant même que Nathalie ait pu connaître les raisons de sa visite, leur rencontre dégénère en violent litige provoqué par la question des droits sur une parcelle de terre située entre leurs deux propriétés. Lomov s'en va en claquant la porte et Nathalie apprend enfin de son père le but « matrimonial » de la visite. La vieille fille le fait rappeler aussitôt et se sent brûler d'amour pour cet unique prétendant. Ils se retrouvent l'un en face de l'autre. Elle, apaisée et insinuante, l'invite à se déclarer. L'autre, timide, n'en trouve pas le courage. Pour l'inviter aux confidences, Nathalie essaie alors d'entamer une conversation de circonstance sur la chasse. Mais, de cet innocent début, naît une nouvelle prise de bec sur la qualité de leurs chiens. Le père de Nathalie intervient, lançant à la tête de Lomov de telles insultes qu'il s'en évanouit. Quand il revient à lui, le père les incite à s'épouser en toute hâte avant que n'intervienne une autre dispute. Ils sont heureux, mais on reparle de chiens et l'altercation reprend aussitôt. Le père philosophe : « Et voilà, c'est le bonheur conjugal qui commence. »

■ *Une demande en mariage* est la deuxième œuvre de théâtre de Luciano Chailly. Elle utilise un langage personnel, axé sur la communication immédiate. L'opéra conquit la faveur du public, et eut plus de deux cents reprises en vingt ans.

MOÏSE ET AARON
(Moses und Aron)

Opéra en trois actes d'Arnold Schönberg (1874-1951). Texte du compositeur. Première représentation : Zurich, Stadttheater, 6 juin 1957. Interprète principal : Helmut Melchert (Aaron). Direction : Hans Rosbaud.

LES PERSONNAGES : Moïse (récitant) ; Aaron (ténor) ; une Jeune Fille, une Malade, un Jeune Homme, un Jeune Homme nu, un Homme, Éphraïm, un Prêtre.

L'INTRIGUE :
Acte I. Moïse prie devant le buisson ardent. La voix du Seigneur (six solistes et chœur parlé) l'exhorte à éclairer le peuple d'Israël et à l'arracher à l'esclavage de l'Égypte pour le conduire à la Terre promise. Moïse est saisi d'effroi. Il craint d'être incapable d'accomplir la mission qui lui est confiée : « Ma langue est lente, dit-il, je peux penser mais non parler. » La voix venue du buisson ardent lui ordonne de descendre dans le désert où il trouvera son frère Aaron, qui sera sa parole comme lui-même est la pensée du Seigneur. Moïse obéit. Il rencontre Aaron dans le désert et lui révèle la mission à laquelle ils ont été appelés tous deux. Aaron se soumet à la volonté divine, mais doute que le peuple puisse adorer un Dieu invisible, qui ne peut être représenté. Pendant ce temps, le peuple est en ébullition. Une Jeune Fille dit qu'elle a vu Aaron se diriger vers

le désert, guidé par une étrange inspiration ; un Jeune Homme raconte qu'Aaron lui est apparu nimbé de lumière. Un Homme prétend avoir appris qu'un Dieu avait commandé à Aaron de marcher à la rencontre de Moïse. Tous se perdent en conjectures sur le nouveau Dieu. Le peuple est divisé entre la méfiance, l'espoir et le scepticisme. Le tumulte s'amplifie et, enfin, Moïse et Aaron apparaissent. Moïse explique les qualités incompréhensibles de Dieu, Aaron en appelle au contraire à l'orgueil et à la volonté de rachat du peuple. Mais comment espérer le salut d'un Dieu éternellement invisible ? Les doutes de la foule se transforment en ironie. Moïse est épuisé, découragé, mais Aaron saisit le bâton de son frère et accomplit le premier prodige : jeté à terre, le bâton rigide (la Loi) se change en serpent (l'adresse). Les prêtres commencent à redouter le nouveau Dieu, mais ils craignent encore davantage Pharaon. « Vous êtes malades », leur crie Aaron, et il montre au peuple terrifié la main de Moïse couverte de lèpre ; mais la lèpre disparaît aussitôt : un Dieu qui peut guérir la lèpre peut vaincre Pharaon. Le peuple exulte, sentant sa libération prochaine, et veut déjà partir vers le désert. Mais un Prêtre retient la foule une nouvelle fois : « Comment le désert vous nourrira-t-il ? » Aaron répond par un autre miracle : l'eau d'une cruche se change en sang (le sang des Hébreux qui, comme l'eau du Nil, nourrit la terre d'Égypte) ; et voici que le sang redevient eau, l'eau qui noiera Pharaon et son armée. Aaron, au nom du Seigneur, promet de mener son peuple jusqu'au pays où coulent le lait et le miel. Le peuple, conquis par l'éloquence et les prodiges d'Aaron, tombe à genoux et adore Dieu.

Intermède. Un chœur parlé et chanté se demande avec inquiétude où se trouve Moïse, qui a quitté son peuple depuis longtemps déjà.

Acte II. Depuis quarante jours, le peuple attend au pied du mont Sinaï le retour de Moïse avec les Tables de la Loi. L'incertitude fait croître le désordre, et les rapports entre les tribus se font de plus en plus violents. Les soixante-dix Anciens sont d'accord avec le Prêtre : on ne peut plus attendre. Aaron cherche à les apaiser : « Quand Moïse descendra de cette cime... ma bouche vous communiquera le droit et la loi. » Mais le peuple se révolte : il menace Moïse, exige de voir l'Omniprésent ou de revenir aux anciens dieux. Les Anciens supplient Aaron d'intervenir et il crie au peuple : « Laissez à l'Éternel sa distance !... Il vous faut des dieux de substance présente, quotidienne. Fournissez vous-mêmes cette matière... Apportez donc de l'or ! » Devant la statue du veau d'or, portée en triomphe, Aaron précise sa pensée : « Dans tout ce qui est, vit un dieu. L'or est immuable comme un principe, la forme que je lui ai donnée est secondaire. Vénérez dans ce symbole votre propre image. » Pendant ce temps, on prépare le sacrifice. L'animal est couvert de guirlandes et amené devant l'autel. La danse des bouchers commence alors ; ils dépècent la bête et jettent à la foule les morceaux de viande. Une Malade, conduite devant le veau d'or, se lève du brancard, guérie.

Les mendiants offrent à l'idole leurs pauvres loques, des vieillards lui sacrifient les derniers instants de leur vie... Les princes des tribus surgissent à cheval, Éphraïm à leur tête. Celui-ci rend fièrement hommage à l'idole et frappe le Jeune Homme, qui s'est avancé pour maudire l'image impure et rappeler à son peuple qu'il renie le vrai Dieu. Les princes percent le Jeune Homme de leurs lances. Le peuple s'abandonne alors à une orgie effrénée qui culmine dans le sacrifice de quatre vierges, égorgées par les prêtres devant l'autel. C'est ensuite une folie dévastatrice et une série de suicides. Comme le délire des sens commence à s'épuiser, un Homme voit Moïse descendre de la montagne. La colère de Moïse est terrible. Avec un furieux anathème, il fait disparaître le veau d'or. Les deux frères restent face à face. A la position intransigeante de Moïse (« Le peuple doit saisir la pensée ! Il ne vit que par elle »), Aaron objecte que, malgré le miracle accompli par Moïse en faisant disparaître le veau d'or, les Tables de la Loi ne sont elles aussi qu'une image, la partie accessible de la pensée. Moïse, saisi par le doute, brise les Tables de la Loi et, tandis qu'à l'horizon s'élève une colonne de feu (une autre image) indiquant la route de la Terre promise, il se jette sur le sol en s'écriant : « Ô parole, parole, comme tu me manques ! »
Acte III (La musique n'a jamais été composée.) Moïse a imposé sa volonté et emprisonné son frère. Il l'accuse d'avoir éloigné le peuple de l'Éternel et d'avoir voulu conquérir le pouvoir. Il réaffirme sa foi en un Dieu inexorable, qui conduit le peuple élu, qui jamais ne se mêlera aux autres peuples de la terre qui sont esclaves de la vanité et des plaisirs éphémères. Moïse dit aux guerriers qui demandent s'il faut tuer Aaron de le libérer : qu'il vive s'il le peut. Mais à l'instant même de sa libération, Aaron tombe foudroyé.

■ *Moïse et Aaron,* l'un des sommets de la musique du XXe siècle, aboutissement de l'évolution artistique et spirituelle de Schönberg, est inachevé et n'a été créé qu'après la mort du compositeur. Schönberg avait commencé à écrire le texte en 1926. L'œuvre, conçue à l'origine comme une cantate, devient finalement un opéra oratorio en trois actes. La partition des deux premiers actes fut écrite entre 1930 et 1932. Le troisième acte ne fut jamais mis en musique. La raison contingente de cette interruption est l'exil de Schönberg après l'arrivée au pouvoir d'Hitler, et son installation aux États-Unis. Mais il est probable que la raison profonde réside en fait dans la contradiction entre l'inexorable rigueur de la pensée de Moïse, auquel Schönberg s'identifiait, et la réalité contemporaine ou, sur un autre plan, entre l'exigence de communication et le refus de tout langage codifié qui ne peut être que trahison de la pensée, mensonge. L'aspiration permanente à l'inexprimable est identifiée à Moïse, et ce n'est certes pas un hasard si la musique s'arrête avec cette réplique : « Tout ce que j'ai pensé, je ne puis ni ne dois le dire. Ô parole, parole, comme tu me manques ! » Schönberg lui-même songea en 1950 à faire jouer soit les deux premiers actes (le troisième étant omis ou simplement récité), soit uniquement la « Danse autour du veau d'or » (acte II, scène III). La « Danse » fut effectivement exécutée à Darmstadt le 29 juin 1951, et suscita beaucoup d'enthousiasme. La partition est l'une des plus complexes que Schönberg ait conçues. Fondée entièrement sur une seule série dodécaphonique, elle emploie un grand orchestre symphonique, un chœur très important, un groupe de six voix solistes dans l'orchestre et de nombreux solistes sur scène. Le *sprechgesang* (forme de déclamation musicale) est largement utilisé à côté du chant proprement dit. Les parties vocales attribuées à chaque personnage sont particulièrement significatives : Moïse, qui a la pensée mais non la parole (et qui, dans la Bible, est bègue), « parle » accompagné de l'orchestre selon la technique du *sprechgesang*. Aaron, sa « bouche » et son porte-parole, « chante » selon un mode d'expression « conventionnel » qui, à la fin, traduit le danger d'une trahison de l'idée. RB

HARMONIE DU MONDE
(Die Harmonie der Welt)

Opéra en cinq actes de Paul Hindemith (1895-1963). Livret du compositeur. Première représentation : Munich, Prinzregen Theater, 2 août 1957.

L'INTRIGUE : Le personnage central de l'opéra est Jean Kepler, le célèbre astronome et astrologue, qui aspire à retrouver l'unité entre science et religion. L'attitude inverse est celle du général Wallenstein, qui croit à l'influence des étoiles sur la destinée. L'opéra, en quatorze tableaux, décrit la recherche de l'harmonie du cosmos par ces deux personnages, tandis que la guerre de Trente Ans fait rage autour d'eux. Kepler est le contemplatif : il pense comprendre l'ordre qui régit le monde à travers les lois immuables du mouvement des planètes. Wallenstein est l'action : il recherche une harmonie terrestre, un royaume qui unisse tous les pays d'Europe. L'opéra s'achève, selon le style des dernières années d'Hindemith, par un grandiose tableau baroque, une apothéose céleste où tous les personnages, transformés en symboles, brillent au firmament. Kepler est la Terre, l'empereur Rodolphe II, le Soleil, Wallenstein devient Mars, Suzanne, femme de Kepler, Vénus, et sa mère, la Lune.

■ L'opéra est très complexe musicalement, même si certains critiques y ont vu une sorte de régression dans l'académisme de la part d'Hindemith. Il est vrai que le compositeur, dans ses dernières années, continua à refuser les expériences musicales les plus modernes, y compris la dodécaphonie, désormais dominante, restant un défenseur acharné de l'échelle tonale traditionnelle. Dans cette allégorie mystique, le musicien a exprimé avec une grande force ses conceptions d'un ordre universel qui se refléterait aussi dans l'harmonie musicale.
LB

VANESSA

Opéra en quatre actes de Samuel

Barber (1910-1981). Livret de Gian Carlo Menotti (né en 1911). Première représentation : New York, Metropolitan Opera, 15 janvier 1958. Interprètes : Rosalind Elias (Erika) ; Giorgio Tozzi (Doctor) ; Eleanor Steber (Vanessa) ; Nicolaï Gedda (Anatol). Direction : Dimitri Mitropoulos.

MEURTRE DANS LA CATHÉDRALE
(Assassinio nella cattedrale)

Opéra tragique en deux actes et un intermezzo *d'Ildedrando Pizzetti (1880-1968). Livret du compositeur d'après le texte de T. S. Eliot (1888-1965). Première représentation : Milan, théâtre de la Scala, 1er mars 1958. Interprètes : Nicola Rossi-Lemeni, Aldo Bertocci, Mario Ortica, Dino Dondi, Adolfo Cormanni, Rinaldo Pelizzoni, Antonio Cassinelli, Nicola Zaccaria, Lino Puglisi, Leila Gencer, Gabriela Carturan, Enrico Campi, Silvio Maionica, Marco Stefanoni. Direction : Gianandrea Gavazzeni.*

Les personnages : L'archevêque Thomas Becket (basse) ; trois prêtres de la cathédrale (ténor, baryton, basse) ; un héraut (ténor) ; quatre chevaliers du roi (ténor et basses) ; quatre tentateurs (ténor et basses) ; deux coryphées (soprano et mezzo-soprano).

L'intrigue :
Acte I. L'action se déroule à Canterbury, en décembre 1170. Thomas Becket, archevêque de la cathédrale et partisan acharné de l'indépendance de l'Église à l'égard de l'État, vient de rentrer à Canterbury après sept années d'exil en France, dues à son conflit avec le roi d'Angleterre. Il a été accueilli chaleureusement par le peuple, qui craint toutefois que son retour ne déclenche de nouvelles luttes dont les pauvres gens feraient les frais. Becket, dans son bureau, est visité par quatre tentateurs. Le premier l'invite à reprendre sa vie insouciante de compagnon de plaisirs du roi ; le deuxième lui suggère de s'emparer du pouvoir politique ; le troisième lui souffle de prendre la tête d'un soulèvement populaire contre la monarchie ; le quatrième, plus subtil, lui fait miroiter la tentation du martyre. Thomas prie Dieu d'éloigner de lui ces tentations et retrouve sa sérénité.
Intermezzo : Pendant le sermon de la messe de Noël, Thomas Becket dit aux fidèles que le vrai bonheur est dans la soumission absolue à la volonté de Dieu et qu'il entend accepter tout de lui, y compris le martyre.
Acte II. Quatre chevaliers viennent voir l'archevêque et l'accusent d'avoir trahi le roi. Il se défend et ils s'en vont. A l'heure des vêpres, les fidèles et les prêtres sentent planer une menace et voudraient barrer la porte. Mais Becket s'y oppose, car la maison de Dieu doit rester ouverte à tous. Les quatre chevaliers surgissent à nouveau et somment l'archevêque de faire acte de soumission au roi. Comme il refuse, ils le percent de leurs épées et, se tournant vers le peuple qui a assisté, horrifié, au meurtre de l'archevêque, ils expliquent qu'il n'y avait pas d'autre moyen pour résoudre la dualité entre Église et Monarchie. Un chœur de fidèles chante un hymne à la gloire

du « bienheureux Thomas ».

■ C'est l'une des dernières œuvres de Pizzetti, qui est l'aboutissement cohérent du discours commencé avec *Fedra* et *La figlia di Jorio*. Ces opéras ont en effet une caractéristique commune : l'ampleur du souffle, la vision grandiose et la forte religiosité. MSM

MARIA GOLOVIN

Opéra en trois actes de Gian Carlo Menotti (né en 1911). Livret du compositeur. Première représentation : Bruxelles, théâtre de l'Exposition internationale, 20 août 1958. Interprètes : F. Duval, R. Cross, P. Neway, W. Chapman, H. Handt, L. Muti, R. Robart. Direction : P. H. Adler.

LES PERSONNAGES : Donato (basse baryton) ; sa mère (contralto) ; Agata, la servante (mezzo-soprano) ; Maria Golovin (soprano) ; Trottolo, son fils âgé de sept ans environ ; docteur Zuckertanz, précepteur de Trottolo (ténor) ; un prisonnier (baryton).

L'INTRIGUE : L'action se déroule dans une petite ville frontalière, environ un an après la fin de la Seconde Guerre mondiale. Maria Golovin attend le retour de son mari d'un camp de prisonniers et vient passer l'été dans la villa de Donato, qui vit avec sa mère et la domestique Agata. Donato est immédiatement conquis par Maria. Celle-ci, vaincue par la solitude et apitoyée par la tristesse du jeune homme, se donne à lui. Mais leur union est gâchée par la jalousie de Donato. Au retour du mari de Maria, Donato sent qu'il va perdre avec elle le dernier lien qui le retient à la vie : fou de douleur, il demande à sa mère de guider sa main et tire sur sa maîtresse.

■ *Maria Golovin* est un drame intense qui analyse les sentiments dans toute leur irrationalité et leur ambivalence douloureuse. La musique est « la plus sobre que Menotti ait écrite : purifiée des effusions exagérées, modulée avec douceur, ciselée avec un petit nombre de recherches instrumentales appropriées » (Abbiati). Cependant, l'opéra n'a pas eu que de bonnes critiques à sa création, mais fut donné la même année à la Scala, dans la version rythmique d'Aleardo Ghigi. SC

LA VOIX HUMAINE

Tragédie lyrique en un acte de Francis Poulenc (1899-1963). Texte de Jean Cocteau (1889-1963). Première représentation : Paris, Opéra-Comique, 6 février 1959.

L'INTRIGUE : Un homme et une femme qui s'aiment décident de se quitter pour toujours. Leur ultime conversation, celle de l'adieu, se déroule par téléphone, On n'entend donc que la voix de la femme, qui passe de la plus grande tendresse à la passion et, parfois, à la violence. La présence de l'homme, à l'autre bout du fil, n'est évoquée que par les pauses de la voix féminine. De temps à autre, leur douloureux entretien s'interrompt, mais aucun des deux n'a le courage de mettre un point final à cette ultime conversation. Incertitudes, doutes, protestations, accents de désespoir profond ; finalement, la femme, épuisée, se jette sur son lit, et le téléphone reste le seul lien ténu entre eux. Agrippée à l'appareil, elle le supplie de raccrocher et le drame s'achève dans des cris et des mots étouffés, tandis que le récepteur abandonné tombe à terre.

■ L'idée d'écrire cet opéra fut suggérée à Poulenc par son ami Hervé Dugardin, directeur de la maison Ricordi à Paris. Poulenc semble s'être borné à interpréter le texte de Cocteau, sans toutefois donner à la partition la tension que les accents poétiques et dramatiques du livret suggéraient. Même si la musique est ici manifestement subordonnée au texte, le compositeur approfondit dans *La Voix humaine* l'interprétation de la psychologie féminine entreprise dans *Dialogue des carmélites*. La présence d'un seul personnage, la femme, permet à Poulenc de conduire son analyse avec une extrême rigueur. RB

UNE MAIN AU BRIDGE (A hand of bridge)

Opéra en un acte de Samuel Barber (1910-1981). Livret de Gian Carlo Menotti (né en 1911). Première représentation : Spolète, théâtre Caio Melisso, 17 juin 1959. Interprètes : Patricia Neway, Ellen Miville, William Lewis, René Miville. Direction : Robert Feist.

L'INTRIGUE : Quatre personnes, Geraldine, Sally, Bill et David, assises autour du tapis vert, semblent plus préoccupées de leurs problèmes intimes que de leur jeu de bridge. Aux annonces succèdent les soliloques et les courts dialogues tout à fait étrangers au jeu, parfois superficiels, parfois graves ou sentimentaux. Le rideau tombe à la fin de la partie.

■ Cet opéra, créé au Festival des deux mondes de Spolète, met en évidence l'inspiration romantique et ironique du compositeur américain.

PROCÉDURE PÉNALE (Procedura penale)

Opéra en un acte de Luciano Chailly (né en 1920). Livret de Dino Buzzati (1906-1972). Première représentation : Festival de Côme, 30 octobre 1959.

L'INTRIGUE : Dans un salon cossu de l'aristocratie milanaise, la comtesse Mauritia Delormes sert le thé à des amis. Elle est angoissée par l'éternel problème des maîtresses de maison : qui prendra du lait dans son thé et qui prendra du citron. Les sujets intéressants ne manquent pas : le temps, le livre à la mode, les fiançailles de tel noble rompues à cause d'un mannequin. La Titti ponctue les banalités de la conversation de remarques stupides énoncées avec son accent affecté. Les deux jumelles interviennent régulièrement hors de propos. Paula chante le veuvage dans le style de Kurt Weill. Mais, peu à peu, d'un sujet à l'autre, l'atmosphère devient tendue, soupçonneuse. Giandomenico découvre au bout d'un moment que la maîtresse de maison est impliquée dans un crime passionnel. L'obscurité se fait pendant un bref instant. Les gens ont jeté le masque, la situation est claire : les invités sont transformés en juges, le salon en tribunal et l'hôtesse en accusée. Tous se déchaînent contre la coupable. Elle a un alibi, mais ils le démolissent. Ils veulent sa mort. Finalement, la condamnation est pire que la peine capitale : elle est condamnée à vivre toute sa vie dans ce milieu, parmi ces faux amis. Nouvelle obscurité. Même décor qu'au début. La conversation reprend comme si de rien n'était : mondanités, frivolités, cocktails, haute couture. On médit des absents, tout le reste est oublié. Au milieu de ces visages inexpressifs, comme pétrifiés, un seul problème subsiste : dans le thé, lait ou citron ?

■ La collaboration entre le compositeur et l'écrivain Dino Buzzati donna naissance à quatre opéras et un ballet. Selon la critique unanime, *Procédure pénale* en est le résultat le plus réussi.

LA NUIT D'UN NEURASTHÉNIQUE
(La notte di un nevrastenico)

Drame bouffe en un acte de Nino Rota (1911-1979). Texte de Riccardo Bacchelli (né en 1891). Première représentation : Milan, Piccola Scala, 8 février 1960.

L'INTRIGUE : Un maniaque du silence, le Neurasthénique (basse), s'apprête à commencer « sa » nuit dans un hôtel. Pour être sûr d'avoir la paix, il a loué les deux chambres attenantes à la sienne, la 80 et la 82. Tandis que le Neurasthénique savoure à l'avance sa bonne nuit de sommeil, une conjuration s'ourdit pour gâcher sa tranquillité. Le portier (basse), vu l'affluence, loue la chambre 80 à un commandeur (ténor) et la chambre 82 à deux amants clandestins (lui : ténor ; elle : soprano). Le commandeur laisse tomber une de ses chaussures et le bruit, amplifié par la mauvaise isolation acoustique, résonne dans tout l'étage. De la chambre du couple, on entend les voix extasiées des amants. Le Neurasthénique sonne furieusement, ameute le personnel de l'hôtel, fait valoir ses droits et réussit à faire expulser les intrus. Mais quand finalement le silence revient, il n'est plus temps de dormir : le garçon (ténor), exécutant inexorablement les ordres reçus, arrive à six heures du matin avec un café bien chaud.

■ L'équilibre théâtral et acoustique de cet opéra lui a valu une victoire internationale sans conteste au prix Italie 1959 de la R.A.I. (Radio-télévision italienne). L'opéra, composé pour l'occasion, ne fut monté que par la suite. Dans *La notte di un nevrastenico*, le comique de l'histoire est souligné grâce à l'équilibre et à la qualité foncière de l'œuvre : sa simplicité. RB

LE DOCTEUR DE VERRE
(Il dottore di vetro)

Opéra radiophonique en un acte de Roman Vlad (né en 1919). Livret de M. L. Spaziani (né en

1924). Première exécution sur la troisième chaîne radiophonique de la R.A.I. (Radio-télévision italienne) : 26 février 1960. Interprètes : Franco Calabrese, Mario Borriello, Agostino Lazzari, Teodoro Rovetta, Jolanda Giadrino, Elena Rizzieri. Direction : Ettore Gracis.

LES PERSONNAGES : Panfilo (basse) ; le docteur de verre (baryton) ; Tersandro (ténor) ; Rugantino (basse) ; Marina (mezzo-soprano) ; Isabella (soprano).

L'INTRIGUE : Isabella, fille de Panfilo, a été promise à un docteur vieux et riche. Mais la jeune fille est amoureuse de Tersandro. Le jeune homme se fait embaucher par le docteur pour essayer de le convaincre de renoncer à ce mariage. Il lui fait croire que l'amour l'a rendu fragile et l'a transformé en verre. Le docteur arrive chez Panfilo dans une corbeille, entouré de paille. Le maître de maison l'étreint et, dans sa peur d'être brisé, le docteur s'évanouit. Isabelle, qui a été informée du stratagème, joue le jeu et se montre attentive et prévenante. Le docteur revient à lui et, sûr d'être déjà mort, se croit entouré de diables. Panfilo commence à penser que ce n'est peut-être pas l'époux idéal pour sa fille, et regrette de n'avoir pas accordé Isabelle à Tersandro. Celui-ci se fait alors reconnaître et l'on célèbre leurs noces sur-le-champ.

■ Écrit pour le prix Italie 1959, l'opéra a également été mis en scène dans une autre version. *Il dottore di vetro* a été joué sous cette forme le 4 octobre 1965 aux Festwochen de Berlin. EP

LE SONGE D'UNE NUIT D'ÉTÉ
(A midsummer night's dream)

Opéra en trois actes de Benjamin Britten (1913-1976). Livret du compositeur et de Peter Pears, d'après la comédie de Shakespeare. Première représentation : Aldeburgh, 11 juin 1960. Direction : Benjamin Britten. MS

LE LONG DÎNER DE NOËL
(The long Christmas dinner)

■ *Opéra en un acte de Paul Hindemith (1895-1963). Livret du compositeur d'après la pièce en un acte de Thorton Wilder (1897-1975). Première représentation : Mannheim, 17 décembre 1961 (version allemande sous le titre* Das Lange Weihnachtsmahl).

L'INTRIGUE : La salle à manger de la famille Bayard. Longue table apprêtée pour le repas de Noël. Deux portes s'ouvrent à gauche et à droite, l'une ornée de fruits et de fleurs, l'autre drapée de velours noir, symbolisant la vie et la mort. Quatre-vingt-dix années s'écoulent du début à la fin du drame : quatre-vingt-dix repas de Noël. La maison, au début, est neuve. La vieille maman Bayard, infirme, est à table avec son fils Roderick et sa femme Lucia. La vieille dame se souvient du temps passé, la conversation est affable et conventionnelle. Le cousin Brandon entre, cinq ans ont passé. Tandis que la conversation se poursuit, la chaise roulante de l'aïeule glisse doucement vers la porte voilée de noir et disparaît. Les discours continuent, presque inchangés. Entre une nourrice poussant un landau : c'est Charles, le fils du jeune couple. Puis sa petite sœur Geneviève. Les années passent et Roderick tombe malade. L'homme de la famille, désormais, est Charles, qui doit épouser Leonora Banning. Le père est mort. Charles a un fils, mais son passage entre la porte fleurie et la porte noire est de courte durée. Puis Brandon et Lucia disparaissent à leur tour. Geneviève est profondément affectée par ces deuils. Deux jumeaux naissent, suivis d'un autre bébé. La cousine Ermengarde vient habiter avec la famille. Finalement, après une série d'autres événements tristes ou heureux, c'est elle qui, restée seule, annonce qu'on est en train de construire une nouvelle maison pour les jeunes.

■ *Le long dîner de Noël* est le dernier opéra de Hindemith. Le compositeur, qui avait déjà montré moins de fraîcheur dans *L'harmonie du monde,* tombe ici dans l'académisme. Son inspiration semble s'être épuisée. LB

DON PERLIMPLIN ou LE TRIOMPHE DE L'AMOUR ET DE L'IMAGINATION

(Don Perlimplin ovvero **Il trionfo dell'amore e dell'immaginazione)**

■ *Opéra radiophonique en un acte de Bruno Maderna (1920-1973). Texte de l'auteur adapté d'une pièce de Federico Garcia Lorca. Première exécution : R. A. I. (Radio-télévision italienne), 1961. Flûte soliste : Severino Gazzelloni. Direction : Bruno Maderna.*

L'INTRIGUE : Il s'agit d'une fable en dialogues qui raconte l'histoire de Don Perlimplin, vieux mari de Belisa, qui tue l'amant de la jeune femme, le chevalier au manteau rouge. Mais celui-ci n'est autre que le double de Don Perlimplin qui se tue lui-même, ou peut-être la plus mauvaise partie de lui-même, pour donner une âme à Belisa.

■ Avec cette œuvre Bruno Maderna faisait ses débuts dans le théâtre lyrique par le biais de la radiodiffusion. Il s'agit en réalité d'une comédie avec musique où les personnages (Belisa, la gouvernante Marcolfa, la belle-mère, deux esprits et le speaker) sont des récitants. Seule Belisa chante deux airs. Le personnage de Don Perlimplin est personnifié par une flûte qui « dialogue » avec les autres acteurs, la parole étant remplacée par les inflexions et les interjections musicales de l'instrument. L'orchestre est formé de deux violons, un alto, un violoncelle, deux contrebasses, cinq saxophones, trompettes, percussions, vibraphone, mandoline, guitare électrique, harpe, piano, flûte soliste, et bande électronique. La chanson de Belisa est à trois voix : il s'agit en fait de la même voix multipliée électroniquement. La partition comporte trois blues dont le dernier, *Dark rapture crawl,* est emprunté au *Divertimento* composé par Maderna avec Luciano Berio en 1957.

INTOLÉRANCE 1960
(Intolleranza 1960)

Action scénique en deux actes de Luigi Nono (né en 1924). Le sujet a été inspiré au compositeur par une idée de Angelo Maria Ripellino (né en 1923) et utilise des textes de A. M. Ripellino, J. Fučik, J.-P. Sartre, P. Éluard, V. Maïakovski, B. Brecht. Première représentation : Venise, Festival international de la musique contemporaine, 1961. Mise en scène de V. Kăslik, décors d'E. Vedova.

L'INTRIGUE : Un mineur émigré, rongé par le mal du pays, s'enfuit. La femme qu'il aimait, ne comprenant pas, devient son ennemie. Seul, inconnu de tous, il est pris dans une manifestation politique et arrêté. Soumis à la torture, il est ensuite envoyé dans un camp de travail après avoir subi un lavage de cerveau. Après cette expérience de la violence organisée, il retrouve chez ses compagnons de captivité l'humanité, la solidarité et l'amour ; sentiments que « le système » essaie de détruire dans le cœur des hommes. A la fin, la terre est submergée par les eaux dans une grande inondation purificatrice. L'opéra s'achève par le chœur brechtien *An die Nachgeborenen,* qui exprime la foi en quelque chose de nouveau qui régénère les rapports entre les hommes et donne un sens à la vie.

■ L'opéra, dédié à Arnold Schönberg, a été remanié plusieurs fois et porte actuellement le titre *Intolérance 1971.* A sa création, à Cologne, l'« action » a déchaîné de vives polémiques, tant par son contenu politique que par sa musique d'avant-garde et la complexité de son langage. La partition exige un orchestre de quatre-vingts instruments, un grand chœur mixte, cinquante chanteurs solistes et plusieurs narrateurs. Les sons et les voix sont également enregistrés sur bande magnétique ; sur la scène sont projetées des images en mouvement, superposées ou juxtaposées. Nono a tenté avec cet ouvrage de réaliser un spectacle global qui renoue avec le théâtre expressionniste des années vingt (Ernst Toller et Friedrich Wolf) et le théâtre américain contemporain (Arthur Miller et Eugène O'Neill). Le message, selon Nono, est « l'éveil de la conscience d'un homme qui, se rebellant contre la contrainte née du besoin, émigrant et mineur, recherche une raison, un fondement humain à la vie. Après quelques épreuves dues à l'intolérance, il retrouve un rapport harmonieux avec ses semblables, avant d'être submergé dans l'inondation finale ». SC

LE ROI PRIAM
(King Priam)

Opéra en trois actes de Michael Tippett (né en 1905). Livret du compositeur. Première représentation : Londres, Coventry Theatre, 29 mai 1962. Interprètes principaux : Collier, Veasey, Elkins, Lewis, Robinson, Godfrey, Dobson, Lanigan. Direction : John Pritchard.

L'INTRIGUE : L'argument s'inspire de l'histoire du dernier roi de Troie. Le musicien lui-même a défini le sujet de son œuvre comme « la mystérieuse nature du choix humain ». C'est l'une des meilleures compositions du musicien anglais, et elle a obtenu un bon succès. GP

L'ATLANTIDE (Atlantida)

Cantate scénique en un prologue et trois parties de Manuel de Falla (1876-1946). Livret du compositeur d'après le poème de Jacinto Verdague y Santalo (1845-1902) datant de 1877. La partition a été achevée par Ernst Halffter. Première exécution en concert : Barcelone, 24 octobre 1961. Première représentation : Milan, théâtre de la Scala, 18 juin 1962.

L'INTRIGUE :
Prologue. Christophe Colomb, tout jeune homme, fait naufrage à proximité d'une île. Il y rencontre un vieillard qui lui raconte l'histoire fabuleuse des océans et de l'Atlantide, continent englouti. De ce mystérieux royaume des Titans, seul un fragment aurait subsisté : l'Espagne, où se trouverait encore le trésor du royaume submergé.
Première partie : *L'incendie des Pyrénées.* Dans les montagnes d'Espagne, Hercule découvre, mourante, la reine Pyrène, chassée de son pays par le monstre Géryon, qui a mis le feu aux forêts avant de se diriger vers Cadix. Après la mort de la reine, Hercule part sur les traces de Géryon pour la venger.
Deuxième partie : *Hercule et Géryon le tricéphale.* Géryon, très habile, réussit à attirer Hercule dans l'Atlantide. *Le jardin des Hespérides.* Sur le continent de l'Atlantide se trouve le jardin des Hespérides où pousse l'arbre aux fruits d'or. Un dragon veille sur l'arbre ainsi que les sept filles d'Atlas. *Hercule et le dragon.* Hercule tue le dragon et les Hespérides, qui avaient compris que tel était leur destin dès l'arrivée du héros, meurent aussi. Elles sont transformées par les dieux en Pléiade. *Les Atlantes dans le temple de Neptune.* Les Titans se révoltent contre le dieu. *Alcide et les Atlantes.* Hercule se fraie un passage, malgré l'opposition des Titans, et retourne à Cadix pour combattre Géryon. *Fretum herculeum. Calpe.* Hercule sait désormais où se trouve Gibraltar et imagine un moyen pour vaincre les Titans. *La voix de Dieu.* Dieu condamne les Atlantes qui se sont rebellés. *L'engloutissement.* L'Atlantide est détruite tandis que les Titans essaient de s'élever jusqu'au ciel en construisant une tour immense, mais l'archange, d'un coup de son épée de feu, la fait s'écrouler. *Pas plus loin.* Après la disparition des Titans, Hercule dresse les colonnes de rochers comme limites infranchissables à la mer.
Troisième partie : *Le pèlerin.* Christophe Colomb observe du haut de la falaise l'océan et les colonnes d'Hercule. *Le songe d'Isabelle.* La reine rêve qu'une colombe laisse tomber dans la mer son anneau nuptial : alors, des eaux, surgissent des îles couvertes de fleurs. La colombe en fait une guirlande qu'elle apporte à la reine. Isabelle aide Colomb à réaliser son rêve d'armer des navires pour partir vers l'inconnu. *Les caravelles.* Leurs voiles gonflées par le vent, les caravelles

volent sur l'océan comme de grands oiseaux aux ailes déployées. *Salve Regina.* Dans le silence de la mer inexplorée, on entend l'hymne à la Vierge des marins. *La nuit suprême.* Tout le monde dort, sauf Colomb, qui contemple les étoiles.
Finale. La terre apparaît à l'horizon, la « cathédrale hispanique » tant désirée.

■ De Falla avait entrepris cet ouvrage en 1928, puis l'avait abandonné et repris plusieurs fois. La cantate resta finalement inachevée et fut complétée par l'élève du compositeur, Ernst Halffter. La mise en scène pose des problèmes à cause du nombre important d'exécutants, chanteurs ou mimes, qu'elle exige. Le chœur joue un rôle de premier plan et se divise en « chœur d'action » et « chœur de narration ».
MS

PASSAGE
(Passaggio)

« Mise en scène » pour orchestre, 28 solistes et deux chœurs de Luciano Berio (né en 1925). Texte d'Edoardo Sanguineti (né en 1930). Œuvre composée en 1962.

L'INTRIGUE : Cet ouvrage de Berio ne comporte pas d'intrigue à proprement parler, mais une action scénique allégorique qui sert de support au message des auteurs, qui se révèle à travers des suites d'unités dramatiques exposant une situation existentielle de base. Il s'agit en fait du « passage » de l'héroïne (soprano) à travers les phases tragiques de la vie contemporaine. Les auteurs ont parlé d'une « passion profane », au sens d'une sorte de chemin de croix laïque.

■ *Passaggio* est l'un des premiers ouvrages pour le théâtre — entendu au sens large — de Luciano Berio. A sa création, il fut considéré comme une véritable provocation à l'égard du public. C'était d'ailleurs le but recherché par les auteurs qui entendaient exposer une problématique non sentimentale et refusaient d'en faire un mélodrame facile et réconfortant. Il leur fallait donc créer, comme plus tard pour *Laborintus II,* une œuvre ouverte : de fait, les situations dans lesquelles se trouve la protagoniste sont si incertaines et si floues que c'est au public d'y mettre un sens et un contenu. Dans cette perspective, on peut dire que *Passaggio* représente une conception révolutionnaire du théâtre musical qui garde aujourd'hui, outre sa valeur intrinsèque, une actualité fondamentale.
GPa

LE DERNIER SAUVAGE
(L'ultimo selvaggio)

Opéra bouffe en trois actes. Paroles et musique de Gian Carlo Menotti (né en 1911). Première représentation : Paris, Opéra-Comique, 1963.

L'INTRIGUE : L'action se déroule en partie à Chicago, en partie aux Indes, et raconte l'histoire d'une jeune fille passionnée d'anthropologie qui part faire un voyage aux Indes avec ses parents. La réalité qu'ils découvrent dans ce pays leur est si étrangère qu'ils vont de quiproquos en déconvenues, prenant le faux pour de l'authentique et vice versa, en une série de péripéties burlesques. Ils rencontrent, au cours de leurs tribulations, un prince, et un pauvre et ignorant paysan indien ; c'est finalement ce dernier qui gagnera le cœur de la capricieuse et riche Américaine.

■ L'opéra, écrit pour la télévision, est une satire amusante des mœurs d'une certaine société américaine. La musique est brillante, pleine d'invention et d'accès facile. Le découpage est traditionnel et l'auteur s'en est expliqué : « Dans mes autres œuvres, on sent que je suis conscient des orientations de la musique contemporaine. Avec *L'ultimo selvaggio,* j'ai pris le parti d'en sortir complètement. » SC

L'ORESTIE

Opéra en trois parties de Darius Milhaud (1892-1974), d'après la trilogie d'Eschyle (525-456 av. J.-C.), traduite et adaptée par Paul Claudel entre 1913 et 1922. La trilogie de Milhaud comprend : Agamemnon *(1913) ;* Les Choéphores *(1915) ;* Les Euménides *(1927). Première représentation intégrale : Berlin, 1963.*

L'INTRIGUE : L'œuvre suit fidèlement le mythe classique : *Agamemnon* raconte la vengeance de Clytemnestre qui assassine son mari Agamemnon à son retour de la guerre de Troie. Le roi avait sacrifié sa fille Iphigénie pour s'assurer la faveur des dieux dans la guerre. Clytemnestre accueille le triomphateur qui rentre avec des navires chargés de butin et de prisonniers. Puis, dans le secret du palais, elle le tue et l'annonce elle-même au chœur.

Les Choéphores narrent le drame d'Oreste, contraint par le destin à venger son père en tuant sa mère et son amant Égisthe. Mais il est ensuite poursuivi par les Érynnies, « chiennes de la colère maternelle », qui le tourmentent pour s'être souillé du sang de sa race. Dans *Les Euménides,* Athéna et Apollon plaident la cause d'Oreste devant les autres dieux qui, s'ils ne peuvent rien contre les infortunes de la destinée, permettent au moins leur sublimation : ils instaurent un ordre nouveau où la pitié remplace la vengeance ; Oreste, victime du destin, est désormais accompagné non plus par les terribles Érynnies, mais par les Euménides, divinités bienveillantes.

■ Les trois partitions, bien qu'elles aient été composées sur environ douze ans, révèlent une profonde unité d'inspiration et une haute spiritualité. Dans *Les Choéphores,* le musicien a introduit pour la première fois la déclamation parlée, l'alternance d'une voix avec des fragments d'autres voix, le chœur scandé. L'accompagnement par quinze instruments à percussion réalise des effets d'une grande force dramatique. SC

MONSIEUR DE POURCEAUGNAC

Comédie en musique de Frank Martin (1890-1974), d'après la

pièce (1669) de Molière (1622-1673). Première représentation : Genève, Grand Théâtre, 23 avril 1963.

L'INTRIGUE : Paris, au XVIIe siècle. Julie aime Éraste, mais son père la destine à un gentilhomme de Limoges, monsieur de Pourceaugnac, personnage ridicule et sot aux prétentions aristocratiques. Celui-ci, dès son arrivée à Paris, est en butte aux plaisanteries cruelles d'Éraste, qui le fait passer pour fou, puis lui invente de faux créanciers, de fausses maîtresses et de fausses épouses. Le malheureux est arrêté et accusé d'avoir enlevé Julie. Il parvient à s'enfuir tandis qu'Éraste se présente comme le sauveur de Julie et obtient sa main.

■ Cet opéra, où se manifeste la prédilection de l'auteur pour les modèles de l'impressionnisme français, accueille aussi, dans une synthèse élégante, des éléments plus avancés du langage musical contemporain. AB

LABORINTUS II

Œuvre scénique de Luciano Berio (né en 1925) pour orchestre de chambre, musique électronique, contralto, deux sopranos ; texte parlé tiré de passages de la Vita Nova, *du* Convive *et de la* Divine Comédie *de Dante Alighieri, et de divers textes de T. S. Eliot, E. Pound, E. Sanguineti, de passages de la Bible, etc. Composée entre 1963 et 1965 à la demande de l'O.R.T.F. à l'occasion du septième centenaire de la naissance de Dante, elle fut exécutée pour la première fois par C. Legrand et J. Baucomont (sopranos), C. Meunier (contralto), E. Sanguineti (récitant). Ensemble Musique Vivante sous la direction de Luciano Berio.*

■ Dans cet opéra — au sens le plus large du terme — l'auteur refuse non seulement les « langages » traditionnels de l'opéra (langage chanté, musique, action scénique et chorégraphique), mais aussi la structure traditionnelle du texte et sa fonction, comme déjà, d'une certaine manière, dans *Passage.* Berio écrit à ce propos : « *Laborintus II* est une œuvre scénique et peut être traitée comme une représentation, comme une histoire, une allégorie, un document, une danse, etc. Elle peut donc être exécutée à l'école, au théâtre, à la télévision, à ciel ouvert, etc. » Il s'agit donc d'un « opéra ouvert » dont le contenu n'est pas objectif et prédéterminé par l'auteur, mais au contraire extrêmement subjectif et dû au spectateur, autant qu'au chef d'orchestre ou au metteur en scène. Umberto Eco a écrit dans *Opera aperta* : « Chaque perception est ainsi une interprétation et une exécution, puisque, dans chaque perception, l'œuvre revit dans une perspective originale. » *Laborintus II,* qui emprunte son titre à un recueil de poèmes d'Edoardo Sanguineti, *Laborintus,* est un montage de divers *matériaux* sonores juxtaposés qui, par des écarts, des ruptures brutales de la codification propre au théâtre musical, engendrent une contestation globale des structures formelles. La contestation idéologique est globale au sens où elle ne vise pas seulement des aspects ponctuels de la vie actuelle, par exemple la chanson ou le discours politique, mais est étendue au refus de tout langage, verbal ou musical. On peut rappeler à cet égard que dans le texte de Berio, à côté des citations littéraires, on trouve une variété de codes linguistiques allant de l'italien archaïque à la langue moderne, du latin à l'anglais, et qui sont utilisés plus souvent pour leur sonorité que pour leurs propriétés sémantiques. Cependant, le choix des textes n'est pas contingent et révèle, en le mettant en valeur, tout le raffinement de la musique. Notons, parmi les *collages* musicaux les plus intéressants et originaux, l'insertion d'une *jam session* (improvisation de jazz), avec batterie, clarinette et contrebasse, et toute une section de musique électronique qui a une fonction décisive dans l'organisation de l'œuvre ; en effet, la musique orchestrale disparaît tout à coup, laissant la place aux magnifiques paroles du *Convive* de Dante : « La musique est toute relative... elle attire à soi les esprits humains, qui sont principalement des vapeurs du cœur, si bien qu'ils cessent toute autre opération. » Par la suite, vers la fin de l'opéra, le chœur parlé « mixe » comme un cocktail linguistique les mots d'un texte de Sanguineti et les décompose jusqu'à les transformer en un murmure, en une pulsation sourde et impalpable, sur laquelle s'achève *Laborintus II.*

LES BASSARIDES
(The Bassarids)

Opéra en un acte avec intermède de Hans Werner Henze (né en 1926). Livret de W. H. Auden et C. Kallmann d'après Les Bacchantes *d'Euripide. Première représentation : Festival de Salzbourg, août 1966.*

Les personnages : Dionysos, une voix et l'étranger (ténor) ; Penthée, roi de Thèbes (baryton) ; Cadmos, son grand-père, fondateur de Thèbes (basse) ; Tirésias, vieux devin aveugle (ténor) ; le capitaine de la garde royale (baryton) ; Agavé, fille de Cadmos et mère de Penthée (mezzo-soprano) ; Autonoé, sa sœur (soprano léger) ; Béroé, ancienne nourrice de Sémélé et de Penthée (mezzo-soprano) ; esclaves d'Agavé (rôles muets) ; Bassarides (ménades et bacchantes), citoyens de Thèbes, gardes, serviteurs. Personnages de l'intermède *Le jugement de Calliope :* Vénus (Agavé) ; Proserpine (Autonoé) ; Calliope (Tirésias) ; Adonis (le capitaine).

L'intrigue : Près du palais royal de Thèbes, puis sur le mont Cithéron. Le chœur raconte que Cadmos vient d'abdiquer en faveur de Penthée et souhaite au jeune roi beaucoup de bonheur. Une voix annonce que le dieu Dionysos est arrivé en Béotie. Tirésias, Agavé et Béroé discutent du culte de Dionysos et ne parviennent pas à se mettre d'accord. Tirésias part rejoindre le peuple qui, sur le mont Cithéron, rend hommage au dieu. Le capitaine entre dans le palais et, en sortant peu après, lit un édit royal interdisant le culte de la déesse Sémélé, mère de Dionysos. Penthée lui-même éteint la flamme de l'autel de Sémélé et promet la mort à quiconque osera la rallumer. Le même sort sera réservé à ceux qui honoreront Dionysos. En conséquence, il envoie sa garde sur le mont Cithéron arrêter les gens qui y sont réunis pour le culte du dieu. Le roi avoue ensuite à sa vieille nourrice qu'il a abandonné le polythéisme et croit désormais en un dieu unique, universel, connaissable par la raison, le Bien. Tirésias, Autonoé et Agavé sont amenés, prisonniers, avec un mystérieux étranger. Penthée interroge en vain sa mère pour qu'elle lui révèle le secret de sa naissance. Il se tourne alors vers l'étranger (il s'agit en réalité de Dionysos), mais n'obtient de lui que des réponses énigmatiques. La scène s'obscurcit. Un tremblement de terre ébranle les murs de la cité. Les prisonniers s'échappent et se réfugient sur le mont Cithéron. L'étranger apparaît au roi et lui promet de lui révéler, dans le miroir de sa mère, en quoi consiste le culte de Dionysos. Penthée, partagé entre la fascination et l'horreur, finit par regarder dans le miroir. Intermède. Au fond de l'esprit de Penthée, le monde trouble et décadent de son inconscient. Tous les personnages de l'opéra apparaissent sous la forme de divinités qui se disputent le jeune et bel Adonis. La muse Calliope doit trancher, mais Vénus réussit par un stratagème à conquérir Adonis. Mars, jaloux de son rival, le tue. Penthée se rend à son tour sur le mont Cithéron, pour assister en personne au culte de Dionysos. La nuit, sur le mont. Le roi est soudain entouré par un groupe de ménades, parmi lesquelles se trouve sa propre mère. Il la supplie en vain : il est étouffé, piétiné, et tué. Thèbes. Agavé, encore en proie au délire, demande à Cadmos où se trouve son fils. Le vieillard lui révèle alors que c'est elle qui, sous l'empire de Dionysos, l'a tué. La femme, horrifiée, invoque la mort. Dionysos apparaît alors et ordonne à Cadmos et à ses filles de s'exiler pour toujours, tandis que Thèbes est la proie des flammes. Agavé, dans un dernier défi, rappelle au dieu le sort d'Ouranos et de Chronos : le Tartare l'attend. L'opéra s'achève par un hymne du chœur à la gloire de Dionysos et de sa mère Sémélé, devenue la déesse Dioné.

■ Il s'agit d'une transposition moderne de la tragédie d'Euripide. Le musicien allemand, membre de l'avant-garde « historique » de la musique actuelle, a justement entrevu, dans la symbolique de la tragédie, la possibilité d'exprimer sa propre inspiration poétique, à la fois lyrique et dramatique. Le résultat est une œuvre grandiose, où le conflit philosophique entre la Raison et l'Irrationnel (entre Penthée et Dionysos) se retrouve entièrement dans la musique, souligné par de violents contrastes sonores. L'opéra a rencontré un très vif succès lors de sa création à Salzbourg.

ANTOINE ET CLÉOPÂTRE
(Anthony and Cleopatra)

Opéra en trois actes de Samuel Barber (1910-1981). Texte adapté par Franco Zeffirelli de la tragédie de Shakespeare. Première représentation : New York, Metropolitan Opera, 16 septembre 1966. Interprètes : Leontyne Price (Cléopâtre) ; Justino Diaz (Antoine) ; Rosalind Elias (Charmian) ; Belen Amparan (Iras) ; Jess Thomas (César Octave) ;

Mary Ellen Pracht (Octavie); Ezio Flagello (Enobarbus); John Macurdy (Agrippa). Direction : Thomas Schippers.

L'INTRIGUE :
Acte I, première scène. Le rideau se lève sur un complexe scénique représentant l'empire. Romains, Grecs, Juifs, Perses et Africains supplient Antoine de quitter les mollesses de l'Égypte et de rentrer à Rome.
Deuxième scène. Le palais de Cléopâtre, à Alexandrie. Antoine confie à son ami Enobarbus son intention de rompre avec Cléopâtre. Il annonce à la reine sa décision de partir pour Rome, et elle lui demande alors de s'en aller sans attendre.
Troisième scène. Le Sénat, à Rome. L'oligarchie romaine veut qu'Antoine, en gage de loyauté, prenne pour femme Octavie, sœur d'Octave.
Quatrième scène. Le palais de Cléopâtre. La reine, désolée du départ de son amant, veut se faire endormir jusqu'à son retour.
Cinquième scène. Le palais d'Octave, à Rome. Antoine épouse Octavie, étant bien entendu que ses campagnes militaires le tiendront souvent éloigné d'elle.
Sixième scène. Cléopâtre apprend avec douleur la nouvelle du mariage d'Antoine.
Septième scène. Sur une galère romaine se trouvent Antoine, Octave, Lépide et Enobarbus. Antoine s'endort et Enobarbus révèle son projet de retourner vers Cléopâtre, tandis qu'un chœur évoque leur première rencontre. Antoine, en se réveillant, s'exclame, presque malgré lui : « Je retournerai en Égypte ! »
Acte II, première scène. Dans le palais d'Octave, à Rome, Octavie apprend l'infidélité d'Antoine. César, conscient de la double trahison du triumvir envers Rome et envers son épouse, décide de lui faire la guerre.
Deuxième scène. Dans le jardin de Cléopâtre, un devin prédit l'avenir. A cet instant, Enobarbus annonce que les légions romaines approchent. Cléopâtre déclare qu'elle mettra son armée au service de son amant et partagera son sort.
Troisième scène. Le camp d'Antoine. Les soldats interprètent de mauvais présages comme le signe qu'Hercule, divinité qu'adore Antoine, l'a abandonné.
Quatrième scène. Le champ de bataille. Antoine est vaincu. Les survivants l'entourent et il les exhorte à demander le pardon d'Octave. Ce dernier se montre sans pitié à l'égard de son rival.
Cinquième scène. Antoine s'est réfugié dans le palais de Cléopâtre. Après une violente dispute, la reine s'éloigne pour se donner la mort. Elle envoie un messager à Antoine pour lui dire que sa dernière pensée a été pour lui.
Sixième scène. Enobarbus se prépare au suicide.
Septième scène. La tente d'Antoine. Croyant Cléopâtre morte, Antoine implore le porte-drapeau Eros et lui demande de le tuer. Mais le jeune homme refuse et se perce lui-même de son épée. Antoine, alors, se tue de ses propres mains. Mourant, il est transporté dans le tombeau.
Acte III. Dans le tombeau royal. Antoine expire entre les bras de Cléopâtre. Octave entre et dit à la reine qu'il va l'emmener, captive, à Rome. Mais Cléopâtre ne supporte pas d'être séparée de

son amant et le rejoint dans la mort, en se faisant piquer par une vipère.

■ Cet opéra fut créé pour l'inauguration du nouveau Metropolitan Opera de New York. Franco Zeffirelli, qui avait adapté le texte de Shakespeare, se chargea aussi de la mise en scène et des décors. La chorégraphie fut confiée à Alvin Ailey.

ULYSSE
(Ulisse)

*Opéra en un prologue et deux actes de Luigi Dallapiccola (1904-1975). Livret du compositeur d'après l'*Odyssée *d'Homère. Première représentation : Berlin, Deutsche Oper, 29 septembre 1968. Interprètes : Saeden, Gayer, von Halem, Madeira. Direction : Lorin Maazel.*

L'INTRIGUE :
Prologue. Scène première. Ulysse (baryton) reprend la mer après avoir refusé l'éternelle jeunesse que lui offrait Calypso (soprano).
Deuxième scène. Intermède symphonique qui décrit la colère de Poséidon.
Troisième scène. Ulysse, naufragé, est recueilli par Nausicaa (soprano léger), qui le conduit à son père Alcinoüs (basse baryton), roi de l'île.
Acte I, première scène. Dans le palais, Demodocos (ténor) chante la défaite de Troie, le retour des guerriers et la disparition d'Ulysse. Ce dernier entre à cet instant et, bouleversé, ne peut retenir ses larmes. Il révèle alors qui il est et raconte à ses hôtes ses aventures.
Deuxième scène. Le héros aborde, avec ses compagnons, la terre des Lotophages. Appelés par les voix séductrices, certains des compagnons d'Ulysse mangent les fleurs de l'oubli et ne reviennent pas.
Troisième scène. Pendant un an, Ulysse est retenu par Circé (mezzo-soprano). Lorsqu'il s'en va, la magicienne lui prédit qu'il ne trouvera jamais la paix.
Quatrième scène. Ulysse rencontre sa mère Anticléa (soprano dramatique) dans l'Hadès, et le devin Tirésias lui prédit que son retour à Ithaque sera sanglant.
Cinquième scène. Lorsque Ulysse achève son récit, Antinoüs lui offre une escorte pour rentrer à Ithaque.
Acte II, première scène. A Ithaque, un attentat contre Télémaque (ténor), fils d'Ulysse, a échoué. Un inconnu débarque sur l'île et demande l'hospitalité au berger Eumée (ténor). L'étranger interroge longuement Télémaque, sans lui dire son nom.
Deuxième scène. Ulysse écoute avec émotion le chant de Pénélope (soprano).
Troisième scène. Antinoüs (baryton) fait danser sa servante Melanto (mezzo-soprano) avec l'arc d'Ulysse, que nul ne peut bander. Télémaque apparaît alors, accompagné de l'inconnu. Terreur dans l'assistance qui croyait le jeune prince mort. L'inconnu s'empare alors de l'arc et le bande : c'est Ulysse, le seul capable d'accomplir ce prodige.
Quatrième scène. Intermède symphonique.
Cinquième scène. La prophétie se réalise et Ulysse repart, constatant douloureusement qu'après tant de pérégrinations, il n'a toujours pas trouvé ce qu'il cherchait. Et soudain, le héros est il-

luminé par une révélation mystique : « Seigneur, s'écrie-t-il, mon cœur et la mer ne sont plus seuls ! »

■ L'auteur a tiré des textes anciens d'Homère, mais aussi de Dante et de Pascoli, une interprétation personnelle de l'histoire d'Ulysse, qui ne trouve la paix, après sa longue quête, que dans la révélation du divin. MS

L'IDIOT
(L'idiota)

Opéra en trois actes de Luciano Chailly (né en 1920). Livret de Gilberto Loverso, d'après le roman de Dostoïevski. Première représentation : Rome, Opéra, 18 février 1970.

L'INTRIGUE : Suivant la trame du célèbre roman, l'opéra raconte l'histoire du prince Lev Nikolaïevitch Muichkine, rentrant dans son pays, apparemment guéri de son épilepsie. Il aime Nastasia, qui est tuée par le commerçant Rogozine, amoureux d'elle. Lorsque Muichkine, invité par Rogozine, découvre sur le lit Nastasia assassinée, sa raison déjà chancelante bascule et il se réfugie dans la folie.

■ Opéra ambitieux, *L'Idiot* a été plusieurs fois repris en Italie, en Allemagne et en France, et passe pour la meilleure œuvre lyrique du compositeur.

LA VISITE
DE LA VIEILLE DAME
(Der Besuch der alten Dame)

Opéra en trois actes de Gottfried von Einem (né en 1918). Livret tiré de la pièce de Friedrich Dürrenmatt (né en 1921). Première représentation : Vienne, Staatsoper, 1971.

L'INTRIGUE : Dans une petite ville de Suisse, Güllen, tous les habitants, conduits par le maire, attendent à la gare l'arrivée de Claire Zachanassian, une femme fabuleusement riche originaire de la ville, où elle n'est pas revenue depuis quarante ans. Tout le monde compte sur son immense fortune pour redonner de l'oxygène à la petite ville, durement frappée par la crise. Beaucoup font confiance, comme ambassadeur auprès de la vieille dame, à Alfred Ill, qui avait eu une liaison avec elle alors qu'elle n'était encore qu'une fille de rien. Et voici le moment tant attendu : la femme descend du train. Elle offre un spectacle surprenant : incroyablement vieille, fardée à outrance, couverte de bijoux, elle est suivie par son huitième mari, des domestiques, et transporte, parmi ses nombreux bagages, un cercueil. Un banquet est donné en son honneur. On apprend alors que la vieille dame entend donner à la municipalité une somme colossale, mais à une condition : qu'on lui remette le cadavre d'Alfred Ill, son ancien séducteur, qui l'avait abandonnée enceinte et avait refusé de reconnaître l'enfant, avec la complicité d'un juge qui avait accepté le témoignage de deux ivrognes soudoyés par Ill. A la suite de cette affaire, la malheureuse avait échoué dans une maison close. Aujourd'hui, le juge complaisant est devenu le majordome de la vieille dame et les deux faux témoins, castrés et les yeux crevés, voyagent partout avec elle. Après de longs conciliabules, la population vote en conseil municipal la mort d'Alfred Ill et apporte son cadavre à la vieille dame. Claire Zachanassian repart, satisfaite, avec son étrange suite, emportant le cercueil et son macabre contenu, qu'elle ensevelira dans son jardin. Les habitants de Güllen, ayant reçu l'argent, laissent éclater leur joie après le départ de la vieille dame.

■ Drame de l'hypocrisie du monde moderne, où un crime d'intérêt est maquillé en acte de justice, *La visite de la vieille dame* s'appuie sur une partition riche en sonorités variées, d'une tessiture contrapuntique complexe et rigoureusement tonale. Les traits ironiques ou grotesques sont soulignés par des rythmes mécaniques à la Stravinski, par les mélodies pucciniennes de la vieille dame ou par les balbutiements chromatiques des deux castrats. « De cet ensemble de facteurs, il découle que notre attention se porte sur la partition plus en tant que création autonome que comme illustration d'un texte, et cette attention se concentre là où la vie musicale est la plus intense, sur l'orchestre » (Paolo Isotta).

TREEMONISHA

Opéra en trois actes de Scott Joplin (1868-1917). Livret du compositeur. Composé en 1908. Première représentation partielle : Atlanta, Morehouse College, janvier 1972, avec l'Atlanta Symphony, dirigé par Robert Shaw.
Par la suite, l'opéra a été présenté au Houston Grand Opera, arrangé et orchestré par Gunther Schuller, dans la chorégraphie de Louis Johnson. Interprètes de cette version : Carmen Balthrop, Betty Allen, Curtis Rayam, Williard White.

LES PERSONNAGES : Treemonisha (contralto) ; Monisha (soprano) ; Remus (ténor) ; Ned (baryton) ; Zodzetrick (ténor) ; Lucy (soprano) ; Andy (ténor) ; Luddud (baryton) ; Cephus (ténor) ; Simon (basse) ; Parson Alltalk (basse).

L'INTRIGUE : Septembre 1884, dans une plantation de l'Arkansas, non loin de Red River.
Acte I. Le magicien charlatan Zodzetrick essaie de vendre à Monisha une patte de lapin miraculeuse, mais Ned, son mari, l'empêche de l'acheter, la trouvant trop chère. Treemonisha arrive à son tour et chasse le charlatan : il a fait trop de mal en exploitant la superstition des pauvres gens. Zodzetrick tente d'impressionner la jeune fille, mais Remus lui dit qu'il n'a aucune chance : Treemonisha a remporté bien d'autres batailles contre la superstition dans la région. Le magicien, furieux, part en jurant de se venger. Remus part aussi, et un groupe d'ouvriers agricoles entre en scène. Avec eux, Treemonisha organise une fête champêtre, et ils dansent une ronde conduite par Andy. Treemonisha propose alors de cueillir des branchages pour tresser des couronnes, mais Monisha intervient : il ne faut pas toucher à cet arbre, qui est sacré. C'est au pied de cet arbre que Treemonisha a été trouvée, âgée de trois ans environ. La jeune fille et ses amis sont stupéfaits, car ils

croyaient tous que Treemonisha était la fille de Ned et Monisha. Treemonisha, après avoir tendrement remercié la femme qui lui a servi de mère avec tant de dévouement, se dirige vers la forêt avec son amie Lucy pour y cueillir les rameaux. Parson Alltalk arrive à ce moment et improvise un sermon, et tous répondent en chœur. Mais Lucy revient affolée : Zodzetrick et un de ses compères, Luddud, ont enlevé Treemonisha. Ned crie vengeance et les jeunes gens partent à la recherche de Treemonisha. Remus, apprenant ce qui s'est passé, promet de revenir avec la jeune fille et part en courant vers la forêt.

Acte II. Dans la forêt, l'après-midi du même jour. Zodzetrick et Luddud arrivent avec Treemonisha à leur repaire, où Simon fait un discours à d'autres sorciers. Ils mettent la jeune fille en accusation : si elle remporte sa bataille contre la superstition, comment feront-ils pour vivre ? Ils veulent la punir, malgré l'avis de Cephus, mis en minorité. Treemonisha attend le verdict lorsqu'on voit apparaître huit ours qui se mettent à jouer. Les charlatans les chassent et prononcent la sentence : Treemonisha sera jetée dans un gros nid de guêpes. Ils s'apprêtent à le faire, lorsqu'une figure monstrueuse se jette sur eux et les met en fuite. C'est Remus qui, utilisant les propres armes des sorciers, s'est déguisé en diable avec les oripeaux d'un épouvantail. Les jeunes gens s'embrassent et prennent le chemin du retour. Ils rencontrent des planteurs de coton qui chantent joyeusement.

Acte III. Le soir, dans la cabane de Ned et Monisha. Ils attendent des nouvelles avec anxiété. Ned essaie de rassurer sa femme. Soudain, Remus apparaît avec Treemonisha. Comme ils se réjouissent de voir leur fille saine et sauve, les amis de la jeune fille arrivent, ayant capturé Zodzetrick et son complice. Ils veulent leur administrer une bonne leçon, mais Treemonisha demande qu'on leur fasse simplement un sermon et qu'on les laisser aller. Après leur avoir serré la main, elle explique qu'il faut lutter contre la superstition dans les plantations, et qu'un chef doit s'en charger. On lui propose d'être ce chef, mais elle refuse : les femmes la suivraient, mais les hommes se méfieraient. Devant les protestations de tous les hommes présents, Treemonisha finit par accepter et donne son premier ordre : que tout le monde se mette à danser !

■ On a parlé, à juste titre, de *Treemonisha* comme d'une sorte de « Belle-au-bois-dormant de la musique américaine ». En effet, l'œuvre est restée, pendant plus de soixante ans, un simple nom : on savait que l'un des grands du *ragtime*, un des pères du jazz, Scott Joplin, avait composé un opéra par « manie des grandeurs », mais n'avait jamais réussi à le faire publier. En réalité, les choses s'étaient passées différemment. Joplin avait publié lui-même *Treemonisha* à Harlem en 1911 ; mais, atteint de la syphilis, il fut si malade jusqu'à sa mort, survenue en 1917, qu'il ne put jamais s'occuper sérieusement de faire jouer son opéra, qui resta donc un simple souvenir. L'œuvre fut redécouverte, en 1970, par Vera Brosky Lawrence, au cours de recherches visant à la publication de l'intégrale de la musique de Scott Joplin, qui parut en 1971 sous l'égide de la New York Public Library. *Treemonisha* est un mélange extraordinaire de morceaux du plus pur style *ragtime* (la ronde, le chant des planteurs et la danse finale), d'intermèdes faisant directement appel au ballet (le jeu des ours), d'un tissu central inspiré de l'opéra européen — que ce soit l'opéra italien, très apprécié aux États-Unis au début du siècle, ou par exemple l'utilisation du chœur à la manière de Haendel, ou encore la spontanéité d'un conte qui évoque Weber. L'opéra, oublié pendant si longtemps, est devenu un succès sans précédent dans l'histoire de la scène afro-américaine. EP

LORENZACCIO

Mélodrame romantique en cinq actes, vingt-trois scènes, plus deux hors programme de Sylvano Bussotti (né en 1931), en hommage à la pièce (1834) d'Alfred de Musset (1810-1857). Livret de l'auteur. Première représentation : Venise, théâtre La Fenice, 7 septembre 1972. Interprètes : D. Forster-Durlich, I. Jacobeit, U. Kenklies, G. Genersch, G. Hering, H. Stuckmann. Direction : Gianpiero Taverna.

LES PERSONNAGES (par ordre d'entrée en scène) : Cirilli, page, spadassin, peintre, puis Éros, Remo, jeune Florentin ; Palle, l'Andalou, jeune homme, George Sand, puis Caterina Ginori, dite Rara, tante de Lorenzo ; État et Église ; Alfred de Musset ; Giomo l'Allemand ; Uliva puis Louise Strozzi, puis la Mort ; Maffio Salviati bourgeois, puis courtisan ; le Hongrois ; le conteur ; Agnolo ; Ascanio ; Maria Soderini, dite Mara, mère de Lorenzo ; Lorenzaccio ; Lorenzo légendaire ; motards, pages, porte-drapeau, capitaine, soldats, demoiselles d'honneur, peuple florentin.

L'INTRIGUE :
Acte I. Florence, à minuit. De jeunes débauchés préparent l'enlèvement d'Uliva, sœur du bourgeois Maffio, pour le compte du duc Alexandre de Médicis. Maffio, alors que sa sœur vient d'être enlevée, maudit les ravisseurs ; il se rend compte qu'il a affaire au duc en personne qui le gifle avec mépris et lui jette une bourse pleine d'argent. Au cours du carnaval, au palais ducal, se déroule une grande partie d'échecs à l'échelle humaine. Le vainqueur de la partie aura le pouvoir à Florence. Maffio, pendant ce temps, a réussi à organiser une révolte contre les Médicis. La partie d'échecs est interrompue, tandis que le peuple de Florence se soulève en criant le nom des Palleschi.
Acte II. Alfred de Musset, George Sand et quelques courtisans discutent d'art. Mais voici qu'éclate un duel entre Cirilli et Lorenzo. La mère de Lorenzo, Mara, intervient, tandis que Louise Strozzi meurt empoisonnée au cours d'une danse. Pietro Strozzi décide de rester à Florence pour se venger des Médicis. Le personnage État et Église, qui s'est transformé en duc et en évêque, juge les désordres de la cité et prononce la sentence de mort de Lorenzo. Celui-ci voit en rêve sa propre fin, de la main de Cirilli.

Acte III. Le duc pose pour un portrait, tandis que Musset récite des poèmes ; on entend des *lieder*. Maffio arrive, blessé, et accuse Pietro Strozzi, mais il est arrêté. État et Église échangent leurs ornements, ce qui symbolise leur complète identité. Musset, sous l'apparence de Lorenzo, justifie le crime qu'il va accomplir. Lorenzo entre alors et, dans une atmosphère sombre et délirante, tue le duc avant de s'enfuir avec Cirilli.
Acte IV. Un rideau semblable à celui de l'Opéra de Paris. George Sand défile avec les autres personnages qui sont morts au cours du drame. La vie de Lorenzo est vantée par Mara et par une troupe de « mime funèbre ». Giomo, métamorphosé en ange, joue de la guitare et du violoncelle. On entend la voix de Lorenzaccio qui se disculpe pour son crime.
Acte V. Des jeunes gens prononcent l'éloge funèbre de Lorenzo. Le rideau se lève et l'on aperçoit les ruines du Colisée. Les personnages se présentent à nouveau : Cirilli est devenu Éros, Mara, la Majesté, et Uliva, sous les traits de la Mort, conduit tout le monde au tombeau avec des chants funèbres.

■ Cette œuvre, composée par Sylvano Bussotti entre 1968 et 1972, et créée en 1972 dans le cadre du XXXVe festival de musique contemporaine de Venise, est l'un des travaux les plus intéressants du musicien florentin. Tous les moyens dont dispose le théâtre lyrique sont ici employés et, filtrés par la poésie fantastique de l'auteur, engendrent un opéra grandiose et d'un style extrêmement original. A propos du matériau littéraire de l'opéra, citons la remarque pénétrante de G. Lanza Tomasi : « Aucun romantique n'a perçu aussi bien que Musset la peine du classique, et aucun contemporain ne vit l'histoire des arts comme Bussotti, qui la reparcourt dans le trauma des sens. » Du reste, Bussotti occupe dans l'avant-garde une place particulière, s'étant détaché et de Cage et de l'école de Darmstadt ; il a développé un art poétique sonore tout à fait personnel dont cet opéra est la confirmation éclatante. GPa

RÉCITAL I
(For Cathy)

Opéra de Luciano Berio (né en 1925) pour voix, orchestre, clavecin et piano, sur un texte du compositeur et des références à des textes de A. Mosetti et E. Sanguineti (traduction : C. Berberian). Première représentation : Lisbonne, 1972. Interprètes : Cathy Berberian (soprano) ; H. Lester (piano et clavecin soliste) ; London Sinfonietta sous la direction de Luciano Berio.

L'INTRIGUE : Au début de l'action scénique, la protagoniste chante l'air de la *Lettera amorosa* de Monteverdi, accompagnée d'abord par un clavecin invisible, puis par l'orchestre. La musique de Monteverdi est progressivement déformée, tandis que commence un monologue parlé interrompu par des morceaux du répertoire classique de la cantatrice, accompagnée cette fois par un violon soliste. A ce moment, l'atmosphère musicale dégénère en une musique de night-club. Le violoniste cite des passages du concerto pour violon de Tchaïkovski. Finalement, le pianiste entre en scène et la cantatrice passe progressivement du chant au parlé. Elle mime une conférence où l'on soutient que le rituel est la seule forme qui donne une signification au son et au geste dans le théâtre musical. Cinq musiciens habillés en personnages de la *commedia dell'arte*, citant Bach et d'autres compositeurs, échangent dans un extraordinaire « jeu des rôles » leurs masques et leurs instruments. Dans la dernière section de *Récital I*, la cantatrice incarne le rôle classique de l'opéra lyrique et tragique.

■ Il s'agit d'un opéra très élaboré sur le plan formel. *Récital I* est articulé et « joué » sur plusieurs plans : d'un récital « normal » pour voix et accompagnement de piano aux interventions les plus complexes de l'orchestre de chambre. Cependant, l'intérêt principal de *Récital I* est qu'il n'entre dans aucune catégorie traditionnelle (bien qu'il s'agisse malgré tout d'opéra au sens large) ; cette liberté formelle se révèle particulièrement féconde musicalement, et ne fait que confirmer la valeur du compositeur, l'un des plus brillants de l'avant-garde musicale internationale.
GPa

SATYRICON

Opéra en un acte de Bruno Maderna (1920-1973). Livret tiré de l'œuvre de Pétrone (mort en 65 ap. J.-C.). Première représentation : Nederlandse Operastichting d'Amsterdam, 16 mars 1973. Direction : Bruno Maderna.

L'INTRIGUE : Toute l'action est centrée sur la scène du dîner de Trimalcion, Romain vulgaire et enrichi. L'opéra s'ouvre sur un discours vaniteux de Fortunata, femme de Trimalcion, qui étale complaisamment l'opulence de son mari. Puis Trimalcion intervient à son tour, demandant, dans une sorte de testament verbal, que soit érigée sur sa tombe une grandiose statue à sa mémoire. À la fin de ce discours, il se laisse aller à une série de flatulences sonores. Abinna, qui symbolise l'Argent, célèbre elle aussi la richesse ; elle raconte l'histoire d'une matrone d'Éphèse, fidèle à son mari de son vivant, et qui, après sa mort, le trompe pratiquement sur sa tombe et outrage sa dépouille. Pendant ce temps, Fortunata tente inutilement de séduire le philosophe Eumolpe. Trimalcion, outré, lance à sa femme publiquement qu'il l'a ramassée dans la rue et en a fait une femme honnête. Il regrette amèrement le jour où il l'a épousée de préférence à une riche héritière. Trimalcion saisit l'occasion pour se vanter sans vergogne, tout en affirmant qu'il entend rester modeste, et se glorifier de sa fortune. L'opéra s'achève par un avertissement de Chrysis, rappelant que le Sort est un maître imprévisible.

■ Ce *Satyricon* de Bruno Maderna, un des représentants les plus importants de la Nouvelle Musique, confirme l'intérêt des nombreux essais de l'avant-garde dans le domaine de l'opéra. Les compositeurs modernes expérimentent avec succès, dans ce genre musical multiforme, les possibilités infinies des combinaisons de plusieurs codes musicaux, et découvrent en outre la fécondité d'un nouveau rapport entre musique et littérature. Dans *Satyricon* par exemple (dans la scène de Fortunata), on retrouve des accents qui vont du genre cabaret à Kurt Weill, à la musique folklorique. Il y a aussi de véritables citations (Wagner, Bizet, Verdi) qui contribuent à recréer l'atmosphère de pastiche burlesque propre à l'œuvre de Pétrone. GPa

MORT A VENISE
(Death in Venice)

Opéra de Benjamin Britten (1913-1976). Livret tiré du roman La mort à Venise *(1910) de Thomas Mann (1875-1955). Première représentation : 17 juin 1973, Festival d'Aldeburgh.*

■ Britten a suivi très fidèlement le roman de Thomas Mann tout en apportant une dimension presque mythologique au drame du héros. Il s'agit d'Aschenbach, que le destin conduit vers une mort ambiguë et vers une recherche inutile de la beauté, de la jeunesse et de l'amour parfait. Le roman de Thomas Mann a ainsi trouvé sa place parmi les œuvres lyriques après son entrée dans le monde du cinéma avec le film de Luchino Visconti, sur la musique de Gustav Mahler. MS

LA CONTREBASSE

Opéra de Arghyris Kounadis. Composé en 1924. Livret de Tchekhov. Direction : G. Schäfer. Mise en scène : S. Schoenbohm. Première représentation : Fribourg-en-Brisgau, Opéra, 13 janvier 1975.

L'INTRIGUE : Cette histoire de contrebasse voyageuse est une sorte de comédie musicale. L'instrument se rend avec son interprète à un mariage. Chemin faisant, le contrebassiste tombe amoureux de la jeune fiancée ! Le couple se baigne et tandis qu'il s'ébat dans l'eau, on vole vêtements et contrebasse.

■ Œuvre lyrique intimiste où le compositeur mêle les citations d'opéras célèbres (Rossini, Verdi, Weber) à une écriture atonale, composée, comme chez Alban Berg, sur les demi-tons. Sur le plan formel, c'est une œuvre bien construite où alternent gigues, passacailles et fugues.

AU GRAND SOLEIL D'AMOUR CHARGÉ
(Al gran sole carico d'amore)

Action scénique en deux temps de Luigi Nono (né en 1924). Textes de Luigi Nono d'après A. Rimbaud, M. Gorki, B. Brecht, C. Pavese, L. Michel, Tania Bunke, C. Sanchez, Haydée Santamaria, guérillero du Viet-nam du Sud, Marx, Lénine, A. Gramsci, Dimitrov, Che Guevara. Première représentation : théâtre de la Scala de Milan, dans la salle du Teatro Lirico, avril 1975. Interprètes : S. Paoletti, K. Goranceva, F. Fabbri, L. Ricagno, E. Jankovic, M. Basiola, F. Davia, G. Socci. Direc-

tion : Claudio Abbado. Mise en scène de J. Lioubimov.

L'INTRIGUE : L'action scénique se déroule autour de certains personnages de femmes révolutionnaires symbolisées par la Mère, qui résume de façon idéale leur destin d'amour et de luttes. L'action suit le rythme d'une grande fresque constituée par la succession de documents et de témoignages désespérés qui gravitent autour du thème de la Commune de Paris ; les personnages et les épisodes représentés ici partagent (en d'autres périodes et d'autres lieux) la charge révolutionnaire et la tension d'une telle expérience : les révolutions russes de 1905 et 1917, les révoltes ouvrières, les luttes pour la libération de l'Amérique latine et la guerre du Vietnam.

■ Avec cet opéra (conçu et défini comme tel), Nono et ses collaborateurs Lioubimov, Borovsky, Jakobson, Abbado et Pestalozza ont voulu confirmer concrètement une idée dont ils avaient déjà énoncé la théorie : la nécessité d'un nouveau théâtre musical (le livret est d'ailleurs soustitré *Pour un nouveau théâtre musical*). L'œuvre se présente donc comme une tentative très ambitieuse, dont nous ne connaîtrons la réussite qu'avec le temps. Sur le plan formel, *Au grand soleil* est un travail extrêmement élaboré ; en effet, tout comme le titre, le montage scénique et musical se veut grandiose et joue beaucoup sur l'interaction entre la scène et la partie orchestrale. Quant au langage musical, Nono est resté fidèle à ses conceptions précédentes : refus de l'objectivité pseudo-scientifique, de certaines conclusions du structuralisme post-wébérien, des divers mysticismes et de l'irrationalisme des positions néo-dadaïstes. Ce refus est conduit de façon critique à travers l'affirmation de l'historicité immanente du langage musical. La partie musicale utilise un vaste éventail de techniques allant du chant solo au chœur, de l'orchestre au support électronique. Elle a été conçue dès l'origine par Nono comme moment d'un langage dramatique qui trouve dans la dimension visuelle des décors et des costumes, dans la chorégraphie et dans l'articulation générale de l'espace scénique, son complément naturel. GPa

INTRIGUE ET AMOUR
(Kabale und Liebe)

Opéra en deux actes de Gottfried von Einem (né en 1918). Livret de Lotte Ingrish, d'après le drame (1784) de Friedrich Schiller (1759-1805). Première représentation : Vienne, Staatsoper, 25 février 1977. Interprètes : Anja Silja, Brigitte Fassbaender, Walter Berry. Direction : Christoph von Dohnányi.

■ Le livret, dû à la femme du compositeur, est tiré de la pièce de Schiller qui avait fourni le sujet de *Luisa Miller*, de Giuseppe Verdi. Il est notablement allégé et modifié par rapport au texte original. L'orchestre est assez réduit et, en l'absence de chœur, les personnages sont caractérisés par des instruments : violoncelle et cor pour Ferdinand, le hautbois pour Lady Milford, la trompette pour le président. La critique a salué dans cette œuvre le grand instinct théâtral du compositeur et la synthèse parfaite entre la scène et la musique.

OPÉRA

Représentation en trois actes de Luciano Berio (né en 1925). Livret du compositeur. Première représentation : Santa Fé (Californie), Opéra, été 1970. Nouvelle version (texte et orchestration modifiés) : Florence, Teatro della Pergola, mai 1977, à l'occasion du Mai musical florentin.

L'INTRIGUE : L'action se déroule sur trois plans alternativement. Le récit du naufrage du *Titanic* (qui coula pendant son voyage inaugural, le 12 avril 1912, après avoir percuté un iceberg) est entrecoupé d'images de la salle des agonisants d'un hôpital et de références à la légende d'Orphée. Les trois éléments se mêlent, se confondent et se répondent, se prolongent l'un dans l'autre, disparaissent, resurgissent. Il s'agit d'une méditation, d'un rêve ou d'une « moralité » sur le thème de la mort et sur la condition humaine, soumise à d'injustes violences.

■ Les trois pôles autour desquels gravite *Opera* sont traités avec une grande variété de moyens musicaux. La légende d'Orphée (traduction anglaise des vers d'Alessandro Striggio) est évoquée par une voix de soprano accompagnée au piano qui, au début des deux premiers actes, apprend un air qu'elle chantera au début du troisième acte. Le *Titanic* et l'hôpital sont caractérisés par une structure vocale plus complexe. Les références à des œuvres antérieures de l'auteur et d'autres musiciens sont fréquentes. « *Opera*, écrit Berio, est souvent un kaléidoscope, une parodie de genres musicaux tout à fait reconnaissables. L'accumulation de nombreux types de comportement musical, vocal et scénique — c'est-à-dire de différents modes de travail théâtral — explique le titre, qui ne veut pas nécessairement suggérer une parodie du mélodrame lyrique, mais plutôt le pluriel d'"opus". »

NAPLES MILLIONNAIRE (Napoli milionaria)

Opéra en trois actes de Nino Rota (1911-1979). Livret d'Eduardo De Filippo (né en 1900). Première représentation : Spolète, théâtre Caio Melisso, 22 juin 1977, à l'occasion du XXe Festival des deux mondes.

L'INTRIGUE : L'argument reprend, à peine modifiée, la célèbre comédie d'Eduardo De Filippo, parue en 1945, qui raconte la vie d'une famille napolitaine vers la fin de la Seconde Guerre mondiale.

■ Cet opéra du musicien milanais, accueilli de façon mitigée par la critique, bénéficie d'une musique de haute qualité technique. Les références à des chansons populaires *(Funiculi, funicula)* qui donnent au drame sa « couleur locale », alternent avec des échos de jazz évoquant l'occupant américain.

EIN ENGEL KOMMT NACH BABYLONE

Texte et musique de Rudolf Kelterborn. Première représentation : Zurich, Opéra, juin 1977. Direction : Ferdinand Leitner. Mise en scène : G. Friedrich. Décors : J. Svoboda.

L'INTRIGUE : Dans Babylone arrosée par l'Euphrate apparaît, venant de la planète Andromède, un ange accompagné de la jeune Kurrubi. Déguisés en mendiants, l'ange et Kurrubi sont remarqués par les hommes d'armes de Nabuchodonosor. Il n'y a pas de mendiant à Babylone, sauf Akki avec lequel le roi se livrera à un duel de pauvreté. Il perdra, mais n'acceptera pas pour autant Kurrubi, qui, chassée, partira dans le désert avec son ange, tandis que Nabuchodonosor, pour se racheter, fera construire la tour de Babel.

■ Cet opéra use vocalement d'un système répétitif à type de leitmotiv. L'orchestration est très subtile, raffinée surtout pour la part symbolique, irréelle de l'œuvre. L'emploi de certains intervalles (ex-tierce mineure) rend l'ensemble par trop monotone.

TOUSSAINT

Opéra en trois actes de David Blake. Livret d'Anthony Ward. Première représentation : Londres, London Coliseum, 28 septembre 1977. Direction : Mark Elder. Mise en scène : David Poutney.

L'INTRIGUE : En 1791, durant la guerre d'indépendance de Haïti, des esclaves se révoltent. L'opéra représente la peinture exacerbée des conflits raciaux, radicalisés par la lutte entre profit et liberté.

■ Le compositeur mêle avec science les procédés de la musique élisabéthaine et ceux de la musique folklorique haïtienne.

LE CHARIOT D'OR

Légende lyrique en trois actes de Mario Gautherat. Livret de H. Dutheil et A. Drion. Première représentation : Strasbourg, Opéra du Rhin, 19 novembre 1977. Direction : Claude Schnitzler. Mise en scène : Bernard Jenny.

L'INTRIGUE : Un chariot d'or a été abandonné par Attila alors qu'il fuyait les Gaules. Il sombre dans les eaux du lac Bellon. Trois frères, sans proférer une parole, tentent de le tirer du lac. Mais le plus jeune, écrasé par le timon du char, s'écrie : « Je n'en peux plus » et sombre dans les eaux, entraînant ses frères et leur butin.

■ L'écriture, en accords composés, use fréquemment de quintes augmentées, souvent enchaînées les unes aux autres pour souligner une atmosphère. Large et lyrique, elle n'exclut pas les dissonances et l'atonalisme. L'interprétation, d'une grande qualité, a permis de juger de la précision du chef Claude Schnitzler. Parmi les interprètes, on a remarqué plus particulièrement Gérard Quenez et surtout Jacques Trigean. J.-P. T.

BLANBART

Opéra de Camille Togui. Livret de Georg Trakl. Première représentation : Venise, théâtre La Fenice, 15 décembre 1977. Direction : Karl Martin. Mise en scène : Francesca Siciliani.

L'INTRIGUE : C'est le drame de l'incommunicabilité qui se joue entre les partenaires d'un couple déchiré. Les Barbablu vivent dans un petit appartement, coupé de tout environnement. Ils passent alternativement de réconciliations de courte durée à des ruptures sauvages. L'homme fait souffrir sa femme avec sadisme. L'épouse, de son côté, cherche à sublimer les moments de bonheur, leur donnant même une teinte religieuse.

■ Le compositeur, très inspiré d'Alban Berg, a construit sa partition sur l'alternance de douceur traduite par les cordes jouant à l'unisson, et de passages violents, avec de grands accords où se mêlent cuivres et percussions.

J.-P. T.

L'HOMME OCCIS

Opéra en un acte. Texte et musique de Claude Prey. Première représentation : Rouen, théâtre des Arts, 24 février 1978.

L'INTRIGUE : Un accidenté de la route agonise dans un service d'urgences. Le mourant ne communique avec aucun de ses proches et reste muré dans l'isolement. Le personnel est inaccessible et incapable. Les infirmières sont négligentes et folles. Le curé est bavard. Les médecins sont scientistes et incompétents.

■ Le style libre, avancé, dramatique, est proche de Berg. La partition avantage les voix. L'accompagnement est franchement atonal et use sans cesse des demi-tons de la gamme. L'ensemble de l'œuvre est très dramatique, à la limite d'une violence insoutenable. Certains accords suivis de silence créent l'angoisse et soulignent bien l'incommunicabilité qui reste le sujet principal de l'ouvrage.

J.-P. T.

NIETZSCHE

Drame lyrique en deux actes. Texte et musique de Adrienne Clostre. Première représentation : Paris, Espace Cardin, mars 1978. Direction : Charles Brück. Mise en scène : G. Coutance.

L'INTRIGUE : L'action retrace le chemin parcouru par Nietzsche, jeune professeur à Zurich, rencontrant Wagner à Tribschen, sa folie, ses contradictions. On y rencontre Malwida Von Meysenburg, le poète Paul Rée et la muse du groupe Lou Andréas Salomé. Une sorte de « Crépuscule des Idoles » sonne à la fin de l'ouvrage, où l'on sent la récupération politique du philosophe allemand par l'idéologie national-socialiste.

■ Sur ce texte politique et philosophique, l'auteur a conçu une musique de chambre où cordes et instruments à vents accompagnent subtilement les voix.

J.-P. T.

LE GRAND MACABRE

Opéra en trois actes de Gyorgy

Ligeti. Livret de Michel de Ghelderode. Première représentation : Stockholm, Opéra, 12 avril 1978. Direction : Elgar Howarth. Mise en scène : Alinte Mercier.

L'INTRIGUE : Les aventures du royaume de Gogo. Nécrotzar, le Grand Macabre, ressuscite. Il annonce la fin du monde, et assiste à son agonie, tandis que les comparses du royaume, Spermando et Clitoridia (couple d'amoureux), un astrologue et sa femme Mescalina, un ivrogne, et un enfant de douze ans — le prince Gogo — parodient la vie.

■ Le style est raffiné dans les cordes, contrasté aux cuivres avec un sens rythmique digne de Stravinski. Ligeti use de tous les styles, de toutes les formes : passacaille, fugue, sarabande. La création suédoise a eu un tel retentissement que l'œuvre fut donnée un peu partout à l'étranger, notamment à Paris dans une mise en scène onirique de Daniel Mesguisch. J.-P. T.

LEAR

Opéra en trois actes. Musique et livret de Aribert Reiman. Première représentation : Munich, Nationaltheater, 9 juillet 1978. Direction : Gerd Albrecht. Mise en scène : J.-P. Ponelle.

L'INTRIGUE : Inspirée de la tragédie de Shakespeare. Dans un décor et des costumes oniriques, les protagonistes évoluent au sein d'une atmosphère de violence et de haine. Lear « ne s'est guère connu lui-même ». Il était aveugle bien avant que ses deux monstres de filles, Régane et Goneril, ne lui crèvent les yeux. Après avoir distribué son royaume et ses richesses à ses filles aînées et à ses gendres, dont Edmond, un bâtard du duc de Gloucester, il s'enfuira seul dans la lande poursuivi par son bouffon dans la tempête et l'orage. Le roi fou et aveugle comprendra enfin la vie, jugera ses filles aînées comme des chiennes despotiques. Seule Cordelia, sa fille cadette, par sa retenue, restera le personnage le moins trivial de cette tragédie.

■ Aribert Reiman a conçu une œuvre d'une très grande richesse, violente, tumultueuse. L'ensemble de la partition est construit en structure de croix où alternent les aigus et les graves. Lear devient une œuvre majeure du XXe siècle. Dédiée à Dietrich Fischer-Dieskau, elle nous aura permis de juger de la qualité admirable de la voix du baryton allemand et de sa femme Julia Varady. J.-P. T.

TROIS CONTES DE L'HONORABLE FLEUR

Opéra de chambre en un acte de Maurice Ohana. Livret de Odile Marcel. Première représentation : Avignon, Cloître des Célestins, 15 juillet 1978. Direction : Daniel Chabrun. Mise en scène : Hubert Jappelle et sa compagnie.

L'INTRIGUE : Odile Marcel a traduit un conte chinois du XVIe siècle avec liberté et féerie. Tout est symbolique dans cette histoire où une jeune femme, sous les rayons de la lune, dévore de beaux jeunes gens et berne un ogre gourmand. Le vent, alizé oriental, lutine les passantes, puis se retrouve enfermé dans un sac. La pluie, avant de remonter au ciel, arrose des singes rêveurs.

■ Sur ce canevas poétique, Maurice Ohana a composé une musique qui relie, fusionne l'espace et le temps grâce à la voix solitaire de la soprano, Michiko Hirayama, accompagnée par un ensemble d'instruments à vent où dominent le hautbois et la flûte. Cette inspiration japonisante reste parodique, et l'œuvre rejoint, au fond, les madrigaux de Monteverdi, chefs-d'œuvre de l'Occident. J.-P. T.

RIMBAUD OU LE FILS DU SOLEIL

Opéra en trois actes, un épilogue et un prologue de Lorenzo Ferrero. Livret de Louis-François Claude. Première représentation : Avignon, 24 juillet 1978. Direction : Boris Vinigradov. Mise en scène : A. Bourseiller.

L'INTRIGUE : Le personnage de Rimbaud est lié aux luttes révolutionnaires et sociales. Adolescent à Charleville, il prend cause et parti pour le peuple qui s'empare du pouvoir après la défaite de Napoléon III. Il fait fugue sur fugue, à Paris, à Bruxelles. Puis c'est la lettre à Verlaine et la rencontre entre les deux poètes, relation passionnée, orageuse de Londres à Bruxelles. Enfin Verlaine blesse Rimbaud d'un coup de pistolet.
Dans la seconde partie de l'œuvre, Rimbaud devient le « fils du soleil » à Java, Alexandrie, Chypre ou au Harar où il est trafiquant d'armes. Atteint d'une tumeur cancéreuse au genou droit, il est rapatrié à Marseille où il meurt après avoir subi une amputation.

■ Sur ce canevas biographique, Lorenzo Ferrero a écrit une musique de voyant et d'illuminé. Une grande partie de l'ouvrage est toutefois réservée à la voix parlée. L'accompagnement orchestral alterne le vérisme italien et le dodécaphonisme viennois. Les parties chantées sont difficiles et exigent des interprètes rompus à la virtuosité. J.-P. T.

SYLLABAIRE POUR PHÈDRE

Opéra de chambre en deux actes de Maurice Ohana. Livret de Raphaël Cluzel. Première représentation : Avignon, Cloître des Célestins, 26 juillet 1978. Direction : D. Chabrun. Mise en scène : R. Kahane.

L'INTRIGUE : Sur un admirable plateau nu, les acteurs-chanteurs se meuvent avec une grande force dramatique, seulement dirigés par les éclairages et les indications très précises du metteur en scène.

■ La musique fait appel aux mots, mais évoque aussi certaines partitions du passé. J.-P. T.

LE NOM D'ŒDIPE
« Chant du corps interdit »

De André Boucourechliev. Li-

vret : Hélène Cixous. Première représentation : Avignon, cour d'honneur du palais des Papes, 26 juillet 1978. Direction : Yves Prin. Mise en scène : Claude Regy.

L'INTRIGUE : C'est l'histoire d'Œdipe selon Sophocle. Sans décor, sur un plateau nu, évoluent les personnages de l'Antiquité grecque. Le propos de l'auteur est de mêler le contemporain à l'histoire. Du meurtre d'Agamemnon par Oreste, naîtra pour notre monde, notre conscience, le nom d'Œdipe et son complexe éternel.

■ Tantôt chanté, tantôt joué sur une partition tonale des plus classiques, l'œuvre est entrecoupée de voix off. L'orchestration subtile est d'une grande préciosité d'écriture. Les voix sont mises en valeur et l'ensemble est porté par une large inspiration lyrique. J.-P. T.

ALICE AU PAYS DES MERVEILLES

Opéra de Paul Francy. Première représentation : Liège, 20 octobre 1978. Direction : Robert Bléser. Mise en scène : Luc Dessois.

L'INTRIGUE : L'auteur de *Alice au pays des merveilles,* Lewis Carroll, assiste, corrige, modifie le canevas de son œuvre. Alice est tour à tour elle-même et les personnages de l'œuvre, elle s'enthousiasme avec son héroïne, traverse des forêts enchantées peuplées d'animaux étranges. C'est la découverte d'un monde féerique.

■ Le style est impersonnel, toujours en référence à Wagner, à Strauss, en passant par Rossini. La partition privilégie le symphonique par rapport au chant. Les passages de jazz ou de tango donnent à l'ensemble un ton relâché et disparate. J.-P. T.

DERRIÈRE LA PORTE

Opéra de Sandor Bolassa. Livret de Wilhem Borchet. Premièrc représentation : Budapest, 20 octobre 1978. Direction : G. Lehel. Mise en scène : Andreas Miko.

L'INTRIGUE : De retour de la guerre, un soldat, héros et blessé, se heurtera à tous les groupes sociaux et restera « derrière la porte ». Seule, une fille cherchera à le sauver, mais en vain. Après une brève période où, en une sorte de dérision, il servira de clown, sur un manège, il mourra et retrouvera toutes les victimes de la guerre.

■ Le style est très atonal, inspiré de l'école de Vienne mais aussi de Kurt Weill. C'est ainsi que se mêlent des accents de caf'conc', du folklore proche du jazz, à des silences coupés de sonorités frustes, d'où jaillit tout à coup une partition typiquement inspirée de l'écriture sérielle composée sur les demi-tons, ce qui accentue l'étrangeté de l'œuvre.
L'abandon du soldat est accompagnée d'une sorte de passacaille et de gigue, alors que les scènes de cirque empruntent à la musique de Kurt Weill *(Grandeur et décadence de la ville de Maha-*

gonny) et même de Leonard Bernstein *(West Side Story).*

J.-P. T.

QUATORZE

Opéra de chambre en un acte. Texte et musique de Denise Aignerelle. Première représentation : Tourcoing, Théâtre municipal, 22 octobre 1978. Direction : D. Aignerelle. Mise en scène : M. Féru.

L'INTRIGUE : Elle se situe pendant la guerre de 1914. Le décor unique nous conduit d'un salon bourgeois fin de siècle aux tranchées de la Marne. Trois bourgeois nantis, qui profitent de la guerre, ironisent sur le sort de trois soldats perdus dans la plaine sous le feu de l'ennemi. C'est un sujet un peu sartrien qui ressemble à celui des *Chemins de la Liberté.*

■ Canevas et texte, éminemment dramatiques, sont servis par une musique contrastée. On passe d'une écriture impressionniste, légère, qui évoque le jeune Debussy, à des moments de force, de puissance, utilisant les percussions. Mais les airs folkloriques, les résurgences du caf'conc' envahissent cette partition touffue.

J.-P. T.

LES VALISES

Opéra de poche en un acte de Denise Aignerelle. Livret de Jean-Claude Nachon. Première représentation : Tourcoing, Théâtre municipal, 22 octobre 1978. Direction : Michel Debels. Mise en scène : M. Féru.

L'INTRIGUE : Un homme, perdu dans une brumeuse cité, subit l'épreuve de la solitude. Sans famille, sans attache, il refuse au début de se mêler à l'environnement douteux de son bloc. Petit à petit, obligé de sortir, ou même sollicité dans sa chambre sordide, il fait l'apprentissage de la violence : il se mêlera aux marginaux, aux loubards. Il apprendra la vie.

■ La musique suit pas à pas la trame très tragique de l'histoire. A part quelques moments où le héros rêve, accompagné du hautbois et de l'accordéon, l'ensemble de l'ouvrage est d'un style dramatique, violent, qui fait appel à un synthétiseur aux accents sauvages et au rythme implacable du destin. J.-P. T.

LE RIRE DE NILS HALERIUS

Opéra en trois actes de Marcel Landowski. Première représentation : Nantes, Théâtre municipal, 3 novembre 1978. Direction : G. Condette. Mise en scène : R. Terrasson.

L'INTRIGUE : L'œuvre reprend les thèmes chers à l'auteur, humoriste et philosophe, qui veut lutter contre l'imposture de notre temps. C'est la musique qui sauvera l'homme du néant, de l'inutilité de la vie. Faisant sujet de la dérision et de l'absurde, le livret aurait pu être écrit par Ionesco. Il s'agit essentiellement d'un conte, d'une légende. L'auteur n'hésite pas à mélanger les genres : opéra au premier acte, ballet au deuxième acte, oratorio au troisième acte.

■ Sur ce canevas nihiliste, Marcel Landowski compose une musique de type choral, où les voix de solistes se mêlent ou se détachent du contexte orchestral et de la masse chorale. Usant du rythme pour marteler l'action, la partie de Nils Halerius est très lyrique, dans le style d'une « mélodie déclamatoire ». J.-P. T.

FANNY ROBIN

Opéra en un acte de Edward Harper. Livret de Roger Savage. Première représentation : Édimbourg, George Square Theatre, 15 novembre 1978. Direction : E. Harper. Mise en scène : Graham Vick.

L'INTRIGUE : Elle est tirée d'un roman de Thomas Hardy. Fanny Robin, jeune paysanne, est fiancée à Troy, militaire. Le jour du mariage, Fanny se trompe d'église et Troy refuse de l'épouser. Fanny meurt en couches et Troy perdra la vie des mains d'un amant de sa nouvelle épouse.

■ D'une durée de 35 minutes, la partition est riche d'emprunts. Tout d'abord à l'école de Vienne. Si l'auteur utilise des formes bien définies comme la fugue, le rondo adagio, c'est toujours en demi-ton. Apparaissent souvent des passages folkloriques entrecoupés de violents accès percussionnistes qui soulignent l'aspect dramatique, paroxystique de l'œuvre. Tout cela fait une partition composite mais originale.
J.-P. T.

MOTS CROISÉS

Métamorphose d'écho, opéra de concert. Texte et musique de Claude Prey. Première représentation : Paris, Opéra-Comique, 16 novembre 1978. Direction : Lucas Vis et Claire Gibaut. Mise en scène : J.-M. Simon.

L'INTRIGUE : Dans un décor nu, un homme et une femme, assis sur des sièges en tubulure, s'adonnent aux mots croisés. Au fond de la scène, un grand écran-grille de mots croisés sert de support au dialogue, et même semble être le reflet de la partition. Les questions posées par les protagonistes sont ambiguës. Les réponses parfois inattendues.

■ Le compositeur semble se servir des silences et des embarras des protagonistes pour construire une partition faite d'accords en grappe, saccadés, en tierce ou en septième, tantôt diminués, tantôt augmentés. J.-P. T.

TRIPTYQUE

Opéra de chambre en trois scènes de Alexandre Goehr. Texte de Kenneth Cavender. Première représentation : Paris, Espace Cardin, 16 novembre 1978. Direction : Lucas Vis et Claire Gibaut. Mise en scène : J.-M. Simon.

L'INTRIGUE :
Première scène : *La vigne de Na-*

both (20 minutes). Madrigal dramatique avec texte en latin et en anglais pour contralto, ténor, basse et un orchestre d'instruments à vent. Dans cette scène, le compositeur utilise un jeu de percussions et surtout un piano à quatre mains.
Deuxième scène : *Jeu d'ombres* (20 minutes). Il s'agit d'une véritable scène de théâtre parlé, adaptée par Kenneth Cavender du septième livre de *La République* de Platon. La partie vocale est tenue par un ténor, accompagné d'un saxophone alto, d'une flûte, d'une trompette, d'un violoncelle et d'un piano.
Troisième scène : *Sonate à Jérusalem.* Saynette d'une vingtaine de minutes, sur un texte hébreu à partir d'éléments autobiographiques de Obadiah, poète-chroniqueur du XIIe siècle, et qui conte un épisode de la croisade franque. Il s'agit d'une scène de théâtre musical réservé vocalement à une soliste accompagnée d'une pléiade d'instruments à vent. J.-P. T.

JEU, OU COMMENT LES CHOPES S'AMUSENT

Texte et musique de Dimiter Christoff. Première représentation : Varna, Bulgarie, 25 novembre 1978. Direction : M. Kolarov. Mise en scène : D. Christoff.

L'INTRIGUE : Adaptée du *Menteur* de Corneille, elle se réfère aussi au folklore bulgare du jeu des chopes auquel se livrent les habitants des environs de Sofia. Œuvre parodique entre le XVIIe siècle et nos jours. L'histoire est celle de deux couples qui changent légitimement de partenaires pour le bonheur de leurs parents.

■ Style symphonique au premier acte et d'une écriture très néoclassique ; en musique de chambre, qui évoque Chostakovitch, au deuxième acte ; avec des percussions au troisième acte, en contretemps et en crescendos, dans un style plus personnel.
J.-P. T.

LE PARADIS PERDU

Opéra en vingt scènes de Krzystoff Fenderecki. Livret de Christofer Fry. Première représentation : Chicago, 29 novembre 1978. Direction : Bruno Bartoletti. Mise en scène : Igal Perry.

L'INTRIGUE : Sur le modèle hugolien, c'est l'histoire biblique d'Adam et Ève, sous le regard conjugué de Dieu, qui élève Adam, et de Satan qui cherche à damner Ève. Le conflit s'aggrave par la montée du désir, et la violence. C'est la lutte entre le jour et la nuit, le bien et le mal. Les pulsions, les fantasmes vont conduire Dieu à chasser le premier couple. On retrouve un peu le mysticisme des *Diables de Loudun,* autre œuvre religieuse et satanique du compositeur.

■ Le compositeur dispose dans la fosse d'orchestre de quatre-vingt-seize musiciens, l'effectif des opéras de Richard Strauss. La masse chorale est aussi très importante. L'ensemble de la partition est de caractère classique, avec quelques violences et emportements dans l'écriture chorale. On retrouve bien l'esthétique des *Diables de Loudun* avec ces grands crescendos suivis de longues plages où les cordes tiennent un point d'orgue sur plusieurs mesures. J.-P. T.

L'ANGE DE PRAGUE

Texte et musique de César Bresgen (né en 1913). Première représentation : Salzbourg, Kleines Festspielhaus, 25 décembre 1978. Direction : Joseph Wallnig. Mise en scène : Karlheinz Haberland.

L'INTRIGUE : Elle se déroule en 1589, sous le règne de Rodolphe II, à Prague. Arcimboldo, peintre officiel de la cour, est un personnage clef de l'œuvre. Il conspire contre l'empereur avec le rabbin, cherchant à éviter le mariage de Rodolphe avec Esther, qui est déjà l'épouse d'un commerçant israélite. Mais la peste s'abat sur le ghetto.

■ César Bresgen donne là une œuvre de caractère. L'écriture est très dramatique, avec quelques écarts vers l'atonalisme ; elle fait intervenir de nombreuses percussions. La scène de la peste qui termine l'ouvrage est extrêmement impressionnante par la violence et la force du mouvement percussionniste qui l'exprime.
J.-P. T.

LE ROI GORDOGANE

Opéra en trois actes, réductibles en deux, de Henry Barraud. Livret de Radovan Ivsik. Première représentation : Bordeaux, Grand Théâtre, 5 janvier 1979. Direction : Daniel Chabrun. Mise en scène : Erik Kruger.

L'INTRIGUE : C'est une réflexion amère sur les dangers et les illusions du pouvoir.

■ Henry Barraud a écrit là une musique d'accompagnement pour des scènes de théâtre parlé, et sa partition n'atteint pas aux beautés de *Numance*. Il a laissé s'épanouir le texte, mais sa musique, un peu mince, légère, est en retrait par rapport au projet du librettiste. J.-P. T.

WINTER CRUISE

Opéra de Hans Heukernans. Livret de Somerset Maugham. Première représentation : Amsterdam, 27 janvier 1979. Direction : Anton Ketojes. Mise en scène : E. Moshinsky.

L'INTRIGUE : L'œuvre est tirée d'une des plus belles nouvelles de Somerset Maugham. C'est au fond le sujet de *La Femme silencieuse* de Richard Strauss et Stefan Zweig. Au cours d'une croisière sur un navire où règnent le calme et le bonheur, une femme hystérique se mêle à tous les groupes, décide de se lier avec les officiers du navire, mène partout un tapage infernal. Mais elle apporte à cette croisière un peu morne et triste un piquant de curiosité et, lorsque le radiotélégraphiste lui apporte une mauvaise nouvelle, le silence ramène à bord la monotonie et l'ennui.

■ Le style est imprécis, symboliste, d'une écriture tonale inspirée des impressionnistes français Debussy et Ravel. La partition, pleine de jolies choses, manque toutefois d'originalité. J.-P. T.

JACOB LENZ

De Wolfgang Rihm. Livret de M. Fröling. Première représentation : Hambourg, Opéra, 8 mars 1979. Direction : K. P. Seibel. Mise en scène : Siegfried Schoenbohm.

L'INTRIGUE : C'est l'histoire de la déchéance physique et morale du poète du *Sturm und Drang* Jakob Lenz.

■ Alors que Schoenbohm fait référence à Brecht, qui s'était intéressé à Jakob Lenz, le compositeur a écrit un véritable petit opéra de chambre pour trois violoncelles, six instruments à vent, clavecin et percussion. La partition est feutrée, intimiste, mais les percussions viennent appuyer de leur violence les crises paroxystiques du poète. J.-P. T.

JOSEF

Opéra de Bjorn Wilho Hallberg. Livret de Karin Boldemann. Première représentation : Stockholm, 17 mars 1979. Direction : Kjall Ingebretsen. Mise en scène : Göran Järvefelt.

L'INTRIGUE : La Vierge Marie, violée par un Romain, met au monde un enfant que Josef reconnaît. L'action est transposée de nos jours dans les milieux marginaux.

■ Tonal et classique, le style use de leitmotive comme chez Wagner. Partition dramatique. Écriture chorale originale, trop souvent excessivement tirée vers l'aigu.
La scène de la naissance est particulièrement réussie, et la reconnaissance par Josef a un accent qui rappelle la scène entre Oreste et Électre de l'opéra de Strauss. L'œuvre, très dense, très dramatique, a été bien accueillie.
J.-P. T.

MISS HAVISHAM'S FIRE

Opéra en deux actes de Dominik Argento. Livret de J.-O. Scrymgeon. Première représentation : New York, Lincoln Center, 22 mars 1979. Direction : Julius Rudel. Mise en scène : Wesleybalk.

L'INTRIGUE : Scrymgeon a écrit un livret très habile sur le roman de Dickens *Les Grandes Espérances*. C'est la scène spectaculaire de l'incendie et du suicide de Miss Havisham qui donne à cette œuvre sa force d'expression. La solitude de l'héroïne est tout aussi bien dépeinte sur la scène et à l'orchestre.

■ La partition mesurée, intense, soutient les voix sans jamais les alourdir, ou les couvrir. De très beaux interludes symphoniques ponctuent l'œuvre et illustrent la psychologie des personnages.

LES MANGEURS D'OPIUM

Opéra de chambre en un acte de François-Bernard Mâche. Pre-

mière représentation : Bordeaux, Mai de Bordeaux 1979. Direction : Y. Prins. Mise en scène : P. Barrat.

L'INTRIGUE : C'est la lutte entre la lumière et l'ombre, le soleil, symbole de la vérité, et la nuit, symbole du mensonge. Une fois encore, la mythologie servira de charnière entre le passé et le présent. Danaé, adonnée à son rituel, finira captive du soleil Apollon.

■ L'œuvre apparaît comme une épure, sans recours à un texte chanté. C'est donc bien là le sens absolu du théâtre parlé qui n'est accompagné que par des timbres instrumentaux (sabots de bois, petits tambours, percussions de peau). J.-P. T.

LA LOCA

Opéra de G. C. Menotti. Musique et livret du compositeur. Première représentation : San Diego, 3 juin 1979. Direction : Calvin Simmons. Mise en scène : Tito Capobianco.

L'INTRIGUE : Un couple vit douloureusement les contraintes du mariage. L'épouse, Jeanne, qui a subi des cures en hôpital psychiatrique, décide de tuer la maîtresse de son mari. Mais alors qu'elle espère récupérer ce dernier et reconstruire son bonheur perdu, il meurt brusquement. Délaissée par sa famille, trahie par son fils, qui la déclare démente, abandonnée par son père, qui confirme la folie de sa fille, elle se laissera mourir en prison.

■ On a assez brocardé la musique de Menotti. Si la critique internationale a acclamé ses premières œuvres comme *Le Médium* ou *Le Consul*, depuis quelques années, on trouve que le compositeur se répète et use de formules, de recettes un peu usées. Même si les références à Cilea ou à Puccini sont ici un peu excessives, la partie vocale écrite pour la soprano américaine Beverly Sills, créatrice du rôle, est admirable de finesse et d'invention musicale. J.-P. T.

LES TRAVERSES DU TEMPS

Opéra en quatre journées de Jean Prodomidès. Première représentation : Nantes, Théâtre municipal, 23 octobre 1979. Direction : Guy Condette. Mise en scène : René Terrasson.

L'INTRIGUE : L'histoire est de tous les temps. Si elle se situe à Chypre, c'est tout à fait par hasard ; la peste qui est décrite là, pourrait tout aussi bien dépeindre les malheurs et les désastres de la guerre. Tout ici part de rien et n'aboutit nulle part. Simon le Galicien, personnage biblique, chante, mime, contemple les calamités humaines, en traversant toutes les époques. Il finira ses jours sur la guillotine révolutionnaire en 1791.

■ Sur ce canevas dramatique et désespéré, Jean Prodomidès a écrit une musique forte, dense, dramatique, qui fait appel aux percussions. L'écriture vocale, très réussie entre le parlé et le chanté, permet de suivre toutes les péripéties d'une action que

René Terrasson a éclairée d'une mise en scène intelligente.
J.-P. T.

CYRANO

Opéra de Paul Danblon, adaptation de R. Rossins. Première représentation : Festival de Liège, 16 juin 1980. Direction : P. Danblon. Mise en scène : Philippe Rondest.

L'INTRIGUE : L'œuvre, tirée de la pièce d'Edmond Rostand, illustre la liaison amoureuse de Roxane et de Cyrano. Axée autour de la scène du cloître, elle se limite à l'exaltation de la passion des deux amants. Il ne semble pas que le côté picaresque et gascon du héros ait inspiré l'adaptateur. Il a pratiqué de nombreuses coupures dans la célèbre comédie. Ne figurent ni les "non merci", ni la scène des cadets de Gascogne, ni la fameuse ballade du duel.

■ Le style est très loin de celui de l'école de Vienne ou de l'école de musique concrète. Musique lyrique privilégiant le chant. Rarement atonale (la marche des cadet part de *mi* majeur, module en *ré* et *fa*, et se termine en *si* majeur). Musique tonale mais aux gammes irrégulières. J.-P. T.

EL POETA

Opéra en trois actes de Moreno Torroba. Livret de José Mendez Herrera. Première représentation : Madrid, Grand Théâtre-Opéra, 19 juin 1980. Direction : G. Navarro. Mise en scène : Perez Sierra.

L'INTRIGUE : Le librettiste s'inspire d'une aventure picaresque et romantique du XIXe siècle. *El Poeta* est une espèce de Don Quichotte aventurier, un peu prophète, libre d'actes et de paroles, qui tombe amoureux de Manuela, jeune paysanne espagnole. L'œuvre est une suite de tableaux hauts en couleur, qui traitent des mœurs fermées, du caractère hautain et passionné de l'Espagne de l'époque de Goya.

■ La musique de Moreno Torroba n'est pas d'une grande originalité et, surtout, la partition emprunte l'essentiel de son écriture à Puccini et à Cilea. C'est ainsi que l'on reconnaît sans peine des passages de *Tosca* ou de *Adrienne Lecouvreur*. J.-P. T.

ÉCOUTER MOURIR

Texte, musique, direction de Nguyen Thien Dao. Première représentation : Avignon, 24 juillet 1980. Mise en scène : J.-L. Martinoty.

L'INTRIGUE : Dans une Chine mystérieuse et antique, avec une atmosphère, des costumes et des décors hors du temps, une princesse altière, enfermée dans une sorte de palais, est frappée d'un maléfice. Cette histoire ressemble un peu à celle de *Turandot* de Puccini. Tout au long de l'œuvre, l'héroïne est à la recherche d'un enchanteur qui pourra la délivrer de son étrange maléfice. Sans espoir, elle attend la mort.

■ Sur cette histoire, tirée d'un conte du XVe siècle, Nguyen Thien Dao a écrit une musique à la fois douce, tendre, mais avec de violents contrastes usant d'un matériel percussionniste important. L'ensemble de l'ouvrage est très inspiré des derniers *Opus* de Xenakis. Dans certaines scènes, le compositeur fait néanmoins preuve d'une réelle originalité.

J.-P. T.

THE LIGHT-HOUSE

Opéra de chambre en un acte et un prologue. Musique et texte de P. Maxell Davies. Première représentation : Festival d'Édimbourg, 20 septembre 1980. Direction : Richard Dufallo. Mise en scène : Winter.

L'INTRIGUE : Le point de départ est un postulat de cohabitation entre le monde de l'anecdote, la disparition de trois gardiens de phare, et le monde du rêve et du subjectif. Leur recherche par les mêmes personnages travestis.

■ La musique est de type expressionniste et intimiste, non sans rappeler à la fois le Kurt Weill de *L'Opéra de quat'sous* et le Richard Strauss des premières mélodies. J.-P. T.

L'HÉRITIÈRE

Opéra en deux actes et sept tableaux de Jean-Michel Damase. Livret adapté du roman de Henry James Washington Square *par Louis Ducreux. Première représentation : Paris, Opéra-Comique, 26 septembre 1980. Direction : J.-M. Damase. Mise en scène : Louis Ducreux.*

L'INTRIGUE : L'héroïne, Catherine, est le portrait de sa mère morte en couches en lui donnant le jour. Son père, qui éprouvait pour sa femme une folle passion, retrouve jour après jour ses traits sur le visage de Catherine. Il lui fera subir une vie de recluse, cherchant à la dominer, en trahissant une véritable passion mentale. L'intrigue se noue, la névrose s'accentue, conduisant l'héritière à la manie suicidaire.

■ Sur cette histoire profondément morbide, Jean-Michel Damase a écrit une musique d'une grande subtilité toute en impressions délicates, un peu mièvre et distanciée. L'influence de Reynaldo Hahn et des premiers Poulenc est évidente. J.-P. T.

L'AMOUR DE DON PERLIMPLIN AVEC BELISE EN SON JARDIN

Imagerie lyrique en quatre tableaux de Claude Arrieu. Livret de Federico Garcia Lorca. Première représentation : Tours, Centre lyrique, 1er mars 1981. Mise en scène : Jean-Jacques Etchevery. Direction : Guy Condette.

L'INTRIGUE : Avec subtilité et ironie, le grand auteur espagnol nous conte une étrange histoire baptisée "Alleluia érotique". Don Perlimplin, sorte de Falstaff, courtise et lutine dame Belise en son jardin. Tout est allusif et poétique dans cette aventure amoureuse. Le symbole, le sens onirique, cauchemardesque, prend sans cesse le pas sur une trame qui pourrait être banale. Un ballet, admirablement réglé par Janick Rognoni, sert de prétexte à une pantomime ouverte sur le rêve.

■ La partition de Claude Arrieu avantage les voix. L'accompagnement convient à l'ironie du discours et suit pas à pas le propos onirique de Garcia Lorca. L'écriture, classique et mélodieuse, est très raffinée. J.-P. T.

L'ESCALIER DE CHAMBORD

Opéra en un acte. Texte et musique de Claude Prey. Première représentation : Tours, Grand Théâtre, 20 mars 1981. Direction : Daniel Chabrun. Mise en scène : J.-J. Etchevery.

L'INTRIGUE : Au cours d'une répétition, cinq chanteurs ne peuvent travailler faute de clavecin. Chacun, dans l'incommunicabilité, se résout à lire ou à raconter une histoire sentimentale passée.

■ Claude Prey a cherché à écrire une œuvre humoristique tant au niveau du texte que de la musique. La conjonction de la parole et de la note n'est pas sans rappeler l'opéra baroque du XVIIe siècle. Cette histoire de cinq chanteurs réunis à Chambord, ne pouvant répéter faute d'instrument, ne manque pas de cocasserie. Il est vrai aussi qu'une bonne partie du spectacle est morose, chaque instrumentiste, se retrouvant seul, médite et soliloque. La musique est volontairement monotone parce que monophonique, Claude Prey n'usant que des treize sons de la gamme tonale. Mais elle garde toutefois une rare souplesse et une belle nervosité. L'orchestre renvoie, comme un jeu de miroirs, les formes multiples de la partition, et consolide la polyphonie des interprètes. J.-P. T.

DONNERSTAG AUS LICHT

Texte et musique de Karlheinz Stockhausen. Première représentation : Milan, théâtre de la Piccola Scala, 27 et 28 mars 1981. Direction musicale : P. Eötvös. Mise en scène : Ronconi.

L'INTRIGUE : C'est, en trois actes, la vie de Michaël, sorte de Dieu venu sur terre, qui identifie sa mère à une femme-oiseau rencontrée par hasard et qui provoquera la mort de ses parents. Il s'agit d'une sorte de voyage initiatique du héros qui reviendra, au troisième acte, à son point de départ.

■ Œuvre pour quinze interprètes, chœur, orchestre et bande magnétique. Suite de la trilogie du compositeur : sur un fond se répétant sans cesse évoluent des constellations de sons électroacoustiques, en perpétuel changement. Cela crée un continuum de spectres sonores qui met en valeur la richesse du matériau musical. J.-P. T.

GAMBARA

Opéra en un acte de Antoine Duhamel. Livret tiré de l'œuvre de

Balzac, adapté par G. Dufour et R. Pansard-Besson. Première représentation : Lyon, Opéra, le 9 mai 1981. Direction : Claire Gibaud. Mise en scène : Louis Erlo.

L'INTRIGUE : Gambara, compositeur de génie, est à la recherche de l'absolu et cherche à coordonner musique et mots dans une parfaite harmonie. Il a à sa disposition Marianna, cantatrice. Il est entouré du peintre Frenhofer et de B. Claës, sorte d'alchimiste. Gambara va créer l'œuvre de sa vie : "Mahomet" et la soumettra au comte Marcosini.

■ Nous avons ici un retour au style "bel canto" de Donizetti et de Bellini. Proche de *Falstaff* et de *Turandot*. L'ensemble, bien conçu, est d'une grande habileté. Malgré un parti pris symphonique évident, les voix ne sont pas sacrifiées.

J.-P. T.

LOU SALOMÉ

Opéra en trois actes de Giuseppe Sinopoli. Livret de Karl Dietrich Gräwe. Première représentation : Munich, National Theater, 10 mai 1981. Direction musicale : Guido Sinopoli. Mise en scène : Götz Friedrich.

L'INTRIGUE : Analyse raffinée et freudienne de l'aventureuse poétesse Lou Andréas Salomé. Le récit mental de ses rencontres avec Paul Rée, Nietzsche mais aussi Malvida von Meysenburg et Rilke.

■ Le style est de type dodécaphoniste. Entre Berg et Webern. La ligne de chant est tout à fait dissolue pour laisser passer le vécu rationnel et l'élément psychanalytique dominateur. J.-P. T.

COMME IL VOUS PLAIRA

Féerie lyrique en deux actes de Pierre Hasquenoph. Livret de Francis Didelot, d'après l'œuvre de Shakespeare. Première représentation : Strasbourg, Opéra du Rhin, 14 janvier 1982. Direction : Claude Schnitzler. Mise en scène : Maté Robinowsky.

L'INTRIGUE : La célèbre comédie du dramaturge élisabéthain quelque peu modifiée par Francis Didelot. Le personnage de Rosalinde est certainement le plus important de l'adaptateur ; la forêt d'Arden où se réfugient le duc et sa cour, avec les bouffons Touch et Stone, est ici un véritable symbole écologiste. Ce monde de la nature protecteur n'est pourtant pas apprécié par ces gens de cour, ces citadins.

■ Sur l'une des plus belles comédies de Shakespeare, Pierre Hasquenoph, élève de Darius Milhaud, a écrit une partition néoclassique, pour ne pas dire romantique. Le style vocal est intensément lyrique, en particulier les rôles du duc, de Rosalinde et d'Orlando. La partition vocale est servie par un sens absolu de l'humour, voire de la trivialité chère à l'auteur d'*Othello*.

J.-P. T.

LA VERA STORIA

Opéra en deux actes de Luciano Berio. Livret d'Italo Calvino. Pre-

mière représentation : Milan, théâtre de la Scala, 9 mars 1982. Direction : Tommasi. Mise en scène : Scaparro.

L'INTRIGUE : Le célèbre auteur du *Baron perché* et le compositeur ont cherché à relier les souvenirs personnels et affectifs du musicien aux personnages du grand Giuseppe Verdi. C'est ainsi que sont confrontées les émotions d'Ada, mère symbolique de Luciano Berio, à Leonora, héroïne du *Trouvère.*

■ On retrouve bien la construction du grand opéra de jeunesse de Verdi, avec ses trio, son quatuor, appelé ici le « Sacrifice ». Le premier acte, d'une durée de soixante minutes, voit s'affronter chœur et danseurs. Un thème cher au compositeur sous-tend le récit ; on songe aux maîtres et aux esclaves, mais aussi aux luttes ouvrières de la péninsule au début du siècle. Le deuxième acte, plus court, symbolise la nuit, la solitude, le désespoir. La musique va alors du champ vériste au folklore en passant par la variété et le jazz. La lisibilité du livret n'est pas évidente dans cette seconde partie où l'on ne peut plus se rattacher à la trame historique du *Trouvère.* L'ouvrage aura permis de retrouver deux très grandes interprètes : Mariana Nicolesco en Leonora et Alexandrina Milcheva, captivante Ada.

■ *La Vera Storia* a été donné pour la première en France à l'Opéra de Paris, le 30 septembre 1985. La direction musicale était assurée par Sylvain Cambreling, la mise en scène par Lluis Pasqual. L'accueil de « l'action musicale » en deux parties du compositeur italien fut triomphal. Le public ovationna les interprètes, Liva Budaï, étonnante Ada, et Valéri Popova, dans le rôle de Leonora. Mais la mort de l'écrivain Italo Calvino, survenue dix jours avant la générale, donnait à la représentation un caractère recueilli et émouvant. J.-P. T.

ONDINE

Opéra en trois actes de Daniel Lesur. Livret tiré de Giraudoux. Première représentation : Paris, théâtre des Champs-Élysées, 24 avril 1982. Direction : Yazaki. Mise en scène : Fall.

L'INTRIGUE : Daniel Lesur, qui eut des prédécesseurs célèbres (Hoffmann, Albert Lortzing), a emprunté le sujet de son opéra à la pièce de Jean Giraudoux. On assiste ainsi sans coupures au départ du chevalier Hans à la cour de Ringstetten pour épouser la princesse Bertha. Au bord d'un lac entouré de forêt, le chevalier rencontre Ondine qui tient de la fée Mélusine. Elle le tente et le charme. Mais lorsqu'il veut l'emmener avec lui, elle disparaît. Le deuxième acte voit le chevalier aux prises avec les fausses coquetteries de la princesse, qui dévoile une âme mensongère, un comportement maléfique. Le chevalier retrouvera Ondine au troisième acte, désespéré de ne pouvoir assumer sa passion.

■ Œuvre raffinée, appuyée sur les cordes, avec des harmonies douces un rien suaves, mais sans grand élan dramatique. Les décors et les costumes de cette création ne recréèrent pas l'univers de Giraudoux. Seul le troisième acte, aux éclairages tendres, aux nobles attitudes du chevalier et d'Ondine, parut crédible. J.-P. T.

CINQ SCÈNES DE LA VIE ITALIENNE

Théâtre musical en cinq scènes. Texte et livret de Adrienne Clostre. Première représentation, Angers, Théâtre, juin 1983. Direction : Marc Soustrot. Mise en scène : Y. Rialland.

L'INTRIGUE : Cinq saynettes de la vie quotidienne italienne, d'un match de foot à une soirée dans une pizzeria, en passant par la stupeur d'un homme qui découvre le squelette de sa mère.

■ Le style est de type post-sériel, avec toutefois des parties tonales qui comportent des chœurs écrits *a capella* et des solos de flûte. Intervalles pianistiques ponctuant le style parlé. J.-P. T.

LE TRAIT ROUGE

Opéra en trois actes de Aulis Sallinen, texte et musique. Première présentation : Savolinna, Finlande, 7 juillet 1983. Direction : Kamu. Mise en scène : Holmberg.

L'INTRIGUE : Le compositeur traite ici d'un sujet qui lui tient au cœur : le vote populaire. L'histoire se situe à la charnière des XVIIe et XVIIIe siècles dans un milieu rural. Pour ces paysans illettrés, la signature est remplacée par un « trait rouge ». C'est la porte ouverte à toute dictature, l'abolition de toute liberté, la disparition de la démocratie.

■ Sur ce sujet politique à connotation marxiste, le compositeur a écrit une musique atonale, proche des pièces brèves de Webern. Une certaine force dramatique, une grande évocation populaire est assurée par une écriture vocale puissante, et les masses chorales traitées d'une manière hachée rappellent irrésistiblement Moussorgski et *Boris Godounov*. J.-P. T.

LA PASSION DE GILLES

Opéra en trois actes de Philippe Boesmans. Livret de Pierre Mertens. Première représentation : Bruxelles, Théâtre de la Monnaie, 27 octobre 1983. Direction : Bartholomé. Mise en scène : Daniel Mesguisch.

L'INTRIGUE : Inspiré par la vie de Gilles de Rais, Pierre Mertens a repris les moments les plus forts de l'existence du sodomite dément. C'est ainsi que l'on assiste tour à tour aux amours macabres du grand capitaine, à sa rencontre avec Jeanne d'Arc, à toutes les contradictions du personnage, rendu sympathique par l'incarnation théâtrale de Pierre Gottlieb. A la fin de l'ouvrage, on se plaît à regretter cet être fantastique qui aura vécu dans un univers tout à fait onirique. D'ailleurs le metteur en scène a admirablement rendu le côté satanique de cette époque de l'histoire. Avec un grand jeu de miroirs, qui servaient de décor, les interprètes du drame semblaient revivre leur passé, projeter leur avenir devant les spectateurs qui accueillirent avec ferveur ce grand opéra.

■ La musique, il est vrai, ne pouvait dérouter les spectateurs, malgré une écriture vocale rendue difficile par l'irrégularité rythmique de la partition. Celle-ci, classique, très tonale, s'inspire de Richard Strauss et de Wagner, et use souvent de grands thèmes d'inspiration romantique.

J.-P. T.

SAINT FRANÇOIS D'ASSISE

Opéra en trois actes d'Olivier Messiaen, musique et livret. Première représentation : Paris, Opéra, 28 novembre 1983. Direction musicale : Seiji Ozawa. Mise en scène : Sandro Sequi.

L'INTRIGUE : Livret en huit tableaux d'Olivier Messiaen, inspiré des « Fioretti » : le croquis des créatures, le croquis du frère Soleil. Le compositeur narre les différents épisodes de la vie de saint François chassé du couvent par le portier. Il ira dans une léproserie baiser un lépreux. Il prêchera aux oiseaux. Reconnu par l'Ange divin, il recevra les stigmates avant de mourir et de ressusciter.

■ Le matériel sonore est gigantesque : 32 violons, 14 alti, 12 violoncelles, 10 contrebasses, 7 flûtes et clarinettes, 5 claviers dont marimba, xylophone, vibraphone, 3 ondes Martenot, 6 cors, 3 tambours, 1 tuba contrebasse, 2 tubas, 3 gongs, 1 éoliphone, 1 géophone et 120 choristes. Relation directe dans le style entre la couleur et le son ; le désordre de la nature et les variations de rythme. Recherche rythmique permanente mais dans l'inégalité. Influence de la musique indienne, provinciale, et du chant des oiseaux (fauvette à tête noire et faucon crécerelle). Le thème de l'ange est inspiré d'un oiseau de Nouvelle-Calédonie. Style modal mais coloré. Langage chromatique, comme Mozart, et même Monteverdi.

■ « ... la série est aussi un chromatisme, et le mode est un choix dans le chromatisme » (Olivier Messiaen).

J.-P. T.

LA CHATTE ANGLAISE

Opéra en trois actes de Hans Werner Henze. Livret tiré de Balzac par Geneviève Serreau. Première représentation : Paris, Opéra-Comique, février 1984. Direction : D. Russel-Davies. Mise en scène : J. Hope.

L'INTRIGUE : Sur un canevas dramatique simple et cocasse, Balzac a pris modèle de Buffon et de La Fontaine pour illustrer les amours et les malheurs d'une chatte anglaise, « Pretty », personnage féminin symbolique de l'époque victorienne. Tour à tour adulée par divers matous, l'un coureur, l'autre de grande noblesse, gardée jalousement par deux tantes de tradition, elle s'abandonnera un jour dans les bras du plus voyou des chats de gouttières.

■ Il ne semble pas que Henze ait

réussi à traduire musicalement l'humour, la spiritualité fine de l'œuvre typiquement britannique. Il y a trop de sérieux, de grave dans cette partition, qui n'épouse ni le texte ni la ligne de chant des interprètes. L'abus des grands accords de septième augmentée, l'écriture abusant des percussions rendent l'ouvrage monotone. J.-P. T.

H. H. ULYSSE

Opéra en deux parties de Jean Prodomidès. Livret de Serge Ganzl. Première représentation : Strasbourg, Opéra du Rhin, 2 mars 1984. Direction : Claude Schnitzler. Mise en scène : René Terrasson.

L'INTRIGUE : Un Américain, industriel et milliardaire, Howard Hamilton Junior, revit les aventures d'Ulysse. Il est accompagné dans cette quête, cette recherche de l'absolu par son compagnon Hélas. Chaque épisode de l'*Odyssée* trouve une résonance dans notre monde contemporain. Parti des États-Unis, il pénètre dans l'univers mythique de la Grèce antique. Descendu aux Enfers, il subira l'oracle et accomplira sa destinée : « Tu devras partir au loin... va et n'arrête pas. »

■ Sur cette belle fable, Jean Prodomidès a écrit une partition ambitieuse, qui s'écarte du théâtre parlé pour rejoindre le grand opéra. Jouant habilement du matériau sonore avec une grande dynamique, intensité des timbres, variation des durées et le sens des attaques, il compose un langage étonnament expressif, mais d'une difficulté extrême pour les interprètes. J.-P. T.

LA LUNE VAGUE

Opéra de René Koering. Première représentation : Rennes, Théâtre municipal, 8 et 9 mars 1984. Direction : H. Soudant. Mise en scène : Siciliani.

L'INTRIGUE : Tirée de contes d'Extrême-Orient, c'est une œuvre hallucinatoire où se mêlent des visions symboliques, où les héros tournent autour de leurs fantasmes (perles, armures). Les comédiens parlent en français, les chanteurs s'expriment en allemand.

■ Il s'agit d'un opéra de chambre, à petit effectif, utilisant une bande magnétique enregistrée en studio. La musique est très composite, avec des références multiples à Wagner et à Berg.

J.-P. T.

LE SCIEUR DE LONG

Opéra en un acte d'Antoine Duhamel. Livret adapté de Baudelaire par Claude Ciccione et Antoine Duhamel sur le poème Le Vin de l'assassin. *Première représentation : Tours, Centre lyrique, 9 mars 1984.*

L'INTRIGUE : L'ouvrage est très librement inspiré du grand poème onirique de l'auteur des *Fleurs du mal.* Le fantastique, l'irréalité de l'œuvre sont transposés ici en une anecdote un peu sordide. Il s'agit bien d'un meurtre comme dans le poème, mais au lieu d'une œuvre visionnaire, on assiste à un constat de jalousie simpliste qui se termine par un assassinat dans un univers de loubards et de marginaux. On est plus près de *L'Assommoir* de Zola que des *Fleurs du mal* de Baudelaire.

■ La musique n'est guère originale et s'appuie sur l'atonalisme de l'école de Vienne. Tout ici rappelle Alban Berg et *Wozzeck*. La partition comprend de belles parties, bien construites sous forme de gigues et de passacailles. J.-P. T.

ERSZEBET

Opéra en un acte de Charles Chaynes. Livret de Ludovic Janvier, tiré de l'œuvre Vers Bathory. *Première représentation : Paris, Opéra, 1er avril 1984. Direction : Elgar Howarth. Mise en scène : Michael Lonsdale.*

L'INTRIGUE : L'histoire est celle d'une comtesse hongroise condamnée à être murée dans son château pour avoir fait périr six cents jeunes filles afin de régénérer sa beauté déclinante. Sorte de pendant féminin de Gilles de Rais.

■ Le style est d'une réelle originalité par la constante violence des sonorités. Mélange entre l'écriture sérielle de l'orchestre et la tonalité des voix. La mise en scène de Michael Lonsdale était surprenante et spectaculaire. La mort de la comtesse, symbolisée par l'effondrement d'un plafond couvert de projecteurs, remplissait le spectateur d'angoisse. La direction précise, vibrante du chef Elgar Howarth était aussi remarquable que l'interprétation hallucinatoire de Christiane Ede-Pierre à qui l'œuvre fut dédiée, mais qu'elle ne put assurer que partiellement en raison de son état de santé. J.-P. T.

L'ÉCHARPE ROUGE

Opéra contemporain de Georges Aperghis. Livret de Alain Badiou. Première représentation : Lyon, 7 juin 1984. Direction : A. Minck. Mise en scène : Antoine Vitez.

L'INTRIGUE : Réflexion politique sur une grève de postiers, sur une révolte paysanne en Amérique, Océanie, traitant tout aussi bien des guérillas d'Amérique du Sud que de sociologie européenne.

■ La partition pour deux pianos et percussion africaine, cymbalum, flûtes exotiques, orgue et petits chœurs, est pétillante et ensoleillée ; des chœurs *a capella* de type madrigaux se mêlent à des passages de genre atonal avec trois percussionnistes. J.-P. T.

TROUBLE IN TAHITI
A QUIET PLACE

Deux opéras en un acte de Leonard Bernstein. Première représentation : Milan, théâtre de la Scala, 19 juin 1984. Direction : Manseri. Mise en scène : Wadsworth.

L'INTRIGUE :
Trouble in Tahiti : c'est le titre

d'un film que chacun des protagonistes du livret, Sam et Dinah, va voir séparément, puis avec l'autre. L'œuvre symbolise l'incommunicabilité d'un vieux couple.
A quiet place : écrit par Wadsworth. C'est la mort de Dinah, et devant son cercueil, le mari et les enfants ne communiquent pas entre eux, se disputent et ne comprennent pas la mort.

■ Le style n'est guère différent de celui de *West Side Story.* C'est un mélange d'harmonies doucereuses et sucrées et de quelques accords groupés avec percussions sonnant le rappel de Stravinski et Menotti. J.-P. T.

DRACOULA

Tragédie nocturne en deux parties de Claude Ballif. Livret de Viorel Stefan. Première représentation : Paris, Théâtre de Paris, 19 septembre 1984. Direction : Michel Swierczewski. Mise en scène : Alain Germain.

L'INTRIGUE : Dracoula parasite les êtres vivants et tourmente un artiste peintre, Jonathan, qui est aussi alchimiste. Ce dernier est transformé en mort-vivant, et Dracoula, à distance, lui fera répandre sur terre le mal et la guerre.

■ Comme l'écrit très justement le compositeur, la musique se présente « comme une suite de nocturnes infects, de scherzi ironiques, de farandoles grotesques ». Les trois héros, Mina, Dracoula et Jonathan chantent des berceuses, des ariosos. Ils agissent par moments musicaux. La diction l'emporte dans cet ouvrage sur la musique. J.-P. T.

MONTSÉGUR

Opéra en trois actes de Marcel Landowski. Livret de Lévis-Mirepoix. Première représentation : Toulouse, Halle aux grains, 1er février 1985. Direction : Michel Plasson. Mise en scène : Nicolas Joël.

L'INTRIGUE : La châtelaine de Montaure, née catholique et pratiquante, passe avec ferveur et conviction au parti cathare. Elle n'avouera son hérésie à son fiancé que près de succomber sur le bûcher de Montségur. Marcel Landowski a sans doute raison d'écrire en exergue de sa partition : « Pourquoi faut-il que l'amour de Dieu prenne si souvent le visage de la mort ? »

■ La partition est écrite pour grand orchestre, ondes Martenot et synthétiseur. Elle est riche, inventive, originale, sans référence à des compositeurs passés. Le style choral, comme toujours chez Landowski, domine d'autant que le sujet religieux l'exige. La ligne de chant est dépourvu d'aria. La musique qui suit les monologues est parfois un peu longue. La force dramatique accompagne vivement le mouvement de foule qui règne sur le plateau. J.-P. T.

DOCTEUR FAUSTUS

Drame en musique en deux actes de Konrad Boehmer. Livret de

Hugo Claus. Première représentation : Paris, Opéra, 20 février 1985. Direction : Kulka. Mise en scène : Hamilton.

L'INTRIGUE :
Acte I. Faust, dans son cabinet de travail, s'emploie à créer un être étrange, sorte de doublure de son âme, baptisé Hans. Tandis que les paysans accusent le docteur de sodomie, le moine Tritémius, qui s'adonne à la magie noire, emmène Faust en voyage. C'est ainsi qu'ils visiteront la cour du pape Léon X, celle de Charles Quint vers 1516, et survolent les montagnes du Tibet à la recherche de la pureté. Enfin, ils rencontreront des punks des années 1980.
Acte II. Hans, l'« homuncule » créé par Faust, scandalise ses contemporains en provoquant la Vierge Marie. Finalement, le moine passera un marché avec Faust : le savoir universel contre la vie de Hans. Après la mort de ce dernier, le célèbre savant se suicidera en avalant un verre d'acide.

■ Musicalement, Konrad Boehmer mélange les genres. Des procédés chers à l'Ircam, qui déforment les sons à la fois de l'orchestre et des voix, il passe à une écriture sérielle et atonale violente de l'orchestre qui accompagne les chœurs, dont le style rappelle le grégorien. J.-P. T.

LE RETOUR DE CASANOVA

Opéra en trois actes de Claude Arrigo. Livret de Arthur Schnitzler et Giuseppe di Leva. Première représentation : Genève, Grand Théâtre, 18 avril 1985. Direction : Giovaninnetti. Mise en scène : Lavelli.

L'INTRIGUE : Casanova, vieilli, est chargé d'espionner les sociétés secrètes au profit du Grand Conseil, pour pouvoir regagner Venise. Il se battra en duel avec le protecteur de la belle Marcolina pour obtenir les faveurs de celle-ci.

■ Le style de cette œuvre est de type vériste et populaire. La musique, très composite, ne fait pas appel à l'avant-gardisme. Le chant le plus pur et la forme de conversation en musique s'associent dans une sorte de « miellisme ».

Index alphabétique des opéras

Index alphabétique des compositeurs

Index des compositeurs

Composition réalisée par C.M.L., Montrouge

IMPRIMÉ EN FRANCE PAR BRODARD ET TAUPIN
58, rue Jean Bleuzen - Vanves - Usine de La Flèche.
LIBRAIRIE GÉNÉRALE FRANÇAISE - 14, rue de l'Ancienne-Comédie - Paris.
ISBN : 2 - 253 - 03868 - 7